ROBERT GALBRAITH
Weißer Tod

ROBERT GALBRAITH
WEISSER TOD

**Ein Fall für
Cormoran Strike**

Deutsch von
Wulf Bergner, Christoph Göhler
und Kristof Kurz

blanvalet

Die Originalausgabe erschien 2018 unter dem Titel »Lethal White« bei Sphere, an Imprint of Little, Brown Book Group, London..

Sollte diese Publikation Links auf Webseiten Dritter enthalten, so übernehmen wir für deren Inhalte keine Haftung, da wir uns diese nicht zu eigen machen, sondern lediglich auf deren Stand zum Zeitpunkt der Erstveröffentlichung verweisen.

Dieses Buch ist auch als E-Book erhältlich.

Verlagsgruppe Random House FSC® N001967
1. Auflage
Copyright der Originalausgabe © J. K. Rowling 2018
The moral right of the author has been asserted.
All characters and events in this publication, other than those clearly in the public domain, are fictitious and any resemblance to real persons, living or dead, is purely conincidental.
All rights reserved.
No part of this publication may be reproduced, stored in a retrieval system, or transmitted, in any form or by any means, without the prior permission in writing of the publisher, nor be otherwise circulated in any form of binding or cover other than that in which it is published and without a similar condition including this condition being imposed on the subsequent purchaser.
Copyright der deutschsprachigen Ausgabe © 2018 by Blanvalet
in der Verlagsgruppe Random House GmbH,
Neumarkter Straße 28, 81673 München
Redaktion: Leena Flegler
Umschlaggestaltung: www.buerosued.de nach einer Originalvorlage
Umschlagdesign und Fotografie: Duncan Spilling © Little,
Brown Book Group Ltd 2018
zusätzliche Textur: © Arigato/Shutterstock.com
JaB · Herstellung: wag
Druck und Bindung: GGP Media GmbH, Pößneck
Printed in Germany
ISBN 978-3-7341-0876-1

www.blanvalet.de

*Für Di und Roger
und zum Gedenken an
den lieben weißen Spike*

PROLOG

Glück, liebe Rebekka, Glück ist zuerst und vor allen Dingen das stille, frohe, sichere Gefühl der Schuldlosigkeit.

HENRIK IBSEN, *ROSMERSHOLM*

Das Bild wäre der Höhepunkt im Schaffen des Hochzeitsfotografen gewesen, doch die beiden Schwäne weigerten sich standhaft, Seite an Seite über den dunkelgrünen See zu schwimmen.

Das weiche Licht, das durchs Blätterdach fiel, verwandelte die Braut mit ihren locker gedrehten rotgoldenen Locken in einen präraffaelitischen Engel und betonte die markanten Wangenknochen des Bräutigams, sodass der Fotograf die beiden nur ungern an eine andere Stelle beordern wollte. Er konnte sich nicht erinnern, wann er zum letzten Mal ein so schönes Ehepaar fotografiert hatte. Bei Mr. und Mrs. Matthew Cunliffe bedurfte es keiner taktvollen Tricks – weder musste er die Braut so positionieren, dass man die Fettwülste am Rücken nicht sah (wenn überhaupt, war sie eher zu dünn, was jedoch für das Foto nur von Vorteil sein konnte), noch dem Bräutigam vorschlagen, »es mal mit geschlossenem Mund zu versuchen«, denn Mr. Cunliffes Zähne waren weiß und ebenmäßig. Das Einzige, was aus den Bildern herausretuschiert werden müsste, wäre die hässliche rotviolette Narbe, die sich deutlich auf dem Unterarm der Braut abzeichnete. Selbst die Wundnähte waren noch zu erkennen.

Als der Fotograf an diesem Morgen bei ihren Eltern eingetroffen war, hatte sie einen Armschutz aus elastischem Gummi getragen. Daher war er auf den Anblick der Wunde nicht vorbereitet gewesen und hatte sich gehörig erschreckt. Er hatte sogar einen missglückten Selbstmordversuch kurz vor der Hochzeit vermutet. Nach zwanzig Jahren im Geschäft wunderte einen nichts mehr.

»Eine Messerattacke«, hatte Mrs. Cunliffe erklärt – oder Robin Ellacott, wie sie vor zwei Stunden noch geheißen hatte, woraufhin der Fotograf, eine eher zartbesaitete Natur, das Bild der Klinge, die sich in das weiche, blasse Fleisch gebohrt hatte, nicht mehr aus dem Kopf bekam. Zum Glück lag die hässliche Narbe nun im Schatten des Straußes aus cremefarbenen Rosen, den Mrs. Cunliffe in der Hand hielt.

Diese verdammten Schwäne. Wenn sie sich doch verzogen hätten. Stattdessen tauchte einer ständig ab und präsentierte sein Hinterteil, das wie ein flauschiger, pyramidenförmiger Eisberg aus der Mitte des Sees ragte. Die Wellen, die er dabei erzeugte, würden nicht ganz so einfach digital zu beseitigen sein, wie der junge Mr. Cunliffe, der den Vorschlag gemacht hatte, vielleicht glaubte. Der zweite Schwan lungerte unterdessen in Ufernähe herum: ruhig, elegant und fest entschlossen, außerhalb des Bildes zu bleiben.

»Fertig?«, fragte die Braut, deren Ungeduld deutlich zu spüren war.

»Schätzchen, du siehst klasse aus«, sagte Geoffrey, der Vater des Bräutigams, der hinter dem Fotografen stand. Er lallte schon leicht. Die Eltern der Brautleute, der Trauzeuge und die Brautjungfern warteten in der Nähe im Schatten der Bäume. Die jüngste der Brautjungfern, noch ein Kleinkind, musste wiederholt davon abgehalten werden, Kieselsteine ins Wasser zu werfen. Sie fing an zu quengeln, woraufhin die Mutter leise, aber in scharfem Ton auf sie einredete.

»Fertig?«, fragte Robin abermals, ohne ihrem Schwiegervater Beachtung zu schenken.

»So gut wie«, log der Fotograf. »Drehen Sie sich bitte noch ein Stückchen zu ihm ... Sehr gut, Robin. Und jetzt schön lächeln. Lächeln – und bitte!«

Die Anspannung, die von dem Brautpaar ausging, war bestimmt nicht allein den unkooperativen Schwänen zuzuschreiben. Doch das war dem Fotografen egal, er war ja kein Eheberater. Er hatte mehrmals erlebt, wie sich Brautleute anschrien, noch ehe er seinen Belichtungsmesser gezückt hatte. Einmal hatte eine Braut während der eigenen Hochzeitsfeier die Flucht ergriffen. Unvergessen war auch das verschwommene Foto aus dem Jahr 1998, das den Bräutigam zeigte, wie er dem Trauzeugen einen Kopfstoß verpasste. Damit erheiterte er selbst heute noch gelegentlich seine Freunde.

Die Cunliffes mochten gut aussehen; ihrer Ehe dagegen räumte er keine allzu lange Lebensdauer ein. Die Narbe auf dem Arm der Braut war ihm von Anfang an suspekt vorgekommen – ein schlechtes, hässliches Omen.

»Das muss reichen«, sagte der Bräutigam unvermittelt und ließ Robin los. »Wir haben doch genug Bilder, oder?«

»Moment, Moment, der andere Schwan schwimmt gerade los!«, rief der Fotograf verärgert.

Im selben Augenblick, da Matthew Robin losgelassen hatte, war der Schwan vom entfernten Ufer auf seinen Gefährten zugeschwommen.

»Egal«, sagte Robin und raffte den langen Rock ihres Hochzeitskleids zusammen, für das ihre Schuhe ganz offenkundig zu flach waren. »Da war doch bestimmt ein schönes Bild dabei.«

Sie marschierte aus dem Schatten der Bäume in den strahlenden Sonnenschein und dann über die Rasenfläche auf das zu einem Hotel umfunktionierte Schloss aus dem siebzehnten Jahrhundert zu, wo sich die meisten Hochzeitsgäste bereits versammelt hatten und bei einem Glas Champagner die Aussicht bewunderten.

»Wahrscheinlich tut ihr der Arm wieder weh«, teilte die Brautmutter dem Vater des Bräutigams mit.

Blödsinn, dachte der Fotograf mit einem leichten Anflug von Schadenfreude. *Sie haben sich im Auto gestritten.*

Im Konfettiregen beim Verlassen der Kirche hatte das Paar noch halbwegs glücklich gewirkt. Bei der Ankunft im Schlosshotel hingegen waren ihre Mienen finster vor Wut gewesen.

»Das wird schon wieder. Braucht nur einen Drink«, sagte Geoffrey gutmütig. »Matt, geh und leiste ihr Gesellschaft.«

Eilig schloss Matthew zu seiner über den Rasen stöckelnden Braut auf. Die übrige Hochzeitsgesellschaft folgte ihnen. Die mintgrünen Chiffonkleider der Brautjungfern flatterten in der warmen Brise.

»Robin, wir müssen reden.«

»Ja?«

»Bleib mal kurz stehen.«

»Wenn ich stehen bleibe, holen uns die anderen ein.«

Matthew sah sich um. Sie hatte recht.

»Robin ...«

»Fass meinen Arm nicht an!«

Die Wunde pochte schmerzhaft in der Hitze. Robin hätte gern den Gummischutz übergezogen, doch der lag unerreichbar in ihrer Tasche in der Hochzeitssuite, wo immer die sein mochte.

Inzwischen waren die Gäste im Schatten des Hotels deutlicher zu erkennen. Die Damen waren anhand ihrer Hüte leicht auseinanderzuhalten – Matthews Tante Sue trug ein knallblaues Exemplar von den Ausmaßen eines Wagenrads, Robins Schwägerin Jenny ein merkwürdiges Gebilde aus gelben Federn –, während die männlichen Gäste zu einer konformen Masse aus dunklen Anzügen verschmolzen. Ob Cormoran Strike ebenfalls da war, konnte sie nicht erkennen.

»Jetzt bleib doch mal stehen!«

Mittlerweile hatten sie einen komfortablen Vorsprung vor dem Rest der Familie, die ihr Tempo dem von Matthews kleiner Nichte angepasst hatte.

Robin hielt inne.

»Ich war einfach schockiert, ihn zu sehen, mehr nicht«, erklärte Matthew.

»Glaubst du vielleicht, es war meine Idee, dass er in den Gottesdienst platzt und die Blumen umschmeißt?«, gab Robin zurück.

Matthew hätte ihr beinahe Glauben geschenkt, wäre da nicht das Schmunzeln gewesen, das sie verzweifelt zu unterdrücken versuchte. Die Freude in ihrem Gesicht, als ihr ehemaliger Chef die Trauung gestört hatte, hatte er nicht vergessen. Und würde er ihr je verzeihen können, dass sie bei den Worten »Ja, ich will« den Blick nicht auf ihn, ihren Ehemann, sondern auf Cormoran Strikes große, grobschlächtige Gestalt gerichtet hatte? In der Kirche hatten alle mitbekommen, wie sie ihn angestrahlt hatte.

Allmählich holte die Familie auf. Matthew legte seine Hand sanft ein paar Zentimeter über der Wunde auf Robins Oberarm, schob sie vor sich her, und sie ließ es geschehen – wahrscheinlich nur, wie er insgeheim dachte, weil sie auf diese Weise hoffentlich Strike näher kam.

»Ich hab es dir schon im Auto gesagt. Wenn du wieder für ihn arbeiten willst ...«

»... bin ich eine ›verdammte Idiotin‹.«

Langsam, aber sicher konnte Robin die auf der Terrasse versammelten Männer voneinander unterscheiden. Strike war nirgends zu sehen. Dabei war er so groß, dass er selbst ihre Brüder und die Onkel überragt hätte, von denen keiner weniger als einen Meter achtzig maß. Ihre Laune, die sich bei Strikes Erscheinen zu einem Höhenflug aufgeschwungen hatte, trudelte jetzt wie ein regennasses Küken dem Boden entgegen. Anscheinend hatte er sich abgeseilt, als die übrige Hochzeitsgesellschaft in Kleinbussen zum Hotel aufgebrochen war. Überhaupt war sein Auftauchen nur eine Geste des guten Willens gewesen, nichts weiter. Er hatte sie nicht wieder einstellen, sondern ihr lediglich zum neuen Lebensabschnitt gratulieren wollen.

»Hör mal«, sagte Matthew jetzt etwas versöhnlicher. Offenbar hatte auch er einen Blick auf die Menge geworfen und war, als er Strike nicht entdeckt hatte, zu dem gleichen Schluss gekommen. »Was ich im Auto sagen wollte: Es ist letztlich deine Entscheidung, Robin. Aber er will dich ja sowieso ... Ich meine – für den Fall, dass er dich zurückhaben will ... Verflucht, ich mache mir doch nur Sorgen um dich! Für ihn zu arbeiten war ja nicht gerade ungefährlich, oder?«

»Nein.« Die Stichwunde pochte. »Ungefährlich war es nicht.« Dann drehte sie sich um und wartete auf ihre Eltern und die übrigen Familienmitglieder. Der süße Duft des warmen Rasens kitzelte sie in der Nase, und die Sonne brannte auf ihre nackten Schultern herab.

»Willst du zu Tante Robin?«, fragte Matthews Schwester, woraufhin die kleine Grace gehorsam Robins Arm packte und daran zog, was einen Schmerzenslaut zur Folge hatte. »Oh, das tut mir so leid, Robin! Gracie, lass los!«

»Champagner!«, rief Geoffrey und schob die Braut mit seinem Arm um ihre Schultern auf die wartende Gästeschar zu.

Wie man es in dem exklusiven Schlosshotel erwarten durfte, war und roch die Herrentoilette blitzsauber. Am liebsten hätte Strike sich mit einem Pint in eine der kühlen, stillen Toilettenkabinen verzogen, doch das hätte den Eindruck des abgehalfterten Alkoholikers, der geradewegs aus dem Gefängnis zur Hochzeit gekommen war, nur noch verstärkt. An der Rezeption war seine Beteuerung, zur Hochzeitsgesellschaft Cunliffe-Ellacott zu gehören, auf kaum verhohlene Skepsis gestoßen.

Selbst in unversehrtem Zustand war der große, dunkelhaarige Strike mit seiner Boxernase und der von Natur aus griesgrämigen Miene eine einschüchternde Erscheinung. Heute sah er aus, als wäre er geradewegs aus dem Ring gestiegen. Seine Nase war gebrochen, hatte sich violett verfärbt und war auf die doppelte Größe angeschwollen. Die Augen waren gerötet und verquollen, ein Ohr entzündet und frisch vernäht, wie an dem schwarzen Faden deutlich zu erkennen war. Gnädigerweise verbarg ein Verband die Schnittwunde in seiner Handfläche. Der gute Anzug, der bei seinem letzten Einsatz einen Weinfleck abbekommen hatte, war verknittert. Immerhin hatte er es geschafft, vor der Abfahrt nach Yorkshire zwei zueinanderpassende Schuhe herauszusuchen.

Strike gähnte, schloss die schmerzenden Augen und lehnte den Kopf gegen die kühle Trennwand. Er war so müde, dass er auf der Stelle noch auf der Toilette hätte einschlafen können. Doch das durfte er sich nicht erlauben. Er musste Robin sprechen, sie bitten – sie anflehen, wenn nötig –, ihm die Kündigung zu verzeihen und wieder zur Arbeit zu kommen. Als sich vorhin in der Kirche ihre Blicke getroffen hatten, war da nicht Erleichterung in ihrem Gesicht zu erkennen gewesen? Während sie, bei Matthew untergehakt, an ihm vorbeigeschritten war, hatte sie ihn eindeutig freudestrahlend angelächelt – und zwar so freudestrahlend, dass er zurück zu seinem Kumpel Shanker gelaufen war, der jetzt auf dem Parkplatz in ihrem eigens für die Fahrt geborgten Mercedes ein Nickerchen hielt, und ihn gebeten hatte, den Kleinbussen von der Kirche zum Schlosshotel zu folgen.

Strike wollte weder zum Festessen noch zu den anschließenden Reden bleiben; deshalb hatte er auch auf die Einladung, die er – vor der Kündigung – erhalten hatte, gar nicht erst reagiert. Er würde bloß ganz kurz ungestört mit Robin reden müssen, aber das schien unmöglich zu sein. Strike hatte völlig vergessen, wie es auf Hochzeiten zuging. Während er auf der überfüllten Terrasse nach Robin Ausschau gehalten hatte, hatte er die Blicke aus hundert neugierigen Augenpaaren auf sich gespürt. Er lehnte den angebotenen Champagner ab – ein Getränk, gegen das er ohnehin eine Abneigung hatte – und wandte sich zur Bar, um sich dort ein Pint zu holen. Ein dunkelhaariger junger Mann, der Robin vor allem um Mundpartie und Stirn herum auffällig ähnlich sah, folgte ihm mitsamt einer Horde ebenso neugieriger Gleichaltriger.

»Du bist Strike, oder?«

Der Detektiv nickte.

»Martin Ellacott«, stellte sich sein Gegenüber vor. »Ich bin Robins Bruder.«

»Freut mich.« Strike hob die Hand, um ihm zu signalisieren, dass sie sich nicht ohne Schmerzen würde schütteln lassen. »Weißt du, wo sie gerade steckt?«

»Sie lassen Hochzeitsfotos machen«, antwortete Martin und hielt sein iPhone in die Höhe. »Du bist in den Nachrichten. Du hast den Shacklewell Ripper geschnappt.«

»Yeah«, sagte Strike. »Stimmt.«

Trotz der frischen Schnittwunden an Handfläche und Ohr kam es ihm vor, als lägen jene turbulenten und blutigen Ereignisse von vor zwölf Stunden schon jetzt eine Ewigkeit zurück. Das Schlosshotel kam für ihn einer anderen Wirklichkeit gleich – so groß war der Unterschied zum schäbigen Versteck des Killers.

Eine Frau, deren türkisfarbener Kopfputz im weißblonden Haar auf und ab wippte, hatte die Bar betreten. Sie hatte abwechselnd zu dem Detektiv und auf das Handy in ihrer Hand geblickt und den leibhaftigen Strike ganz offensichtlich mit einem Foto auf dem Display verglichen.

»Entschuldigung, ich muss mal«, hatte Strike gemurmelt und Reißaus genommen, ehe jemand ihn ansprechen konnte. Nachdem er das Personal an der Rezeption von der Rechtmäßigkeit seiner Anwesenheit überzeugt hatte, war er zur Toilette geflüchtet.

Gähnend sah er auf die Uhr. Die Fotos mussten doch längst im Kasten sein. Weil die Wirkung der Schmerzmittel, die er im Krankenhaus bekommen hatte, schon vor einer Weile nachgelassen hatte, verzog er beim Aufstehen das Gesicht. Dann entriegelte er die Kabinentür und kehrte zu den neugierigen Fremden zurück.

Am gegenüberliegenden Ende des leeren Speisesaals hatte ein Streichquartett Platz genommen und fing an zu spielen, während die Gäste sich in einer Schlange aufstellten, um vor dem Brautpaar zu defilieren. Irgendwann während der Hochzeitsvorbereitungen hatte sie das wohl abgenickt. Robin hatte so viele Entscheidungen anderen überlassen, dass sie sich im Lauf der Feier ständig mit kleineren Überraschungen konfrontiert sah. Zum Beispiel hatte sie völlig vergessen, dass die Fotos vor dem Hotel und nicht vor der Kirche gemacht werden sollten. Deshalb waren sie nach dem Gottesdienst auch sofort in den Mercedes gestiegen und davongefahren, sodass sie keine Gelegenheit mehr gehabt hatte, mit Strike zu sprechen und ihn zu bitten – ihn anzuflehen, wenn nötig –, sie wieder einzustellen. Dann war er ohne ein Wort verschwunden. Würde sie den Mut aufbringen oder ihren Stolz auch nur halbwegs hinunterschlucken können, um ihn anzurufen und um ihren Job zu betteln?

Nach dem sonnigen Schlossgarten kam ihr der Raum mit der Holzverkleidung, den Brokatvorhängen und Ölgemälden geradezu düster vor. In der Luft hing der schwere Duft der Blumengestecke; Gläser und Silberbesteck glänzten auf schneeweißen Tischdecken. Das Streichquartett, dessen erstes Stück laut durch den holzvertäfelten Raum gehallt hatte, wurde allmählich von den eintreffenden Gästen übertönt, die sich unter dem Einfluss von Champagner und Bier plaudernd und lachend auf dem Treppenabsatz versammelten.

»Jetzt geht's los!«, rief Geoffrey, dem die Feier mit Abstand am meisten Spaß zu machen schien. »Immer angetreten!«

Robin bezweifelte, dass Geoffrey seiner Überschwänglichkeit derart Ausdruck verliehen hätte, wenn Matthews Mutter noch am Leben gewesen wäre. Die kürzlich verstorbene Mrs. Cunliffe war eine Meisterin des kühlen Seitenblicks und der unauffälligen Zurechtweisung gewesen. Sue, die Schwester der Verblichenen, die sich an der Spitze der Schlange eingereiht hatte, beglückwünschte Robin leicht unterkühlt, da man ihr das Privileg verwehrt hatte, am Tisch des Brautpaars zu sitzen.

»Alles Gute, Robin«, sagte sie und küsste die Luft neben Robins Ohr. Robin, die sich elend, enttäuscht und schuldig fühlte, weil sie nicht glücklicher war, spürte mit einem Mal, *wie* wenig ihre neue Schwiegertante sie leiden konnte. »Schönes Kleid«, sagte Sue noch, während ihr Blick längst auf dem blendend aussehenden Matthew ruhte. »Hätte deine Mutter doch nur ...«

Mit einem Schluchzen vergrub sie das Gesicht in einem Taschentuch, das sie zu diesem Zweck bereits in der Hand gehalten hatte.

Weitere Freunde und Verwandte drängten sich, lächelnd, Küsschen verteilend und Hände schüttelnd, an Robin vorbei. Geoffrey sorgte für eine gewisse Verzögerung, indem er jeden, der sich nicht wehrte, aufs Herzlichste umarmte.

»Dann ist er doch gekommen«, flüsterte Robins Lieblingscousine Katie. Dass sie hochschwanger war, hatte sie von ihren Brautjungfernpflichten entbunden. Der Geburtstermin war ausgerechnet für den heutigen Tag berechnet worden, und Robin staunte, dass Katie überhaupt noch gehen konnte. Als sie sich vorbeugte, um ihr ein Küsschen zu geben, spürte Robin, dass deren Bauch hart wie eine Wassermelone war.

»Wer ist gekommen?«, fragte Robin, als Katie beiseitetrat und Matthew umarmte.

»Dein Chef. Strike. Martin hat ihn schon in Beschlag genommen und …«

»Katie, ich glaube, du sitzt da drüben«, sagte Matthew und deutete auf einen Tisch in der Mitte des Raums. »Da kannst du dich ausruhen. Die Hitze macht dir bestimmt zu schaffen, oder?«

Die nächsten Gäste in der Schlange nahm Robin kaum mehr wahr. Wie in Trance bedankte sie sich für die Glückwünsche, ohne den Blick von der Eingangstür abzuwenden. Sollte das heißen, dass Strike mit zum Hotel gekommen war? Würde er gleich hier auftauchen? Wo hatte er dann gerade gesteckt? Sie hatte ihn überall gesucht – auf der Terrasse, im Eingangsbereich, an der Bar. Der Hoffnungsfunken flackerte auf und erlosch sofort wieder. Martin konnte gelegentlich recht taktlos sein. Womöglich hatte er ihn verscheucht? Doch das kam ihr unwahrscheinlich vor; immerhin hatte Strike ein dickes Fell. Wieder erlaubte sie es sich zu hoffen, und in diesem Wechselbad aus Erwartung und Enttäuschung wollte ihr eine Vorspiegelung konventioneller Hochzeitstagsgefühle schlichtweg nicht mehr gelingen – sehr zu Matthews Enttäuschung, der dies sehr wohl registrierte.

»Martin!«, rief Robin erfreut, als ihr Bruder, der bereits drei Pints zu viel intus hatte, im Kreis seiner Freunde erschien.

»Du hast es schon gehört, oder?« Er hielt sein Handy in die Höhe. Er meinte es als rein rhetorische Frage – Martin hatte bei einem Freund übernachtet, da sein Zimmer für Verwandte aus dem Süden gebraucht worden war.

»Was denn?«

»Dass er gestern Nacht den Ripper geschnappt hat.«

Martin hielt ihr das Telefon hin. Robin keuchte überrascht, als sie dort endlich den Namen des Rippers las. Die Wunde, die ihr der Mann am Unterarm zugefügt hatte, fing wieder an zu pochen.

»Ist er noch hier?«, fragte Robin rundheraus. »Strike? Mart, wollte er noch bleiben?«

»Herrgott noch mal«, murmelte Matthew.

»Entschuldige«, sagte Martin, der Matthews Ärger bemerkt hatte, »ich halte alles auf …« Dann trollte er sich.

Robin wandte sich zu Matthew um. Wie mittels einer Wärmebildkamera sah sie ihn vor Schuldgefühlen glühen.

»Du wusstest es«, sagte sie und schüttelte einer Großtante, die sich eigentlich für ein Wangenküsschen vorgebeugt hatte, unachtsam die Hand.

»Was wusste ich?«, knurrte er.

»Dass Strike den Ripper …«

Als Nächstes beanspruchte Matthews Exkommilitone und derzeitiger Kollege Tom mitsamt seiner Verlobten Sarah ihre Aufmerksamkeit. Trotzdem behielt Robin auf der Suche nach Strike ständig die Tür im Blick und bekam so gut wie nichts davon mit, was Tom erzählte.

»Du wusstest es«, wiederholte Robin, sobald Tom und Sarah sich entfernt hatten und eine kurze Pause entstand, weil Geoffrey einen Cousin aus Kanada begrüßte. »Oder etwa nicht?«

»Kann sein, dass ich es heute Morgen in den Nachrichten gehört habe«, murmelte Matthew. Dann verfinsterte sich seine Miene, als er über Robins Kopf hinweg zur Tür blickte. »Wie es aussieht, kriegst du deinen Willen. Da ist er.«

Robin drehte sich um. Strike betrat den Raum. In seinem stoppeligen Gesicht leuchtete ein Veilchen, ein Ohr war angeschwollen und allem Anschein nach mit mehreren Stichen genäht worden. Als sich ihre Blicke trafen, hob er die bandagierte Hand und versuchte sich an einem reumütigen Lächeln, das jedoch sofort in ein schmerzhaftes Zusammenzucken überging.

»Robin«, sagte Matthew. »Hör mal, du musst …«

»Später«, sagte sie mit einer Begeisterung, die sie an diesem Tag bislang hatte vermissen lassen.

»Bevor du mit ihm sprichst, muss ich dir noch was sagen …«

»Matt, bitte, kann das nicht warten?«

Strike, dessen Verletzung kein Händeschütteln erlaubte, konnte die Verwandtschaft ungehindert passieren, indem er die bandagierte Hand vor sich hielt und sich an der Menge vorbeizwängte. Geoffrey starrte ihn wütend an, und sogar Robins Mutter, die ihn bei ihrer ersten und bisher einzigen Begegnung eigentlich ganz nett gefunden hatte, konnte sich selbst dann nicht zu einem Lächeln durchringen, als er sie namentlich begrüßte. Alle Augen schienen auf ihn gerichtet zu sein.

»Ein weniger dramatischer Auftritt hätte es auch getan«, sagte Robin lächelnd, als er endlich vor ihr stand. Unter Schmerzen verzog er das ramponierte Gesicht zu einem Grinsen. Ihr Lächeln war die Strapazen der zweihundert Meilen langen Fahrt mehr als wert. »Einfach so in die Kirche zu stürmen … Du hättest auch anrufen können.«

»Das mit den Blumen tut mir leid.« Strikes Entschuldigung war nicht zuletzt auch an Matthew gerichtet. »Ich hatte angerufen, aber …«

»Ich hab das Telefon heute Morgen abgeschaltet«, sagte Robin, der es völlig egal war, dass sie die Schlange aufhielt. »Gehen Sie einfach weiter«, wies sie eine große rothaarige Frau – Matthews Chefin – an.

»Nein, ich hatte schon vor – wann? – zwei Tagen angerufen«, entgegnete Strike.

»Was?«

Matthew unterhielt sich unterdessen steif mit Jemima.

»Ich hab's ein paarmal versucht«, fuhr Strike fort, »und dir dann auf die Mailbox gesprochen.«

»Da war kein Anruf«, sagte Robin. »Und auch keine Nachricht.«

Der Schock hüllte Robin ein wie eine Blase, durch die das Geplauder und Gläserklirren der hundert Gäste und das gefällige Spiel des Streichquartetts nur mehr gedämpft an ihre Ohren drangen.

»Wann hast du ... Du hast was ... Vor zwei Tagen?«

Seit der Ankunft bei ihren Eltern war sie ununterbrochen mit lästigen Hochzeitsvorbereitungen beschäftigt gewesen. Trotzdem hatte sie in jedem unbeobachteten Moment in Erwartung eines Anrufs oder einer SMS von Strike auf ihr Handy gesehen. Sie hatte sogar um ein Uhr nachts – allein im Bett – ihre Anrufliste aufgerufen für den Fall, dass sie etwas verpasst haben sollte. Die Liste war leer gewesen. Sie hatte angenommen, dass sie aus Müdigkeit die falsche Taste gedrückt und sie versehentlich gelöscht hatte.

»Ich will auch gar nicht lange bleiben«, murmelte Strike. »Ich wollte mich bloß entschuldigen und dich bitten, wieder ...«

»Aber du *musst* bleiben«, sagte sie und packte ihn am Arm, als fürchtete sie, er könnte auf der Stelle die Flucht ergreifen.

Ihr Herz raste, und sie bekam kaum noch Luft. Der Raum verschwamm vor ihren Augen, und sie spürte, wie ihr die Farbe aus dem Gesicht wich.

»Bitte bleib«, sagte sie und klammerte sich an seinen Arm, ohne dem zunehmend wütenden Matthew neben ihr Beachtung zu schenken. »Ich muss ... Ich will mit dir reden. Mum?«, rief sie.

Wie aufs Stichwort trat Linda aus der Schlange.

»Ist noch ein Platz für Cormoran frei?«, wollte Robin von ihrer Mutter wissen. »Vielleicht bei Stephen und Jenny?«

Mit versteinerter Miene führte Linda Strike davon, während die letzten Gäste ihre Glückwünsche überbrachten, obwohl Robin weder zu einem Lächeln noch zu belanglosem Geplauder imstande war.

»Warum habe ich Cormorans Anrufe nicht erhalten?«, fragte sie Matthew, während ein älterer Mann ungegrüßt an ihnen vorbei zu seinem Tisch schlurfte.

»Ich wollte dir schon die ganze Zeit sagen, dass …«

»Matthew, warum habe ich die Anrufe nicht erhalten?«

»Können wir das nicht später besprechen?«

Mit einem Mal fiel der Groschen, und sie keuchte wütend auf. »Du hast die Anrufliste gelöscht«, sagte sie, während sie in Windeseile zu einer Schlussfolgerung nach der anderen gelangte. »Du wolltest meine PIN wissen, als ich auf der Raststätte aus der Toilette gekommen bin.«

Zwei letzte Gäste warfen Braut und Bräutigam einen flüchtigen Blick zu und schoben sich eilig und wortlos an ihnen vorbei.

»Du hast dir mein Telefon genommen. Angeblich wegen der Flitterwochen. Hast du seine Nachricht abgehört?«

»Ja«, gestand Matthew. »Und gelöscht.«

Aus der Stille, die sie umgab, wurde ein gellendes Pfeifen, und Robin wurde schwindlig. Hier stand sie, gefangen in diesem Ungetüm aus weißer Spitze – jenem Kleid, das hatte geändert werden müssen, weil die Hochzeit schon einmal verschoben worden war –, und hatte keine andere Wahl mehr, als ihren Verpflichtungen nachzukommen. Aus dem Augenwinkel konnte sie hundert erwartungsvolle und hungrige Gesichter sehen.

Dann fiel ihr Blick auf Strike, der mit dem Rücken zu ihr neben Linda darauf wartete, dass sein Platz neben Robins älterem Bruder Stephen eingedeckt wurde. Sie stellte sich vor, wie sie zu ihm hinüberging und ihm zuflüsterte: »Hauen wir ab.« Wie würde er wohl reagieren?

Ihre Eltern hatten ein Vermögen für die Feier ausgegeben. Jeder Einzelne in diesem überfüllten Saal wartete nur mehr darauf, dass das Brautpaar endlich Platz nahm. Robin war blasser als ihr Hochzeitskleid, als sie ihrem Ehemann unter dem frenetischen Applaus der Anwesenden zu ihrem Tisch folgte.

Der pedantische Kellner schien Strikes Unbehagen förmlich auszukosten. Letzterem blieb nichts anderes übrig, als für jeden sichtbar mitten im Saal stehen zu bleiben und zu warten, bis man den Platz für ihn eingedeckt hatte. Linda, die einen ganzen Kopf kleiner war als der Detektiv, stand ungerührt an seiner Seite, während der junge Kellner kaum merkliche Korrekturen an der Position der Dessertgabel vornahm und dann den Teller so drehte, dass die Ausrichtung des Musters exakt mit der der anderen übereinstimmte. Strike konnte Lindas Gesicht unter dem silberfarbenen Hut zwar nicht richtig erkennen, doch sie sah wütend aus.

»Vielen Dank«, sagte er, als der Kellner endlich beiseitetrat. Doch noch bevor er sich setzen konnte, legte Linda ihm leicht die Hand auf den Arm. Die eigentlich sanfte Berührung fühlte sich in Kombination mit ihrer mütterlichen Entrüstung über die missbrauchte Gastfreundschaft an wie eine Eisenfessel. Linda sah ihrer Tochter sehr ähnlich. Auch ihr Haar war rotblond, und der silberfarbene Hut verstärkte das klare Blau ihrer Augen.

»Was wollen Sie hier?«, fragte sie durch die zusammengebissenen Zähne, während Kellner um sie herum die Vorspeisen auftrugen. Zum Glück lenkte das die anderen Gäste ab, sie nahmen ihre Gespräche wieder auf und wandten ihre Aufmerksamkeit dem langersehnten Festmahl zu.

»Ich muss Robin fragen, ob sie wieder für mich arbeiten will.«

»Sie haben sie gefeuert. Das hat ihr das Herz gebrochen.«

Dazu hätte er so einiges sagen können, aber er ließ es bleiben – aus Respekt vor alledem, was Linda beim Anblick der zwanzig Zentimeter langen Schnittwunde sicherlich hatte durchmachen müssen.

»Seit sie für Sie arbeitet, ist sie drei Mal angegriffen worden«, sagte Linda, deren Gesicht immer röter wurde. »Drei Mal!«

Strike hätte mit Fug und Recht behaupten können, nur für den ersten der drei Angriffe verantwortlich zu sein. Der zweite war geschehen, weil Robin seine ausdrücklichen Anweisungen missachtet hatte, und der dritte war nicht bloß Folge ihres Ungehorsams gewesen, sie hatte damit auch die ganze Ermittlung und nicht zuletzt seine Firma in Gefahr gebracht.

»Sie kann nicht mehr ruhig schlafen. Ich hab gehört, wie sie nachts ...« Tränen traten ihr in die Augen, und sie ließ seinen Arm los. »Sie haben keine Kinder. Sie können sich nicht vorstellen, was wir durchgemacht haben.«

Noch bevor der müde Strike zu einer Erwiderung ansetzen konnte, hatte sie sich wieder auf den Weg zum Ehrentisch gemacht. Dann bemerkte er, dass Robin ihn über die unberührte Vorspeise hinweg ansah. Sie wirkte ängstlich, als befürchtete sie, er könnte sich doch wieder aus dem Staub machen. Strike hob leicht die Brauen und ließ sich auf seinen Stuhl fallen.

Zu seiner Linken bemerkte er eine große Gestalt. Als er sich danach umdrehte, blickte er erneut in Augen, die denen von Robin sehr ähnlich sahen – diesmal allerdings über einem streitlustig vorgereckten Kinn und gekrönt von buschigen Brauen.

»Du musst Stephen sein«, stellte Strike fest.

Robins älterer Bruder funkelte ihn böse an und grunzte. Die beiden großen Männer saßen so eng beisammen, dass Stephens Ellbogen Strike streifte, als er zu seinem Pint griff. Alle anderen am Tisch starrten Strike an. Er hob die rechte Hand zu einem halbherzigen Gruß, erinnerte sich erst an den Verband, als er ihn wieder vor sich sah, und verwünschte sich insgeheim, weil er damit nur umso mehr Aufmerksamkeit erregte.

»Hi, ich bin Jenny, Stephens Frau«, sagte die breitschultrige Brünette neben Stephen. »Du siehst aus, als könntest du auch eins vertragen ...«

An Stephens Teller vorbei schob sie ihm ein frisches Pint zu. Strike hätte sie vor Dankbarkeit küssen können, beschränkte sich aber angesichts von Stephens grimmigem Blick auf ein von Herzen kommendes »Vielen Dank«, bevor er das halbe Glas in einem Zug leerte. Dabei nahm er aus den Augenwinkeln zur Kenntnis, wie Jenny Stephen etwas ins Ohr flüsterte. Der wartete, bis Strike sein Glas abgesetzt hatte, und räusperte sich.

»Da sind wohl Glückwünsche angebracht«, sagte er leicht unwirsch.

»Wofür?«, fragte Strike ahnungslos.

Stephens Miene hellte sich ein wenig auf. »Du hast diesen Killer geschnappt.«

»Ach so«, sagte Strike, nahm die Gabel in die linke Hand und machte sich über seine Lachsmousse her. Erst als er die Vorspeise zur Gänze verputzt hatte und Jenny lachen hörte, dämmerte ihm, dass er sie womöglich besser hätte würdigen sollen. »Entschuldigung«, murmelte er. »Ich hab einen Bärenhunger.«

Fast schon anerkennend sah Stephen ihn an.

»Kaum der Mühe wert, was?«, sagte er und sah auf seine eigene Mousse hinab. »Ist ja quasi nur Luft.«

»Cormoran«, sagte Jenny, »wärst du so nett, Jonathan kurz zuzuwinken? Das ist noch einer von Robins Brüdern – gleich da drüben.«

Strike folgte ihrem Fingerzeig. Ein schlanker junger Mann mit ebenso hellem Teint wie Robin winkte ihm begeistert vom Nachbartisch aus zu, was Strike mit einem kurzen, betretenen Gruß quittierte.

»Du willst sie also zurück, ja?«, erkundigte sich Stephen.

»Ja«, sagte Strike. »Will ich.«

Statt der erwarteten wütenden Reaktion seufzte Stephen nur lange und tief. »Das sollte mich eigentlich freuen. Solange sie für dich gearbeitet hat, war sie glücklich wie noch nie. Sie wollte schon als Kind Polizistin werden. Ich hab sie deshalb immer veralbert«, sagte er. »Das tut mir inzwischen leid«, fügte er eilig hinzu, ließ sich von einem Kellner ein frisches Pint geben und nahm einen beeindruckenden Schluck. »So im Nachhinein muss ich sagen, dass wir uns wirklich unmöglich aufgeführt haben, und dann ist sie ... Na ja, inzwischen hat sie sich ja wieder im Griff.«

Stephen sah zu den Brautleuten hinüber. Strike, der mit dem Rücken zu Robin saß, nutzte die Gelegenheit, um ebenfalls einen Blick zu riskieren. Robin saß schweigend an ihrem Platz, ohne zu essen oder Matthew Beachtung zu schenken.

»Jetzt nicht, Sportsfreund«, murmelte Stephen, und Strike drehte sich wieder um. Sein Tischnachbar hielt mit seinem langen, muskulösen Arm einen von Martins Freunden davon ab, sich Strike zu nähern und Fragen zu stellen. Der junge Mann, der sich bereits halb zu ihm vorgebeugt hatte, trollte sich verschüchtert.

»Danke«, sagte Strike und leerte Jennys Pint.

»Gewöhn dich dran«, sagte Stephen und verschlang seine Mousse mit einem einzigen Bissen. »Du hast den Shacklewell Ripper gefasst, Mann. Du bist jetzt berühmt.«

Es hieß ja immer, dass man im Schockzustand alles nur schemenhaft wahrnahm. Doch Robins Empfinden nach war das genaue Gegenteil der Fall. Alles um sie herum war überdeutlich, jedes Detail messerscharf zu erkennen: die hellen Rechtecke aus Sonnenlicht, das durch die Spalten zwischen den Vorhängen fiel; der azurblaue Hochglanzhimmel hinter den Fensterscheiben; die Ellbogen und benutzten Gläser auf den Damasttischdecken; die sich allmählich rötenden Wangen der lachenden, trinkenden Gäste. Sie sah Tante Sues strenges Profil, die im Gespräch mit ihrem Tischnachbarn keine Miene verzog; Jennys albernen gelben Hut, der auf und ab wippte, während sie sich mit Strike unterhielt. Und dann Strike selbst. Ihr Blick ruhte so oft auf seinem Rücken, dass sie jede Falte seiner Anzugjacke, die dichten dunklen Locken an seinem Hinterkopf und die verletzungsbedingt unterschiedlich großen Ohren aus dem Gedächtnis hätte nachzeichnen können.

Nein, der Schock angesichts dessen, was sie beim Defilee erfahren hatte, ließ ihre Umgebung mitnichten verschwimmen, doch er hatte ihr Zeitempfinden verändert und die Art und Weise, wie sie die Geräusche um sich herum wahrnahm. Irgendwann forderte Matthew sie auf, endlich etwas zu essen, was jedoch erst bei ihr ankam, als der beflissene Kellner ihren vollen Teller schon wieder abgeräumt hatte. Was immer jemand zu ihr sagte, musste erst durch die dicken Mauern dringen, die sie seit Matthews Eingeständnis seiner Niedertracht um sich herum errichtet hatte, die sie jetzt wie eine unsichtbare Zelle umgaben und von den anderen Anwesenden trennten. Adrenalin flutete durch ihren Körper, drängte sie immer wieder dazu, einfach aufzustehen und zu gehen.

Wäre Strike nicht doch noch erschienen, hätte sie niemals erfahren, dass er sie zurückhaben wollte. Die Scham, die Wut, die Demütigung und die Kränkung seit jenem schrecklichen Abend, da er die Kündigung ausgesprochen hatte – dies alles war vollkommen unnötig gewesen. Matthew hatte ihr das Einzige versagt, was sie hätte retten können, das Einzige, worüber sie spätnachts, wenn alle anderen schliefen, Tränen vergossen hatte: ihre Selbstachtung. Die Arbeit, die ihr alles bedeutet hatte. Die Freundschaft, deren Wichtigkeit ihr erst im Nachhinein bewusst geworden war. Matthew hatte gelogen, er hatte *gelogen*. Er hatte gelächelt und gelacht, während sie sich durch die Tage vor der Hochzeit geschleppt und dabei so getan hatte, als wäre sie glücklich darüber, all das zu verlieren, was sie liebte. Hatte sie ihn wirklich täuschen können? Hatte er allen Ernstes geglaubt, sie wäre froh, dass ihr Leben mit Strike nun beendet war? Wenn ja, dann hatte sie einen Mann geheiratet, der sie nicht ansatzweise kannte. Und wenn nicht, dann …

Sobald auch das Dessertgeschirr abgeräumt war, musste Robin ein Lächeln für den besorgten Kellner aufsetzen, der sich nach dem dritten nicht angerührten Gang erkundigte, ob er ihr etwas anderes bringen dürfe.

»Eine geladene Pistole, wenn Sie die haben.«

Er lächelte – war kurz von der Ernsthaftigkeit getäuscht, mit der sie ihr Anliegen vortrug –, dann blickte er nur mehr verwirrt drein.

»Egal«, sagte sie. »Vergessen Sie's.«

»Robin, reiß dich zusammen«, sagte Matthew, und mit grimmiger Genugtuung dämmerte ihr, dass er allmählich in Panik geriet, weil er nicht mehr wusste, was sie als Nächstes tun und was als Nächstes geschehen würde.

Die Kellner servierten Kaffee in schlanken Silberkannen und stellten kleine Tabletts mit Petits Fours auf die Tische. Sarah Shadlock in ihrem engen türkisfarbenen, ärmellosen Kleid huschte vor Beginn der Reden noch schnell zur Toilette, gefolgt von der hochschwangeren Katie in ihren flachen Schuhen, die müde ihren gewaltigen Bauch vor sich herschleppte. Und wieder kehrte ihr Blick zu Strikes Rücken zurück. Er verdrückte Petits Fours und unterhielt sich mit Stephen. Zum Glück hatte sie ihn dort platziert. Sie hatte immer vermutet, dass die beiden gut miteinander auskommen würden.

Dann wurde um Ruhe gebeten, und der Geräuschpegel stieg, als diejenigen, die mit dem Rücken zum Ehrentisch saßen, ihre Stühle herumrückten. Robin sah Strike an. Der erwiderte ihren Blick mit undurchschaubarer Miene, bis ihr Vater aufstand, sich die Brille zurechtrückte und das Wort ergriff.

Strike hätte sich am liebsten hingelegt oder zumindest zu Shanker ins Auto gesetzt und den Sitz zurückgeklappt. Von den vergangenen achtundvierzig hatte er kaum zwei Stunden schlafen können, und die starken Schmerzmittel in Kombination mit mittlerweile vier Pints sorgten dafür, dass er wiederholt einnickte und ihm die Schläfe von der Hand rutschte, mit der er den Kopf aufstützte.

Er hatte Robin nie nach den Berufen ihrer Eltern gefragt, und falls Michael Ellacott im Rahmen seiner Rede seinen Broterwerb erwähnt hatte, so war es Strike entgangen. Er war ein liebenswerter, mit seiner Hornbrille vage an einen Professor erinnernder Mann, der zwar all seinen Kindern die Körpergröße, aber nur Martin sein dunkles Haar und die braunen Augen vererbt hatte.

Er musste die Rede nach Robins Kündigung geschrieben oder zumindest angepasst haben. Mit erkennbarer Zuneigung und großer Anerkennung ging er auf ihre persönlichen Qualitäten ein, auf ihre Intelligenz, Entschlossenheit, Großzügigkeit und Güte. Bevor er darauf zu sprechen kam, wie stolz er auf seine einzige Tochter war, hielt er kurz inne und räusperte sich. Mit keinem Wort erwähnte er, was sie erreicht oder durchgemacht hatte. Natürlich wäre es auch höchst unpassend gewesen, gewisse Dinge, die Robin jüngst erst erlebt hatte, vor diesem aufgebrezelten Publikum in diesem schwül-stickigen Saal zur Sprache zu bringen. Und doch – für Strike war allein die Tatsache, dass sie all das überlebt hatte, Beweis genug für ihre Stärken. Bei aller Müdigkeit fand er durchaus, dass dies zumindest hätte erwähnt werden müssen.

Doch mit dieser Ansicht stand er allein da. Stattdessen meinte er, so etwas wie Erleichterung im Publikum zu spüren, als Michael seine Rede beendete, ohne Messer und Narben, Gorillamasken oder Sturmhauben erwähnt zu haben.

Dann war der Bräutigam an der Reihe. Unter begeistertem

Applaus stand Matthew auf. Nur Robin behielt die Hände im Schoß und starrte aus dem gegenüberliegenden Fenster, hinter dem die Sonne bereits tief am wolkenlosen Himmel hing und lange Schatten über den Rasen warf.

Irgendwo im Saal summte eine Biene. Strike, der weitaus weniger Skrupel hatte, Matthew vor den Kopf zu stoßen, machte es sich auf seinem Stuhl bequem, verschränkte die Arme vor der Brust und schloss die Augen. Ein, zwei Minuten lang hörte er zu, wie Matthew erzählte, dass er Robin zwar schon seit Kindertagen gekannt, aber erst in der sechsten Klasse bemerkt habe, wie hübsch dieses kleine Mädchen doch geworden sei, das ihn mal beim Eierlauf geschlagen habe ...

»Cormoran!«

Er schreckte hoch. Nach dem feuchten Fleck auf seiner Brust zu urteilen hatte er gesabbert. Benommen drehte er sich zu Stephen um, der ihm den Ellbogen in die Seite gerammt hatte.

»Du hast geschnarcht«, flüsterte er.

Bevor Strike antworten konnte, ertönte erneut Applaus. Matthew nahm ihn ohne große Begeisterung zur Kenntnis, dann setzte er sich wieder.

Jetzt musste es doch vorüber sein ... aber nein. Der Trauzeuge stand auf. Strike – inzwischen hellwach – spürte seine volle Blase. Er hoffte inständig, dass sich der Kerl kurzfasste.

»Matt und ich haben uns beim Rugby kennengelernt«, begann der Trauzeuge, woraufhin von einem Tisch im rückwärtigen Teil des Raums trunkene Beifallsrufe ertönten.

»Nach oben«, sagte Robin. »Sofort.«

Es waren die ersten Worte, die sie an ihren Ehemann richtete, seit sie Platz genommen hatten. Der Applaus für die Rede des Trauzeugen war kaum verklungen. Strike war sofort aufgesprungen, hatte dann aber wohl doch nur zur Toilette gemusst.

Wie dem auch sei – jetzt wusste sie, dass er sie zurückhaben wollte, und zweifellos würde er abwarten, bis sie sein Angebot annähme. Das hatte ihr der Blick verraten, den er ihr über die Vorspeise hinweg zugeworfen hatte.

»In einer halben Stunde spielt die Band«, rief Matthew ihr in Erinnerung. »Wir sollten …«

Doch Robin war bereits an der Tür. Die unsichtbare Isolationszelle, die es ihr ermöglicht hatte, der Rede ihres Vaters, Matthews nervösem Gestammel und schließlich den abgedroschenen Rugby-Anekdoten des Trauzeugen zu lauschen, ohne auch nur eine Träne zu vergießen, beschützte sie noch immer. Während sie sich zwischen den Gästen hindurchdrängte, nahm sie am Rande war, wie ihre Mutter versuchte, sie aufzuhalten. Robin reagierte nicht, immerhin hatte sie bereits gehorsam Essen und Reden über sich ergehen lassen. Das Universum war ihr jetzt endlich einen kurzen Augenblick der Ruhe und der Freiheit schuldig.

Sie marschierte die Treppe hoch – jetzt nicht mit den billigen Schuhen auf das Kleid treten! –, dann einen mit weichem Teppichboden ausgelegten Korridor entlang. Sie hörte hinter sich Matthews Schritte.

»Verzeihung«, fragte sie leicht orientierungslos einen jungen Kellner mit Weste, der gerade einen Korb mit Tischwäsche aus einem Schrank holte, »wo bitte liegt die Hochzeitssuite?«

Er sah erst sie und dann Matthew an. Und dann grinste er. Er grinste allen Ernstes.

»Machen Sie sich jetzt nicht lächerlich«, blaffte Robin ihn an.

»Robin!«, tadelte Matthew sie, als der junge Mann rot anlief.

»Dahinten.« Er deutete den Flur entlang.

Matthew hatte den Schlüssel. Er und sein Trauzeuge hatten bereits die vergangene Nacht im Hotel verbracht, wenn auch selbstverständlich nicht in der Hochzeitssuite.

Sobald Matthew die Tür geöffnet hatte, stürmte Robin hinein. Auf dem Bett lagen Rosenblüten, im Sektkühler stand eine Flasche Champagner bereit, und ein großer Umschlag war an Mr. und Mrs. Cunliffe adressiert. Erleichtert fand sie die Tasche, die sie für die Hochzeitsreise mit unbekanntem Ziel gepackt hatte. Sie riss sie auf, schob den unversehrten Arm hinein und ertastete den Gummischutz, den sie wegen der Hochzeitsbilder abgenommen hatte. Sobald sie ihn über die kaum verheilte Wunde im schmerzenden Oberarm gezogen hatte, riss sie sich den Ehering vom Finger und knallte ihn neben den Sektkühler auf den Nachttisch.

»Was machst du denn da?« Matthew klang verängstigt und wütend zugleich. »Was – willst du jetzt alles hinschmeißen? War's das mit der Hochzeit?«

Robin starrte ihn an. Sie hatte eigentlich vorgehabt, ihrem Ärger Luft zu machen, sobald sie mit ihm allein wäre, doch die Tragweite seiner Tat raubte ihr schlicht den Atem. An seinem hin und her huschenden Blick und den nach unten gesackten Schultern war ihm deutlich anzusehen, welche Angst er vor ihrem Schweigen hatte. Er hatte sich – womöglich unbewusst – zwischen sie und die Tür gestellt.

»Also gut«, sagte er bestimmt. »Ich weiß, ich hätte …«

»Du hast genau gewusst, wie viel mir die Arbeit bedeutet. Das hast du ganz genau gewusst.«

»Ich wollte nicht, dass du wieder bei ihm anfängst, okay?«, rief Matthew. »Du bist überfallen und verletzt worden, Robin!«

»Das war allein meine Schuld!«

»Er hat dich gefeuert, verdammte Scheiße!«

»Weil ich etwas getan hab, was ich nie hätte tun dürfen …«

»*War ja klar, dass du ihn verteidigst!*«, brüllte Matthew, der jetzt völlig außer sich war. »Du musst nur kurz mit ihm reden, und schon läufst du zu ihm zurück wie sein beschissenes Schoßhündchen!«

»Solche Entscheidungen hast nicht du für mich zu treffen«, fauchte sie ihn an. »Niemand hat das Recht, meine verdammten Anrufe abzufangen und meine Anrufliste zu löschen!«

Alle Zurückhaltung war dahin. Sie hörten den jeweils anderen nur mehr, wenn sie selbst Luft holen mussten, ansonsten schleuderten sie einander ihre Verbitterung und ihre Qual wie brennende Speere entgegen, die zu Staub zerfielen, noch ehe sie ihr Ziel erreicht hatten. Robin gestikulierte wild und kreischte vor Schmerz auf, als ihr Arm gegen die Gesten scharf Einspruch erhob. Mit selbstgerechtem Zorn deutete Matthew auf die Narbe – die ewig währende Erinnerung daran, wie unverantwortlich und dumm es gewesen sei, für Strike zu arbeiten. Doch kein Fortschritt, keine Vergebung, kein Einlenken – die vielen kleinen Scharmützel, die ihnen in den vergangenen zwölf Monaten das Leben madiggemacht hatten, mündeten nun unausweichlich in dieser alles entscheidenden Schlacht. Hinter dem Fenster ging der Nachmittag in den Abend über. Robins Kopf dröhnte, ihr Magen krampfte sich zusammen, und das Gefühl, ersticken zu müssen, war übermächtig.

»Du warst immer nur sauer wegen der Überstunden – es hat dich doch einen Dreck interessiert, dass ich zum ersten Mal einen Job hatte, mit dem ich glücklich war, und deshalb hast du *gelogen*! Du hast genau gewusst, was mir dieser Job bedeutet, und du hast *gelogen*! Wie kannst du es wagen, meine Anrufliste zu löschen und meine Mailbox ...«

Sie ließ sich in einen weichen Sessel mit Fransen fallen und schlug die Hände vors Gesicht. Von der Wut und angesichts des Schocks auf nüchternen Magen war ihr speiübel.

Irgendwo auf dem Hotelflur war ein vom Teppich gedämpftes Türenschlagen zu hören. Dann folgte das Kichern einer Frau.

»Robin«, begann Matthew heiser.

Sie hörte, wie er näher kam, und hob die Hand, um ihm Einhalt zu gebieten. »Fass mich nicht an.«

»Robin, ich weiß genau, dass ich das nicht hätte tun dürfen, aber ich wollte doch nur, dass dir nichts mehr passiert.«

Sie hörte ihn kaum. Inzwischen war sie nicht mehr nur auf Matthew, sondern auch auf Strike wütend. Er hätte sie zurückrufen sollen. Er hätte es weiter versuchen müssen.

Wer weiß, vielleicht wäre ich dann gar nicht hier.

Der Gedanke machte ihr Angst.

Wenn ich gewusst hätte, dass Strike mich zurückwill – hätte ich Matthew dann noch geheiratet?

Matthews Jackett raschelte. Wahrscheinlich sah er auf die Uhr. Die Gäste unten vermuteten bestimmt, dass sie sich zurückgezogen hätten, um die Ehe zu vollziehen. Unter Garantie riss Geoffrey schon anzügliche Witze. Die Band wartete seit einer Stunde. Wieder musste sie daran denken, wie viel ihre Eltern für die Feier ausgegeben hatten – zusätzlich zu den Anzahlungen für jene Hochzeitsfeier, die hatte verschoben werden müssen.

»Na schön«, sagte sie mit tonloser Stimme. »Gehen wir wieder runter und tanzen.«

Sie stand auf, strich sich reflexhaft das Kleid glatt, und Matthew sah sie misstrauisch an. »Sicher?«

»Wir müssen das irgendwie hinter uns bringen«, sagte sie. »Die Leute sind von weiß Gott woher angereist. Und Mum und Dad haben ein Vermögen bezahlt.«

Sie raffte ihr Kleid zusammen und lief auf die Tür zu.

»Robin!«

Sie drehte sich um, erwartete ein »Ich liebe dich«, ein Lächeln, ein Flehen, irgendeine wahrhaftigere Versöhnung.

»Hast du nicht etwas vergessen?« Mit kühlem Blick hielt er ihr den Ehering hin, den sie zuvor abgestreift hatte.

Strike hatte beschlossen zu bleiben, bis sich die Gelegenheit ergab, mit Robin zu sprechen. Trinken schien ihm bis dahin der vernünftigste Zeitvertreib zu sein. Stephen und Jenny, die ihn bislang bereitwillig von den anderen abgeschirmt hatten, sollten endlich mit ihren Freunden und der Familie plaudern können; stattdessen setzte er wieder auf die Faktoren, die neugierige Fremde auch sonst so zuverlässig abschreckten: seine beeindruckende Körperfülle in Kombination mit einer konstant finsteren Miene. Eine Weile hielt er sich an der Bar auf, wo er am Ende des Tresens ein Pint trank, dann lief er auf die Terrasse, wo er in sicherer Entfernung zu den anderen Rauchern den Sonnenuntergang betrachtete und unter dem korallenroten Himmel tief den süßen Wiesenduft inhalierte. Selbst Martin und seine Freunde, die längst nicht mehr nüchtern waren und wie Teenager eine Zigarette kreisen ließen, brachten nicht mehr den Mut auf, ihn anzusprechen.

Nach einer Weile trieben die Kellner routiniert die versprengten Gäste zusammen und scheuchten sie zurück in den holzgetäfelten Saal, wo in ihrer Abwesenheit die Tanzfläche freigeräumt worden war, indem man die Hälfte der Tische entfernt und die restlichen zur Seite gerückt hatte. Die Band hatte hinter den Verstärkern Posten bezogen, nur Braut und Bräutigam ließen noch auf sich warten. Ein schwitzender, dicker, rotgesichtiger Mann – Matthews Vater, wenn Strike es richtig verstanden hatte –, riss Scherze darüber, wo sie steckten und womit sie wohl beschäftigt seien. Eine Frau in einem engen türkisfarbenen Kleid steuerte auf Strike zu. Der Federschmuck an ihrem Hut kitzelte ihn an der Nase, als sie sich vorbeugte, um ihm die Hand zu geben.

»Cormoran Strike, nicht wahr?«, sagte sie. »Welche Ehre! Sarah Shadlock.«

Strike wusste über Sarah Shadlock Bescheid. Sie hatte an der Uni mit Matthew geschlafen, während der eine Fernbeziehung mit Robin gehabt hatte. Erneut hob Strike die bandagierte Hand, um ihr zu verstehen zu geben, dass er ihre nicht schütteln würde.

»Ach, Sie Armer!«

Ein angetrunkener Mann mit schütterem Haar stellte sich hinter Sarah. Er hatte aus der Entfernung älter ausgesehen, als er tatsächlich war.

»Tom Turvey.« Er blickte Strike aus glasigen Augen an. »Verdammt gute Arbeit. Starke Leistung, Kumpel. *Verdammt gute Arbeit.*«

»Wir warten schon seit Ewigkeiten darauf, Sie endlich kennenzulernen«, sagte Sarah. »Wir sind alte Freunde von Matt und Robin.«

»Der Shacklewell Rip... Ripper«, sagte Tom. Er hatte einen leichten Schluckauf. »Verdammt gute Arbeit.«

»Sehen Sie sich nur an, Sie *Armer*«, wiederholte Sarah, griff nach Strikes Bizeps und lächelte in sein lädiertes Gesicht. »Das war doch nicht etwa *er*, oder?«

»Das wollen hier alle wissen«, sagte Tom und grinste belämmert. »Aber sie trauen sich nicht zu fragen. Sie hätten die Rede halten sollen, nicht Henry.«

»Haha«, flötete Sarah. »Aber darauf konnten Sie gewiss verzichten, nicht wahr? Sind Sie etwa direkt von der Festnahme hergefahren?«

»Die Polizei hat mich gebeten, nicht darüber zu sprechen«, entgegnete Strike ernst. »Tut mir sehr leid.«

»Ladys und Gentlemen«, hob der genervte Hochzeitsmoderator an, sowie er mitbekommen hatte, dass Matthew und Robin wieder da waren, »bitte einen herzlichen Applaus für Mr. und Mrs. Cunliffe!«

Die Frischvermählten betraten mit ernsten Mienen die Mitte der Tanzfläche. Alle bis auf Strike applaudierten. Der Moderator reichte das Mikrofon an den Sänger der Band weiter.

»Dieses Lied begleitet Matthew und Robin schon lange, und es bedeutet ihnen sehr viel«, verkündete der Sänger, während Matthew eine Hand an Robins Hüfte legte und sich mit der anderen nach ihrer Hand ausstreckte.

Der Fotograf schälte sich aus den Schatten und knipste drauflos. Verärgert nahm er zur Kenntnis, dass die Braut sich wieder den hässlichen Gummischutz über den Arm gestreift hatte.

Dann ertönten die ersten Takte von »Wherever You Will Go« von The Calling. Robin und Matthew drehten sich auf dem Fleck und mieden den Blick des jeweils anderen.

So lately, been wondering,
Who will be there to take my place
When I'm gone, you'll need love
To light the shadows on your face ...

Seltsame Wahl für »unser Lied«, dachte Strike – und sah im nächsten Moment, wie Matthew sich zu Robin vorbeugte, ihre schlanke Taille fester umklammerte und das edle Profil vorschob, um ihr etwas ins Ohr zu flüstern.

Der Nebel aus Müdigkeit, Erleichterung und Alkohol, der die wahre Bedeutsamkeit dieser Hochzeit bislang vor Strike verborgen hatte, lichtete sich, und er spürte einen Stich in der Magengrube. Jetzt, da er das Brautpaar auf der Tanzfläche vor sich sah – Robin im langen weißen Kleid mit einem Kranz aus Rosen im Haar, Matthew im dunklen Anzug, das Gesicht an der Wange seiner Braut –, musste er sich zu guter Letzt eingestehen, wie lange schon und wie sehr er gehofft hatte, dass Robin nicht heiraten würde. Er hätte gewollt, dass sie frei wäre, so frei wie früher. Frei, falls sich die Umstände änderten ... falls sich die Gelegenheit ergäbe ... frei, um eines Tages herausfinden zu können, ob sie beide mehr waren als nur Kollegen.

Scheiß drauf.
Wenn sie mit ihm reden wollte, konnte sie ihn ja anrufen. Er stellte sein leeres Glas auf der Fensterbank ab, drehte sich um, schob sich durch die Menge, die ihm angesichts des finsteren Blicks nur zu bereitwillig Platz machte.

Robin drehte sich um und sah, wie Strike auf den Ausgang zusteuerte und die Tür aufzog. Dann war er verschwunden.
»Lass mich los …«
»Was?«
Sie befreite sich aus Matthews Griff und raffte ein weiteres Mal ihr Kleid zusammen, um mehr Bewegungsfreiheit zu haben. Halb ging, halb rannte sie von der Tanzfläche und wäre um ein Haar mit ihrem Vater und Tante Sue zusammengestoßen, die sich in unmittelbarer Nähe im Tanzschritt gewiegt hatten. Matthew blieb allein mitten im Saal zurück, während Robin sich ihren Weg durch die verblüfften Zuschauer bahnte – zu der Tür, die soeben hinter Strike ins Schloss gefallen war.
»Cormoran!«
Er war bereits die halbe Treppe hinunter, als er seinen Namen hörte und sich noch mal umdrehte. Die langen Locken unter der Krone aus Yorkshire-Rosen gefielen ihm ausnehmend gut.
»Glückwunsch.«
Sie lief ein paar weitere Stufen nach unten und versuchte mehrmals, den Kloß in ihrem Hals hinunterzuschlucken.
»Willst du mich wirklich zurückhaben?«
Er zwang sich zu einem Lächeln. »Glaubst du ernsthaft, Shanker und ich sind nur zum Spaß stundenlang in einem höchstwahrscheinlich gestohlenen Wagen hierhergefahren? Natürlich will ich dich zurück.«
Sie lachte, während ihr gleichzeitig Tränen in die Augen

stiegen. »Shanker ist auch da? Du hättest ihn reinbitten sollen!«

»Shanker? Auf deiner Hochzeit? Er hätte die Taschen sämtlicher Gäste geleert und dann wahrscheinlich noch die Kasse an der Rezeption ausgeräumt.«

Sie lachte wieder. Diesmal kullerten ihr die Tränen über die Wangen. »Wo wollt ihr denn übernachten?«

»Ich schlaf im Auto, während Shanker mich wieder nach Hause fährt. Dafür wird er mir ein Vermögen abknöpfen«, sagte er. »Aber egal«, fügte er eilig hinzu, bevor sie etwas erwidern konnte. »Wenn du zurückkommst, war es das mehr als wert.«

»Diesmal will ich einen Vertrag«, sagte Robin mit strenger Stimme, was so gar nicht zu dem warmen Ausdruck in ihren Augen passte. »Einen richtigen Arbeitsvertrag.«

»Abgemacht.«

»Also gut. Wir sehen uns dann ...«

Ja, wann? Jetzt ging es erst mal für zwei Wochen auf Hochzeitsreise.

»Gib mir einfach Bescheid«, sagte Strike.

Er drehte sich um und ging weiter die Treppe hinunter.

»Cormoran!«

»Was?«

Sie kam auf ihn zu, bis sie eine Treppenstufe über ihm auf Augenhöhe zu ihm stand.

»Du musst mir alles erzählen – wie du ihn geschnappt hast und so weiter. Alles.«

Er lächelte. »Mach ich, keine Sorge. Aber ohne dich hätte ich das niemals geschafft.«

Es war unmöglich zu sagen, wer die Initiative ergriff oder ob sie sich gleichzeitig einander näherten, doch ehe sie sichs versahen, lagen sie sich fest in den Armen. Robins Kinn ruhte auf Strikes Schulter, und er drückte das Gesicht in ihr Haar. Er roch nach Schweiß, Bier und Desinfektionsmittel, sie nach Rosen und dezent nach dem Parfüm, das er so sehr vermisst hatte, seit sie nicht mehr ins Büro gekommen war. Sie fühlte sich unvertraut und gleichzeitig vertraut an, als hätte er sie vor langer Zeit schon mal in den Armen gehalten, als hätte er sich nach dieser Umarmung seit Jahren gesehnt, ohne es auch nur zu ahnen. Durch die geschlossene Tür war die Band zu hören.

I'll go wherever you will go
If I could make you mine ...

So plötzlich, wie sie sich in die Arme gefallen waren, ließen sie einander wieder los. Tränen strömten Robin übers Gesicht. Einen wahnwitzigen Augenblick lang überlegte Strike, einfach zu sagen: »Komm mit«, doch manche Worte konnte man nicht mehr zurücknehmen oder vergessen machen, und diese gehörten, wie er sehr wohl wusste, dazu.

»Gib mir Bescheid«, wiederholte er stattdessen. Er wollte lächeln, doch sein Gesicht tat zu sehr weh. Ohne sich umzudrehen, ging er die Treppe hinunter und hob dabei die bandagierte Hand.

Sie sah ihm nach und wischte sich dabei energisch die heißen Tränen aus dem Gesicht. Hätte er gesagt: »Komm mit«, sie wäre ihm, ohne zu zögern, gefolgt. Aber was dann? Sie schluckte, wischte sich mit dem Handrücken über die Nase, drehte sich um, raffte das Kleid erneut zusammen und kehrte gemessenen Schrittes zu ihrem Ehemann zurück.

TEIL EINS
EIN JAHR SPÄTER

1

… will er jetzt vergrößern, höre ich. Aus sicherer Quelle habe ich erfahren, dass er einen geschickten Mitarbeiter sucht.

HENRIK IBSEN, *ROSMERSHOLM*

Das allgemeine Streben nach Ruhm bewirkt für gewöhnlich, dass diejenigen, denen er versehentlich oder unbeabsichtigt zufällt, kein Erbarmen erwarten dürfen.

Noch viele Wochen nach der Ergreifung des Shacklewell Rippers musste Strike befürchten, dass sein größter detektivischer Triumph seiner Karriere zugleich den Todesstoß versetzt hatte. Schon zweimal war eine Welle des öffentlichen Interesses über seine Detektei hinweggerollt. Wie ein Ertrinkender hatte er sich immer wieder an die Oberfläche gekämpft, doch diesmal drohte er endgültig in die Tiefe gezogen zu werden. Sein Geschäft, für das er so große Opfer erbracht und so hart gearbeitet hatte, beruhte ganz wesentlich darauf, dass er sich unerkannt durch die Straßen Londons bewegen konnte. Doch mit der Überführung eines Serienmörders hatte er das öffentliche Interesse geweckt, war zu einer Sensationsmeldung geworden, einem Kuriosum, gut für eine launige Randbemerkung in einer Quizshow, ein Gegenstand der Neugier, der umso faszinierender war, da er sich weigerte, jene Neugier zu befriedigen.

Nachdem sie Strikes Einfallsreichtum bei der Verfolgung des Rippers in allen Facetten und bis ins letzte Detail nachgezeichnet hatten, nahmen sich die Medien seine Vergangenheit vor. Sie wurde als »schillernd« bezeichnet, obwohl Strike selbst sie eher als psychische Last begriff, die er schon sein Leben lang mit sich herumtrug und die er nur zu gern abgelegt hätte: der Vater ein Rockstar, die verstorbene Mutter ein Groupie, die Laufbahn bei der Armee, die mit dem Verlust des rechten Unterschenkels ein Ende gehabt hatte. Grinsende Reporter mit dicken Scheckbüchern hatten sich auf diejenige seiner Verwandten gestürzt, mit der er die Kindheit verbracht hatte: seine Halbschwester Lucy. Ehemalige Kameraden ließen blöde Sprüche über ihn ab, und Strike meinte immer wieder, hinter dem groben soldatischen Humor Neid und Verachtung wahrzunehmen. Der Vater, dem Strike nur zweimal im Leben begegnet war und dessen Namen er nicht hatte tragen wollen, hatte mittels einer Pressemitteilung die Andeutung einer freundschaftlichen Vater-Sohn-Beziehung fallen lassen, die sich angeblich im Verborgenen abspielte, in Wirklichkeit aber nicht existierte. Die Nachwirkungen des Ripper-Falls hatten Strikes Leben ein ganzes Jahr lang erschüttert, und noch immer war er sich nicht sicher, ob sie vollends ausgestanden waren.

Natürlich hatte es auch seine Vorteile, der bekannteste Privatdetektiv Londons zu sein. Nach dem Prozess hatte man ihm förmlich die Bude eingerannt, sodass Robin und er es irgendwann nicht mehr geschafft hatten, sämtliche Aufträge persönlich zu bearbeiten. Doch weil Strike den Ball ohnehin für eine Weile flach halten musste, hatte er sich mehrere Monate lang auf die Büroarbeit beschränkt und Verstärkung angeheuert – hauptsächlich in Gestalt ehemaliger Polizisten und Army-Angehöriger mit Erfahrung im privaten Sicherheitsgewerbe. Diese übernahmen den Löwenanteil der Observationsarbeit, während Strike selbst sich um die Nachtschichten und den Papierkram kümmerte.

Nachdem die vergrößerte Detektei ein Jahr lang an der Kapazitätsgrenze gearbeitet hatte, war es Strike endlich möglich gewesen, Robin die längst überfällige Gehaltserhöhung zuzugestehen, seine letzten Schulden zu begleichen und sich einen dreizehn Jahre alten 3er-BMW anzuschaffen.

Lucy und seine Bekannten sahen in dem Wagen und im zusätzlichen Personal den Beweis dafür, dass Strike finanziell endlich auf einen grünen Zweig, wenn nicht gar zu Wohlstand gekommen war. Doch sobald die freien Mitarbeiter und der exorbitant teure Garagenstellplatz in der Londoner Innenstadt bezahlt waren, blieb so gut wie nichts mehr übrig, sodass er wohl oder übel in seiner Zweizimmerwohnung über dem Büro wohnen bleiben und seine Mahlzeiten auch weiter auf einem Herd zubereiten musste, der über lediglich eine Kochplatte verfügte.

Der bürokratische Aufwand, den die zusätzlichen freiberuflichen Mitarbeiter mit sich brachten, sowie die Tatsache, dass die meisten von ihnen nur bedingt für die Detektivarbeit taugten, bereiteten ihm ständig Kopfschmerzen. Bisher war nur ein Mann für eine längerfristige Zusammenarbeit infrage gekommen: Andy Hutchins, Expolizist, schlank, ernster Typ und zehn Jahre älter als sein neuer Arbeitgeber. Eric Wardle, Strikes Freund bei der Londoner Polizei, hatte ihn wärmstens empfohlen. Hutchins war in Frührente gegangen, nachdem er nach einer vollkommen unvermittelt eintretenden, fast vollständigen Lähmung seines linken Beins die Diagnose Multiple Sklerose erhalten hatte. Beim Vorstellungsgespräch hatte er Strike gewarnt, er werde körperlich nicht immer voll einsatzfähig sein; auch wenn es seit drei Jahren zu keinem neuerlichen Schub gekommen war, so war die Krankheit, an der er litt, doch unberechenbar. Er richtete sich nach einem speziellen Ernährungsplan und verzichtete weitgehend auf Fett, was sich für Strike nach der reinsten Folter anhörte: kein rotes Fleisch mehr, kein Käse, keine Schokolade, nichts Frittiertes. Andererseits konnte Strike darauf vertrauen, dass der geduldige Andy methodisch zu Werke ging und seine Arbeit erledigte, ohne dass man ihm ständig auf die Finger sehen musste ... was er leider – mit Ausnahme von Robin – von keinem weiteren Mitarbeiter behaupten konnte. Nach wie vor staunte Strike nicht schlecht, wie aus der Aushilfssekretärin, die so unverhofft in sein Leben getreten war, seine Geschäftspartnerin und hochgeschätzte Kollegin hatte werden können.

Ob sie immer noch Freunde waren, stand dagegen auf einem anderen Blatt.

Zwei Tage nach Robins und Matthews Hochzeit hatte die Presse Strike aus seiner Wohnung vertrieben. Damals war es unmöglich gewesen, den Fernseher auch nur einzuschalten, ohne dass er seinen Namen gehört hätte. Er hatte Einladungen seiner Freunde und seiner Schwester ausgeschlagen und war stattdessen in einem Travelodge in der Nähe der Monument Station abgestiegen. Dort hatte er die Einsamkeit und Ruhe gefunden, nach der er sich so sehr gesehnt hatte; dort hatte er stundenlang ungestört schlafen können; und dort hatte er schließlich neun Bierdosen geleert. Mit jeder leeren Dose, die er mit schwindender Zielgenauigkeit quer durch den Raum in Richtung Mülleimer geworfen hatte, war das Verlangen, mit Robin zu sprechen, in ihm weiter angewachsen.

Seit der Umarmung auf der Treppe, an die Strike in den darauffolgenden Tagen oft zurückdenken sollte, hatten sie keinen Kontakt mehr gehabt. Kein Zweifel, dass Robin gerade eine schwierige Zeit durchmachte. Wahrscheinlich hatte sie sich in Masham verschanzt und überlegte, ob sie sich scheiden oder die Ehe annullieren lassen sollte, während sie sich gleichzeitig um den Verkauf der gemeinsamen Wohnung, die Avancen der Presse und die Empörung ihrer Familie kümmern musste. Strike hatte keine Ahnung, was er sagen sollte, wenn er sie erst am Telefon hätte. Aber er wollte ihre Stimme hören. Angetrunken durchwühlte er seine Taschen und stellte fest, dass er bei seiner übereilten Flucht aus der Wohnung das Ladekabel für sein Handy liegen gelassen hatte. Obwohl sich die Akkulaufzeit mittlerweile bedenklich dem Ende zuneigte, rief er die Auskunft an und wurde nach einigen Aufforderungen, doch bitte deutlicher zu sprechen, mit Robins Elternhaus verbunden.

Ihr Vater ging ran.

»Hi, dürffich mt Robnsprechn?«

»Robin? Tut mir leid, aber die ist auf Hochzeitsreise.«

Einen verwirrten Augenblick lang verstand Strike nur Bahnhof.

»Hallo?«, fragte Michael Ellacott – und dann, wütend: »Na großartig! Noch ein Reporter! Meine Tochter ist im Ausland. Bitte rufen Sie nicht mehr unter dieser Nummer an.«

Strike hatte aufgelegt und bis zur Besinnungslosigkeit weitergetrunken.

Die Wut und die Enttäuschung hatten ihn noch tagelang verfolgt und sich auch nicht besänftigen lassen, indem er sich selbst vorhielt, dass ihn das Privatleben seiner Mitarbeiter im Grunde nichts anging. Robin konnte wohl doch nicht die Frau sein, für die er sie hielt, wenn sie einknickte und mit einem Mann, den er insgeheim nur als »das Arschloch« bezeichnete, in ein Flugzeug stieg. Doch noch während er mit seinem brandneuen Ladekabel und noch mehr Bier im Travelodge saß und darauf wartete, dass sich das Interesse an seiner Person legte, überkam ihn ein Gefühl, das einer Depression verdächtig ähnlich war.

Um sich von Robin abzulenken, beendete er die selbst gewählte Isolation, indem er eine Einladung annahm, die er unter anderen Umständen wahrscheinlich abgelehnt hätte: ein Abendessen mit Detective Inspector Eric Wardle, dessen Frau April und deren Freundin Coco. Strike wusste genau, dass er verkuppelt werden sollte. Anscheinend hatte Coco sich schon im Vorfeld bei Wardle über Strikes aktuellen Beziehungsstatus erkundigt.

Coco war eine kleine, anmutige und bildhübsche Frau mit tomatenroten Haaren, Tätowiererin von Beruf und Burlesque-Tänzerin in der Freizeit. Bei Strike hätten sämtliche Alarmglocken losschrillen müssen. Noch bevor sie überhaupt etwas getrunken hatte, kicherte sie schon leicht hysterisch.

Im Travelodge schlief Strike mit ihr auf die gleiche Art und Weise, mit der er dort zuvor neun Dosen Tennent's geleert hatte.

Die folgenden Wochen verbrachte er – nicht ohne Gewissensbisse – damit, sie wieder loszuwerden. Aber auf der Flucht vor der Presse zu sein hatte zumindest den Vorteil, dass einen auch One-Night-Stands nur schwer aufstöbern konnten.

Selbst ein Jahr später war es Strike nach wie vor ein Rätsel, warum Robin Matthew noch nicht verlassen hatte. Anscheinend war ihre Zuneigung zu ihm so stark, dass sie seine wahre Natur nicht erkannte. Strike selbst war ebenfalls wieder in festen Händen. Die Beziehung dauerte nun schon zehn Monate an und war damit die längste seit seiner Trennung von Charlotte, der bisher einzigen Frau, die er glatt geheiratet hätte.

Zwischen den Detektivkollegen war eine gewisse emotionale Distanz zur Normalität geworden. Robins Arbeit jedenfalls war über jeden Zweifel erhaben – sie erledigte alles, was er ihr auftrug, gründlich und augenblicklich, mit Eigeninitiative und Einfallsreichtum. Dennoch ertappte er sie des Öfteren mit einem verkniffenen, leidenden Gesichtsausdruck, den er nicht von ihr kannte. Außerdem war sie schreckhafter als sonst, und ein-, zweimal hatte sie ihn, während er bei einer Dienstbesprechung Aufgaben verteilt hatte, mit leerem, unkonzentriertem Blick angesehen. Das machte ihm Sorgen. Sie hatte zwei tätliche Angriffe nur knapp überlebt, und er war mit den Symptomen einer posttraumatischen Belastungsstörung halbwegs vertraut. Unmittelbar nach dem Verlust seines Beins in Afghanistan hatte er ebenfalls mit dissoziativen Episoden zu kämpfen gehabt. Plötzlich und ohne Vorwarnung war er aus seiner vertrauten Umgebung gerissen worden, hatte erneut die Angst und jene düstere Vorahnung kurz vor der Explosion durchlebt, die dem Viking-Schützenpanzer, seiner militärischen Laufbahn und seiner körperlichen Unversehrtheit ein Ende gesetzt hatte. Seitdem hatte er große Schwierigkeiten damit, in ein Auto zu steigen, sofern er nicht selbst am Steuer sitzen sollte, und er wachte gelegentlich schweißgebadet aus von Blut und Schmerz erfüllten Albträumen auf.

Als er sich jedoch in seiner Rolle als verantwortungsvoller Arbeitgeber in aller Ruhe mit Robin über ihre geistige Gesundheit unterhalten wollte, schnitt sie ihm entschlossen das Wort ab und wollte nichts davon hören. Er nahm an, dass ihre Abwehrhaltung nach wie vor mit der Kündigung zusammenhing. Im Anschluss daran hatte sie sich nämlich nicht selten freiwillig für besonders heikle und bevorzugt nächtliche Einsätze gemeldet, und es hatte ihn nicht wenig Mühe gekostet, ihr stattdessen möglichst sichere, einfache Aufgaben zu übertragen, ohne dass sie Verdacht schöpfte.

Ihr Umgang miteinander war höflich, freundlich – und eben distanziert. Über ihr Privatleben sprachen sie nur, wenn es sich nicht vermeiden ließ, und selbst da blieben sie im Vagen. Robin und Matthew waren gerade erst umgezogen. Strike bestand darauf, dass sie sich im Anschluss daran eine ganze Woche freinahm, und duldete keinen Widerspruch, im Gegenteil, er erinnerte sie daran, dass sie in diesem Jahr noch so gut wie gar keinen Urlaub genommen hatte. Ende der Diskussion.

Am Montag rammte die jüngste Niete, die Strike bei der Personalsuche gezogen hatte – ein großmäuliger ehemaliger

Militärpolizist, der ihm persönlich aus seiner aktiven Dienstzeit unbekannt gewesen war –, mit seinem Moped das Heck eines Taxis, dem er eigentlich unauffällig hätte folgen sollen. Den Mann vor die Tür zu setzen bereitete Strike große Genugtuung: eine günstige Gelegenheit, seinem Ärger Luft zu machen – denn der Hauseigentümer hatte das Anwesen in der Denmark Street an einen Bauinvestor verkauft, wie Strike und die anderen Mieter unmittelbar zuvor erfahren hatten. Nun drohte der Detektiv nicht nur die Geschäftsräume, sondern auch seine Wohnung zu verlieren.

Zur Krönung dieser besonders beschissenen Tage entpuppte sich die Aushilfe, die er zur Erledigung des anfallenden Papierkrams und für den Telefondienst eingestellt hatte, als eine der nervtötendsten Frauen, denen Strike je begegnet war. Denise salbaderte in einem fort in einer weinerlich nasalen Stimme vor sich hin, die selbst durch die geschlossene Tür zu seinem Büro zu hören war. Er gewöhnte sich an, Kopfhörer aufzusetzen und Musik zu hören, was immer wieder dazu führte, dass Denise gegen seine Tür hämmern und schreien musste, bis er endlich Notiz von ihr nahm.

»Was?«

»Das hab ich gerade gefunden«, sagte sie und hielt ihm einen handgeschriebenen Zettel hin. »›Klinik‹ steht da, und davor irgendwas mit einem V am Anfang. Der Termin ist in einer halben Stunde. Hätte ich Ihnen Bescheid geben müssen?«

Es war Robins Handschrift. Das erste Wort war tatsächlich nicht zu entziffern.

»Nein«, sagte er. »Werfen Sie den Zettel einfach weg.«

In der leisen Hoffnung, dass Robin professionelle Hilfe für ihre wie auch immer gearteten psychischen Probleme in Anspruch nahm, setzte Strike die Kopfhörer wieder auf und widmete sich erneut dem Bericht, den er gerade gelesen hatte – vergebens. Er konnte sich nicht konzentrieren und beschloss, stattdessen zeitig zu einem Vorstellungsgespräch aufzubrechen, das er mit einem potenziellen neuen Mitarbeiter vereinbart hatte. Um Denise zu entkommen, hatte er das Gespräch in seinem Lieblingspub angesetzt.

Sowie die Reporter nach der Festnahme des Shacklewell Rippers in Erfahrung gebracht hatten, dass Strike dort Stammgast war, hatten sie das Tottenham regelrecht belagert. Und selbst heute sah er sich erst misstrauisch um, ob die Luft rein war, bevor er an die Theke trat, sich wie immer ein Doom Bar holte und an einem Ecktisch Platz nahm.

Strike hatte seit dem vergangenen Jahr an Gewicht verloren, was zum Teil an seinem Arbeitspensum, zum Teil aber auch am Verzicht auf Pommes frites lag, die früher eines seiner Grundnahrungsmittel dargestellt hatten. Damit einher ging nun die geringere Belastung seines Beinstumpfs; inzwischen konnte er sich müheloser setzen, empfand dies aber auch immer wieder als umso geringere Erleichterung. Strike nahm einen Schluck von seinem Pint, streckte aus alter Gewohnheit das Knie aus, genoss seine neu gewonnene Beweglichkeit und klappte den Aktendeckel auf, den er bei sich hatte.

Die Notizen waren von jenem Volltrottel zusammengestellt worden, der mit seinem Moped das Taxi gerammt hatte, und kaum zu gebrauchen. Strike durfte es sich nicht leisten, diesen Klienten zu verlieren, aber weil Hutchins und er die ganze Arbeit nur mit Mühe bewältigen konnten, brauchte er dringend Verstärkung. Trotzdem war er nicht vollends davon überzeugt, den richtigen Kandidaten zum Vorstellungsgespräch eingeladen zu haben. Die kühne Entscheidung, einen Mann zu kontaktieren, den er seit fünf Jahren nicht mehr gesehen hatte, hatte er ganz ohne Robin getroffen. Als jetzt die Tür des Tottenham aufging und Sam Barclay pünktlich auf die Minute den Pub betrat, fragte sich Strike, ob er nicht einen gewaltigen Fehler gemacht hatte.

Mit dem T-Shirt unter dem dünnen V-Ausschnitt-Pulli, den kurz geschnittenen Haaren, der engen Jeans und den makellos weißen Turnschuhen war der gebürtige Glasgower schon von Weitem als ehemaliger Soldat zu erkennen. Als Strike aufstand, um ihm die Hand zu schütteln, musste Barclay, der ihn ebenfalls sofort erkannt hatte, grinsen.

»Schon beim Bier, aye?«

»Wollen Sie auch eins?«, fragte Strike.

Während er auf Barclays Pint wartete, beobachtete Strike den einstigen Infanteristen im Spiegel über der Theke. Barclay war knapp über dreißig und sah bis auf das allmählich ergrauende Haar noch immer genauso aus, wie Strike ihn in Erinnerung gehabt hatte: Mit seinen buschigen Augenbrauen, den großen, runden blauen Augen und dem markanten Kinn erinnerte er an eine freundliche Eule. Strike hatte Barclay immer gemocht – selbst als er alles darangesetzt hatte, ihn vors Militärgericht zu bringen.

»Immer noch der alte Kiffer?«, fragte Strike, nachdem er ihm das Bier gereicht und sich wieder gesetzt hatte.

»Hab mir einen Vaporizer zugelegt«, erklärte Barclay. »Wir haben Nachwuchs gekriegt.«

»Gratuliere«, sagte Strike. »Also sind Sie jetzt auf dem Gesundheitstrip?«

»Aye, könnte man so sagen.«

»Aber immer noch am Dealen?«

»Ich hab im Leben nie gedealt, das wissen Sie verdammt genau«, sagte Barclay aufgebracht. »Ich nehm das nur zur Entspannung.«

»Und wo kriegen Sie das Zeug her?«

»Online«, antwortete Barclay und nahm einen Schluck. »Das ist kinderleicht. Beim ersten Mal dachte ich noch, Scheiße, das kann doch nicht funktionieren. Aber dann hab ich gedacht, och, den Versuch ist's wert. Sie schicken es einem in einer Zigarettenschachtel, zur Tarnung und so. Man hat sogar richtig Auswahl, wie auf 'ner Speisekarte. Tolle Sache, das Internet.« Er lachte. »Also, worum geht's? Ich hätte nicht erwartet, ausgerechnet von *Ihnen* zu hören.«

Strike zögerte. »Ich hätte Arbeit für Sie.«

Barclay starrte ihn einen Augenblick lang ungläubig an. Dann warf er den Kopf in den Nacken und brach in schallendes Gelächter aus.

»Scheiße«, sagte er. »Warum haben Sie das denn nicht gleich gesagt?«

»Was glauben Sie denn?«

»Hey, ich dampf auch nicht jeden Abend«, sagte Barclay ernst. »Wirklich nicht, ehrlich. Meine Frau steht da nicht so drauf.«

Strike behielt die Hand auf dem Aktendeckel und dachte fieberhaft nach.

Er hatte Barclay in Deutschland bei Ermittlungen zu einem Drogenfall kennengelernt. Selbstverständlich wurden in der britischen Armee wie in jedem anderen Bereich der Gesellschaft auch Drogen gehandelt; die SIB hatte man nur deshalb zu dem Fall hinzugezogen, weil man eine ungewöhnlich professionell aufgezogene Organisation dahinter vermutet hatte. Barclay hatte als einer der Drahtzieher gegolten, und der Fund eines Kilos besten marokkanischen Haschischs hatte seine Festnahme samt anschließendem Verhör gerechtfertigt.

Barclay hatte damals Stein und Bein geschworen, dass man ihm das Ganze nur habe anhängen wollen, und Strike, der bei der Vernehmung als Beisitzer fungiert hatte, war sogar geneigt gewesen, ihm Glauben zu schenken – nicht zuletzt weil der Infanterist viel zu intelligent wirkte, als dass er kein besseres Versteck für sein Hasch hätte finden können als seinen eigenen Army-Rucksack. Andererseits gab es genügend Hinweise darauf, dass Barclay regelmäßiger Konsument war, und diverse

Zeugen beschrieben sein Verhalten als zunehmend unberechenbar. Barclay kam Strike vor wie der ein bisschen zu gut passende Sündenbock, sodass er letztlich auf eigene Faust Nachforschungen anstellte.

Dabei war er auf deutlich zu umfangreiche Nachbestellungen von Baumaterial und Maschinenteilen gestoßen. Derlei Fälle von Korruption hatte Strike schon zuvor zur Genüge aufgedeckt, doch wie sich herausstellen sollte, waren die beiden Offiziere, die für die so mysteriös verschwindenden und leicht wiederverkäuflichen Waren verantwortlich zeichneten, ausgerechnet dieselben, die Barclay unbedingt vors Militärgericht hatten bringen wollen.

Während eines Vieraugengesprächs mit Strike nahm Barclay erstaunt zur Kenntnis, dass sich der SIB-Sergeant nicht für das Haschisch, sondern für Unregelmäßigkeiten im Zusammenhang mit gewissen Bauvorhaben interessierte. Er war erst misstrauisch; warum sollte man ihm in seiner Situation Gehör schenken wollen? Dann gab er zu, auf gewisse Dinge gestoßen zu sein, die andere nicht bemerkt hatten oder nicht hatten bemerken wollen. Er hatte sogar eigene Recherchen angestellt und penibel aufgezeichnet, was die Offiziere in welcher Menge hatten mitgehen lassen. Zu Barclays Unglück hatten besagte Offiziere wiederum Wind von seinen Nachforschungen bekommen, und wenig später war der kiloschwere Haschischbrocken zwischen seinen Habseligkeiten aufgetaucht.

Barclay zeigte Strike seine Aufzeichnungen (das Notizbuch war weitaus besser versteckt gewesen als das Haschisch), und Strike war von Barclays methodischem, einfallsreichem Vorgehen schwer beeindruckt; immerhin war er nie in Ermittlungstechniken ausgebildet worden.

»Das ist doch nicht rechtens, oder?«, erwiderte Barclay mit einem Zucken der breiten Schultern auf die Frage, warum er sich so viel unbezahlte Arbeit gemacht und sich damit auch noch in derartige Schwierigkeiten gebracht habe. »Die bescheißen die Army. Das ist das Geld des Steuerzahlers, das die da einsacken.«

Strike steckte mehr Arbeitsstunden in den Fall, als seine Kollegen für gerechtfertigt hielten, und aufgrund seiner Fürsprache führte das Dossier, das Barclay über die Aktivitäten seiner Vorgesetzten angelegt hatte, letztendlich zu deren Verurteilung. Das SIB strich die Lorbeeren ein, und im Gegenzug hatte Strike dafür gesorgt, dass sämtliche Anklagepunkte gegen Barclay fallen gelassen wurden.

»Wenn Sie ›Arbeit‹ sagen, meinen Sie da Detektivarbeit?«, fragte Barclay über das Kneipengemurmel und Gläserklirren hinweg. Strike konnte ihm ansehen, dass ihm die Vorstellung gefiel.

»Yeah. Was haben Sie nach der Army so gemacht?«

Die Antwort fiel erwartungsgemäß ernüchternd aus. In den ersten Jahren nach der Entlassung hatte Barclay Schwierigkeiten gehabt, einen ordentlichen Job zu finden und zu behalten. Hauptsächlich hatte er als Maler und Raumausstatter für die Firma seines Schwagers gearbeitet.

»Bei uns verdient meine Frau das Geld«, erklärte er. »Die hat 'ne gute Stelle.«

»Okay«, sagte Strike. »Versuchen wir's doch erst mal mit ein paar Tagen pro Woche. Sie arbeiten freiberuflich auf Rechnungsbasis. So können wir das Ganze schnell wieder beenden, wenn es nicht klappen sollte. Einverstanden?«

»Aye«, sagte Barclay. »Einverstanden. Was zahlen Sie denn so?«

Fünf Minuten lang diskutierten sie über das Honorar. Strike erklärte ihm, wie man als Auftragnehmer Rechnungen stellte, sich Ausgaben quittieren und dann im Büro erstatten ließ. Schließlich schlug er den Aktendeckel auf und drehte ihn zu Barclay herum.

»Wir observieren diesen Typen«, führte Strike aus und deutete auf das Foto eines fülligen jungen Mannes mit dichtem Lockenkopf, »und machen Fotos von allen, mit denen er sich trifft – und von allem, was er so treibt.«

»Aye, geht klar«, sagte Barclay, nahm das Handy heraus und fotografierte das Bild und die Adresse der Zielperson.

»Im Augenblick wird er noch von einem anderen Mitarbeiter beschattet«, sagte Strike. »Ab morgen früh um sechs müssten Sie dann vor seiner Wohnung stehen.«

Zufrieden nahm Strike zur Kenntnis, dass Barclay gegen den zeitigen Arbeitsbeginn nichts einzuwenden hatte.

»Was ist eigentlich mit dem Mädel passiert?«, fragte Barclay und steckte das Telefon weg. »Die auch in der Zeitung war?«

»Robin?«, fragte Strike. »Die hat Urlaub. Kommt nächste Woche zurück.«

Sie verabschiedeten sich mit einem Handschlag. Strike gönnte sich einen flüchtigen optimistischen Augenblick, ehe er sich schweren Herzens wieder ins Büro aufmachte, wo Denise auf ihn wartete – Denise mit ihrem papageiengleichen Geschnatter, der unsäglichen Angewohnheit, mit vollem Mund zu reden, und der Unfähigkeit, sich zu merken, dass er dünnen Tee mit zu viel Milch verabscheute.

Auf dem Weg musste er an den nicht enden wollenden Baustellen am Anfang der Tottenham Court Road vorbei. Sobald er den lautesten Abschnitt hinter sich gelassen hatte, rief er Robin an, um ihr mitzuteilen, dass er Barclay angeheuert hatte. Er landete auf ihrer Mailbox. Dann erinnerte Strike sich wieder an den Termin in der mysteriösen Klinik, der just in diesem Augenblick stattfinden sollte, und legte auf, ohne eine Nachricht zu hinterlassen.

Er war bereits ein Stück weitergegangen, als ihm plötzlich etwas einfiel. Er war davon ausgegangen, dass Robin die Klinik wegen psychischer Probleme aufsuchte. Aber was, wenn …

Das Handy in seiner Hand klingelte: das Büro.

»Hallo?«

»Mr. Strike?«, quäkte Denise aufgeregt in sein Ohr. »Mr. Strike, könnten Sie bitte ganz schnell zurückkommen? Bitte … Hier ist ein Gentleman, der Sie dringend sprechen will …«

Im Hintergrund hörte Strike einen lauten Knall, gefolgt vom Brüllen eines Mannes.

»Kommen Sie, so schnell Sie können!«, kreischte Denise.

»Bin unterwegs!«, rief Strike und spurtete wenig elegant los.

2

Aber er sieht gar nicht so aus, dass man ihn in die Stube lassen kann.

HENRIK IBSEN, *ROSMERSHOLM*

Keuchend und mit schmerzendem rechtem Knie zog Strike sich am Geländer die letzten Stufen der Eisentreppe zu seinem Büro hinauf. Hinter der Glastür waren zwei laute Stimmen zu hören – eine männliche und eine schrille, angsterfüllte weibliche.

»Gott sei Dank!«, keuchte Denise, als Strike ins Vorzimmer stürzte. Sie stand mit dem Rücken zur Wand.

Strike schätzte den Mann in der Mitte des Raums auf etwa Mitte zwanzig. Strähnig dunkles Haar hing um sein dünnes, dreckverschmiertes Gesicht, das von zwei glühenden Augen in tiefen Höhlen dominiert wurde. Sein T-Shirt, der Kapuzenpulli und die Jeans waren verschlissen und schmutzig, die Sohle eines Turnschuhs löste sich vom Leder. Dem Detektiv stieg der Geruch eines ungewaschenen Tiers in die Nase.

Der Fremde war ganz offenkundig geisteskrank. Etwa alle zehn Sekunden berührte er wie bei einem unbeherrschbaren Tick erst seine Nasenspitze, die vom vielen Antippen schon ganz rot war, dann klopfte er sich mit einem leisen, hohlen Geräusch gegen den Brustkorb. Anschließend ließ er die Hand wieder fallen, sodass sie an seiner Seite hinabbaumelte, nur um sie gleich darauf wieder zur Nasenspitze zu führen. Es war, als hätte er vergessen, wie man sich bekreuzigte, oder das Ritual aus Geschwindigkeitsgründen stark vereinfacht. Nase, Brustkorb, Hand an der Seite; allein das Zuschauen machte einen nervös – umso mehr, als er sich der Handlung kaum bewusst zu sein schien. Es handelte sich um eine jener kranken, trostlosen Gestalten, denen man in der Hauptstadt tagtäglich begegnete und die man nach Möglichkeit ignorierte. So wie den Obdachlosen in der U-Bahn, dem niemand in die Augen sehen wollte; die zeternde, keifende Frau, bei deren Anblick die Leute die Straßenseite wechselten; gebrochene Existenzen – zu alltäglich, als dass man viele Gedanken auf sie verschwendete.

»Sind Sie das?«, fragte der Mann mit dem lodernden Blick, während er sich erneut an Nase und Brust tippte. »Sind Sie Strike? Der Detektiv?«

Mit der Hand, die nicht unablässig Nase und Brust berührte, zerrte er an seinem Hosenschlitz. Denise wimmerte vor Angst; würde er sich gleich unvermittelt entblößen? Es lag durchaus im Bereich des Möglichen.

»Ja, ich bin Strike«, sagte der Detektiv und stellte sich zwischen den Besucher und seine Aushilfe. »Alles klar, Denise?«

»Ja«, flüsterte sie, immer noch mit dem Rücken zur Wand.

»Ich hab gesehen, wie ein Kind umgebracht wurde«, sagte der Fremde. »Erwürgt.«

»Okay«, sagte Strike nüchtern. »Gehen wir nach nebenan.« Mit einer einladenden Geste bat er den Mann in sein Büro.

»Ich muss pissen«, sagte der Mann und zerrte am Reißverschluss seiner Hose.

»Dann hier lang.«

Strike führte ihn auf den Treppenabsatz und wies ihm die Tür zur Toilette. Sobald sich diese geschlossen hatte, kehrte er zu Denise zurück.

»Was ist hier los?«

»Er wollte Sie sprechen. Als ich ihm gesagt habe, dass Sie nicht da sind, wurde er wütend und hat angefangen, auf alles Mögliche einzuschlagen.«

»Rufen Sie die Polizei«, flüsterte Strike. »Sagen Sie denen, dass wir es mit einem kranken, wahrscheinlich psychotischen Mann zu tun haben. Aber warten Sie, bis er in meinem Büro ist.«

Die Toilettentür flog auf. Der Hosenschlitz des Mannes stand sperrangelweit offen. Wie deutlich zu sehen war, trug er keine Unterwäsche. Denise wimmerte erneut, als er, ohne sich bewusst zu sein, dass er ein dunkles Schamhaarbüschel zur Schau stellte, fieberhaft Nase und Brust, Nase und Brust berührte.

»Hier herein«, sagte Strike freundlich, und der Mann schlurfte ins Büro. Nach der kurzen Atempause war sein Gestank gleich doppelt so schlimm.

Strike forderte ihn auf, sich zu setzen, und der Mann ließ sich auf der Sesselkante nieder.

»Wie heißen Sie?«, fragte Strike und nahm hinter seinem Schreibtisch Platz.

»Billy.«

Seine Hand berührte dreimal schnell hintereinander Nase und Brust. Als er sie nach dem dritten Mal sinken ließ, packte er sie mit der freien Hand und hielt sie fest.

»Also, Billy. Sie haben gesehen, wie jemand ein Kind erwürgt hat?«

»Die Polizei, schnell!«, plärrte Denise nebenan.

»Was hat sie gesagt?«, keuchte Billy. Als er sich nervös zum Vorzimmer umdrehte, traten die tief in den Höhlen liegenden Augen hervor. Er hielt weiter die Hand umklammert, um den Tick zu unterdrücken.

»Ach, gar nichts«, sagte Strike beiläufig. »Sie arbeitet an einem anderen Fall. Erzählen Sie mir von dem Kind.«

Bedächtig griff Strike nach Stift und Papier, als wäre Billy ein scheuer Vogel, den er nach Möglichkeit nicht aufschrecken wollte.

»Er hat es erwürgt, oben beim Pferd.«

Durch die dünne Trennwand war jedes Wort zu hören, das Denise ins Telefon quäkte.

»Und wann war das?«, fragte Strike und schrieb mit.

»Ist ewig her ... Ich war noch ein Kind. Es war ein kleines Mädchen, aber danach hieß es, es wär ein Junge gewesen. Jimmy war auch dabei, und er hat gesagt, es wär überhaupt nichts passiert, aber ich hab's gesehen. Ich hab gesehen, wie er's getan hat. Erwürgt. Ich hab's gesehen.«

»Und das war oben beim Pferd, ja?«

»Genau, oben beim Pferd. Aber da haben sie sie nicht vergraben. Ihn. Sondern unten, in der Mulde beim Haus von meinem Dad. Ich war dabei, ich kann Ihnen zeigen, wo das ist. Mich lässt sie nicht graben, aber Sie schon.«

»Und das war Jimmy, ja?«

»Jimmy hat niemanden erwürgt«, entgegnete Billy wütend. »Er war nur dabei, genau wie ich. Und dann sagt er, es wär gar nichts passiert. Aber er lügt, er war dabei. Er hat Angst, wissen Sie.«

»Verstehe«, flunkerte Strike und machte sich weiter Notizen. »Wenn ich in dem Fall ermitteln soll, brauche ich zuallererst einmal Ihre Adresse.«

Strike hatte Widerspruch erwartet, doch Billy griff bereitwillig nach Block und Stift, wobei er Strike in eine weitere Wolke aus Körperausdünstungen hüllte. Er wollte schon anfangen zu schreiben, überlegte es sich dann aber anders.

»Sie dürfen aber nicht zu Jimmy, ja? Scheiße, der prügelt mich windelweich. Sie dürfen nicht zu Jimmy.«

»Nein, nein«, beschwichtigte ihn Strike. »Ich brauche Ihre Adresse nur für meine Unterlagen.«

»Das muss schneller gehen, der Mann ist schwer gestört!«, drang Denises schrille Stimme durch die Tür.

»Was sagt sie?«, fragte Billy.

Zu Strikes Verdruss riss Billy das oberste Blatt vom Block, knüllte es in der Faust zusammen und berührte damit erneut Nase und Brust.

»Beachten Sie Denise einfach gar nicht«, sagte Strike. »Sie telefoniert mit einem anderen Klienten. Billy, darf ich Ihnen etwas zu trinken anbieten?«

»Was denn zu trinken?«

»Tee? Kaffee?«

»Warum?«, fragte Billy. Das Angebot schien ihn nur umso misstrauischer zu machen. »Warum soll ich denn was trinken?«

»Nur wenn Sie wollen. Wenn nicht, ist das natürlich völlig in Ordnung.«

»Ich will keine Medizin!«

»Ich will Ihnen gar keine Medizin geben«, entgegnete Strike.

»Ich bin nicht verrückt. Er hat das Kind erwürgt, und dann haben sie es vergraben, unten in der Mulde beim Haus von meinem Dad. Sie haben's in eine Decke gewickelt. In eine rosa Decke. Es war nicht meine Schuld. Ich war doch nur ein Kind. Ich wollte da gar nicht mit. Ich war doch nur ein kleines Kind.«

»Wie viele Jahre ist das jetzt her, wissen Sie das?«

»Eine Ewigkeit ... Jahre ... Ich kann's einfach nicht vergessen ...« Billys Augen funkelten in seinem schmalen Gesicht. Die Faust mit dem zerknüllten Papier fuhr auf und nieder, berührte erst Nase, dann Brust. »Sie haben sie in einer rosa Decke vergraben, unten in der Mulde beim Haus von meinem Dad. Und danach haben sie gesagt, es wär ein Junge gewesen.«

»Wo steht denn das Haus von Ihrem Dad, Billy?«

»Sie lässt mich nicht mehr hin. Aber Sie können dort graben. Sie können hin. Die haben sie erwürgt.« Billy sah Strike mit fiebrig durchdringendem Blick an. »Es war ein Junge, hat Jimmy gesagt. Erwürgt, oben beim ...«

Es klopfte. Noch ehe Strike sie davon abhalten konnte, steckte Denise – die in der Anwesenheit des Detektivs mit einem Mal sehr viel mutiger und selbstbewusster zu sein schien – den Kopf durch die Tür.

»Sie kommen«, sagte sie so geheimnistuerisch, dass selbst weniger argwöhnische Naturen als Billy sofort Verdacht geschöpft hätten. »Sie sind auf dem Weg.«

»Wer kommt?«, wollte Billy sofort wissen und sprang auf. »Wer ist auf dem Weg?«

Denise zog den Kopf zurück und schob die Tür ins Schloss. Kurz darauf stieß irgendwas leicht dagegen. Strike vermutete, dass sie sich dagegenstemmte, um Billy am Entkommen zu hindern.

»Ach, ich erwarte bloß eine Lieferung«, sagte Strike mit ruhiger Stimme und stand auf. »Zurück zum ...«

»Was soll das?«, rief Billy und wich in Richtung der Tür zurück, während er weiter unablässig Nase und Brust berührte. »Wer kommt?«

»Niemand kommt«, sagte Strike, doch Billy rüttelte bereits an der Klinke, stieß auf Widerstand und warf sich gegen die Tür, sodass Denise auf der anderen Seite weggeschleudert wurde. Sie kreischte. Noch bevor Strike den Schreibtisch umrunden konnte, war Billy schon durch die Eingangstür verschwunden. Er hörte noch, wie der Mann immer drei Stufen auf einmal die Eisentreppe hinuntersprang. Strike, der sich keine Hoffnungen machte, den jüngeren und definitiv schnelleren Mann einzuholen, drehte sich wütend um, stürmte ins Büro zurück und riss ein Schiebefenster auf. Dann lehnte er sich hinaus und sah gerade noch, wie Billy um die Ecke verschwand.

»*Scheiße!*«

Ein Mann, der gerade auf dem Weg in den Gitarrenladen gegenüber war, blieb stehen und sah sich verwirrt nach dem Urheber des Fluchs um.

Strike zog den Kopf zurück und funkelte Denise wütend an, die in der Tür stand und sich den Staub von den Klamotten klopfte. Unglaublicherweise schien sie überaus zufrieden mit sich zu sein.

»Ich hab noch versucht, ihn aufzuhalten«, sagte sie stolz.

»Yeah«, erwiderte Strike, der nur mit Mühe an sich halten konnte. »Das hab ich gesehen.«

»Die Polizei ist auf dem Weg.«

»Ganz großartig.«

»Möchten Sie einen Tee?«

»Nein«, knurrte er.

»Dann geh ich wohl besser mal auf der Toilette nach dem Rechten sehen«, sagte sie. »Ich glaube, er hat nicht abgespült«, fügte sie im Flüsterton hinzu.

3

Und den Kampf kämpfte ich allein aus und in aller Stille.

HENRIK IBSEN, *ROSMERSHOLM*

Als sie durch die immer noch fremden Straßen Deptfords spazierte, fühlte Robin sich kurzzeitig unbeschwert. Unwillkürlich fragte sie sich, wann sie zuletzt ähnlich empfunden hatte, und kam zu dem Schluss, dass es mehr als ein Jahr her sein musste. Die Abendsonne, die bunten Schaufenster und die lautstarke Geschäftigkeit verliehen ihr neuen Antrieb und hellten ihre Laune auf. Sie war froh, dass sie die Villiers Trust Clinic nie wieder würde betreten müssen.

Ihre Therapeutin war über den Abbruch der Behandlung ganz und gar nicht glücklich gewesen.

»Wir empfehlen für gewöhnlich die Durchführung der vollständigen Therapie«, hatte sie zu bedenken gegeben.

»Ich weiß«, hatte Robin erwidert, »aber ich glaube nicht, dass mir das hier noch was bringt.«

Die Therapeutin lächelte frostig.

»Die Verhaltenstherapie war toll«, sagte Robin, »und hat wirklich gegen die Ängste geholfen. Das werde ich auf jeden Fall beibehalten...« Dann holte sie tief Luft, wandte den Blick von den flachen Mary Janes der Frau ab und zwang sich, ihr in die Augen zu sehen. »Aber das hier finde ich nicht besonders hilfreich.«

Worauf eine weitere Gesprächspause folgte. Nach fünf Sitzungen hatte sich Robin daran gewöhnt. Unter anderen

Umständen hätte sie es als unhöflich oder passiv-aggressiv empfunden, eine andere Person einfach nur anzustarren und darauf zu warten, dass diese das Wort ergriff. Im Kontext der psychodynamischen Therapie hingegen war so etwas völlig normal.

Robins Arzt hatte ihr zwar Sitzungen verschrieben, aber die Warteliste war so lang gewesen, dass sie mit Matthews widerwilliger Zustimmung beschlossen hatte, die Behandlung aus eigener Tasche zu bezahlen. Matthew war stark versucht gewesen, sie darauf hinzuweisen, dass die beste Lösung wohl darin bestünde, den Job hinzuwerfen, der ihr die PTBS überhaupt erst beschert hatte – und der im Hinblick auf die damit verbundenen Gefahren seiner Meinung nach viel zu schlecht bezahlt war.

»Wissen Sie«, fuhr Robin mit der Ansprache fort, die sie sich im Vorhinein zurechtgelegt hatte, »in meinem Leben gibt es genug Menschen, die glauben, sie wüssten, was das Beste für mich ist.«

»Schon möglich«, sagte die Therapeutin in einem Tonfall, den Robin jenseits der Klinik als ziemlich herablassend empfunden hätte. »Wir haben ja schon darüber gesprochen ...«

»... und ...«

Die von Natur aus harmoniebedürftige, höfliche Robin war in diesem trostlosen kleinen Raum mit einer Grünlilie im trist grünen Blumentopf und einer Großpackung Taschentücher auf dem niedrigen Kiefernholztisch von der Therapeutin wiederholt dazu aufgefordert worden, schonungslos die Wahrheit auszusprechen.

»... und um ehrlich zu sein, gehören Sie meinem Empfinden nach ebenfalls zu diesen Menschen.«

Eine weitere Pause folgte.

»Tja«, sagte die Therapeutin und lachte kurz auf. »Meine Aufgabe ist es, Ihnen zu helfen, Ihre eigenen Schlussfolgerungen in Bezug auf ...«

»Ja, aber das tun Sie, indem Sie mich dazu ... *drängen*«, sagte Robin. »Und zwar auf aggressive Weise. Sie stellen alles infrage, was ich erzähle.«

Robin schloss die Augen. Sie war unendlich müde, und ihre Glieder schmerzten. Sie hatte die ganze Woche damit zugebracht, Möbel zusammenzubauen, Bücherkisten zu schleppen und Bilder aufzuhängen.

»Ich fühle mich nach jeder Sitzung einfach nur ausgelaugt«, fuhr sie fort. »Dann fahre ich zu meinem Mann nach Hause, und das Ganze geht wieder von vorne los. Entweder schweigt er oder stellt alles infrage, was ich erzähle. Und wenn ich meine Mutter anrufe, geht es genauso weiter. Die einzige Person, die nicht ständig *hinter mir her* ist und mir sagt, ich soll mich zusammenreißen, ist« – sie hielt abrupt inne – »mein Kollege.«

»Mr. Strike«, sagte die Therapeutin zuckersüß.

Robin und die Therapeutin hatten sich darauf geeinigt, dass über Robins Beziehung zu ihm nicht gesprochen würde. Robin hatte ihr lediglich erzählt, dass Strike nicht wusste, wie sehr ihr der Shacklewell-Ripper-Fall zugesetzt hatte. Ihr persönliches Verhältnis zu ihm habe mit ihren gegenwärtigen Problemen nicht das Geringste zu tun, wie sie felsenfest beteuert hatte. Die Therapeutin hatte ihn daraufhin bei jeder Sitzung zur Sprache gebracht, und Robin hatte sich ebenso hartnäckig geweigert, auf das Thema einzugehen.

»Genau der«, sagte Robin.

»Sie sagen, Sie hätten ihn nicht vom Ausmaß Ihrer Angststörung in Kenntnis gesetzt.«

»Wie dem auch sei«, sagte Robin, die kurzerhand beschloss, diese Bemerkung zu ignorieren. »Ich wollte Ihnen nur Bescheid geben, dass ich die Therapie abbreche. Wie gesagt, die Verhaltenstherapie war sehr hilfreich, und ich werde bestimmt weiter meine Übungen machen.«

Die Therapeutin war regelrecht entrüstet, dass ihre Patientin nicht mal die volle Stunde bleiben wollte, doch nachdem Robin sie bereits bezahlt hatte, hatte sie alles Recht, auf die Teilnahme zu verzichten. Es fühlte sich sogar ein klein wenig so an, als hätte man ihr eine Stunde geschenkt, sodass sie sich guten Gewissens ein Cornetto gönnte und durch die sonnigen Straßen ihrer neuen Nachbarschaft spazierte, statt nach Hause zu eilen und weiter Kisten auszupacken.

Weil sie befürchtete, sie im Nu zu verlieren, jagte Robin ihrer guten Laune nach wie einem Schmetterling und landete in einer ruhigeren Straße, wo sie sich auf die unbekannte Umgebung konzentrierte. Sie war unendlich froh, die alte Wohnung in West Ealing mit all den bösen Erinnerungen hinter sich gelassen zu haben. Während der Gerichtsverhandlung hatte sich herausgestellt, dass der Shacklewell Ripper sie weitaus länger beobachtet und verfolgt hatte als zunächst angenommen. Die Polizei vermutete sogar, dass er ihr an der Hastings Road nur wenige Meter von ihrer Haustür entfernt hinter ein paar parkenden Autos aufgelauert hatte.

So dringend sie auch hatte umziehen wollen – sie und Matthew hatten volle elf Monate gebraucht, um eine neue Bleibe zu finden. Das Hauptproblem war, dass Matthew sich in den Kopf gesetzt hatte, mit dem besser bezahlten neuen Job und dem Erbe seiner Mutter »auf der Eigentümerleiter nach oben zu klettern«. Robins Eltern, die selbstredend wussten, welche schrecklichen Erinnerungen ihre Tochter mit der alten Wohnung verband, hatten sich bereit erklärt, Kapital beizusteuern. Nichtsdestotrotz war London ein absurd teures Pflaster. Matthew hatte dreimal Wohnungen ins Visier genommen, die weit über ihrem Budget gelegen hatten, und dreimal hatte Robin ihm beibringen müssen, dass ihnen Abertausend Pfund dafür fehlten.

»Das ist doch lächerlich«, hatte er jedes Mal geschimpft. »Das ist die Wohnung nicht mal wert!«

»Die Wohnung ist so viel wert, wie die Leute für sie zu zahlen bereit sind«, hatte Robin entgegnet und war frustriert gewesen, weil er als Bilanzbuchhalter so wenig Verständnis für die Mechanismen der freien Marktwirtschaft hatte. Sie selbst hätte sich sogar mit einer Einzimmerwohnung zufriedengegeben, wenn sie so dem Schatten des Mörders entkommen wäre, der sie bis in ihre Träume verfolgte.

Auf dem Rückweg zur Hauptstraße bemerkte sie einen Durchgang in einer Backsteinmauer und entdeckte auf beiden Torpfosten einen seltsamen, aus Stein gehauenen, leicht verwitterten Schmuck: zwei große, auf Knochen ruhende Totenköpfe. Dahinter ragte ein hoher, rechteckiger Turm in die Höhe.

Sie trat näher, um sich die leeren schwarzen Augenhöhlen genauer anzusehen. Die Schädel hätten wunderbar zum Landsitz eines Piraten in einem Fantasyfilm gepasst. Als sie durch das Tor spähte, entdeckte sie dahinter eine Kirche, moosbedeckte Gräber und einen verlassenen Rosengarten, der in voller Blüte stand.

Mit dem letzten Rest Eis in der Hand umrundete sie die St.-Nicholas-Kirche, eine merkwürdige Kombination aus einer alten geklinkerten Lehranstalt und einem noch älteren Turm aus grob behauenem Stein. Sie ließ sich auf einer Holzbank nieder, die die Sonne fast unangenehm aufgeheizt hatte, streckte den schmerzenden Rücken durch, atmete tief den köstlichen Duft der warmen Rosen ein und sah mit einem Mal wider ihren Willen die Hotelsuite in Yorkshire vor sich: Dort war ein blutroter Rosenstrauß Zeuge ihres Streits geworden, der ausgebrochen war, weil sie Matthew beim Hochzeitstanz einfach hatte stehen lassen.

Matthew, sein Vater, seine Tante Sue, Robins Eltern und ihr Bruder Stephen hatten sich irgendwann alle in der Hochzeitssuite versammelt, in die Robin sich zurückgezogen hatte, um Matthews Zorn zu entgehen. Sie war gerade dabei gewesen, sich das Hochzeitskleid auszuziehen, als sie der Reihe nach hereingeplatzt waren und eine Erklärung gefordert hatten.

Die Folge war das reinste Chaos gewesen: Stephen, der als Erster begriffen hatte, welche Ungeheuerlichkeit Matthew sich mit dem Löschen von Strikes Anrufen erlaubt hatte, hatte seinen Schwager angeschrien. Der betrunkene Geoffrey wollte wissen, weshalb Strike Essen serviert worden war, obwohl der seine Einladung doch gar nicht offiziell angenommen hatte. Matthew brüllte alle an, sie sollten verschwinden, dies sei eine Angelegenheit zwischen ihm und Robin. »Eine Braut, die ihren Mann beim Hochzeitstanz stehen lässt«, schimpfte Sue immer wieder, »das ist mir noch nie untergekommen! Noch *nie*! Eine Braut, die ihren Mann beim Hochzeitstanz stehen lässt – das habe ich noch *nie* erlebt!«

Sobald Linda hörte, was Matthew getan hatte, ging sie ebenfalls auf ihn los. Geoffrey sprang seinem Sohn zur Seite: ob Linda denn wolle, dass ihre Tochter zu jenem Mann zurückkehre, der für deren Verletzung doch überhaupt erst verantwortlich gewesen sei. Dann stieß der völlig betrunkene Martin dazu und verpasste Matthew aus Gründen, die nie zufriedenstellend geklärt wurden, einen Schlag ins Gesicht. Robin flüchtete daraufhin ins Bad und übergab sich, obwohl sie an dem Tag kaum etwas gegessen hatte.

Fünf Minuten später hatte sie keine andere Wahl mehr, als Matthew die Tür zu öffnen. Seine Nase blutete. Die Familien in der Suite schrien einander weiter an. Matthew presste sich eine Faustvoll Toilettenpapier auf die Nase und bat sie inständig, ihn auf die Malediven zu begleiten. Nicht im Sinne von Flitterwochen, nicht mehr – sondern um in Ruhe über alles sprechen zu können. »*Weg*«, krächzte er und deutete in die Richtung, aus der das Geschrei kam, »von all dem. Und von der Presse«, fügte er anklagend hinzu. »Nach dieser Ripper-Sache wird die doch hinter dir her sein.«

Über das Toilettenpapier hinweg sah er sie kühl an. Er war wütend, weil sie ihn auf der Tanzfläche hatte stehen lassen, und außer sich vor Zorn auf Martin, der ihm eine verpasst hatte. Von ihrer gemeinsamen Reise versprach er sich nicht mehr den Hauch von Romantik, sondern nur noch die Gelegenheit, alles ruhig und vernünftig miteinander ausdiskutieren zu können. Wenn sie nach sorgfältiger Überlegung dann zu dem Schluss kämen, dass die Heirat ein Fehler gewesen war, würden sie nach ihrer Rückkehr zwei Wochen später eine gemeinsame Erklärung abgeben und anschließend getrennte Wege gehen.

Im selben Augenblick erkannte Robin, der hundeelend zumute war, deren Arm schmerzte und die immer noch von den Gefühlen erschüttert war, die bei Strikes Umarmung von ihr Besitz ergriffen hatten, in Matthew nicht unbedingt einen Verbündeten, aber doch zumindest eine Gelegenheit zur Flucht. Bestimmt versuchten die ersten Reporter bereits, sie ausfindig zu machen. Die Vorstellung, in ein Flugzeug zu steigen und diesem Tsunami aus Neugier, Gerüchten, Wut, Sorge und ungebetenen Ratschlägen zu entkommen, der in Yorkshire unweigerlich über sie hinwegrollen würde, kam ihr tatsächlich verlockend vor.

Also reisten sie ab. Weil sie aber den Flug mehr oder weniger schweigend verbrachten, hatte Robin nicht die geringste Ahnung, was Matthew während dieser langen Stunden durch den Kopf ging. Sie für ihren Teil dachte an Strike. Während die Wolken am Fenster vorbeizogen, kehrten ihre Gedanken wieder und immer wieder zu jener Umarmung zurück.

Bin ich in ihn verliebt?, fragte sie sich wiederholt, ohne zu einem endgültigen Schluss zu kommen.

Tagelang hing sie derlei Überlegungen nach, ohne Matthew an ihrer inneren Qual teilhaben lassen zu können, während sie bei langen Spaziergängen über weiße Strände die Spannungen und die Verbitterung zwischen ihnen diskutierten. Matthew schlief auf der Couch im Wohnzimmer, Robin unter einem Moskitonetz im Doppelbett auf der Galerie des Bungalows. Manchmal stritten sie miteinander, dann wieder herrschte betroffenes oder wütendes Schweigen. Matthew ließ Robins Handy nicht aus den Augen, sah ständig nach, ob sie eine Nachricht oder einen Anruf ihres Chefs erhalten hatte.

Dass dem nicht so war, machte das Ganze nur umso schlimmer. Anscheinend wollte Strike nicht mit ihr reden. Die Umarmung auf der Treppe, zu der ihre Erinnerung so verlässlich zurückkehrte wie ein Hund zum vertrauten Laternenpfahl, schien ihr ungleich mehr bedeutet zu haben als ihm.

Allabendlich ging sie allein am Strand spazieren und lauschte dem tiefen Atem der See. Der verletzte Arm schwitzte unter dem Gummischutz. Das Handy ließ sie wohlweislich im Bungalow liegen, damit Matthew sie nicht verfolgte, um herauszufinden, ob sie wohl heimlich mit Strike telefonierte.

Am siebten Abend beschloss sie, ihrerseits Strike anzurufen. Ohne es sich selbst richtig einzugestehen, hatte sie sich einen Plan zurechtgelegt. Matthew war in ihrem Ferienhaus, die Bar verfügte über einen Festnetzanschluss, und die Büronummer kannte sie auswendig. Der Anruf würde auf Strikes Mobiltelefon umgeleitet werden. Was genau sie zu ihm sagen wollte, sobald sie ihn am Apparat hätte, wusste sie nicht, aber sie war zuversichtlich, dass sich ihr Gefühlschaos lichten würde, sobald sie seine Stimme vernähme.

Als sie hörte, wie im weit entfernten London das Telefon klingelte, hatte sie schlagartig einen trockenen Mund.

Es wurde abgehoben, aber niemand sagte etwas. Robin hörte bloß Schritte, ein Kichern und dann endlich: »Hallo? Hier bei Cormy ...«

Die Frau brach in gellendes Gelächter aus. Von irgendwo im Hintergrund war der halb amüsierte, halb genervte und eindeutig betrunkene Strike zu hören. »Gib her! Das ist jetzt mein Ernst, gib …«

Robin knallte den Hörer auf die Gabel. Auf Gesicht und Brust brach ihr der Schweiß aus. Sie schämte sich, kam sich dämlich und gedemütigt vor. So vertraut und intim, wie das Lachen geklungen hatte, war er mit einer anderen Frau zusammen. Die Unbekannte hatte mit ihm gescherzt, hatte sein Telefon abgehoben und ihn (wie grässlich!) »Cormy« genannt.

Sollte Strike sie jemals wegen dieses Anrufs zur Rede stellen, würde sie ihn rundheraus leugnen, ihn nach Strich und Faden belügen, vorgeben, nicht zu wissen, wovon er sprach …

Die Frauenstimme am Telefon war ein Schlag ins Gesicht. Wenn Strike so kurz nach ihrer Umarmung mit einer anderen ins Bett stieg – und sie hätte ihr Leben darauf verwettet, dass die unbekannte Frau entweder gerade mit Strike geschlafen hatte oder im Begriff gewesen war, dies zu tun –, schienen sich die Seelenqualen bezüglich seiner wahren Gefühle für Robin Ellacott allem Anschein nach in Grenzen zu halten.

Das Salz auf ihren Lippen machte sie durstig. Sie schlich den Strand entlang, hinterließ tiefe Abdrücke im weichen weißen Sand, während sich die Wellen unaufhörlich neben ihr brachen. Gut möglich, dachte sie schließlich, als ihre Tränen versiegt waren, dass sie Dankbarkeit und Freundschaft mit einem tieferen Gefühl der Zuneigung verwechselt hatte. Vielleicht hatte sie ja geglaubt, aus Liebe zur Detektivarbeit auch jenen Mann zu lieben, der ihr die Arbeit ermöglicht hatte? Selbstverständlich bewunderte sie Strike und konnte ihn ausnehmend gut leiden, und ihre Nähe erklärte sich nicht zuletzt durch die vielen aufregenden Abenteuer, die sie zusammen erlebt hatten. Aber konnte man hier auch von Liebe sprechen?

Sie saß allein in der lauen, vom Moskitosummen erfüllten Nacht, lauschte dem Seufzen der ausrollenden Wellen, wiegte leicht ihren schmerzenden Arm und dachte niedergeschlagen darüber nach, dass sie für eine Frau von beinahe achtundzwanzig Jahren vergleichsweise wenig Erfahrung mit Männern hatte. Im Grunde beschränkte sich diese Erfahrung auf Matthew, ihren bisher einzigen Sexualpartner und seit zehn langen Jahren ihr Fels in der Brandung. Dass sie nun plötzlich in Strike *verschossen* war – dieses altmodische Wort, das von ihrer Mutter hätte stammen können, kam ihr gerade sehr angemessen vor –, ließe sich als natürlicher Nebeneffekt des Mangels an Abwechslung erklären, den gleichaltrige Frauen nicht kannten. War es nicht allerhöchste Zeit, dass sie nach so vielen Jahren, in denen sie Matthew treu gewesen war, endlich aufwachte und sich eingestand, dass ein anderes Leben möglich war? Dass ihr Alternativen offenstanden? War sie nicht allmählich reif für die Einsicht, dass Matthew nicht der einzige Mann auf Erden war? Strike, so redete sie sich ein, war nun mal derjenige, mit dem sie die meiste Zeit verbrachte. Da war es nur konsequent, dass sie ihre Neugier, ihre Zweifel und ihre Unzufriedenheit mit Matthew auf ihn projizierte.

Jetzt, da sie jenen Teil, der sich nach Strike sehnte, mittels rationaler Argumente zum Verstummen gebracht hatte, traf sie am achten Abend ihrer Hochzeitsreise eine schwere Entscheidung: Sie würde vorzeitig nach Hause fahren, um ihrer Familie die Trennung bekannt zu geben. Matthew sollte wissen, dass es nicht an einem anderen lag. Sie war nach reiflicher Überlegung eben zu dem Schluss gelangt, dass sie zu wenig zueinanderpassten, um ihre Ehe fortzuführen.

Sie wusste noch genau, wie sie mit banger Erwartung und an der Grenze zur Panik die Tür zu ihrem Bungalow aufgeschoben hatte, um sich der unausweichlichen Auseinandersetzung mit Matthew zu stellen. Doch es war alles anders gekommen.

»Mum«, hatte Matthew, der zusammengesunken auf dem Sofa gesessen hatte, bei ihrem Anblick gemurmelt. Sein Gesicht, seine Arme und Beine waren schweißbedeckt gewesen. Als sie auf ihn zugegangen war, hatte sie das hässliche schwarze Aderngeflecht auf seinem rechten Arm entdeckt, das aussah, als flösse Tinte darin statt Blut.

»Matt?«

Erst als er ihre Stimme hörte, dämmerte ihm wohl, dass er nicht seine verstorbene Mutter vor sich hatte. »Rob ... Ich ... Mir ist nicht gut ...«

Sie rannte sofort zum Telefon, rief bei der Rezeption an und verlangte nach einem Arzt. Als der in Begleitung einer Krankenschwester eintraf, lag Matthew schon halb im Delirium. Sie entdeckten einen Kratzer auf seinem Handrücken und vermuteten eine Phlegmone – nach den besorgten Mienen zu urteilen eine ernste Erkrankung. Matthew sah Gestalten in den schattigen Ecken des Bungalows herumhuschen, sah Personen, die gar nicht da waren.

»Wer ist das?«, fragte er immer wieder. »Wer ist das da drüben?«

»Da ist niemand«, beschwichtigte sie ihn und hielt seine Hand, während der Arzt und die Krankenschwester beratschlagten, ob man ihn per Hubschrauber ins Krankenhaus bringen solle.

»Lass mich nicht allein, Rob!«

»Ich lass dich nicht allein.«

Womit sie natürlich meinte, dass sie die nächste Zeit bei ihm bleiben würde. Nicht für immer. Trotzdem brach Matthew in Tränen aus.

»Oh, Gott sei Dank, ich dachte schon, du würdest ... Ich liebe dich, Rob. Ich weiß, ich hab Scheiße gebaut, aber ich liebe dich ...«

Der Arzt gab Matthew ein Antibiotikum, dann zückte er sein Telefon. Im Delirium klammerte Matthew sich an seine Ehefrau und bedankte sich unablässig bei ihr. Gelegentlich sah er Schatten in leeren Ecken, zweimal sprach er flüsternd von seiner toten Mutter. Robin saß allein in der samtenen Dunkelheit der Tropennacht, lauschte den gegen das Fliegengitter schwirrenden Insekten, tröstete und kümmerte sich um den Mann, mit dem sie seit ihrem siebzehnten Lebensjahr zusammen war.

Es war keine Phlegmone. Die Infektion sprach in den folgenden vierundzwanzig Stunden gut auf das Antibiotikum an. Während er sich von der plötzlichen, schweren Erkrankung erholte, ließ Matthew sie nicht aus den Augen. Robin hatte ihn noch nie so schwach und verletzlich erlebt. Er hatte eindeutig Angst, dass ihr Versprechen, bei ihm zu bleiben, nur auf ihre derzeitige Lage bezogen gewesen war.

»Wir können das doch nicht alles einfach wegwerfen, oder?«, hatte er heiser vom Kissen aus geflüstert. Der Arzt hatte ihm absolute Bettruhe verordnet. »Die vielen gemeinsamen Jahre?«

Er hatte über die guten alten Zeiten geredet, und sie hatte sich Mal ums Mal die kichernde Frau in Erinnerung gerufen, die Strike »Cormy« genannt hatte. Würde sie die Ehe wirklich annullieren lassen können? Immerhin war sie nicht mal vollzogen worden. Dann wieder hatten ihre Eltern so viel Geld für die schreckliche Hochzeitsfeier ausgegeben …

Bienen summten zwischen den Friedhofsrosen. Robin fragte sich zum tausendsten Mal, wo sie jetzt wäre, wenn sich Matthew nicht an einer Koralle geschnitten hätte. In den eben beendeten Therapiesitzungen hatte sie in erster Linie über die Zweifel gesprochen, die sie plagten, seit sie beschlossen hatte, die Ehe fortzusetzen.

In den Monaten nach ihrer Reise und insbesondere immer dann, wenn sie und Matthew gerade mal halbwegs gut miteinander auskamen, schien es die richtige Entscheidung gewesen zu sein, ihrer Ehe eine zweite Chance zu geben. Trotzdem war es – und das vergaß sie nie – eine Ehe auf Probe. Und ausgerechnet diese Tatsache bereitete ihr schlaflose Nächte, in denen sie sich für ihre Zögerlichkeit schalt und dafür, sich nach Matthews Genesung nicht von ihm getrennt zu haben.

Strike hatte ja keine Ahnung, was geschehen war – warum sie sich einverstanden erklärt hatte, die Ehe fortzuführen. Womöglich gingen sie deshalb so kühl und distanziert miteinander um. Nach ihrer Rückkehr aus den Flitterwochen war Strike wie verwandelt gewesen – aber sie vielleicht auch, was möglicherweise an der Frau lag, die ihren verzweifelten Anruf aus jener Bar auf den Malediven entgegengenommen hatte.

»Also bleibt's dabei, ja?«, hatte er nach einem Blick auf ihren Ringfinger schroff gesagt.

Sein Tonfall hatte sie genauso verärgert wie die Tatsache, dass er nie nach dem Grund dafür fragte. Überhaupt erkundigte er sich von da an nicht mehr nach ihrem Privatleben, und von der Umarmung auf der Treppe war erst recht keine Rede mehr.

Seit dem Shacklewell Ripper hatten sie auch keinen Fall mehr gemeinsam bearbeitet, was Strike womöglich mit Absicht so arrangierte. Jedenfalls nahm Robin sich an ihrem älteren Kollegen ein Beispiel und verschanzte sich hinter kühler Professionalität.

Gelegentlich machte sie sich Sorgen, dass er sie weniger schätzte, weil sie sich als so konventionell und feige erwiesen hatte. Grund dafür war nicht zuletzt eine Unterhaltung, die sie vor mehreren Monaten geführt hatten. Er hatte vorgeschlagen, dass sie sich eine Auszeit nehmen solle, und sie gefragt, ob sie sich denn wirklich vollständig von der Messerattacke erholt habe. Selbstverständlich, hatte Robin gesagt, die seine Bemerkung als Zweifel an ihrer Risikobereitschaft verstand. Aus Angst davor, erneut auf dem Abstellgleis zu landen und den einzigen Teil ihres Lebens in Trümmern zu sehen, der sie erfüllte, hatte sie danach schlichtweg doppelt so hart gearbeitet wie vorher.

Das stumm geschaltete Telefon in ihrer Handtasche vibrierte. Robin angelte es hervor und warf einen Blick aufs Display. Es war Strike. Er hatte schon mal angerufen, aber da war sie noch in der Villiers Trust Clinic gewesen.

»Hi«, sagte sie. »Sorry, ich hab den Anruf von vorhin gar nicht mitbekommen.«

»Kein Problem. Wie lief der Umzug?«

»Prima«, sagte sie.

»Ich wollte nur Bescheid geben, dass ich einen neuen Mitarbeiter angeheuert habe, einen gewissen Sam Barclay.«

»Toll«, sagte Robin und betrachtete eine schillernde Fliege auf einer riesigen hellrosa Rosenblüte. »Was hat er denn für Referenzen?«

»Er war bei der Army«, sagte Strike.

»Militärpolizei?«

»Äh ... nicht direkt.«

Als Strike daraufhin Barclays Geschichte zum Besten gab, musste Robin unwillkürlich grinsen. »Du hast einen Hasch rauchenden Maler und Innenausstatter eingestellt?«

»Dampfend. Haschisch *dampfend*«, korrigierte Strike, und Robin war sich sicher, dass er ebenfalls grinste. »Er ist nämlich auf dem Gesundheitstrip. Sie haben gerade ein Kind bekommen.«

»Tja, klingt ... interessant.«

Sie wartete, doch Strike war verstummt.

»Dann bis Samstagabend«, sagte sie schließlich.

Robin hatte sich verpflichtet gefühlt, Strike zu ihrer Einweihungsparty einzuladen. Alles andere hätte seltsam ausgesehen, immerhin hatte sie Andy Hutchins, ihren besten und zuverlässigsten Mitarbeiter, ebenfalls gebeten zu kommen. Zu ihrer Überraschung hatte Strike die Einladung angenommen.

»Ja, bis dann.«

»Kommt Lorelei auch?«, fragte Robin und bemühte sich um einen beiläufigen Tonfall – mit fragwürdigem Erfolg.

Strike, der in seinem Büro in der Londoner Innenstadt saß, meinte, einen leichten Sarkasmus aus der Frage herauszuhören, als wollte sie, dass er endlich eingestand, dass seine neue Freundin einen merkwürdigen Vornamen hatte. Früher hätte er wohl angebissen und sie gefragt, was so ungewöhnlich an »Lorelei« sei, und ein wenig mit ihr herumgealbert, doch inzwischen begab er sich mit derlei Spielchen auf gefährliches Terrain.

»Ja, sie kommt auch. Die Einladung galt doch für ...«

»Natürlich, für euch beide. Also gut, bis dann ...«

»Moment noch«, sagte Strike.

Er hatte Denise nach Hause geschickt und war allein im Büro. Da sie nach Stunden bezahlt wurde, hatte sie zunächst nicht gehen wollen. Erst als Strike ihr das Entgelt für einen kompletten Tag zugesichert hatte, hatte sie unter unaufhörlichem Geplapper ihre Sachen zusammengepackt.

»Heute ist etwas Seltsames passiert ...«

Aufmerksam und ohne ihn zu unterbrechen, lauschte Robin Strikes lebhafter Schilderung von Billys kurzem Besuch. Dabei war von kühler Distanziertheit nichts mehr zu spüren. Er klang genau wie der Strike von vor einem Jahr.

»Er war definitiv geisteskrank«, erklärte er. Durch das Bürofenster war blauer Himmel zu sehen. »Wahrscheinlich psychotisch.«

»Ja, aber ...«

»Ich weiß.« Er nahm den Block zur Hand, von dem Billy das Blatt mit der zur Hälfte niedergeschriebenen Adresse runtergerissen hatte, und drehte ihn gedankenverloren hin und her. »Die Frage ist doch: Ist er geisteskrank und hat *deshalb* gesehen, wie ein Kind erwürgt wurde? Oder ist er geisteskrank *und* hat gesehen, dass ein Kind erwürgt wurde?«

Darauf wussten beide keine Antwort. Für eine Weile dachten sie schweigend über Billys Geschichte nach – wohl wissend, dass der andere genau das Gleiche tat. Dieser kurze kameradschaftliche Augenblick der Kontemplation wurde jäh durch einen Cockerspaniel beendet, der sich unbemerkt durch die Rosenbüsche angepirscht hatte und nun seine kalte Nase ohne Vorwarnung gegen Robins nacktes Knie drückte. Sie kreischte auf.

»Was zum Teufel …«

»Nichts, nur ein Hund …«

»Wo steckst du überhaupt?«

»Auf einem Friedhof.«

»Was? Warum?«

»Ich erkunde mein neues Viertel. Tja, ich geh dann mal«, sagte sie und stand auf. »Muss noch ein paar Möbel aufbauen.«

»Na dann«, sagte Strike wieder so schroff wie zuvor. »Bis Samstag!«

»Bitte entschuldigen Sie«, sagte die betagte Besitzerin des Cockerspaniels. »Ich hoffe, Sie haben keine Angst vor Hunden.«

»Ganz und gar nicht«, sagte Robin mit einem Lächeln und streichelte den weichen goldblonden Kopf des Hundes. »Er hat mich nur ein bisschen erschreckt.«

Als sie auf dem Rückweg an den beiden Steinschädeln vorüberkam, musste Robin erneut an Billy denken. Strike hatte ihn so lebendig beschrieben, dass es ihr vorkam, als hätte sie ihn persönlich getroffen.

Sie war derart in Gedanken versunken, dass sie erstmals in dieser Woche am White Swan vorbeiging, ohne zu dem steinernen Schwan aufzublicken, der hoch über der Straße am Dachgiebel des Pubs thronte und Robin Mal ums Mal an ihren katastrophalen Hochzeitstag erinnerte.

4

Was haben Sie denn in der Stadt vor?

HENRIK IBSEN, *ROSMERSHOLM*

Sechseinhalb Meilen von Robin entfernt legte Strike das Handy auf den Schreibtisch und zündete sich eine Zigarette an. Nach der halbstündigen Befragung durch die Polizei, die er im Anschluss an Billys Flucht über sich hatte ergehen lassen, war Robins aufrichtiges Interesse an der Geschichte Balsam für seine Seele gewesen. Die beiden Beamten, die auf Denises Anruf hin erschienen waren, hatten dem berühmten Cormoran Strike nur zu gern unter die Nase gerieben, dass er nicht unfehlbar sei, und sich haarklein von ihm erklären lassen, wie es ihm gelungen war, weder den vollen Namen noch die Adresse des möglicherweise psychotischen Billy in Erfahrung zu bringen.

Die Spätnachmittagssonne fiel von der Seite auf seinen Notizblock und brachte darauf schwache Druckspuren zum Vorschein. Strike ließ die Zigarette in den Aschenbecher fallen, den er vor langer Zeit aus einer Kneipe in Deutschland hatte mitgehen lassen, schnappte sich den Block, drehte ihn hin und her und versuchte, die in das Papier gedrückten Zeichen zu entziffern. Schließlich griff er nach einem Bleistift und fuhr mit der flachen Spitze vorsichtig über die Abdrücke. Schon bald waren deutlich die Worte »Charlemont Road« in krakeligen Großbuchstaben zu erkennen. Bei der Hausnummer hatte Billy nicht ganz so fest aufgedrückt. Einer der schwachen Abdrücke schien entweder eine 5 oder eine unvollständige 8 darzustellen, doch der Abstand dazwischen ließ darauf schließen, dass noch eine Ziffer oder ein Buchstabe fehlte.

Strikes hartnäckige Angewohnheit, erst Ruhe zu geben, wenn er einem Rätsel auf den Grund gegangen war, stellte eine ebenso große Belastung für ihn wie für seine Umwelt dar. Er war hungrig und müde und hatte soeben seine Aushilfe nach Hause geschickt, um früher Feierabend machen zu können – und doch riss er das Papier mit dem Straßennamen vom Block, lief ins Vorzimmer und schaltete den Computer wieder an.

In Großbritannien gab es diverse Charlemont Roads. Da Strike nicht davon ausging, dass Billy imstande war, längere Reisen zu unternehmen, entschied er sich für die in East Ham. Das Internet verriet ihm, dass zwei Williams dort lebten. Allerdings waren beide über sechzig. Da Billy die Befürchtung gehabt hatte, Strike könnte »zu Jimmy« fahren, suchte er erst nach einem Jimmy, dann nach einem James und fand schließlich einen gewissen James Farraday, 49.

Strike schrieb Farradays Adresse unter Jimmys Stiftabdrücke, auch wenn er sich keine großen Hoffnungen machte. Zum einen beinhaltete Farradays Hausnummer weder eine 5 noch eine 8. Zum anderen ließ Billys verwahrloste Erscheinung darauf schließen, dass derjenige, bei dem er wohnte, eine eher entspannte Einstellung zur Körperhygiene hatte. Farraday dagegen hatte eine Frau und anscheinend zwei Töchter.

Nachdem Strike den Computer wieder ausgeschaltet hatte, starrte er gedankenverloren auf den schwarzen Bildschirm und dachte über Billys Geschichte nach. Besonders eine Sache wollte ihm nicht aus dem Kopf gehen: die rosafarbene Decke, die ihm für eine psychotische Wahnvorstellung als ein doch recht spezifisches, profanes Detail erschien.

Dann rief er sich in Erinnerung, dass er morgen früh rausmüsste, um die Arbeit zu erledigen, für die er bezahlt wurde. Mit einiger Mühe stand er auf. Bevor er das Büro verließ, steckte er das Blatt mit Billys Stiftabdrücken und Farradays Adresse in seine Brieftasche.

London hatte kaum das Spektakel zum diamantenen Thronjubiläum der Queen hinter sich gebracht, als die letzten Vorbereitungen für die Olympischen Spiele getroffen wurden. Der Union Jack und das London-2012-Logo waren allgegenwärtig – auf Schildern, Fahnen, Wimpeln, Schlüsselringen, Tassen und Regenschirmen. Praktisch jedes Schaufenster war damit vollgestopft. Strike erinnerte das Logo an ein paar willkürlich hingeworfene bunte Glassplitter, und auch den beiden Maskottchen, die wie eine Kreuzung aus Zyklop und Backenzahn aussahen, konnte er nichts abgewinnen.

Die Aufregung und Nervosität waren in der ganzen Stadt spürbar, was nicht zuletzt der ewigen Angst der Nation geschuldet war, sich vor der Welt zum Narren zu machen. Dass man schier unmöglich an Eintrittskarten kam, war ein beliebtes Gesprächsthema. Diejenigen, die sich vergeblich um Tickets bemüht hatten, schimpften auf die Vergabe durch ein Losverfahren, das doch jedem die gleichen Chancen versprochen hatte, die Veranstaltungen live mitzuerleben. Auch Strike, der sich gern die Boxwettkämpfe angesehen hätte, war leer ausgegangen. Das Angebot seines alten Schulfreunds Nick, an dessen Stelle zum Dressurreiten zu gehen, lehnte Strike laut lachend ab. Nicks Frau Ilsa indes war überglücklich, Karten dafür bekommen zu haben.

Die Harley Street, wo Strike am Freitag einen Schönheitschirurgen observieren würde, hatte sich ganz offensichtlich noch nicht vom olympischen Fieber anstecken lassen. Die prächtigen viktorianischen Fassaden, unbefleckt von grellen Logos oder Fahnen, wirkten so teilnahmslos wie eh und je.

Strike, der zur Observation seinen besten italienischen Anzug trug, bezog neben dem Eingang eines gegenüberliegenden

Gebäudes Position, tat so, als würde er telefonieren, und behielt dabei eine exklusive Gemeinschaftspraxis für Plastische Chirurgie im Blick. Einer der Partner war sein Klient, der andere seine Zielperson.

»Teflon-Doc«, wie Strike Letzteren getauft hatte, war bislang noch nicht sonderlich abstoßend in Erscheinung getreten. Möglicherweise riss er sich auch am Riemen, seit ihn sein Praxispartner wegen unlauterer Machenschaften zur Rede gestellt hatte. Dem war nämlich aufgefallen, dass Teflon-Doc zwei Brustvergrößerungen durchgeführt, aber nicht abgerechnet hatte. Nun befürchtete er Schlimmes und hatte Strike um Hilfe gebeten.

»Seine Erklärung war völlig unglaubwürdig«, hatte der weißhaarige Chirurg ruhig, wenn auch nicht gänzlich ohne Nervosität erzählt. »Er war schon immer ein ... äh ... Schürzenjäger. Bevor ich ihn zur Rede gestellt habe, hatte ich mir seinen Browserverlauf angesehen. Er war auf einer Webseite, auf der junge Frauen explizite Fotos anbieten, um sich ihre Schönheitsoperationen zu finanzieren. Ich befürchte ... Ich weiß natürlich nicht mit Sicherheit, aber ... Es wäre durchaus möglich, dass er mit diesen Damen eine Abmachung getroffen hat, die nicht ... finanzieller Natur ist. Zwei der jüngeren Damen sind anscheinend gebeten worden, eine mir unbekannte Nummer anzurufen. Dort wurde angedeutet, dass sie den Eingriff im Tausch gegen ein ›Exklusivarrangement‹ erhalten könnten.«

Bisher hatte Strike Teflon-Doc noch nicht dabei ertappt, außerhalb der Sprechzeiten Kontakt zum anderen Geschlecht gehabt zu haben. Montags und freitags war er in der Praxis in der Harley Street, die übrigen Werktage in einer Privatklinik, wo die Operationen durchgeführt wurden. Wenn er den Arbeitsplatz verließ, dann nur, um sich Schokolade zu kaufen, nach der er geradezu süchtig war. Jeden Abend fuhr er mit seinem Bentley nach Hause zu seiner Frau und seinen Kindern in Gerrards Cross, und allabendlich wurde er dabei von Strike in seinem alten blauen BMW verfolgt.

Da beide Chirurgen samt Ehefrauen heute zu einem Abendessen des Royal College of Surgeons geladen waren, hatte Strike den BMW in der sündteuren Garage stehen gelassen. Die Zeit wollte einfach nicht vergehen. Strike beschäftigte sich in erster Linie damit, sein Bein zu entlasten, indem er sich an Geländer, Parkuhren und Hauseingänge lehnte. In schöner Regelmäßigkeit klingelten vornehmlich schlanke, gepflegt wirkende Patientinnen an Teflon-Docs Tür, und eine nach der anderen wurde eingelassen. Um fünf Uhr nachmittags vibrierte das Handy in Strikes Brusttasche. Sein Klient hatte ihm eine SMS geschickt.

> Sie können Feierabend machen, wir sind jetzt auf dem Weg zum Dorchester.

Aus Prinzip wartete Strike trotzdem ab, bis die beiden Kollegen rund fünfzehn Minuten später das Gebäude verließen: sein weißhaariger, hochgewachsener Klient und Teflon-Doc, ein schlanker, adretter Mann im Dreiteiler mit olivfarbener Haut und glänzend schwarzem Haar. Nachdem sie in ein Taxi gestiegen und davongefahren waren, gähnte Strike, streckte sich und überlegte, ob er sich auf dem Heimweg noch etwas zu essen holen sollte.

Fast schon gegen seinen Willen holte er die Brieftasche hervor und nahm den verknitterten Zettel mit dem Namen der Straße heraus, in der Billy vermeintlich wohnte. Schon den ganzen Tag über hatte er sich vorgenommen, Billy in der Charlemont Road suchen zu gehen, falls Teflon-Doc früher Feierabend machte. Doch jetzt war Strike müde, und sein Bein tat ihm weh. Lorelei erwartete sicher, dass er sie anrief, wenn er schon mal einen freien Abend hatte. Andererseits – morgen waren sie zu Robins Einweihungsparty eingeladen, und wenn er heute bei Lorelei übernachtete, würde er nach der Feier umso mehr Mühe haben, sich von ihr loszueisen. Er hatte noch nie zwei aufeinanderfolgende Nächte bei ihr verbracht, auch wenn die Gelegenheit noch so günstig gewesen war. Strike legte großen Wert darauf, dass sie nur bedingt über seine Zeit verfügte.

Er sah zum wolkenlosen Junihimmel auf und seufzte. Es war ein klarer, wunderschöner Abend, das Wetter war also auch keine Entschuldigung. In der Detektei gab es so viel zu tun, dass in den Sternen stand, wann er das nächste Mal ein paar Stunden freihätte. Wenn er sich in der Charlemont Street umsehen wollte, dann jetzt.

5

*Dass Du Dich vor den Volksversammlungen fürchtest und ...
den Brutalitäten ..., ohne die es da nicht abgeht, das ist ja am
Ende begreiflich.*

HENRIK IBSEN, *ROSMERSHOLM*

Strike geriet in die Rushhour und brauchte fast eine Stunde von der Harley Street nach East Ham. Als er die Charlemont Road endlich gefunden hatte, schmerzte sein Stumpf. Beim Anblick der langen, mit Wohnhäusern gesäumten Straße bereute er es, nicht zu den Menschen zu gehören, die Billy einfach als armen Irren abtun konnten.

Die Fassaden der Reihenhäuser waren alles andere als einheitlich – mal aus bloßem Backstein, mal gestrichen oder mit Kieselrauputz versehen –, und die Union Jacks in den Fenstern stellten entweder Symptome olympischen Fiebers oder aber Überbleibsel des diamantenen Thronjubiläums dar. Je nach Gusto der Bewohner waren die kleinen Vorgärten bepflanzt worden oder wurden als Müllhalden missbraucht. In der Mitte der Straße lag eine schmutzige alte Matratze und wartete darauf, dass sich jemand ihrer annahm.

Ein erster Blick auf James Farradays Haus gab keinerlei Anlass zu der Hoffnung, dass Strike hier fündig werden könnte: Es war eins der gepflegteren Anwesen der Straße, mit Buntglasvordach über der Eingangstür, roten Rüschenvorhängen an den Fenstern und einem im Sonnenschein glänzenden Messingbriefkasten. Strike drückte auf den Klingelknopf und wartete.

Kurz darauf öffnete eine genervt aussehende Frau. Eine silber-schwarz getigerte Katze, die zusammengerollt hinter der Tür nur auf diesen Augenblick gewartet zu haben schien, ergriff die Flucht. Der mürrische Gesichtsausdruck der Frau wollte so gar nicht zu dem »Liebe ist …«-Cartoon auf ihrer Schürze passen. Der unverwechselbare Duft von gebratenem Fleisch wehte Strike entgegen.

»Hi«, sagte er, und ihm lief das Wasser im Mund zusammen. »Vielleicht können Sie mir helfen – ich bin auf der Suche nach Billy.«

»Da sind Sie hier falsch. Hier gibt's keinen Billy.«

Sofort machte sie Anstalten, die Tür wieder zu schließen.

»Er meinte, er ist bei Jimmy«, sagte Strike in den sich schließenden Türspalt.

»Hier gibt's auch keinen Jimmy.«

»Aber ich dachte, dass hier jemand namens James …«

»Kein Mensch nennt ihn Jimmy. Sie sind hier falsch.«

Die Tür fiel ins Schloss.

Strike und die getigerte Katze sahen einander an; Letztere mit hochmütigem Blick. Sie setzte sich auf die Fußmatte und fing an, sich zu putzen, ohne dem Detektiv weiter Beachtung zu schenken.

Dieser kehrte auf den Gehweg zurück, zündete sich eine Zigarette an und sah sich nach beiden Seiten um. Schätzungsweise gab es an der Charlemont Road an die zweihundert Häuser. Wie lang würde es wohl dauern, bei jedem zu klopfen? Länger als einen Abend, was er sich bedauerlicherweise nicht leisten konnte. Frustriert und zusehends unter Schmerzen marschierte er weiter, spähte in Fenster und hielt unter sämtlichen Passanten nach Ähnlichkeiten mit seinem gestrigen Besucher Ausschau. Er fragte zwei Anwohner, ob sie »Jimmy und Billy« kannten, deren Adresse er dummerweise verlegt habe. Beide verneinen.

Strike trottete weiter und versuchte, nicht zu humpeln.

Irgendwann kam er an mehreren Reihenhäusern vorbei, die jeweils unterteilt worden waren, um sie an zwei Parteien vermieten zu können. Stählerne Eingangstüren standen paarweise dicht nebeneinander, die Vorgärten waren zubetoniert.

Strike wurde langsamer. An der schäbigsten Tür, von der schon der weiße Lack abblätterte, pinnte ein zerfleddertes Blatt Papier. Ein sanftes, vertrautes Prickeln der Neugier – er wäre nicht so weit gegangen, es als »den richtigen Riecher« zu bezeichnen –, bewog ihn dazu, näher zu treten.

Auf dem Blatt stand:

19.30-Treffen vom Pub ins Well-Gemeindezentrum in der Vicarage Lane verlegt – am Ende der Straße links
Jimmy Knight

Strike hob das Blatt mit dem Finger an, entdeckte darunter eine auf 5 endende Hausnummer, ließ das Papier wieder hinabfallen und spähte durch das schmutzige Fenster im Erdgeschoss.

Das Bettlaken, das zum Schutz gegen die Sonne davorgespannt worden war, hatte sich an einer Ecke gelöst, und Strike war groß genug, um durch die entstandene Lücke sehen zu können. Der Raum dahinter war bis auf ein Schlafsofa mit einer schmuddeligen Decke, einem Klamottenhaufen in einer Ecke und einem tragbaren Fernsehgerät auf einem Karton völlig leer. Der Teppich war unter unzähligen Bierdosen und überquellenden Aschenbechern kaum noch erkennbar. Das hier sah vielversprechend aus. Strike kehrte zu der schäbigen Haustür zurück, hob die Faust und klopfte.

Niemand öffnete. Aus dem Haus war kein Geräusch zu hören.

Nachdem Strike einen weiteren Blick auf die Nachricht geworfen hatte, lief er weiter. Am Ende der Straße bog er links in die Vicarage Lane ab und stand mehr oder weniger unmittelbar vor dem Gemeindezentrum, an dessen Fassade in großen, glänzenden Plexiglasbuchstaben der Name »The Well« prangte.

Ein älterer Mann mit Mao-Mütze, verwaschenem Che-Guevara-T-Shirt und spärlichem grauem Bart stand mit einem Stapel Flugblätter in den Händen vor der Glastür zum Eingang. Als Strike näher kam, beäugte der Mann ihn misstrauisch. Auch ohne Schlips war Strike in seinem italienischen Anzug verdächtig gut gekleidet. Sowie zweifelsfrei klar war, dass Strike ins Gemeindezentrum wollte, trat der Mann vor, um ihm den Weg zu versperren.

»Ich weiß, ich bin spät dran«, sagte Strike mit glaubhaft gespielter Gereiztheit. »Ich hab gerade erst erfahren, dass die Scheißveranstaltung verlegt wurde.«

Strikes Selbstsicherheit und Körpergröße schüchterten den Mann mit der Mao-Mütze sichtlich ein. Trotzdem war er nicht geneigt, vor einem Anzugträger einfach einzuknicken.

»Wer schickt Sie?«

Strike hatte bereits einen kurzen Blick auf die Wörter geworfen, die fett auf die Flyer gedruckt waren, die der Mann sich inzwischen gegen die Brust presste. WEIGERUNG – WIDERSPRUCH – WIDERSTAND und, in diesem Zusammenhang unerwartet, SCHREBERGÄRTEN. Auf einer plump gezeichneten Karikatur darunter waren fünf dicke Geschäftsmänner zu sehen. Aus dem Zigarrenrauch, den sie in die Luft bliesen, formten sich die fünf olympischen Ringe.

»Mein Dad«, sagte Strike. »Er hat Angst, dass sie seinen Garten zubetonieren.«

»Ach so.« Der Bärtige machte ihm Platz. Strike zupfte ihm ein Flugblatt aus der Hand und betrat das Gemeindezentrum.

Bis auf eine grauhaarige Frau mit dem Anschein nach karibischen Wurzeln, die durch einen Türspalt spähte, war niemand zu sehen. Aus dem Raum dahinter war eine Frauenstimme zu hören. Der Detektiv konnte zwar keine einzelnen Worte ausmachen, doch sie klang eindeutig wütend. Sobald die Frau an der Tür bemerkte, dass Strike direkt hinter ihr stand, drehte sie sich zu ihm um. Auf sie schien der Anzug die gegenteilige Wirkung zu haben wie auf den Bärtigen vor der Tür.

»Sind Sie von Olympia?«, fragte sie leise.

»Nein«, antwortete Strike. »Ich bin nur aus Interesse hier.«

Sie öffnete ihm die Tür.

Auf mehreren Plastikstuhlreihen hatten sich in etwa vierzig Leute verteilt. Er ließ sich auf dem nächstbesten freien Platz nieder und hielt unter den Hinterköpfen vor sich nach Billys verfilztem schulterlangem Haar Ausschau.

Vorn auf dem Podium war ein Tisch aufgebaut worden. Eine junge Frau lief davor auf und ab, während sie auf das Publikum einredete. Sie hatte das Haar im gleichen Hellrot gefärbt wie Coco, Strikes anhängliche Liebschaft. Sie sprach in unvollständigen Sätzen, verlor sich in hypotaktischen Konstruktionen und vergaß im Eifer des Gefechts mitunter, nach Arbeiterklasse zu klingen. Anscheinend redete sie schon eine ganze Weile.

»... denkt doch an die Hausbesetzer und Künstler, die alle – immerhin ist das hier doch eine respektable Gemeinschaft, oder? –, und dann kommen sie mit ihren Aktentaschen und sagen, macht euch vom Acker, sonst, und da muss man schon sagen, wehret den, äh, den unterdrückerischen Gesetzen, das ist doch ein trojanisches Pferd, eine koordinierte Kampagne gegen ...«

Das Publikum schien zur Hälfte aus Studenten zu bestehen. In der älteren Zuhörerschaft machte Strike mehrere Protestbewegungsveteranen aus, die genau wie der Mann an der Tür T-Shirts mit linken Botschaften trugen. Dazwischen saßen weitere Personen, die – so unterschiedlich sie auch wirkten – wohl alle hier in der Gegend wohnten und nicht eben begeistert waren, dass der olympische Zirkus nun auch in East

London Einzug hielt: Künstlertypen, die unter Umständen als Hausbesetzer durchgehen mochten, und ein älteres, tuschelndes Ehepaar, das wohl tatsächlich um seinen Schrebergarten fürchtete und den Vortrag mit der schicksalsergebenen Geduld von Gottesdienstbesuchern über sich ergehen ließ. Strike vermutete, dass sie den Saal nur deshalb nicht verließen, weil sie keine Aufmerksamkeit erregen wollten. Ein reichlich mit Piercings und Anarchistentattoos versehener junger Mann pulte sich hörbar zwischen den Zähnen.

Hinter der jungen Rednerin saßen drei weitere Personen: eine ältere Frau und zwei Männer, die sich leise unterhielten. Einer war mindestens sechzig, hatte eine breite Brust und streckte das Kinn kämpferisch vor wie ein Mann, der so manche Erfahrung als Streikposten gesammelt und viele siegreiche Schlachten gegen hartnäckige Vertreter des Kapitals geschlagen hatte. Irgendetwas an den dunklen, tief liegenden Augen des zweiten Manns veranlasste Strike, erneut einen Blick auf das Flugblatt zu werfen und den Verdacht zu bestätigen, der ihm gerade gekommen war:

COMMUNITY OLYMPIC RESISTANCE (CORE)

15. Juni 2012
19.30 Uhr White Horse Pub East Ham E6 6EJ

Redner:

Lilian Sweeting	Naturschutzbund East London
Walter Frett	Arbeiterbund/CORE-Aktivist
Flick Purdue	Armutsbekämpfung/CORE-Aktivistin
Jimmy Knight	Real Socialist Party/CORE-Aktivist

Von den dunklen Bartstoppeln und einer flüchtigen Aura der Ungepflegtheit mal abgesehen war der Mann mit den tief liegenden Augen längst nicht so heruntergekommen wie Billy. Er war vielleicht Mitte dreißig, hatte ein kantigeres Gesicht und mehr Muskeln, aber den gleichen blassen Teint und das gleiche dunkle Haar – nur dass er in den letzten Monaten irgendwann beim Friseur gewesen sein musste. Allein schon der bloßen Ähnlichkeit wegen hätte Strike eine beträchtliche Summe darauf verwettet, dass Jimmy Knight Billys älterer Bruder war.

Jimmy beendete die im Flüsterton geführte Unterhaltung mit seinem Kollegen vom Arbeiterbund, lehnte sich zurück und verschränkte die muskulösen Arme. Nach seinem abwesenden Gesichtsausdruck zu urteilen hörte er der jungen Frau ebenso wenig zu wie das zusehends unruhige Publikum.

Dann bemerkte Strike, dass ihn ein unauffälliger Mann aus der Reihe vor ihm beobachtete. Als Strike ihn ansah, richtete der die hellblauen Augen eilig auf die noch immer vortragende Flick. Der Blauäugige trug eine saubere Jeans und ein schlichtes T-Shirt. Das kurz geschnittene Haar war ordentlich frisiert. Er hätte sich heute Morgen durchaus weniger gründlich rasieren können, dachte Strike; so wäre er im alternativen CORE-Milieu nicht derart aufgefallen. Doch anscheinend hatte es die Met nicht für nötig befunden, zur Überwachung dieses windigen Vereins ihren besten Mann abzustellen. Dass überhaupt ein Zivilbeamter anwesend war, überraschte Strike hingegen nicht besonders. Jede Gruppierung, die es sich – wie CORE – auf die Fahnen geschrieben hatte, die Vorbereitungen der Olympischen Spiele zu stören oder zu sabotieren, stand vermutlich unter Beobachtung.

In einiger Entfernung von dem Zivilpolizisten saß ein junger, ernst dreinblickender Asiat. Der große, dünne Mann hatte die Ärmel seines Oberhemds hochgekrempelt, war völlig auf die Sprecherin konzentriert und kaute dabei auf den Fingernägeln seiner linken Hand. Dann sah Strike, wie der Mann kurz zusammenzuckte und den Finger aus dem Mund nahm. Er hatte ihn blutig gebissen.

»Na schön«, ertönte eine laute Männerstimme, die so viel Autorität enthielt, dass sich alle unwillkürlich aufsetzten. »Vielen Dank, Flick.«

Jimmy Knight stand auf und applaudierte. Verhalten tat es das Publikum ihm gleich. Flick trat an den Tisch zurück und setzte sich auf den leeren Stuhl zwischen den beiden Männern.

Mit der verschlissenen Jeans und dem ungebügelten T-Shirt, den muskulösen Armen und den Tattoos hätte er auch der Bassgitarrist einer abgehalfterten Band oder ein einigermaßen gut aussehender Roadie sein können. Bei Jimmy Knights Anblick fühlte sich Strike an all jene Männer erinnert, die seine verstorbene Mutter sich zu Liebhabern auserkoren hatte. Der unauffällige blauäugige Mann hob den Kopf, und Strike dämmerte, dass er nur auf Jimmys Auftritt gewartet hatte.

»Guten Abend allerseits und vielen Dank, dass ihr gekommen seid.«

Seine Präsenz füllte den Raum wie die ersten Takte eines bekannten Songs. Schon nach diesen wenigen Worten wusste Strike, dass der Mann in der Army entweder außergewöhnlich nützlich oder ein aufmüpfiges Arschloch gewesen wäre. Strike vermutete, dass er mit seinem Cockney – und zwar gekonnter als Flick – eine Herkunft verschleierte, die Strike angesichts der auffällig gerollten Rs im ländlichen Raum verortete.

»Jetzt hat der olympische Kahlschlag also auch East London erreicht.« Er ließ seinen lodernden Blick über das nun wieder aufmerksame Publikum schweifen. »Häuser werden abgerissen, Radfahrer überfahren, Grundstücke verwüstet, die eigentlich uns allen gehören – oder gehörten. Lilian hat ja schon deutlich gemacht, was sie mit den Lebensräumen der Tiere und Insekten anstellen. Ich selbst will über den Angriff auf *unseren*

Lebensraum reden. Sie planieren Gemeinschaftseigentum – und wofür? Um die Sozialwohnungen oder Krankenhäuser zu bauen, die wir so dringend brauchen? Natürlich nicht! Nein, Ladys und Gentlemen, es werden Milliarden in diese Stadien gesteckt, in diese Aushängeschilder des Kapitalismus. Wir sollen den Eliten huldigen, während die Freiheit des einfachen Mannes beschnitten, beschränkt und am Ende abgeschafft wird. Die Olympischen Spiele sollen wir feiern – das schreiben uns die Presse und die rechtsgerichteten Medien mit blumigen Worten vor. Da wird die Flagge zum Fetisch! Die Mittelschicht zu fanatischem Hurra-Patriotismus angestachelt! Vergöttert unsere glorreichen Medaillengewinner – ein glänzendes Goldstück für jeden, der genug Schmiergeld und einen Becher mit Pisse von jemand anderem abliefert!«

Zustimmendes Gemurmel. Ein paar Leute klatschten.

»Wir sollen uns über ein paar Jungs und Mädels von teuren Privatschulen freuen? Tja, die können trainieren – unsere eigenen Sportplätze werden stattdessen verschachert! Arschkriecherei – das ist unser Nationalsport! Wir vergöttern Menschen, in die man Millionen investiert, nur weil sie Fahrrad fahren können, und die sich als Feigenblätter verkauft haben für diese beschissenen, planetenschändenden Steuerflüchtlinge, die doch schon Schlange stehen, um ihre Namen auf die Absperrungen schreiben zu können – genau dieselben Absperrungen, die die arbeitende Bevölkerung daran hindern, ihren ureigenen Besitz zu betreten!«

Der Beifall, in den weder Strike noch das alte Pärchen neben ihm noch der Asiat einfiel, galt der Form des Vortrags mindestens ebenso wie seinem Inhalt. Jimmys leicht brutales, aber doch gut aussehendes Gesicht glühte vor gerechtem Zorn.

»Seht ihr das?« Jimmy griff sich ein Blatt Papier vom Tisch hinter ihm. Darauf war das kantige »2012«-Logo abgebildet, das Strike so verabscheute. »Willkommen zu den Olympischen

Spielen, meine Freunde – dem feuchten Traum der Faschisten! Seht ihr das Logo hier? Seht ihr es? Das ist ein zerbrochenes Hakenkreuz!«

Das Publikum lachte und applaudierte und übertönte Strikes lautes Magenknurren. Ob es wohl einen Imbiss hier in der Nähe gab? Während er noch im Kopf überschlug, ob die Zeit reichte, um sich hinauszuschleichen, etwas zu essen zu holen und wieder zurückzukommen, öffnete die grauhaarige Karibin von zuvor die Tür zum Flur und sorgte dafür, dass sie offen stehen blieb. Nach ihrem Gesichtsausdruck zu urteilen war CORE drauf und dran, die Gastfreundschaft des Gemeindezentrums überzustrapazieren.

Jimmy dagegen war voll in Fahrt.

»Diese sogenannte Feier des olympischen Geistes, des Fair Plays und des vermeintlichen Amateurstatus ist doch nichts anderes als die Normalisierung von Repression und Autoritarismus! Wacht auf, Leute! London wird militarisiert! Der britische Staat, der jahrhundertelang die Kolonisierung und Invasion perfektioniert hat, nimmt die Olympischen Spiele als Vorwand, um die Polizei, die Armee, Hubschrauber und Feuerwaffen gegen den einfachen Bürger einzusetzen! Hunderttausend zusätzliche Überwachungskameras, auf die Schnelle durchgepeitschte Gesetze – glaubt ihr allen Ernstes, dass das alles rückgängig gemacht wird, sobald dieser kapitalistische Zirkus weitergezogen ist? Schließt euch uns an!«, rief Jimmy, während die Angestellte des Gemeindezentrums sich nervös, aber entschlossen dem Podium näherte. »CORE ist Teil einer globalen Bewegung, die für Gerechtigkeit kämpft und Widerstand leistet gegen die Unterdrückung! Wir arbeiten mit sämtlichen anderen linksgerichteten, herrschaftskritischen Gruppierungen Londons zusammen. Wir melden Demos an und setzen rundheraus alle Mittel des friedlichen Widerstands ein, die uns in dieser besetzten Stadt noch geblieben sind.«

Weiterer Applaus. Das ältere Paar neben Strike sah denkbar unglücklich aus.

»Schon gut, schon gut, ich weiß«, sagte Jimmy zu der Angestellten, die nun vor dem Podium stand und schüchtern gestikulierte. »Die wollen uns rauswerfen«, teilte Jimmy dem Publikum mit und schüttelte mit einem höhnischen Grinsen den Kopf. »Wie sollte es anders sein. Natürlich.«

Mehrere Leute zischten die Angestellte des Gemeindezentrums böse an.

»Wer noch mehr erfahren will«, hob Jimmy erneut an, »wir sind im Pub gleich die Straße runter. Die Adresse steht auf den Flugblättern.«

Der Großteil des Publikums applaudierte. Der Zivilbeamte stand auf, während das ältere Ehepaar bereits auf die Tür zueilte.

6

Ich selbst bin, wie ich höre, als ein arger Fanatiker verschrien.

HENRIK IBSEN, *ROSMERSHOLM*

Stühle klapperten, Rucksäcke wurden geschultert. Der Großteil des Publikums verschwand durch die Türen am rückwärtigen Ende des Saals. Einige wenige schienen noch bleiben zu wollen. Strike ging in der Hoffnung, mit Jimmy reden zu können, ein paar Schritte nach vorn, wurde jedoch von dem jungen Asiaten überholt, der mit nervöser Entschlossenheit auf den Aktivisten zusteuerte. Als Jimmy, der gerade ein paar letzte Worte mit dem Vertreter des Arbeiterbunds wechselte, den jungen Mann auf sich zukommen sah, verabschiedete er sich von Walter und machte ein erfreutes Gesicht, um den potenziellen Konvertiten willkommen zu heißen.

Doch sowie der Asiat den Mund aufmachte, verfinsterte sich Jimmys Blick. Dann unterhielten sich die beiden Männer leise in der Mitte des sich leerenden Saals. Flick und diverse andere junge Leute warteten am Rand. Weil sie sich anscheinend für körperliche Arbeit zu fein waren, musste die Angestellte des Gemeindezentrums die Stühle allein beiseiteräumen.

»Ich helfe Ihnen«, sagte Strike kurzerhand, nahm ihr drei Stühle ab und stellte sie ungeachtet der stechenden Schmerzen in seinem Knie auf einen hohen Stapel.

»Sehr freundlich«, keuchte sie. »Also, dieses Völkchen kommt mir nicht noch mal ...«

Bevor sie weitersprach, wartete sie kurz, bis Walter und ein paar andere an ihr vorbeigelaufen waren. Keiner von ihnen bedankte sich.

»... ins Gemeindezentrum«, beendete sie wütend ihren Satz. »Ich hatte ja keine Ahnung, was das für Leute sind! ›Ziviler Ungehorsam‹ steht auf den Flugblättern – und wer weiß was noch!«

»Also sind Sie für die Olympischen Spiele?«, fragte Strike und wuchtete einen weiteren Stuhl auf den Stapel.

»Meine Enkelin ist in einem Sportverein«, sagte sie. »Wir haben Eintrittskarten. Sie kann es kaum erwarten.«

Das Gespräch, das Jimmy mit dem Asiaten führte, drohte unterdessen in einen Streit auszuarten. Jimmy wirkte angespannt und sah sich ständig um. Entweder suchte er einen Fluchtweg, oder er vergewisserte sich, dass auch garantiert niemand sie belauschte. Als der Saal sich fast vollends geleert hatte, schlenderten auch die beiden auf den Ausgang zu. Strike spitzte die Ohren, doch weil Jimmys Jünger immer noch lautstark über den Holzboden trampelten, konnte er nur ein paar wenige Worte aufschnappen.

»... seit Jahren, Kumpel. Kapiert?«, sagte Jimmy wütend. »Also mach, was du willst, verdammte Scheiße, du hast immerhin freiwillig ...«

Dann waren sie außer Hörweite. Strike half der Angestellten weiter mit den Stühlen. Als sie schließlich das Licht ausschaltete, fragte er sie nach dem Weg zum White Horse.

Fünf Minuten später schlug Strike alle guten Ernährungsvorsätze in den Wind und kaufte sich in einem Imbiss eine Tüte Pommes. Dann ging er weiter die White Horse Road entlang, an deren Ende sich der gleichnamige Pub befinden sollte.

Während er aß, überlegte Strike, wie er mit Jimmy Knight am besten ins Gespräch käme. Die Reaktion des ältlichen Che-Guevara-Fans hatte deutlich gezeigt, dass Strikes gegenwärtiger Aufzug auf Antikapitalisten nicht gerade vertrauenswürdig wirkte. Als erfahrener Linksaktivist rechnete Jimmy bestimmt damit, dass sich die Behörden in der aufgeheizten Atmosphäre vor der Eröffnung der Spiele für seine Umtriebe interessierten – und tatsächlich schlenderte der unauffällige blauäugige Mann mit den Händen in den Jeanstaschen hinter Jimmy her. Strike würde Jimmy erst davon überzeugen müssen, dass er an CORE kein professionelles Interesse hatte.

Das White Horse befand sich in einem hässlichen Flachbau an einer lebhaften Kreuzung. Am Rand des großen Stadtparks auf der gegenüberliegenden Straßenseite ragte wie zur ewigen Mahnung an die Raucher vor der Kneipe ein weißes Kriegerdenkmal mit sorgsam rund um den Sockel arrangierten Mohnblumenkränzen auf. Unkraut wuchs durch die Risse im Beton, der mit unzähligen Kippen übersät war. Unter den Rauchern entdeckte Strike auch Jimmy, Flick und einige andere, die vor einem Fenster zusammenstanden, das mit einem gewaltigen West-Ham-Banner dekoriert worden war. Der junge Asiat war nirgends zu sehen; lediglich der Zivilbeamte drückte sich am Rand der Gruppe herum.

Strike betrat den Pub, um sich ein Pint zu holen. Die Dekoration bestand beinahe ausschließlich aus Georgskreuzfahnen und West-Ham-Devotionalien. Mit einem Pint John Smith's kehrte er auf den Vorplatz zurück, zündete sich eine Zigarette an und ging auf Jimmy und seine Gruppe zu. Noch ehe sie begriffen hatten, dass der große Fremde im Anzug sich ihnen näherte, stand er auch schon neben Flick. Die Gespräche verstummten, und sie alle bedachten ihn mit einem misstrauischen Blick.

»Hi«, sagte Strike. »Ich bin Cormoran Strike. Jimmy, könnte ich ganz kurz mit Ihnen reden? Es geht um Billy.«

»Billy?«, wiederholte Jimmy forsch. »Was ...«

»Ich habe ihn gestern getroffen. Ich bin Privatde...«

»Den hat Chizzle geschickt!«, keuchte Flick und wandte sich ängstlich zu Jimmy um.

»Klappe!«, knurrte der.

Die Umstehenden musterten Strike mit einer Mischung aus Neugier und Feindseligkeit, während Jimmy ein paar Schritte zur Seite machte und Strike bedeutete, ihm zu folgen. Zu Strikes Verwunderung trottete auch Flick hinter ihnen her. Mehrere Männer mit Bürstenhaarschnitt und West-Ham-Sweatern nickten dem Aktivisten zu, als er an ihnen vorbeiging.

Jimmy blieb neben zwei weißen, mit Pferdeköpfen gekrönten Pollern stehen und sah sich um. »Wie war Ihr Name gleich wieder?«, fragte er Strike, als er sich sicher war, dass niemand sie belauschte.

»Cormoran. Cormoran Strike. Ist Billy Ihr Bruder?«

»Ja, mein kleiner Bruder«, sagte Jimmy. »Er war bei Ihnen, sagen Sie?«

»Genau. Gestern Nachmittag.«

»Und Sie sind Privat…«

»Detektiv. Ganz recht.«

Strike konnte Flick regelrecht ansehen, wie der Groschen bei ihr fiel. Ohne den viel zu dick aufgetragenen Eyeliner und das ungekämmte tomatenrote Haar hätte ihr rundliches, blasses Gesicht fast schon unschuldig gewirkt. Sie drehte sich eilig zu Jimmy um.

»Jimmy, das ist …«

»Der Shacklewell Ripper?«, fragte Jimmy über das Feuerzeug hinweg, mit dem er sich die nächste Zigarette anzündete. »Lula Landry?«

»Stimmt genau«, sagte Strike.

Strike sah aus den Augenwinkeln, wie Flicks Blick über seinen Körper bis zu seinen Beinen hinunterwanderte. Verächtlich verzog sie den Mund.

»Billy war also bei Ihnen«, wiederholte Jimmy. »Weshalb?«

»Er behauptet, gesehen zu haben, wie ein Kind erwürgt wurde«, sagte Strike.

Jimmy blies wütend Rauch aus. »Na klar. Er hat sie ja auch nicht mehr alle. Schizoaffektive Störung.«

»Ja, ganz gesund kam er mir nicht vor«, sagte Strike.

»Und mehr hat er Ihnen nicht erzählt? Nur dass er gesehen hat, wie ein Kind erwürgt wurde?«

»Für mich ist das Grund genug, um weiter nachzuforschen.«

Jimmy verzog den Mund zu einem freudlosen Lächeln. »Sie glauben ihm doch nicht, oder?«

»Nein«, sagte Strike wahrheitsgemäß. »Aber ich bin auch nicht der Meinung, dass er in seinem Zustand unbeaufsichtigt durch die Stadt spazieren sollte. Er braucht Hilfe.«

»Na ja, hört sich eigentlich nicht so an, als wäre er schlimmer drauf als sonst, oder?«, fragte er Flick in betont nüchternem, beiläufigem Ton.

»Nein«, sagte sie. »Bei ihm schwankt das ständig«, erklärte sie Strike mit unverhohlener Abneigung. »Aber wenn er seine Medikamente nimmt, kommt er ganz gut klar.«

Jetzt, da sie außer Hörweite ihrer Freunde war, klang sie eindeutig nach Mittelschicht. Strike fiel auf, dass sie sich Eyeliner über den Schlaf in den Augenwinkeln gemalt hatte. Für ihn, der den größten Teil seiner Jugend in Armut verbracht hatte, gab es für mangelnde Hygiene keine Entschuldigung – allenfalls jene Menschen ausgenommen, die so unglücklich oder krank waren, dass Sauberkeit längst keine Rolle mehr spielte.

»Sie waren bei der Army, oder?«, fragte sie noch, doch dann fiel Jimmy ihr ins Wort: »Woher hat Billy gewusst, wo er Sie finden konnte?«

»Von der Auskunft?«, schlug Strike vor. »Ich bin Privatdetektiv, kein Geheimagent.«

»Billy weiß doch nicht, wie man die Auskunft anruft.«

»Tja, mein Büro hat er jedenfalls gefunden.«

»Das tote Kind ist nicht echt«, sagte Jimmy unvermittelt. »Das bildet er sich nur ein. Davon fängt er immer wieder an, wenn er eine psychotische Episode hat. Haben Sie seinen Tick nicht bemerkt?«

Mit brutaler Akkuratesse ahmte Jimmy die zwanghafte Bewegung der zitternden Hand von Nase zu Brust nach, und Flick lachte.

»Yeah. Hab ich bemerkt«, sagte Strike, ohne mit der Wimper zu zucken. »Sie wissen nicht zufällig, wo er gerade steckt?«

»Ich hab ihn seit gestern früh nicht mehr gesehen. Was wollen Sie von ihm?«

»Wie gesagt, ich bin nicht der Ansicht, dass er in seinem Zustand unbeaufsichtigt durch die Gegend laufen sollte.«

»Wie menschenfreundlich«, sagte Jimmy. »Der reiche, berühmte Detektiv sorgt sich um unseren armen Bill.«

Strike schwieg.

»Sie waren doch bei der Army, oder?«, fragte Flick noch einmal.

»Richtig«, antwortete Strike und sah zu ihr hinab. »Aber was tut das zur Sache?«

»Wollt ich nur wissen«, sagte sie und errötete vor selbstgerechter Wut. »Dann hat Sie's also nicht immer interessiert, ob anderen Leuten was zustößt, oder?«

Strike, der durchaus Erfahrung mit Leuten hatte, die Flicks Ansichten teilten, enthielt sich auch hierzu eines Kommentars. Hätte er behauptet, dass er sich verpflichtet habe, weil er mit dem Bajonett Babys habe aufspießen wollen, sie hätte ihm wahrscheinlich geglaubt.

»Billy geht's gut, da bin ich mir sicher«, warf Jimmy ein, der wohl ebenfalls auf Flicks Meinung zum Militär verzichten konnte. »Manchmal übernachtet er bei uns, dann zieht er wieder los. Das geht ständig so.«

»Und wo wohnt er, wenn er nicht bei Ihnen ist?«

»Bei Freunden.« Jimmy zuckte mit den Schultern. »Aber die kenne ich nicht. Wenn Sie wollen«, fügte er hinzu und schien sich des Widerspruchs selbst gar nicht bewusst zu sein, »telefoniere ich mal ein bisschen rum und frag, ob es ihm gut geht.«

»Machen Sie das«, sagte Strike, trank sein Pint aus und drückte das leere Glas einem tätowierten Barmann in die Hand, der gerade über den Vorplatz streifte, um Gläser einzusammeln. Dann nahm er einen letzten Zug von seiner Zigarette, warf sie zu den Abertausend Kameraden auf den rissigen Betonboden, trat sie mit dem Absatz der Prothese aus und zückte die Brieftasche.

»Tun Sie mir den Gefallen und sagen Sie mir Bescheid, wenn Billy wieder auftaucht, okay?«, bat er Jimmy und gab ihm seine Visitenkarte. »Damit ich weiß, dass ihm nichts zugestoßen ist.«

Flick schnaubte verächtlich. Jimmy dagegen schien die Geste zu verwundern. »Gut, mach ich. Okay.«

»Wissen Sie zufällig, mit welchem Bus ich am schnellsten in die Denmark Street komme?«, fragte Strike. Den langen Rückweg zur U-Bahn-Haltestelle würde er auf keinen Fall schaffen, und vor dem Pub fuhren in einem fort Busse vorbei. Jimmy, der sich in der Gegend offenbar auskannte, zeigte Strike die richtige Haltestelle.

»Besten Dank.« Er schob die Brieftasche ins Sakko zurück. »Ach, und – Jimmy«, sagte er beiläufig, »Billy hat auch erzählt, dass Sie mit dabei waren, als das Kind erwürgt wurde.«

Flick wirbelte jäh zu Jimmy herum, während Letzterer geistesgegenwärtiger reagierte. Seine Nasenlöcher weiteten sich, doch ansonsten ließ er sich seine Überraschung nicht anmerken.

»Tja, der hat sich in seinem armen kranken Kopf eine komplett irre Szene ausgemalt«, sagte er. »Manchmal glaubt er sogar, dass unsere Mutter selig auch mit dabei war. Und der Papst wahrscheinlich auch.«

»Sehr bedauerlich«, sagte Strike. »Hoffentlich finden Sie Billy.«

Er hob die Hand zum Abschied und ließ die beiden auf dem Vorplatz stehen. Trotz der Pommes war er immer noch hungrig. Sein Beinstumpf schmerzte, und bis er schließlich die Bushaltestelle erreichte, humpelte er sichtlich.

Eine Viertelstunde später kam der Bus. Mehrere Sitzbänke vor Strike führten zwei betrunkene Jugendliche ein langes und monotones Streitgespräch darüber, ob es richtig gewesen war, Jussi Jääskeläinen – dessen Namen keiner von beiden richtig aussprechen konnte – für West Ham zu verpflichten. Strike starrte durchs schmutzige Fenster, ohne etwas zu sehen. Sein Bein tat weh, er sehnte sich nach seinem Bett, trotzdem konnte er sich nicht entspannen.

So ungern er es sich eingestand: Der kleine Abstecher in die Charlemont Road hatte den winzigen nagenden Zweifel daran, dass Billys Geschichte nur ein Wahngebilde sein könnte, mitnichten ausgeräumt. Flicks erschreckter Blick und erst recht ihr Ausruf – »Den hat Chizzle geschickt!« – hatten dem Zweifel im Gegenteil neue Nahrung gegeben; er war gewachsen und würde in zunehmendem Maße und auf längere Sicht seinen Seelenfrieden gefährden.

7

Denken Sie hier zu bleiben? Ich meine, dauernd.

HENRIK IBSEN, *ROSMERSHOLM*

Am Ende einer langen Woche des Kistenauspackens und Möbelzusammenbauens hätte sich Robin gern ein paar Tage ausgeruht. Matthew dagegen konnte die Einweihungsparty, zu der er jede Menge Kollegen eingeladen hatte, kaum noch erwarten. Sein Stolz rührte nicht zuletzt von der Tatsache her, dass die Straße, an der sie jetzt wohnten, mit einer interessanten und romantischen Vergangenheit aufwarten konnte: Als Deptford noch Zentrum des Schiffsbaus gewesen war, hatten hier zahlreiche Schiffsbauer und Kapitäne gewohnt. Vielleicht war Matthew noch nicht ganz im Stadtviertel seiner Träume angekommen, aber die kurze kopfsteingepflasterte Gasse voller malerischer alter Häuser war definitiv schon mal die »Stufe höher«, die er sich gewünscht hatte – auch wenn sie nicht Eigentümer des hübschen Backsteinhäuschens mit den Schiebefenstern und den Gipsputten über der Eingangstür waren.

Zuerst hatte Matthew dagegen protestiert, wieder zur Miete zu wohnen, doch am Ende hatte Robin sich mit dem Argument durchgesetzt, kein weiteres Jahr mehr in der Hastings Road verbringen und sich weiter übervteuerte bis unerschwingliche Immobilien ansehen zu wollen. Matthews Erbe und all das, was er bei seinem neuen Job verdiente, reichten gerade für die Miete des kleinen Dreizimmerhäuschens. Das Geld, das sie für den Verkauf der Wohnung in der Hastings Road bekommen hatten, lag unangetastet auf ihrem Bankkonto.

Ihr Vermieter, ein Verleger, den man in die Verlagszentrale nach New York versetzt hatte, war von seinen neuen Mietern geradezu entzückt gewesen. Dem schwulen Mittvierziger hatte Matthews gefällige Erscheinung so gut gefallen, dass er es sich nicht hatte nehmen lassen, die Schlüssel am Tag des Einzugs persönlich zu überreichen.

»Was den idealen Mieter angeht, halte ich es mit Jane Austen«, hatte er Matthew auf der gepflasterten Straße anvertraut. »›Verheiratet, aber keine Kinder, genau das, worauf man Wert lege.‹ Ohne eine Hausfrau erfährt ein Haus nie die richtige Pflege. Oder wechseln Sie sich beim Staubsaugen ab?«

»Selbstverständlich«, hatte Matthew lächelnd gesagt. Robin, die mit einem Karton voller Pflanzen hinter den beiden Männern hergetrottet war, hatte sich einen giftigen Kommentar nur mit Mühe verkneifen können.

Sie argwöhnte, dass Matthew seine Freunde und Kollegen im Glauben gelassen hatte, er sei Eigentümer und nicht Mieter. Dann maßregelte sie sich dafür, dass sie bei ihm zunehmend nach Anzeichen schäbigen, heuchlerischen Verhaltens Ausschau hielt und nur das Schlechteste über ihn dachte, und gelobte insgeheim Besserung. In einer derart selbstkritischen Gemütsverfassung hatte sie sich auch mit der Party einverstanden erklärt, dann Getränke und Pappbecher gekauft, Häppchen vorbereitet und in der Küche ein Büfett aufgebaut. Matthew hatte die Möbel zur Seite gerückt. Die Playlist, die er im Lauf mehrerer Abende zusammengestellt hatte, dröhnte aus dem iPod auf seinem Dock. Als Robin nach oben eilte, um sich umzuziehen, waren gerade die ersten Takte von »Cutt Off« von Kasabian zu hören.

Robin hatte sich Papilloten ins Haar gedreht; sie wollte es wie bei ihrer Hochzeitsfeier tragen. Aus Zeitmangel zwirbelte sie die Wickler jetzt einhändig aus dem Haar, während sie mit der anderen die Kleiderschranktür aufriss. Sie hatte sich vor noch gar nicht langer Zeit ein figurbetontes hellgraues Kleid gekauft, das sie aber, wie sie nun befürchtete, zu blass wirken lassen könnte. Nach kurzem Zögern nahm sie das smaragdgrüne Roberto-Cavalli-Kleid aus dem Schrank. Sie hatte es nie in der Öffentlichkeit getragen, obwohl es ihr teuerstes und schönstes Kleidungsstück war. Es war Strikes »Abschiedsgeschenk« gewesen, nachdem sie – Robin damals noch als Aushilfssekretärin – gemeinsam ihren ersten Mörder gefasst hatten. Als sie es Matthew stolz gezeigt hatte, hatte sich dessen Miene derart verfinstert, dass sie es nie wieder hervorgeholt hatte.

Während sie sich das Kleid vorhielt, musste sie unwillkürlich an Strikes Freundin Lorelei denken. Lorelei trug immer knallbunte Sachen im Stil eines Pin-up-Girls der Vierzigerjahre. Sie war in etwa so groß wie Robin und ließ sich stets à la Veronica Lake eine glänzend brünette Locke übers Auge fallen. Die Dreiunddreißigjährige war, wie Strike ihr anvertraut hatte, Miteigentümerin und Geschäftsführerin eines Ladens für Kostüme und Vintage-Klamotten an der Chalk Farm Road. Robin hatte sich den Namen gemerkt und zu Hause gegoogelt. Anscheinend lief der schicke Laden ziemlich gut.

»Es ist Viertel vor«, rief Matthew, stürmte im nächsten Moment ins Schlafzimmer und riss sich das T-Shirt vom Leib. »Da kann ich ja noch kurz duschen.« Dann bemerkte er, dass sie sich das grüne Kleid vor den Körper hielt. »Wolltest du nicht das graue anziehen?«

Ihre Blicke trafen sich im Spiegel. Der Körper des gebräunten, attraktiven und von der Hüfte aufwärts nackten Matthew war so symmetrisch, dass sein Spiegelbild beinahe identisch zu seiner tatsächlichen Erscheinung war.

»Darin sehe ich so blass aus«, erwiderte Robin.

»Mir ist das graue lieber. Und blass gefällst du mir viel besser.«

Sie zwang sich zu einem Lächeln. »Na gut. Dann das graue.«

Sobald sie das Kleid angezogen hatte, fuhr sie sich mit den gespreizten Fingern durchs Haar, um es aufzulockern, schlüpfte in silberne Riemchensandalen und lief wieder nach unten. Sie hatte es gerade in den Flur geschafft, als es an der Tür klingelte.

Hätte sie raten müssen, wer als Erster einträfe, sie hätte auf Sarah Shadlock und Tom Turvey getippt, die sich vor Kurzem verlobt hatten. Es hätte Sarah ähnlichgesehen, hier aufzutauchen, solange Robin noch gar nicht fertig war, damit sie sich vor allen anderen ausgiebig im Haus umsehen und sich den besten Platz für die Begutachtung der nach ihr ankommenden Gäste aussuchen konnte. Und tatsächlich: Als Robin die Tür aufmachte, stand Sarah in einem grellpinken Kleid mit einem großen Blumenstrauß in der Hand vor ihr. Tom hatte Bier und Wein dabei.

»Oh, Robin, wie *reizend*«, gurrte sie, sobald sie über die Schwelle getreten war und sich im Flur umgesehen hatte. Sie umarmte Robin flüchtig und richtete dann den Blick auf Matthew, der gerade die Treppe herunterkam und sich das Hemd zuknöpfte. »*Zauberhaft*. Hier, für dich.«

Sie drückte Robin den gewaltigen Strauß Stargazer-Lilien in die Hand.

»Danke, die stelle ich gleich ins Wasser.«

Sie besaßen keine Vase, die groß genug für den Strauß gewesen wäre. Im Waschbecken konnte Robin sie auch nicht lassen. Sarahs Gelächter war bis in die Küche zu hören, es übertönte Coldplay und Rihanna, die gerade »Princess of China« schmetterten. Robin zerrte einen Eimer aus dem Schrank. Als sie ihn volllaufen ließ, bespritzte sie sich mit Wasser.

Hatte nicht mal zur Debatte gestanden, dass Matthew und Sarah sich nicht mehr zum Mittagessen treffen sollten? War nicht sogar die Rede davon gewesen, den Kontakt komplett abzubrechen, nachdem Robin herausgefunden hatte, dass Matthew sie in ihren frühen Zwanzigern mit Sarah betrogen hatte? Doch mittlerweile hatte Tom Matthew einen gut bezahlten Job in seiner Firma verschafft, und weil Sarah inzwischen einen mächtigen Solitär am Finger trug, schien Matthew nichts Verfängliches mehr daran zu finden, sich auch weiter mit den zukünftigen Mr. und Mrs. Turvey zu treffen.

Robin hörte, wie sie im ersten Stock auf und ab gingen. Anscheinend führte Matthew sie gerade durchs Haus. Sie hob den mit Lilien gefüllten Eimer aus dem Waschbecken und schob ihn in die Ecke neben den Wasserkocher. War es boshaft von ihr zu glauben, dass Sarah die Blumen nur deshalb mitgebracht hatte, damit Robin für eine Weile aus dem Weg geschafft wäre? Sarah flirtete seit Universitätstagen mit Matthew und hatte diese Angewohnheit auch nie abgelegt.

Robin schenkte sich ein Glas Wein ein und verließ gerade die Küche, als Matthew, Tom und Sarah ins Wohnzimmer zurückkehrten.

»... und angeblich haben Lord Nelson und Lady Hamilton in Nummer neunzehn gewohnt. Damals hieß die Straße allerdings noch Union Street«, referierte er. »Wollt ihr was trinken? Es steht alles in der Küche.«

»Ein ganz bezauberndes Haus, Robin«, sagte Sarah. »So was findet man selten. Ein echter Glückstreffer!«

»Wir wohnen nur zur Miete hier.«

»Ach, wirklich?«, hakte Sarah interessiert nach, und Robin war sich sicher, dass sie aus der Bemerkung gewisse Schlüsse zog – nicht was den Wohnungsmarkt, sondern was den Zustand von Robins und Matthews Ehe anging.

»Schöne Ohrringe«, sagte Robin, um das Thema zu wechseln.

»Ja, nicht wahr?«, sagte Sarah und schob ihr Haar zurück, damit Robin sie besser sehen konnte. »Hat Tom mir zum Geburtstag geschenkt.«

Es klingelte erneut. Robin hoffte, dass es jemand war, den *sie* eingeladen hatte. Mit Strike rechnete sie ehrlich gesagt nicht. Der würde erst wesentlich später kommen. So war es bislang noch jedes Mal gewesen, wenn sie ihn eingeladen hatte.

»Ach, Gott sei Dank«, platzte es aus ihr heraus, und sie war über ihre eigene Erleichterung erstaunt, als sie Vanessa Ekwensi vor sich sah.

Vanessa war Polizistin: groß, schwarz, mandeläugig, mit einer Modelfigur und einem Selbstbewusstsein gesegnet, um das Robin sie zutiefst beneidete. Sie war allein gekommen. Ihr Freund, der als Rechtsmediziner bei der Met arbeitete, war anderweitig verabredet gewesen – sehr zu Robins Bedauern. Sie hätte ihn nur zu gern kennengelernt.

»Alles klar bei dir?«, fragte Vanessa und trat ein. Sie hatte eine Rotweinflasche in der Hand und trug ein luftiges dunkelviolettes Trägerkleid. Robin musste erneut an das smaragdgrüne Cavalli denken, das oben im Kleiderschrank hing. Sie bedauerte, dass sie es nicht angezogen hatte.

»Alles klar«, beteuerte sie. »Komm nach hinten durch, da kannst du rauchen.«

Sie führte Vanessa durch das Wohnzimmer und an Sarah und Matthew vorbei, die sich gerade in Toms Beisein über dessen zunehmend lichtes Haar lustig machten.

Die rückwärtige Wand rund um den kleinen Garten war mit Efeu überwuchert. Gepflegte Büsche standen in Terrakottatöpfen. Robin, die selbst nicht rauchte, hatte Aschenbecher, Klappstühle und Teelichte im Garten verteilt. Matthew hatte sich leicht mürrisch erkundigt, weshalb sie sich wegen der Raucher so viele Umstände mache. Natürlich hatte sie genau gewusst, weshalb er gefragt hatte, und Ahnungslosigkeit vorgetäuscht.

»Jemima raucht doch, oder nicht?«, hatte sie mit gespielter Verwirrung gefragt. Jemima war Matthews Chefin.

»Äh«, hatte er verdattert erwidert, »ja ... ja, aber nur in Gesellschaft.«

»Ich bin mir ziemlich sicher, dass dies hier ein gesellschaftlicher Anlass ist«, hatte Robin zuckersüß erwidert.

Als sie mit einem Drink für Vanessa wieder in den Garten hinaustrat, zündete die sich gerade eine Zigarette an. Sie hielt die schönen Augen auf Sarah Shadlock gerichtet, die immer noch – mit Matthew als willigem Komplizen – über Toms schütteres Haar spöttelte.

»Das ist sie, oder?«, fragte Vanessa.

»Das ist sie.«

Robin wusste den moralischen Beistand zu schätzen. Sie und Vanessa waren schon mehrere Monate lang befreundet gewesen, als Robin ihr die Geschichte ihrer Beziehung mit Matthew erzählt hatte. Davor hatten sich die Unterhaltungen, die sie bei Kinoabenden oder in günstigen Restaurants geführt hatten, um Polizeiarbeit, Politik oder Klamotten gedreht. Robin kannte keine andere Frau, in deren Gesellschaft sie sich derart wohlfühlte wie mit Vanessa. Matthew, der sie zweimal getroffen hatte, fand sie »kalt«, ohne jedoch erklären zu können, warum.

Vanessa konnte auf eine lange Reihe von Beziehungen zurückblicken. Einmal war sie sogar verlobt gewesen, bis sie herausgefunden hatte, dass ihr Partner sie betrog. Hin und wieder fragte sich Robin, ob Vanessa sie nicht für lächerlich unerfahren hielt – immerhin hatte Robin ihre Jugendliebe geheiratet.

Wenig später strömten mehrere von Matthews Kollegen mitsamt Anhang ins Wohnzimmer – insgesamt ein Dutzend Personen. Sie waren anscheinend vorher im Pub gewesen. Robin sah zu, wie Matthew sie begrüßte und ihnen zeigte, wo die Getränke standen – alles im selben lauten, prahlerischen Ton, den er auch beim Feierabendbier anschlug und den sie nicht ausstehen konnte.

Allmählich füllte sich das Zimmer. Robin stellte die Gäste einander vor, versorgte sie mit Getränken, holte weitere Pappbecher und reichte Teller mit Häppchen herum, weil in der Küche so gut wie kein Durchkommen mehr war. Als dann Andy Hutchins und seine Frau eintrafen, konnte sie sich in Gegenwart von Gästen, die sie selbst eingeladen hatte, endlich ein wenig entspannen.

»Ich hab extra was zu essen für dich gemacht – laktosefrei«, sagte Robin zu Andy, nachdem sie ihn und seine Frau Louise in den Garten geführt hatte. »Das ist Vanessa, sie ist bei der Met. Vanessa – Andy und Louise. Bleib, Andy! Ich geh schon.«

Als sie in die Küche kam, lehnte Tom am Kühlschrank.

»Entschuldige, ich müsste mal kurz …«

Er sah sie erst belämmert an, dann trat er beiseite. Es war nicht mal neun Uhr, aber er war schon betrunken. Aus dem Wohnzimmer war Sarahs bellendes Lachen zu hören.

»Ichhelffir«, lallte Tom und hielt die Kühlschranktür fest, damit sie nicht zufiel, während Robin sich zum untersten Fach vorbeugte, wo Andys laktosefreies, fettarmes Essen bereitstand. »Robin, du hasvielleich einen knackigen Arsch!«

Kommentarlos richtete sie sich wieder auf. Hinter seinem betrunkenen Grinsen war sein Elend so deutlich zu spüren wie ein kalter Luftzug. Robin wusste von Matthew, wie schwer Tom der Verlust seines Haupthaars zu schaffen machte. Er hatte sogar eine Transplantation in Erwägung gezogen.

»Schönes Hemd«, sagte Robin.

»Was, das? Gefällt's dir? Hat sie mir gekauft. Matt hat auch so eins, oder?«

»Äh, weiß nicht.«

»Sie weiß es nicht«, wiederholte Tom und lachte kurz und hässlich. »So viel zur Observierungsausbildung. Du solltest auch daheim ein bisschen wachsamer sein, Robin.«

Robin sah ihn einen Moment lang wütend-mitleidig an,

dann entschied sie, dass er zu betrunken war, als dass sie vernünftig mit ihm hätte reden können. Sie schnappte sich Andys Teller und ging.

Die Leute traten bereitwillig zur Seite, um sie mit dem Teller hinaus in den Garten zu lassen. Dort sah sie sofort, dass Strike eingetroffen war. Er stand mit dem Rücken zu ihr und unterhielt sich mit Andy. Lorelei stand direkt neben ihm. Sie trug ein dunkelrotes Seidenkleid. Das lange Haar, das ihr den Rücken hinabfiel, hätte aus einer Reklame für teures Shampoo stammen können. Leider hatte Sarah es irgendwie geschafft, sich in Robins kurzer Abwesenheit in die Gruppe zu schmuggeln. Sobald sich Robins und Vanessas Blicke trafen, zuckte Letztere mit dem Mundwinkel.

»Hi«, sagte Robin und stellte den Teller auf dem gusseisernen Tisch neben Andy ab.

»Robin, hi!«, sagte Lorelei. »Was für eine tolle Gegend!«

»Ja, oder?«, entgegnete Robin, während Lorelei ein Küsschen in die Luft über ihrem Ohr hauchte.

Strike beugte sich ebenfalls vor. Sie spürte seine Bartstoppeln auf ihrer Haut. Er hatte bereits das erste Doom Bar aus dem Sixpack geöffnet, das er mitgebracht hatte.

Robin hatte sich zuvor bereits zurechtgelegt, was sie zu Strike sagen wollte, sobald er ihr neues Heim beträte: beiläufige Bemerkungen, die klingen sollten, als bereute sie nichts, als gäbe es ein wundersames, für ihn unbegreifliches Gegengewicht, das den Ausschlag zu Matthews Gunsten gegeben hatte. Außerdem wollte sie mehr über die merkwürdige Sache mit Billy und dem erwürgten Kind erfahren. Leider ließ sich Sarah gerade über Christie's aus, das Auktionshaus, für das sie arbeitete, und die Gruppe sah sich gezwungen, ihr zuzuhören.

»Ja, am Dritten wird ›The Lock‹ versteigert«, sagte sie gerade. »Constable«, fügte sie netterweise für alle hinzu, die in der Kunstgeschichte nicht so bewandert waren wie sie. »Wir rechnen mit über zwanzig.«

»Tausend?«, hakte Andy nach.

»Millionen«, erwiderte Sarah mit einem gönnerhaften, schnaubenden Lachen.

Matthew, der hinter Robin stand, lachte ebenfalls. Wie automatisch trat sie beiseite, um ihn in ihren Kreis miteinzubeziehen. Dabei fiel ihr der faszinierte Gesichtsausdruck auf, den er immer an den Tag legte, wenn es um große Summen ging. *Vielleicht reden sie darüber ja bei ihren Mittagessen*, dachte Robin. *Über Geld.*

»›Gimcrack‹ hat letztes Jahr zweiundzwanzig gebracht. Ein Stubbs, der drittteuerste Alte Meister aller Zeiten.«

Aus dem Augenwinkel sah Robin, wie Lorelei die Finger mit den knallrot lackierten Nägeln um Strikes Hand schloss – jene Hand, die von derselben Klinge gezeichnet war, die Robins Arm auf ewig verunstaltet hatte.

»Aber genug der Arbeit, ich will euch ja nicht langweilen«, heuchelte Sarah. »Hat eigentlich jemand Eintrittskarten für die Spiele bekommen? Tom ist stinksauer. Wir haben nur *Tischtennis.*« Sie schnitt eine Grimasse. »Wie steht's bei euch?«

Robin entging nicht, wie Strike und Lorelei sich kurz ansahen. Wahrscheinlich bemitleideten sie einander dafür, eine weitere Eintrittskarten-Unterhaltung ertragen zu müssen. Mit einem Mal wünschte sich Robin, sie wären gar nicht gekommen. Dezent zog sie sich zurück.

Eine Stunde später stand Strike im Wohnzimmer und fachsimpelte mit einem von Matthews Arbeitskollegen über die Chancen der englischen Fußballnationalmannschaft bei der anstehenden Europameisterschaft. Lorelei tanzte. Robin, mit der er seit dem kurzen Gespräch im Garten kein Wort mehr gewechselt hatte, trug einen Teller durch den Raum. Sie blieb stehen, sprach mit einer rothaarigen Frau und bot dann weiter Häppchen an. Ihre Frisur erinnerte Strike an ihren Hochzeitstag.

Noch während er den Blick über ihre grau gekleidete Figur wandern ließ, fiel ihm der Termin in der mysteriösen Klinik wieder ein. Schwanger sah sie ganz bestimmt nicht aus, außerdem trank sie Wein. Aber vielleicht hatten sie mit der Kinderwunschbehandlung ja auch gerade erst begonnen?

Über die Tanzfläche hinweg wechselte Strike einen Blick mit DI Vanessa Ekwensi. Überrascht hatte er zur Kenntnis genommen, dass sie ebenfalls hier war. Sie lehnte auf der anderen Seite des Zimmers an der Wand und unterhielt sich mit einem blonden Mann. Nach seinem übertriebenen Interesse zu urteilen hatte er kurzzeitig vergessen, dass er einen Ehering trug. Der Blick, den Vanessa Strike zuwarf, sollte wohl andeuten, dass sie nichts dagegen einzuwenden hätte, von ihm gerettet zu werden. Auch Strikes Fußballkonversation war nicht annähernd so fesselnd, als dass er sie nicht hätte unterbrechen wollen. Sobald sich die Gelegenheit ergab, umrundete er die Tänzer und lief auf Vanessa zu.

»Guten Abend.«

»Hi«, sagte sie und gab ihm mit der ihr eigenen Anmut einen flüchtigen Kuss auf die Wange. »Cormoran, das ist Owen ... Oh, Verzeihung, wie war doch gleich der Nachname?«

Owen dämmerte, dass er sich bei Vanessa auf was auch immer vergebens Hoffnungen gemacht hatte – wahlweise auf einen harmlosen Flirt mit der schönen Frau oder auf ihre Telefonnummer.

»Ich wusste gar nicht, dass Sie mit Robin befreundet sind«, sagte Strike, nachdem sich Owen getrollt hatte.

»Ja, wir treffen uns gelegentlich«, sagte Vanessa. »Als ich gehört habe, dass Sie sie gefeuert hatten, hab ich ihr sofort eine Nachricht geschickt.«

»Ah«, sagte Strike und nahm einen Schluck Doom Bar. »Verstehe.«

»Sie hat mich damals zurückgerufen, um sich zu bedanken, und wir haben uns auf einen Drink verabredet.«

Robin hatte mit keinem Wort erwähnt, dass sie sich mit Vanessa angefreundet hatte. Andererseits war Strike sich sehr wohl bewusst, dass Robin seit ihrer Rückkehr aus den Flitterwochen kaum noch Persönliches mit ihm teilte.

»Schönes Haus«, stellte Strike fest und versuchte nach Möglichkeit, keinen Vergleich mit seiner Dachwohnung über dem Büro zu ziehen. Matthew schien ordentlich zu verdienen, wenn sie sich so etwas leisten konnten. Robins Gehaltserhöhung allein reichte hierfür bei Weitem nicht.

»Ja, stimmt«, sagte Vanessa. »Sie wohnen zur Miete hier.«

Strike sah einen Augenblick lang Lorelei beim Tanzen zu, während er die Information verdaute. Der gewisse Unterton in Vanessas Stimme hatte darauf schließen lassen, dass sie die Bemerkung nicht bloß als Kommentar zum Wohnungsmarkt verstanden wissen wollte.

»Die Meeresbakterien sind schuld«, sagte sie.

»Wie bitte?« Strike war verwirrt.

Sie sah ihn streng an, dann schüttelte sie lachend den Kopf. »Nichts. Vergessen Sie's.«

»Ja, wir hatten Glück«, hörte Strike Matthew in einer Pause zwischen zwei Songs zu der Rothaarigen sagen. »Wir haben Karten für die Boxkämpfe gekriegt.«

Klar habt ihr, dachte Strike gereizt und suchte die Taschen nach seinen Zigaretten ab.

»Hat's dir gefallen?«, fragte Lorelei, als sie um ein Uhr nachts im Taxi saßen.

»Nicht besonders«, murmelte Strike, der ins Scheinwerferlicht der entgegenkommenden Autos starrte.

Er wurde das Gefühl nicht los, dass Robin ihm aus dem Weg gegangen war. Nach der halbwegs herzlichen Unterhaltung am Donnerstag hatte er eigentlich erwartet, dass sie – tja, was? Dass sie unverfänglich plaudern und lachen würden? Auch was den Zustand ihrer Ehe betraf, war er genauso schlau wie zuvor. Sie und Matthew schienen einigermaßen miteinander auszukommen, allerdings war die Tatsache, dass sie dort nur zur Miete wohnten, durchaus ein pikantes Detail. Deutete es auf einen vielleicht auch nur unbewussten Mangel an Vertrauen in ihre gemeinsame Zukunft hin? Sollte das Arrangement eine etwaige Trennung leichter machen? Und nicht zu vergessen Robins Freundschaft mit Vanessa Ekwensi, die Strike als einen weiteren Versuch ansah, sich ein von Matthew unabhängiges Leben aufzubauen.

Die Meeresbakterien sind schuld.

Was zum Teufel hatte das heißen sollen? Hatte es mit der geheimnisvollen Klinik zu tun? War Robin krank?

Nach mehreren Minuten des Schweigens fiel Strike ein, dass es wohl angebracht wäre, Lorelei das Gleiche zu fragen.

»Ich hab mich ehrlich gesagt schon besser amüsiert«, seufzte sie. »Mit Verlaub, aber deine Robin hat eine Menge stinklangweiliger Freunde.«

»Ja«, sagte Strike. »Ich glaube allerdings, die gehören in erster Linie zu ihrem Ehemann. Der ist Bilanzbuchhalter. Und ein Armleuchter«, fügte er nicht ohne Genugtuung hinzu.

Das Taxi rollte durch die Nacht. Erneut sah Strike Robin in dem figurbetonten grauen Kleid vor sich.

»Bitte?«, fragte er unvermittelt, weil er glaubte, Lorelei habe etwas gesagt.

»Ich hab dich gefragt, worüber du nachgrübelst.«

»Ach, über gar nichts«, flunkerte Strike, und damit er nicht weiterreden musste, legte er den Arm um sie, zog sie an sich und küsste sie.

8

Seitdem aber hat sich dieser Mortensgård herausgemacht – wahrhaftigen Gott! Es gibt gar viele, die den Mann suchen.

HENRIK IBSEN, *ROSMERSHOLM*

Robin fragte Strike am Sonntagabend per SMS, wo er sie am Montag einsetzen wolle, da sie vor der Umzugswoche alle aktiven Aufträge abgegeben hatte. »Im Büro«, lautete die knappe Antwort, und so betrat sie am folgenden Tag selbiges pflichtbewusst um Viertel vor neun. Wie immer es zwischen ihr und ihrem Kollegen stehen mochte – sie war froh, wieder in diesen schäbigen Räumlichkeiten zu sein.

Als sie eintraf, stand die Tür zu Strikes Büro offen. Er saß hinter dem Schreibtisch und telefonierte mit dem Handy. Sonnenlicht fiel in honiggelben Flecken auf den abgetretenen Teppich. Kurz darauf wurde das sanfte Rauschen des Straßenverkehrs vom Klappern des alten Wasserkochers übertönt, und fünf Minuten nachdem sie die Detektei betreten hatte, stellte Robin einen Becher mit dampfendem, dunklem Typhoo-Tee vor Strike ab. Der hob den Daumen und hauchte ihr ein tonloses »Danke schön« zu. Sie kehrte zu ihrem Schreibtisch zurück. Das Blinklicht an ihrem Telefon signalisierte eine aufgezeichnete Nachricht. Robin rief die Mailbox auf, und eine kühle Frauenstimme informierte sie darüber, dass der Anruf zehn Minuten vor ihrer Ankunft eingegangen war. Zu dem Zeitpunkt war Strike vermutlich noch oben in seiner Wohnung gewesen oder bereits am Telefonieren.

Ein immer wieder unterbrochenes Rauschen drang an Robins Ohr.

»Mr. Strike, tut mir leid, dass ich einfach weggelaufen bin. Jetzt lässt er mich nicht mehr raus. Wenn ich die Tür aufmache, fliegt alles in die Luft ...«

Der Rest des Satzes ging in einem Schluchzen unter. Besorgt versuchte Robin, Strikes Aufmerksamkeit zu erregen, doch der hatte sich mit dem Telefon am Ohr auf seinem Stuhl herumgedreht und sah aus dem Fenster. Zwischen dem erbarmungswürdigen Glucksen am anderen Ende der Leitung konnte Robin nur vereinzelte Wörter heraushören.

»... kann nicht raus ... bin ganz allein ...«

»Ja, okay«, sagte Strike gerade. »Dann am Mittwoch? Bestens. Danke. Ihnen auch.«

»... bitte helfen Sie mir, Mr. Strike!«, heulte die Stimme in Robins Ohr.

Sie drückte den Lautsprecherknopf, und sofort erfüllten die verzweifelten Klagelaute das Büro.

»Wenn ich versuche abzuhauen, dann explodieren die Türen, Mr. Strike, bitte helfen Sie mir, bitte holen Sie mich hier raus, ich hätte nicht kommen dürfen, ich hab ihm erzählt, dass ich das von dem Kind weiß, und da steckt viel, viel mehr dahinter, ich dachte, ich könnte ihm vertrauen ...«

Strike wirbelte auf seinem Stuhl herum, sprang auf und eilte ins Vorzimmer. Ein Klackern ertönte, als hätte der Anrufer den Hörer fallen lassen, dann ein leiser werdendes Schluchzen, als würde er sich vom Telefon entfernen.

»Das ist er«, sagte Strike. »Billy. Billy Knight.«

Das Schluchzen und Keuchen wurde wieder lauter.

»Da kommt jemand«, flüsterte Billy jetzt völlig außer sich. Offenbar presste er nun die Lippen wieder auf das Mikrofon. »Helfen Sie mir. Helfen Sie mir, Mr. Strike.«

Dann brach die Aufzeichnung ab.

»Kriegst du die Nummer raus?«, wollte Strike wissen, doch bevor Robin zum Hörer greifen konnte, klingelte das Telefon erneut. Sie sah Strike an und nahm ab.

»Büro Cormoran Strike?«

»Ah ja ... guten Morgen«, sagte eine tiefe, gebieterische Stimme.

Robin kniff die Augen zusammen und schüttelte den Kopf in Strikes Richtung.

»Mist«, murmelte er und ging ins Büro zurück, um seinen Tee zu holen.

»Verbinden Sie mich bitte mit Mr. Strike.«

»Tut mir leid, der ist gerade im Gespräch«, log Robin.

Seit einem Jahr pflegten sie erst die Nummern potenzieller Klienten zu erfragen und sie dann zurückzurufen. Das schreckte Reporter und Verrückte ab.

»Ich warte«, sagte der Anrufer leicht verschnupft. Anscheinend war er es gewohnt, dass seinen Wünschen entsprochen wurde.

»Tut mir leid, aber es könnte ein bisschen dauern. Wenn Sie mir Ihre Nummer geben, ruft er Sie gerne zurück.«

»Das muss dann aber in den nächsten zehn Minuten passieren, anschließend bin ich in einer Sitzung. Sagen Sie ihm, dass ich mit ihm über einen Auftrag reden will.«

»Leider kann ich Ihnen nicht garantieren, dass Mr. Strike den Auftrag persönlich übernimmt«, sagte Robin. Eine weitere Standardantwort, um etwaige Reporter abzuschrecken. »Wir sind momentan sehr beschäftigt.« Sie griff sich Papier und Stift. »Um welchen Auftrag handelt ...«

»Es muss Mr. Strike persönlich sein«, sagte die Stimme entschieden. »Machen Sie ihm das klar. Ich will Mr. Strike persönlich. Mein Name ist Chizzle.«

»Wie schreibt man das bitte?« Robin fragte sich, ob sie richtig gehört hatte.

»C-H-I-S-W-E-L-L. Jasper Chiswell. Er soll mich unter folgender Nummer anrufen.«

Robin schrieb sich die Nummer auf, die Chiswell ihr diktierte, und verabschiedete sich. Noch während sie den Hörer zurück auf die Gabel legte, setzte sich Strike auf das Kunstledersofa, das für wartende Klienten vorgesehen war und die unangenehme Angewohnheit hatte, beim Ändern der Sitzposition Furzgeräusche von sich zu geben.

»Ein Mann namens Jasper Chizzle – geschrieben ›Chiswell‹ – hat einen Auftrag für dich. Allerdings will er, dass du ihn persönlich übernimmst.« Sie kratzte sich verwirrt die Stirn. »Irgendwoher kommt mir der Name bekannt vor.«

»Kein Wunder«, sagte Strike. »Das ist unser Kulturminister.«

»Ach du liebe Güte«, sagte Robin, als es ihr dämmerte. »*Natürlich!* Der Große mit der komischen Frisur!«

»Genau der.«

Dunkle Erinnerungen und vage Assoziationen schwirrten Robin durch den Kopf: eine Affäre, ein schmachvoller Rücktritt, die Rückkehr auf die politische Bühne und dann, vor noch nicht allzu langer Zeit, ein weiterer Skandal, eine weitere unappetitliche Geschichte …

»*Der* Chiswell, dessen Sohn kürzlich ins Gefängnis gewandert ist?«, fragte sie. »Weil er unter Drogeneinfluss am Steuer gesessen und eine junge Mutter totgefahren hat?«

Strike wandte sich zu ihr um. Er schien mit den Gedanken woanders gewesen zu sein und hatte einen merkwürdigen Ausdruck im Gesicht.

»Ja, da klingelt was«, sagte er.

»Was ist denn los?«

»So einiges«, sagte Strike und fuhr sich mit der Hand über das stoppelige Kinn. »Zum einen hab ich am Freitag Billys Bruder aufgestöbert …«

»Wie das?«

»Lange Geschichte«, sagte Strike. »Jimmy gehört einer Protestgruppe gegen die Olympischen Spiele an, die sich CORE nennt. Eine junge Frau war bei ihm. Als ich erwähnt habe, dass ich Privatdetektiv bin, was sagt sie da als Allererstes? ›Den hat Chiswell geschickt.‹« Strike nippte nachdenklich an seinem perfekten Tee. »Chiswell wird kaum von mir wollen, dass ich CORE observiere«, überlegte er laut. »An denen hängt bereits ein Zivilbeamter.«

Robin hätte zwar gern erfahren, was Strike an Chiswells Anruf überdies beunruhigte, aber sie wollte ihn zu nichts drängen. Stattdessen wartete sie schweigend ab, was er zu der jüngsten Entwicklung zu sagen hatte. Genau diese taktvolle Geduld hatte Strike während ihrer Abwesenheit so vermisst.

»Übrigens«, fuhr er fort, als hätte es keine Pause gegeben. »Der Junge, der wegen des Unfalls mit Todesfolge ins Gefängnis musste, ist – oder war – nicht Chiswells einziger Sohn. Der Erstgeborene hieß Freddie und ist im Irak gefallen. Genau. Major Freddie Chiswell von den Queen's Royal Hussars. Gestorben bei einem Angriff auf einen Konvoi in Basra. Ich hab seinen Tod untersucht, als ich noch bei der SIB war.«

»Du *kennst* Chiswell?«

»Nein, bin ihm nie begegnet. Mit den Angehörigen hatte ich da üblicherweise nie etwas zu tun ... Allerdings hab ich die Tochter vor ein paar Jahren kennengelernt – nur flüchtig, aber ich hab sie ein paarmal getroffen. Eine alte Schulfreundin von Charlotte.«

Bei der Erwähnung dieses Namens stellten sich Robins Nackenhaare auf. Charlotte war die Frau, mit der Strike sechzehn Jahre lang immer wieder zusammen gewesen war und die er hatte heiraten wollen, bevor die Beziehung auf hässliche Weise und offenbar unwiderruflich in die Brüche gegangen war. Was

Charlotte betraf, plagte Robin eine unerträgliche Neugierde, die sie jedoch wohlweislich für sich behielt.

»Schade, dass wir Billys Nummer nicht rausfinden konnten«, sagte Strike und fuhr sich ein weiteres Mal mit der großen, schwarzbehaarten Hand übers Kinn.

»Das nächste Mal klappt es bestimmt«, versicherte Robin ihm. »Willst du Chiswell jetzt gleich zurückrufen? Er hat gesagt, dass er in ein paar Minuten in eine Sitzung muss.«

»Es würde mich ja schon interessieren, was er von mir will, aber die Frage ist, ob wir überhaupt noch Kapazitäten für einen weiteren Klienten haben«, sagte Strike. »Mal überlegen ...«

Er verschränkte die Hände hinter dem Kopf und sah mit gerunzelter Stirn zur Decke hoch. Im Sonnenlicht waren die unzähligen dünnen Risse dort deutlich zu erkennen. *Scheiß drauf ...* Darum würde sich ja dann bald die Baufirma kümmern ...

»Andy und Barclay beschatten Webster. Barclay stellt sich übrigens ziemlich geschickt an. Er hat drei Tage lang solide Observierungsarbeit geleistet, mit Fotos und allem Drum und Dran. Und was Teflon-Doc angeht – der hat bis jetzt noch nichts Spektakuläres angestellt.«

»Schade«, platzte es aus Robin heraus. »Verzeihung – sehr gut, wollte ich sagen.« Sie rieb sich die Augen. »Dieser Job bringt meinen moralischen Kompass manchmal wirklich durcheinander. Wer ist heute an Teflon-Doc dran?«

»Darum wollte ich eigentlich dich bitten«, sagte Strike. »Aber dann hat gestern Abend unser Klient angerufen: Teflon-Doc nimmt an einem Symposium in Paris teil. Und dann wäre da noch der IT-Kongress, der morgen anfängt. Der dauert zwei Tage«, erklärte Strike, der immer noch mit sorgenvoller Miene zur Decke blickte. »Was ist dir lieber – die Harley Street oder ein Kongresszentrum draußen in Epping Forest? Wir können auch jederzeit tauschen. Willst du den morgigen Tag damit verbringen, Teflon-Doc zu beschatten? Oder lieber hundert stinkende Nerds in Superhelden-T-Shirts?«

»Nicht alle Informatiker stinken«, gab Robin zu bedenken. »Dein Kumpel Spanner stinkt auch nicht.«

»Weil Spanner sich immer tüchtig mit Deo einnebelt, bevor er hier aufschlägt«, bemerkte Strike.

Spanner hatte während der dramatischen Wachstumsphase der Detektei ihre Computer sowie die Telefonanlage auf den neuesten Stand gebracht. Er war der jüngere Bruder von Strikes altem Freund Nick, und wie sie und Strike sich sehr wohl bewusst waren, hatte er sich in Robin verguckt.

Strike rieb sich abermals nachdenklich das Kinn.

»Ich rufe Chiswell zurück und frage ihn, was er will«, sagte er schließlich. »Wer weiß. Das könnte ein größeres Ding sein als dieser Anwalt mit seiner untreuen Gattin. Der steht als Nächstes auf der Warteliste, oder nicht?«

»Der oder die Amerikanerin, die mit dem Ferrarihändler verheiratet ist.«

Strike seufzte. Ehebruch war ihre Hauptbeschäftigung.

»Hoffentlich geht Chiswells Ehefrau nicht auch noch fremd. Ein bisschen Abwechslung wäre nicht schlecht.«

Strike stand auf, was das Sofa mit den üblichen Flatulenzgeräuschen quittierte, und verzog sich in sein Büro.

»Soll ich dann den Papierkram hier fertig machen?«, rief ihm Robin hinterher.

»Das wäre nett«, sagte Strike und schob die Tür hinter sich zu.

Robin wandte sich wieder dem Computer zu. Sie war bester Laune. Unten auf der Denmark Street stimmte ein Straßenmusiker »No Woman No Cry« an. Während sie sich über Billy Knight und die Chiswells unterhalten hatten, war es eine Zeit lang wie früher gewesen, wie vor einem Jahr, ehe er sie gefeuert hatte. Bevor sie Matthew geheiratet hatte.

Unterdessen rief Strike im anderen Zimmer Chiswell zurück und hatte ihn beinahe sofort am Apparat.

»Chiswell?«

»Cormoran Strike hier«, meldete sich der Detektiv. »Sie haben gerade mit meiner Kollegin gesprochen.«

»Ah, richtig«, sagte der Kulturminister. Es klang, als säße er im Fond eines Wagens. »Ich habe einen Auftrag für Sie, aber das sollten wir nicht am Telefon bereden. Heute hab ich leider den ganzen Tag über zu tun, daher müsste ich Sie auf morgen vertrösten.«

»Ob-observing the hypocrites ...«, sang der Straßenmusiker.

»Nein, morgen geht nicht.« Strike beobachtete die Staubflocken, die im hellen Sonnenlicht tanzten. »Erst am Freitag wieder. Herr Minister, könnten Sie mir vielleicht eine vage Vorstellung davon geben, worum es bei Ihrem Auftrag geht?«

»Ich will das nicht am Telefon besprechen«, sagte der Minister knapp und verärgert. »Was das Finanzielle angeht, werden Sie es nicht bereuen. Wenn Sie darauf hinauswollen.«

»Das hier ist keine Geld-, sondern eine Zeitfrage. Ich bin bis Freitag komplett ausgebucht.«

»Ach, verdammt ...«

Chiswell schien das Telefon heruntergenommen zu haben und redete eindringlich auf jemanden ein. »Hier *links*, Sie Idiot! *Links* – Scheiße noch mal, ich geh zu Fuß! Nein, ich gehe zu Fuß! Machen Sie die Scheißtür auf!«

»Tut mir leid, Herr Minister, aber da war ein Einfahrtverboten-Schild ...«, sagte eine nervöse Stimme im Hintergrund.

»Mir egal! Machen Sie ... *Machen Sie jetzt die verdammte Tür auf!*«

Strike wartete mit hochgezogenen Augenbrauen ab, hörte das Schlagen einer Autotür und schnelle Schritte. Dann war Jasper Chiswell wieder am Apparat.

»Es ist dringend!«, zischte er mit dem Mund direkt am Telefon.

»Wenn es nicht bis Freitag warten kann, müssen Sie sich einen anderen suchen. Tut mir leid.«

»*My feet is my only carriage*«, sang der Straßenmusiker.

Chiswell schien ein paar Sekunden lang zu überlegen.

»Ein anderer kommt nicht infrage«, sagte er schließlich. »Ich erkläre es Ihnen, wenn wir uns treffen, aber … Also gut. Wenn es nur Freitag geht – dann im Pratt's Club beim Park Place. Um zwölf. Ich lade Sie zum Essen ein.«

»Meinetwegen«, erwiderte Strike. Seine Neugier war geweckt. »Dann im Pratt's.«

Er legte auf und kehrte ins Vorzimmer zurück, wo Robin gerade die Post öffnete und sortierte. Sobald er ihr von dem Gespräch berichtet hatte, googelte sie den Pratt's Club für ihn.

»Dass es so etwas überhaupt noch gibt«, sagte sie ungläubig, nachdem sie eine Minute lang auf den Bildschirm gestarrt hatte.

»So etwas?«

»Das ist ein Gentlemen's Club … sehr konservativ, auch was die politische Ausrichtung angeht … Frauen sind nur als Begleitung eines Mitglieds beim Mittagessen erlaubt. Und ›um Verwechslungen vorzubeugen‹«, las Robin aus dem Wikipedia-Eintrag vor, »»werden alle männlichen Bediensteten George genannt.‹«

»Und wenn sie mal eine Frau einstellen?«

»Das ist in den Achtzigern wohl mal vorgekommen«, sagte Robin, deren Gesichtsausdruck zwischen Belustigung und Missbilligung schwankte. »Die hieß Georgina.«

9

Gut für Dich, dass Du nichts weißt. Gut für uns beide.

HENRIK IBSEN, *ROSMERSHOLM*

Am Freitag verließ Strike, frisch rasiert und im Anzug, die U-Bahn-Haltestelle Green Park und ging die Piccadilly entlang. Doppeldeckerbusse fuhren an den Schaufenstern der Edelgeschäfte vorüber, die das olympische Fieber nutzen wollten, um die unterschiedlichsten Waren an den Mann zu bringen: in Goldfolie eingeschlagene Schokomedaillen, mit dem Union Jack bedruckte Schuhe, Sportposter vergangener Tage – und allgegenwärtig das gezackte Logo, das Jimmy Knight mit einem zerbrochenen Hakenkreuz verglichen hatte.

Strike war zeitig aufgebrochen. In den letzten beiden Tagen hatte er seinen Beinstumpf stark belastet, sodass er immer noch wehtat. Anders als erhofft hatte er sich bei der IT-Tagung in Epping Forest kaum ausruhen können. Die Zielperson, der kürzlich gefeuerte Teilhaber eines Start-ups, stand im Verdacht, essenzielle Features einer neuentwickelten App an die Konkurrenz verkauft zu haben. Stundenlang war Strike dem jungen Mann von Stand zu Stand gefolgt, hatte sämtliche Gespräche dokumentiert und gehofft, dass der Mann irgendwann müde werden und sich setzen würde. Doch in den Pausen hatte sich die Zielperson entweder an einen Kaffeebar-Stehtisch gestellt oder vor einem Imbiss mit den Fingern Sushi aus einer Plastikschachtel gegessen. Alles in allem war Strike acht Stunden nonstop auf den Beinen gewesen. Hinzu kam die lange

Zeit, die er tags zuvor an der Harley Street verbracht hatte. Kein Wunder also, dass sich das Abnehmen der Prothese am Vorabend denkbar unangenehm gestaltet hatte. Das Gelkissen zwischen Stumpf und künstlichem Schienbein hatte sich kaum mehr von der Haut lösen lassen.

Als Strike an den kalten hellgrauen Bogen des Ritz vorbeimarschierte, hoffte er inständig, dass es im Pratt's zumindest eine halbwegs gemütliche Sitzgelegenheit für ihn gäbe.

Er bog nach rechts in die leicht abfallende St. James's Street ab und folgte ihr bis zum fast fünf Jahrhunderte alten St. James's Palace. Strike hatte nur selten in dieser Gegend zu tun, weil er weder über die Mittel verfügte noch die Absicht verfolgte, bei edlen Herrenausstattern, traditionsreichen Waffengeschäften oder den seit Ewigkeiten dort ansässigen Weinhändlern einzukaufen. Als er sich aber dem Park Place näherte, suchte ihn eine Erinnerung heim: Vor mehr als zehn Jahren war er mit Charlotte einmal genau an diesem Ort gewesen. Allerdings waren sie die Straße nicht hinab-, sondern hinaufgelaufen – auf dem Weg zum Mittagessen mit ihrem inzwischen verstorbenen Vater. Strike, der damals auf Heimaturlaub gewesen war, hatte seine Beziehung zu Charlotte mal wieder aufgewärmt – zum Unverständnis ihrer beider Bekanntenkreise, die der Verbindung keine Zukunft eingeräumt hatten. Weder unter ihren noch unter seinen Freunden hatte es auch nur einen Befürworter ihres Verhältnisses gegeben. Strikes Umfeld war Charlotte mit Misstrauen, mitunter sogar mit Verachtung begegnet. In ihrer Familie dagegen hatte der uneheliche Sohn eines berüchtigten Rockstars nur als eine weitere Manifestation von Charlottes Unangepasstheit und Drang zur Rebellion gegolten. Auch Strikes militärische Laufbahn hatte nicht interessiert, war sie doch lediglich ein weiteres Indiz seiner Gewöhnlichkeit und Beweis dafür, dass er die Schönheit aus gutem Hause gar nicht verdient hatte. Gentlemen von Charlottes

Stand gehörten Kavallerie- oder Garderegimentern, aber wohl kaum der Militärpolizei an.

Das italienische Restaurant, das sie damals besucht hatten, musste hier ganz in der Nähe sein. Strike konnte sich nicht mehr an die genaue Lage erinnern; an die Wut und Verachtung in Sir Anthony Campbells Gesicht jedoch sehr wohl, als sie sich Hand in Hand seinem Tisch genähert hatten. Bevor auch nur das erste Wort gesprochen worden war, hatte Strike gewusst, dass Charlotte ihrem Vater weder erzählt hatte, dass sie die Beziehung wieder hatten aufleben lassen, noch, dass sie in seiner Begleitung kommen würde. Ein für Charlotte typisches Versäumnis, dem eine für Charlotte typische Szene gefolgt war. Strike hatte schon seit Langem den Verdacht gehabt, dass sie derlei Situationen aus einem geradezu unersättlichen Konfliktbedürfnis heraus inszenierte. Charlotte war eine krankhafte Lügnerin, neigte aber gleichzeitig zu Ausbrüchen von verletzender Ehrlichkeit. So hatte sie Strike gegen Ende ihrer Beziehung eröffnet, bei einem Streit immerhin das Gefühl zu haben, am Leben zu sein.

Auf Höhe des Park Place, einer von cremefarbenen Stadthäusern gesäumten Straße, die von der St. James's Street abzweigte, stellte Strike fest, dass die Erinnerung an Charlottes Hand in seiner mit einem Mal nicht mehr schmerzte. Er kam sich fast vor wie ein trockener Alkoholiker, der erstmals wieder Bierdunst schnupperte, ohne direkt in Schweiß auszubrechen oder verzweifelt mit der Sucht zu kämpfen. *Vielleicht bin ich darüber hinweg*, dachte er, während er auf die schwarze Tür unter dem schmiedeeisernen Balkongeländer zuging, die in den Gentlemen's Club führte. War er – zwei Jahre nachdem sie ihm jene unverzeihliche Lüge aufgetischt und für immer aus seinem Leben verschwunden war – inzwischen tatsächlich geheilt? War er jenem gefährlichen Bermudadreieck – wie der sonst nicht zum Aberglauben neigende Strike es sich gelegentlich vorstellte – entkommen? Würde er nie wieder in Angst davor leben, dass der Mahlstrom aus Charlottes mysteriöser Anziehungskraft ihn erneut packte und zurück in die Tiefen des Schmerzes und der Seelenqualen zerrte?

In Hochstimmung klopfte Strike an der Tür.

Eine kleine, mütterliche Frau machte auf. Die ausladende Oberweite in Verbindung mit dem aufmerksamen, munteren Gesichtsausdruck erinnerte ihn augenblicklich an ein Rotkehlchen oder einen Zaunkönig. Er glaubte, einen Hauch Südwestengland in ihrer Aussprache zu hören.

»Sie sind gewiss Mr. Strike. Der Minister ist noch nicht eingetroffen. Bitte kommen Sie herein.«

Er trat über die Schwelle in einen Flur, von dem aus man in einen Raum mit einem gewaltigen Billardtisch sehen konnte. Rundum war alles in sattem Rot, Grün und dunklem Holz gehalten. Dann folgte er der Bediensteten – Georgina, wie er annahm – mit einer Hand am Geländer eine steile Treppe hinunter und gab sorgsam auf jeden seiner Schritte Acht.

Die Stufen führten in einen gemütlichen Kellerraum, dessen Decke sich so weit herabgesenkt hatte, dass sie von einem riesigen Regal gestützt zu werden schien, in dem allerlei Porzellan ausgestellt war. Die Teller auf dem oberen Brett waren bereits zur Hälfte im Putz versunken.

»Wie Sie sehen, ist hier nicht allzu viel Platz«, sagte sie. »Wir haben sechshundert Mitglieder, aber gleichzeitig können nur vierzehn hier ihre Mahlzeit einnehmen. Möchten Sie schon etwas trinken, Mr. Strike?«

Er lehnte ab, nahm aber das Angebot dankbar an, es sich in einem der um ein altes Cribbage-Brett aufgestellten Ledersessel gemütlich zu machen.

Der kleine Raum wurde durch einen Bogengang in einen Aufenthaltsraum und einen Speisesaal unterteilt. Im jenseitigen Teil waren unter einem kleinen, verschlossenen Fenster zwei Gedecke auf einem langen Tisch bereitgelegt worden. Bis auf Georgina und Strike war nur eine weitere Person anwesend: ein weiß gekleideter Koch, der kaum einen Meter von Strike entfernt in einer winzigen Küche herumwerkelte. Er begrüßte Strike mit französischem Akzent und machte sich dann wieder daran, kaltes Roastbeef in Scheiben zu schneiden.

Das Pratt's war der Gegenentwurf zu den schicken Restaurants, in denen Strikes untreue Ehefrauen und Ehemänner verkehrten. Hier war die Beleuchtung nicht darauf ausgelegt, Glas und Granit zur Geltung zu bringen, hier saßen keine scharfzüngigen Restaurantkritiker wie gut gekleidete Geier auf unbequem modernen Stühlen. Im Pratt's war es vergleichsweise dunkel. Bilderleuchten aus Messing waren über der dunkelroten Tapete angebracht, die beinahe komplett von ausgestopften Fischen in Glasvitrinen, Drucken mit Jagdszenen und politischen Karikaturen verdeckt war. In einer blau-weiß gefliesten Nische stand ein uralter Eisenofen. Die Porzellanteller, der fadenscheinige Teppich und die Behälter mit Senf und Ketchup auf den Tischen erzeugten eine heimelige, ungezwungene Atmosphäre. Als hätten ein paar Lausejungs aus der Oberschicht alles, was ihnen an der Erwachsenenwelt gefiel – ihre Spiele, den Alkohol, die Trophäen –, in einen Keller getragen, wo eine lächelnde Nanny sie lobend empfing und verhätschelte.

Es schlug zwölf, doch Chiswell ließ auf sich warten. »Georgina« vertrieb Strike gern die Zeit mit Geschichten über den Club. Sie und ihr Mann – der Koch – wohnten im selben Gebäude, das wohl, wie Strike nicht umhinkonnte anzunehmen, zu den teuersten Immobilien Londons gehörte. Irgendjemand war offensichtlich bereit, für den Unterhalt des kleinen Clubs, der laut Georgina seit 1857 bestand, eine hübsche Summe springen zu lassen.

»Ja, das Pratt's gehört dem Duke of Devonshire«, sagte Georgina fröhlich. »Möchten Sie einen Blick in das Wettbuch werfen?«

Bereitwillig blätterte Strike in dem schweren ledergebundenen Buch, in dem vor langer Zeit Wetten niedergeschrieben wurden wie etwa jene, die in den Siebzigerjahren in ausladender Handschrift festgehalten worden war: »Mrs. Thatcher wird die nächste Regierung bilden. Einsatz: ein Hummeressen, wobei der Hummer länger als ein erigierter Männerpenis zu sein habe.«

Während Strike noch darüber schmunzelte, klingelte es oben an der Tür.

»Das ist bestimmt der Minister«, sagte Georgina und eilte davon.

Strike stellte das Wettbuch wieder an seinen Platz im Regal und kehrte zu seinem Sessel zurück. Er hörte schwere Schritte die Treppe herunterpoltern und dann dieselbe gereizte, ungeduldige Stimme von Montag.

»... nein, Kinvara, unmöglich! Das hab ich dir doch schon erklärt, ich bin zum Essen verabredet ... Nein, das geht nicht ... Ja, dann um fünf ... Ja ... Ja ... *Ja!* ... Bis dann!«

Strike sah erst ein Paar schwarzer Schuhe und dann allmählich Jasper Chiswell in voller Größe auf der Treppe erscheinen. Mit finsterem Blick sah er sich um, und Strike stemmte sich hoch.

»Aha«, sagte Chiswell und richtete unter buschigen Brauen den Blick auf den Detektiv. »Da sind Sie ja.«

Für einen Mann von achtundsechzig Jahren wirkte Jasper Chiswell noch ziemlich rüstig. Er war groß, breit gebaut und ging bereits leicht gebückt, verfügte dafür aber noch über dichtes graues und – so unglaublich es schien – echtes Haupthaar. Die langen, drahtig glatten Strähnen waren für jeden Karikaturisten ein gefundenes Fressen. Wie sie von seinem Kopf abstanden, erinnerte an eine Perücke oder, wie es weniger wohlmeinende Stimmen ausdrückten, an einen Schornsteinbesen. In Kombination mit dem breiten roten Gesicht, den kleinen Äuglein und der vorstehenden Unterlippe wirkte er wie ein Riesenbaby, das stets kurz vor einem Tobsuchtsanfall stand.

»Meine Frau ist eingeschnappt«, teilte er Strike mit und wedelte mit dem Handy. »Kommt unangekündigt nach London und glaubt, ich lasse augenblicklich alles stehen und liegen.«

Chiswell gab Strike die große, schweißfeuchte Hand. Dann schälte er sich aus dem dicken Mantel, den er trotz der Hitze trug. Strikes Blick fiel auf die Anstecknadel an der ausgefransten Regimentskrawatte. Der Uneingeweihte hätte das Emblem darauf wohl für ein Schaukelpferd gehalten, Strike dagegen erkannte es sofort als das weiße Pferd des Hauses Hannover.

»Die Queen's Own Hussars«, bemerkte Strike und nickte darauf hinab, während sie Platz nahmen.

»Jawohl«, sagte Chiswell. »Georgina, ich nehm ein Glas von dem Sherry, den ich neulich mit Alastair hier getrunken habe. Sie auch?«, bellte er.

»Nein, vielen Dank«, sagte Strike.

Chiswell war zwar nicht annähernd so ungepflegt wie Billy Knight, roch aber auch nicht gerade angenehm.

»Jawohl. Mit den Queen's Own Hussars war ich in Aden und in Singapur. Glückliche Zeiten.«

Momentan sah er eher weniger glücklich aus. Von Nahem wirkte Chiswells rötliche Haut wie von Ekzemen überzogen, die Kopfhaut unter dem abstehenden Haar war mit Schuppen bedeckt, und um die Achselhöhlen herum zeichneten sich große Schweißflecken auf dem blauen Hemd ab. Wie so viele seiner Klienten machte der Minister auf Strike den Eindruck eines Mannes, der gewaltig unter Strom stand. Als der Sherry kam, kippte er ihn mehr oder weniger in einem Zug hinunter.

»Gehen wir rüber?«, fragte er. »Georgina, wir essen!«, rief er, ohne eine Antwort abzuwarten.

Sie setzten sich an den Esstisch. Das gestärkte schneeweiße Tischtuch erinnerte Strike an Robins Hochzeit. Georgina brachte ihnen kaltes Roastbeef in dicken Scheiben und gekochte Kartoffeln. Gute englische Hausmannskost, nahrhaft und schnörkellos, dagegen hatte Strike nicht das Geringste einzuwenden. Erst als die Bedienstete den schummrigen, mit Ölgemälden und weiteren toten Fischen vollgestopften Speiseraum verlassen hatte, kam Chiswell zur Sache.

»Sie waren gestern bei Jimmy Knights Veranstaltung«, hob er ohne große Umschweife an. »Der Zivilbeamte dort hat Sie wiedererkannt.«

Strike nickte. Chiswell stopfte sich eine gekochte Kartoffel in den Mund, kaute angriffslustig und schluckte.

»Ich weiß nicht, wer Sie dafür bezahlt, belastende Informationen über Jimmy Knight zu sammeln, und ich weiß auch nicht, welchen Dreck Sie schon über ihn beisammenhaben, aber ich bin bereit, das Doppelte dafür hinzulegen.«

»Ich hab nichts über Jimmy Knight, tut mir leid«, sagte Strike. »Und ich wurde auch nicht für meine Anwesenheit bei der Veranstaltung bezahlt.«

Das schien Chiswell zu verwirren.

»Aber warum waren Sie dann dort?«, wollte er wissen. »Sie werden doch wohl kaum gegen die Olympischen Spiele protestieren wollen.«

Er artikulierte das P in »protestieren« so plosiv, dass ein Kartoffelstückchen aus seinem Mund quer über den Tisch flog.

»Nein«, sagte Strike. »Ich hatte gehofft, dass eine bestimmte andere Person ebenfalls anwesend wäre. Aber dem war nicht so.«

Chiswell ging auf das Rindfleisch los, als hätte es ihm Unrecht angetan. Für eine Weile war lediglich das Schaben ihrer Messer und Gabeln auf Porzellan zu hören. Chiswell spießte seine letzte Kartoffel auf und schob sie sich im Ganzen in den Mund. Dann ließ er Messer und Gabel klappernd auf den Teller fallen. »Schon bevor ich gehört habe, dass Sie bei dem Vortrag waren, hatte ich mit dem Gedanken gespielt, einen Detektiv zu engagieren.«

Als Strike schwieg, sah Chiswell ihn argwöhnisch an.

»Ihre Detektei hat einen sehr guten Ruf.«

»Verbindlichsten Dank«, sagte Strike.

Chiswell funkelte Strike weiter in einer Art wütender Verzweiflung an. Anscheinend wusste er nicht, ob er hoffen durfte, dass der Detektiv keine weitere Enttäuschung in seinem daran so reichen Leben darstellte.

»Mr. Strike, ich werde erpresst«, sagte er unvermittelt. »Von zwei Männern, die sich zu einem ebenso überraschenden wie fragilen Bündnis zusammengetan haben. Und einer der Männer ist Jimmy Knight.«

»Verstehe«, sagte Strike und legte nun seinerseits das Besteck beiseite. Im selben Augenblick erschien Georgina, die mittels übernatürlicher Kräfte erspürt zu haben schien, dass ihre Gäste den Hauptgang beendet hatten, und räumte ab. Kurz darauf stellte sie eine Treacle Tart auf den Tisch. Sobald sie wieder in der Küche verschwunden war und sich die beiden Männer großzügig am Nachtisch bedient hatten, sprach Chiswell weiter.

»Die schmutzigen Details haben Sie nicht zu interessieren«, sagte er mit Entschiedenheit. »Es reicht schon, wenn Sie wissen, dass Jimmy Knight Kenntnis von einer mich betreffenden Angelegenheit hat, die gewisse Herrschaften von der Vierten Gewalt nicht dringend erfahren müssen.« Strike schwieg, was Chiswell offenbar missverstand. »Ich hab kein Verbrechen begangen! Auch wenn das manchen Leuten nicht gefällt – damals war es noch nicht illegal und … Aber das tut nichts zur Sache.« Chiswell nahm einen großen Schluck Wasser. »Knight ist vor einigen Monaten auf mich zugetreten und hat ein Schweigegeld von vierzigtausend Pfund gefordert. Als ich mich weigerte zu bezahlen, hat er gedroht, mit der Sache an die Öffentlichkeit zu gehen. Aber weil er anscheinend keine Beweise für seine Anschuldigungen hat, habe ich mir die Hoffnung gestattet, er werde seine Drohung nicht wahr machen … Da es in der Presse dahingehend ruhig blieb, ging ich irgendwann davon aus, dass meine Vermutung richtig gewesen war: Er hatte keine Beweise. Dann tauchte er ein paar Wochen darauf erneut bei mir auf und forderte die Hälfte der ursprünglichen Summe. Wieder weigerte ich mich zu bezahlen. Da beschloss er wohl, den Druck zu erhöhen, und nahm Kontakt mit Geraint Winn auf.«

»Verzeihung, aber wer ...«

»Das ist Della Winns Ehemann.«

»Della Winn, die Sportministerin?«, fragte Strike verdutzt.

»Ja, Della Winn, die Sportministerin«, äffte Chiswell ihn nach.

Wie Strike wusste, war Della Winn, eine Anfang sechzigjährige Waliserin, von Geburt an blind. Die Angehörige der Liberal Democrats, die vor ihrem Einzug ins Parlament Menschenrechtsanwältin gewesen war, genoss über die Parteigrenzen hinweg Respekt und Bewunderung. Auf Fotos sah man sie üblicherweise mit ihrem Blindenhund, einem hellgelben Labrador. Da auch die Paralympics in ihre Zuständigkeit fielen, war sie in letzter Zeit des Öfteren in den Nachrichten aufgetaucht. Außerdem hatte sie das Selly Oak Hospital besucht, während Strike sich nach dem Verlust seines Beins und seiner Rückkehr aus Afghanistan dort aufgehalten hatte. Ihre Intelligenz und ihr Einfühlungsvermögen hatten ihn positiv beeindruckt. Von ihrem Ehemann jedoch hatte er noch nie gehört.

»Ich bin mir nicht sicher, ob Della weiß, was Geraint im Schilde führt«, fuhr Chiswell fort, spießte ein Stück Kuchen auf und sprach kauend weiter: »Wahrscheinlich schon. Aber sie wird sich aus der Sache raushalten – damit sie alles abstreiten kann. Die heilige Della – in eine Erpressungsgeschichte verwickelt? Undenkbar!«

»Ihr Mann hat Geld von Ihnen gefordert?«, fragte Strike skeptisch.

»Aber nein. Geraint will mich aus dem Amt drängen.«

»Gibt es dafür einen bestimmten Grund?«, fragte Strike.

»Unsere Feindschaft reicht Jahre zurück und hat einen völlig banalen ... Egal«, unterbrach sich Chiswell mit einem verärgerten Kopfschütteln. »Jedenfalls kam Geraint zu mir, ›hoffte, dass es nicht wahr ist‹, und gab mir ›die Gelegenheit für eine Erklärung‹. Dieser gehässige, perverse Winzling! Hat doch sein Leben lang nichts anderes getan, als seiner Frau die Handtasche zu tragen und ihre Anrufe entgegenzunehmen. Da freut er sich natürlich, wenn er mal Macht über jemanden hat.« Chiswell nahm einen Schluck Sherry. »Mr. Strike, wie Sie sehen, sitze ich in der Klemme. Selbst wenn ich Jimmy Knight Geld gebe, muss ich mich immer noch mit einem Mann herumschlagen, der meinen Ruf ruinieren will und überdies an Beweise gelangen könnte.«

»Und wie könnte Winn das bewerkstelligen?«

Chiswell ließ den nächsten großen Bissen in seinem Mund verschwinden und sah über die Schulter, um sicherzustellen, dass Georgina auch wirklich in der Küche war.

»Angeblich«, flüsterte er, und Mürbeteigkrümel stoben von seinen schlaffen Lippen, »gibt es Fotografien.«

»Fotografien?«, wiederholte Strike.

»Die Winn natürlich *noch nicht* in seinem Besitz hat. Sonst wäre längst alles vorbei. Aber es ist nicht ausgeschlossen, dass er sie in die Finger bekäme, jawohl.« Er vertilgte den Rest seines Kuchens. »Natürlich besteht auch die Möglichkeit, dass diese Fotos mich gar nicht belasten. Soweit ich weiß, gibt es keine eindeutige Kennzeichnung.«

Strike schwirrte der Kopf. *Eindeutige Kennzeichnung, Herr Minister? Wofür?*, hätte er am liebsten gefragt, hielt sich aber zurück.

»Das alles ist jetzt sechs Jahre her«, fuhr Chiswell fort. »Ich hab mir das Ganze immer wieder durch den Kopf gehen lassen. Vielleicht haben die anderen geredet, aber das bezweifle ich. Das bezweifle ich stark. Sie haben zu viel zu verlieren. Nein, alles hängt davon ab, was Knight und Winn zutage fördern. Wenn Winn an die Fotos kommt, dann wird er mit ziemlicher Sicherheit damit an die Presse gehen wollen. Bei Knight kann ich mir das nicht vorstellen. Der will einfach nur Geld. Tja, Mr. Strike, was soll ich sagen? *A fronte praecipitium, a tergo lupi.* Dieses Damoklesschwert hängt jetzt schon seit Wochen über mir, und das ist nicht gerade angenehm.«

Er sah Strike mit kleinen Augen an. Unwillkürlich fühlte sich der Detektiv an einen Maulwurf erinnert, der dem erhobenen Spaten entgegenblinzelt, der ihn zu zerquetschen droht.

»Als ich erfahren habe, dass Sie diesen Vortrag besucht haben, bin ich davon ausgegangen, dass Sie belastendes Material über Knight sammeln. Ich bin zu dem Schluss gekommen, dass der einzige Ausweg aus dieser teuflischen Zwickmühle darin besteht, genug Dreck über beide zusammenzutragen, bevor sie ihrerseits diese Fotos aufstöbern. Wir müssen Feuer mit Feuer bekämpfen.«

»Also eine Erpressung mit einer Erpressung?«

»Ich will nur, dass sie mich in Ruhe lassen, sonst nichts«, sagte Chiswell. »Ein Druckmittel, das will ich. Ich habe nach dem Gesetz gehandelt«, sagte er entschieden. »Und im Einklang mit meinem Gewissen.«

Strike fand Chiswell nicht gerade sympathisch, trotzdem konnte er sich gut vorstellen, dass es ganz besonders für den schon von mehreren Skandalen gebeutelten Minister die Hölle sein dürfte, darauf zu warten, ob irgendeine Geschichte ans Licht käme oder nicht. Bei der flüchtigen Recherche zu seinem potenziellen Klienten, die Strike am Vorabend angestellt hatte, war er auf nicht wenige schadenfrohe Artikel über jene Affäre gestoßen, die Chiswells erster Ehe den Todesstoß versetzt hatte, über die Woche, die seine zweite Frau wegen »nervöser

Erschöpfung« in einer Klinik zugebracht hatte, und über den grässlichen Autounfall, den sein jüngster Sohn unter Drogeneinfluss gebaut hatte und bei dem eine junge Mutter zu Tode gekommen war.

»Mr. Chiswell, dieser Auftrag ist mit einem nicht unbeträchtlichen Aufwand verbunden«, sagte Strike. »In Anbetracht des engen zeitlichen Rahmens werde ich zwei, wenn nicht drei Mitarbeiter auf Knight und Winn ansetzen müssen.«

»Geld spielt keine Rolle«, entgegnete Chiswell. »Von mir aus können Sie Ihre ganze Detektei auf die beiden ansetzen. Winn hat ganz sicher Dreck am Stecken, diese hinterlistige kleine Kröte. Die beiden passen doch überhaupt nicht zusammen – sie, der blinde Engel« – Chiswell verzog die Lippen – »und er, dieser dicke, kleine Handlanger, der sich für nichts zu schade ist, ständig am Planen und Intrigieren … Nein, da muss es irgendwas geben. Zweifellos. Und Knight, dieser kommunistische Unruhestifter, hat sicher auch irgendwas vor der Polizei zu verbergen. Der war schon immer ein Nichtsnutz, ein ganz unangenehmer Typ.«

»Sie kannten Jimmy Knight schon, bevor er Sie erpresst hat?«, fragte Strike.

»Aber sicher«, sagte Chiswell. »Die Knights stammen aus meinem Wahlkreis. Sein Vater hat sich mit Gelegenheitsjobs über Wasser gehalten. Meine Familie hat des Öfteren auf seine Dienste zurückgegriffen. Die Mutter kannte ich nicht. Ich glaube, sie ist gestorben, bevor die drei ins Steda Cottage gezogen sind.«

»Aha«, sagte Strike, dem wieder Billys gequältes »Ich hab gesehen, wie ein Kind erwürgt wurde, und keiner will mir glauben« vor Augen stand, sein nervöser Tick, bei dem er die Hand zu Nase und Brust führte, und das ebenso prosaische wie präzise Detail jener rosa Decke, in der man das tote Kind begraben hatte.

»Mr. Chiswell, bevor wir weiterreden, sollten Sie eines wissen«, sagte Strike. »Ich hatte gehofft, auf dieser CORE-Veranstaltung Knights jüngeren Bruder Billy zu treffen.«

Die Falte zwischen Chiswells Schweinsäuglein vertiefte sich leicht. »Jawohl, jetzt, da Sie es sagen. Es waren tatsächlich zwei Brüder. Jimmy ist der ältere, viel älter – mehr als zehn Jahre, würde ich schätzen. Den anderen – Billy, ja? – hab ich schon lang nicht mehr gesehen.«

»Er hat psychische Probleme«, erklärte Strike. »Am vergangenen Montag war er bei mir, hat eine sehr seltsame Geschichte erzählt und ist dann einfach davongerannt.«

Chiswell wartete ab. Strike meinte eine gewisse Anspannung bei ihm zu spüren.

»Billy behauptet, er habe als Junge miterlebt, wie ein Kind erwürgt wurde.«

Chiswell schreckte mitnichten entsetzt zurück – und er polterte und schimpfte auch nicht drauflos. Weder wies er prophylaktisch jede Anschuldigung von sich, noch fragte er, was das alles zum Teufel mit ihm zu tun habe. Er zeigte keine der für einen Schuldigen ach so typischen übertriebenen Reaktionen – und doch hätte Strike schwören können, dass Chiswell diese Geschichte nicht zum ersten Mal hörte.

»Und wer soll Billy zufolge dieses Kind erwürgt haben?«, fragte er und spielte mit dem Stiel seines Weinglases.

»Das konnte – oder wollte – er mir nicht sagen.«

»Glauben Sie, dass Knight mich damit erpresst? Mit einem Kindsmord?«, fragte Chiswell barsch.

»Ich wollte Ihnen nur erzählen, weshalb ich hinter Jimmy her war.«

»Ich habe niemanden auf dem Gewissen«, sagte Jasper Chiswell nachdrücklich und leerte sein Wasserglas. »Und für ungewollte Folgen«, fügte er hinzu und stellte das Glas auf den Tisch, »kann niemand verantwortlich gemacht werden.«

10

Ich habe geglaubt, wir beide zusammen würden das vermögen.

HENRIK IBSEN, *ROSMERSHOLM*

Eine Stunde später verließen der Detektiv und der Minister die 14 Park Place und gingen die wenigen Meter zur St. James's Street zurück. Beim Kaffee war Chiswell deutlich weniger verkniffen und griesgrämig gewesen – er war erleichtert, vermutete Strike, einen Prozess angestoßen zu haben, der ihn vielleicht von etwas erlösen würde, was für ihn offenbar zu einer fast unerträglichen Last aus Angst und Spannung geworden war. Sie waren sich einig geworden, und Strike war mit ihrem Deal zufrieden: Diese Sache versprach, ein besser bezahlter und anspruchsvollerer Auftrag zu werden, als ihn die Agentur seit Langem erhalten hatte.

»Also dann, besten Dank, Mr. Strike«, sagte Chiswell und starrte die St. James's entlang, als sie beide an der Ecke stehen blieben. »Hier trennen sich unsere Wege. Ich bin mit meinem Sohn verabredet.«

Trotzdem bewegte er sich nicht.

»Sie haben Freddies Tod untersucht«, sagte er unvermittelt und beobachtete Strike aus dem Augenwinkel heraus.

Strike hatte nicht erwartet, dass Chiswell das Thema anschneiden würde, vor allem nicht so – als Nachtrag zu ihrer intensiven Diskussion beim Lunch.

»Ja«, antwortete er. »Mein Beileid.«

Chiswell sah zu einer ein Stück weit entfernten Galerie.

»Ich habe mich an Ihren Namen auf dem Bericht erinnert«, sagte Chiswell. »Er ist ungewöhnlich.«

Er schluckte, während er mit zusammengekniffenen Augen weiter die Galerie anstarrte. Irgendwie schien es ihm zu widerstreben, zu seiner Verabredung zu gehen.

»Ein wundervoller Junge, Freddie«, murmelte er. »Wundervoll. War in meinem alten Regiment ... Na ja, so gut wie. Die Queen's Own Hussars sind damals dreiundneunzig mit den Queen's Royal Irish zusammengelegt worden, wie Sie sicher wissen. Nur deshalb waren es dann die Queen's Royal Hussars. Hoffnungsvoll war er. Lebensfroh. Aber natürlich, Sie haben ihn nicht gekannt.«

»Nein«, sagte Strike. Ihm war, als sei irgendein höflicher Kommentar angebracht. »Er war Ihr Ältester, nicht wahr?«

»Von vieren«, sagte Chiswell nickend. »Zwei Mädchen« – durch seine Betonung tat er sie als bloße Frauen, als Spreu vom Weizen ab – »und diesen anderen Jungen«, fügte er finster hinzu. »Er saß im Gefängnis. Sie haben vielleicht in der Zeitung davon gelesen?«

»Nein«, log Strike, weil er wusste, wie es sich anfühlte, persönliche Details in der Presse breitgetreten zu sehen. Solange man glaubwürdig blieb, war es doch freundlicher, sich ahnungslos zu stellen, und höflicher, die Leute ihre eigene Geschichte erzählen zu lassen.

»Hat sein Leben lang Probleme gemacht«, fuhr Chiswell fort. »Ich hab ihm dort einen Job verschafft.«

Er zeigte mit einem dicken Finger auf die Schaufenster der Galerie.

»Hat sein Studium in Kunstgeschichte geschmissen«, erklärte Chiswell. »Die Galerie gehört einem Freund, der bereit war, ihn zu nehmen. Meine Frau hält ihn für hoffnungslos. Er hat eine junge Mutter totgefahren. Er war high.«

Strike erwiderte lieber nichts.

»Also dann, auf Wiedersehen«, sagte Chiswell, der in diesem Moment aus einer melancholischen Trance zu erwachen schien. Dann gab er Strike nochmals die feuchte Hand und stiefelte, in seinen dicken Mantel gehüllt, der zu dem schönen Junitag so gar nicht zu passen schien, mit langen Schritten davon.

Strike ging auf der St. James's Street in Gegenrichtung weiter und zog sein Handy aus der Tasche. Robin meldete sich beim dritten Klingeln.

»Müssen uns treffen«, sagte Strike ohne Vorrede. »Wir haben einen neuen Job, einen großen.«

»Verdammt«, sagte sie. »Ich bin in der Harley Street. Ich wollte nicht stören, weil du mit Chiswell zusammen warst, aber Andys Frau hat sich beim Sturz von einer Leiter das Handgelenk gebrochen. Ich hab zugesagt, Teflon-Doc zu übernehmen, während Andy sie ins Krankenhaus fährt.«

»Scheiße. Wo ist Barclay?«

»Er ist weiter an Webster dran.«

»Ist Teflon in seiner Praxis?«

»Ja.«

»Wir riskieren's«, sagte Strike. »Freitags fährt er meist direkt nach Hause. Diese Sache ist dringend. Das muss ich dir alles persönlich erzählen. Können wir uns im Red Lion in der Duke of York Street treffen?«

Nachdem Strike beim Essen mit Chiswell keinen Alkohol getrunken hatte, wollte er jetzt lieber ein Bier trinken, als ins Büro zurückzukehren. Während er in East Ham im White Horse mit seinem Anzug noch aufgefallen war, war er für Mayfair genau richtig angezogen. Zwei Minuten später betrat er das Red Lion an der Duke of York, einen behaglich viktorianischen Pub, der ihn mit Messingarmaturen und geätztem Glas ans Tottenham erinnerte. Mit einem Pint London Pride nahm er an einem Ecktisch Platz, googelte Della Winn und ihren Ehemann und vertiefte sich in einen Artikel über die bevorstehenden Paralympischen Spiele, in dem Della ausführlich zitiert wurde.

»Hi«, sagte Robin fünfundzwanzig Minuten später und ließ ihre Umhängetasche auf den Stuhl ihm gegenüber fallen.

»Willst du was trinken?«, fragte er.

»Ich hole mir was«, sagte Robin. »Und?«, fragte sie, als sie nach ein paar Minuten mit einem Glas Orangensaft zurückkam, und Strike musste über ihre kaum verhehlte Ungeduld lächeln. »Worum ist es gegangen? Was wollte Chiswell?«

In dem Pub, der lediglich aus einem hufeisenförmigen Raum um eine Bar bestand, drängten sich elegant gekleidete Männer und Frauen, die ihr Wochenende früh begannen oder sich wie Strike und Robin zu einem After-Work-Drink trafen. Strike senkte die Stimme und gab wieder, was Chiswell ihm erzählt hatte.

»Oh«, sagte Robin ausdruckslos, als Strike mit seinem Bericht fertig war. »Wir ... Wir sollen also versuchen, belastendes Material gegen Della Winn zu finden?«

»Gegen ihren Mann«, verbesserte Strike sie, »und Chiswell spricht außerdem lieber von einem ›Druckmittel‹.«

Statt etwas zu erwidern, nahm Robin nur einen kleinen Schluck Orangensaft.

»Erpressung ist illegal, Robin«, sagte Strike, der ihren Gesichtsausdruck richtig gedeutet hatte. »Knight versucht, Chiswell um vierzig Riesen zu erleichtern, und Winn will ihn aus dem Amt drängen.«

»Also will er sie seinerseits erpressen, und wir sollen ihm dabei helfen?«

»Wir tragen jeden Tag belastendes Material zusammen«, stellte Strike fest. »Für Gewissensbisse ist es da ein bisschen zu spät.«

Er nahm einen großen Schluck Bier, weil er sich nicht nur über ihre Haltung, sondern auch über die Tatsache ärgerte, dass er sich seine Ressentiments hatte anmerken lassen. Robin wohnte mit ihrem Mann an der Allison Street in einem hübschen Haus mit Schiebefensterchen, während er weiter in zwei zugigen Zimmern hauste, aus denen er im Zuge der Luxussanierung seines Straßenzugs alsbald vertrieben würde. Der Detektei war bislang noch nie ein Job angeboten worden, der drei Personen voll beschäftigen würde – und das womöglich über Monate hinweg. Strike hatte nicht vor, sich dafür zu rechtfertigen, dass er zugegriffen hatte. Er hatte es satt, nach jahrelanger Plackerei Mal ums Mal wieder in die roten Zahlen zu rutschen, sobald die Detektei in eine Auftragsflaute geriet. Er hatte geschäftliche Ambitionen, die sich ohne einen wesentlich höheren Kontostand gar nicht verwirklichen ließen. Trotzdem fühlte er sich dazu verpflichtet, seinen Standpunkt zu verteidigen.

»Wir sind wie Anwälte, Robin. Wir stehen auf der Seite des Klienten.«

»Neulich hast du diesen Investmentbanker abgewiesen, für den wir ermitteln sollten, wohin seine Frau …«

»… weil verdammt klar war, dass er ihr etwas antun würde, wenn er sie fände.«

»Na ja«, sagte Robin mit streitlustigem Blick, »und was wäre, wenn diese Sache, die sie gegen Chiswell in der Hand haben …«

Doch noch bevor sie ihren Satz zu Ende bringen konnte, krachte ein großer Mann, der lebhaft mit einem Kollegen diskutiert hatte, bei einem Schritt rückwärts gegen Robins Stuhl. Sie wich nach vorn aus und verschüttete ihren Orangensaft.

»He!«, blaffte Strike, während Robin versuchte, das Zeug von ihrem Kleid zu wischen. »Wollen Sie sich nicht wenigstens entschuldigen?«

»Ach, du meine Güte«, sagte der Mann gedehnt und musterte die durchnässte Robin, während mehrere Leute sich nach ihr umdrehten. »Bin ich das gewesen?«

»Ja, verdammt noch mal«, sagte Strike. Er stand auf und umrundete den Tisch. »Und das war keine Entschuldigung.«

»Cormoran!«, sagte Robin warnend.

»Tja, tut mir leid«, sagte der Mann, als wäre dies ein enormes Zugeständnis. Doch als er sah, wie groß Strike war, klang sein Bedauern prompt aufrichtiger. »Ehrlich, ich entschul...«

»Und jetzt verpiss dich«, knurrte Strike. »Komm, wir tauschen die Plätze«, sagte er zu Robin. »Dann erwischt das nächste verdammte Trampeltier nicht dich, sondern mich.«

Halb verlegen, halb gerührt nahm sie ihre ebenfalls durchnässte Tasche und wechselte auf den anderen Stuhl. Strike kam mit einer Handvoll Papierservietten zurück und reichte sie ihr.

»Danke.«

Nachdem er nun freiwillig auf ihrem von Orangensaft klebrigen Stuhl Platz genommen hatte, fiel es Robin schwer, ihren Ärger weiter zu schüren. Während sie weiter den Saft von sich abtupfte, beugte sich nach vorn. »Du weißt aber schon, was mir Sorgen macht – die Sache, von der Billy gesprochen hat.«

Ihr dünnes Baumwollkleid klebte an ihr. Strike gab sich alle Mühe, ihr nur mehr in die Augen zu sehen.

»Ich hab Chiswell danach gefragt.«

»Wirklich?«

»Klar. Woran hätte ich sonst denken sollen, als er erzählt hat, er werde von Billys Bruder erpresst?«

»Und was hat er geantwortet?«

»Er meinte, an seinen Händen klebe kein Blut, aber ›für ungewollte Folgen kann niemand verantwortlich gemacht werden‹.«

»Was soll das denn heißen?«

»Ich hab ihn gefragt. Er hat mir als hypothetisches Beispiel einen Mann beschrieben, der einen Pfefferminzdrops verliert, an dem später ein Kleinkind erstickt.«

»*Was?*«

»Ich weiß auch nicht. Billy hat nicht noch mal angerufen, oder?«

Robin schüttelte den Kopf.

»Hör zu, höchstwahrscheinlich leidet Billy an Wahnvorstellungen«, sagte Strike. »Als ich Chiswell erzählt habe, was Billy gesagt hat, war von Angst oder Schuldbewusstsein nichts zu spüren.«

Noch während er das sagte, musste er an den Schatten denken, der über Chiswells Gesicht gehuscht war, und seinen Eindruck, für sein Gegenüber sei diese Story nicht gänzlich neu gewesen.

»Womit erpressen sie ihn also?«, fragte Robin.

»Keine Ahnung«, sagte Strike. »Er meinte, das Ereignis liege sechs Jahre zurück, was nicht zu Billys Geschichte passt, weil der vor sechs Jahren kein kleiner Junge mehr war. Chiswell sagt, manche Leute würden sein Tun vielleicht für unmoralisch halten, aber illegal sei es nicht gewesen. Er schien andeuten zu wollen, es sei damals nicht strafbar gewesen – heute jedoch sehr wohl.«

»Traust du ihm?«, fragte Robin.

»Ob ich Chiswell traue?«, fragte Strike sich halblaut, während er in den überreich verzierten Spiegel hinter Robin blickte. »Müsste ich darauf wetten, würde ich sagen, dass er mir gegenüber heute ehrlich war – einfach weil er verzweifelt ist. Ob ich ihn allgemein für vertrauenswürdig halte? Vermutlich nicht mehr als die meisten anderen Menschen.«

»Du hast ihn doch nicht etwa *gemocht*?«, fragte Robin ungläubig. »Ich hab einiges über ihn gelesen.«

»Und?«

»Für die Todesstrafe, gegen Einwanderung, hat gegen den längeren Mutterschutz gestimmt ...« Der Blick, mit dem Strike unwillkürlich ihre Figur musterte, fiel ihr zum Glück nicht auf, als sie fortfuhr: »Er hat über Familienwerte gelabert und seine Frau dann wegen einer Journalistin verlassen ...«

»Schon gut. Ich würde ihn nicht als Saufkumpan haben wollen, aber er hat etwas leicht Mitleiderregendes an sich. Er hat einen Sohn verloren, der andere hat vor Kurzem eine Frau totgefahren ...«

»Da hast du es doch!«, sagte Robin. »Da plädiert er dafür, Kleinkriminelle wegzusperren und den Schlüssel fortzuwerfen – aber wenn sein eigener Sohn eine Mutter totfährt, setzt er sämtliche Hebel in Bewegung, damit der Junge mit einer milden Stra...«

Sie verstummte abrupt, als eine Frauenstimme laut rief: »Robin! Wie schön!«

Sarah Shadlock war mit zwei Männern in den Pub gekommen.

»Oh Gott«, murmelte Robin unwillkürlich, dann sagte sie lauter: »Sarah, hi!«

Sie hätte viel dafür gegeben, diese Begegnung zu vermeiden. Sarah würde sich ein Vergnügen daraus machen, Matthew zu erzählen, sie habe Robin und Strike bei einem Tête-à-tête in einem Pub in Mayfair getroffen, während sie selbst ihm gerade erst vor einer Stunde am Telefon erklärt hatte, sie sei allein an der Harley Street unterwegs.

Sarah bestand darauf, sich um den Tisch herumzuschlängeln und Robin zu umarmen, was sie bestimmt nicht getan hätte, wäre sie nicht in männlicher Begleitung gewesen.

»Liebes, was ist denn mit dir passiert? Du bist ja ganz klebrig!«

Sie war hier in Mayfair ein wenig schicker gekleidet, als Robin sie andernorts erlebte, und verhielt sich ihr gegenüber um einige Grad wärmer.

»Ach, nichts«, murmelte Robin. »Verschütteter Orangensaft, das ist alles.«

»Cormoran!«, rief Sarah im nächsten Moment und beugte sich vor, um ihn auf die Wange zu küssen. Strike blieb teilnahmslos sitzen, ohne sich zu revanchieren, wie Robin mit einiger Genugtuung bemerkte. »Kleine Erholungspause?«, fragte Sarah und schloss beide in ihr wissendes Lächeln ein.

»Arbeit«, erwiderte Strike barsch.

Als niemand sie zum Bleiben aufforderte, wandte Sarah sich zur Bar und nahm ihre Kollegen mit.

»Hab ganz vergessen, dass Christie's um die Ecke liegt«, murmelte Robin.

Strike sah auf die Uhr. Er wollte nicht im Anzug bei Lorelei aufkreuzen, vor allem nicht in diesem, der vom Orangensaft auf Robins Stuhl ganz fleckig war.

»Wir sollten klären, wie wir den Job organisieren wollen, wenn es morgen schon losgeht.«

»Okay«, sagte Robin leicht beklommen, weil sie lange nicht mehr am Wochenende gearbeitet hatte. Matthew hatte sich inzwischen daran gewöhnt, dass sie zu Hause war.

»Schon in Ordnung«, sagte Strike, als hätte er ihre Gedanken gelesen. »Ich brauche dich nicht vor Montag. Trotzdem müssen wir für diesen Auftrag mindestens zu dritt sein. Ich finde, über Webster haben wir genug zusammengetragen, um unseren Klienten zufriedenzustellen. Also setzen wir Andy in Vollzeit auf Teflon-Doc an, erklären den beiden Klienten auf unserer Warteliste, dass wir in diesem Monat nichts mehr für sie tun können, und lassen Barclay mit uns den Fall Chiswell bearbeiten. Ab Montag arbeitest du also im Unterhaus.«

»Ich arbeite wo?«, fragte Robin erstaunt.

»Du kreuzt dort als Chiswells Patenkind auf, das sich für eine Karriere im Parlament interessiert, und fängst mit Geraint Winn an, der Dellas Wahlkreisbüro leitet. Derselbe Flur, auf dem auch Chiswell arbeitet. Plaudere mit ihm ...«

Er nahm einen Schluck Bier und betrachtete sie stirnrunzelnd über sein Glas hinweg.

»Was?«, fragte Robin unsicher, weil sie sich nicht vorstellen konnte, was als Nächstes kommen würde.

»Wie wäre dir zumute«, sagte Strike so leise, dass sie sich über den Tisch beugen musste, um ihn zu verstehen, »wenn du etwas Strafbares tun solltest?«

»Also, ich wäre tendenziell dagegen«, antwortete Robin, die nicht wusste, ob sie amüsiert oder besorgt sein sollte. »Das war irgendwie auch der Grund, warum ich Ermittlerin werden wollte.«

»Und wenn es sich um eine Art juristischer Grauzone handelte und wir die Informationen nicht anders beschaffen könnten? Unter Berücksichtigung der Tatsache, dass Winn sich eindeutig strafbar macht, indem er versucht, einen Minister durch Erpressung aus dem Amt zu drängen.«

»Redest du gerade davon, Winns Büro zu verwanzen?«

»Erraten«, sagte Strike, und weil er ihren zweifelnden Gesichtsausdruck richtig deutete, fuhr er fort: »Hör zu, so wie Chiswell ihn schildert, ist Winn ein windiger Sprücheklopfer, der genau deshalb in diesem Wahlkreisbüro festsitzt und ganz bewusst von der Arbeit seiner Frau im Sportministerium ferngehalten wird. Offenbar lässt er seine Bürotür die meiste Zeit offen, redet laut über vertrauliche Wählerangelegenheiten und lässt private Schriftstücke in der Gemeinschaftsküche liegen. Es spricht einiges dafür, dass du es schaffen würdest, ihn auszuhorchen, ohne die Wanze zu brauchen, aber ich fürchte, darauf zählen können wir nicht.«

Robin ließ den Rest ihres Orangensafts im Glas kreisen, während sie kurz überlegte. Dann sagte sie: »In Ordnung, ich mach's.«

»Sicher?«, hakte Strike nach. »Gut. Du kannst die Geräte allerdings nicht mit hineinnehmen, weil sie dort einen Metalldetektor haben. Ich hab versprochen, Chiswell bis morgen ein paar zukommen zu lassen – er gibt sie dir, sobald du drinnen bist. Und du wirst einen Decknamen brauchen. Schick mir eine SMS, wenn dir einer eingefallen ist, damit ich Chiswell Bescheid geben kann. Im Grunde könntest du dich wieder Venetia Hall nennen. Chiswell ist die Sorte Mann, der ein Patenkind namens Venetia hätte.«

Venetia war Robins zweiter Vorname, aber sie war zu besorgt und aufgeregt, um zur Kenntnis zu nehmen, dass Strike ihn seinem Schmunzeln zufolge auch weiterhin höchst amüsant fand.

»Außerdem müsstest du dir eine Verkleidung überlegen«, fuhr er fort. »Nichts Dramatisches, aber Chiswell weiß seit der Berichterstattung über den Ripper genau, wie du aussiehst, und wir sollten davon ausgehen, dass das auch auf Winn zutrifft.«

»Für eine Perücke ist es zu heiß«, wandte sie ein. »Aber ich könnte es mit farbigen Kontaktlinsen probieren. Am besten gehe ich direkt los und besorge mir ein Paar. Und vielleicht eine Brille mit Fensterglas.« Sie konnte sich das Lächeln nicht mehr verkneifen. »Ins Unterhaus«, flüsterte sie aufgeregt.

Robins Lächeln verebbte, sowie Sarah Shadlocks weißblonder Schopf auf der anderen Seite der Bar in ihr Blickfeld geriet. Sarah hatte einen Platz gefunden, von dem aus sie Robin und Strike im Visier behalten konnte.

»Komm, wir gehen«, forderte Robin Strike auf.

Auf dem Weg zur U-Bahn erklärte Strike, dass Barclay Jimmy Knight übernehmen werde.

»Ich kann das nicht machen«, sagte er bedauernd. »Er und seine CORE-Kumpel würden mich wiedererkennen.«

»Und was machst du unterdessen?«

»Fülle Lücken, verfolge Hinweise, übernehme notfalls Nächte«, antwortete Strike.

»Die arme Lorelei«, sagte Robin.

Es war ihr einfach so rausgerutscht, aber der Verkehr um sie herum wurde zusehends laut, und als Strike nichts erwiderte, hoffte Robin, er hätte sie nicht gehört.

»Hat Chiswell seinen Sohn erwähnt, der im Irak gefallen ist?«, fragte sie wie jemand, der eilig hustet, um ein Lachen zu übertönen, das sich nicht mehr zurückholen lässt.

»Yeah«, sagte Strike. »Freddie war ganz klar sein liebstes Kind – was nicht gerade für sein Urteilsvermögen spricht.«

»Wie meinst du das?«

»Freddie Chiswell war ein echter Mistkerl. Ich habe wegen vieler Gefallener ermittelt, bin aber niemals so oft gefragt worden, ob ein toter Offizier von seinen eigenen Leuten von hinten erschossen worden sei.«

Robin wirkte schockiert.

»*De mortuis nil nisi bene?*«, fragte Strike.

Bei ihrer Arbeit mit Strike hatte Robin schon ziemlich viel Latein gelernt.

»Na ja«, erwiderte sie ruhig, während sie erstmals fast Mitleid für Jasper Chiswell empfand, »dass sein Vater schlecht von ihm redet, kannst du nun wirklich nicht erwarten.«

Sie trennten sich am oberen Ende der Straße. Robin wollte farbige Kontaktlinsen kaufen gehen, und Strike machte sich auf den Weg zur U-Bahn.

Nach dem Gespräch mit Robin war er ungewöhnlich gut gelaunt. Als sie den schwierigen Auftrag besprochen hatten, waren die vertrauten Konturen ihrer Freundschaft mit einem Mal wieder sichtbar geworden. Ihm hatte gefallen, wie aufgeregt sie gewesen war, weil sie im Unterhaus arbeiten sollte – und dass er ihr diese Chance ermöglicht hatte. Ihm hatte es sogar Spaß gemacht, wie sie seine Annahmen in Bezug auf Chiswells Story auf die Probe gestellt hatte.

Kurz bevor er die U-Bahn-Haltestelle betrat, wandte Strike sich unversehens zur Seite und brachte damit einen jähzornigen Geschäftsmann auf, der dicht hinter ihm hergelaufen war. Mit knapper Not vermied der Mann einen Zusammenstoß und marschierte übellaunig und unter Unmutsäußerungen weiter zur U-Bahn, während Strike sich unbeeindruckt an die sonnenwarme Mauer lehnte und durch das Jackett hindurch die Wärme genoss, während er Detective Inspector Eric Wardles Nummer wählte.

Strike hatte Robin die Wahrheit gesagt. Er glaubte nicht, dass Chiswell ein Kind erwürgt hatte; aber seine Reaktion auf Billys Geschichte war entschieden merkwürdig gewesen. Dank der Enthüllung des Ministers, Familie Knight habe in der Nähe des Herrenhauses seiner Familie gelebt, wusste Strike jetzt, dass Billy in Oxfordshire aufgewachsen war. Der erste logische Schritt, um sein fortgesetztes Unbehagen in Bezug auf die rosa Decke auszuräumen, musste folglich darin bestehen herauszufinden, ob dort vor mehreren Jahrzehnten Kinder verschwunden und nie mehr aufgetaucht waren.

11

... lass uns denn alle Erinnerungen in der Freiheit, der Freude, der Leidenschaft ersticken.

HENRIK IBSEN, *ROSMERSHOLM*

Lorelei Bevan wohnte in der Camden Street in einem ausgefallen möblierten Apartment über ihrem gut gehenden Laden für Vintage-Klamotten. An diesem Abend traf Strike mit einer Flasche Pinot Noir in der Hand und dem Handy am Ohr um halb acht bei ihr ein. Als Lorelei ihm aufmachte, lächelte sie nur gutmütig über den vertrauten Anblick des Telefonierenden, küsste ihn auf die Lippen, nahm ihm die Weinflasche ab und verschwand in der Küche, aus der es appetitanregend nach Pad Thai duftete.

»... oder versuchen Sie, in CORE reinzukommen«, wies Strike Barclay an, während er die Tür hinter sich zuschob und in Loreleis Wohnzimmer weiterging, das von einem riesigen Poster mit Warhols Liz Taylor beherrscht wurde. »Ich schicke Ihnen alles, was ich über Jimmy habe. Er ist in verschiedenen Gruppen aktiv. Ob er arbeitet, weiß ich noch nicht. Seine Stammkneipe ist das White Horse in East Ham. Ich nehme an, er ist Hammers-Fan.«

»Könnte schlimmer sein«, sagte Barclay, der leise sprach, weil sein zahnendes Baby gerade erst eingeschlafen war. »Hätte Chelsea sein können.«

»Sie werden zugeben müssen, dass Sie in der Army waren«, sagte Strike, sank in einen Sessel und legte sein Bein auf ein zweckmäßig platziertes Sitzkissen. »Man sieht Ihnen den Soldaten an.«

»Kein Problem«, erwiderte Barclay. »Ich spiel einfach den armen Tropf, der nicht gewusst hat, worauf er sich einlässt. Die Linken lieben diesen Scheiß. Sollen sie doch gönnerhaft auf mich runterblicken.«

Grinsend angelte Strike seine Zigaretten hervor. Nach anfänglichen Zweifeln glaubte er allmählich, mit Barclay einen echt guten Mann gefunden zu haben.

»All right. Warten Sie ab, bis Sie von mir hören. Müsste irgendwann am Sonntag sein.«

Sobald Strike das Telefonat beendet hatte, tauchte Lorelei mit einem Glas Rotwein für ihn auf.

»Brauchst du Hilfe in der Küche?«, fragte er, ohne sich auch nur einen Zentimeter zu rühren.

»Nein, bleib sitzen. Ich bin gleich fertig«, antwortete sie lächelnd. Ihm gefiel ihre Schürze im Stil der Fünfzigerjahre.

Als sie in die Küche zurückging, zündete Strike sich eine Zigarette an. Obwohl Lorelei selbst nicht rauchte, hatte sie nichts gegen seine Benson & Hedges einzuwenden, solange er nur ihren kitschigen Aschenbecher mit spielenden Pudeln benutzte, den sie ihm hingestellt hatte.

Während er rauchte, gestand er sich ein, dass er Barclay um den Job beneidete, Knight und dessen linksradikale Gruppe zu unterwandern. Solche Aufträge waren Strike schon bei der Militärpolizei immer am liebsten gewesen. Er erinnerte sich noch gut an vier Soldaten, die sich in Deutschland für eine dortige rechtsradikale Gruppierung begeistert hatten. Strike hatte sie davon überzeugen können, dass er wie sie einen von weißen Nationalisten beherrschten Superstaat anstrebte. Er hatte an einer Versammlung teilgenommen und letztlich vier Festnahmen und vier Verfahren erwirkt, die ihm eine ganz besondere Genugtuung gewesen waren.

Er stellte den Fernseher an, guckte eine Zeit lang Channel 4 News, trank Wein und rauchte und freute sich auf das Pad Thai und was sonst noch Sinnliches auf ihn zukommen würde und genoss ausnahmsweise, was für viele andere Werktätige ganz selbstverständlich war: selten erlebte Entspannung und Erholung an einem Freitagabend.

Kennengelernt hatten sich Strike und Lorelei bei Eric Wardles Geburtstagsparty. Der Abend war in gewisser Hinsicht durchaus peinlich gewesen, weil Strike dort erstmals wieder Coco begegnet war, nachdem er ihr am Telefon mitgeteilt hatte, er habe kein Interesse an einem weiteren Date. Coco hatte sich mächtig betrunken; um ein Uhr morgens, während Strike mit Lorelei in ein Gespräch vertieft auf einem Sofa gesessen hatte, war sie durch den Raum gewankt, hatte ein Glas Wein über die beiden ausgeschüttet und war in die Nacht hinausgestürmt. Dass Coco und Lorelei alte Freundinnen waren, hatte Strike erst erfahren, nachdem er morgens in Loreleis Bett aufgewacht war. Allerdings fand er auch, dass das eher Loreleis Problem war als sein eigenes. Nachdem Coco nichts mehr mit ihr zu schaffen haben wollte, schien sie den Tausch als mehr denn fair zu empfinden.

»Wie machst du das nur?«, hatte Wardle bei ihrer nächsten Begegnung ehrlich verwundert gefragt. »Verdammt, ich wüsste wirklich gern, wie …«

Strike hatte seine dichten Brauen hochgezogen, und Wardle hatte etwas hinuntergeschluckt, was einem Kompliment gefährlich nahe gekommen wäre.

»Da gibt's kein Geheimnis«, sagte Strike. »Manche Frauen stehen einfach auf Dicke mit nur einem Bein, Schambehaarung auf dem Kopf und Boxernase.«

»Tja, eine traurige Anklage gegen die psychosozialen Dienste, dass solche Leute noch frei herumlaufen«, hatte Wardle gesagt, und Strike hatte gelacht.

Lorelei war ihr echter Name – nicht etwa nach der sagenhaften Zauberin am Rhein, sondern nach Marilyn Monroes Rolle in *Blondinen bevorzugt*, dem Lieblingsfilm ihrer Mutter. Die Männer starrten ihr nach, wenn sie an ihnen vorbeiging, aber sie verursachte weder das tiefe Sehnen noch den brennenden Schmerz, den Charlotte in Strike heraufbeschworen hatte. Ob es daran lag, dass Charlotte seine Fähigkeit, so intensiv zu empfinden, betäubt hatte, oder ob Lorelei irgendein unentbehrlicher Zauber fehlte, wusste er nicht. Weder Strike noch Lorelei hatten je zueinander »Ich liebe dich« gesagt; bei Strike lag es daran, dass er es nicht ehrlich hätte sagen können, so amüsant und begehrenswert er sie auch fand. Praktischerweise nahm er an, dass Lorelei das Gleiche empfand.

Sie hatte sich vor Kurzem erst von ihrem Partner getrennt, mit dem sie fünf Jahre lang zusammengelebt hatte, als Strike – nach mehreren langen Blicken quer durch Wardles gedimmtes Wohnzimmer – zu ihr hinübergeschlendert war, um mit ihr zu reden. Er hätte ihr zu gern geglaubt, als sie ihm vorgeschwärmt hatte, wie herrlich es sei, ihre Wohnung wieder ganz für sich allein und ihre Freiheit zurückzuhaben, doch in letzter Zeit hatte er leise Unmutsäußerungen vernommen wie erste Regentropfen, die ein Unwetter ankündigten, wann immer er zu ihr gesagt hatte, er müsse am Wochenende arbeiten. Damit konfrontiert, hatte sie alles geleugnet: *Nein, nein, natürlich nicht, wenn du arbeiten musst ...*

Und Strike hatte ihr seine unverhandelbaren Bedingungen zu Beginn ihrer Beziehung genannt: Seine Arbeit sei unberechenbar, die finanziellen Verhältnisse schlecht. Ihr Bett sei das einzige, das er aufsuchen werde, aber wenn sie Berechenbarkeit oder Dauerhaftigkeit suche, sei er nicht der Richtige für sie. Sie schien sich mit diesem Deal zufriedengegeben zu haben; falls ihre Zufriedenheit in den vergangenen zehn Monaten abgenommen hatte, war Strike bereit, sich im Guten zu trennen. Womöglich spürte sie das, denn sie hielt den Ball flach. Das gefiel ihm nicht nur, weil er auf Ärger gut verzichten konnte; er mochte Lorelei, schlief gern mit ihr und fand es überaus wünschenswert, gerade jetzt in einer Beziehung zu leben – aus einem Grund allerdings, mit dem er sich lieber gar nicht befassen wollte, weil er sich über ihn insgeheim im Klaren war.

Das Pad Thai war ausgezeichnet, ihre Unterhaltung locker und amüsant. Von seinem neuen Fall erzählte Strike nur, dass er hoffentlich lukrativ und interessant werden würde. Nachdem sie gemeinsam abgewaschen hatten, zogen sie sich ins bonbonrosafarbene Schlafzimmer zurück, wo die Vorhänge mit Cartoons von Cowgirls und Ponys bedruckt waren.

Lorelei verkleidete sich gern. An diesem Abend trug sie im Bett Nylons und ein schwarzes Korsett. Sie besaß das keineswegs häufige Talent, eine erotische Szene zu inszenieren, ohne dass sie in eine Parodie abglitt. Mit lediglich einem Bein und seiner Boxernase hätte Strike sich in einem solchen Boudoir mit all seinen Frivolitäten und seiner Niedlichkeit albern vorkommen müssen, doch sie spielte die Aphrodite, die ihren Hephaistos verführte, derart gekonnt, dass er es zeitweise schaffte, jeden Gedanken an Robin und Matthew aus seinem Kopf zu verbannen.

Kaum ein Vergnügen ließ sich mit dem vergleichen, das einem eine Frau bereitete, die einen wirklich begehrte, dachte er mittags am folgenden Tag, als sie nebeneinander in einem Straßencafé saßen und Zeitung lasen: Strike rauchend, während Loreleis perfekt lackierte Fingernägel geistesabwesend seinen Handrücken streiften. Weshalb hatte er ihr nur schon erklärt, dass er am Nachmittag arbeiten müsste? Sicher, er würde die Wanzen bei Chiswell in Belgravia ausliefern müssen, aber er hätte gut noch eine weitere Nacht mit ihr verbringen und in ihr Schlafzimmer zu den Nylons und dem Korsett zurückkehren können. Die Vorstellung war zweifellos verlockend.

Trotzdem weigerte sich irgendetwas in ihm unerbittlich, der Verlockung nachzugeben. Zwei Nächte hintereinander würden das bisherige Schema durchbrechen; danach wäre es bis zu echter Intimität nur noch ein kleiner Schritt. Und in den Tiefen seines Wesens konnte Strike sich keine Zukunft als Ehemann oder Familienvater vorstellen. Ein paar dieser Dinge hatte er mit Charlotte geplant gehabt, als er sich damals noch an ein Leben mit einem halben Bein weniger hatte gewöhnen müssen. Eine Sprengfalle auf einer staubigen Straße irgendwo in Afghanistan hatte ihn aus seinem selbstbestimmten Leben in einen neuen Körper und in eine neue Realität hineinkatapultiert. Mitunter sah er den Heiratsantrag, den er Charlotte gemacht hatte, als extremste Manifestation seiner zeitweiligen Desorientierung infolge der Amputation an. Er hatte das Gehen neu erlernen müssen – und, fast ebenso schwierig, das Leben außerhalb des Militärs. Mit zwei Jahren Abstand hatte er darin den Versuch gesehen, sich ein Stück Vergangenheit zu bewahren, während ihm alles andere entglitten war. Die Treue, mit der er der Army gedient hatte, hatte er auf eine Zukunft mit Charlotte übertragen.

»Kluger Schachzug«, hatte sein alter Freund Dave Polworth ungerührt gesagt, als Strike ihm von seiner Verlobung erzählt hatte. »Wäre schade, all das Nahkampftraining im Sande verlaufen zu lassen. Das Sterblichkeitsrisiko ist bei ihr allerdings leicht höher, Kumpel.«

Hatte er je wirklich geglaubt, die Hochzeit würde stattfinden? Hatte er sich tatsächlich eingebildet, Charlotte würde sich mit dem Leben abfinden, das er ihr bieten konnte? Hatte er nach allem, was sie durchgemacht hatten, an eine gemeinsame Erlösung geglaubt, obwohl sie beide auf ihre wirre, private und seltsame Weise beschädigt waren? Als Strike jetzt mit

Lorelei in der Sonne saß, hatte er fast den Eindruck, es von ganzem Herzen geglaubt und zugleich gewusst zu haben, dass es unmöglich wäre. Er hatte nie mehr als ein paar Wochen im Voraus geplant und Charlotte nachts in den Armen gehalten, als wäre sie der letzte Mensch auf Erden, als könnte nur Harmagedon sie voneinander trennen.

»Noch einen Kaffee?«, murmelte Lorelei.

»Sorry, ich muss los«, sagte Strike.

»Wann sehen wir uns wieder?«, fragte sie, als Strike bei der Bedienung zahlte.

»Ich hab dir doch gesagt, dass dieser große Job ansteht«, sagte er. »Wie's mit meiner Zeit aussieht, lässt sich schwer vorhersagen. Ich ruf dich morgen an, und wir gehen aus, sobald ich einen Abend freihabe.«

»Okay«, sagte sie lächelnd und fügte leise hinzu: »Küss mich.«

Das tat er. Der Druck ihrer vollen Lippen auf seinen erinnerte unwiderstehlich an gewisse Höhepunkte am frühen Morgen. Dann trennten sie sich. Strike grinste, sagte Adieu und ließ sie mit ihrer Zeitung in der Sonne zurück.

An der Ebury Street bat der Kulturminister Strike gar nicht erst in sein Haus herein. Tatsächlich schien Chiswell es darauf anzulegen, den Detektiv möglichst schnell wieder loszuwerden. Nachdem er die Schachtel mit Abhörmikrofonen in Empfang genommen hatte, murmelte er: »Gut, in Ordnung, ich sorge dafür, dass sie sie bekommt.« Er war bereits drauf und dran, die Haustür wieder zu schließen, als er Strike nachrief: »Wie heißt sie überhaupt?«

»Venetia Hall«, sagte Strike.

Chiswell schloss die Haustür, und Strike lenkte seine müden Schritte zwischen den luxuriösen Stadthäusern hindurch wieder zurück in Richtung U-Bahn und Denmark Street.

Nach Loreleis Wohnung erschien ihm sein Büro kahl und düster. Er riss die Fenster auf, um ein wenig Lärm von der Denmark Street einzulassen, auf der Musikliebhaber noch immer die Musikaliengeschäfte und Plattenläden besuchten, die der bevorstehenden Sanierung zum Opfer fallen würden, wie er befürchtete. Zum Klang von Motoren und Hupen, von Stimmen und Schritten, von Gitarrenriffs potenzieller Käufer und den entfernten Bongos eines Straßenmusikers machte sich Strike im Bewusstsein an die Arbeit, dass Stunden am PC vor ihm lagen, sofern er die wesentlichsten Informationen über das Leben seiner Zielpersonen im Internet aufspüren wollte.

Wusste man, wo man suchen musste, und hatte man genügend Zeit und Erfahrung, ließen sich im Cyberspace die Konturen unzähliger Existenzen sichtbar machen: geisterhafte Exoskelette, mal unvollständige, mal beunruhigend vollständige Abbilder jenes Lebens, das ihre Gegenstücke aus Fleisch und Blut führten. Strike, der Tricks gelernt und Geheimnisse gelüftet hatte, verstand sich inzwischen darauf, selbst die finstersten Ecken des Internets auszuforschen, und oft enthielten selbst die scheinbar harmlosen sozialen Medien ungeahnte Reichtümer, sodass minimale Querverweise genügten, um detaillierte Persönlichkeitsprofile zu erstellen, die ihre leichtsinnigen Besitzer niemals mit aller Welt hätten teilen wollen.

Als Erstes konsultierte Strike Google Maps, um sich anzusehen, wo Jimmy und Billy aufgewachsen waren. Das Steda Cottage war offenbar zu klein und unbedeutend, um benannt zu werden, doch Chiswell House unweit des Dorfs Woolstone war eingetragen. Strike verbrachte fünf ergebnislose Minuten damit, die Waldstücke rund um Chiswell House abzusuchen, wobei ihm mehrere winzige Quadrate auffielen, hinter denen sich Landarbeiterkaten verbergen mochten – *sie haben sie in der Mulde beim Haus meines Vaters begraben* –, bevor er sich wieder mit dem älteren, vernünftigeren Bruder befasste.

Auch CORE hatte eine Webseite, auf der Strike zwischen langen Polemiken gegen den Feierkapitalismus und Neoliberalismus eine nützliche Liste von Demos fand, an denen Jimmy teilnehmen oder bei denen er reden wollte. Er druckte sie aus und legte sie zu seiner Akte. Dann folgte er einem Link zur Webseite der Real Socialist Party, die noch aktiver – 'und unaufgeräumter – als die von CORE war. Dort fand er einen weiteren längeren Artikel, in dem Jimmy die Auflösung des »Apartheidstaats« Israel und die Ausschaltung der »zionistischen Lobby« forderte, in deren Würgegriff sich das westliche kapitalistische Establishment befinde. Strike erfuhr, dass auch Jasper Chiswell als »bekennender Zionist« zu der »westlichen politischen Elite« gehörte, die am Schluss des Artikels aufgeführt war.

Jimmys Freundin Flick erschien mehrmals auf der RSP-Webseite – schwarzhaarig, während sie gegen Trident-U-Boote marschiert war, und blond mit einem Stich Rosa, während sie Jimmy zujubelte, der bei einer Versammlung der Real Socialist Party auf einem Podium unter freiem Himmel sprach. Strike folgte dem Link zu ihrem Twitter-Account und überflog ihre Timeline, die eine merkwürdige Mischung aus Süßlichem und Schmähungen enthielt. »Scheiße, hoffentlich kriegst du Arschkrebs, du Tory-Fotze«, stand direkt über einem Videoclip von einem Kätzchen, das so gewaltig nieste, dass es aus seinem Körbchen fiel.

Soweit Strike es beurteilen konnte, besaß weder Jimmy noch Flick eine Immobilie; das hatte er mit beiden gemeinsam. Zumindest online konnte er keinen Hinweis darauf finden, wovon die zwei lebten – außer man verdiente mit Artikeln für linksradikale Webseiten weit mehr, als er bisher gedacht hatte. Jimmy hatte von einem gewissen Kasturi Kumar eine schäbige Wohnung an der Charlemont Road gemietet, doch obwohl Flick in den sozialen Medien nebenbei erwähnt hatte, sie lebe in Hackney, konnte er ihre Adresse online nirgends ausfindig machen.

Als Strike eingehender recherchierte, fand er einen James Knight im richtigen Alter, der offenbar fünf Jahre lang mit einer Frau namens Dawn Clancy zusammengelebt hatte. Auf Dawns höchst informativer, mit Emojis übersäter Facebook-Seite erfuhr Strike, dass die beiden verheiratet gewesen waren. Dawn war Friseurin und hatte in London einen florierenden Salon geführt, bevor sie in ihre Heimatstadt Manchester zurückgekehrt war. Sie war dreizehn Jahre älter als Jimmy und schien weder Kinder noch Kontakt mit ihrem Ex zu haben. Allerdings fiel Strike ihr Kommentar zu dem Post »Männer sind Schweine« einer sitzen gelassenen Freundin ins Auge: »Ja, er ist ein Scheißkerl, aber wenigstens hat er dich nicht verklagt! Ich hab (wieder) gewonnen!«

Neugierig konzentrierte sich Strike auf Gerichtsakten und grub ein paar interessante Informationen aus: Jimmy war zweimal wegen Nötigung angeklagt worden – einmal anlässlich einer Demo gegen den Kapitalismus, einmal bei einem Protestmarsch gegen die Tridents; damit hatte Strike gerechnet. Weit interessanter war, dass er Jimmy auf der Webseite des HM Courts and Tribunals Service auf einer Liste mutwilliger Kläger fand: Weil Knight es sich seit Langem zur Gewohnheit gemacht hatte, grundlos zu klagen, war es ihm irgendwann untersagt worden, »ohne Genehmigung weitere Zivilprozesse bei Gericht anzustrengen«.

Jedenfalls hatte Jimmy für sein Geld – oder das des Steuerzahlers – einen guten Lauf gehabt. Im vergangenen Jahrzehnt hatte er gegen alle möglichen Personen und Organisationen geklagt. Die Justiz hatte sich nur ein einziges Mal hinter ihn gestellt, als er im Jahr 2007 eine Entschädigung von Zanet Industries erstritten hatte, nachdem die Firma bei seiner Entlassung gegen Kündigungsschutzbestimmungen verstoßen hatte.

Jimmy hatte seine Klage gegen Zanet vor Gericht selbst vertreten, und dieser Erfolg hatte ihn offenbar dazu ermuntert, als sein eigener Anwalt noch weitere Leute zu verklagen, darunter einen Werkstattbesitzer, zwei Nachbarn, einen Journalisten, der ihn angeblich verleumdet hatte, zwei Beamten der Metropolitan Police, die ihn misshandelt haben sollten, zwei weitere Arbeitgeber und zuletzt seine Exfrau, die ihn angeblich schikaniert hatte und für Einkommenseinbußen verantwortlich gewesen war.

Nach Strikes Erfahrung waren Leute, die es ablehnten, sich vor Gericht professionell vertreten zu lassen, unausgeglichen oder aber so arrogant, dass es aufs Gleiche hinauslief. Jimmys Prozessgeschichte zeigte eindeutig, dass er geldgierig und prinzipienlos war – und gerissen, ohne klug zu sein. Es war immer nützlich, die Schwächen eines Mannes zu kennen, wenn man versuchte, seine Geheimnisse auszuforschen. Strike ergänzte seine neben ihm liegende Akte um die Namen sämtlicher Leute, gegen die Jimmy geklagt hatte, sowie um die aktuelle Adresse der Exfrau.

Kurz vor Mitternacht zog Strike sich in seine Wohnung zurück, weil er dringend Schlaf brauchte. Am Sonntag stand er früh auf, konzentrierte sich jetzt auf Geraint Winn und blieb erneut vor dem Computer sitzen, bis es Abend wurde. Bis dahin lag bereits ein mit CHISWELL beschrifteter neuer Ordner neben ihm, der zahlreiche sorgfältig gegengecheckte Informationen über Chiswells zwei Erpresser enthielt.

Erst als er sich gähnend rekelte, hörte er wieder die Geräusche, die durchs offene Fenster hereindrangen. Die Musikgeschäfte hatten geschlossen, die Bongos waren verstummt, doch auf der Charing Cross Road brauste und rumpelte der Verkehr immer weiter. Strike stemmte sich hoch, stützte sich auf den Schreibtisch, weil sein verbliebener Knöchel vom stundenlangen Sitzen eingeschlafen war, und beugte sich leicht nach vorn, um den orangeroten Abendhimmel zu betrachten, der sich hinter den Dächern erstreckte.

Es war Sonntagabend, keine zwei Stunden mehr, und England würde im Viertelfinale der Fußball-Europameisterschaft in Kiew gegen Italien spielen. Zum wenigen persönlichen Luxus, den Strike sich gönnte, gehörte ein Sky-Abo, damit er Fußball gucken konnte. Ein kleiner tragbarer Fernseher – für mehr war in der Wohnung einen Stock höher kein Platz – war vielleicht nicht das ideale Medium für ein so wichtiges Spiel, aber er konnte keinen Abend im Pub rechtfertigen, wenn er Montag früh ranmüsste, um Teflon-Doc zu überwachen, wovor ihm jetzt schon graute.

Er sah auf die Uhr. Er hatte noch Zeit, sich vor dem Anpfiff ein chinesisches Take-away zu holen, allerdings müsste er auch noch Barclay und Robin anrufen, um ihnen Anweisungen für die kommenden Tage zu geben. Als er gerade nach dem Hörer greifen wollte, machte ein leiser Gong ihn auf eine eingegangene E-Mail aufmerksam.

Strike,
hier das Beste, was ich auf die Schnelle ermitteln konnte. Ohne genauen Zeitraum ist das natürlich schwierig. Anscheinend wurden in Oxfordshire/Wiltshire Mitte bis Ende der Neunzigerjahre zwei Kinder als vermisst gemeldet: Suki Lewis, 12, ist im Oktober 1992 aus einem Heim verschwunden. Und Immamu Ibrahim, 5, ist seit 1996 verschollen. Sein Vater ist zeitgleich verschwunden, wird in Algerien vermutet. Ohne weitere Informationen lässt sich leider nicht viel mehr tun.
Beste Grüße, E.

12

*Es ist eine sturmbewegte Zeit der Sonnenwende,
in der wir atmen.*

HENRIK IBSEN, *ROSMERSHOLM*

Die untergehende Sonne goss rötliches Licht über die Tagesdecke hinter Robin, als sie in Matthews und ihrem geräumigen Schlafzimmer am Schminktisch saß. Der Gartengrill der Nachbarn verräucherte die Luft, die zuvor nach Geißblatt geduftet hatte. Sie hatte Matthew unten allein zurückgelassen, der mit einer kalten Flasche Peroni in der Hand auf dem Sofa lag und sich die Vorberichterstattung zum Spiel gegen Italien ansah.

Sie zog die Schublade ihres Schminktischs auf und nahm die farbigen Kontaktlinsen heraus, die sie darin versteckt hatte. Nach mehreren Versuchen am Vortag war sie zu dem Schluss gelangt, dass die haselnussbraunen am besten zu ihrem rotblonden Haar passten. Sie nahm erst eine, dann die andere vorsichtig aus der Verpackung und verdeckte damit die blaugrauen Iris ihrer tränenden Augen. Sie musste sich schleunigst daran gewöhnen; im Idealfall hätte sie die Linsen übers ganze Wochenende getragen, aber Matthews Reaktion, als er sie so gesehen hatte, hatte sie davon abgebracht.

»Deine Augen!«, hatte er gerufen, nachdem er sie sekundenlang verwirrt angestarrt hatte. »Verdammt noch mal, das sieht grässlich aus, nimm die wieder raus!«

Der Samstag war ohnehin schon durch eine gereizte Diskussion wegen ihres Jobs ruiniert gewesen; die Kontaktlinsen hätten Matthew übers restliche Wochenende nur ständig daran erinnert, was sie in der kommenden Woche vorhätte. Er schien zu glauben, verdeckt im Unterhaus zu ermitteln sei gleichbedeutend mit Hochverrat, und ihre Weigerung, ihm den Namen ihres Klienten oder die Zielpersonen zu nennen, hatte ihn umso mehr erbittert.

Immer wieder sagte sie sich, Matthew sei lediglich um ihre Sicherheit besorgt, was sie ihm doch kaum verübeln könne. Für sie war es zu einer Gedankenübung geworden, der sie sich wie einer Buße unterzog: *Du kannst ihm nicht vorwerfen, dass er sich Sorgen macht, du bist letztes Jahr fast ermordet worden, er will nur, dass du in Sicherheit bist.* Aber die Tatsache, dass sie am Freitag mit Strike auf einen Drink ausgegangen war, schien Matthew weit mehr zu beunruhigen als irgendein potenzieller Mörder.

»Findest du nicht, dass du verdammt heuchlerisch bist?«, fragte er.

»Wieso heuchlerisch?«

»Auf ein paar nette kleine Drinks mit ihm ausgehen ...«

»Matt, ich arbeite mit ...«

»... und dich dann beschweren, wenn ich mit Sarah mittagessen gehe.«

»Geh mit ihr mittagessen!«, hatte Robin erwidert, und ihr Herz hatte wütend gehämmert. »Mach doch! Übrigens hab ich sie mit ein paar Kollegen im Red Lion gesehen. Willst du Tom anrufen und ihm erzählen, dass seine Verlobte mit Kollegen von Christie's was trinken geht? Oder bin ich die Einzige, die das nicht darf?«

Seine Haut um Mund und Nase sieht wie eine Hundeschnauze aus, wenn sie sich anspannt, dachte Robin. Wie die blasse Schnauze eines knurrenden Hundes.

»Hättest du mir erzählt, dass du mit ihm auf einen Drink ausgegangen bist, wenn Sarah dich nicht gesehen hätte?«

»Ja«, sagte Robin, mit der das Temperament nun vollends durchging, »und ich hätte auch gewusst, dass du dich deswegen wie ein Arsch aufführen würdest.«

Die gespannte Atmosphäre während ihrer Auseinandersetzung – keineswegs der schlimmsten des vergangenen Monats – hatte den ganzen Sonntag lang angehalten. Erst in den letzten Stunden war Matthew, den das bevorstehende Länderspiel vorfreudig stimmte, wieder normal geworden. Robin hatte sogar angeboten, ihm ein Peroni aus der Küche zu holen, und ihn auf die Stirn geküsst, bevor sie ihn mit einer gewissen Erleichterung allein gelassen hatte, um sich den Kontaktlinsen und den Vorbereitungen für den kommenden Tag zu widmen.

Heftig blinzelnd, weil ihre Augen die Linsen so besser vertrugen, trat Robin ans Bett, auf dem ihr Laptop lag. Als sie ihn zu sich heranzog, sah sie, dass gerade eine E-Mail von Strike eingegangen war.

Robin,
anbei ein paar kurze Infos über die Winns. Rufe dich später an, um den morgigen Einsatz zu besprechen.
CS

Robin war verärgert. Strike hatte »Lücken füllen« und nachts arbeiten sollen. Dachte er allen Ernstes, sie hätte übers Wochenende nicht selbst recherchiert? Trotzdem klickte sie den ersten von mehreren Anhängen an, der Strikes Online-Recherchen zusammenfasste.

Geraint Winn

Geraint Ifon Winn, geb. 15. Juli 1950 in Cardiff. Vater Bergarbeiter. Grundschule und Gymnasium, hat Della an der University of Cardiff kennengelernt. War

»Vermögensberater«, hat ihren Wahlkampf gemanagt, wurde nach der Wahl Leiter ihres Wahlkreisbüros. Über seine Tätigkeit davor ist online nichts zu finden. Er hatte nie eine Firma unter seinem Namen. Lebt mit Della an der Southwark Park Road, Bermondsey.

Strike war es gelungen, ein paar schlechte Aufnahmen von Geraint mit seiner prominenten Frau auszugraben, die Robin ebenfalls längst gefunden und auf ihrem Laptop gespeichert hatte. Sie wusste, wie mühsam es für Strike gewesen sein musste, ein Foto von Geraint zu finden; sie hatte selbst letzte Nacht lang danach gesucht, während Matthew geschlafen hatte. Pressefotografen schienen ihn nicht gerade für eine Bereicherung ihrer Bilder zu halten. Er war ein hagerer Mann mit Hornbrille und beginnender Glatze, dessen schmale Lippen, fliehendes Kinn und ausgeprägter Überbiss Robin insgesamt an einen aus dem Leim geratenen Gecko erinnerten.

Strike hatte auch Informationen über die Sportministerin angehängt.

Della Winn

Geb. 8. August 1947, Mädchenname Jones. Aufgewachsen im Vale of Glamorgan, Wales. Beide Eltern Lehrer. Von Geburt an blind aufgrund bilateraler Mikrophthalmie. Vom fünften bis zum achtzehnten Lebensjahr in der Königlichen Blindenschule St. Enodoch. Als Teenager Seriensiegerin im Schwimmen. (Nähere Einzelheiten in weiteren Anhängen, auch zu der Wohltätigkeitsorganisation *The Level Playing Field*.)

Obwohl Robin übers Wochenende alles gelesen hatte, was sie über Della hatte finden können, arbeitete sie beide Artikel pflichtbewusst durch. Sie sagten ihr wenig, was sie nicht schon gewusst hätte. Della hatte bei einer prominenten Menschenrechtsorganisation gearbeitet, bevor sie in dem walisischen Wahlkreis, aus dem sie stammte, erfolgreich fürs Unterhaus kandidiert hatte. Sie kämpfte seit Langem für die Sportförderung in Armenvierteln, promotete behinderte Sportler und unterstützte Sportprojekte zur Rehabilitation verwundeter Soldaten. Über die Gründung ihrer Wohltätigkeitsorganisation *The Level Playing Field* zur Unterstützung junger Sportler mit Behinderungen hatten die Medien ausführlich berichtet. Viele Spitzensportler hatten Zeit geopfert, um Spenden für sie einzuwerben.

Beide Artikel, die Strike angehängt hatte, hatten ein Detail erwähnt, das Robin ebenfalls aus ihren eigenen Recherchen wusste: Die Winns hatten wie die Chiswells ein Kind verloren. Ein Jahr vor Dellas Kandidatur fürs Unterhaus hatte Geraints und ihre Tochter, ein Einzelkind, als Sechzehnjährige Selbstmord verübt. Die Tragödie wurde in sämtlichen Porträts über Della Winn erwähnt, die Robin hatte finden können – auch in denjenigen, die ihre zahlreichen Verdienste in den Vordergrund rückten. In ihrer Antrittsrede im Unterhaus hatte sie den Vorschlag unterstützt, eine Mobbing-Hotline einzurichten, ansonsten aber nie öffentlich über den Selbstmord ihrer Tochter gesprochen.

Robins Handy klingelte. Bevor sie ranging, stellte sie sicher, dass die Schlafzimmertür geschlossen war.

»Das ging aber schnell«, sagte Strike undeutlich, weil er den Mund voller Singapore Mei Fun hatte. »Sorry ... damit hatte ich nicht gerechnet ... Hab mir gerade ein Nudelgericht geholt.«

»Ich hab deine Mail gelesen«, sagte Robin. Sie hörte ein metallisches Knacken. Bestimmt hatte er sich gerade ein Bier aufgemacht. »Sehr nützlich, danke.«

»Sitzt deine Tarnung?«, fragte Strike.

»Ja.« Sie begutachtete sich im Spiegel. Bemerkenswert, wie eklatant eine andere Augenfarbe das ganze Gesicht veränderte. Zu ihren haselnussbraunen Augen wollte sie eine Brille mit Fensterglas tragen.

»Und du weißt genug über Chiswell, um als sein Patenkind durchzugehen?«

»Natürlich«, sagte Robin.

»Lass hören«, sagte Strike, »beeindrucke mich.«

»Geboren 1944«, sagte Robin sofort, ohne einen Blick auf ihre Notizen zu werfen. »Studium der Altphilologie am Merton College, Oxford, danach bei den Queen's Own Hussars mit Auslandseinsätzen in Aden und Singapur. In erster Ehe verheiratet mit Lady Patricia Fleetwood, drei Kinder: Sophia, Isabella und Freddie. Sophia ist verheiratet und lebt in Northumberland, Isabella leitet Chiswells Wahlkreisbüro ...«

»Ach?« Es klang vage überrascht, und Robin freute sich insgeheim, etwas für ihn Neues entdeckt zu haben.

»Ist sie die Tochter, die du kennst?«

»›Kennen‹ wäre zu viel gesagt. Bin ihr ein paarmal mit Charlotte begegnet. Alle haben sie nur ›Izzy Chizzy‹ genannt. Einer dieser in der Oberschicht üblichen Spitznamen.«

»Lady Patricia hat sich von Chiswell scheiden lassen, nachdem er eine politische Journalistin geschwängert hatte ...«

»... woraus der missratene Sohn aus der Kunstgalerie hervorgegangen ist.«

»Genau.«

Robin bewegte die Maus, um ein weiteres gespeichertes Foto aufzurufen, diesmal das eines dunkelhaarigen, blendend aussehenden jungen Mannes in einem anthrazitgrauen Anzug, der in Begleitung einer eleganten Schwarzhaarigen mit Sonnenbrille die Treppe zu einem Gerichtsgebäude hinaufstieg. Die beiden sahen einander verblüffend ähnlich, obwohl sie kaum alt genug zu sein schien, um seine Mutter sein zu können.

»Chiswell und die Journalistin haben sich schon bald nach Raphaels Geburt getrennt«, fuhr Robin fort.

»Die Familie nennt ihn ›Raff‹«, warf Strike ein, »und die zweite Frau mag ihn nicht, findet sogar, Chiswell hätte ihn nach dem Verkehrsunfall enterben sollen.«

Robin notierte sich auch das.

»Großartig, danke. Kinvara, Chiswells jetzige Frau, ist letztes Jahr erkrankt …« Robin rief ein Foto auf, das eine üppige Rothaarige in einem hautengen schwarzen Kleid und mit protzigem Brillantcollier zeigte. Sie war geschätzt dreißig Jahre jünger als Chiswell und schmollte in die Kamera. Hätte Robin es nicht besser gewusst, hätte sie die beiden eher für Vater und Tochter als für ein Ehepaar gehalten.

»An ›nervöser Erschöpfung‹«, kam Strike ihr zuvor. »Yeah, Alkohol oder Drogen, was glaubst du?«

Robin hörte ein Scheppern. Wahrscheinlich hatte Strike die leere Bierdose gerade in seinen blechernen Papierkorb geworfen. Also war er allein. Lorelei ließ sich in der winzigen Wohnung über der Detektei nicht blicken.

»Wer weiß?«, sagte Robin, die weiter Kinvara Chiswell betrachtete.

»Übrigens – noch etwas«, sagte Strike. »Gerade reingekommen: In Oxfordshire sind ungefähr zu derselben Zeit, die zu Billys Geschichte passt, mehrere Kinder verschwunden.«

Es entstand eine kurze Pause.

»Bist du noch da?«, fragte Strike.

»Ja … Ich dachte, du glaubst nicht, dass Chiswell ein Kind erwürgt haben könnte?«

»Tue ich auch nicht«, erwiderte Strike. »Der zeitliche Ablauf stimmt nicht, und wenn Jimmy wüsste, dass ein Tory-Minister ein Kind erwürgt hat, hätte er nicht zwanzig Jahre gewartet, bis er versucht, daraus Geld zu schlagen. Trotzdem will ich wissen, ob Billy sich das nur eingebildet hat – dass er einen Mord beobachtet haben will. Ich gehe den Namen nach, die Wardle mir geschickt hat, und falls einer davon plausibel erscheint, bitte ich dich darum, Izzy auszuhorchen. Vielleicht weiß sie etwas von einem Kind, das in der Umgebung von Chiswell House verschwunden ist.«

Robin äußerte sich nicht dazu.

»Wie ich im Pub schon gesagt habe, ist Billy schwer krank. Vermutlich ist an der Sache nichts dran«, sagte Strike leicht defensiv. Wie Robin und er selbst nur zu gut wussten, hatte er auch früher schon lohnende Fälle und reiche Klienten vernachlässigt, um Geheimnisse aufzuklären, die andere ignoriert hätten. »Ich finde nur …«

»… keine Ruhe, bevor ich mich damit beschäftigt habe«, ergänzte Robin seinen Satz. »Schon in Ordnung, verstehe ich.«

Ohne dass sie ihn hätte sehen können, grinste Strike. Dann rieb er sich die müden Augen. »Dann mal alles Gute für morgen. Ich bin übers Handy erreichbar, falls du mich brauchst.«

»Was hast du vor?«

»Papierkram. Jimmy Knights Ex arbeitet montags nicht. Ich fahre übermorgen zu ihr nach Manchester.«

Fast schon mit nostalgischen Gefühlen erinnerte Robin sich an letztes Jahr, als Strike mit ihr losgefahren war, um mehrere Frauen zu befragen, die ins Kielwasser gefährlicher Männer geraten waren. Sie fragte sich, ob er ebenfalls daran gedacht hatte, als er die Fahrt geplant hatte.

»Guckst du England-Italien?«, fragte sie.

»Yeah. Gibt's sonst noch was?«

»Nein«, antwortete Robin hastig. Sie hatte nicht den Eindruck erwecken wollen, als wollte sie ihn aufhalten. »Bis dann!«

Sie legte auf, noch während er sich verabschiedete. Dann warf sie ihr Handy achtlos aufs Bett.

13

Ich lasse mich nicht von unheimlichen Möglichkeiten zu Boden werfen.

HENRIK IBSEN, *ROSMERSHOLM*

Am folgenden Morgen schreckte Robin keuchend hoch, und ihre Hände schnellten zu ihrem Hals, wie um sich von einem imaginären Würgegriff zu befreien. Bis Matthew verwirrt aufwachte, war sie bereits an der Schlafzimmertür.

»Es ist nichts, mir geht's gut«, murmelte sie, ehe er auch nur fragen konnte. Dann tastete sie nach der Klinke, die ihr die Flucht aus dem Schlafzimmer ermöglichen würde.

Überraschend war eigentlich, dass so etwas nicht öfter passierte, seit sie die Geschichte von dem erwürgten Kind gehört hatte. Robin wusste genau, wie es sich anfühlte, Hände am eigenen Hals zu spüren, wie einem schwarz vor Augen wurde und man wusste, dass das Ende in wenigen Sekunden bevorstand. Jene scharfkantigen Erinnerungsfragmente, die keinerlei Ähnlichkeit mit normalen Erinnerungen hatten und doch die Macht besaßen, sie urplötzlich aus ihrem Körper zu reißen und in eine Vergangenheit zurückzuschleudern, in der sie die nikotinfleckigen Finger des Würgers fast riechen und seinen weichen Bauch unter dem Sweatshirt an ihrem Rücken spüren konnte, hatten sie letztlich in die Therapie getrieben.

Sie schloss die Badezimmertür ab, setzte sich in ihrem weiten Shirt, das sie als Nachthemd trug, auf den Boden, konzentrierte sich auf ihre Atmung, auf die kühlen Fliesen an ihren nackten Beinen und fokussierte sich, genau wie sie es gelernt hatte, aufs Jagen ihres Herzens, die Adrenalinausschüttung, kämpfte nicht gegen die Panik an, sondern beobachtete sie nur. Nach einer Weile nahm sie den schwachen Lavendelduft der Körperlotion wahr, die sie abends benutzt hatte, und hörte ein in der Ferne vorbeifliegendes Flugzeug.

Du bist in Sicherheit. Das war nur ein Traum. Nur ein Traum.

Durch zwei geschlossene Türen hörte sie Matthews Wecker klingeln. Wenig später klopfte er an die Tür.

»Alles in Ordnung?«

»Klar«, antwortete Robin und drehte den Wasserhahn auf. Dann öffnete sie die Tür.

»Alles okay?« Er musterte sie scharf.

»Musste bloß pinkeln«, sagte Robin fröhlich und kehrte ins Schlafzimmer zurück, um ihre getönten Kontaktlinsen zu holen.

Vor ihrem Job bei Strike hatte Robin bei einer Zeitarbeitsfirma namens Temporary Solutions gearbeitet. Die Büros, in die sie geschickt worden war, waren in ihrer Erinnerung verschwommen, und nur Anomalien, Exzentriker und Kuriositäten waren übrig geblieben. Sie erinnerte sich noch an den alkoholkranken Boss, dessen diktierte Briefe sie aus reiner Menschenfreundlichkeit verbessert hatte; an die Schreibtischschublade, in der sie ein komplettes Gebiss und eine fleckige Unterhose gefunden hatte; den hoffnungsvollen jungen Mann, der sie »Bobbie« genannt und unbeholfen versucht hatte, über ihre Rücken an Rücken stehenden Monitore hinweg mit ihr zu flirten; die Frau, die den kleinen Glaskasten ihres Büros mit Fotos des Schauspielers Ian McShane tapeziert hatte; und die Frau, die mitten in einem Großraumbüro am Telefon mit ihrem Freund Schluss gemacht hatte, ohne sich um das lüsterne Schweigen zu scheren, das allmählich den ganzen Raum erfasst hatte.

Robin bezweifelte, dass all diese Leute, mit denen sie flüchtig in Kontakt gekommen war, sich besser an sie erinnerten, als sie selbst sie in Erinnerung hatte – sogar der schüchterne Verehrer, der sie »Bobbie« genannt hatte.

Ab dem Augenblick, da sie im Palace of Westminster eintraf, wusste sie intuitiv, dass alles, was sie hier erleben würde, ihr ewig im Gedächtnis bliebe. Es war allein schon ein kleines Vergnügen, die Touristen hinter sich zu lassen und durch das Tor zu gehen, an dem ein Polizeibeamter Wache hielt. Als sie sich dem Gebäude näherte, dessen kunstvolle Goldverzierungen morgens noch im Schatten lagen, und den berühmten Glockenturm in den Himmel aufragen sah, war sie zunehmend aufgeregt und nervös.

Strike hatte ihr gesagt, welchen Nebeneingang sie benutzen sollte. Dahinter lag eine lange, schwach beleuchtete Eingangshalle. Um dorthin zu gelangen, musste sie als Erstes eine Sicherheitskontrolle wie an Flughäfen mit Metalldetektoren und Röntgengerät passieren. Als Robin ihre Umhängetasche aufs Band des Scanners legte, fiel ihr eine große, leicht zerzauste Blondine von vielleicht Anfang dreißig auf, die mit einem in braunes Packpapier gewickelten Päckchen gleich hinter der Schleuse wartete. Die Frau sah zu, wie Robin vor den Fotoautomaten trat, der daraufhin ihren Tagesausweis ausspuckte, den sie sich um den Hals hängte. Als der Kontrolleur Robin durchwinkte, machte sie einen Schritt nach vorn.

»Venetia?«

»Ja«, sagte Robin.

»Izzy«, sagte die Blondine und streckte ihr lächelnd die Hand hin. Sie trug eine locker sitzende Bluse mit auffälligen großen Blüten und eine weite Hose. »Das hier ist von Papa.« Sie drückte Robin das Päckchen in die Hand. »Tut mir echt leid, aber wir haben es eilig ... Bin froh, dass du pünktlich warst ...«

Sie machte sich auf den Weg, und Robin hatte Mühe, mit ihr Schritt zu halten.

»Ich bin gerade dabei, Unterlagen zu kopieren, die Papa im DCMS braucht ... Bin im Augenblick mit Arbeit *zugemüllt* ... Weil Papa doch Kulturminister ist und die Olympischen Spiele bevorstehen, geht's hier wie verrückt zu ...«

Sie führte Robin fast schon im Laufschritt durch die Eingangshalle, in deren Rückwand ein buntes Glasfenster eingelassen war, dann durch ein Labyrinth aus Korridoren, plapperte die ganze Zeit mit ihrem selbstbewussten Oberschichtenakzent vor sich hin und beeindruckte Robin allein durch ihr Lungenvolumen.

»Ja, mit Beginn der Parlamentsferien bin ich hier weg ... mache mit Jack, meinem Freund, ein Einrichtungshaus auf ... war jetzt fünf Jahre hier ... Papa ist nicht gerade glücklich darüber ... Er braucht jemanden, der *echt* gut ist, und die einzige Bewerberin, die ihm gefallen hat, hat uns am Ende versetzt.«

Sie sprach über eine Schulter hinweg mit Robin, die hinter ihr hereilte.

»Du kennst nicht zufällig eine richtig tolle, verlässliche Assistentin?«

»Leider nicht«, sagte Robin, die damals als Berufsanfängerin keine Freundschaften geschlossen hatte.

»Fast da«, sagte Izzy, nachdem sie mal links, mal rechts über schmale Korridore geflitzt waren, die man mit Teppichboden im selben Tannengrün ausgelegt hatte wie die Lederbänke, die Robin aus Fernsehübertragungen aus dem Unterhaus kannte. Zu guter Letzt erreichten sie einen Seitenflur mit schweren Holztüren unter gotisch gewölbten Steinbogen.

»Da«, sagte Izzy und flüsterte, als stünde sie auf der Bühne, während sie an der ersten Tür zur Rechten vorbeigingen, »das ist Winns Büro. Und das da«, sagte sie und steuerte die letzte Tür links an, »ist unseres.«

Sie blieb stehen, ließ Robin den Vortritt.

Das Büro war beengt und unaufgeräumt. Die Rundbogenfenster, vor denen Netzstores hingen, führten auf eine Terrassenbar hinaus, in der sich schemenhafte Gestalten vor der blendend hell glitzernden Themse bewegten. Es gab zwei Schreibtische, zahlreiche Bücherregale und einen durchgesessenen grünen Sessel. Grüne Vorhänge vor den Bücherregalen an der Rückwand verdeckten die unordentlichen Aktenstapel nur unzureichend; auf einem Karteischrank thronte ein Bildschirm, der den Sitzungssaal des Unterhauses mit seinen derzeit leeren grünen Lederbänken zeigte. Auf einem niedrigen Regal, über dem die Tapete verfärbt war, stand ein Wasserkocher neben einem Sammelsurium aus Bechern. In einer Ecke surrte der Laserdrucker asthmatisch auf seinem Druckertisch. Einige der Seiten, die er ausspuckte, waren auf dem abgetretenen Teppich gelandet.

»Oh Scheiße!«, rief Izzy, stürzte darauf zu und klaubte sie auf, während Robin die Tür hinter sich zuschob. Während Izzy die aufgehobenen Seiten zu einem ordentlichen Stapel zusammenstieß, sagte sie: »Ich find's *fantastisch*, dass Papa euch dazugeholt hat. Er hat *so viel* Stress, den er bei seiner Arbeitslast echt nicht brauchen kann, aber Strike und du, ihr macht dem ein Ende, nicht wahr? Winn ist ein grässlicher kleiner Mann.« Izzy griff nach einer Ledermappe. »*Minderwertig*, weißt du? Wie lange arbeitest du schon mit Strike zusammen?«

»Ein paar Jahre«, sagte Robin und packte das braune Päckchen aus.

»Wir kennen uns, hat er das erwähnt? Ja ... Ich bin mit seiner Ex, Charlie Campbell, zur Schule gegangen. Bildschön, Charlie, aber auch verdammt schwierig. Kennst du sie?«

»Nein.« Ein lange zurückliegender Beinahezusammenstoß vor Strikes Büro war ihr einziger Kontakt mit Charlotte gewesen.

»Mir hat Strike immer schon echt gut gefallen«, sagte Izzy.

Robin sah überrascht auf, doch Izzy legte bloß nüchtern den Stapel Papier in die Ledermappe.

»Ja, viele haben es nicht gesehen, aber *ich* konnte es – er war so männlich und so ... na ja ... kompromisslos.«

»Kompromisslos?«, wiederholte Robin.

»Ja. Hat sich nie irgendwelchen Mist gefallen lassen. Ihm war's scheißegal, ob die Leute dachten, er wäre nicht, du weißt schon ...«

»Gut genug für sie?«

Robin bereute sofort, dass ihr das herausgerutscht war. Sie hatte irgendwie das Bedürfnis gehabt, Strike in Schutz zu nehmen, was natürlich absurd war, weil es niemanden gab, der sich besser selbst hätte verteidigen können.

»Das stimmt wohl«, sagte Izzy, die jetzt auf weitere bedruckte Seiten wartete. »Für Papa waren diese letzten Monate *echt* scheußlich. Dabei hat er nichts Unrechtes getan«, fügte sie nachdrücklich hinzu. »Eben noch ist das legal, in der nächsten Minute nicht mehr, aber dafür kann Papa doch nichts.«

»Was war nicht legal?«, fragte Robin unschuldig.

»Sorry«, erwiderte Izzy freundlich, aber bestimmt. »Je weniger Leute Bescheid wissen, umso besser, sagt Papa.« Sie sah durch die Netzstores zum Himmel hinauf. »Ich brauche keine Jacke, oder? Nein ... Sorry, dass ich's so eilig habe, aber Papa braucht dieses Zeug, bevor er um zehn mit Sponsoren für die Spiele zusammentrifft. Alles Gute!«

Und dann verschwand sie in einem Wirbel aus Blütendruck und zerzaustem Haar und ließ Robin neugierig, aber seltsam beruhigt zurück. Wenn Izzy das Vergehen ihres Vaters so gelassen beurteilte, konnte es doch nichts Schlimmes sein – natürlich immer unter der Voraussetzung, dass Chiswell seiner Tochter die Wahrheit gesagt hatte.

Robin riss die letzte Lage Packpapier von Izzys Päckchen.

Wie sie bereits wusste, enthielt es das halbe Dutzend Abhörmikrofone, die Strike am Wochenende bei Jasper Chiswell abgeliefert hatte. Im Gegensatz zu Robin war Chiswell als Minister von der morgendlichen Sicherheitskontrolle befreit. Robin begutachtete die Wanzen sorgfältig. Sie sahen wie gewöhnliche Steckdosen aus und wurden über die echten Dosen geschoben, die weiter normal funktionierten. Die Aufzeichnung begann erst, sobald jemand in ihrer Nähe die Stimme erhob. In der Stille nach Izzys Abflug konnte Robin ihren eigenen Herzschlag hören. Wie schwierig ihr Auftrag würde, begriff sie erst jetzt.

Sie schlüpfte aus ihrer Jacke, hängte sie auf und fischte aus ihrer Umhängetasche die Großpackung Tampax, die sie mitgebracht hatte, um die Wanzen zu verstecken. Nachdem sie alle bis auf eine verstaut hatte, stellte sie die Schachtel in die unterste Schublade ihres Schreibtischs. Als Nächstes durchsuchte sie die überquellenden Regale, bis sie eine leere Ablagebox fand, in der sie die letzte Wanze unter ein paar bedruckten Seiten aus einem Drahtkorb mit der Aufschrift *Schreddern* versteckte. Damit bewaffnet, holte sie tief Luft und verließ das Büro.

In der Zwischenzeit war Winns Bürotür geöffnet worden. Als Robin daran vorüberging, entdeckte sie einen großen jungen Asiaten mit dicken Brillengläsern, der einen Wasserkocher in der Hand hielt.

»Hi!«, sagte Robin sofort und imitierte Izzys kecke, fröhliche Art. »Ich bin Venetia Hall, wir sind jetzt Nachbarn. Mit wem habe ich das Vergnügen?«

»Aamir«, murmelte der junge Mann, der sprach wie ein Londoner Arbeiter. »Mallik.«

»Arbeiten Sie für Della Winn?«

»Ja.«

»Oh, sie ist so inspirierend«, schwärmte Robin. »Wirklich eine meiner Heldinnen.«

Aamir sagte nichts, aber man merkte ihm an, dass er nichts lieber wollte, als in Ruhe gelassen zu werden. Robin kam sich vor wie ein Terrier, der versuchte, ein Rennpferd zu stellen.

»Arbeiten Sie schon lange hier?«

»Ein halbes Jahr.«

»Gehen Sie manchmal ins Café?«

»Nein«, sagte Aamir, als hätte sie ihm soeben ein unsittliches Angebot gemacht. Er wandte sich ruckartig ab und marschierte in Richtung Toilette davon.

Robin lief mit ihrer Ablagebox weiter und fragte sich, ob das Benehmen des jungen Mannes eher feindselig denn schüchtern gewesen sein mochte. Einen Freund in Winns Büro zu haben wäre nützlich gewesen. Dass sie vorgeben musste, Jasper Chiswells Patenkind und von Izzys Schlag zu sein, würde sich hier als hinderlich erweisen. Robin Ellacott aus Yorkshire hätte sich bestimmt leichter mit Aamir anfreunden können.

Weil sie mit einem vorgeblichen Auftrag unterwegs war, beschloss sie, ihre Erkundung noch eine Zeit lang fortzusetzen, bevor sie in Izzys Büro zurückkehrte.

Chiswell und Winn hatten ihre Büros statt in einem der Nebengebäude direkt im Palace of Westminster, der mit seinen Kreuzgängen, Bibliotheken, Teesalons und der behaglichen Pracht genauso gut ein altes Universitätscollege hätte beherbergen können. Eine halb überdachte Passage, über die große Steinstatuen eines Löwen und eines Einhorns wachten, führte zur Rolltreppe hinüber nach Portcullis House: einer Art modernem Kristallpalast mit gefälteltem Glasdach, in dem Dreiecksscheiben in massiven schwarzen Verstrebungen saßen. Darunter befand sich ein riesiger offener Raum mit einem Café, in dem sich Abgeordnete und Beamte tummelten. Von ausgewachsenen Bäumen flankierte, weitläufige Wasserlandschaften, zu denen selbst flache Seerosenteiche gehörten, verwandelten sich in der Junisonne zu hell glitzernden Quecksilberstreifen.

In der sirrenden Luft hingen vibrierender Ehrgeiz und das Gefühl, Teil einer ungemein vitalen Welt zu sein. Unter dem kunstvoll fragmentierten Glasdach lief Robin an Lederbänken vorbei, auf denen politische Korrespondenten mit ihren Handys telefonierten, Nachrichten checkten, auf Laptops eintippten oder Politiker abfingen, um deren Kommentare zu dokumentierten. Robin fragte sich, ob es ihr als Sekretärin hier auch gefallen hätte, wenn sie nicht stattdessen zu Strike geschickt worden wäre.

Ihre Erkundung endete im dritten, schäbigsten und uninteressantesten Gebäude mit Abgeordnetenbüros, das mit durchgetretenen Teppichen, cremeweißen Wänden und langen Reihen identischer Türen große Ähnlichkeit mit einem Dreisternehotel hatte. Mit ihrer Ablagebox im Arm machte sie sich auf den Rückweg und war, fünfzig Minuten nachdem sie erstmals daran vorbeigekommen war, zurück an Winns Tür. Eilig stellte sie sicher, dass der Korridor leer war, presste das Ohr ans Türblatt aus massiver Eiche und glaubte, dahinter eine Bewegung zu hören.

»Wie läuft's?«, fragte Izzy, als Robin ein paar Minuten später ihr Büro betrat.

»Ich hab Winn immer noch nicht gesehen.«

»Vielleicht ist er drüben im DCMS. Er nutzt jede Gelegenheit, um bei Della vorbeizuschauen«, erklärte Izzy. »Wie wär's mit einem Kaffee?«

Doch noch ehe sie vom Schreibtisch aufstehen konnte, klingelte ihr Telefon.

Während Izzy eine aufgebrachte Wählerin beschwichtigte, die keine Karten fürs olympische Turmspringen bekommen hatte – »Ja, ich mag Tom Daley auch«, sagte sie und verdrehte dabei die Augen, »aber es ist eine *Lotterie*, Madam« –, löffelte Robin Pulverkaffee in Becher, fügte Wasser und H-Milch hinzu, fragte sich, wie oft sie genau das in ihr verhassten Büros gemacht hatte, und war mit einem Mal unendlich dankbar dafür, jenes Leben hinter sich gelassen zu haben.

»Aufgelegt«, murmelte Izzy und warf den Hörer auf die Gabel. »Worüber haben wir geredet? Oh, Geraint, ja. Er ist wütend, weil Della ihn nicht zum SOBER gemacht hat.«

»Was ist denn ein SOBER?«, fragte Robin, stellte Izzy einen Kaffee hin und setzte sich an den anderen Schreibtisch.

»Sonderberater. Die sind wie Beamte auf Zeit – weit mehr Prestige, aber solche Posten vergibt man nicht an Angehörige, so was gehört sich nicht. Außerdem ist Geraint ein hoffnungsloser Fall, sie würde ihn gar nicht wollen, selbst wenn es möglich wäre.«

»Vorhin habe ich Winns Mitarbeiter kennengelernt«, sagte Robin. »Aamir. Er war nicht sehr freundlich.«

»Ja, der ist komisch.« Izzy winkte ab. »Mit knapper Not höflich zu mir. Wahrscheinlich weil Della und Geraint Papa hassen. Ich bin nie ganz dahintergekommen, aber sie scheinen uns alle zu verabscheuen ... Oh, da fällt mir ein, dass Papa vor einer Minute eine SMS geschickt hat. Raff, mein Bruder, soll hier ab der zweiten Wochenhälfte ebenfalls aushelfen. Vielleicht«, fügte Izzy hinzu, klang allerdings nicht sonderlich hoffnungsvoll, »kann Raff hier mein Nachfolger werden, wenn er sich bewährt. Er weiß nichts von der Erpressung oder wer du wirklich bist, also verrat ihm nichts, okay? Papa hat ungefähr vierzehn Patenkinder. Da bemerkt Raff bestimmt keinen Unterschied.« Izzy nahm noch einen kleinen Schluck Kaffee, dann sagte sie plötzlich bedrückt: »Du weißt über Raff Bescheid, nehme ich an? Die Sache hat in sämtlichen Zeitungen gestanden. Diese arme Frau ... Es war schrecklich! Sie hatte eine vierjährige Tochter ...«

»Ich hab irgendwas gelesen«, erwiderte Robin unverbindlich.

»Ich hab ihn als einzige Verwandte im Gefängnis besucht«,

fuhr Izzy fort. »Alle waren so angewidert davon, was er getan hatte ... Kinvara – Papas Frau – hat sogar gesagt, er hätte lebenslänglich bekommen sollen. Aber sie hat keine Ahnung, *wie* schrecklich es dort drinnen ist ... Die Leute ahnen gar nicht, wie's im Gefängnis ist ... Ich meine, ich weiß, dass er was Schlimmes getan hat, aber ...«

Sie brachte den Satz nicht zu Ende. Robin fragte sich – und womöglich war sie da kleinlich –, ob Izzy andeuten wollte, ein Gefängnis sei kein Ort für einen empfindsamen jungen Mann wie ihren Halbbruder. Zweifellos war es eine schlimme Erfahrung gewesen, aber immerhin hatte er Drogen genommen, sich ans Steuer gesetzt und eine junge Mutter totgefahren.

»Ich dachte, er arbeitet in einer Galerie?«, hakte Robin nach.

»Er hat's tatsächlich geschafft, sich bei Drummond's unmöglich zu machen«, seufzte Izzy. »Papa holt ihn vor allem her, um ihn im Blick zu behalten.«

Auf Kosten des Steuerzahlers, schoss es Robin spontan durch den Kopf, die sich wieder an die ungewöhnlich milde Haftstrafe erinnerte, die der Sohn des Ministers für seine Todesfahrt im Drogenrausch erhalten hatte.

»Womit hat er sich in der Galerie denn unmöglich gemacht?«

Zu ihrer großen Überraschung schlug Izzys Trübsinn in einen unvermittelten Lachanfall um.

»Oh Gott, tut mir leid, ich sollte nicht lachen! Er hat die zweite Aushilfe auf dem Klo gebumst«, sagte sie und kicherte unkontrolliert. »Ich weiß, eigentlich ist das nicht komisch ... aber Raff war gerade erst entlassen worden, er sieht blendend aus und hat immer sämtliche Frauen gekriegt, die er wollte ... Sie haben ihn in einen Anzug gesteckt und mit einer hübschen blonden Kunststudentin zusammengespannt – was haben sie da anderes erwartet? Nur kannst du dir vielleicht vorstellen, dass der Galerist ziemlich sauer war. Er hat die beiden gehört und Raff ein allerletztes Mal verwarnt. Dann haben Raff und die Kleine es noch mal getrieben, woraufhin Papa einen Wutanfall bekommen und entschieden hat, dass er hier arbeiten soll.«

Robin war nicht sonderlich amüsiert, aber Izzy, die ihren eigenen Gedanken nachhing, schien das nicht zu bemerken.

»Wer weiß, vielleicht finden sie doch noch zusammen, Papa und Raff«, sagte sie hoffnungsvoll. Dann sah sie auf ihre Uhr. »Muss ein paar Leute zurückrufen«, seufzte sie und stellte ihren Kaffeebecher ab. Als im nächsten Moment auf dem Flur die Singsangstimme eines Mannes erklang, hielt sie mit der Hand am Hörer jäh inne. »Das ist er! Winn!«

»Bin schon unterwegs«, sagte Robin sofort und griff wieder nach ihrer Ablagebox.

»Viel Erfolg!«, flüsterte Izzy.

Sowie Robin auf den Korridor hinaustrat, sah sie Winn in der Tür seines Büros stehen. Anscheinend unterhielt er sich gerade mit Aamir. Er hielt einen Ordner mit der orangeroten Beschriftung *The Level Playing Field* in der Hand. Als er Robins Schritte hörte, drehte er sich nach ihr um.

»Oh, hallo«, sagte er mit der typischen Cardiffer Satzmelodie und trat auf den Flur hinaus. Sein Blick wanderte an Robin nach unten, streifte ihre Brüste, glitt wieder hinauf zu Mund und Augen.

In den diversen Büros, in denen sie gejobbt hatte, hatte Robin diverse Männer wie ihn kennengelernt: Typen, die sie auf eine Art gemustert hatten, dass sie sich unbeholfen und verlegen fühlte, die einem die Hand aufs Kreuz legten, nachdem sie sich von hinten angeschlichen hatten, oder einem an der Tür den Vortritt ließen. Die einem über die Schulter blickten, vorgeblich um etwas auf dem Bildschirm zu lesen, und erst gewagte Kommentare zur Bekleidung abgaben, die dann bei einem Drink nach Büroschluss in Kommentare zur Figur übergingen. »War ein Scherz!«, riefen sie, wenn man dann böse wurde, und reagierten geradezu aggressiv, sobald man sich beschwerte.

»Wohin gehören Sie denn?«, fragte Geraint und schaffte es sofort, der Frage einen anzüglichen Touch zu geben.

»Ich bin Praktikantin bei Onkel Jasper«, antwortete Robin betont munter.

»*Onkel* Jasper?«

»Jasper Chiswell, ja«, sagte Robin und sprach den Namen wie »Chizzle« aus, genau wie es die Chiswells selbst taten. »Er ist mein Taufpate. Venetia Hall«, fügte sie hinzu und streckte die Hand aus.

Alles an Winn wirkte irgendwie amphibienhaft – einschließlich der feuchten Handfläche. In persona war er weniger Gecko, fand sie, sondern eher ein Frosch mit Bauchansatz, dürren Ärmchen und Beinen und schütterem, fettigem Haar.

»Wie kommt's, dass Sie Jaspers Patenkind sind?«

»Oh, Onkel Jasper und Daddy sind alte Bekannte«, sagte Robin, die ihre vollständige Legende parat hatte.

»Army?«

»Landbewirtschaftung«, erwiderte Robin, um bei ihrer zurechtgelegten Story zu bleiben.

»Ah«, sagte Geraint. »Schönes Haar. Ist das echt?«

»Ja«, sagte Robin.

Sein Blick wanderte erneut über ihren Körper. Robin musste sich zusammenreißen, um ihn weiter anzulächeln. Kichernd und lächelnd, bis ihr die Gesichtsmuskeln wehtaten, versicherte sie ihm zuletzt, bei ihm anzuklopfen, falls sie etwas brauche, und lief dann den Flur entlang davon. Sie spürte, wie er ihr nachsah, bis sie außer Sicht war.

Ganz ähnlich wie Strike sich gefühlt hatte, nachdem er Jimmy Knight als Querulanten identifiziert hatte, war Robin sich binnen Sekunden sicher gewesen, wertvolle Erkenntnisse in Bezug auf Winns Schwäche gewonnen zu haben. Ihrer Erfahrung nach neigten Männer wie er dazu zu glauben – erstaunlicherweise –, ihre wahllosen sexuellen Annäherungsversuche würden goutiert und sogar erwidert. Sie hatte einen nicht unwesentlichen Teil ihrer beruflichen Laufbahn damit verbracht, derlei Männer abzuweisen oder zu meiden, die bloße Freundlichkeit als schlüpfrige Einladung missdeuteten und für die Jugend und Unerfahrenheit eine unwiderstehliche Versuchung darstellten.

Wie weit, fragte sie sich, würdest du auf der Suche nach Dingen gehen, die Winn diskreditieren könnten? Während sie scheinbar zielsicher auf endlosen Fluren unterwegs war, um vorgeblich Papiere zu überbringen, stellte Robin sich vor, wie sie sich über seinen Schreibtisch beugte, während der mürrische Aamir anderswo war – ihre Brüste auf Winns Augenhöhe, um Rat und Hilfe ansuchend –, und über seine Altherrenwitze lachte.

Im nächsten Moment sah sie jäh vor sich, wie Winn sich auf sie stürzte, sah sein verschwitztes Gesicht mit dem weit aufgerissenen, schmallippigen Mund auf sich zukommen, spürte Hände, die ihre Arme packten und seitlich an ihrem Leib fixierten, fühlte den Schmerbauch, der sie bedrängte und gegen einen Karteischrank presste ...

Das endlose Teppich- und Ledersitzgrün, die dunklen Türbogen aus Holz und die quadratischen Türschilder verschwammen vor ihren Augen, während Winns imaginärer Annäherungsversuch in einer Panikattacke mündete. Robin stolperte durch die nächstbeste Tür, als könnte sie so ihre Panik hinter sich lassen ...

Atmen. Atmen. Atmen.

»Ganz schön überwältigend, wenn man's zum ersten Mal sieht, was?«

Der Mann wirkte freundlich, war nicht sehr jung.

»Ja«, antwortete Robin, ohne recht zu wissen, was sie da sagte. *Atmen.*

»Aushilfe, was?« Und dann: »Alles in Ordnung, Kindchen?«

»Asthma ...«

Diese Ausrede hatte Robin schon früher gebraucht. Sie verschaffte ihr Zeit, um innezuhalten, tief durchzuatmen und sich wieder in der Realität zu verankern.

»Haben Sie Ihren Inhalator dabei?«, fragte der Mann besorgt.

Er trug einen Frack mit weißer Schleife und reich verziertem Dienstabzeichen. Angesichts der unerwarteten Pracht musste Robin unwillkürlich an Alices weißes Kaninchen denken, das inmitten des kompletten Wahnsinns aufgetaucht war.

»Liegt in meinem Büro. Mir geht's gleich wieder besser. Brauche nur einen Augenblick ...«

Sie war in ein Meer aus Gold und Farben gestolpert, das ihre Beklemmung noch steigerte. Die Members' Lobby – dieser luxuriöse viktorianisch-gotische Raum, der ihr aus dem Fernsehen vertraut war – schloss ans Unterhaus an, und am Rand ihres Gesichtsfelds ragten vier riesige Statuen früherer Premierminister auf – Thatcher, Attlee, Lloyd George, Churchill –, während die Büsten aller anderen an den Wänden standen. Auf Robin wirkten sie wie abgeschlagene Köpfe, und die Vergoldung, die verschnörkelten Arabesken und üppig farbigen Verzierungen tanzten um sie herum, sodass sie die ganze Pracht gar nicht in sich aufnehmen konnte.

Sie hörte das Scharren von Stuhlbeinen. Der Steward hatte ihr einen Stuhl gebracht und bat gerade einen Kollegen, ein Glas Wasser zu holen.

»Danke ... danke ...«, murmelte Robin benommen. Sie fühlte sich hilflos, beschämt und verlegen. Davon durfte Strike nie erfahren. Er würde sie heimschicken, ihr erklären, sie sei nicht fit genug für den Job. Und auch Matthew würde sie nichts davon erzählen dürfen. Der behandelte derlei Episoden als peinliche, unvermeidliche Konsequenzen jener Dummheit, mit der sie darauf beharrte, auch weiterhin Detektivin zu spielen.

Der Steward sprach freundlich mit ihr, während sie sich erholte und binnen weniger Minuten wieder imstande war, auf sein gut gemeintes Geplapper zu reagieren. Als ihre Atmung sich fast wieder normalisiert hatte, erzählte er ihr, wie Edward Heaths Büste grün geworden war, sowie man die lebensgroße Thatcher-Statue daneben aufgestellt hatte, sodass es einer Spezialbehandlung bedurft hatte, um ihr den alten dunklen Bronzeton zurückzugeben.

Robin lachte höflich, stand auf und gab mit erneutem Dank das leere Wasserglas zurück.

Welche Behandlung wäre wohl nötig, fragte sie sich, als sie weiterging, *damit ich wieder werde wie früher?*

14

O, wie froh – wie froh wäre ich, könnte ich ein wenig Licht bringen in das Düster dieser Abscheulichkeiten.

HENRIK IBSEN, *ROSMERSHOLM*

Am Dienstagmorgen stand Strike früh auf. Nachdem er geduscht, seine Prothese angelegt und sich angezogen hatte, füllte er eine Thermosflasche mit starkem Tee, holte die am Vorabend vorbereiteten Sandwichs aus dem Kühlschrank, verstaute sie mitsamt zweier Club-Keks-Packungen in einer Reisetasche, aß nebenbei diverse Tütchen Kartoffelchips mit Essig und verließ bei Sonnenaufgang das Haus, um zur Garage zu laufen, in der sein BMW stand. Um 12.30 Uhr hatte er einen Friseurtermin bei Jimmy Knights Exfrau in Manchester.

Er warf die Provianttasche in Reichweite zum Fahrersitz in seinen Wagen, zog die Sportschuhe an, die er im Auto deponiert hatte, weil sein künstlicher Fuß darin mehr Halt auf dem Bremspedal fand. Dann zückte er sein Handy und schrieb Robin eine SMS.

Ausgehend von den Namen, die er von Wardle bekommen hatte, hatte Strike am Montag stundenlang wegen der beiden Kinder recherchiert, die nach Aussage des Kriminalbeamten zwanzig Jahre zuvor in Oxfordshire verschwunden waren. Wardle hatte den Vornamen des Jungen falsch geschrieben, was Strike einige Zeit gekostet hatte; zuletzt war er dann aber doch auf ein paar Zeitungsmeldungen gestoßen, in denen Imamu Ibrahims Mutter behauptete, ihr getrennt lebender

Ehemann habe den Jungen ganz bestimmt nach Algerien entführt. Überdies hatte Strike auf der Webseite einer Organisation, die sich um grenzüberschreitende Sorgerechtsfälle kümmerte, zwei Zeilen über Imamu und seine Mutter entdeckt. Aus der kurzen Notiz konnte er schließen, dass der Junge gesund und munter bei seinem Vater angetroffen worden war.

Das Schicksal von Suki Lewis, die mit zwölf Jahren aus einem Kinderheim weggelaufen war, war wesentlich mysteriöser. Nach ausgiebiger Suche hatte Strike in einem alten Zeitungsartikel ein Foto von ihr gefunden. Suki war 1992 aus ihrem Kinderheim in Swindon verschwunden; einen jüngeren Hinweis hatte Strike nirgends finden können. Das unscharfe Bild zeigte ein schmächtiges Kind mit feinen Zügen, ziemlich großen Zähnen und kurzen dunklen Haaren.

Es war ein kleines Mädchen, aber danach hieß es, es wär ein kleiner Junge gewesen.

Also konnte durchaus ein verwundbares, androgyn wirkendes Kind ungefähr zur selben Zeit und in derselben Gegend, in der Billy Knight gesehen haben wollte, wie ein Mädchen-Junge erwürgt worden war, vom Erdboden verschwunden sein.

Er schrieb die SMS an Robin fertig.

Falls es sich ergibt, frag Izzy unauffällig, ob sie sich an eine 12-Jährige namens Suki Lewis erinnert. Sie ist vor 20 Jahren aus einem Kinderheim in der Nähe von Chiswell House weggelaufen.

Der Schmutz auf seiner Frontscheibe schimmerte und verschwamm in der Morgensonne, als er London verließ. Autofahren war für ihn nicht mehr dasselbe Vergnügen wie früher. Strike konnte sich kein Behindertenfahrzeug leisten, und obwohl er einen BMW mit Automatikgetriebe hatte, waren und blieben die Pedale mit seiner Prothese schwierig zu treten.

Schmerzte sein Bein zu sehr, behalf er sich manchmal damit, dass er Gas- und Bremspedal mit dem linken Fuß bediente.

Als Strike endlich auf die M6 aufgefahren war, hoffte er, mit sechzig Meilen dahinrollen zu können, doch irgendein Arschloch in einem Corsa hatte beschlossen, sich an seine Stoßstange zu hängen.

»Scheiße, jetzt überhol schon«, knurrte Strike. Er hatte keine Lust, schneller zu fahren, hatte sich gerade gemütlich eingerichtet und wollte den künstlichen Fuß nicht unnötig strapazieren. Er starrte mehrmals finster in den Rückspiegel, bis der Vauxhall-Fahrer es endlich kapierte und ihn überholte.

In einem Ausmaß entspannt, wie es der heutige Verkehr noch zuließ, öffnete Strike einen Spaltweit sein Fenster, um die gute frische Sommerluft einzulassen, und ließ die Gedanken wieder zu Billy und der verschwundenen Suki Lewis wandern.

Mich lässt sie nicht graben, hatte er im Büro gesagt, während er zwanghaft Brust und Nase berührt hatte, *aber Sie schon.*

Wer, fragte sich Strike, war »sie«? Vielleicht die neue Besitzerin des Steda Cottage? Sie würde sich womöglich mit Recht dagegen verwehren, dass Billy auf der Suche nach einer Leiche ihre Blumenbeete umgraben wollte.

Nachdem Strike in seiner Proviantasche gewühlt, einen Beutel Chips herausgezogen und mit den Zähnen geöffnet hatte, ermahnte er sich zum x-ten Mal, dass Billys ganze Geschichte durchaus erfunden gewesen sein mochte. Und Suki Lewis konnte überall sein – nicht jedes verschwundene Kind war tot. Vielleicht war auch Suki von einem Elternteil verschleppt worden. Vor zwanzig Jahren, zur Anfangszeit des Internets, hatten Leute, die sich selbst oder andere neu erfinden wollten, die lückenhafte Kommunikation zwischen den regionalen Polizeibehörden noch ausnutzen können. Und selbst wenn Suki nicht mehr lebte, wies nichts darauf hin, dass sie erwürgt worden war – schon gar nicht vor Billy Knights Augen.

Die meisten Leute würden diesbezüglich wohl sagen, dass es hier viel Rauch, aber nirgends ein Feuer gab.

Händeweise Chips kauend, stellte Strike fest, dass er sich für gewöhnlich seine Halbschwester Lucy vorstellte, wann immer es darum ging, was wohl »die meisten Leute« dachten. Sie war die Einzige seiner sieben Halbgeschwister, mit der er seine chaotische, unstete Kindheit geteilt hatte. Obwohl sie beide auf intimem Fuß mit dem Makabren, dem Gefährlichen und Erschreckenden aufgewachsen waren, verkörperte Lucy für ihn immer noch den Inbegriff von allem, was konventionell und fantasielos war.

Bevor Lucy mit vierzehn Jahren zu ihrem Onkel und ihrer Tante nach Cornwall gezogen war, hatte ihre Mutter sie und Strike aus besetzten Kommunenhäusern in Mietwohnungen und auf den Fußboden von Freunden geschleift, war selten länger als ein halbes Jahr am selben Ort geblieben und hatte ihre Kinder dabei einer Vielzahl von exzentrischen, kaputten, drogenabhängigen Typen ausgesetzt. Strike, dessen linke Hand inzwischen nach den Keksen angelte, erinnerte sich noch gut an einige albtraumhafte Szenen, die Lucy und er als Kinder erlebt hatten: an den psychotischen Jugendlichen, der in einem Keller in Shoreditch gegen einen unsichtbaren Teufel gekämpft hatte; den Teenager, der in einer quasimystischen Kommune in Norfolk ausgepeitscht worden war (für Strike noch immer der schlimmste Ort, an den Leda sie jemals gebracht hatte) – und schließlich Shayla, eine von Ledas fragilsten Freundinnen und Teilzeitnutte, die wegen des Hirnschadens gottserbärmlich geheult hatte, den ein gewalttätiger Liebhaber ihrem kleinen Jungen zugefügt hatte.

Diese unberechenbare und oft erschreckende Kindheit hatte in Lucy die Sehnsucht nach Stabilität und Konformität geweckt. Mit einem Bauingenieur verheiratet, den Strike nicht leiden konnte, und drei Söhnen, die er nur selten sah, hätte sie

Billys Geschichte von dem erwürgten Mädchen-Jungen vermutlich als Produkt eines kranken Gehirns abgetan und sie schleunigst in dieselbe Ecke zu all den anderen Dingen geschoben, an die sie nicht denken mochte. Lucy musste einfach so tun, als wären Gewalt und Fremdartigkeit in eine Vergangenheit verschwunden, die so tot wie ihre Mutter war; sie musste vorgeben, seit Ledas Tod wäre die Welt unerschütterlich sicher.

Dafür hatte Strike Verständnis. Obwohl sie so unterschiedlich waren, obwohl sie ihn oft aufbrachte, liebte er Lucy. Trotzdem verglich er sie unwillkürlich mit Robin, während er nach Manchester bretterte. Robin war in einer Familie aufgewachsen, die Strike wie der Inbegriff von Mittelstandsstabilität erschien, trotzdem war sie auf eine Art mutig, die Lucy fremd war. Beide Frauen waren Gewalt und Sadismus ausgesetzt gewesen. Lucys Reaktion hatte darin bestanden, sich an einem Ort zu vergraben, an dem sie hoffentlich für alle Zeit vor beidem sicher wäre; Robin indes stellte sich ihnen fast täglich, indem sie Verbrechen und Traumata untersuchte – von dem gleichen Impuls angetrieben, Komplikationen zu entwirren und Wahrheiten ans Licht zu bringen, den Strike von sich selbst kannte.

Während die Sonne höher stieg – und weiter Flecken auf der schmutzigen Frontscheibe produzierte –, empfand er tiefes Bedauern darüber, dass Robin nicht neben ihm saß. Sie eignete sich besser als jeder andere dafür, neue Theorien zu testen. Sie hätte die Thermosflasche aufgeschraubt und ihm Tee eingegossen. *Wir würden lachen.*

Sie waren in letzter Zeit hin und wieder in ihre alte fröhliche Art zurückverfallen, seit Billy mit dieser Geschichte bei ihnen aufgekreuzt war, die beunruhigend genug war, um die Zurückhaltung abzulegen, die sich über mehr als ein Jahr hinweg zu einer ernstlichen Behinderung ihrer Freundschaft verhärtet hatte … *oder was immer es war*, dachte Strike und spürte sie für ein, zwei Sekunden regelrecht wieder auf jener Treppe in seinen Armen, atmete den Duft weißer Rosen und ihres Parfüms ein, der das Büro erfüllte, wenn Robin am Schreibtisch saß …

Mit einer Art mentaler Grimasse griff er nach einer weiteren Zigarette und zwang sich dazu, an Manchester und die Fragen zu denken, die er Dawn Clancy stellen wollte, die fünf Jahre lang Mrs. Knight gewesen war.

15

Ja, die hat es hinter den Ohren! Mir gegenüber hat sie sich immer so mausig gemacht ...

HENRIK IBSEN, *ROSMERSHOLM*

Während Strike weiter nach Norden raste, wurde Robin ohne nähere Begründung zu einem Gespräch mit dem Kulturminister persönlich bestellt, und im Sonnenschein machte sie sich auf den Weg zum Ministerium für Kultus, Sport und Medien, das wenige Minuten vom Palace of Westminster entfernt in einem großen weißen Gebäude aus der Zeit Edwards VII. residierte. Sie wünschte sich fast, sie gehörte zu den Touristen, die sich auf den Gehwegen drängten, denn Chiswell hatte am Telefon übellaunig geklungen.

Robin hätte viel dafür gegeben, dem Minister etwas Nützliches über seinen Erpresser erzählen zu können, aber weil sie gerade erst seit anderthalb Tagen ermittelte, konnte sie lediglich mit Bestimmtheit sagen, dass ihre ersten Eindrücke von Geraint Winn sich bestätigt hatten: Er war faul, lasterhaft, eingebildet und indiskret. Seine Bürotür stand meistens offen, und sein Singsang hallte über den kompletten Flur, während er unüberlegt leichtfertig über die kleinen Sorgen von Wählern redete, die Namen von Berühmtheiten und wichtigen Politikern fallen ließ und ganz allgemein den Eindruck zu erwecken versuchte, für einen Mann mit seinen Talenten sei die Leitung eines Wahlkreisbüros eine unwichtige Nebenbeschäftigung.

Immer wenn Robin an seiner offenen Tür vorbeikam, rief er

ihr vom Schreibtisch aus jovial etwas zu und war deutlich um weiteren Kontakt bemüht. Ob nun zufällig oder absichtlich durchkreuzte indes Aamir Mallik Robins Versuche, über die Zurufe ins Gespräch zu kommen, indem er sich mit Fragen an Winn wandte oder – wie er es vor einer Stunde getan hatte – ihr einfach die Tür vor der Nase zuschlug.

Mit seinen Steingesimsen, den Säulen und der klassizistischen Fassade wirkte das Äußere des großen Blocks, in dem das DCMS residierte, leicht einschüchternd. Sein Inneres war saniert und mit moderner Kunst ausstaffiert worden, zu der auch eine abstrakte Glasskulptur gehörte, die von der Kuppel über der Haupttreppe hing, auf der Robin jetzt von einer effizient wirkenden jungen Frau nach oben geführt wurde. Weil ihre Begleiterin sie für das Patenkind des Ministers hielt, fühlte sie sich bemüßigt, als Fremdenführerin zu agieren.

»Das Churchill-Zimmer«, sagte sie und deutete nach links, als sie rechts abbogen, »mit dem Balkon, auf dem er am Tag des Sieges in Europa seine Rede gehalten hat. Der Minister hat sein Büro gleich hier …«

Sie geleitete Robin einen breiten Korridor entlang, der zugleich als Großraumbüro diente. Smarte junge Leute saßen an Schreibtischen unter hohen Fenstern, die auf einen viereckigen Innenhof hinausgingen, der in Größe und Abmessungen mit den hellen, hohen Fensterwänden an ein Kolosseum erinnerte. Dies alles war so ganz anders als das beengte Büro, in dem Izzy ihren Pulverkaffee mit Wasser aus einem Wasserkocher aufgoss. Tatsächlich stand zu diesem Zweck ein großer, teurer Automat für Kaffeekapseln auf einem eigenen Tisch.

Die Büros zur Linken waren durch Glaswände mit Türen vom Flur abgetrennt. Robin entdeckte den Kulturminister bereits aus einiger Entfernung: Chiswell saß unter einem modernen Porträt der Königin an seinem Schreibtisch und telefonierte. Er bedeutete ihrer Führerin mit einer brüsken

Handbewegung, sie hereinzubringen, und telefonierte weiter, während Robin mit leichtem Unbehagen darauf wartete, dass er sein Gespräch beendete. Aus dem Hörer drang eine schrille Frauenstimme, die in Robins Ohren selbst aus zweieinhalb Metern Entfernung hysterisch klang.

»Ich muss jetzt auflegen, Kinvara«, blaffte Chiswell in den Hörer. »Ja ... Darüber reden wir später. *Ich muss los.*«

Nachdrücklicher, als nötig gewesen wäre, knallte er den Hörer auf und bot Robin mit einer Geste den Sessel vor seinem Schreibtisch an. Sein störriges Haar umgab den Kopf wie ein drahtiger Glorienschein, und die vorstehende Unterlippe verlieh seinem Gesicht den Ausdruck verärgerter Übellaunigkeit.

»Die Zeitungen schnüffeln herum«, knurrte er. »Das war meine Frau. Heute Morgen hat die *Sun* angerufen und sie gefragt, ob die Gerüchte wahr seien. ›Welche Gerüchte?‹, hat sie gefragt, aber der Kerl hat sich nicht genauer erklärt. Wollte sie offenbar aushorchen. Hat gehofft, indem er sie überrollt, ihr etwas entlocken zu können.«

Er sah Robin stirnrunzelnd an, als wäre er mit ihrer Erscheinung nicht ganz einverstanden.

»Wie alt sind Sie?«

»Siebenundzwanzig«, antwortete sie.

»Sie sehen jünger aus.«

Es klang nicht wie ein Kompliment.

»Haben Sie das Mikrofon schon anbringen können?«

»Leider nein.«

»Wo ist Strike?«

»In Manchester, um Jimmy Knights Exfrau zu befragen«, erklärte Robin.

Chiswell räusperte sich verärgert, dann stand er ruckartig auf, und Robin tat es ihm gleich.

»Na, dann gehen Sie mal lieber zurück und arbeiten weiter«, sagte er. »Der Nationale Gesundheitsdienst«, fügte er im selben

Tonfall hinzu, als er zur Tür ging, »diese Leute werden uns für übergeschnappt halten.«

»Bitte?«, fragte Robin verwirrt.

Chiswell zog die Glastür auf und bedeutete Robin vorauszugehen: in das Großraumbüro, in dem all die smarten jungen Leute an ihren Schreibtischen rund um den eleganten Kaffeeautomaten vor sich hin arbeiteten.

»Die Eröffnungszeremonie der Spiele«, erklärte Chiswell. »Blöder linker Scheiß! Wir haben zwei Weltkriege gewonnen, aber so etwas sollen wir nicht feiern ...«

»Unsinn, Jasper«, sagte eine tiefe, melodische walisische Stimme in ihrer Nähe. »Wir feiern andauernd militärische Siege. Das hier ist eine andere Art Feier.«

Gleich neben Chiswells Tür stand Della Winn, die Sportministerin, mit der Leine ihres hellgelben Labradors in der Hand. Sie war eine stattliche Erscheinung, deren graues Haar zu einem Nackenknoten zusammengefasst war und die eine so dunkle Sonnenbrille trug, dass Robin dahinter nichts erkennen konnte. Ihre Blindheit, das wusste Robin aus ihren Recherchen, war die Folge einer seltenen Entwicklungsstörung, durch die sich *in utero* keine Augäpfel hatten ausbilden können. Manchmal, vor allem zu Fototerminen, trug sie Augenprothesen. Heute stellte Della eine Menge schweren, taktilen Goldschmuck zur Schau, trug eine lange Halskette mit Gemmen und war von Kopf bis Fuß in Himmelblau gekleidet. Strikes Profil der Politikerin hatte Robin entnommen, dass Geraint ihr allmorgendlich die Kleidung herauslegte – und dass es für ihn einfacher war, gleichfarbige Teile zu wählen, weil er kein großes Gespür für Mode hatte. Robin hatte das rührend gefunden.

Chiswell schien das plötzliche Auftauchen seiner Kollegin nicht zu goutieren, und wenn man bedachte, dass ihr Mann ihn erpresste, war das kaum überraschend. Ihrerseits wirkte Della nicht im Geringsten verlegen.

»Ich dachte, wir könnten zusammen nach Greenwich rausfahren«, sagte sie zu Chiswell, während der Labrador an Robins Kleidersaum schnüffelte. »So können wir unterwegs unsere Pläne für den Zwölften besprechen. Was machst du denn, Gwynn?«, fragte sie, als sie den leichten Zug an der Leine spürte.

»Sie schnüffelt an mir«, erklärte Robin nervös und tätschelte den Hundekopf.

»Das ist mein Patenkind ... äh ...«

»Venetia«, sagte Robin eilig, weil Chiswell sich offenbar nicht mehr an ihren Namen erinnern konnte.

»Angenehm«, sagte Della und streckte ihr die Hand entgegen. »Sie besuchen Jasper?«

»Nein, ich mache ein Praktikum im Wahlkreisbüro«, erwiderte Robin und schüttelte die warme, beringte Hand, während Chiswell zur Seite trat, um einen Blick auf ein Schriftstück zu werfen, das ein junger Mann im Anzug ihm hinhielt.

»Venetia«, wiederholte Della an Robin gewandt. Auf ihr attraktives Gesicht schlich sich ein leichtes Stirnrunzeln, das die undurchsichtigen schwarzen Brillengläser nur halb maskierten. »Und der Familienname ...?«

»Hall«, sagte Robin.

Sie empfand einen lächerlichen Anflug von Panik, als wäre Della in Begriff, sie zu enttarnen. Chiswell, der mit dem Schriftstück beschäftigt war, ging ein paar Schritte, sodass Robin das Gefühl hatte, Della ausgeliefert zu sein.

»Sie sind die Fechterin«, stellte Della fest.

»Wie bitte?«, fragte Robin, erneut völlig verwirrt. Ein paar junge Leute an der futuristischen Kaffeemaschine hatten sich umgedreht, um ihnen mit höflich interessiertem Blick zu lauschen.

»Ja«, sagte Della. »Ja, ich erinnere mich an Sie. Sie waren mit Freddie im britischen Team.«

Ihr bis eben noch freundlicher Gesichtsausdruck hatte sich verdüstert. Chiswell beugte sich inzwischen über einen Schreibtisch und strich einzelne Sätze aus seinem Schriftstück.

»Ich habe nie gefochten«, erklärte Robin, die jetzt gänzlich überfordert war.

»Doch, haben Sie«, sagte Della ausdruckslos. »Ich erinnere mich noch an Sie. Jaspers Patenkind – mit Freddie im selben Team.«

Es war letztlich bloß eine leicht entnervende Zurschaustellung von Arroganz, von absolutem Selbstvertrauen. Robin fühlte sich der Aufgabe, weiter zu protestieren, nicht mehr gewachsen, weil sie mittlerweile mehrere Zuhörer hatten, deshalb sagte sie nur: »Freut mich, Sie kennengelernt zu haben«, und marschierte davon.

»Wiedergesehen zu haben, meinen Sie wohl«, sagte Della scharf, aber Robin gab keine Antwort.

16

Ja, denkt nur einmal – ein Mann mit einer so schmutzigen Vergangenheit! ... Und so einer will sich als Volksführer aufspielen! Und es geht!

HENRIK IBSEN, *ROSMERSHOLM*

Nach viereinhalb Stunden am Steuer stieg Strike in Manchester alles andere als elegant aus dem BMW. Er blieb noch eine Weile an der Burton Street stehen, einer breiten, lebhaften Straße mit Wohn- und Geschäftshäusern, lehnte sich gegen den Wagen, streckte Beine und Rücken durch und war froh, einen Parkplatz ganz in der Nähe des »Stylz« gefunden zu haben. Zwischen einem Café und einer Tesco-Express-Filiale stach die Ladenfront in leuchtendem Pink deutlich hervor. Im Schaufenster hingen Fotos von mürrisch dreinblickenden Models mit unnatürlich gefärbten Haaren.

Mit dem schwarz-weiß gefliesten Boden und den rosa Wänden, die Strike an Loreleis Schlafzimmer erinnerten, war das Innere des Friseursalons betont trendy, auch wenn die Kundschaft nicht sonderlich jung oder experimentierfreudig wirkte. Im Augenblick waren zwei Kundinnen da, eine davon eine große Frau Anfang sechzig, die mit reichlich Alufolie im Haar vor dem Spiegel saß und in der *Good Housekeeping* blätterte. Als Strike den Salon betrat, wettete er mit sich selbst, dass sich Dawn als die schlanke Wasserstoffblonde entpuppen würde, die gerade lebhaft mit einer älteren Dame schwatzte, deren bläuliches Haar sie in Dauerwellen legte.

»Ich hab einen Termin bei Dawn«, erklärte Strike der jungen Rezeptionistin, die leicht verblüfft wirkte, in diesem Mief aus parfümiertem Salmiak etwas so Großes, Männliches vor sich zu sehen. Die Wasserstoffblonde drehte sich um, als sie ihren Namen hörte. Sie hatte die altersfleckige Lederhaut einer überzeugten Sonnenbankbenutzerin.

»Gleich bei Ihnen, Schätzchen«, rief sie lächelnd, und er setzte sich auf die Fensterbank, um zu warten.

Fünf Minuten später führte sie ihn zu einem rosa gepolsterten Sessel im rückwärtigen Teil des Salons.

»Wie hätten Sie's denn gern?«, fragte sie und forderte ihn mit einer Handbewegung auf, Platz zu nehmen.

»Ich bin nicht wegen eines Haarschnitts hier«, sagte Strike und blieb erst einmal stehen. »Ich zahle natürlich gern für einen, Sie sollen Ihre Zeit ja nicht vergeuden, aber ...« Er zog eine Visitenkarte und seinen Führerschein aus der Tasche. »Ich heiße Cormoran Strike. Ich bin Privatdetektiv und würde mit Ihnen gern über Ihren Exmann Jimmy Knight reden.«

Sie wirkte verblüfft, was nur verständlich war, dann zusehends fasziniert.

»Strike?«, wiederholte sie staunend. »Sind Sie etwa der, der diesen Ripper geschnappt hat?«

»Der bin ich.«

»Jesus, was hat Jimmy denn angestellt?«

»Gar nicht viel«, sagte Strike leichthin. »Mir geht's bloß um Hintergrundinformationen.«

Sie glaubte ihm natürlich nicht. Ihr Gesicht war unterspritzt, vermutete er, die Stirn über den sorgfältig nachgezeichneten Augenbrauen verdächtig glatt und glänzend. Nur ihr sehniger Hals verriet ihr wahres Alter.

»Das ist vorbei. Schon ewig lang. Ich rede nicht über Jimmy. Reden ist Silber, Schweigen ist Gold, oder wie heißt es so schön?«

Trotzdem strahlte sie Neugier und Aufregung aus. Im Hintergrund dudelte Radio 2. Sie sah verstohlen zu den beiden vor den Spiegeln sitzenden Kundinnen.

»Sian!«, rief sie so laut, dass die Rezeptionistin zusammenzuckte. »Nimm ihr die Folien runter und behalt die Dauerwelle für mich im Blick, Schätzchen.« Sie sah kurz auf Strikes Karte hinab. »Weiß nicht, ob ich sollte«, murmelte sie und wollte ganz sichtlich dazu überredet werden.

»Nur ein bisschen Background«, sagte er. »Ist auch kein Haken dran.«

Fünf Minuten später stellte sie ihm in dem winzigen Personalraum hinter dem Salon fröhlich plaudernd einen Milchkaffee hin. Im grellen Neonlicht der Deckenlampe wirkte sie ausgezehrt, aber noch immer attraktiv genug, als dass nachvollziehbar war, dass Jimmy sich damals für die dreizehn Jahre ältere Frau interessiert hatte.

»… yeah, bei einer Demo gegen Atomwaffen, da war ich mit meiner Freundin Wendy, die ist auf das alles voll abgefahren. Vegetarierin«, fügte sie hinzu, kickte die Tür zum Salon zu und angelte ein Päckchen Silk Cut aus der Tasche. »Sie kennen den Typ.«

»Hab eigene«, sagte Strike, als sie ihm die Packung hinhielt. Er gab ihr Feuer, dann zündete er sich eine Benson & Hedges an. Gleichzeitig bliesen sie Rauch an die Decke. Dawn schlug die Beine übereinander und schwatzte weiter.

»Ja, Jimmy hat da also eine Rede gehalten. Atomwaffen und wie viel wir sparen könnten, um den Gesundheitsdienst und anderes aufzumöbeln, statt … Er redet echt gut, wissen Sie …«

»Stimmt«, bestätigte Strike. »Ich hab ihn gehört.«

»Ja, und ich bin voll auf ihn abgefahren. Hab ihn für eine Art Robin Hood gehalten.«

Strike hörte den Scherz schon kommen, bevor sie ihn machte. Offenbar nicht zum ersten Mal.

»Mehr ein *Robbing* Hood«, sagte sie.

Sie war bereits geschieden gewesen, als sie Jimmy kennengelernt hatte. Ihr erster Mann hatte sie wegen einer Friseurin aus ihrem gemeinsamen Londoner Salon sitzen lassen. Dawn hatte bei der Scheidung ordentlich abgeschnitten und sogar das Geschäft behalten dürfen. Nach jener Ehe war ihr Jimmy wie eine romantische Gestalt erschienen, und sie hatte sich trostsuchend in ihn verknallt.

»Er hatte einfach immer Mädels um sich«, sagte sie. »Lefties, wissen Sie – und manche waren blutjung. Für die war er so was wie ein Popstar. Ich hab erst viel später rausgekriegt, wie viele es waren ... nachdem er sich Zugriff auf alle meine Konten verschafft hatte.«

Dawn schilderte Strike ausführlich, wie Jimmy sie dazu überredet hatte, die Klage gegen seinen ehemaligen Arbeitgeber Zanet Industries zu finanzieren, der ihm nicht formal korrekt gekündigt hatte.

»Sehr auf seine Rechte bedacht, Jimmy. Aber er ist nicht dumm, wissen Sie, und von Zanet hat er zehn Riesen Abfindung kassiert. Nur ich hab keinen Penny davon gesehen. Ist alles für Prozesse gegen andere Leute draufgegangen. Und als wir uns getrennt haben, da wollte er *mich* verklagen. Wegen entgangener Einnahmen – dass ich nicht lache! Ich hatte ihn immerhin fünf Jahre lang ausgehalten, und da behauptet er allen Ernstes, er hätte mein Geschäft unentgeltlich aufgebaut und quasi als Berufskrankheit von den Chemikalien Asthma bekommen – so viel Scheiß hat er erzählt! Zum Glück ist die Klage nicht angenommen worden. Dann hat er versucht, mich wegen Sachbeschädigung dranzukriegen. Hat behauptet, ich hätte seinen Wagen mit einem Schlüssel zerkratzt.«

Sie drückte ihre Zigarette aus und griff nach einer weiteren.

»Ich war das übrigens«, sagte sie mit einem unvermittelt

boshaften Lächeln. »Sie wissen, dass er jetzt auf einer Liste steht? Darf niemanden mehr ohne Erlaubnis verklagen.«

»Yeah, ich weiß«, sagte Strike. »Ist er in Ihrer gemeinsamen Zeit je straffällig geworden, Dawn?«

Sie zündete sich die Zigarette an und beobachtete Strike über die Flamme hinweg, als hoffte sie noch immer zu hören, was Jimmy verbrochen hatte und warum Strike hinter ihm her war. Nach einer Weile sagte sie: »Ich bin mir nicht sicher, ob er darauf geachtet hat, dass sämtliche Mädchen, mit denen er was hatte, auch wirklich über sechzehn waren. Wie ich später erfahren habe, ist eins davon ... Aber da hatten wir uns schon getrennt. War nicht mehr mein Problem«, sagte Dawn, während Strike sich Notizen machte. »Und ich würd ihm auch nicht trauen, wenn's um was mit Juden geht. Die mag er nämlich nicht. Israel ist die Wurzel allen Übels, sagt er immer. Zionismus – ich konnte das verdammte Wort irgendwann echt nicht mehr hören. Man sollte glauben, sie hätten genug gelitten«, murmelte Dawn. »Tja, sein Vorarbeiter bei Zanet war Jude. Die beiden haben sich gehasst.«

»Wie hat er geheißen?«

»Ja, wie ...« Dawn zog stirnrunzelnd an ihrer Zigarette. »Paul Soundso ... Lobstein, das war's! Paul Lobstein. Wahrscheinlich ist der bis heute bei Zanet.«

»Haben Sie noch Kontakt zu Jimmy oder zu sonst irgendwem aus seiner Familie?«

»Himmel, nein! Bin froh, dass ich ihn los bin! Aus seiner Familie hab ich eh nur den kleinen Billy, seinen Bruder, gekannt.« Als sie den Namen sagte, klang ihre Stimme gleich sanfter. »Der war nicht ganz richtig im Kopf. Hat für kurze Zeit bei uns gewohnt. Eigentlich ein ganz lieber Kerl, aber eben nicht knusper. Jimmy meinte, daran war der Vater schuld. Gewalttätiger Säufer. Hat sie allein aufgezogen und oft verprügelt, wie die Jungs erzählt haben, mit dem Gürtel und allem. Irgendwann ist

Jimmy nach London abgehauen, und der arme Billy war ihm allein ausgeliefert. Kein Wunder, dass er so geworden ist.«

»Wie meinen Sie das?«

»Er hatte einen ... einen Tick, sagt man wohl?«

Sie ahmte die Nase-Brust-Berührungen, die Strike in seinem Büro gesehen hatte, perfekt nach.

»Er hat Medikamente bekommen, das weiß ich noch. Dann ist er ausgezogen, hat einige Zeit mit anderen Jungs in einer WG zusammengelebt. Aber seit Jimmy und ich uns getrennt haben, hab ich ihn nicht mehr gesehen. Er war ein lieber Junge, ja, aber er hat Jimmy auf die Palme gebracht.«

»Wodurch?«, fragte Strike.

»Jimmy mochte es nicht, wenn er von ihrer Kindheit erzählt hat. Ich weiß auch nicht, aber ich glaube, er hatte ein schlechtes Gewissen, weil er Billy allein dort zurückgelassen hat. Irgendwas an der ganzen Geschichte war jedenfalls nicht ganz sauber ...«

Strike konnte ihr ansehen, dass sie schon lang nicht mehr darüber nachgedacht hatte.

»Nicht ganz sauber?«, hakte er nach.

»Im Suff hat Jimmy ein paarmal davon gesprochen, dass sein Dad dafür brennen würde, womit er seinen Lebensunterhalt verdient hat.«

»Ich dachte, er sei Tagelöhner gewesen?«

»War er das? Ich hab gehört, er war Schreiner. Hat für die Familie dieses Politikers gearbeitet – wie hieß der gleich wieder? Der mit den Haaren.«

Sie deutete aus ihrem Kopf sprießende steife Borsten an.

»Jasper Chiswell?«, schlug Strike vor und sprach den Namen aus, so wie er geschrieben wurde.

»Genau der. Der alte Mr. Knight hat wohl mietfrei in einem Cottage auf dem Anwesen der Familie gewohnt. Dort sind die Jungen aufgewachsen.«

»Und er hat erzählt, der Vater würde wegen seiner Arbeit in der Hölle schmoren?«, wiederholte Strike.

»Jepp. Vielleicht aber auch bloß, weil er für Tories gearbeitet hat. Bei Jimmy hat sich immer alles um Politik gedreht. Ich versteh das nicht«, sagte Dawn ruhelos. »Irgendwie muss man doch leben. Stellen Sie sich vor, ich würde meine Kundinnen fragen, wen sie wählen, bevor ich ... *Verdammt!*«, japste sie plötzlich, drückte ihre Zigarette aus und sprang auf. »Hoffentlich hat Sian Mrs. Horridge die Lockenwickler rausgenommen, sonst ist sie jetzt kahl!«

17

So ist er doch wohl unverbesserlich.

HENRIK IBSEN, *ROSMERSHOLM*

Auf der Suche nach einer Gelegenheit, die Wanze in Winns Büro zu verstecken, verbrachte Robin den größten Teil des Nachmittags damit, den stillen Flur zu überwachen, an dem Izzys und sein Büro lagen. Doch ihre Mühe war vergebens.

Obwohl Winn mittags zu einem Geschäftsessen gegangen war, war Aamir am Schreibtisch sitzen geblieben. Robin lief mit ihrer Ablagebox im Arm auf und ab, wartete darauf, dass Aamir vielleicht mal auf die Toilette gehen würde, und zog sich in Izzys Büro zurück, sobald ein Vorbeikommender versuchte, sie in ein Gespräch zu verwickeln.

Um zehn nach vier schien sich ihr Blatt zum Besseren zu wenden. Nach dem ausgedehnten Lunch war Geraint Winn beschwipst um die Ecke stolziert und schien im Gegensatz zu seiner Frau geradezu entzückt zu sein, Robin zu begegnen, als sie auf ihn zuging.

»Da ist sie ja!«, rief er überlaut. »Ich wollte sowieso mit Ihnen reden. Kommen Sie mit rein, kommen Sie!«

Er stieß die Tür zu seinem Büro auf. Verwirrt, aber eifrig darauf bedacht, den Raum zu inspizieren, den sie verwanzen sollte, folgte Robin ihm hinein.

Aamir arbeitete in Hemdsärmeln an seinem Schreibtisch, der inmitten des übrigen Chaos wie eine Oase der Ordnung wirkte. Um Winns Schreibtisch herum türmten sich Ordner.

Auf einem Stapel Briefe sah Robin das orangerote Logo von *The Level Playing Field*. Gleich neben Geraints Schreibtisch befand sich eine Doppelsteckdose, die für ein Abhörmikrofon perfekt geeignet wäre.

»Kennt ihr euch schon?«, fragte Geraint jovial. »Aamir – Venetia.«

Er setzte sich und bot Robin den Sessel an, von dem sie erst einen Stapel Schnellhefter herunternehmen musste.

»Hat Redgrave zurückgerufen?«, fragte Winn, während er sich aus seinem Jackett kämpfte.

»Wer?«, fragte sein Assistent.

»Sir Steve Redgrave!«, sagte Winn und verdrehte die Augen. Sie verspürte stellvertretend einen Anflug von Scham, auch weil Aamirs gemurmeltes »Nein« eisig klang.

»*The Level Playing Field*«, wandte Winn sich wieder an Robin.

Endlich hatte er es geschafft, das Jackett auszuziehen, und versuchte nun, es schwungvoll über die Rückenlehne zu werfen. Das Jackett fiel schlaff zu Boden, doch statt es aufzuheben, tippte Geraint auf das orangerote Logo des obersten Briefs vor ihm.

»Unsere Wohl…« Er rülpste. »Pardon. Unsere Wohltätigkeitsorganisation. Geistig und körperlich behinderte Sportler, wissen Sie. Viele prominente Unterstützer. Auch Sir Steve will …« – er rülpste nochmals – »Pardon … mithelfen. Hören Sie, ich möchte mich entschuldigen. Für meine arme Frau.«

Er schien sich prächtig zu amüsieren. Im Augenwinkel sah Robin, wie Aamir ihm einen tadelnden Blick zuwarf, der an eine aufblitzende Kralle erinnerte, die sofort wieder eingezogen wurde.

»Wieso?«, fragte Robin.

»Sie verwechselt Namen. Macht sie andauernd. Würd ich sie nicht im Auge behalten, bräche hier Chaos aus, weil falsche

Briefe an die falschen Leute rausgingen ... Sie hat Sie mit jemandem verwechselt. Über Mittag hat sie mich angerufen und mir erzählt, Sie wären jemand, den unsere Tochter vor Jahren mal kennengelernt hat – Verity Pulham. Ein weiteres Patenkind Ihres Paten. Hab ihr gleich gesagt, dass Sie das nicht sind, und angeboten, ihre Entschuldigung zu übermitteln. Sie kann ein richtiges Dummerchen sein. Verflixt stur, wenn sie glaubt, recht zu haben, aber ...« Erneut verdrehte er die Augen und tippte sich an die Stirn – ganz der langmütige Ehemann einer nervigen Frau. »... letzten Endes hab ich sie überzeugen können.«

»Tja«, sagte Robin vorsichtig, »dann freue ich mich, dass sie jetzt weiß, dass sie sich getäuscht hat. Denn sie hat Verity anscheinend nicht sehr gemocht.«

»Ehrlich gesagt *war* Verity ein kleines Miststück«, sagte Winn, noch immer grinsend. Robin ahnte, welchen Spaß es ihm machte, dieses Wort zu benutzen. »Fies zu unserer Tochter, wissen Sie.«

»Du liebe Güte«, sagte Robin betroffen, als ihr verspätet einfiel, dass Rhiannon Winn Selbstmord verübt hatte. »Das tut mir leid. Wie schrecklich!«

»Wissen Sie«, sagte Winn, ließ sich auf seinen Stuhl fallen und drückte ihn mit im Nacken verschränkten Händen nach hinten, »für ein Mädchen aus dem Umkreis der Familie Chiswell wirken Sie viel zu liebenswürdig.«

Er war eindeutig leicht betrunken. Robin konnte riechen, dass er Wein getrunken hatte, und Aamir warf ihm einen weiteren scharf tadelnden Blick zu.

»Was haben Sie bisher so gemacht, Venetia?«

»PR«, antwortete Robin, »aber ich möchte gern etwas Befriedigenderes tun. Politik, vielleicht eine Wohltätigkeitsorganisation. Ich habe einiges über *The Level Playing Field* gelesen«, sagte sie wahrheitsgemäß. »Ich bewundere Ihre Arbeit. Sie arbeiten auch mit Kriegsversehrten, nicht wahr? Erst gestern hab ich ein Interview mit Terry Byrne gelesen ... dem einbeinigen Radrennfahrer?«

Sie war auf Byrne gestoßen, weil der Mann das gleiche Bein wie Strike unterhalb des Knies verloren hatte.

»Sie haben natürlich ein persönliches Interesse an Veteranen«, sagte Winn.

Robins Magen verkrampften sich. »Bitte?«

»Freddie Chiswell?«

»Oh, ja, natürlich«, sagte Robin. »Ich hab Freddie allerdings nicht sehr gut gekannt. Er war ein bisschen älter als ich, aber es war natürlich schrecklich, als er ... gefallen ist.«

»Ja, schrecklich«, sagte Winn, klang allerdings ziemlich gleichgültig. »Della war gegen den Irakkrieg. Wirklich sehr dagegen. Ihr Onkel Jasper war wohlgemerkt ein eifriger Befürworter.«

Einen Moment lang schien die Luft von Winns unausgesprochener Andeutung, Chiswell habe die passende Quittung für seinen Enthusiasmus bekommen, regelrecht zu vibrieren.

»Also, davon weiß ich nichts«, sagte Robin vorsichtig. »Nach damaligem Kenntnisstand hat Onkel Jasper ein militärisches Eingreifen für gerechtfertigt gehalten. Jedenfalls«, sagte sie tapfer, »kann ihm niemand selbstsüchtige Motive vorwerfen, wenn sein eigener Sohn dort kämpfen musste, nicht wahr?«

»Ah, wer wollte Ihnen widersprechen, wenn Sie so argumentieren«, erwiderte Winn. Als er die Hände zu einer ergebenen Geste hob, rutschte sein Stuhl leicht zur Seite, sodass er sekundenlang um sein Gleichgewicht kämpfen musste, ehe er die Schreibtischkante zu fassen bekam und sich wieder nach vorn ziehen konnte. Robin hatte Mühe, nicht loszulachen.

»Geraint«, sagte Aamir, »Sie müssten diese Briefe bitte unterschreiben, wenn sie noch bis fünf Uhr rausgehen sollen.«

»'s ist erst halb fünf«, sagte Winn mit einem Blick auf die Uhr. »Ja. Und Rhiannon war im britischen Junior-Fechtteam.«

»Wundervoll«, sagte Robin.

»Sportlich wie ihre Mutter. Mit vierzehn im walisischen Juniorteam – ich hab sie überallhin zu Turnieren gefahren. Stunden um Stunden gemeinsam unterwegs. Mit sechzehn hat sie's dann ins britische Juniorteam geschafft. Die Engländer haben sie lang ziemlich hochnäsig behandelt«, fuhr Winn mit einem Anflug keltischen Ressentiments fort. »Sie hatte keine ihrer großen Privatschulen besucht, wissen Sie … Bei denen ist's nur um Beziehungen gegangen. Verity Pulham – die hatte im Grunde nicht das Talent, wirklich nicht. Aber erst als sie sich den Knöchel gebrochen hat, ist Rhiannon, die von Haus aus die weit bessere Fechterin war, überhaupt erst ins britische Team gelangt.«

»Verstehe«, sagte Robin, die sich bemühte, ihr Mitgefühl mit der vorgeblichen Loyalität zu den Chiswells zu vereinbaren. Das konnte schließlich nicht alles sein, was die Winns gegen die Familie hatten. Trotzdem ließ Geraints fanatischer Tonfall auf langjährige Ressentiments schließen. »Also, solche Dinge sollten wirklich nach Talent entschieden werden.«

»Richtig«, sagte Winn. »Das sollten sie. Hier, sehen Sie sich das an …«

Er angelte seine Geldbörse aus der Tasche und zog ein altes Foto heraus. Robin streckte die Hand aus, aber Geraint hielt es weiter fest, stand unbeholfen auf, stolperte über einen Bücherstapel neben seinem Stuhl, kam um den Schreibtisch herum, trat so dicht hinter Robin, dass sie seinen Atem im Nacken spürte, und zeigte ihr das Bild seiner Tochter.

In voller Fechtmontur strahlte Rhiannon Winn in die Kamera und hielt ihre umgehängte Goldmedaille hoch. In ihrem blassen, zarten Gesicht konnte Robin nur wenig von ihren Eltern erkennen, obgleich die hohe, intelligente Stirn womöglich vage an Della erinnerte. Doch mit Geraints lautem Schnaufen im Ohr – während sie sich bemühte, nicht von ihm abzurücken – meinte Robin mit einem Mal, vor sich zu sehen, wie Geraint Winn mit seinem schmallippig breiten Grinsen quer durch eine große Halle voller verschwitzter Teenager marschierte. War es schändlich, sich zu fragen, ob es bloß Vaterliebe gewesen war, die ihn dazu bewogen hatte, die Tochter kreuz und quer durchs ganze Land zu fahren?

»Was haben Sie denn da mit sich angestellt?«, fragte Geraint, dessen heißer Atem ihr Ohr traf. Er beugte sich weiter nach vorn und berührte die dunkelrote Messernarbe an ihrem bloßen Unterarm.

Robin konnte nicht anders: Sie riss den Arm weg. Die Nerven entlang der Narbe waren noch immer überempfindlich, sodass ihr jede fremde Berührung zuwider war.

»Bin da als Neunjährige durch eine Glastür gefallen«, erklärte sie, doch die ver- und zutrauliche Atmosphäre hatte sich da schon wie Zigarettenrauch aufgelöst.

Aamir verharrte am Rand ihres Gesichtsfelds, steif und missbilligend schweigend, an seinem Schreibtisch. Geraints Lächeln wirkte inzwischen gezwungen. Robin hatte zu lange in Büros gearbeitet, um nicht zu erkennen, dass sich soeben ein subtiler Machtwechsel ereignet hatte. Seine kleine betrunkene Ungehörigkeit hatte ihr Oberwasser verschafft, und Geraint, der es ihr übel nahm, war sofort leicht besorgt. Sie wünschte sich, sie hätte ihm den Arm nicht entzogen.

»Könnten Sie mir vielleicht ein paar Ratschläge zu Wohltätigkeitsorganisationen geben, Mr. Winn?«, hauchte sie. »Ich kann mich einfach nicht zwischen Politik und Wohltätigkeit entscheiden und kenne sonst niemanden, der auf beiden Gebieten aktiv wäre.«

»Oh.« Geraint blinzelte hinter seinen dicken Brillengläsern. »Na ja ... klar, könnte ich wohl ...«

»Geraint«, sagte Aamir abermals, »wir müssen diese Briefe wirklich ...«

»Ja, sicher, sicher«, sagte Winn laut. »Darüber reden wir später«, beschied er Robin mit einem Zwinkern.

»Wundervoll«, erwiderte sie.

Beim Hinausgehen bedachte sie Aamir mit einem schiefen Lächeln, das er nicht erwiderte.

18

So weit sind wir also schon! So weit schon!

HENRIK IBSEN, *ROSMERSHOLM*

Nach fast neun Stunden am Steuer waren Strikes Nacken, Rücken und Beine schmerzhaft steif und seine Proviantasche längst leer. Am blassblauen Abendhimmel glitzerte der erste Stern, als sein Handy losklingelte. Es war die Zeit, zu der seine Schwester Lucy gern zu einem »Schwätzchen« anrief; drei Viertel der Anrufe ignorierte er, weil er bei aller Liebe kein Interesse für die schulischen Leistungen seiner Neffen, für Streitigkeiten im Elternbeirat oder Details der Karriere ihres Ehemanns als Bauingenieur aufbringen konnte. Als er aber sah, dass der Anruf von Barclay kam, bog er in die nächstbeste unbefestigte Parkbucht ab – eigentlich die Zufahrt zu einem Feld –, stellte den Motor ab und meldete sich.

»Hab's«, sagte Barclay lakonisch. »In Sachen Jimmy.«

»Jetzt schon?«, fragte Strike, ehrlich beeindruckt. »Wie das?«

»Pub«, sagte Barclay. »Hab sein Geschwätz unterbrochen. Er hat Scheiß über die schottische Unabhängigkeit erzählt. Klasse an den englischen Lefties ist doch«, fuhr er fort, »dass sie nur zu gern hören, wie beschissen England ist. Hab den ganzen Nachmittag lang Freibier gekriegt.«

»Verdammt, Barclay«, sagte Strike und zündete sich nach den zwanzig Zigaretten, die er an diesem Tag schon geraucht hatte, eine weitere an, »echt gute Arbeit.«

»Das war erst der Anfang«, sagte Barclay. »Sie hätten sie

hören sollen, als ich zum Besten gegeben hab, wie mir langsam gedämmert hat, dass die Army ein Werkzeug der Imperialisten ist. Scheiße, sind die leichtgläubig! Morgen geh ich zur CORE-Versammlung.«

»Wovon lebt Knight? Irgendeine Idee?«

»Er hat mir erzählt, dass er für ein paar linke Webseiten schreibt, und er verkauft T-Shirts von CORE und ein bisschen Dope. Aber sein Shit ist wertlos. Nach dem Pub waren wir noch bei ihm. Scheiße, da kann man auch gleich Brühwürfel rauchen. Hab ihm versprochen, besseren Stoff zu besorgen. Das geht doch auf Spesen, oder?«

»Ich verbuch's unter ›Diverses‹«, erwiderte Strike. »Okay, halten Sie mich auf dem Laufenden.«

Barclay beendete das Gespräch, und Strike beschloss, die Gelegenheit zu nutzen und sich die Beine zu vertreten, stieg mit der Zigarette in der Hand aus, lehnte sich an das aus fünf Planken bestehende Tor vor dem großen, düsteren Feld und rief Robin an.

»Das ist Vanessa«, log Robin, als sie Strikes Nummer auf dem Display erkannte.

Matthew und sie hatten eben auf dem Sofa ein Take-away-Curry gegessen und sich die Nachrichten angesehen. Matthew war spät und müde aus dem Büro heimgekommen. Sie brauchte jetzt keinen weiteren Streit.

Mit dem Handy in der Hand trat sie durch die Fenstertür auf die Terrasse, die bei der Party als Raucherbereich gedient hatte. Sie meldete sich erst, nachdem sie sichergestellt hatte, dass die Tür in ihrem Rücken fest geschlossen war.

»Hi. Alles okay?«

»Klar. Können wir einen Augenblick reden?«

»Ja«, sagte Robin, lehnte sich an die Hauswand und beobachtete einen Nachtfalter, der hartnäckig versuchte, durch die

Scheibe in das beleuchtete Haus zu gelangen. »Wie war's bei Dawn Clancy?«

»Nichts Verwertbares«, sagte Strike. »Ich dachte, ich hätte eine Fährte, einen jüdischen Exboss, mit dem Jimmy Streit hatte, aber ich hab die Firma angerufen. Der arme Kerl ist im letzten September an einem Herzschlag gestorben. Kurz nachdem ich bei ihr war, hat Chiswell angerufen. Er meint, dass die *Sun* herumschnüffelt.«

»Ja, sie hat bei seiner Frau angerufen.«

»Darauf hätten wir gut verzichten können«, sagte Strike, was Robin für erheblich untertrieben hielt. »Wer hat der Presse den Hinweis gegeben?«

»Ich tippe auf Winn«, sagte Robin, die sich erinnerte, wie Geraint am Nachmittag vor sich hin schwadroniert und wie großspurig er mit Namen um sich geworfen hatte. »Er ist genau der Typ, der einem Journalisten gegenüber Andeutungen machen würde, auch wenn er rein gar nichts beweisen kann. Und noch was«, fügte sie hinzu, obwohl sie nicht wirklich auf eine Antwort hoffte. »Was hat Chiswell deiner Meinung nach getan?«

»Wäre nett zu wissen, aber es ist nicht wirklich wichtig«, entgegnete Strike, dessen Stimme müde klang. »Wir werden nicht dafür bezahlt, *ihm* etwas nachzuweisen. Aber wie steht's mit …«

»Ich hab die Wanze noch nicht anbringen können«, sagte Robin, die genau wusste, was er hatte fragen wollen. »Ich bin so lang wie möglich geblieben, aber Aamir hat abgeschlossen, als die beiden gegangen sind.«

Strike seufzte.

»Na schön. Sei nicht zu übereifrig und verdirb alles«, sagte er. »Aber wenn die *Sun* mitmischt, müssen wir uns ins Zeug legen. Sieh zu, was du ausrichten kannst – komm besonders früh oder irgend so was.«

»Ich werd's versuchen«, sagte Robin. »Übrigens hab ich heute etwas Seltsames über die Winns erfahren.« Sie berichtete, wie Della sie mit einem echten Chiswell-Patenkind verwechselt hatte, und erzählte ihm die Geschichte von Rhiannon und dem Fechtteam. Beides schien Strike nur am Rande zu interessieren.

»Bezweifle, dass das erklärt, wieso die Winns Chiswell aus dem Amt jagen wollen. Außerdem ...«

»... sind die Mittel wichtiger als das Motiv«, sagte sie und zitierte damit Strikes gern wiederholten Grundsatz.

»Genau richtig. Hör zu, können wir uns morgen nach der Arbeit treffen, um alles im Detail durchzusprechen?«

»Klar.«

»Wenigstens läuft es bei Barclay gut«, sagte Strike, als heiterte ihn der Gedanke auf. »Er hat sich sofort mit Jimmy angefreundet.«

»Oh«, sagte Robin. »Gut.«

Nachdem Strike versprochen hatte, ihr den Namen eines geeigneten Pubs zu schicken, beendete er das Gespräch und ließ Robin allein und nachdenklich im stillen Dunkel ihres Gartens zurück, während über ihr immer mehr Sterne sichtbar wurden.

Wenigstens läuft es bei Barclay gut.

Anders als Robin, die lediglich eine Bagatelle über Rhiannon Winn in Erfahrung gebracht hatte.

Von seiner Idee schier besessen, ins Licht zu gelangen, flog der Nachtfalter weiter verzweifelt gegen die Scheibe an.

Idiot, dachte Robin. *Hier draußen ist es doch besser.*

Die Leichtigkeit, mit der ihr die Lüge, Vanessa habe angerufen, über die Lippen gekommen war, hätte ihr ein schlechtes Gewissen machen müssen, fand sie; trotzdem war sie nur froh, damit durchgekommen zu sein. Während sie beobachtete, wie der Falter weiter gegen die leuchtende Scheibe anflatterte, erinnerte Robin sich wieder daran, was ihre Therapeutin bei einer Sitzung gesagt hatte, in der sie ausführlich über ihr Bedürfnis gesprochen hatten, genau zu differenzieren, wo der reale Matthew endete und ihre Illusionen über ihn begannen.

»Menschen verändern sich binnen eines Jahrzehnts«, hatte die Therapeutin erklärt. »Wieso muss es denn darum gehen, dass Sie sich in Matthew getäuscht haben? Vielleicht haben Sie sich einfach nur beide verändert?«

Am kommenden Montag wäre ihr erster Hochzeitstag. Auf Matthews Vorschlag wollten sie das darauffolgende Wochenende in einem Wellnesshotel bei Oxford verbringen. Auf gewisse Weise freute sich Robin darauf, weil Matthew und sie sich während eines Tapetenwechsels tatsächlich besser zu verstehen schienen. Von Fremden umgeben zu sein wirkte ihrer Neigung entgegen, sich zu zanken. Sie hatte ihm von Ted Heaths Büste erzählt, die grün geworden war, und mehrere (für sie) interessante Fakten aus dem Unterhaus geschildert, und Matthew hatte sich all das sichtlich gelangweilt angehört, weil er entschlossen gewesen war, ihr deutlich zu signalisieren, wie sehr er das ganze Unterfangen missbilligte.

Ihr Entschluss stand fest. Sie schob die Fenstertür auf, und der Nachtfalter flatterte glücklich hinein.

»Was wollte sie denn?«, fragte Matthew, der weiter fernsah, als Robin sich wieder setzte. Auf dem Beistelltisch neben ihr thronten Sarah Shadlocks Stargazer-Lilien, die selbst nach zehn Tagen noch in voller Blüte standen, und Robin nahm den schweren Duft wahr, der selbst den Currygeruch in den Schatten stellte.

»Bei unserem letzten Treffen hab ich versehentlich ihre Sonnenbrille eingesteckt«, antwortete Robin gespielt verärgert. »Sie will sie zurückhaben – die ist von Chanel. Wir treffen uns vor der Arbeit.«

223

»Chanel, was?«, fragte Matthew mit einem Lächeln, das Robin gönnerhaft fand. Sie wusste, dass er glaubte, Vanessas Schwachpunkt aufgespürt zu haben, aber vielleicht gefiel es ihm sogar, dass sie auf große Marken stand und ihre Designersonnenbrille zurückhaben wollte.

»Ich muss um sechs aus dem Haus«, sagte Robin.

»Um sechs?« Er war irritiert. »Jesus, ich bin todmüde, ich will nicht um …«

»Ich wollte dir gerade vorschlagen, dass ich im Gästezimmer schlafe.«

»Oh«, sagte Matthew besänftigt. »Yeah, okay. Danke.«

19

Ich tu's nicht gern, doch – enfin – die zwingende Notwendigkeit ...

HENRIK IBSEN, *ROSMERSHOLM*

Am folgenden Morgen machte sich Robin um Viertel vor sechs auf den Weg. Der Himmel war schwach rosarot-blau und der Morgen so warm, dass sie nicht mal eine Jacke brauchte. Als sie an ihrem hiesigen Pub vorbeikam, streifte ihr Blick den Schwan auf dem Giebel. Sie zwang sich dazu, an den ihr bevorstehenden Tag zu denken statt an den Mann, den sie gerade zurückgelassen hatte.

Eine Stunde später sah Robin bei ihrer Ankunft auf Izzys Flur, dass Geraints Tür bereits offen stand. Ein rascher Blick – der Raum war leer, doch Aamirs Jackett hing über dem Stuhl.

Robin rannte auf Izzys Büro zu, schloss auf, flitzte an ihren Schreibtisch, zog eins der Abhörmikrofone aus der Tampax-Schachtel, schnappte sich als Alibi einen Stapel abgelaufener Tagesordnungen und hastete auf den Korridor zurück.

Als sie sich Winns Tür näherte, streifte sie den goldenen Armreif ab, den sie eigens zu diesem Zweck angelegt hatte, und ließ ihn ins Büro rollen.

»Oh, verdammt!«, sagte sie laut, doch aus dem Büro antwortete niemand. Robin klopfte an, rief: »Hallo?«, und steckte den Kopf hinein. Das Zimmer war immer noch leer.

Mit wenigen raschen Schritten stand Robin vor der Doppelsteckdose, die neben Geraints Schreibtisch dicht über der Fußleiste angebracht war. Sie kniete sich hin, angelte die Wanze hervor, zog den Stecker des Ventilators auf dem Schreibtisch heraus, setzte das Gerät über die Steckdose, schloss den Ventilator wieder an, überzeugte sich davon, dass er funktionierte, und sah sich dann wie nach einem Hundertmeterspurt keuchend nach ihrem Armreif um.

»Was machen Sie hier?«

Aamir stand in Hemdsärmeln und mit einer frischen Tasse Tee in der Hand an der Schwelle.

»Ich hab angeklopft«, sagte Robin und spürte, wie sie rot anlief. »Ich hab meinen Armreif verloren, er ist hier reingerollt ... Oh, da ist er!«

Er lag unter Aamirs Schreibtischstuhl. Robin hob ihn eilig auf.

»Er hat meiner Mutter gehört«, flunkerte sie. »Ihn zu verlieren wäre ganz schrecklich.«

Sie streifte ihn sich wieder über die Hand, griff nach den Papieren, die sie auf Geraints Schreibtisch abgelegt hatte, lächelte so ungezwungen wie möglich und marschierte an Aamir vorbei aus dem Büro. Aus dem Augenwinkel nahm sie zur Kenntnis, wie er die Augen misstrauisch zusammenkniff.

Innerlich jubelnd, kehrte Robin in Izzys Büro zurück. Jetzt hätte sie eine gute Nachricht für Strike, wenn sie sich abends im Pub träfen. Barclay war nicht mehr der Einzige, der gut arbeitete. Der Gedanke beschäftigte sie so sehr, dass sie gar nicht bemerkte, dass noch jemand anwesend war, bis ein Mann dicht hinter ihr fragte: »Wer sind Sie?«

Schlagartig löste sich das Hier und Jetzt um sie herum auf – auch ihre beiden Angreifer hatten sich von hinten auf sie gestürzt. Robin wirbelte mit einem Aufschrei herum, war gewappnet, um ihr Leben zu kämpfen, die Unterlagen flatterten durch die Luft, und die Tasche glitt ihr von der Schulter, fiel zu Boden, ging auf, und der Inhalt kullerte in alle Richtungen.

»Sorry!«, sagte der Mann. »Himmel, das tut mir leid!«

Robin bekam kaum noch Luft. Sie hörte ein Donnern in den Ohren und war in Schweiß gebadet. Als sie sich bückte, um ihre Sachen einzusammeln, zitterte sie so heftig, dass ihr immer wieder Dinge aus der Hand glitten.

Nicht jetzt ... Nicht jetzt ...

Er schien auf sie einzureden, trotzdem verstand sie kein Wort. Die Welt zerfiel, war voller Schrecken und Gefahren und er nur mehr schemenhaft sichtbar, als er ihr den Eyeliner und ein Fläschchen mit künstlicher Tränenflüssigkeit in die Hand drückte.

»Oh«, keuchte Robin benommen. »Wunderbar. Entschuldigen Sie. Toilette.«

Sie stolperte zur Tür. Auf dem Flur kamen ihr zwei weitere Leute entgegen, deren Gruß undeutlich und verschwommen klang. Ohne zu wissen, was sie antwortete, rannte sie an ihnen vorbei zur Damentoilette.

Am Waschbecken begrüßte sie eine Frau aus dem Gesundheitsministerium, die dort frischen Lippenstift auflegte. Blindlings stürmte Robin an ihr vorbei und verriegelte mit zitternden Fingern die Tür zur Toilettenkabine.

Die Panik unterdrücken zu wollen wäre zwecklos, denn dann wehrte sie sich nur und versuchte, Robin ihren Willen aufzuzwingen. Sie würde ihr ihren Lauf lassen müssen, als wäre die Angst ein durchgehendes Pferd, das erst ganz langsam wieder auf eine vernünftigere Bahn geleitet werden musste. Also stand sie reglos da, stemmte sich mit beiden Händen gegen die Trennwände und sprach in Gedanken mit sich selbst, als wäre sie ein Tiertrainer und ihr Körper in seiner irrationalen Angst ein panisches Beutetier.

Du bist sicher, du bist sicher, du bist sicher ...

Auch wenn ihr Herzschlag holprig blieb, klang die Panik allmählich ab. Zuletzt nahm Robin die gefühllosen Hände von den Trennwänden, schlug die Augen auf und blinzelte ins grelle Neonlicht. Auf der Toilette war es still.

Robin spähte vorsichtig aus ihrer Kabine. Die Frau war gegangen. Außer ihrem eigenen blassen Spiegelbild war niemand zu sehen. Nachdem sie sich das Gesicht mit kaltem Wasser gewaschen und mit Papierhandtüchern abgetrocknet hatte, setzte sie wieder die Fensterglasbrille auf und verließ die Toilette.

Aus dem Büro, aus dem sie geflüchtet war, war Streit zu hören.

Sie atmete tief durch, trat ein, Jasper Chiswell drehte sich zu ihr herum und funkelte sie an. Sein Gesicht unter dem zu allen Seiten abstehenden drahtigen Haar war rot angelaufen. Izzy stand hinter ihrem Schreibtisch. Und auch der Unbekannte war immer noch da. Robin wäre es lieber gewesen, in ihrem angegriffenen Zustand nicht von drei neugierigen Augenpaaren angestarrt zu werden.

»Was war hier los?«, wollte Chiswell wissen.

»Gar nichts«, wisperte Robin und spürte wieder, wie ihr der kalte Schweiß ausbrach.

»Sie sind rausgerannt. Hat er« – Chiswell zeigte auf den Schwarzhaarigen – »sich ungebührlich benommen? Hat er Sie belästigt?«

»Wa… Nein! Ich hatte nur nicht mit ihm gerechnet. Als er mich angesprochen hat, bin ich erschrocken und …« Sie spürte, dass sie heftig errötete. »Dann musste ich aufs Klo.«

Chiswell nahm sich den Schwarzhaarigen vor. »Warum bist du überhaupt so früh hier?«

Erst jetzt begriff Robin, wer der Mann war – Raphael. Von Fotos, die sie online gefunden hatte, wusste sie, dass der Halbitaliener der Exot der Familie war, die ansonsten einheitlich blond und sehr englisch aussah. Trotzdem war sie mitnichten darauf vorbereitet gewesen, wie blendend er aussah. Sein anthrazitgrauer Anzug, das weiße Oberhemd und die konservativ dunkelblau gepunktete Krawatte trug er mit einer lässigen Eleganz, die sonst keiner der Männer auf diesem Flur darbot. Er hatte einen auffällig dunklen Teint, hohe Wangenknochen, fast schwarze Augen, eine schwarze Mähne und im Gegensatz zu seinem Vater einen sinnlichen Mund mit voller Oberlippe, die seinem Gesicht einen verletzlichen Zug verlieh.

»Ich dachte, du wüsstest Pünktlichkeit zu schätzen, Dad«, sagte er, hob beide Arme und ließ sie mit einer leicht hoffnungslosen Geste zurückfallen.

Sein Vater wandte sich an Izzy. »Gib ihm was zu tun.« Dann marschierte Chiswell hinaus.

Beschämt kehrte Robin an ihren Schreibtisch zurück. Keiner sprach, bis Chiswells Schritte verhallt waren, dann sagte Izzy: »Er hat gerade eine Menge Stress, Raff, Baby. Hat nichts mit dir zu tun, ehrlich, er rastet wegen jeder Kleinigkeit aus.«

»Entschuldigung«, stieß Robin an Raphael gewandt hervor. »Ich hab komplett überzogen reagiert.«

»Kein Problem«, antwortete er mit dem Akzent, den man sich an teuren Privatschulen zulegte. »Ich bin übrigens kein Sexualverbrecher, um das mal festzuhalten.«

Robin lachte nervös.

»Du bist das Patenkind, von dem ich nichts wusste? Mir erzählt ja niemand was. Venetia, richtig? Ich bin Raff.«

»Äh ... ja ... Hi.«

Sie gaben einander die Hand, dann setzte Robin sich und fing an, wenig sinnvoll Unterlagen zu sortieren. Sie spürte, dass ihr Gesicht immer noch gerötet war.

»Im Augenblick ist hier die Hölle los«, sagte Izzy, und Robin wusste, dass sie Raphael aus nicht ganz uneigennützigen Gründen davon zu überzeugen versuchte, ihr Vater sei als Chef umgänglicher, als es den ersten Anschein gehabt hatte. »Wir haben zu wenig Leute, die Olympiade steht bevor, TTS setzt Papa unter Druck ...«

»*Wer* setzt ihn unter Druck?«, erkundigte sich Raphael. Er ließ sich in den durchgesessenen Sessel fallen, lockerte die Krawatte und schlug die langen Beine übereinander.

»TTS«, wiederholte Izzy. »Schalt mal den Wasserkocher ein, Raff. Ich brauch dringend einen Kaffee. TTS ist ›Tinky the Second‹ – so nennen Fizzy und ich seine Kinvara.«

Die zahlreichen Spitznamen der Familie Chiswell hatte Robin sich bei Kaffeepausen im Büro von Izzy erklären lassen. Izzys ältere Schwester Sophia war »Fizzy«, während Sophias drei Kinder sich über die Spitznamen »Pringle«, »Flopsy« und »Pong« freuen durften.

»Und wieso ›Tinky the Second‹?«, fragte Raff, während er mit seinen langen Fingern das Glas Instantkaffee aufschraubte. Robin nahm jede seiner Bewegungen zur Kenntnis, auch wenn sie vorgab zu arbeiten. »Wer soll denn ›Tinky the First‹ gewesen sein?«

»Ach, komm, Raff, du musst doch von Tinky gehört haben«, sagte Izzy. »Diese grässliche australische Altenpflegerin, die Grampy in dritter Ehe geheiratet hat, als er schon senil war? Er hat fast sein ganzes Geld für sie ausgegeben. Der zweite senile Knacker, den sie geheiratet hat. Grampy hat ihr sogar ein Rennpferd gekauft – eins, das nie gesiegt hat – und einen Haufen scheußlichen Schmuck. Nach Grampys Tod hat Papa sie fast aus dem Haus klagen müssen. Zum Glück ist sie an Brustkrebs gestorben, bevor die Sache richtig teuer wurde.«

Ihre plötzliche Hartherzigkeit ließ Robin überrascht aufblicken.

»Wie trinkst du deinen, Venetia?«, fragte Raphael, der Kaffee in drei Becher löffelte.

»Mit Milch, ohne Zucker, bitte«, antwortete Robin. Nach ihrer Exkursion in Winns Büro hielt sie es für besser, eine Zeit lang nicht weiter aufzufallen.

»TTS hat Papa nur wegen der Kohle geheiratet«, fuhr Izzy

fort, »*und* sie ist pferdeverrückt wie Tinky. Weißt du, dass sie jetzt neun hat? Neun!«

»Neun was?«, fragte Raphael.

»Pferde«, sagte Izzy ungeduldig. »Unbeherrschbare, ungezogene, heißblütige Pferde, die sie verwöhnt und als Kinderersatz hält und für die sie alles Geld ausgibt! *Gott*, ich wünschte mir, Papa würde sie sitzen lassen«, fügte sie hinzu. »Reich mal die Keksdose rüber, Baby.«

Er tat wie geheißen. Robin spürte, dass er sie beobachtete, und verharrte im schützenden Kokon ihrer vorgeblichen Arbeit.

Das Telefon klingelte.

»Büro Jasper Chiswell«, sagte Izzy und versuchte unterdessen, einhändig die Keksdose zu öffnen. »Oh.« Sie klang unterkühlt. »Hi, Kinvara. Du hast Papa ganz knapp verpasst …«

Raphael, dem der Gesichtsausdruck seiner Halbschwester ein Grinsen entlockte, nahm ihr die Keksdose ab, öffnete sie und hielt sie Robin hin, die dankend den Kopf schüttelte. Aus dem Hörer drang ein unverständlicher Wortschwall.

»Nein … Nein, er ist weg … Er war nur hier, um Hallo zu Raff zu sagen …«

Die Stimme am anderen Ende der Leitung schien daraufhin noch lauter zu keifen.

»Er ist wieder im DCMS, hat um neun eine Besprechung«, teilte Izzy ihr mit. »Ich kann nicht … Nein, er ist sehr beschäftigt, weißt du, die Spiele und … Ja … Bye.«

Izzy knallte den Hörer auf und schlängelte sich aus ihrer Jacke.

»Die sollte mal wieder eine *Erholungskur* machen. Die vorige scheint nicht viel genützt zu haben.«

»Izzy hält Geisteskrankheiten für Humbug«, erklärte Raphael an Robin gewandt. Er sah sie weiter neugierig an.

»Natürlich nehme ich sie ernst, Raff«, sagte Izzy hörbar gekränkt. »Klar tue ich das! Sie hat mir leidgetan, als es passiert ist – *ehrlich*, Raff. Kinvara hatte vor zwei Jahren eine Totgeburt«, fügte sie erklärend hinzu, »und das war *natürlich* traurig, keine Frage, und es war nur verständlich, dass sie danach ein bisschen ... durcheinander war. Aber ... Nein, tut mir leid«, wandte sie sich aufgebracht an Raphael, »sie nutzt es aus. *Tut* sie, Raff! Sie bildet sich ein, sich deshalb alles rausnehmen zu können, und ... Na ja, sie wäre sowieso eine schlechte Mutter gewesen«, sagte Izzy trotzig. »Sie kann es nicht ertragen, wenn sie nicht im Mittelpunkt steht. Sobald sie nicht genügend Aufmerksamkeit bekommt, fängt sie an, das kleine Mädchen zu spielen: ›Lass mich nicht allein, Jasper, ich hab Angst, wenn du nachts nicht da bist.‹ Und sie erzählt Märchen ... komische Anrufe im Haus und Männer, die sich in den Beeten verstecken, die sich an den Pferden zu schaffen machen ...«

»Was?«, fragte Raphael halb lachend, doch weiter ließ sie ihn nicht sprechen.

»Himmel, jetzt hat Papa seine Besprechungsunterlagen vergessen!«

Sie kam hinter dem Schreibtisch hervor, schnappte sich die Ledermappe, die auf der Heizung gelegen hatte, und rief über die Schulter: »Raff, hör du inzwischen den Anrufbeantworter ab und schreib die Anrufe mit, okay?«

Die schwere Eichentür fiel hinter ihr ins Schloss, und Robin war mit Raphael allein. Während sie seine Anwesenheit ohnehin fast schon hypersensibel wahrgenommen hatte, als Izzy noch da gewesen war, schien er jetzt den gesamten Raum auszufüllen. Er hielt seine schwarzen Augen unverwandt auf sie gerichtet.

Er hat Ecstasy genommen und die Mutter eines vierjährigen Kindes totgefahren. Er hat kaum ein Drittel seiner Strafe abgesessen, und jetzt beschäftigt sein Vater ihn auf Kosten des Steuerzahlers.

»Wie mache ich das also?«, fragte Raphael und trat hinter Izzys Schreibtisch.

»Einfach auf Play drücken, nehm ich an«, murmelte Robin, nahm einen Schluck Kaffee und gab vor, sich auf einem Block Notizen zu machen.

Die aus dem winzigen Lautsprecher dringenden aufgezeichneten Nachrichten übertönten das leise Stimmengewirr von der Terrasse jenseits des Fensters mit Netzstores.

Ein Mann namens Rupert bat Izzy um Rückruf »wegen der Hauptversammlung«.

Eine Mrs. Ricketts beschwerte sich geschlagene zwei Minuten lang über den Verkehr auf der Banbury Road.

Eine aufgebrachte Frau beklagte sich missmutig, dass Abgeordnete doch persönlich erreichbar sein sollten, und doch habe sie gar nichts anderes als diesen Anrufbeantworter erwartet. Dann schimpfte sie, bis ihre Zeit um war, über ihren Nachbarn, der trotz mehrfacher Aufforderung durch die Gemeinde einen Baum einfach nicht zurückschnitt.

Als Nächstes erfüllte das fast theatralisch drohende Knurren eines Mannes das stille Büro: »*Angeblich pissen sie sich ein, wenn sie sterben, Chiswell, stimmt das? Vierzig Riesen, sonst frag ich mal, was die Zeitungen zahlen würden.*«

20

Wir beide haben uns getreulich zusammen durchgerungen.

HENRIK IBSEN, *ROSMERSHOLM*

Für seinen Informationsaustausch mit Robin am Mittwochabend hatte Strike wegen der Nähe zum Palace of Westminster das Two Chairmen gewählt. Der Pub stand halb versteckt am Übergang zweier jahrhundertealter Seitenstraßen – Old Queen Street und Cockpit Steps – inmitten einer Ansammlung zusammengewürfelter, malerisch behäbiger Gebäude, die teils quer zueinander standen. Erst als er über die Straße hinkte und das über dem Eingang hängende Metallschild sah, dämmerte es Strike, dass die »Two Chairmen«, nach denen der Pub benannt war, wider Erwarten keine Vorstandsvorsitzenden, sondern gewöhnliche Sänftenträger waren. So wund und müde, wie Strike war, erschien ihm das Bild sehr passend, auch wenn die Sänfte auf dem Pubschild mit einer eleganten Lady in Weiß besetzt war, nicht mit einem griesgrämigen, drahthaarigen Minister mit kurzem Geduldsfaden.

Die Bar war mit Leuten überfüllt, die sich nach der Arbeit auf einen Drink getroffen hatten, sodass Strike bereits fürchtete, er würde drinnen keinen Sitzplatz bekommen. Keine erfreuliche Aussicht, denn Beine, Rücken und Nacken waren nach der langen gestrigen Fahrt und den Stunden, die er heute an der Harley Street verbracht hatte, um Teflon-Doc zu observieren, steif und verspannt.

Strike hatte sich eben ein Glas London Pride geholt, als ein

Fenstertisch frei wurde. Mit einem notwendigen Spurt sicherte er sich die hohe Bank mit dem Rücken zur Straße, bevor die nächste Gruppe von Männern und Frauen in Anzügen und Kostümen sie annektieren konnte. Niemand kam auf die Idee, ihm das Recht streitig zu machen, allein an einem Vierertisch zu sitzen. Strike war groß und wirkte grimmig genug, um selbst die hiesige Beamtenschar an ihrer Fähigkeit zweifeln zu lassen, einen Verhandlungskompromiss zu erzielen.

Die Kneipe mit Holzboden war das, was Strike in Gedanken als »gehoben utilitaristisch« bezeichnete. Auf dem verblassten Wandgemälde an der Rückwand steckten Gentlemen mit Perücken die Köpfe zusammen, ansonsten dominierten lasiertes Holz und einfarbige Drucke. Er sah aus dem Fenster, konnte Robin aber nirgends entdecken, also trank er sein Bier, las Nachrichten auf seinem Handy und versuchte, die vor ihm liegende Speisekarte zu ignorieren.

Robin, die um sechs Uhr hätte kommen sollen, war um halb sieben noch immer nicht da. Strike, der dem Umschlagfoto der Speisekarte nicht länger widerstehen konnte, bestellte sich Fish and Chips und ein zweites Bier und las einen längeren *Times*-Artikel über die bevorstehende olympische Eröffnungszeremonie, der im Prinzip eine lange Aufzählung der Möglichkeiten war, wie sie nach Befürchtung des Journalisten das Land falsch darstellen und blamieren konnte.

Um Viertel vor sieben begann Strike, sich Sorgen um Robin zu machen. Er hatte eben beschlossen, sie anzurufen, als sie hereingestürmt kam: erhitzt, mit einer Brille, die sie seines Wissens nicht brauchte, und mit einem Ausdruck im Gesicht, in dem er die mühsam beherrschte Aufregung eines Menschen erkannte, der Wichtiges zu berichten hat.

»Haselnussbraune Augen«, konstatierte er, als sie ihm gegenüber Platz nahm. »Nicht übel. Verändert dein ganzes Aussehen. Was gibt's?«

»Woher weißt du, dass ich ... Also, tatsächlich jede Menge«, sagte sie, weil sie ihn nun wirklich nicht auf die Folter spannen musste. »Ich hätte dich am liebsten schon angerufen, aber ich hatte den ganzen Tag Leute um mich – und bin heute früh nur mit knapper Not davongekommen, als ich die Wanze angebracht habe.«

»Du hast es geschafft? Verdammt gut gemacht!«

»Danke. Augenblick noch, ich brauche jetzt wirklich einen Drink.«

Sie kam mit einem Glas Rotwein zurück und erzählte sofort von der Nachricht, die Raphael am Morgen auf dem Anrufbeantworter vorgefunden hatte.

»Ich hatte keine Chance, die Nummer des Anrufers herauszukriegen, weil danach noch weitere vier Nachrichten gekommen sind. Die Telefonanlage ist antiquiert.«

»Wie hat der Anrufer ›Chiswell‹ ausgesprochen«, hakte Strike stirnrunzelnd nach, »weißt du das noch?«

»Ja, richtig – *Chizzle*.«

»Würde zu Jimmy passen«, sagte Strike. »Wie ist's nach dem Anruf weitergegangen?«

»Raff hat Izzy davon erzählt, als sie zurückgekommen ist«, berichtete Robin, und Strike glaubte, eine leichte Verlegenheit zu hören, als sie »Raff« sagte. »Er wusste natürlich nicht, was er da weitergegeben hat. Izzy hat sofort ihren Dad angerufen, der einen Tobsuchtsanfall bekommen hat. Wir konnten ihn am anderen Ende schreien hören, haben aber nicht viel von dem verstanden, was er gebrüllt hat.«

Strike rieb sich nachdenklich das Kinn. »Wie hat der Anrufer geklungen?«

»Londoner Akzent«, sagte Robin. »Bedrohlich.«

»›Sie pissen sich ein, wenn sie sterben‹«, wiederholte Strike grimmig.

Es gab da etwas, was Robin ihm noch erzählen wollte, aber

eine brutale persönliche Erinnerung erschwerte es ihr, die richtigen Worte zu finden. »Würgeopfer ...«

»Yeah«, unterbrach Strike sie. »Ich weiß.«

Sie nahmen beide einen Schluck.

»Also, nehmen wir an, der Anrufer ist Jimmy gewesen«, fuhr Robin fort, »dann hat er heute alles in allem zweimal im Ministerium angerufen.«

Sie zog ihre Umhängetasche auf und gewährte Strike einen Blick auf die darin liegende Wanze.

»Du hast sie zurückgeholt?«, fragte er verblüfft.

»Und durch eine andere ersetzt«, sagte Robin und konnte ein triumphierendes Lächeln nicht unterdrücken. »Deshalb bin ich auch so spät gekommen. Die Gelegenheit war einfach zu günstig. Aamir, der bei Winn arbeitet, ist früher gegangen, und dann kam Geraint in unser Büro, um mit mir zu plaudern, als ich gerade zusammengepackt habe.«

»Plaudern wollte er, ja?«, fragte Strike amüsiert.

»Freut mich, dass du das komisch findest«, sagte Robin kühl. »Der Kerl ist widerlich!«

»Sorry«, sagte Strike. »In welcher Beziehung ist er widerlich?«

»Glaub mir einfach«, sagte Robin. »Diesen Typ kenne ich aus vielen Büros. Er ist ein Perverser und unheimlich obendrein. Stell dir vor, er hat mir erzählt« – vor Empörung lief ihr Gesicht rosig an –, »dass ich ihn an seine tote Tochter erinnere. Dann hat er mein Haar berührt.«

»Dein Haar berührt?«, fragte Strike, inzwischen alles andere als amüsiert.

»Hat mir eine Strähne von der Schulter gestrichen und sie sich durch die Finger gleiten lassen«, fuhr Robin fort. »Dann hat er gemerkt, was ich davon halte, und versucht, es als rein väterliche Geste hinzustellen. Ich hab nur gesagt, dass ich zur Toilette muss, ihn aber gebeten, noch zu bleiben, damit wir weiter über Wohltätigkeitsorganisationen reden können. Dann bin ich in sein Büro geflitzt und hab die Wanzen getauscht.«

»Verdammt gut gemacht, Robin!«

»Unterwegs hab ich mir die Aufnahme noch mal angehört«, sagte Robin und kramte Ohrhörer aus ihrer Umhängetasche, »und« – sie reichte die Ohrhörer an Strike weiter – »an der interessanten Stelle angehalten.«

Gehorsam schob sich Strike die Stöpsel in die Ohren, und Robin schaltete das Tonbandgerät in ihrer Tasche ein.

»... um halb fünf, Aamir.« Die walisische Stimme wurde durch Handyklingeln unterbrochen. Dann waren Schritte zu hören, das Klingeln verstummte, und Geraint sagte: »Oh, hallo, Jimmy ... Augenblick ... Machen Sie bitte die Tür zu, Aamir.« Weitere Schritte, das Knarren eines Stuhls. »Jimmy, ja?«

Darauf folgte ein längerer Zeitraum, in dem Geraint offenbar versuchte, eine immer heftigere Tirade zu stoppen.

»Brrr! Ganz ruhig ... Jimmy, hören ... Jimmy, *hören Sie mir zu!* Ich weiß, dass Ihr Vorhaben gescheitert ist, Jimmy. Ich verstehe, dass Sie verbittert sind ... Jimmy, *bitte!* Wir wissen, wie Ihnen zumute ist ... Das ist unfair, Jimmy, weder Della noch ich hatten reiche ... Mein Vater war Bergmann, Jimmy! Hören Sie mir jetzt bitte zu! *Wir sind kurz davor, die Bilder zu bekommen!*«

Im folgenden Abschnitt glaubte Strike, am anderen Ende ganz leise Jimmy Knights charakteristische Sprachmelodie zu hören.

»Ich verstehe, was Sie meinen«, sagte Geraint schließlich, »aber tun Sie bitte nichts Unbedachtes, Jimmy. Von ihm bekommen Sie keinen ... Hören Sie doch, Jimmy! Er gibt Ihnen das Geld nicht, das hat er nachdrücklich klargemacht. Jetzt gelten die Zeitungen oder nichts. Also ... Beweise, Jimmy! Beweise!«

Wieder unverständliches Gerede, diesmal jedoch kürzer.

»Ich hab's Ihnen eben gesagt, oder nicht? Ja ... Nein, aber das Außenministerium ... Na, wohl kaum ... Nein, Aamir kennt jemanden ... Ja ... Ja ... In Ordnung ... Mach ich, Jimmy. Gut ... ja, okay. Ja. Bye.« Ein Handy wurde beiseitegelegt, dann sprach wieder Geraint: »Der Dreckskerl!«

Anschließend waren erneut Schritte zu hören. Strike sah Robin an, die ihm mit einer kreisenden Fingerbewegung bedeutete, er möge weiter zuhören. Nach ungefähr einer halben Minute sprach Aamir, reserviert und nervös: »Geraint, Christopher hat in Bezug auf die Bilder nichts versprechen können.« Trotz der blechernen Tonbandaufnahme und obwohl Geraint mit Papieren raschelte, wirkte die Atmosphäre elektrisch geladen. »Geraint, haben Sie nicht ...«

»Ja, ich hab's gehört!«, blaffte Winn. »Großer Gott, Junge, Sie haben die LSE mit Auszeichnung absolviert und finden weder Mittel noch Wege, diesem Hundesohn die Fotos abzuluchsen? Ich verlange doch nicht, dass Sie die Originale aus dem Ministerium besorgen, ich will nur Kopien. Das übersteigt doch wohl nicht Ihre Fähigkeiten!«

»Ich will nicht noch mehr Probleme«, murmelte Aamir.

»Tja, ich hätte gedacht«, sagte Geraint, »dass Sie nach allem, was speziell Della für Sie getan hat ...«

»Und dafür bin ich auch dankbar«, fiel Aamir ihm ins Wort. »Das wissen Sie. Aber okay, ich ... ich werd's versuchen.«

Danach waren nur noch schlurfende Schritte und das Rascheln von Papier zu hören, bis ein Klicken ertönte. Das Gerät schaltete sich nach einer Minute Schweigen automatisch ab, um erst durch die nächste Stimme wieder aktiviert zu werden. Diesmal war es die eines anderen Mannes, der sich im Vorbeigehen erkundigte, ob Della an der nachmittäglichen Sitzung »des Unterausschusses« teilnehmen werde.

Strike nahm die Ohrstöpsel heraus.

»Hast du alles gehört?«, fragte Robin.

»Ich denke schon.«

Sie lehnte sich zurück und sah ihn erwartungsvoll an.

»Das Außenministerium«, sagte er ruhig. »Was zum Teufel kann er getan haben, von dem das *Außenministerium* Fotos hat?«

»Ich dachte, uns interessierte nicht, was er getan hat?«, fragte Robin mit hochgezogenen Augenbrauen.

»Ich hab nie behauptet, dass es mich nicht interessieren würde. Nur dass ich nicht dafür bezahlt werde, es herauszufinden.«

Strikes Fish and Chips wurden serviert. Er bedankte sich bei der Bedienung und kippte sich jede Menge Ketchup auf den Teller.

»Izzy hat ganz nüchtern darüber gesprochen, was immer es ist«, rief Robin ihm in Erinnerung. »Das hätte sie niemals gemacht, wenn er ... du weißt schon ... jemanden ermordet hätte.«

Das Wort »erwürgt« vermied sie wohlweislich. Drei Panikattacken binnen drei Tagen waren mehr als genug.

»Jedenfalls steht fest«, sagte Strike, der auf seinen Pommes herumkaute, »dass der anonyme Anruf dich ... Es sei denn«, unterbrach er sich selbst, »Jimmy ist auf die clevere Idee gekommen zu versuchen, Chiswell überdies in die Sache mit Billy hineinzuziehen. Ein Kindsmord braucht nicht wahr zu sein, um einem Minister zu schaden, auf den die Presse ohnehin schon Jagd macht. Du kennst das Internet. Für viele Leute dort draußen ist doch ein Tory gleichbedeutend mit einem Kindsmörder. Womöglich will Jimmy dadurch nur den Druck erhöhen.«

Verdrießlich spießte Strike ein paar Pommes mit der Gabel auf.

»Ich wüsste wirklich gern, wo Billy steckt. Wenn wir nur jemanden für seine Suche abstellen könnten! Barclay hat ihn nicht zu Gesicht bekommen und berichtet nur, dass Jimmy bisher keinen Bruder erwähnt hat.«

»Hat Billy am Telefon nicht behauptet, er werde gefangen gehalten?«

»Ich glaube ehrlich gesagt nicht, dass wir im Augenblick viel auf seine Aussagen geben sollten. Bei den Shiners hab ich mal einen Kerl gekannt, der während eines Manövers eine psychotische Episode bekam. Er dachte, unter seiner Haut lebten Kakerlaken.«

»Bei den …«

»Shiners. Füsiliere. Willst du ein paar Pommes?«

»Lieber nicht«, seufzte Robin, obwohl sie hungrig war. Matthew, den sie per SMS vorgewarnt hatte, dass sie spät heimkommen werde, wollte mit dem Essen auf sie warten. »Hör zu, ich hab dir noch nicht alles erzählt.«

»Suki Lewis?«, fragte Strike hoffnungsvoll.

»Nach der hab ich noch nicht fragen können. Nein, es geht darum, dass Chiswells Frau behauptet, es hätten sich Männer in ihren Blumenbeeten versteckt und sich an ihren Pferden zu schaffen gemacht.«

»Männer?«, wiederholte Strike. »Im Plural?«

»Hat Izzy gesagt – allerdings sagt sie auch, dass Kinvara hysterisch ist und immer nur Aufmerksamkeit erregen will.«

»Das wird allmählich ein Thema, was? Leute, die angeblich zu verrückt sind, um zu wissen, was sie gesehen haben.«

»Glaubst du, dass das wieder Jimmy gewesen sein könnte? In ihrem Garten?«

Strike dachte kauend darüber nach. »Ich sehe nicht, was er davon hätte, sich in ihrem Garten herumzutreiben oder sich an Pferden zu schaffen zu machen. Außer er wollte Chiswell einfach nur Angst einjagen. Ich frag mal Barclay, ob Jimmy ein Auto besitzt oder einen Ausflug nach Oxfordshire erwähnt hat. Hat Kinvara die Polizei angerufen?«

»Das hat Raff auch gefragt, als Izzy zurückgekommen ist«, sagte Robin, und Strike glaubte, wieder eine leichte Befangenheit zu hören, als sie seinen Namen aussprach. »Kinvara behauptet, die Hunde hätten angeschlagen. Und sie will im Garten den Schatten eines Mannes gesehen haben, der dann aber weggerannt ist. Morgens seien auf der Koppel Fußspuren zu sehen gewesen, und ein Tier sei mit einem Messer verletzt worden.«

»Hat sie den Tierarzt geholt?«

»Das weiß ich nicht. Mit Raff im Büro ist es schwieriger, Fragen zu stellen. Ich will nicht zu neugierig wirken, immerhin weiß er nicht, wer ich bin.«

Strike schob den leeren Teller von sich weg und tastete nach seinen Zigaretten.

»Bilder«, meinte er nachdenklich, um wieder zurück zum Punkt zu kommen. »Fotos im Außenministerium ... Was zum Teufel könnte da drauf sein, was Chiswell belastet? Er war doch nie im Außenministerium, oder?«

»Nein«, sagte Robin. »Sein höchstes Regierungsamt war Handelsminister. Damals musste er wegen seiner Affäre mit Raffs Mutter zurücktreten.«

Die hölzerne Uhr über dem Kamin sagte ihr, dass sie aufbrechen sollte. Trotzdem rührte sie sich nicht vom Fleck.

»Du magst Raff, was?«, fragte Strike.

»Wie bitte?« Robin fürchtete schon, sie könnte rot geworden sein. »Was meinst du mit ›mögen‹?«

»Nur so ein Eindruck«, sagte Strike. »Bevor du ihn kanntest, warst du nicht sonderlich gut auf ihn zu sprechen.«

»Soll ich ihn feindselig behandeln, wenn ich angeblich ein Patenkind seines Vaters bin?«, gab Robin zurück.

»Nein, natürlich nicht.«

Irgendwie hatte Robin das Gefühl, er amüsierte sich über sie, was sie ihm krummnahm.

»Ich muss gehen«, sagte sie knapp und wischte die Ohrhörer vom Tisch in ihre Umhängetasche. »Matt wartet mit dem Abendessen.« Dann stand sie auf, verabschiedete sich und ging.

Als Strike ihr nachsah, empfand er ein vages Bedauern darüber, dass er ihre veränderte Art, über Raphael zu sprechen, kommentiert hatte. Nachdem er schweigend sein Bier ausgetrunken hatte, zahlte er sein Essen und schlenderte auf den Gehweg hinaus. Dort zündete er sich eine Zigarette an und rief den Kulturminister an, der sich beim zweiten Klingeln meldete.

»Bleiben Sie kurz dran«, sagte Chiswell, dann hörte Strike im Hintergrund Stimmengewirr. »Hier ist's zu laut ...«

Eine schwere Tür fiel ins Schloss und dämpfte die Stimmen.

»Ich bin bei einem Dinner«, erklärte Chiswell. »Haben Sie was für mich?«

»Leider keine guten Nachrichten«, sagte Strike. Er lief die Queen Anne Street entlang, deren weiße Gebäude im Dunkel leuchteten. »Meiner Partnerin ist es heute Morgen gelungen, in Mr. Winns Büro ein Abhörmikrofon anzubringen. Wir haben ein Gespräch aufgezeichnet, das er mit Jimmy Knight geführt hat. Winns Assistent – Aamir, oder? – versucht anscheinend, an Kopien der Fotos zu kommen, von denen Sie mir erzählt haben. Und zwar im Außenministerium.«

Es herrschte so lange Schweigen, dass Strike sich schon fragte, ob die Verbindung unterbrochen war.

»Minist...«

»Ich bin noch dran«, knurrte Chiswell. »Dieser Kerl, dieser Mallik, ja? Dreckiger kleiner Bastard! *Dreckiger kleiner Bastard!* Der hat schon mal einen Job verloren. Soll er's nur versuchen! Glaubt der, dass ich nicht ... Ich weiß über diesen Aamir Mallik Bescheid. Oh ja!«

Strike wartete auf eine Erklärung für diesen Ausbruch, die jedoch ausblieb. Chiswell atmete nur schwer ins Telefon.

Dumpfe Laute verrieten Strike, dass er auf einem Teppich auf und ab tigerte.

»Haben Sie sonst noch was für mich?«, fragte der Minister nach einer Weile.

»Nur noch eine Sache«, sagte Strike. »Meine Partnerin sagt, dass Ihre Frau nachts einen Mann oder mehrere Männer auf Ihrem Besitz gesehen habe …«

»Ja, ich weiß.« Chiswell klang nicht sehr besorgt. »Sie hält Pferde und ist wahnsinnig auf deren Sicherheit bedacht.«

»Sie sehen also keinen Zusammenhang mit …«

»Nicht den geringsten, nicht den geringsten. Kinvara ist manchmal … Na ja, ehrlich gesagt kann sie verdammt hysterisch sein«, sagte Chiswell. »Hält sich diesen Haufen Pferde und hat ständig Angst, sie könnten gestohlen werden. Aber ich will nicht, dass Sie in Oxfordshire durch die Büsche kriechen. Meine Probleme liegen in London. War das alles?«

Als Strike bejahte, verabschiedete sich Chiswell und ließ ihn zur U-Bahn-Haltestelle St. James's Park weiterhumpeln.

Zehn Minuten später verschränkte Strike in der Ecke seines U-Bahn-Wagens die Arme vor der Brust, streckte die Beine aus und starrte blicklos das Fenster gegenüber an.

Diese Ermittlung war alles in allem höchst ungewöhnlich. Er hatte noch nie einen Erpressungsfall erlebt, in dem der Klient derart hartnäckig mauerte, was seine Verfehlung betraf – andererseits hatte er auch noch nie einen Minister als Klienten gehabt. Und es kam auch nicht jeden Tag vor, dass ein psychotischer junger Mann in Strikes Büro stürmte und behauptete, er sei Zeuge eines Kindsmords gewesen. Seit die Presse über ihn berichtete, hatte Strike viele ungewöhnliche Mitteilungen von gestörten Leuten erhalten, und obwohl Robin manchmal dagegen protestierte, war aus ihrer »Spinnerschublade« ein ganzer Karteischrank geworden.

Strike war immer noch nicht klar, wie das erwürgte Kind

und Chiswells Erpressung zusammenhingen, obwohl die Verbindung sich auf den ersten Blick aufzudrängen schien: Immerhin waren Jimmy und Billy Brüder. Nun schien aber jemand (und seit Strike den Mitschnitt des Telefonats gehört hatte, tippte er auf Jimmy Knight) beschlossen zu haben, Chiswell die Billy-Geschichte anhängen zu wollen, obwohl der Grund für die Erpressung, die Chiswell zu Strike geführt hatte, unmöglich ein Kindsmord gewesen sein konnte, weil Geraint Winn da zur Polizei gegangen wäre. Wie eine Zungenspitze, die zwei Geschwüre erkundet, kehrten Strikes Gedanken immer wieder zu den Brüdern Knight zurück: Jimmy – charismatisch, redegewandt, nach Ganovenart gut aussehend, ein Zocker und Heißsporn; Billy hingegen – gequält, ungewaschen, zweifellos krank und von einer Erinnerung verfolgt, die durch die Tatsache, dass sie womöglich falsch war, nicht weniger schrecklich wurde.

Sie pissen sich ein, wenn sie sterben.

Aber wer? Strike glaubte wieder, Billy Knights Stimme zu hören.

Sie haben sie in einer rosa Decke vergraben, unten in der Mulde beim Haus von meinem Dad. Und danach haben sie gesagt, es wär ein Junge gewesen ...

Sein Klient hatte ihn zuvor ausdrücklich angewiesen, seine Ermittlungen auf London zu beschränken, statt Oxfordshire miteinzubeziehen.

Noch während Strike den Namen der Haltestelle las, in die sie eben einfuhren, erinnerte er sich wieder an Robins Befangenheit, als sie über Chiswells Sohn Raphael gesprochen hatte. Gähnend zog er sein Handy aus der Tasche und googelte den jüngsten Spross seines Klienten, von dem es zahlreiche Fotos gab, die ihn auf der Treppe vor dem Gerichtsgebäude zeigten, in dem er sich wegen fahrlässiger Tötung hatte verantworten müssen.

Je länger Strike die Bilder von Raphael betrachtete, umso größer wurde die Antipathie gegen den jungen Schönling. Ganz unabhängig von der Tatsache, dass Chiswells Sohn eher aussah wie ein italienisches Model als wie ein Brite, führten die Fotos dazu, dass in Strikes Brust latente Ressentiments zusehends glühten, die auf Klassenbewusstsein und persönlichen Verletzungen basierten. Raphael war der gleiche Typ wie Jago Ross, den Charlotte nach ihrer Trennung von Strike geheiratet hatte: Oberschicht, teuer gekleidet und gut ausgebildet, bei Kavaliersdelikten nachsichtiger beurteilt, weil sie sich die besten Anwälte leisten konnten und den Söhnen der Richter ähnelten, die über ihr Schicksal entschieden.

Als die U-Bahn wieder anfuhr, steckte Strike, der hier kein Netz mehr hatte, sein Handy wieder weg, verschränkte die Arme, starrte wie zuvor blicklos das gegenüberliegende Fenster an und versuchte, einen unangenehmen Gedanken beiseitezuschieben, der sich ihm aufdrängte wie ein Hund, der Futter verlangte und sich nicht länger ignorieren ließ.

Wie ihm erst jetzt klar wurde, hatte er sich nie vorgestellt, Robin könnte sich für einen anderen Mann außer Matthew interessieren – mal abgesehen von jenem Augenblick, da er sie bei ihrer Hochzeit auf der Treppe in den Armen gehalten hatte, als sie kurz …

Zornig auf sich selbst, beförderte er diesen unnützen Gedanken mit einem Tritt zur Seite und konzentrierte seinen abschweifenden Verstand wieder auf den seltsamen Fall eines Ministers, verletzter Pferde und einer Leiche, die, in eine rosa Decke gewickelt, in einer Mulde begraben lag.

21

… dass man hier im Haus hinter Deinem Rücken ein falsches Spiel treibt nach irgendeiner Richtung.

HENRIK IBSEN, *ROSMERSHOLM*

»Wieso bist du so beschäftigt, und ich hab null Komma nichts zu tun?«, fragte Raphael Robin am späten Freitagmorgen.

Sie war eben zurückgekommen, nachdem sie Geraint Winn auf seinem Weg nach Portcullis House beschattet hatte. Aus der Ferne hatte sie gesehen, wie das höfliche Lächeln der vielen jungen Frauen, die er grüßte, sich in Abscheu verwandelt hatte, sobald er an ihnen vorbei gewesen war. Erst als Geraint einen Konferenzraum im Erdgeschoss betreten hatte, war Robin in Izzys Büro zurückgekehrt. Als sie sich Winns Büro näherte, hatte sie gehofft, hineinschlüpfen und die zweite Wanze mitnehmen zu können, aber ein Blick durch die offene Tür – dort hatte Aamir an seinem Computer gesessen.

»Raff, ich gebe dir gleich was zu tun, Baby«, murmelte Izzy, die hektisch ihre Tastatur bearbeitete. »Ich muss nur erst diesen Brief fertig schreiben, der geht an die Vorsitzende eines Ortsverbands … und Papa kommt in fünf Minuten, um ihn zu unterschreiben.«

Sie sah flüchtig zu ihrem Bruder auf, der im Sessel fläzte: die langen Beine ausgestreckt, die Ärmel hochgekrempelt, die Krawatte gelockert, an seinem umgehängten Besucherausweis nestelnd.

»Willst du nicht auf der Terrasse einen Kaffee trinken?«,

schlug Izzy vor. Robin ahnte, dass sie ihn aus dem Weg haben wollte, wenn Chiswell aufkreuzte.

»Kommst du mit auf einen Kaffee, Venetia?«, fragte Raphael.

»Kann nicht«, sagte Robin. »Hab zu tun.«

Der Ventilator auf Izzys Schreibtisch drehte sich in ihre Richtung, und sie genoss einige Sekunden lang die kühle Brise. Durch die Netzstores vor dem Fenster sah der herrliche Junitag grau aus. Auf der Terrasse jenseits der Scheibe wirkten die bloß teils sichtbaren Parlamentarier wie schimmernde Gespenster. In dem vollgestellten Büro war es stickig. Obwohl Robin ein Baumwollkleid trug und ihr Haar zu einem Pferdeschwanz zusammengefasst hatte, musste sie immer wieder die Oberlippe mit dem Handrücken abtupfen, während sie vorgab zu arbeiten.

Wie sie zu Strike gesagt hatte, war Raphael im Büro ein Handicap. Als sie noch mit Izzy allein gewesen war, hatte sie keine Ausreden erfinden müssen, um draußen auf dem Flur herumspionieren zu können. Raphael indes behielt sie im Blick – wenn auch völlig anders als Geraint mit seinem lüsternen Von-Kopf-bis-Fuß-Gaffen. Obwohl sie Raphael nach wie vor missbilligte, war sie manchmal gefährlich nahe daran, Mitleid für ihn zu empfinden. Sein Vater schien ihn zu nerven, und außerdem ... Ja, *jeder* hätte ihn für gut aussehend gehalten, und allein schon aus diesem Grund sah sie ihn möglichst selten an. Nur so konnte sie einigermaßen objektiv bleiben.

Raphael versuchte, eine engere Beziehung zu ihr aufzubauen, wogegen Robin sich nach Kräften wehrte. Erst gestern hatte er sie dabei gestört, als sie sich vor Winns Büro herumgedrückt und angestrengt versucht hatte, Aamir zu belauschen, der am Telefon über eine »Überprüfung« gesprochen hatte. Aus den wenigen Details, die sie noch mitbekommen hatte, schloss Robin, dass es um *The Level Playing Field* gegangen war.

»Aber es ist keine *routinemäßige* Überprüfung?«, hatte Aamir besorgt gefragt. »Sie findet außer der Reihe statt? Ich dachte, das wäre eine Routinesache ... Aber Mr. Winn war der Ansicht, sein Schreiben an die Aufsichtsbehörde habe alle Bedenken ausgeräumt.«

Robin durfte keine Gelegenheit verstreichen lassen, ihn zu belauschen, auch wenn sie wusste, dass ihre Lage gefährlich war. Nur hatte sie nicht damit gerechnet, von Raphael statt von Winn beim Schnüffeln ertappt zu werden.

»Was machst du denn hier? Was treibst du dich hier draußen herum?«, hatte er lachend gefragt.

Robin war hastig weitergegangen, aber sie hatte gehört, wie Aamirs Tür hinter ihr zugeknallt worden war, und vermutet, dass er in Zukunft darauf Acht geben würde, dass sie geschlossen bliebe.

»Bist du immer so nervös, oder liegt es an mir?« Raphael war ihr gefolgt. »Komm doch mit auf einen Kaffee, mach schon, mir ist einfach langweilig.«

Robin hatte brüsk abgelehnt, aber selbst als sie wieder die Vielbeschäftigte spielte, musste sie sich eingestehen, dass ein Teil von ihr – ein *winziger* Teil – seine Aufmerksamkeit schmeichelhaft fand.

Als es an der Tür klopfte, war Robin überrascht, dass Aamir mit einer Namensliste in der Hand hereinkam. Leicht nervös, aber entschlossen wandte er sich an Izzy.

»Ja, äh, hi. Geraint möchte, dass die Vorstandsmitglieder von *The Level Playing Field* zum Paralympics-Empfang am zwölften Juli eingeladen werden.«

»Mit dem Empfang hab ich nichts zu tun«, fauchte Izzy. »Den organisiert das DCMS, nicht ich. *Wieso*«, fragte sie aufgebracht und tupfte sich die schweißnasse Stirn, »kommen eigentlich alle immer zu *mir?*«

»Geraint hat versprochen, dafür zu sorgen, dass sie eingeladen werden«, sagte Aamir. Die Namensliste in seiner Hand zitterte.

Robin fragte sich schon, ob sie es riskieren sollte, sich augenblicklich in Aamirs leeres Büro zu schleichen und die Wanzen auszutauschen. Sie stand leise auf und versuchte, nicht aufzufallen.

»Warum fragt er nicht Della?«, schlug Izzy vor.

»Della hat zu tun. Es sind außerdem nur acht Leute«, erklärte Aamir. »Er muss ...«

»*Dies ist der Tochter der Notwendigkeit, der jungfräulichen Lachesis, Rede!*«

Die dröhnende Stimme des Kulturministers eilte ihm voraus, und im nächsten Moment stand er in seinem verknitterten Anzug auch schon in der Tür und blockierte damit Robins Weg hinaus auf den Flur. Unauffällig setzte sie sich wieder hin, während Aamir sich gegen irgendetwas zu wappnen schien.

»Wissen Sie, wer Lachesis war, Mr. Mallik?«

»Leider nicht«, erwiderte Aamir.

»Nein? Kein Unterricht in griechischer Mythologie am Gymnasium Harringay? Raff, du scheinst gerade Zeit zu haben. Klär Mr. Mallik über Lachesis auf.«

»Die kenn ich auch nicht«, sagte Raphael und sah durch seine dichten schwarzen Wimpern zu seinem Vater auf.

»Stellst dich dumm, was? Lachesis«, sagte Chiswell, »war eine der Moiren. Ihre Aufgabe war es, die Länge des Lebensfadens der Menschen zu bemessen. Sie wusste, wann jeder fällig war. Kein Fan von Plato, Mr. Mallik? Catull liegt Ihnen mehr, vermute ich. Der hat ein paar schöne Gedichte über Männer mit Ihren Vorlieben geschrieben. *Pedicabo ego vos et irrumabo, Aureli pathice et cinaede Furi*, was? Carmen 16, lesen Sie's nach, es wird Ihnen gefallen.«

Raphael und Izzy starrten ihren Vater an. Aamir stand ein paar Sekunden lang da, als hätte er vergessen, weshalb er gekommen war. Dann stakste er hinaus.

»Ein bisschen klassische Bildung für jedermann«, sagte Chiswell, drehte sich um und sah Aamir mit boshafter Befriedigung nach. »Man ist nie zu alt, etwas zu lernen, nicht wahr, Raff?«

Robins Handy vibrierte vor ihr auf dem Schreibtisch. Strike und sie hatten vereinbart, Kontakte während der Bürozeit auf das Allerdringendste zu beschränken. Sie steckte das Mobiltelefon in ihre Umhängetasche.

»Wo sind denn jetzt die Briefe, die ich unterschreiben soll?«, fragte Chiswell seine Tochter. »Ist das Schreiben an Brenda Bloody Bailey fertig?«

»Kommt schon aus dem Drucker«, sagte Izzy.

Während Chiswell seine Unterschrift unter einen Stapel Briefe kritzelte und dabei in dem ansonsten stillen Raum wie eine Bulldogge schnaufte, murmelte Robin, sie müsse kurz fort, und hastete auf den Korridor hinaus.

Weil sie Strikes Nachricht ungestört lesen wollte, folgte sie dem hölzernen Wegweiser zur Krypta, stieg eine schmale Steintreppe hinunter und fand an ihrem Fuß eine menschenleere Kapelle.

Die Krypta war wie eine mittelalterliche Schatztruhe ausgeschmückt, sodass jeder Quadratzentimeter ihrer goldenen Wände mit heraldischen und religiösen Motiven und Symbolen bedeckt war. Über dem Altar hingen wie Juwelen glänzende Heiligenbilder, und die himmelblauen Orgelpfeifen waren mit Goldbändern und scharlachroten heraldischen Lilien umwunden. Robin setzte sich auf eine mit rotem Samt bezogene Kirchenbank und öffnete Strikes Nachricht.

> Tu mir bitte einen Gefallen: Barclay war jetzt 10 Tage lang an Jimmy Knight dran, hat aber gerade erfahren, dass seine Frau übers Wochenende arbeiten muss & findet niemanden, der das Baby versorgt. Andy fliegt heute Abend mitsamt Familie für eine Woche nach Alicante. Ich kann Jimmy nicht beschatten, weil er mich

kennt. CORE marschiert morgen bei einer Anti-Raketen-Demo mit. Beginn 10 Uhr in Bow. Kannst du das übernehmen?

Robin studierte die Nachricht sekundenlang. Dann seufzte sie so laut, dass es durch die Krypta hallte.

Es war das erste Mal seit über einem Jahr, dass Strike sie so kurzfristig bat, Überstunden zu machen – allerdings war dies ausgerechnet ihr Hochzeitstagswochenende. Das teure Hotel war gebucht, die gepackten Koffer lagen bereits im Auto. In ein paar Stunden würde sie sich nach Büroschluss mit Matthew treffen und direkt zum Manoir aux Quat'Saisons fahren. Matthew wäre stinksauer, wenn sie ihm jetzt mitteilte, sie könne nicht mitkommen.

In der goldenen Stille der Krypta erinnerte sie sich wieder daran, was Strike mal gesagt hatte, als er sich bereit erklärt hatte, sie zur Detektivin auszubilden: *Ich brauche jemanden, der auch mal Überstunden machen kann. Der kein Problem damit hat, am Wochenende zu arbeiten ... Sie haben ein Talent für diese Arbeit, keine Frage. Aber Sie werden jemanden heiraten, der diese Arbeit hasst ...*

Sie hatte ihm versichert, was Matthew denke, spiele keine Rolle, sie bestimme selbst, was sie tue.

Wem wollte sie jetzt die Treue halten? Sie hatte versprochen, in ihrer Ehe zu bleiben, ihr eine zweite Chance zu geben. Strike hatte schon viele unbezahlte Überstunden von ihr bekommen. Er konnte ihr nicht vorwerfen, sie sei arbeitsscheu.

Langsam tippte sie ihre Antwort, löschte einzelne Wörter, ersetzte andere, dachte über jede Silbe nach.

Tut mir echt leid, aber am Wochenende ist mein Hochzeitstag. Wir haben ein Hotel gebucht, fahren heute Abend hin.

Sie hätte gern mehr geschrieben, aber was hätte es noch zu sagen gegeben? »In meiner Ehe kriselt es, deshalb ist es wichtig, dass ich den Jahrestag feiere«? »Ich würde tausendmal lieber als Demonstrantin getarnt Jimmy Knight beschatten«? Sie drückte auf Senden.

Während Robin auf Strikes Antwort wartete – wobei sie sich vorkam, als würde sie gleich das Ergebnis medizinischer Tests erfahren –, folgte ihr Blick dem Rankengeflecht, das die Decke überzog. Aus dem Stuck spähten seltsame Gesichter wie die des mythischen Grünen Mannes auf sie herab. Diese Kapelle war mehr als nur ein kleines Gotteshaus. Sie reichte in ein Zeitalter von Aberglauben, Zauberei und feudaler Macht zurück.

Minuten verstrichen, aber Strike hatte noch immer nicht geantwortet. Kurzerhand machte Robin einen kleinen Rundgang durch die Kapelle. Sie öffnete ein Schränkchen an der rückwärtigen Wand. Hinter der Klappe verbarg sich eine Plakette zur Erinnerung an die Suffragette Emily Davison. Offenbar hatte sie hier einmal übernachtet, um bei der Volkszählung im Jahr 1911 – sieben Jahre vor der Einführung des Frauenwahlrechts – das Unterhaus als ihre Adresse angeben zu können. Emily Davison, das war leider zu vermuten, wäre mit Robins Entscheidung, ihre bröckelnde Ehe über die Freiheit zu stellen, arbeiten gehen zu dürfen, alles andere als einverstanden gewesen.

Robins Handy vibrierte erneut. Sie zögerte kurz, aufs Display zu sehen, weil sie sich davor fürchtete, was darauf stehen würde. Strikes Antwort bestand aus zwei Buchstaben:

OK.

Ein Bleigewicht schien ihr aus der Brust in den Magen zu rutschen. Wie sie nur zu gut wusste, lebte Strike nach wie vor in seiner beengten kleinen Wohnung über dem Büro und arbeitete auch an Wochenenden. Weil er in der Detektei der einzige

Unverheiratete war, war die Grenze zwischen Berufs- und Privatleben für ihn zwar nicht gänzlich nicht existent, aber zumindest durchlässig und flexibel, was bei Barclay, Hutchins und ihr nicht der Fall war. Das Schlimmste daran war, dass Robin nicht einfiel, wie sie Strike wissen lassen könnte, dass es ihr leidtat, dass sie ihn verstand und sich wünschte, die Dinge stünden anders, ohne sie beide an jene Umarmung auf der Treppe bei ihrer Hochzeit zu erinnern, die nun schon so lang nicht mehr erwähnt worden war, dass sie sich fragte, ob er sich überhaupt noch daran erinnerte.

Sie fühlte sich hundeelend, als sie mit den Papieren, die sie angeblich jemandem hatte bringen wollen, wieder die schmale Steintreppe hinaufstieg.

Raphael war bei ihrer Rückkehr allein im Büro. Er saß an Izzys Computer und tippte – in ungefähr einem Drittel ihres Tempos.

»Izzy ist mit Dad unterwegs, um irgendwas so Langweiliges zu tun, dass es einfach von meinem Gehirn abgeprallt ist«, sagte er. »Sie kommen aber gleich wieder.«

Robin rang sich ein Lächeln ab und setzte sich – in Gedanken noch immer bei Strike – an ihren Schreibtisch.

»Schon ein bisschen seltsam, dieses Gedicht, oder?«

»Was? Oh ... Oh, das lateinische Zitat? Ja«, sagte Robin. »Ja, das war es.«

»Als hätte er's auswendig gelernt, um es gegen Mallik zu verwenden. So was hat doch sonst niemand parat.«

»Kann er Mallik nicht leiden, oder was?«

»Keine Ahnung«, sagte Raphael.

Weil sie nichts Nützliches zu tun hatte, sortierte sie wieder die Papiere auf ihrem Schreibtisch.

»Wie lang bleibst du eigentlich, Venetia?«

»Das steht noch nicht fest. Bis zur Sommerpause, nehme ich an.«

»Du willst im Ernst hier arbeiten? Langfristig?«

»Ja«, sagte sie. »Ich find's interessant.«

»Was hast du denn bisher gemacht?«

»PR«, sagte Robin. »Das hat Spaß gemacht, aber ich wollte mal was anderes machen.«

»Dir einen Abgeordneten angeln?«, fragte er und grinste.

»Es wäre mir noch keiner begegnet, den ich heiraten wollte«, erwiderte Robin.

»Autsch«, sagte Raphael und seufzte theatralisch.

Robin, die fürchtete, errötet zu sein, zog zur Tarnung die untere Schublade ihres Schreibtischs auf und kramte darin herum.

»Und hat Venetia Hall einen festen Freund?«, hakte er nach, als sie sich wieder aufrichtete.

»Ja. Er heißt Tim. Wir sind seit einem Jahr zusammen.«

»Ach? Und was macht Tim beruflich?«

»Er arbeitet bei Christie's«, antwortete Robin.

Auf die Idee hatten sie die Männer gebracht, mit denen Sarah Shadlock im Red Lion aufgekreuzt war: gebildete, tadellos gekleidete Privatschultypen, mit denen Chiswells Patenkind sich vermutlich umgeben hätte.

»Und was ist mit dir?«, fragte Robin. »Izzy hat erzählt, dass du ...«

»In der Galerie?«, fiel Raphael ihr ins Wort. »Das hatte nichts zu bedeuten. Die war zu jung für mich. Außerdem haben ihre Eltern sie sofort nach Florenz geschickt.«

Er hatte sich ihr mittlerweile ganz zugewandt und sah sie ernst und forschend an, als interessierte ihn etwas, was bei einer gewöhnlichen Unterhaltung nicht zu erfahren gewesen wäre. Robin sah als Erste weg. Ein derart intensiver Blickkontakt wäre mit ihrer Rolle als zufriedene Freundin des imaginären Tim nicht vereinbar gewesen.

»Glaubst du an Erlösung?«

Für Robin kam diese Frage völlig überraschend. Sie erschien

ihr bedeutungsschwer und alles überstrahlend wie das Juwel am Fuß der schmalen Steintreppe einer Kapelle.

»Ich ... Ja«, antwortete sie.

Er hatte einen Bleistift von Izzys Schreibtisch zur Hand genommen. Seine langen Finger spielten damit, während er Robin nach wie vor prüfend musterte, als versuchte er, sie einzuschätzen.

»Du weißt, was ich gemacht habe? Mit dem Auto?«

»Ja«, antwortete sie.

Das Schweigen, das sich zwischen Robin und ihm breitmachte, schien von blinkenden Lichtern und schemenhaften Gestalten bevölkert zu sein. Sie stellte sich Raphael mit einer blutenden Platzwunde am Kopf vor – und die leblose Gestalt der jungen Mutter auf dem Asphalt, die Streifenwagen, das Absperrband, die Gaffer in vorbeifahrenden Autos. Er sah sie gespannt an, schien auf eine Art Absolution zu hoffen, als wäre ihm ihre Vergebung wichtig. Und sie wusste, dass die Freundlichkeit eines flüchtigen Bekannten, ja sogar eines Fremden manchmal tröstlich sein konnte, weil man sich daran klammern konnte, während die eigenen Angehörigen einen mit wohlmeinenden Hilfsangeboten nur in die Tiefe zogen. Sie musste an den ältlichen Steward aus der Members' Lobby denken, der zwar leicht ratlos, aber unendlich tröstlich gewesen und dessen heisere, freundliche Stimme ihr Ariadnefaden gewesen war, an dem sie in die Realität zurückgefunden hatte.

Die Tür ging wieder auf, und Robin und Raphael zuckten zusammen. Eine üppige Rothaarige mit einem umgehängten Besucherausweis kam herein. Robin erkannte sie von den Internetfotos wieder: Es war Kinvara, Jasper Chiswells Frau.

»Hallo«, sagte Robin, als Kinvara ausdruckslos Raphael anstarrte, der sich hastig zu seinem Computer umgedreht und wieder zu tippen begonnen hatte.

»Sie müssen Venetia sein«, sagte Kinvara und ließ den klaren goldenen Blick zu Robin wandern. Sie hatte eine mädchenhaft hohe Stimme und Katzenaugen in ihrem leicht aufgedunsenen Gesicht. »Was sind Sie hübsch! Kein Mensch hat mir erzählt, dass Sie so hübsch sind.«

Robin hatte keine Ahnung, wie sie darauf reagieren sollte. Kinvara ließ sich in den abgenutzten Sessel fallen, in dem sonst Raff saß, nahm die Designersonnenbrille ab, die ihr das lange rote Haar aus dem Gesicht gehalten hatte, und schüttelte es aus. Ihre bloßen Arme und Beine waren sommersprossig. Die oberen Knöpfe ihres ärmellosen Hemdkleids hatten Mühe, den Stoff zusammenzuhalten, der sich über ihrem ausladenden Busen spannte.

»*Wessen* Tochter sind Sie gleich wieder?«, wollte Kinvara wissen. »Das hat Jasper mir nicht erzählt. Er sagt mir nie etwas, was er mir nicht dringend erzählen *muss*, aber das bin ich inzwischen gewöhnt. Er hat nur erwähnt, dass Sie sein Patenkind sind.«

Niemand hatte Robin gewarnt, dass Kinvara nicht wusste, wer sie in Wirklichkeit war. Vielleicht hatten Izzy und Chiswell angenommen, sie würden einander niemals begegnen.

»Ich bin Jonathan Halls Tochter«, sagte Robin nervös. Sie hatte sich eine knappe Legende für Venetia, das Patenkind, zurechtgelegt, aber nicht damit gerechnet, sie für Kinvara ausschmücken zu müssen, die Chiswells Freunde und Bekannte unter Garantie kannte.

»Und wer ist das?«, fragte Kinvara prompt. »Ich müsste es vermutlich wissen. Jasper wird stinksauer sein, dass ich wieder mal nicht aufgepasst hab ...«

»Er ist Landmanager oben in ...«

»Ah, auf dem Besitz in Northumberland?«, unterbrach Kinvara sie. Ihr Interesse schien nicht sonderlich groß zu sein. »Das war vor meiner Zeit.«

Gott sei Dank, dachte Robin.

Kinvara schlug die Beine übereinander und verschränkte die Arme vor ihrem vollen Busen. Ihr linker Fuß wippte auf und ab. Sie warf Raphael einen scharfen, fast boshaften Blick zu.

»Willst du nicht Hallo sagen, Raphael?«

»Hallo.«

»Jasper wollte sich hier mit mir treffen, aber wenn ich lieber auf dem Flur warten soll, musst du es nur sagen.«

»Natürlich nicht«, murmelte Raphael und starrte weiter mit gerunzelter Stirn auf seinen Monitor.

»Tja, ich will natürlich nicht stören«, sagte Kinvara mit ihrer hohen, gepressten Stimme und sah von Raphael zu Robin, die prompt wieder an die Blondine auf der Toilette der Galerie denken musste. Zum zweiten Mal gab sie vor, etwas in ihrer Schublade zu suchen, und war erleichtert, als Chiswell und Izzy auf dem Korridor zu hören waren.

»... und bis zehn Uhr, nicht später. Sonst kann ich das verfluchte Ding nicht mehr ganz lesen. Und sag Haines, dass *er* mit der BBC reden muss. Ich hab keine Zeit, mit einem Haufen verdammter Idioten über Inklu... Kinvara!« Chiswell machte auf der Schwelle halt und sagte ohne jede Spur von Zuneigung in der Stimme: »Ich hab dir doch gesagt, dass wir uns im DCMS treffen und nicht hier.«

»Und genauso schön, Jasper, dich nach drei Tagen wiederzusehen«, sagte Kinvara, stand auf und strich ihr Kleid glatt.

»Hi, Kinvara«, murmelte Izzy.

»Ich hab glatt vergessen, dass du DCMS gesagt hast«, erklärte Kinvara ihrem Mann, ohne ihre Stieftochter auch nur eines Blickes zu würdigen. »Ich hab den ganzen Vormittag versucht, dich am Telefon zu erreichen ...«

»Ich hab dir doch gesagt«, knurrte Chiswell, »dass ich bis ein Uhr Besprechungen habe, und wenn's wieder um diese verdammten Decktaxen geht ...«

»Nein, heute geht es nicht um Decktaxen, Jasper. Ich hätte

dich eigentlich lieber unter vier Augen gesprochen, aber wenn ich's vor deinen Kindern sagen soll, dann bitte schön ...«

»Herrgott noch mal!«, blaffte Chiswell sie an. »Los, komm mit. Wir suchen uns ein freies Zimmer.«

»Letzte Nacht war ein Mann da«, sagte Kinvara, »der ... *Guck mich nicht so an, Isabella!*«

Tatsächlich verriet Izzys Gesichtsausdruck die blanke Skepsis. Sie zog die Augenbrauen hoch und trat nun endlich über die Schwelle, als wäre Kinvara für sie unsichtbar geworden.

»Ich hab doch gesagt, dass du's mir unter vier Augen erzählen kannst«, knurrte Chiswell, doch Kinvara ließ sich nicht mehr den Mund verbieten.

»Letzte Nacht hab ich im Wald hinter dem Haus einen Mann gesehen, Jasper«, sagte sie mit lauter, hoher Stimme, die über den ganzen Flur hallen würde, wie Robin wusste. »Und ich bilde mir das *nicht* ein – unter den Bäumen war ein Mann mit einem Spaten, ich hab ihn gesehen, und er ist weggelaufen, als ich die Hunde losgemacht hab. Du sagst immer, ich soll keinen Wirbel machen, aber ich bin nachts allein zu Hause, und wenn *du* in der Sache nichts unternehmen willst, Jasper, dann rufe *ich* eben die Polizei.«

22

... könntest Du Dich nicht, um der guten Sache willen, dazu entschließen, sie zu übernehmen?

HENRIK IBSEN, *ROSMERSHOLM*

Strike hatte verdammt schlechte Laune.

Scheiße, dachte er, als er am folgenden Morgen in Richtung Mile End Park hinkte, warum musste ausgerechnet *er* als Gründer und Seniorpartner der Firma an einem so heißen Samstagvormittag einen Protestmarsch beobachten, obwohl er drei Angestellte und ein kaputtes Bein hatte? Weil, antwortete er sich selbst, er kein Baby hatte, das betreut werden wollte, und keine Frau, die sich das Handgelenk gebrochen oder Flugtickets gebucht oder ein gottverdammtes Hochzeitstagswochenende geplant hatte. *Er* war ledig, und deshalb war es *seine* Freizeit, die geopfert werden musste, *sein* Wochenende, das zu zwei gewöhnlichen Arbeitstagen wurde.

Was immer Robin gefürchtet hatte, dass Strike von ihr denken würde, dachte er wirklich: Er verglich ihr Haus in der gepflasterten Albury Street mit seinen zugigen zwei Zimmern auf einem umgebauten Dachboden; er stellte die Rechte und den Status, den ihr der schmale Goldring an ihrem Finger gewährte, Loreleis Enttäuschung gegenüber, als er ihr erklärt hatte, Mittag- und Abendessen würden ausfallen müssen; er maß Robins Beteuerungen, sie würden sich die Lasten teilen, an der Realität und daran, wie eilig sie es gehabt hatte, nach Hause zu ihrem Mann zu kommen.

Ja, Robin hatte in ihren zwei Jahren in der Detektei eine Menge unbezahlter Überstunden gemacht. Ja, er wusste, dass sie seinetwegen weit mehr als nur ihre Pflicht getan hatte. Ja, er war ihr theoretisch verdammt dankbar dafür. Trotzdem blieb es eine Tatsache, dass sie ausgerechnet heute, während er zu einer voraussichtlich erfolglosen stundenlangen Überwachung humpelte, mit diesem Arschloch von einem Ehemann zu einem Wochenende in einem Landhotel unterwegs war – ein Gedanke, der es ihm nicht gerade leichter machte, das wunde Bein und den schmerzenden Rücken zu ertragen.

Unrasiert, in einer alten Jeans, einem ausgefransten, verwaschenen Kapuzenpulli und uralten Sportschuhen und mit einer Tragetasche, die von seiner Hand baumelte, betrat Strike den Park. Schon aus einiger Entfernung konnte er die sich versammelnden Demonstranten sehen. Das Risiko, dass Jimmy ihn erkennen könnte, hatte Strike fast dazu bewogen, die Demo sausen zu lassen. Robins letzte Textnachricht (die er aus reiner Übellaunigkeit nicht beantwortet hatte) hatte ihn umgestimmt.

> Kinvara Chiswell ist heute ins Büro gekommen. Sie behauptet, letzte Nacht im Wald hinter dem Haus einen Mann mit einem Spaten gesehen zu haben. Offenbar hat Chiswell ihr verboten, wegen des potenziellen Eindringlings die Polizei zu rufen, aber sie sagt, dass sie's tut, wenn er weiter nichts unternimmt. Übrigens weiß Kinvara nicht, dass Chiswell uns angeheuert hat, sie hält mich wirklich für Venetia Hall. Außerdem gibt es Hinweise, dass *The Level Playing Field* wegen finanzieller Unregelmäßigkeiten ins Visier der Aufsichtsbehörde geraten ist. Versuche, mehr darüber zu erfahren.

Die Nachricht hatte Strike nur umso mehr verärgert. Unter den derzeitigen Umständen – während die *Sun* hinter Chiswell her und sein Klient gestresst und reizbar war – hätte ihn lediglich ein konkreter Beweis gegen Geraint Winn befriedigt.

Barclay zufolge besaß Jimmy Knight einen zehn Jahre alten Suzuki Alto, der allerdings bei der Jahresuntersuchung durchgefallen und gegenwärtig abgemeldet war. Barclay hatte nicht völlig ausschließen können, dass Jimmy im Schutz der Nacht unterwegs gewesen war, um auf Chiswells siebzig Meilen entferntem Besitz herumzuspuken, aber Strike hielt das für wenig wahrscheinlich.

Andererseits lag es durchaus im Bereich des Möglichen, dass Jimmy einen Handlanger geschickt hatte, um Chiswells Frau einzuschüchtern. Bestimmt hatte er in der Gegend, in der er aufgewachsen war, immer noch Freunde oder Bekannte. Weit beunruhigender war indes die Vorstellung, dass Billy aus seinem realen oder imaginären Gefängnis entkommen sein könnte, von dem er Strike erzählt hatte, und dass er beschlossen hatte, nach Beweisen dafür zu graben, dass ein Kind in einer rosa Decke in der Nähe des Hauses seines Vaters begraben worden war. Oder dass er im Zuge einer paranoiden Wahnvorstellung eins von Kinvaras Pferden mit dem Messer verletzt hatte.

Die unerklärlichen Eigenarten des Falls und das Interesse der *Sun* an dem Minister machten ihm Sorgen, und weil er sich darüber hinaus bewusst war, dass sie keinen Schritt vorangekommen waren, seit sie Chiswells Auftrag angenommen hatten, ihm ein Druckmittel gegen seine Erpresser zu beschaffen, fühlte Strike sich dazu verpflichtet, nichts unversucht zu lassen. Trotz seiner Müdigkeit, seiner schmerzenden Muskeln und des starken Verdachts, die Demo werde nichts bringen, war er am Samstagmorgen widerstrebend aufgestanden, hatte die Prothese an den Stumpf geschnallt, der immer noch leicht geschwollen war, und war zum Mile End Park aufgebrochen, obwohl ihm kaum etwas eingefallen war, was er weniger gern getan hätte.

Sobald Strike den Demonstranten nahe genug war, um Gesichter erkennen zu können, griff er in die Tragetasche und angelte eine Guy-Fawkes-Maske mit Schnurrbart und markanten Augenbrauen heraus, wie sie inzwischen hauptsächlich mit der Hackergruppe Anonymous in Verbindung gebracht wurde. Nachdem er die Maske aufgesetzt und die Tragetasche zusammengeknüllt in den nächsten Abfallkorb gestopft hatte, hinkte er auf die Ansammlung von Schildern und Spruchbändern zu: »Keine Raketen in Wohnvierteln!«, »Keine Scharfschützen auf unseren Straßen!« und »Spielt nicht mit unserem Leben!« Dazu kamen ein paar »Er muss weg!«-Plakate mit dem Konterfei des Premierministers. Auf Gras hatte Strikes künstlicher Fuß immer die größten Schwierigkeiten; entsprechend war er schweißgebadet, als er endlich die orangeroten CORE-Banner mit dem Logo aus zerbrochenen olympischen Ringen entdeckte.

Es waren ungefähr ein Dutzend. Hinter einer Gruppe schwatzender Jugendlicher verborgen, rückte Strike seine verrutschende Plastikmaske zurecht, die nicht für einen Mann mit Boxernase gemacht war, und erspähte endlich Jimmy Knight, der mit zwei jungen Frauen sprach, die den Kopf in den Nacken warfen und entzückt über etwas lachten, was Knight gesagt hatte. Um sicherzustellen, dass die Sehschlitze vor seinen Augen blieben, während er die Reihen der CORE-Mitglieder absuchte, hielt Strike die Maske fest und gelangte nach einer Weile zu dem Schluss, dass die Abwesenheit von tomatenrotem Haar nicht bedeutete, dass Flick die Haarfarbe gewechselt hatte, sondern dass sie nicht aufgetaucht war.

Mittlerweile machten sich Ordner daran, die Menge zu einer Art Demonstrationszug zu formieren. Strike mischte sich unter die Teilnehmer: eine stumme, wuchtige Gestalt, die leicht begriffsstutzig wirkte, sodass die durch seine schiere Größe eingeschüchterten jugendlichen Organisatoren ihn wie einen Fels behandelten, um den alles herumfließen musste. Er positionierte sich dicht hinter CORE. Ein hagerer Junge, der ebenfalls eine Anonymous-Maske trug, reckte beide Daumen hoch, als er an Strike vorbei nach hinten durchgeschoben wurde. Strike erwiderte die Geste.

Jimmy, der jetzt eine Selbstgedrehte rauchte, scherzte weiter mit den beiden jungen Frauen, die um seine Aufmerksamkeit wetteiferten. Die mit den dunkleren Haaren, die besonders attraktiv war, trug ein zweiseitiges Plakat mit einem Bild David Camerons als Hitler, der 1936 übers Berliner Olympiastadium hinausblickt. Strike bewunderte dieses eindrucksvolle Kunstwerk ausgiebig, ehe der Zug sich schließlich, von Polizeikräften und Ordnern in neonfarbenen Jacken eskortiert, langsam in Bewegung setzte, den Park verließ und die lange, gerade Roman Road erreichte.

Der glatte Asphalt war für Strikes Prothese ein wenig günstiger, auch wenn sein Stumpf weiter pochte. Nach einigen Minuten wurde ein Sprechchor organisiert: »Raketen RAUS! Raketen RAUS!« Mehrere Pressefotografen liefen rückwärts vor dem Zug her und schossen Bilder von der vordersten Reihe.

»He, Libby«, sagte Jimmy zu dem Mädchen mit dem handgemalten Hitlerplakat, »soll ich dich auf die Schultern nehmen?«

Die Freundin konnte ihren Neid nur schlecht verhehlen, als Jimmy in die Hocke ging, damit Libby auf seine Schultern steigen und über die Menge gehoben werden konnte, sodass die Fotografen ihr Plakat einfach sehen mussten.

»Zeig ihnen deine Titten, und wir schaffen's auf Seite eins!«, rief Jimmy zu ihr hinauf.

»*Jimmy!*«, quietschte sie mit gespielter Empörung, und ihre Freundin grinste gequält. Kameraverschlüsse klickten, und Strike, der unter der Plastikmaske schmerzhaft das Gesicht verzog, bemühte sich, nicht allzu auffällig zu humpeln.

»Dieser Typ mit der größten Kamera hat dich dauerhaft im Visier gehabt«, sagte Jimmy, als er die Dunkelhaarige wieder absetzte.

»Scheiße, wenn ich in die Zeitung komm, flippt meine Mum aus«, rief das Mädchen aufgeregt. Sie lief im Gleichschritt neben Jimmy her und nutzte jede Gelegenheit, um ihn zu knuffen oder in die Seite zu boxen, während er sie weiter damit aufzog, was wohl ihre Eltern sagen würden. Sie war, schätzte Strike, mindestens fünfzehn Jahre jünger als er.

»Amüsierst du dich gut, Jimmy?«

Die Maske engte Strikes Gesichtsfeld ein, sodass er erst merkte, dass Flick zu den Demonstranten gestoßen war, als der ungekämmte rote Haarschopf unmittelbar vor ihm auftauchte. Auch für Jimmy kam ihr plötzliches Erscheinen überraschend.

»Da bist du ja!«, rief er, allerdings nicht sonderlich erfreut.

Flick funkelte Libby an, die sofort eingeschüchtert wirkte und schneller lief. Jimmy wollte schon einen Arm um Flick legen, doch die schüttelte ihn schulterzuckend ab.

»He.« Er spielte den unschuldigen Gekränkten. »Was ist denn los?«

»Dreimal darfst du raten, Arschloch«, fauchte Flick ihn an.

Strike konnte Jimmy ansehen, wie er sich überlegte, welche Taktik er einschlagen sollte. Sein ganovenhaft attraktives Gesicht wirkte leicht irritiert, aber auch irgendwie vorsichtig, fand Strike. Er versuchte nochmals, den Arm um Flick zu legen. Dieses Mal schlug sie ihn weg.

»He!«, sagte er wieder, diesmal aggressiv. »Scheiße, wofür war das denn?«

»Ich mach deine Drecksarbeit, und du fickst mit *ihr* rum? Für wie saudumm hältst du mich, Jimmy?«

»Raketen RAUS!«, brüllte ein Ordner mit einem Handlautsprecher, und die Menge skandierte die Parole erneut mit. Die Stimme der Frau mit dem Irokesenschnitt neben Strike klang schrill und rau wie die eines Pfaus. Der wieder aufgenommene Sprechchor hatte den Vorteil, dass Strike nun bei jedem Auftreten mit seiner Prothese schmerzhaft grunzen konnte, was eine gewisse Erleichterung war und die Plastikmaske leicht kitzelnd vor seinem schweißnassen Gesicht vibrieren ließ. Durch die Augenlöcher konnte er beobachten, wie Jimmy und Flick sich weiter stritten, doch bei dem allgemeinen Lärm war kein Wort mehr zu verstehen. Erst als der Sprechchor verstummte, bekam er wieder Gesprächsfetzen mit.

»… hab diesen Scheiß satt«, sagte Jimmy gerade. »Bin ich vielleicht der, der in Bars Studenten aufreißt, wenn …«

»Du hast mit mir Schluss gemacht!« Flick schien im Flüsterton zu kreischen. »Scheiße, du hast mit mir Schluss gemacht! Du hast mir erklärt, dass du nichts Ausschließliches …«

»Im Eifer des Gefechts«, unterbrach Jimmy sie grob. »Ich hatte Stress – Billy ist mir mit seinem Scheiß auf die Nerven gegangen. Ich hab doch nicht erwartet, dass du in die nächstbeste Bar rennst und dir irgendeinen beschissenen …«

»Du hast gesagt, dass du mich satthast …«

»Verdammt noch mal, ich hab die Beherrschung verloren und einen Haufen Scheiß geredet, den ich nicht so gemeint hab. Wenn ich jedes Mal eine andere vögeln würde, wenn du mir Stress machst …«

»Also, weißt du, manchmal glaub ich, dass du mich nur deswegen nicht zum Teufel jagst, weil du Chis…«

»Scheiße, red nicht so laut!«

»Und dann heute – glaubst du vielleicht, dass es im Haus dieses Ekels lustig war?«

»Verdammt, ich hab doch gesagt, dass ich dir dankbar bin. Wir haben darüber gesprochen, oder etwa nicht? Ich musste diese Flugblätter drucken lassen, sonst wär ich mitgekommen …«

»*Und* ich mach sauber«, sagte sie plötzlich schluchzend,

»und das ist echt widerlich. *Und* dann schickst du mich heute ... Es war schrecklich, Jimmy! Er gehört ins Krankenhaus, er ist in einer schlimmen Verfassung ...«

Jimmy sah sich hektisch um. Als Strike kurz in Jimmys Blickfeld geriet, bemühte er sich, normal zu gehen, obwohl sein Stumpf brannte, als drückte er auf tausend Feuerameisen, sobald er ihn mit vollem Gewicht belastete.

»Wir bringen ihn anschließend ins Krankenhaus«, sagte Jimmy. »Wirklich. Aber er versaut uns nur alles, wenn wir ihn jetzt rauslassen. Du weißt doch, wie er ist ... Sobald Winn diese Fotos hat ... He!«, sagte Jimmy sanft und legte zum dritten Mal den Arm um sie. »Hör zu. Ich bin dir echt dankbar, ohne Scheiß.«

»Klar«, sagte Flick mit erstickter Stimme und fuhr sich mit dem Handrücken über die Nase, »aber auch nur wegen dem Geld. Weil du nicht mal wüsstest, was Chiswell getan hat, wenn ...«

Jimmy zog sie grob an sich und küsste sie. Flick leistete noch eine Sekunde Widerstand, dann öffnete sie den Mund. Ihr Kuss dauerte und dauerte, während sie weitergingen. Strike konnte sehen, wie ihre Zungen einander umspielten. Die beiden taumelten voran, als sie aneinanderhängend weitergingen; einige CORE-Mitglieder grinsten, während das Mädchen, das auf Jimmys Schultern gesessen hatte, unendlich niedergeschlagen wirkte.

»Jimmy«, murmelte Flick rehäugig vor Lust, als der Kuss zu Ende war. Sein Arm lag immer noch um ihre Taille. »Du solltest mitkommen und mal mit ihm reden. Im Ernst. Er redet andauernd von diesem Scheißdetektiv.«

»Von wem?«, fragte Jimmy, auch wenn Strike genau wusste, dass Jimmy den Ahnungslosen bloß spielte.

»Strike. Dieser scheißeinbeinige Soldat. Billy glaubt, der wird ihn retten.«

Endlich kam das Ziel des Protestmarschs in Sicht: das Bow Quarter an der Fairfield Road, wo der viereckige Klinkerturm einer alten Zündholzfabrik – einer der für Fla-Raketen vorgesehenen Standorte – in den Himmel ragte.

»Ihn *retten*?«, wiederholte Jimmy verächtlich. »Was soll der Scheiß?«

Der Zug löste sich auf, zerfiel in formlose Gruppen, die vor der potenziellen Raketenstellung an einem dunkelgrünen Teich durcheinanderliefen. Strike hätte viel dafür gegeben, sich wie ein paar andere auf eine Bank setzen oder an einen Baum lehnen zu können, um seinen Stumpf zu entlasten. Die Haut über dem Stumpf war einfach nicht dafür geschaffen, sein volles Gewicht zu tragen, sie war gereizt und entzündet, und seine Kniesehnen bettelten um Eis und Ruhe. Stattdessen humpelte er hinter Jimmy und Flick her, als die beiden um die Menge herumgingen und sich von den übrigen CORE-Mitgliedern absetzten.

»Er wollte dich sehen. Ich hab ihm erzählt, dass du zu tun hast«, hörte er Flick sagen, »und er hat geweint. Das war schrecklich, Jimmy.«

Strike gab vor, einem jungen Schwarzen zu folgen, der mit einem Mikrofon in der Hand ein Podium ansteuerte, und pirschte sich unauffällig wieder an Jimmy und Flick heran.

»Um Billy kümmere ich mich, sobald ich das Geld hab«, erklärte Jimmy der Rothaarigen. Er schien ein schlechtes Gewissen zu haben und mit widerstreitenden Gefühlen zu kämpfen. »Natürlich kümmere ich mich um ihn ... und um dich. Was du getan hast, vergess ich dir nicht.«

Das hörte sie gern. Aus dem Augenwinkel sah Strike, wie ihr ungewaschenes Gesicht sich vor Aufregung rötete. Jimmy zog einen Beutel Tabak und Rizlas aus seiner Jeanstasche und fing an, sich eine weitere Zigarette zu drehen.

»Redet weiter von dem Scheißdetektiv, was?«

»Ja.«

Jimmy zündete sich die Zigarette an und rauchte eine Zeit lang schweigend, während sein Blick ziellos über die Menge glitt.

»Pass auf«, sagte er unvermittelt. »Ich besuche ihn jetzt gleich. Um ihn zu beruhigen. Er muss nur noch eine Weile Ruhe geben. Kommst du mit?«

Er streckte eine Hand aus, die Flick lächelnd ergriff. Gemeinsam machten sie sich auf den Weg.

Strike ließ ihnen einen kleinen Vorsprung, dann streifte er die Maske und den alten grauen Kapuzenpulli ab, ersetzte Erstere durch eine Sonnenbrille, die er für derlei Fälle eingesteckt hatte, folgte den beiden und warf Maske und Pulli auf einen Haufen abgelegter Spruchbänder.

Jimmys jetziges Gehtempo unterschied sich erheblich von dem fast gemächlichen Marsch. Flick musste alle paar Schritte einen kurzen Zwischenspurt einlegen, und Strike knirschte mit den Zähnen, als die Nervenenden in seinem entzündeten Stumpf sich an der Prothese rieben und seine überanstrengten Schenkelmuskeln unter Protest ächzten.

Er schwitzte stark, und sein Gang sah zusehends unnatürlich aus. Die ersten Passanten starrten ihn an. Er konnte ihre Neugier und ihr Mitgefühl auf sich spüren, als er sein künstliches Bein hinter sich herzog. Er wusste, dass er seine verdammten Physioübungen hätte machen sollen, dass er sich an die Keine-Pommes-Regel hätte halten müssen und dass er sich im Idealfall den heutigen Tag freigenommen hätte, um sich zu erholen: mit abgeschnallter Prothese und einem Eisbeutel auf dem Stumpf. Er humpelte weiter, ohne auf seinen Körper zu hören, der ihn anflehte, stehen zu bleiben, während der Abstand zu Jimmy und Flick sich stetig vergrößerte und seine Ausgleichsbewegungen mit Oberkörper und Armen schier groteske Züge annahmen. Strike konnte nur beten, dass weder

Jimmy noch Flick sich umdrehen würde, denn wenn sie ihn so hinter sich herhinken sähen, bliebe er unmöglich inkognito. Die beiden verschwanden soeben in dem adretten Klinkerbau der zum Bow Quarter gehörenden U-Bahn-Station, während Strike, immer noch keuchend und fluchend, auf der gegenüberliegenden Straßenseite stand.

Als er vom Bordstein trat, durchzuckte ein unerträglicher Schmerz die Rückseite seines rechten Oberschenkels, als hätte ein Messer den Muskel zerschnitten. Das Bein gab unter ihm nach, und er knallte der Länge nach hin, schürfte sich die ausgestreckte Hand auf dem Asphalt auf und schlug mit Hüfte, Schulter und Kopf auf die Fahrbahn auf. Irgendwo in der Nähe schrie eine Frau. Die Leute dachten bestimmt, er wäre betrunken; das war ihm auch schon bei früheren Stürzen passiert. Gedemütigt, zornig und stöhnend vor Schmerz, kroch Strike auf den Gehweg zurück und brachte sein rechtes Bein vor dem Verkehr in Sicherheit. Eine junge Frau trat zögerlich näher, um ihn zu fragen, ob er Hilfe brauche. Er blaffte sie an – was ihm sofort leidtat.

»Sorry«, krächzte er, aber da war sie auch schon wieder weg und eilte mit zwei Freundinnen davon.

Er schleppte sich auf ein Geländer zu, das den Gehweg begrenzte, und lehnte sich schwitzend und blutend mit dem Rücken dagegen. Er bezweifelte, dass er es schaffen würde, ohne fremde Hilfe wieder auf die Beine zu kommen. Als er vorsichtig die Rückseite seines Stumpfs abtastete, spürte er eine eiergroße Schwellung und stöhnte. Wahrscheinlich ein Muskelriss. Die Schmerzen waren so schlimm, dass ihm davon fast übel wurde.

Er angelte sein Handy aus der Tasche. Das Display hatte bei dem Aufprall einen Sprung bekommen.

»Scheiße, verdammt«, knurrte er, schloss die Augen und lehnte den Kopf an das kühle Metallgeländer.

So blieb er minutenlang reglos sitzen – von den Passanten, die einen Bogen um ihn schlagen mussten, als obdachlos oder betrunken abgetan –, während er darüber nachdachte, welche Optionen ihm noch blieben. Mit dem Gefühl, hilflos in die Enge getrieben zu sein, schlug er zuletzt die Augen wieder auf, fuhr sich mit dem Unterarm übers Gesicht und wählte Loreleis Nummer.

23

... kränkeltest Du doch und siechtest dahin im Düster einer solchen Ehe.

HENRIK IBSEN, *ROSMERSHOLM*

Im Nachhinein war Robin klar, dass ihr Hochzeitstagswochenende unter einem schlechten Stern gestanden hatte, seit sie Strike unten in der Krypta des Unterhauses geschrieben hatte, dass sie Jimmy nicht würde beschatten können.

Um sich die Schuldgefühle von der Seele zu reden, hatte sie Matthew, sobald er sie abgeholt hatte, von Strikes Bitte erzählt. Ohnehin angespannt, weil er sich in ihrem ungeliebten Land Rover durch den Freitagabendverkehr kämpfen musste, ging Matthew sofort zum Angriff über, verlangte von ihr eine Erklärung, wieso sie sich nach all der Sklavenarbeit, die Strike ihr im Lauf der letzten zwei Jahre auferlegt hatte, immer noch schuldig fühle, und zog dann so hemmungslos über Strike her, dass Robin ihn einfach verteidigen musste. Eine Stunde später fiel Matthew dann mitten in ihrem Streit über Robins Job auf, dass sie weder ihren Ehe- noch den Verlobungsring an der gestikulierenden linken Hand trug. Sie trug die Ringe nie, wenn sie als ledige Venetia Hall unterwegs war, und hatte vollkommen vergessen, dass sie keine Gelegenheit mehr haben würde, sie vor ihrer Abfahrt zum Hotel aus der Albury Street zu holen.

»Unser verfluchter Hochzeitstag – und du vergisst allen Ernstes deine Ringe?«, hatte Matthew sie angebrüllt.

Anderthalb Stunden später hielten sie vor dem Hotel, einem mattgoldfarbenen Backsteinbau. Der Portier öffnete Robin strahlend den Schlag. Ihr »Danke« war über den harten, wütenden Kloß in ihrer Kehle kaum zu hören.

Während ihres Michelin-besternten Dinners wechselten sie kaum ein Wort. Robin, die genauso gut Styropor und Staub hätte essen können, ließ den Blick über die Nachbartische wandern. Sie und Matthew waren mit Abstand die jüngsten Gäste, und sie fragte sich, ob irgendeins dieser Paare wohl ähnliche Tiefpunkte in ihrer Ehe erlebt hatte und trotzdem zusammengeblieben war.

In dieser Nacht schliefen sie Rücken an Rücken ein.

Robin wachte am Samstag in dem Bewusstsein auf, dass jede Sekunde in diesem Hotel, jeder Schritt über die kunstvoll arrangierte Anlage mit ihrem Lavendelpfad, dem japanischen Wassergarten, den Obstplantagen und den Beeten mit Biogemüse ein kleines Vermögen kostete. Womöglich hatte Matthew sich das Gleiche gedacht, denn beim Frühstück gab er sich wieder einigermaßen versöhnlich. Trotzdem war es, als würden sie sich bei ihren Gesprächen über ein Minenfeld bewegen und dabei immer wieder auf gefährliches Terrain abdriften, von dem sie sich dann überstürzt zurückzogen. Hinter Robins Schläfe pochte schon bald ein Spannungskopfschmerz; trotzdem wollte sie an der Rezeption nicht um Schmerztabletten bitten, weil jedes noch so kleine Anzeichen für Unzufriedenheit einen weiteren Streit provozieren konnte. Robin fragte sich, wie es wohl wäre, in schönen Erinnerungen an den eigenen Hochzeitstag und die Flitterwochen zu schwelgen. Letztlich beschränkten sie sich darauf, auf dem Gelände spazieren zu gehen und dabei über Matthews Job zu reden.

Am kommenden Samstag würde zwischen seiner und einer anderen Firma ein Cricketmatch für einen wohltätigen Zweck stattfinden. Matthew, der Cricket genauso gut spielte wie früher Rugby, freute sich ungeheuer darauf. Robin lauschte seinen Prahlereien über die eigenen Fähigkeiten und seinen Scherzen über Toms bescheidene Qualitäten als Bowler, lachte an den richtigen Stellen und gab zustimmende Laute von sich, während sie sich die ganze Zeit insgeheim fröstelnd und elend fragte, was wohl gerade in Bow vor sich ging, ob Strike zu der Demo gegangen war, ob er etwas Brauchbares über Jimmy in Erfahrung bringen würde und wie sie, Robin, an der Seite dieses aufgeblasenen, ichbezogenen Mannes hatte enden können, der nur mehr entfernte Ähnlichkeit mit dem hübschen Jungen aufwies, in den sie sich einst verliebt hatte.

Zum ersten Mal überhaupt hatte Robin an diesem Abend nur Sex mit Matthew, weil sie sich keinem Streit mehr gewachsen fühlte, zu dem es unweigerlich gekommen wäre, wenn sie sich verweigert hätte. Es war ihr Hochzeitstag, und dazu gehörte der Beischlaf wie ein Notarstempel auf ihrem Wochenende – und in etwa so lustvoll war er auch. Tränen brannten ihr in den Augen, als Matthew zum Höhepunkt kam, und die kalte, unglückliche Stimme in ihrem Inneren rätselte, wie es nur möglich war, dass er ihr Elend nicht spürte, obwohl sie ihm so angestrengt etwas vorgespielt hatte, und wie in aller Welt er sich vormachen konnte, ihre Ehe sei ein Erfolg.

Später, nachdem er sich von ihr hinuntergewälzt und alles gesagt hatte, was in solchen Momenten angebracht war, lag sie wach in der Dunkelheit und hatte den Arm über die feuchten Augen gelegt. Mittlerweile wusste sie ohne jeden Zweifel, dass ihr »Ich liebe dich auch« eine Lüge gewesen war.

Erst als Matthew tief und fest schlief, tastete Robin im Dunkeln nach ihrem Handy, das auf dem Nachttisch lag, und ging die eingegangenen Nachrichten durch. Strike hatte sich nicht gemeldet. Sie googelte Bilder der Demo in Bow und meinte, inmitten der Menge einen großen Mann mit Locken zu erkennen, der eine Guy-Fawkes-Maske trug. Robin legte das Handy mit dem Display nach unten auf den Nachttisch zurück, damit das Licht nicht blendete, und schloss die Augen.

24

... ihrer maßlosen, ungestümen Leidenschaftlichkeit ...
und ihrem Verlangen, dass ich sie erwidern sollte.

HENRIK IBSEN, *ROSMERSHOLM*

Sechs Tage später, am frühen Freitagmorgen, kehrte Strike zu seiner Dachwohnung in der Denmark Street zurück. Auf Krücken gestützt, die Prothese in einer Sporttasche über der Schulter, das rechte Hosenbein hochgepinnt und mit einem Gesichtsausdruck, der jeden mitleidigen Blick verschreckte, humpelte er durch die kurze Straße bis zur Hausnummer 24.

Er war nicht zum Arzt gegangen. Nachdem Lorelei und der großzügig entlohnte Taxifahrer ihn erfolgreich über die Treppe in ihre Wohnung bugsiert hatten, hatte sie bei ihrem Hausarzt angerufen, der Strike jedoch gebeten hatte, zur Untersuchung in seine Praxis zu kommen.

»Wie stellen Sie sich das vor? Soll ich auf einem Bein zu Ihnen hüpfen? Ich hab mir den Muskel gerissen, das spüre ich auch so«, hatte er durchs Telefon geknurrt. »Und ich weiß, wie der Hase läuft: Ruhen, Kühlen, der ganze Humbug. Das ist nicht mein erstes Mal.«

Gezwungenermaßen hatte er seine Keine-zwei-Nächte-hintereinander-bei-einer-Frau-Regel brechen müssen und vier volle Tage und fünf Nächte bei Lorelei verbracht. Im Nachhinein bereute er es, aber was hätte er tun sollen? Es hatte ihn, wie Chiswell es ausgedrückt hätte, *a fronte praecipitium, a tergo lupi* erwischt. Er und Lorelei waren noch am Samstagabend zum Essen verabredet gewesen, und nachdem er ihr lieber die Wahrheit gesagt als eine Ausrede erfunden hatte, war ihm nichts anderes übrig geblieben, als sich von ihr helfen zu lassen. Jetzt wünschte er sich, er hätte seine alten Freunde Nick und Ilsa oder sogar Shanker angerufen, aber dafür war es zu spät. Das Kind war in den Brunnen gefallen.

Dass er sich selbst Ungerechtigkeit und Undankbarkeit bescheinigte, war kaum dazu angetan, seine Laune zu heben, während er sich und die Sporttasche die Treppe hinaufwuchtete. Auch wenn einige Aspekte seines Aufenthalts in Loreleis Wohnung höchst erfreulich gewesen waren, hatte ein Vorkommnis am Abend zuvor alles komplett ruiniert, und zwar allein durch seine Schuld. Er hatte genau das geschehen lassen, was er versuchte zu vermeiden, seit er Charlotte verlassen hatte. Er hatte es geschehen lassen, weil er nicht auf der Hut gewesen war, hatte sich mit Bechern voll Tee, selbst gekochtem Essen und zärtlicher Zuneigung einwickeln lassen, bis schließlich – gestern Abend in der Dunkelheit – ein gehauchtes »Ich liebe dich« über seine nackte Brust geweht war.

Erneut verzog Strike das Gesicht, während er, auf seinen Krücken balancierend, die Wohnungstür aufschloss und dann mehr oder weniger in seine Wohnung hineinkippte. Er knallte die Tür hinter sich zu, ließ die Tasche fallen, humpelte auf den kleinen Stuhl am Resopaltisch in seiner Wohnküche zu, ließ sich darauf fallen und warf die Krücken beiseite. Er war froh, wieder zu Hause und für sich zu sein, so schwierig es auch wäre, allein zurechtzukommen, solange sein Bein in einer solchen Verfassung war. Er hätte schon früher heimkehren sollen, aber nachdem er ohnehin niemanden verfolgen konnte und außerdem beträchtliche Schmerzen litt, war es bequemer gewesen, in einem gemütlichen Sessel zu sitzen, den Stumpf auf einen großen, rechteckigen Puff zu lagern und Robin und Barclay Instruktionen zu schicken, während Lorelei ihm zu essen und zu trinken brachte.

Strike zündete sich eine Zigarette an und ging im Kopf die Frauen durch, die es seit Charlotte gegeben hatte. Erst Ciara Porter, ein fantastischer One-Night-Stand und für beide Seiten nichts weiter. Ein paar Wochen nachdem er den Fall Landry gelöst hatte und sein Name durch die Presse gegangen war, hatte Ciara ihn wieder angerufen. Im Zuge der Berichterstattung war er für das Model von der schnellen Nummer zum potenziellen Boyfriend aufgestiegen, doch er hatte alle weiteren Treffen mit ihr abgeblockt. In seiner Branche konnte er keine Freundin brauchen, die mit ihm zusammen fotografiert werden wollte.

Nach ihr war Nina gekommen, die im Verlag gearbeitet und die er benutzt hatte, um bei einer anderen Ermittlung an Informationen zu kommen. Er hatte sie gemocht, aber nicht genug, wie er rückblickend erkannte, um sie anständig zu behandeln. Er hatte Ninas Gefühle verletzt. Darauf war er nicht stolz, aber es bereitete ihm auch keine schlaflosen Nächte.

Elin war anders gewesen, schön und vor allem praktisch, weswegen er länger mit ihr zusammengeblieben war. Sie hatte in Scheidung von ihrem verdammt gut betuchten Noch-Ehemann gelebt, weswegen ihr Bedürfnis nach Diskretion und Abkapselung genauso groß gewesen war wie seines. Sie hatten es auf ein paar Monate gebracht, bevor er sie mit Wein übergossen hatte und aus dem Restaurant marschiert war, in dem sie damals zu Abend gegessen hatten. Natürlich hatte er sie angerufen, um sich bei ihr zu entschuldigen, doch sie hatte Schluss gemacht, ehe er auch nur einen Satz herausgebracht hatte. Angesichts der Tatsache, dass er sie öffentlich blamiert und mit einer satten Reinigungsrechnung im Gavroche hatte sitzen lassen, war er der Meinung gewesen, es hätte von schlechtem Geschmack gezeugt, wenn er darauf erwidert hätte: »Das wollte ich auch gerade sagen.«

Nach Elin war Coco gekommen, über die er lieber nicht nachdenken wollte – und dann Lorelei. Er mochte sie lieber als all ihre Vorgängerinnen, und darum tat es ihm aufrichtig leid, dass ausgerechnet sie »Ich liebe dich« gesagt hatte.

Strike hatte sich zwei Jahre zuvor etwas geschworen. Er legte nur selten Schwüre ab, weil es ihm wichtig war, sie nicht zu brechen. Nachdem er selbst außer zu Charlotte zu keiner Frau je »Ich liebe dich« gesagt hatte, würde er es auch nie wieder sagen, bis er sich über jeden begründeten Zweifel hinaus sicher wäre, dass er mit genau dieser Frau zusammenbleiben und -leben wollte. Denn wenn er diesen Satz unter weniger ernsten Umständen sagte, würde er damit alles, was er mit Charlotte erlebt hatte, zur Farce machen. Nur wahre Liebe vermochte die tiefen Verletzungen zu rechtfertigen, die sie einander zugefügt hatten, und die vielen neuen Anläufe in ihrer Beziehung, obwohl er jedes Mal tief im Herzen gewusst hatte, dass es nicht klappen konnte. Für Strike war Liebe identisch mit Schmerz und Trauer, die man suchte, akzeptierte, erduldete. Und die er nicht in Loreleis Schlafzimmer mit den Cowgirl-Vorhängen finden würde.

Darum hatte er nichts auf ihr geflüstertes Bekenntnis erwidert und nur mit einem schlichten »Ja« geantwortet, als sie ihn gefragt hatte, ob er sie gehört habe.

Strike griff nach seinen Zigaretten. *Ja.* Wenigstens so weit war er ehrlich gewesen. Mit seinem Gehör war noch alles in Ordnung. Danach war es lange still geblieben, bis Lorelei aufgestanden und ins Bad verschwunden und dort dreißig Minuten geblieben war. Strike nahm an, dass sie sich zum Weinen zurückgezogen hatte und dabei rücksichtsvollerweise so leise war, dass er sie nicht hörte. Er selbst blieb im Bett liegen, überlegte, was er jetzt Nettes und gleichzeitig Wahres zu ihr würde sagen können, doch insgeheim war ihm klar, dass einzig und allein »Ich liebe dich auch« akzeptabel gewesen wäre. Aber es war nun mal Tatsache, dass er sie nicht liebte. Und lügen würde er nicht.

Als sie ins Bett zurückkam, streckte er die Hand nach ihr aus. Sie ließ zu, dass er ihr eine Weile die Schulter streichelte, dann erklärte sie ihm, sie sei müde und müsse jetzt schlafen.

Was hätte ich denn verflucht noch mal tun sollen?, wollte er von einer imaginären Anklägerin wissen, die verblüffende Ähnlichkeit mit seiner Schwester Lucy hatte.

Du könntest zur Abwechslung mal probieren, den Tee und die Blowjobs auszuschlagen, lautete die spitze Antwort, auf die Strike über das Pochen seines Stumpfs hinweg antwortete: *Leck mich.*

Sein Handy klingelte. Er hatte das gesprungene Display mit Tesa geklebt und machte unter der verzerrten Oberfläche eine ihm unbekannte Nummer aus.

»Strike?«

»Hi, Strike. Hier ist Culpepper.«

Dominic Culpepper, der für die *News of the World* gearbeitet hatte, bis die pleitegegangen war, hatte Strike schon öfter mit Arbeit versorgt. Ihr Verhältnis, das nie richtig freundschaftlich gewesen war, war in leichte Feindseligkeit umgeschlagen, nachdem Strike dem Reporter keine Insiderinformationen über seine beiden letzten Mordfälle zugespielt hatte. Culpepper, der inzwischen für die *Sun* arbeitete, hatte zu jenen Journalisten gehört, die nach der Verhaftung des Shacklewell Rippers mit besonderem Eifer in Strikes Vergangenheit gewühlt hatten.

»Ich hab mich gefragt, ob Sie Zeit hätten, einen Auftrag für uns zu übernehmen«, sagte Culpepper.

Du hast vielleicht Nerven!

»Welche Art von Auftrag?«

»Schmutz über einen Minister auszugraben.«

»Über welchen Minister?«

»Das verrate ich Ihnen, wenn Sie den Job übernehmen.«

»Ich bin im Augenblick ziemlich ausgelastet. Über welche Art von Schmutz reden wir?«

»Das müssten Sie für uns herausfinden.«

»Und woher wissen Sie, dass es etwas auszugraben gibt?«

»Aus gut informierten Kreisen«, antwortete Culpepper.

»Wozu brauchen Sie mich, wenn es gut informierte Kreise gibt?«

»Weil diese Kreise nicht reden wollen. Sondern nur andeuten, dass irgendwo Leichen im Keller liegen. Und zwar viele.«

»Nein, tut mir leid, Culpepper«, sagte Strike. »Ich bin ausgebucht.«

»Sicher? Wir zahlen gutes Geld, Strike.«

»Ich verdiene zurzeit ganz ordentlich.« Der Detektiv zündete sich am Stummel seiner Zigarette eine neue an.

»Kann ich mir lebhaft vorstellen, Sie Glückspilz«, sagte Culpepper. »Na schön. Dann muss es Patterson machen. Kennen Sie den?«

»Der Typ, der früher bei der Met war? Bin ihm ein paarmal über den Weg gelaufen«, sagte Strike.

Der Anruf endete mit wechselseitigen unaufrichtigen guten Wünschen und bestärkte Strikes düstere Vorahnung. Er googelte Culpepper und entdeckte dessen Namen unter einem vor zwei Wochen erschienenen Artikel über *The Level Playing Field*.

Natürlich war es möglich, dass mehr als nur ein Mitglied der Regierung zurzeit Gefahr lief, von der *Sun* bloßgestellt zu werden, weil es gewisse Geschmacks- oder Moralvorstellungen der Öffentlichkeit verletzt hatte. Doch nachdem Culpepper den Winns anscheinend erst vor Kurzem auf den Zahn gefühlt hatte, stand zu vermuten, dass Robin mit ihrem Verdacht richtiggelegen hatte, dass Geraint die *Sun* mit Tipps versorgte – und dass Patterson in Kürze Material gegen Chiswell sammeln würde.

Er fragte sich, ob Culpepper wohl wusste, dass Strike längst für Chiswell arbeitete, und ob er nur in der Hoffnung angerufen hatte, der Privatdetektiv könnte sich im ersten Schreck verplappern, aber das hielt er für wenig wahrscheinlich. Wenn dem Zeitungsmenschen bekannt gewesen wäre, dass Strike bereits im Dienst des Ministers stand, wäre es außerordentlich dumm gewesen, ihm zu erzählen, wen er an seiner Stelle anzuheuern gedachte.

Strike kannte Mitch Patterson nur indirekt: Beide waren im vergangenen Jahr zweimal von unterschiedlichen Hälften sich trennender Ehepaare beauftragt worden. Patterson, ein ehemals ranghoher Beamter der Metropolitan Police, der »in Frühpension gegangen« war, hatte früh ergrautes Haar und das Gesicht eines grimmigen Mopses, war als Mensch zwar unangenehm, aber jemand, wie Eric Wardle einmal versichert hatte, »der Ergebnisse liefert«.

»Natürlich wird er in seinem neuen Job die Leute nicht mehr zum Reden prügeln können«, hatte Wardle Strike gegenüber kommentiert. »Damit hat er in seinem Arsenal eine nützliche Waffe weniger.«

Dass Patterson in Kürze an diesem Fall arbeiten würde, gefiel Strike gar nicht. Er griff wieder nach seinem Handy. Weder Robin noch Barclay hatte in den vergangenen zwölf Stunden Updates geliefert. Erst am Vortag hatte er Chiswell beruhigen müssen, der ihn angerufen und Zweifel an Robin geäußert hatte, weil sie immer noch keine Ergebnisse vorweisen konnte.

Frustriert über Robin und Barclay und seine eingeschränkte Bewegungsfreiheit, schickte Strike beiden eine identische Nachricht:

Die Sun hat mich gerade beauftragen wollen, Chiswell zu durchleuchten. Bitte schnellstmöglich um Updates. Benötige SOFORT brauchbare Infos.

Dann zog er seine Krücken heran, stand auf, um die Bestände von Kühlschrank und Küchenschränken zu inspizieren, und stellte fest, dass sich die nächsten vier Mahlzeiten auf Dosensuppe beschränken würden, sofern er es nicht noch zum Supermarkt schaffte. Nachdem er saure Milch in die Spüle gekippt hatte, machte er sich einen Becher schwarzen Tee und kehrte an den Küchentisch zurück, wo er sich eine dritte Zigarette anzündete und wenig enthusiastisch erwog, seine Physioübungen zu absolvieren.

Wieder klingelte sein Telefon. Diesmal war es Lucy, und er ließ die Mailbox rangehen. Wenn er im Moment etwas nicht brauchen konnte, dann einen ausführlichen Bericht zur jüngsten Elternbeiratssitzung.

Minuten später probierte sie es ein zweites Mal, just als Strike auf der Toilette war. Er war in die Küche zurückgehüpft, die Hose auf Halbmast und in der Hoffnung, Robin oder Barclay wäre am Apparat. Als er zum zweiten Mal die Nummer seiner Schwester sah, fluchte er nur und kehrte auf die Toilette zurück.

Beim dritten Anruf dämmerte ihm, dass sie nicht aufgeben würde. Er knallte die Suppendose, die er gerade hatte öffnen wollen, auf die Küchentheke und riss das Handy ans Ohr.

»Lucy, ich hab zu tun, was gibt's?«, fauchte er.

»Ich bin's, Barclay.«

»Ah. Wurde auch Zeit. Gibt's was Neues?«

»Ein bisschen was über Jimmys Betthäschen, falls uns das weiterbringt. Flick.«

»Alles hilft«, sagte Strike. »Warum haben Sie mir denn nicht eher Bescheid gegeben?«

»Weil ich es erst vor zehn Minuten erfahren habe«, antwortete Barclay ungerührt. »Hab gerade erst gehört, wie sie es Jimmy in der Küche erzählt hat. Sie zweigt bei der Arbeit Geld ab.«

»Was für eine Arbeit?«

»Hat sie nicht gesagt. Das Problem ist nur – Jimmy steht nicht auf sie, so wie ich die Sache sehe. Ich bin mir nicht sicher, ob es ihn stört, wenn sie verknackt wird.«

Ein irritierendes Piepen bohrte sich in Strikes Ohr. Gerade versuchte ein zweiter Anrufer, ihn zu erreichen. Ein Blick aufs Display verriet ihm, dass es schon wieder Lucy war.

»Aber er hat mir noch was gesagt«, fuhr Barclay fort. »Gestern Abend, als er breit war, da hat er von einem Minister erzählt, der Blut an den Händen hat.«

Piep. Piep. Piep.

»Strike? Noch dran?«

»Ja, ich bin da.«

Strike hatte Barclay nie von Billys Geschichte erzählt.

»Was genau hat er gesagt, Barclay?«

»Er hat sich über die Regierung ausgelassen und über die Tories, die für ihn nur ein Haufen Schweine sind. Und dann, aus dem Nichts, sagt er: ›Und verfickte Mörder noch dazu!‹ Ich frag ihn, wie er das meint, und er sagt: ›Ich kenn da einen, der hat Blut an seinen beschissenen Händen. Kinderblut.‹«

Piep. Piep. Piep.

»Die von CORE sind durch die Bank Knalltüten, versteht sich von selbst. Vielleicht hat er ja nur von irgendwelchen Sozialkürzungen gesprochen. Für diese Typen ist das so gut wie Mord. Nicht dass ich persönlich viel auf Chiswells Politik geben würde …«

»Irgendeine Spur von Billy? Von Jimmys Bruder?«

»Nichts. Und es hat auch niemand sonst von ihm gesprochen.«

Piep. Piep. Piep.

»Und nichts deutet darauf hin, dass Jimmy sich zwischendurch nach Oxfordshire abgesetzt hätte?«

»Nicht seit ich auf dem Posten bin.«

Piep. Piep. Piep.

»Na gut«, sagte Strike. »Buddeln Sie weiter. Und melden Sie sich, sobald Sie was haben.«

Er legte auf, hämmerte auf das Display ein und hatte im nächsten Moment Lucy am Apparat.

»Lucy, hi«, sagte er ungeduldig. »Ich hab gerade überhaupt keine Zeit, kann ich …«

Doch sowie sie ihm ins Wort fiel und zu reden begann, erschlaffte sein Gesicht. Und noch ehe sie keuchend zum Ende gekommen war, hatte er schon die Hausschlüssel in der Hand und tastete nach seinen Krücken.

25

Wir wollen doch einmal sehen, ob wir Dich nicht unschädlich machen können.

HENRIK IBSEN, *ROSMERSHOLM*

Strikes Frage nach einem Update erreichte Robin um zehn vor neun, als sie gerade den Flur betrat, an dem Izzys und Winns Büros lagen. Sie war so gespannt, was Strike geschrieben hatte, dass sie auf dem menschenleeren Gang stehen blieb, um die Nachricht abzurufen.

»Ach du Schande«, murmelte sie, sowie sie las, dass die *Sun* anscheinend größeres Interesse an Chiswell zeigte. Sie lehnte sich inmitten der geschwungenen Türlaibungen und der geschlossenen Eichentüren an die Wand, atmete tief durch und rief Strike zurück.

Sie hatten nicht mehr miteinander gesprochen, seit sie ihm seine Bitte abgeschlagen hatte, Jimmy zu beschatten. Als sie Strike am Montag angerufen hatte, um sich dafür zu entschuldigen, war Lorelei an sein Telefon gegangen.

»Ach, hallo, Robin, ich bin's.«

Eins der unangenehmeren Dinge an Lorelei war, dass sie so nett war. Aus Gründen, über die Robin lieber nicht nachdenken wollte, hätte sie es vorgezogen, wenn Lorelei unsympathisch gewesen wäre.

»Der ist gerade duschen, tut mir leid. Er war das ganze Wochenende hier, er hat sich das Knie kaputtgemacht, als er irgendwen verfolgen wollte. Mir verrät er ja keine Einzelheiten, aber ich nehme an, Sie wissen Bescheid. Er musste mich von der Straße aus anrufen, es war ganz grässlich, er konnte nicht mal mehr aufstehen. Ich bin mit dem Taxi hingefahren und hab dann den Taxifahrer dafür bezahlt, dass er Corm mit mir zusammen nach oben trägt. Er kann die Prothese nicht mehr anlegen und geht an Krücken ...«

»Sagen Sie ihm einfach, dass ich mich gemeldet habe.« Robins Magen fühlte sich wie vereist an. »Es war nicht so wichtig.«

Seither hatte sie sich das Telefonat mehrmals durch den Kopf gehen lassen. Als Lorelei über Strike gesprochen hatte, hatte ein unverkennbarer Besitzanspruch in ihrer Stimme gelegen. Er hatte Lorelei angerufen, als er in Schwierigkeiten geraten war *(natürlich hat er sie angerufen – was hätte er denn sonst tun sollen? Dich in Oxfordshire anrufen?)*, in Loreleis Wohnung hatte er das restliche Wochenende verbracht *(sie sind zusammen, wohin hätte er sonst gehen sollen?)*, Lorelei umsorgte und tröstete ihn und stimmte womöglich in seine Schimpftiraden über Robin mit ein, ohne die er sich die Verletzung womöglich nie zugezogen hätte.

Und jetzt musste sie Strike anrufen und ihm erklären, dass sie auch fünf Tage später keine einzige brauchbare Information vorweisen konnte. Winns Büro, das so leicht zugänglich gewesen war, als sie vor zwei Wochen ihre Arbeit aufgenommen hatte, war inzwischen grundsätzlich abgeschlossen, wann immer Geraint und Aamir es verließen. Robin war überzeugt davon, dass Aamir dahintersteckte – dass er ihr misstraute, seit ihr Armreif in Geraints Büro gerollt war und Raphael so laut nach ihr gerufen hatte, während sie Aamir beim Telefonieren belauscht hatte.

»Post.«

Robin wirbelte herum und sah den Postkarren auf sich zurollen – angeschoben von einem leutseligen grauhaarigen Mann.

»Ich nehm alles für Chiswell und Winn. Wir haben gleich eine Sitzung«, hörte Robin sich sagen. Der Bürobote überreichte ihr einen Stapel Briefe und dazu eine Schachtel mit einem Sichtfenster aus Zellophan, hinter dem Robin einen lebensgroßen, lebensechten Plastikfötus entdeckte. Die Aufschrift über dem Zellophan lautete: *Mich zu ermorden ist legal.*

»Oh Gott, das ist ja grässlich!«, rief Robin.

Der Bürobote lachte bloß schnaubend.

»Das ist nichts, verglichen mit manchen Sachen, die man sonst noch hier kriegt«, erklärte er ihr jovial. »Erinnern Sie sich nicht mehr an das weiße Pulver, das in den Nachrichten war? Anthrax, haben sie damals behauptet. Alles Schnickschnack. Ach ja, und einmal hab ich einen Karton mit einem Kackhaufen ausgeliefert. War durch die Verpackung nicht mal zu riechen. Das Baby ist für Winn, nicht für Chiswell. Sie ist für das Recht auf Abtreibung. Und – gefällt es Ihnen hier?«

Offenbar war er auf einen Plausch aus.

»Absolut.« Einer der Umschläge, die Robin eilig an sich genommen hatte, hatte ihr Interesse geweckt. »Entschuldigen Sie, ich muss wieder …«

Sie wandte sich von Izzys Büro ab, wieselte an dem Büroboten vorbei und betrat fünf Minuten später das Café auf der Terrasse, das zum Ufer der Themse hinausging. Eine niedrige Steinmauer und schwarze Eisenlaternen trennten die Tische vom Fluss. Links und rechts standen die Westminster und die Lambeth Bridge, Erstere im Grün der Unterhaussitze lackiert, Letztere im Scharlachrot der Sitze im Oberhaus. Gegenüber erhob sich die weiße Fassade der County Hall. Zwischen dem Palace und der Hall wälzte die breite Themse dahin, deren graue Oberfläche über den schlammigen Tiefen ölig schillerte.

Robin suchte sich einen Platz außer Hörweite der wenigen frühen Kaffeetrinker und beugte sich über einen an Geraint

Winn adressierten Brief. Der Absendername stand mitsamt Adresse in zittrigen, sorgsam gesetzten Kursivbuchstaben auf der Rückseite: Sir Kevin Rodgers, 16 The Elms, Fleetwood, Kent, und zufällig wusste sie dank ihrer extensiven Hintergrundrecherche zur Wohltätigkeitsorganisation der Winns, dass der betagte Sir Kevin – Gewinner einer Silbermedaille im Hürdenlauf bei den Olympischen Spielen 1956 – im Vorstand von *The Level Playing Field* saß.

Was genau, fragte sich Robin, teilten sich diese Menschen lieber schriftlich mit, obwohl Anrufe und E-Mails heutzutage doch so viel einfacher und schneller waren?

Über den Browser ihres Handys fand sie unter der angegebenen Adresse Lady und Sir Kevin Rodgers' Telefonnummer. Die beiden waren alt genug, überlegte sie, um noch über eine Festnetzleitung zu telefonieren. Nach einem kräftigenden Schluck Kaffee schrieb sie Strike:

Folge gerade einer Spur, melde mich baldmöglichst.

Dann schaltete sie die Anruferkennung aus, nahm sich einen Stift und das Notizbuch zur Hand, in dem sie Sir Kevins Nummer notiert hatte, und tippte die Ziffern ein.

Noch vor dem dritten Klingeln antwortete eine ältere Frauenstimme. Ihrem Gefühl nach eher schlecht als recht imitierte Robin einen walisischen Zungenschlag.

»Könnte ich bitte Sir Kevin sprechen?«

»Sind Sie das, Della?«

»Ist Sir Kevin da?«, fragte Robin etwas lauter und hoffte, sie würde sich nicht tatsächlich als Ministerin ausgeben müssen.

»Kevin!«, rief die Frau. »Kevin! Della ist dran!«

Robin hörte ein Schlurfen und sah unwillkürlich karierte Filzpantoffeln vor sich.

»Hallo?«

»Kevin, Geraint hat eben Ihren Brief bekommen.« Robin verzog das Gesicht, weil ihr Akzent irgendwo zwischen Cardiff und Lahore angesiedelt zu sein schien.

»Verzeihung, Della, was haben Sie gesagt?«, fragte der Mann zittrig nach.

Offenbar war er schwerhörig, was die Sache gleichzeitig erleichterte und erschwerte. Robin sprach lauter und so deutlich wie nur möglich. Beim dritten Anlauf hatte Sir Kevin sie verstanden.

»Geraint muss dringend etwas unternehmen, sonst sehe ich mich gezwungen zurückzutreten«, erklärte er kläglich. »Sie sind mir eine treue Freundin, Della, und es war – *ist* – ein gutes Werk. Aber ich muss auch meine Position bedenken. Ich habe ihn gewarnt.«

»Aber warum, Kevin?« Robin griff nach ihrem Stift.

»Hat er Ihnen meinen Brief nicht gezeigt?«

»Nein«, antwortete Robin wahrheitsgemäß und mit gezücktem Stift.

»Ach je«, entfuhr es Kevin. »Na ja, zum einen ... sind fünfundzwanzigtausend Pfund ohne Belege eine ernste Sache.«

»Und zum anderen?«, fragte Robin, während sie hastig mitschrieb.

»Verzeihung?«

»Sie haben ›zum einen‹ gesagt. Was macht Ihnen noch Sorgen?«

Robin konnte die Frau, die das Gespräch angenommen hatte, im Hintergrund aufgebracht reden hören.

»Das möchte ich lieber nicht am Telefon besprechen, Della.« Sir Kevin war deutlich anzuhören, wie unangenehm ihm die Sache war.

»Tja, das ist enttäuschend.« Robin hoffte, dabei ein wenig von Dellas honigsüßer Grandezza in ihre Stimme zu legen.

»Ich hatte gehofft, Sie könnten es mir wenigstens erklären, Kevin.«

»Nun ja, da wäre zum einen die Angelegenheit mit Mo Farah ...«

»Mo Farah?«, wiederholte Robin, und diesmal war ihre Überraschung nicht gespielt.

»Verzeihung?«

»Mo – Farah?«

»Das wussten Sie nicht?«, fragte Sir Kevin. »Oje. *Oje* ...«

Robin hörte Schritte, dann war die Frau wieder am Apparat und erst gedämpft, dann deutlicher zu verstehen.

»Lass mich mit ihr reden – lass los, Kevin! Hören Sie, Della, das alles regt Kevin ungemein auf. Er hatte bereits vermutet, dass Sie nicht wüssten, was vor sich geht, und siehe da, er hatte recht. Immerzu wird versucht, alle Probleme von Ihnen fernzuhalten, Della.« Sie klang so, als hielte sie das für verfehlten Beschützerinstinkt. »Aber es ist nun mal so ... Nein, sie muss es erfahren, Kevin! Geraint hat den Menschen Versprechungen gemacht, die er nicht einhalten kann. Man erzählt behinderten Kindern und ihren Familien, sie würden Besuch bekommen von David Beckham und Mo Farah und was weiß ich, von wem. Aber jetzt, da die Aufsichtsbehörde involviert ist, kommt alles ans Licht, und ich werde nicht zulassen, dass Kevins Name durch den Schmutz gezogen wird. Er ist so ein gewissenhafter Mensch und hat immer nur sein Bestes getan. Seit Monaten drängt er nun schon darauf, die Konten zu klären – und dann wäre da ja auch noch die Sache mit Elspeth ... Nein, Kevin, das werde ich *nicht*. Ich erzähle ihr nur ... Jedenfalls könnte das alles sehr unangenehm werden, Della. Es könnte obendrein an die Polizei und an die Presse durchdringen, und es tut mir leid, aber ich denke dabei nur an Kevins Gesundheit.«

»*Was* ist mit Elspeth?«, fragte Robin, die immer noch eilig mitschrieb.

Im Hintergrund mischte sich Sir Kevin erneut mit klagender Stimme ein.

»Das will ich nun wirklich nicht am Telefon vertiefen«, erklärte Lady Rodgers rigoros. »Da müssen Sie schon Elspeth fragen.«

Neuerliches Schlurfen, dann war wieder Sir Kevin am Apparat. Er klang, als wäre er den Tränen nah. »Della, Sie wissen, wie sehr ich Sie bewundere. Ich wünschte mir, es wäre nicht so weit gekommen.«

»Ja«, sagte Robin. »Nun, dann werde ich wohl Elspeth anrufen müssen.«

»Verzeihung?«

»Ich – werde – Elspeth – anrufen.«

»Oje«, sagte Sir Kevin wieder. »Aber wissen Sie, vielleicht ist ja gar nichts an der Sache dran ...«

Robin überlegte schon, ob sie einfach frech nach Elspeths Nummer fragen sollte, entschied sich dann aber dagegen. Bestimmt hätte Della sie.

»Ich wünschte mir, Sie würden mir sagen, was mit Elspeth war«, fuhr sie mit dem Stift im Anschlag fort.

»Das möchte ich lieber nicht«, erwiderte Sir Kevin mit einem kraftlosen Zischen. »Derlei Gerüchte können dem Ruf eines Mannes einen gewaltigen Schaden zufügen ...«

Und wieder war Lady Rodgers am Telefon. »Mehr möchten wir wirklich nicht sagen. Die ganze Geschichte hat Kevin ungeheuer mitgenommen und zugesetzt. Es tut mir leid, aber das ist unser letztes Wort in dieser Sache, Della. Auf Wiederhören.«

Robin legte das Handy auf den Tisch und blickte kurz um sich, um sicherzustellen, dass sie nicht beobachtet wurde. Dann nahm sie das Handy wieder zur Hand und ging die Liste der Vorstandsmitglieder von *The Level Playing Field* durch. Tatsächlich fand sich da eine Dr. Elspeth Curtis-Lacey, deren Privatnummer aber nicht auf der Webseite der Organisation aufgeführt und offenbar auch nirgends sonst eingetragen war, wie eine schnelle Suche in diversen Online-Telefonbüchern ergab.

Robin rief Strike an. Der Anruf landete sofort auf der Mailbox. Sie wartete ein paar Minuten und probierte es noch mal – mit dem gleichen Ergebnis. Nach dem dritten vergeblichen Versuch schrieb sie ihm:

Habe etwas über GW. Ruf an!

Der kühl-feuchte Schatten, der über der Terrasse gelegen hatte, als sie hinausgekommen war, zog sich allmählich zurück. Warme Sonnenstrahlen fielen auf Robins Tisch, während sie auf Strikes Rückruf wartete und dabei in winzigen Schlucken ihren Kaffee trank. Endlich vermeldete ihr Handy, dass eine Nachricht eingegangen war. Mit klopfendem Herzen riss sie es hoch, doch die Nachricht war nur von Matthew:

Lust auf einen Drink mit Tom und Sarah nach der Arbeit?

Robin las die Nachricht mit erschöpftem Grauen. Morgen würde das Wohltätigkeits-Cricketmatch stattfinden, auf das Matthew sich so freute. Wenn sie sich heute nach der Arbeit mit Tom und Sarah träfen, würde es stundenlang nur das eine Thema geben. Sie sah bereits vor sich, wie sie zu viert in der Bar säßen: Sarah, die Matthew in einem fort anflirtete, Tom, der Matthews Sticheleien über seine lausigen Würfe mit immer plumperen, wütenderen Retourkutschen abzuwehren versuchte, und Robin, die wie in letzter Zeit immer öfter Interesse und gute Laune heuchelte, weil dies nun mal der Preis dafür war, dass Matthew ihr keine Vorhaltungen machte. Sie würde sich langweilen, sich den anderen überlegen fühlen oder (wie bei ihren schlimmsten Streits) sich insgeheim wünschen, sie säße stattdessen mit Strike zusammen. Immerhin, tröstete sie sich, würde es kein später oder ausschweifender Abend werden, weil Matthew, der Sportereignisse allesamt wahnsinnig ernst nahm, sicher nicht unausgeschlafen zu seinem Match antreten wollte. Also schrieb sie zurück:

> Okay, wo?

und wartete weiter auf Strikes Rückruf.

Nach vierzig Minuten begann sie, sich zu fragen, ob Strike irgendwo steckte, wo er nicht telefonieren konnte, was die Frage aufwarf, ob sie ihre neuen Erkenntnisse mit Chiswell selbst teilen sollte. Würde Strike ihr Eigenmächtigkeit vorwerfen, oder wäre er eher verärgert, wenn sie Chiswell dieses Druckmittel vorenthielte, obwohl sie so unter Zeitdruck standen?

Nachdem sie eine Weile mit sich gerungen hatte, rief sie Izzy an, deren Bürofenster von ihrem Platz im Café aus wenn auch nur zur Hälfte zu sehen war.

»Izzy, ich bin's, Venetia. Ich ruf an, weil das hier nicht für Raphaels Ohren bestimmt sein dürfte. Ich glaube, ich hab für deinen Vater Informationen über Winn ...«

»Ah, fantastisch!«, antwortete Izzy laut, und Robin hörte Raphael im Hintergrund fragen: »Ist das Venetia? Wo steckt sie denn?«, während Computertasten klickten.

»Ich seh schnell in seinem Terminkalender nach, Venetia ... Bis um elf ist er im Ministerium, und von da an ist er bis zum Abend in irgendwelchen Konferenzen. Soll ich ihn anrufen? Wenn du sofort hingehst, hätte er wahrscheinlich noch Zeit für dich.«

Und so steckte Robin Handy, Notizbuch und Stift sowie die Post für Chiswell und Winn in ihre Tasche, kippte den restlichen Kaffee hinunter und eilte los zum Ministerium für Kultur, Medien und Sport.

Als Robin Chiswells Flur erreichte, tigerte er gerade mit dem Telefon am Ohr hinter der Glaswand auf und ab. Er winkte sie herein, deutete auf ein niedriges Ledersofa neben seinem Schreibtisch und redete weiter auf jemanden ein, der offenbar seinen Missmut erregt hatte.

»Es war ein Geschenk«, sprach er übertrieben deutlich in den Hörer, »von meinem ältesten Sohn! Vierundzwanzig Karat Gold, mit der Inschrift *Nec aspera terrent*. Herr im Himmel noch mal!«, brüllte er, und Robin sah, wie die cleveren jungen Leute draußen auf dem Flur die Köpfe zu ihm umdrehten. »Das ist Latein! Geben Sie mir jemanden, der wenigstens *Englisch* spricht! *Jasper Chiswell!* Der *Kulturminister!* Ich hab Ihnen das Datum genannt … Nein, können Sie nicht … Ich habe verflucht noch mal nicht den ganzen Tag Zeit …«

Aus der Hälfte des Gesprächs, die sie hatte mit anhören konnte, schloss Robin, dass Chiswell eine Geldklammer von sentimentalem Wert verloren hatte, die er in einem Hotel liegen gelassen zu haben glaubte, wo er und Kinvara deren Geburtstagsabend verbracht hatten. Soweit sie mitbekam, hatten es die Hotelangestellten nicht nur versäumt, die Geldklammer zu finden, sie zeigten auch nicht die angemessene Ehrfurcht angesichts des Umstands, dass Chiswell sich herabgelassen hatte, ausgerechnet in einem ihrer Hotels abzusteigen.

»Ich verlange einen Rückruf! Zu nichts zu gebrauchen«, murmelte Chiswell, legte auf und sah dann Robin an, als hätte er völlig vergessen, wer sie war. Schnaufend ließ er sich auf das Sofa ihr gegenüber fallen. »Ich hab zehn Minuten, ich hoffe also, es ist etwas Brauchbares.«

»Ich habe Informationen über Mr. Winn«, sagte Robin und holte ihr Notizbuch heraus. Ohne eine weitere Aufforderung abzuwarten, fasste sie die Informationen zusammen, die sie Sir Kevin entlockt hatte.

»… und«, schloss sie kaum neunzig Sekunden später, »es

könnte noch weitere Verfehlungen vonseiten Mr. Winns geben, allerdings käme man an diese Informationen nur über Dr. Elspeth Curtis-Lacey, und deren Telefonnummer ist nicht gelistet. Wahrscheinlich würde es nicht allzu lang dauern, bis wir einen Weg gefunden hätten, sie zu kontaktieren, aber«, erklärte Robin eilig, weil Chiswell die winzigen Augen leicht missbilligend verdrehte, wie sie glaubte, »ich wollte Ihnen die Informationen so schnell wie möglich zukommen lassen.«

Sekundenlang starrte er sie nur mit seiner ewig schmollenden Miene an. Dann schlug er sich eindeutig gut gelaunt auf die Schenkel.

»Ja, ja, ja«, sagte er. »Er hat mir versichert, Sie seien die Beste. Jawohl. Das hat er gesagt.«

Er zog ein zerknautschtes Taschentuch aus der Hosentasche und wischte sich damit übers Gesicht, das während des Telefonats mit dem unglückseligen Hotel schweißfeucht geworden war.

»Ja, ja, ja«, sagte er wieder, »das wird ja doch noch ein guter Tag. Da bringt sich einer nach dem anderen selbst zu Fall ... Winn ist also ein Dieb und ein Lügner und vielleicht noch mehr?«

»Na ja«, gab Robin zu bedenken, »er hat keine Belege für diese fünfundzwanzigtausend Pfund, und er hat mit Sicherheit Versprechungen abgegeben, die er nicht halten kann ...«

»Dr. Elspeth Curtis-Lacey ...« Chiswell hing seinen eigenen Gedanken nach. »Bei dem Namen klingelt was bei mir ...«

»Sie saß früher für die Liberal Democrats aus Northumberland im Parlament«, erklärte Robin, die zuvor die Webseite von *The Level Playing Field* konsultiert hatte.

»Kindesmissbrauch«, erklärte Chiswell unvermittelt. »Daher kenne ich sie. Kindesmissbrauch. Sie saß in irgendeinem Komitee. Sie hat einen absoluten Vogel, sieht überall missbrauchte Kinder. Natürlich – bei den Lib Dems sitzen fast nur Spinner!

Das ist praktisch ihr Freigehege! Die ganze Partei ist ein einziges Sammelbecken für Knalltüten.«

Er stand auf, hinterließ dabei ein Schneegestöber aus Schuppen auf dem schwarzen Leder und marschierte eine Weile stirnrunzelnd auf und ab.

»Diese ganze Spendengeschichte muss früher oder später ans Licht kommen«, wiederholte er mehr oder weniger wortgleich, was auch schon Sir Kevins Frau gesagt hatte. »Aber heiliger Bimbam, die werden sicher nicht wollen, dass das ausgerechnet jetzt passiert, wo Della alle Hände voll mit den Paralympischen Spielen zu tun hat! Winn wird durchdrehen, wenn er herausfindet, dass ich Bescheid weiß. Oh ja. Ich glaube, das könnte ihm den Wind aus den Segeln nehmen ... zumindest kurzfristig. Falls er aber mit Kindern rumgemacht hat ...«

»Dafür gibt es keine Beweise«, sagte Robin.

»... dann wäre er ein für alle Mal weg vom Fenster«, erklärte Chiswell, ohne innezuhalten. »Ja, ja, ja. Das erklärt, warum Winn die Vorstandsmitglieder zu unserem Empfang für die Paralympischen Spiele am nächsten Donnerstag einladen wollte, oder? Er bläst ihnen Zucker in den Arsch, damit keiner auf die Idee kommt, das sinkende Schiff zu verlassen. Prinz Harry wird auch da sein. Diese Wohltätigkeitsheinis lieben die Royals. Die Hälfte macht nur deswegen mit.«

Er kratzte seinen dichten grauen Haarschopf und stellte dabei dunkle Achselschweißflecken zur Schau.

»Wir machen Folgendes«, sagte er dann. »Wir setzen seine Vorstandsmitglieder auf die Einladungsliste, und Sie kommen ebenfalls. Dann können Sie diese Curtis-Lacey in die Ecke treiben und herausfinden, was sie weiß. In Ordnung? Am Zwölften?«

»Ja«, sagte Robin und notierte sich den Termin. »In Ordnung.«

»Währenddessen lasse ich Winn wissen, dass ich von seinem Griff in die Kasse erfahren habe.« Robin war schon an der Tür, als Chiswell unvermittelt fragte: »Sie wollen nicht vielleicht als meine persönliche Assistentin hier anfangen?«

»Verzeihung?«

»Izzys Job übernehmen? Was zahlt Ihnen dieser Detektiv? Ich könnte wahrscheinlich noch etwas drauflegen. Ich brauche jemanden mit Grips und Rückgrat.«

»Ich bin … glücklich mit meinem Job«, entgegnete Robin.

Chiswell grunzte. »Hm. Na ja, vielleicht ist es ja gut so. Gut möglich, dass ich noch mehr Arbeit für Sie habe, wenn wir Winn und Knight erst losgeworden sind. Also los mit Ihnen.«

Er drehte ihr den Rücken zu und hatte schon die Hand am Telefon.

Draußen in der Sonne holte Robin erneut ihr Handy heraus. Strike hatte immer noch nicht angerufen, dafür hatte Matthew ihr den Namen eines Pubs in Mayfair geschickt, praktischerweise ganz in der Nähe von Sarahs Arbeitsplatz. Trotzdem sah Robin dem Abend jetzt etwas entspannter entgegen als vor ihrem Treffen mit Chiswell. Sie summte sogar Bob Marley vor sich hin, als sie zum Parlament zurückging.

Er hat mir versichert, Sie seien die Beste. Jawohl. Das hat er gesagt.

26

Ich bin doch nicht so ganz einsam. Wir ertragen die Einsamkeit hier zu zweit.

HENRIK IBSEN, *ROSMERSHOLM*

Es war vier Uhr morgens, jene schwarze Stunde, in der die Schlaflosen zitternd in einer Welt voller tiefer Schatten ausharrten und alle Existenz zerbrechlich und fremd erschien. Strike, der weggenickt war, schreckte jäh auf seinem Krankenhausstuhl hoch. Sekundenlang spürte er nur die Schmerzen in seinem Körper und den seinen Magen zermarternden Hunger. Dann sah er seinen neunjährigen Neffen Jack reglos im Bett liegen – mit einer Kühlpackung über den Augen, einem Schlauch in der Kehle und Kabeln an Hals und Handgelenken. Ein Urinbeutel hing seitlich an seinem Bett, während drei verschiedene Infusionsbehälter ihren Inhalt in den Körper tröpfelten, der inmitten der leise summenden Maschinen im stillen, höhlenartigen Dunkel der Intensivstation winzig und zerbrechlich wirkte.

Irgendwo hinter dem Vorhang um Jacks Bett hörte er die weichen Schuhe einer Krankenschwester vorübertappen. Strike hätte die Nacht nicht auf dem Stuhl verbringen sollen, aber er hatte sich nicht abwimmeln lassen, und sein Prominentenstatus – so dürftig er auch war – hatte in Kombination mit seinem Invalidenstatus den Ausschlag gegeben.

Seine Krücken lehnten am Nachttisch. Auf der Station war es zu warm, wie in allen Krankenhäusern. Strike hatte zahllose

Wochen in den verschiedensten Eisenbetten verbracht, nachdem sein Bein weggesprengt worden war. Der Geruch versetzte ihn zurück in eine Zeit voller Schmerzen und brutaler Umstellungen, eine Zeit, in der er gezwungen gewesen war, sein Leben vor dem Hintergrund unzähliger Hindernisse, Entwürdigungen und Entbehrungen neu zu kalibrieren.

Der Vorhang raschelte, und eine Krankenschwester trat – nüchtern und sachlich in ihrer Uniform – an Jacks Bett. Als sie sah, dass Strike wach war, schenkte sie ihm ein flüchtiges professionelles Lächeln. Dann nahm sie das Krankenblatt ab, das am Fußende von Jacks Bett hing, und machte sich daran, die Monitordaten zu übertragen, die den Blutdruck und die Sauerstoffsättigung maßen. Als sie fertig war, flüsterte sie: »Möchten Sie vielleicht einen Tee?«

»Ist mit ihm alles in Ordnung?« Strike bemühte sich nicht mal, das Flehen in seiner Stimme zu verbergen. »Wie sieht es aus?«

»Er ist stabil. Kein Anlass zur Sorge. So wie in diesem Stadium zu erwarten. Tee?«

»Ja, gerne. Vielen Dank.«

Sobald der Vorhang hinter der Krankenschwester zugefallen war, spürte er, dass seine Blase drückte. Er wünschte sich, er hätte daran gedacht, sich von der Schwester die Krücken reichen zu lassen, wuchtete sich hoch, wobei er sich an einer Armlehne aufrecht hielt, hüpfte zur Wand und schnappte seine Krücken, bevor er hinter dem Vorhang hervorhumpelte und auf das hell erleuchtete Rechteck am Ende der abgedunkelten Station zuhielt.

Nachdem Strike sich unter dem bläulichen Licht, das es den Junkies erschweren sollte, eine Vene zu finden, an einem Urinal erleichtert hatte, humpelte er weiter in den Besucherbereich vor der Station, wo er gestern am Spätnachmittag darauf gewartet hatte, dass Jack aus dem OP gerollt würde. Der Vater des Schulfreunds, bei dem Jack hätte übernachten sollen, als sein Blinddarm durchgebrochen war, hatte ihm dort Gesellschaft geleistet. Der Mann hatte sich nicht davon abbringen lassen, Strike Beistand zu leisten, »bis der kleine Kerl über den Berg« wäre. Er hatte ununterbrochen nervös vor sich hin geplappert, während Jack notoperiert wurde, und dabei Dinge gesagt wie: »In dem Alter stecken sie so was locker weg«, »Er ist ein zäher kleiner Bursche«, »Zum Glück wohnen wir so nah an der Schule«, und immer wieder: »Greg und Lucy sind bestimmt außer sich vor Angst.« Strike hatte nichts gesagt, hatte kaum zugehört und sich stattdessen auf das Schlimmste gefasst gemacht, während er Lucy alle dreißig Minuten ein Update geschickt hatte:

Immer noch im OP.

Noch nichts Neues.

Endlich war der Arzt rausgekommen, um ihnen mitzuteilen, dass Jack, der nach seiner Ankunft im Krankenhaus hatte wiederbelebt werden müssen, die Operation überstanden, allerdings eine »böse Sepsis« erlitten hatte und in Kürze auf die Intensivstation gebracht würde.

»Ich sorge dafür, dass ihn seine Freunde besuchen kommen«, hatte Lucys und Gregs Freund aufgeregt gesagt. »Ihn aufmuntern – Pokemon-Karten mitbringen ...«

»Dafür ist es noch zu früh«, hatte der Arzt abgewehrt. »In den nächsten vierundzwanzig Stunden bleibt er im künstlichen Koma und muss beatmet werden. Sind Sie der nächste Verwandte?«

»Nein, der bin ich«, krächzte Strike mit ausgetrockneter Kehle. »Ich bin sein Onkel. Seine Eltern sind über ihren Hochzeitstag nach Rom geflogen. Sie versuchen gerade, ihren Rückflug umzubuchen.«

»Ah, verstehe. Also, er ist noch nicht völlig über den Berg, aber die Operation war erfolgreich. Wir haben die Bauchhöhle gespült und eine Drainage gelegt. Er wird wie gesagt in Kürze auf die Intensivstation gebracht.«

»Ich hab's doch gesagt.« Lucys und Gregs Freund strahlte Strike mit Tränen in den Augen an. »Ich hab doch gesagt, dass sie so was wegstecken!«

»Ja«, sagte Strike. »Ich gebe Lucy Bescheid.«

Doch in einer Verkettung unglücklicher Umstände hatten Jacks panische Eltern nach der Ankunft am Flughafen feststellen müssen, dass auf dem Weg zwischen Hotelzimmer und Abflughalle Lucys Pass verloren gegangen war. Verzweifelt, aber erfolglos waren sie sämtliche Wege noch einmal abgegangen, hatten ihr Dilemma dem Hotelpersonal, der Polizei und der britischen Botschaft geschildert und schließlich den letzten Flug verpasst.

Um zehn nach vier Uhr morgens war der Wartebereich angenehm leer. Strike schaltete das Handy ein, das er auf der Intensivstation ausgeschaltet hatte, und entdeckte ein Dutzend verpasster Anrufe von Robin und einen von Lorelei. Ohne sich damit aufzuhalten, schrieb er eine Nachricht an Lucy, die mit Sicherheit hellwach in ihrem Hotel in Rom sitzen würde, wohin ein Taxifahrer kurz nach Mitternacht ihren gefundenen Pass gebracht hatte. Lucy hatte Strike angefleht, ihr ein Bild von Jack zu schicken, sobald er aus dem OP käme. Strike hatte behauptet, das Foto würde nicht laden. Nach dem stressigen Tag brauchte Lucy ihren Sohn nun wirklich nicht wie verloren in seinem übergroßen Krankenhaushemd und mit abgedeckten Augen am Beatmungsgerät zu sehen.

Sieht gut aus, tippte er. Immer noch in Narkose, aber die Krankenschwester ist zuversichtlich.

Er drückte auf Senden und wartete. Wie nicht anders zu erwarten, reagierte sie nach nicht einmal zwei Minuten.

> Du bist bestimmt total fertig. Haben sie dir im Krankenhaus ein Bett gegeben?

> Nein, ich sitze neben ihm, antwortete Strike. Ich bleibe, bis ihr zurück seid. Versucht zu schlafen und macht euch keine Sorgen. Alles Liebe!

Strike schaltete sein Handy aus, hievte sich auf seinen Fuß, stemmte sich wieder auf seine Krücken und kehrte auf die Station zurück.

Der Tee wartete schon auf ihn, so blass und milchig, als hätte Denise ihn gemacht, aber nachdem er zwei Päckchen Zucker hineingeleert hatte, nahm er ein paar große Schlucke, wobei sein Blick zwischen seinem Neffen und den Maschinen hin und her pendelte, die ihn am Leben erhielten und überwachten. Noch nie hatte er den Jungen so intensiv betrachtet. Tatsächlich hatte er bis dahin nie viel mit ihm zu tun gehabt – trotz der Bilder, die Jack für ihn malte und die Lucy regelmäßig an ihn weitergab.

»Du bist sein Held«, hatte Lucy ihm mehrmals erklärt. »Er will später auch mal Soldat werden.«

Strike mied ihre Familienfeiern, teils weil er Jacks Vater Greg nicht ausstehen konnte, teils weil ihm Lucy mit ihren Bemühungen, ihren Bruder zu einer konventionelleren Existenz zu drängen, auf die Nerven ging, ohne dass dabei ihre Söhne anwesend sein mussten, von denen der älteste Strike ganz besonders an seinen Vater erinnerte. Strike wollte keine Kinder, auch wenn er jederzeit zugestanden hätte, dass manche ganz nett waren – sogar dass er tatsächlich eine gewisse distanzierte Zuneigung zu Jack gefasst hatte, auch aufgrund von

Lucys Erzählungen, dass Jack eines Tages zu den Red Caps gehen wollte. Dennoch hatte er sich eisern so gut wie allen Geburtstagseinladungen und Weihnachtsfeiern verweigert, bei denen er eine tiefere Bindung hätte aufbauen können.

Doch jetzt, da die Morgendämmerung durch die dünnen Vorhänge sickerte, die Jacks Bett von der Station abschirmten, sah Strike erstmals, wie ähnlich der Junge seiner Großmutter Leda war, Strikes eigener Mutter. Er hatte ihre dunklen Haare, ihre helle Haut und den fein gezeichneten Mund. Er hätte tatsächlich ein hübsches Mädchen abgegeben, doch Ledas Sohn wusste, was die Pubertät mit Kinn und Hals des Jungen anstellen würde ... falls er sie denn erlebte.

Natürlich wird er sie verflucht noch mal erleben. Die Krankenschwester hat doch gesagt ...

Er liegt auf der beschissenen Intensivstation. Mit einem Schluckauf landet hier keiner.

Er ist zäh. Er will zum Militär. Er schafft das schon.

Das will ich verflucht noch mal hoffen. Ich hab ihm nicht mal eine SMS geschickt, um mich für seine Bilder zu bedanken.

Strike brauchte eine Weile, bis er in einen unruhigen Schlummer fiel.

Ein frühmorgendlicher Sonnenstrahl auf den Lidern weckte ihn. Noch während er gegen das Licht anblinzelte, hörte er quietschende Schritte auf dem Krankenhausboden. Dann folgte ein lautes Rasseln, mit dem der Vorhang zurückgezogen und Jacks Bett zur Station hin geöffnet wurde, auf der rundherum reglose Gestalten in ihren Betten lagen. Eine neue Krankenschwester, jünger und mit langem dunklem Pferdeschwanz, strahlte ihn an.

»Guten Morgen!«, begrüßte sie ihn fröhlich, während sie Jacks Krankenblatt kontrollierte. »Wir haben nicht oft Prominente hier. Ich weiß alles über Sie. Ich hab alles darüber gelesen, wie Sie diesen Serien...«

»Das ist mein Neffe Jack«, unterbrach er sie kühl. Die Vorstellung, in dieser Situation über den Shacklewell Ripper zu reden, widerte ihn an. Das Lächeln der Krankenschwester fiel in sich zusammen.

»Würde es Ihnen etwas ausmachen, vor dem Vorhang zu warten? Wir müssen ihm Blut abnehmen, die Infusionen und seinen Katheter tauschen.«

Strike schleppte sich auf seinen Krücken nach draußen, humpelte ein weiteres Mal mühsam aus der Station und war bemüht, keine der anderen reglosen Gestalten anzusehen, die an ihre jeweils eigenen surrenden Maschinen gekoppelt waren.

Die Cafeteria war bereits halb voll, als er unrasiert und mit schweren Lidern dort ankam. Er hatte sein Tablett bereits zur Kasse geschoben und bezahlt, bevor ihm aufging, dass er beide Hände für seine Krücken brauchte. Ein junges Mädchen, das die Tische abräumte, bemerkte sein Dilemma und kam ihm zu Hilfe.

»Danke«, sagte Strike knapp, als sie das Tablett auf einem Tisch am Fenster abgestellt hatte.

»Kein Problem«, sagte das Mädchen. »Lassen Sie nachher alles stehen, ich räume es dann weg.«

Die freundliche Geste rührte Strike über alle Maßen. Statt sich sofort über seine Spiegeleier mit Bacon herzumachen, nahm er sein Handy heraus und schrieb Lucy:

Alles gut, die Schwester wechselt gerade seine Infusion, bin gleich wieder bei ihm. LG

Wie er fast schon erwartet hatte, klingelte das Telefon, sowie er sein Spiegelei angeschnitten hatte.

»Wir haben einen Flug bekommen«, erklärte ihm Lucy ohne Vorrede, »allerdings erst um elf.«

»Kein Problem«, antwortete er. »Ich bleibe so lange hier.«

»Ist er schon wach?«

»Nein, er steht immer noch unter Beruhigungsmitteln.«

»Er wird sich riesig freuen, dass du da bist, wenn er aufwacht, bevor ... bevor ...«

Sie brach in Tränen aus. Strike konnte hören, wie sie schluchzend versuchte weiterzureden.

»... nur noch nach Hause ... ihn sehen ...«

Zum ersten Mal in seinem Leben war Strike froh, Gregs Stimme zu hören, der seiner Frau das Telefon abgenommen hatte. »Wir sind dir wirklich saumäßig dankbar, Corm. Das ist unser erstes Wochenende zu zweit seit fünf Jahren, kannst du dir das vorstellen?«

»Murphys Gesetz ...«

»Genau. Und er hat noch gesagt, dass er Bauchweh hat – aber ich dachte, er spielt uns was vor. Dachte, er wollte nicht, dass wir ohne ihn verreisen. Jetzt fühle ich mich wie das letzte Schwein, das kannst du mir glauben.«

»Keine Sorge«, sagte Strike, und dann noch mal: »Ich bleibe so lange hier bei ihm.«

Nach einem kurzen Wortwechsel und Lucys tränenfeuchtem Abschied konnte Strike sich endlich seinem englischen Frühstück widmen. Unter dem Klappern und Scheppern der Krankenhauscafeteria und umgeben von anderen bedauernswerten, nervösen Gestalten, die fettiges, zuckriges Essen verschlangen, schaufelte er seins zügig und genusslos in sich hinein.

Als er gerade auf dem letzten Baconstreifen herumkaute, traf eine Nachricht von Robin ein.

Hab versucht, dich wegen eines Updates über Winn anzurufen. Sag Bescheid, sobald du sprechen kannst.

Der Chiswell-Fall fühlte sich unendlich weit entfernt an. Trotzdem verzehrte sich Strike, sobald er die Nachricht las, genauso sehr nach einer Dosis Nikotin wie nach Robins Stimme. Er hinterließ sein Tablett dankend dem netten Mädchen, das es auch an seinen Tisch gebracht hatte, und humpelte auf seinen Krücken hinaus.

Vor dem Krankenhauseingang hatten sich einige Raucher versammelt und standen mit hochgezogenen Schultern wie Hyänen in der klaren Morgenluft. Strike zündete sich eine Zigarette an, inhalierte tief und rief Robin zurück.

»Hallo«, sagte er, als sie ranging. »Entschuldige, dass ich mich nicht gemeldet habe, ich war im Krankenhaus …«

»Was ist passiert? Geht es dir gut?«

»Ja, bei mir ist alles bestens. Ich bin bei meinem Neffen Jack, sein Blinddarm ist gestern durchgebrochen, und er … er hat …«

Strike schämte sich zutiefst, als ihm die Stimme versagte. Noch während er um Fassung rang, fragte er sich, wie lang er nicht mehr geweint hatte. Womöglich nicht mehr seit den Schmerz- und Zornestränen, die er vergossen hatte, nachdem man ihn von dem blutdurchtränkten Flecken, wo die Sprengfalle ihm das Bein abgerissen hatte, in ein deutsches Lazarett geflogen hatte.

»Scheiße«, murmelte er schließlich, das einzige Wort, das er noch herausbrachte.

»Was ist denn passiert, Cormoran?«

»Er … Er liegt auf der Intensivstation«, sagte Strike, und sein Gesicht zerknitterte unter der Anstrengung, nicht die Beherrschung zu verlieren und mit fester Stimme weiterzusprechen. »Seine Mum … Lucy und Greg stecken in Rom fest, darum haben sie mich gebeten …«

»Ist jemand bei dir? Ist Lorelei auch da?«

»Jesus, nein.«

Loreleis »Ich liebe dich« schien Wochen zurückzuliegen, dabei hatte sie es gerade erst zwei Nächte zuvor geflüstert.

»Was sagen die Ärzte?«

»Sie glauben, dass er es schafft, aber, ach, er ... Er liegt auf der Intensivstation. Scheiße«, krächzte Strike erneut und wischte sich über die Augen. »Entschuldige. Es war eine anstrengende Nacht.«

»Und in welchem Krankenhaus liegt er?«

Er nannte es ihr. Abrupt verabschiedete sie sich und legte auf. Strike blieb nichts weiter zu tun, als seine Zigarette zu Ende zu rauchen und sich unterdessen in unregelmäßigen Abständen mit dem Ärmel über Gesicht und Nase zu wischen.

Als er zurückging, lag die stille Station in strahlendem Sonnenschein. Er lehnte die Krücken an die Wand, setzte sich wieder an Jacks Bett, schlug die Zeitung vom Vortag auf, die er aus dem Wartebereich hatte mitgehen lassen, und las eine Meldung, dass Robin van Persie möglicherweise von Arsenal zu Manchester United wechseln könnte.

Eine Stunde später erschienen der operierende Arzt und der für die Station zuständige Anästhesist zur Visite an Jacks Bett, und Strike lauschte beklommen ihrer halblauten Unterhaltung.

»... die Sauerstoffzufuhr noch nicht unter fünfzig Prozent senken ... anhaltende Pyrexie ... Urinausscheidung in den letzten vier Stunden stark rückgängig ...«

»... noch eine Aufnahme des Thorax zur Sicherheit, dass die Lunge wirklich nicht beschädigt wurde ...«

Frustriert wartete Strike darauf, dass jemand ihm einen verwertbaren Informationsbrocken zuwarf. Endlich drehte sich der operierende Arzt zu ihm um.

»Wir lassen ihn vorerst im künstlichen Koma. Er ist noch nicht wieder so weit, als dass wir die Sauerstoffzufuhr abstellen könnten, und wir müssen den Flüssigkeitshaushalt nachregeln.«

»Was heißt das? Geht es ihm schlechter?«

»Nein, so was kommt öfter vor. Er hatte eine wirklich

schlimme Infektion. Wir mussten die Bauchhöhle gründlich ausspülen. Ich will nur prophylaktisch den Brustkorb röntgen, damit wir sicher sein können, dass nichts punktiert wurde, als wir ihn wiederbelebt haben. Ich komme später wieder vorbei und sehe nach ihm.«

Sie gingen weiter zu einem umfangreich bandagierten Teenager mit noch mehr Schläuchen und Drähten als Jack, und Strike blieb zutiefst verunsichert zurück. Im Lauf der langen Nacht war er dazu übergegangen, die verschiedenen Apparate als grundsätzlich freundlich gesinnte Helfer anzusehen, die seinen Neffen bei der Genesung unterstützten. Jetzt erschienen sie ihm wie unerbittliche Richter, die mit erhobenen Punktetafeln anzeigten, dass Jack unterzugehen drohte.

»Scheiße«, murmelte Strike wieder und rückte den Stuhl näher ans Bett heran. »Jack ... deine Mum und Dad ...« Er spürte ein verräterisches Brennen hinter den Lidern. Zwei Krankenschwestern gingen vorbei. »Scheiße ...«

Mit schier übermenschlicher Anstrengung riss er sich zusammen und räusperte sich.

»Tut mir leid, Jack. Deine Mum würde nicht wollen, dass ich dir ins Ohr fluche ... Hier ist übrigens Onkel Cormoran, falls du nicht ... Jedenfalls sind Mum und Dad auf dem Weg hierher, okay? Und ich bleib bei dir, bis sie ...«

Er verstummte mitten im Satz. Am anderen Ende der Station war Robin in der Tür aufgetaucht. Sie ließ sich von einer Stationsschwester den Weg erklären, dann steuerte sie direkt auf ihn zu, in Jeans und T-Shirt, die Augen blaugrau wie immer, mit offenem Haar und zwei Styroporbechern in der Hand.

Als Robin Strikes erleichtertes, dankbares Gesicht sah, fühlte sie sich mehr als entschädigt für den verletzenden Streit mit Matthew, das zweimalige Umsteigen von einem Bus zum anderen und die anschließende Taxifahrt hierher. Dann fiel ihr Blick auf die dünne, lang gestreckte Gestalt neben Strike.

»Oh nein«, wisperte sie und blieb am Fußende des Betts stehen.

»Robin, das wäre doch nicht nötig ...«

»Ich weiß, dass es nicht nötig gewesen wäre«, erwiderte sie und zog einen Stuhl neben den von Strike. »Aber ich würde in so einer Situation auch nicht allein sein wollen. Vorsicht, heiß«, sagte sie und reichte ihm einen Tee.

Er nahm ihr den Becher ab und stellte ihn auf den Nachttisch, dann nahm er ihre Hand und drückte sie ein wenig zu fest. Noch ehe sie den Druck erwidern konnte, hatte er schon wieder losgelassen.

Sekundenlang saßen beide schweigend da und sahen zu Jack, bis Robin, deren Finger immer noch pochten, fragte: »Wie ist denn der letzte Stand?«

»Er braucht immer noch Sauerstoff, und er pinkelt wohl nicht genug«, sagte Strike. »Keine Ahnung, was das heißt. Mir wäre eine Notenskala von eins bis zehn lieber gewesen oder ... Was weiß ich. Ach ja, und sie wollen seinen Brustkorb röntgen, falls sie seine Lunge durchstochen haben sollten, als sie ihm den Schlauch reingeschoben haben.«

»Wann wurde er operiert?«

»Gestern Nachmittag. Er ist während eines Geländelaufs in der Schule zusammengebrochen. Ein Freund von Greg und Lucy, der gleich neben der Schule wohnt, ist im Krankenwagen mitgefahren. Ich selbst bin dann hier dazugestoßen.«

Wieder schwiegen beide und sahen Jack unverwandt an.

»Ich bin ein schrecklicher Onkel«, sagte Strike nach einer Weile. »Ich kann mir nicht merken, wann sie Geburtstag haben – ich hätte nicht mal sagen können, wie alt er ist. Dieser befreundete Vater, der ihn hergebracht hat, wusste besser Bescheid als ich. Jack will Soldat werden. Luce meint, er redet oft von mir und malt mir Bilder, und ich bedanke mich nicht mal dafür, verflucht noch mal.«

»Na ja«, sagte Robin und tat so, als würde sie nicht mitbekommen, wie Strike ruppig mit dem Ärmel über seine Augen wischte, »dafür bist du doch jetzt für ihn da, wo er dich braucht. Außerdem hast du alle Zeit der Welt, das wiedergutzumachen.«

»Ja.« Er blinzelte mehrmals. »Weißt du, was ich tue, wenn er ... Dann geh ich mit ihm ins Imperial War Museum. Einen ganzen Tag lang.«

»Gute Idee«, sagte Robin freundlich.

»Warst du schon mal dort?«

»Nein«, sagte Robin.

»Tolles Museum.«

Ein Pfleger und die Krankenschwester, der Strike zuvor über den Mund gefahren war, traten an Jacks Bett.

»Wir müssen ihn jetzt röntgen«, sagte die Schwester eher zu Robin als zu Strike. »Können Sie so lange draußen im Wartebereich warten?«

»Wie lang dauert es denn?«, fragte Strike.

»Eine halbe Stunde. Eher vierzig Minuten.«

Robin reichte Strike die Krücken, und gemeinsam wanderten sie in die Cafeteria.

»Das ist wirklich nett von dir, Robin«, sagte Strike bei zwei weiteren Bechern mit bleichem Tee und ein paar Ingwerkeksen, »aber wenn du noch was zu erledigen hast ...«

»Ich bleibe, bis Greg und Lucy da sind«, sagte Robin. »Bestimmt können sie es kaum ertragen, so weit weg von ihrem Kind zu sein. Matthew ist siebenundzwanzig, trotzdem war sein Dad krank vor Sorge, als Matt auf den Malediven krank geworden ist.«

»Ach so?«

»Ja, du weißt schon, als er ... Ach ja, natürlich. Das hab ich dir nie erzählt, oder?«

»Was denn?«

»Er hat sich in unseren Flitterwochen eine üble Infektion zugezogen. Hatte sich an irgendeiner Koralle aufgeschürft. Zwischendurch haben sie sogar überlegt, ob sie ihn mit dem Hubschrauber ins Krankenhaus fliegen sollen, aber dann wurde alles wieder gut. Es war nicht so schlimm, wie sie anfangs gedacht hatten.«

Während sie das sagte, musste sie daran denken, wie sie die vom Sonnenschein noch heiße Holztür aufgestoßen hatte, ohne zu ahnen, was sie im Zimmer erwarten würde, und wie es ihr bei der Vorstellung, Matthew zu eröffnen, dass sie die Ehe annullieren lassen wolle, die Kehle zugeschnürt hatte.

»Weißt du, seine Mum war noch gar nicht lang vorher gestorben, darum hatte Geoffrey wirklich Angst um Matt ... aber dann wurde alles wieder gut«, wiederholte Robin und nahm einen Schluck lauwarmen Tee, hielt den Blick zur Theke gerichtet, hinter der eine Frau Baked Beans auf den Teller eines dürren Teenagers klatschte.

Strike sah sie aufmerksam an. Er ahnte, dass sie bei ihrer Geschichte einiges ausgelassen hatte.

Die Meeresbakterien sind schuld.

»Das war bestimmt schlimm«, sagte er.

»Ein Spaß war es nicht.« Robin inspizierte ihre kurzen, sauberen Fingernägel und sah dann auf die Uhr. »Wenn du noch eine rauchen willst, sollten wir uns auf den Weg machen. Sie müssten mit dem Röntgen bald fertig sein.«

Einer der Raucher, zu denen sie sich draußen vor der Tür gesellten, trug einen Schlafanzug. Er hatte seinen Infusionsständer mitgenommen und hielt ihn im Arm wie einen Schäferstab, um nicht umzufallen. Strike zündete sich eine Zigarette an, nahm einen tiefen Zug und schickte den Rauch in den blauen Himmel.

»Ich hab dich gar nicht nach eurem gemeinsamen Wochenende gefragt.«

»Tut mir leid, dass ich da nicht arbeiten konnte«, sagte Robin eilig, »aber es war schon alles gebucht, und ...«

»Deshalb hab ich nicht gefragt.«

Sie zögerte.

»Es war nicht besonders, um ehrlich zu sein.«

»Na ja. Manchmal steht man so unter Druck, dass alles perfekt sein muss ...«

»Ja, genau«, sagte Robin. Nach einer weiteren kurzen Pause fragte sie: »Und Lorelei arbeitet heute?«

»Wahrscheinlich«, sagte Strike. »Was ist heute – Samstag? Ja, ich denke schon.«

Schweigend standen sie nebeneinander und sahen Besucher und Krankenwagen ankommen, während Strikes Zigarette Millimeter um Millimeter schrumpfte. Verlegenheit war keine zu spüren, trotzdem hingen ungestellte Fragen und unausgesprochene Erklärungen in der Luft. Als Strike zu guter Letzt den Zigarettenstummel in einem großen, offenen Aschenbecher ausdrückte, den die meisten anderen Raucher ignorierten, sah er kurz auf sein Handy.

»Vor zwanzig Minuten sind sie gelandet«, stellte er fest, nachdem er Lucys letzte Nachricht gelesen hatte. »Gegen drei sollten sie hier sein.«

»Was ist denn mit deinem Handy passiert?«, fragte Robin, als sie das geflickte Display sah.

»Da bin ich draufgefallen«, sagte Strike nur. »Ich besorg mir ein neues, sobald Chiswell uns bezahlt hat.«

Als sie auf die Station zurückkamen, wurde das Röntgengerät an ihnen vorbeigerollt. »Der Brustkorb sieht gut aus«, teilte der Röntgenarzt, der es vor sich herschob, ihnen im Vorbeigehen mit.

Dann saßen sie wieder an Jacks Bett und unterhielten sich leise, bis Robin nach einer Stunde aus diversen Verkaufsautomaten in der Nähe frischen Tee und ein paar Schokoriegel holte, die sie im Wartebereich verzehrten, wo Robin Strike über alles aufklärte, was sie in der Zwischenzeit über Winns Wohltätigkeitsorganisation in Erfahrung gebracht hatte.

»Du hast dich selbst übertroffen«, sagte Strike, während er seinen zweiten Mars-Riegel verdrückte. »Exzellente Arbeit, Robin.«

»Und es stört dich nicht, dass ich es Chiswell erzählt habe?«

»Nein, das musstest du ja. Jetzt, da Mitch Patterson ebenfalls rumschnüffelt, wird es zeitlich eng für uns. Hat diese Curtis-Lacey die Einladung zu eurem Empfang angenommen?«

»Das erfahre ich am Montag. Was ist mit Barclay? Hat er etwas über Jimmy Knight herausgefunden?«

»Immer noch nichts, was wir verwenden könnten.« Strike strich sich seufzend über die Stoppeln, die sich allmählich zu einem Bart auswuchsen. »Aber ich hab die Hoffnung noch nicht aufgegeben. Barclay ist gut. So wie du. Hat einen Instinkt für so was.«

Eine Familie kam in den Wartebereich geschlurft, der Vater schniefend, die Mutter schluchzend. Der Sohn, der aussah wie höchstens sechs, starrte Strikes fehlendes Bein an, als wäre es nur ein weiteres grauenvolles Detail in jenem Albtraum, in den es ihn verschlagen hatte. Strike und Robin sahen einander kurz an. Dann schnappte Robin sich Strikes Teebecher, damit er sich die Krücken nehmen konnte.

Nachdem sie sich wieder an Jacks Bett niedergelassen hatten, fragte Strike: »Wie hat Chiswell darauf reagiert, was du über Winn ausgegraben hast?«

»Er war begeistert. Und er hat mir einen Job angeboten.«

»Ich bin immer wieder überrascht, dass das nicht öfter passiert«, bemerkte Strike völlig ungerührt.

Im selben Moment kamen der Anästhesist und der Oberarzt an Jacks Bett zusammen.

»Ja, wir sehen Licht am Ende des Tunnels«, sagte der Anästhesist. »Die Röntgenaufnahmen sind unauffällig, und die Temperatur sinkt allmählich. So was ist typisch für Kinder«, sagte er und lächelte Robin an. »Bei so jungen Menschen kann es ganz schnell in beide Richtungen umschlagen. Wir müssen zwar immer noch sehen, wie er mit ein bisschen weniger Sauerstoff zurechtkommt, aber ich gehe davon aus, dass das Schlimmste hinter uns liegt.«

»Oh, Gott sei Dank«, sagte Robin.

»Er wird es schaffen?«, hakte Strike nach.

»Aber ja, das denk ich doch«, sagte der Oberarzt leicht gönnerhaft. »Glauben Sie mir, wir wissen, was wir hier tun.«

»Ich muss Lucy Bescheid sagen«, murmelte Strike und versuchte vergebens aufzustehen, denn die guten Nachrichten schwächten ihn noch mehr als schlechte. Robin reichte ihm die Krücken und half ihm hoch. Dann sah sie ihm hinterher, während er in den Wartebereich humpelte, sank auf ihren Stuhl zurück, atmete laut aus und schlug kurz die Hände vors Gesicht.

»Für die Mütter ist es immer am schlimmsten«, meinte der Anästhesist freundlich.

Sie machte sich nicht die Mühe, ihn aufzuklären.

Strike blieb geschlagene zwanzig Minuten weg. Bei seiner Rückkehr berichtete er: »Sie sind jetzt unterwegs. Ich hab sie gewarnt, dass er nicht gut aussieht, sie sind also vorbereitet. In etwa einer Stunde müssten sie hier sein.«

»Gott sei Dank«, sagte Robin.

»Du kannst jetzt gehen, Robin, ich will dir doch nicht den Samstag versauen.«

»Ach«, sagte Robin und fühlte sich eigenartig ernüchtert. »Okay.« Sie stand auf, zog ihre Jacke von der Stuhllehne und griff nach ihrer Tasche. »Wenn du dir sicher bist?«

»Doch, doch. Ich will mal sehen, ob ich ein Nickerchen

machen kann, jetzt, da wir wissen, dass er wieder wird. Ich bringe dich noch nach draußen.«

»Das brauchst du wirklich …«

»Ich will aber. Dann kann ich noch eine rauchen.«

Doch als sie den Ausgang erreicht hatten, begleitete Strike sie weiter, weg von den Rauchern mit ihren hochgezogenen Schultern, an den Krankenwagen und am Besucherparkplatz vorbei, der sich über Meilen zu erstrecken schien und auf dem die Autodächer schimmerten wie die Rücken von Meerestieren, die sich aus einem staubigen Dunst erhoben.

»Wie bist du überhaupt hergekommen?«, fragte er, als sie endlich allein waren und neben einem kleinen Rasenbeet mit einem Saum aus Levkojen standen, deren Duft sich mit dem Geruch des aufgeheizten Teers mischte.

»Erst mit dem Bus, dann mit dem Taxi.«

»Ich geb dir das Taxigeld …«

»Mach dich nicht lächerlich. Im Ernst, nein.«

»Also … Danke, Robin. Du hast mir wirklich geholfen.«

Sie lächelte ihn an. »Dazu hat man Freunde.«

Ungeschickt auf seine Krücken gestützt, beugte er sich vor. Die Umarmung blieb kurz, sie machte als Erste einen Schritt von ihm zurück, aus purer Angst, er könnte sonst umkippen. Der Kuss, den er ihr auf die Wange setzen wollte, landete auf ihrem Mund.

»Sorry«, murmelte er.

»Mach dich nicht lächerlich«, sagte sie noch mal und wurde rot.

»Also, ich sollte jetzt lieber zurückgehen …«

»Ja, natürlich.«

Er drehte sich weg.

»Sag Bescheid, wie es ihm geht«, rief sie ihm nach, und er winkte zustimmend mit der Krücke.

Robin marschierte drauflos, ohne sich noch einmal umzudrehen. Sie spürte immer noch seine Lippen auf ihren, das Kitzeln auf ihrer Haut, wo seine Stoppeln sie gekratzt hatten, und wollte sich dieses Gefühl einfach nicht abwischen.

Strike hatte ganz vergessen, dass er noch eine Zigarette hatte rauchen wollen. Ob es die frisch gewonnene Zuversicht war, dass er irgendwann mit seinem Neffen ins Imperial War Museum gehen würde, oder ein anderer Grund – seine Erschöpfung war jedenfalls schlagartig mit überschwänglicher Lebensfreude durchsetzt, als hätte er sich gerade ein paar Schnäpse genehmigt. Der Staub und die Hitze des Londoner Nachmittags, vermischt mit dem Duft der Levkojen, erschienen ihm plötzlich voller Schönheit.

Es war ein unvergleichliches Gefühl, neue Hoffnung zu schöpfen, nachdem alles scheinbar verloren gewesen war.

27

Auf Rosmersholm hängen sie lange an ihren Toten!

HENRIK IBSEN, *ROSMERSHOLM*

Bis Robin es zu dem ihr unbekannten Cricketgelände am anderen Ende der Stadt geschafft hatte, war es fünf Uhr am Nachmittag und Matthews Match schon zu Ende. Als sie eintraf, stand er bereits in Straßenkleidung wütend in der Bar und würdigte sie kaum eines Wortes. Matthews Team hatte verloren. Ihre Gegner kosteten ihren Sieg weidlich aus.

Robin sah einen Abend ohne ein nettes Wort vonseiten ihres Mannes und ohne einen Freund unter seinen Kollegen auf sich zukommen, beschloss daraufhin, den Restaurantbesuch der beiden Teams mitsamt Partnern ausfallen zu lassen, und machte sich allein auf den Heimweg.

Am folgenden Morgen fand sie Matthew vollständig bekleidet und betrunken schnarchend auf dem Sofa vor. Als er aufwachte, begannen sie sofort zu streiten und machten über Stunden hinweg so weiter, ohne irgendetwas zu klären. Matthew wollte wissen, wieso Robin sich verpflichtet gefühlt habe, zu Strike zu rasen und seine Hand zu halten, obwohl er doch eine Freundin hatte. Robin hielt dagegen, dass man schon ein Charakterschwein sein müsse, um einen Freund mit einem möglicherweise im Sterben liegenden Kind allein zu lassen.

Der Streit eskalierte, bis die Gehässigkeiten ein Ausmaß annahmen, das sie in einem geschlagenen Jahr voller Ehescharmützel nie erreicht hatten. Am Ende riss Robin der Geduldsfaden, und sie fragte, ob sie sich nicht eine Auszeit aufgrund guter Führung verdient habe, nachdem sie ein Jahrzehnt lang brav zugeschaut hatte, wie Matthew über die verschiedensten Spielfelder stolziert war. Damit traf sie ihn zutiefst.

»Vielleicht hättest du mal einen Ton sagen sollen, wenn dir das keinen Spaß gemacht hat!«

»Du bist gar nicht auf den Gedanken gekommen, dass mir das keinen Spaß machen könnte, oder? Weil ich all deine Siege als meine betrachten soll, oder, Matt? Wohingegen *meine* Erfolge ...«

»Verzeihung, welche Erfolge waren das noch mal?« So einen Tiefschlag hatte Matt ihr noch nie verpasst. »Oder zählen wir jetzt *seine* Erfolge als deine?«

Drei Tage waren vergangen, ohne dass sie einander verziehen hätten. Robin schlief seither im Gästezimmer und stand morgens extra früh auf, damit sie aus dem Haus war, bevor Matthew aus der Dusche kam. Sie spürte einen ständigen Druck hinter den Augen, eine Art Trauer, die einfacher zu ignorieren war, solange sie arbeitete, die sich aber über Robin senkte wie ihr ganz eigenes Tiefdruckgebiet, sobald sie abends heimwärts lief. Matthews stiller Groll drückte gegen die Wände ihres Hauses, das ihr – obzwar doppelt so groß wie jede Wohnung, die sie sich bis dahin geteilt hatten – nur umso dunkler und enger erschien als alles davor.

Er war ihr Ehemann. Sie hatte versprochen, es zu versuchen. Erschöpft, wütend und voller Schuldgefühle hatte Robin das untrügliche Gefühl, nur darauf zu warten, dass etwas Entscheidendes passierte, etwas, was ihnen beiden einen ehrenvollen Abgang ermöglichte, einen Abgang ohne weitere schmutzige Kämpfe und in aller Vernunft. Immer wieder kehrten ihre Gedanken zum Tag ihrer Hochzeit zurück, an dem sie entdeckt hatte, dass Matthew Strikes Nachrichten gelöscht hatte. Inzwischen bedauerte sie von ganzem Herzen, dass sie nicht schon damals gegangen war, ehe er sich an einer Koralle hatte aufschürfen können und ehe ihr Mitgefühl, das sie inzwischen als getarnte Feigheit betrachtete, sie an ihn gekettet hatte.

Als sich Robin – in Gedanken noch nicht wieder bei dem vor ihr liegenden Tag, sondern bei ihren Eheproblemen – am Mittwochmorgen dem Unterhaus näherte, stieß sich ein Mann in einem Mantel von dem Geländer ab, an dem er zwischen den ersten Tagestouristen gelehnt hatte, und kam direkt auf sie zu. Er war groß und breitschultrig, hatte dichtes silbergraues Haar und ein plattes Gesicht mit tiefen Falten und Aknenarben. Dass er es auf sie abgesehen hatte, merkte Robin erst, als er vor ihr stehen blieb und ihr – die großen Füße energisch im rechten Winkel platziert – den Weg verstellte.

»Venetia? Auf ein schnelles Wort, Liebes?«

Erschrocken trat sie einen halben Schritt zurück und blickte hinauf in das harte, flache, mit tiefen Poren gepfefferte Gesicht. Bestimmt war er von der Presse. Hatte er sie erkannt? Aus dieser Nähe waren die braunen Kontaktlinsen besser als solche zu erkennen – sogar durch die Fensterglasbrille hindurch.

»Sie haben doch gerade angefangen, für Jasper Chiswell zu arbeiten, nicht wahr? Würden Sie mir erzählen, wie es dazu kam? Wie viel zahlt er Ihnen? Kennen Sie ihn schon lange?«

»Kein Kommentar.« Robin wollte sich an ihm vorbeischieben, doch er ahmte ihre Bewegungen nach. Sie kämpfte die aufsteigende Panik nieder und erklärte entschlossen: »Lassen Sie mich durch, ich muss zur Arbeit.«

Ein paar hochgewachsene skandinavische Jugendliche mit geschulterten Rucksäcken verfolgten aufmerksam ihren Wortwechsel.

»Ich will Ihnen nur die Gelegenheit geben, Ihre Seite der Geschichte zu erzählen, Schätzchen«, sagte der Mann leise. »Denken Sie darüber nach. Vielleicht bekommen Sie keine zweite Chance.«

Er machte ihr den Weg frei. Robin rempelte sogar ihre Beinaheretter an, als sie an ihnen vorbeistürmte. *Scheiße, Scheiße, Scheiße ...* Wer war das gewesen?

Nachdem sie die Sicherheitsschleuse passiert hatte und außer Gefahr war, bog sie ab in die hohe Steinhalle, in der es bereits geschäftig zuging, und rief Strike an. Er ging nicht ans Telefon.

»Ruf zurück, es ist dringend, danke«, murmelte sie auf seine Mailbox.

Statt sich auf den Weg zu Izzys Büro oder in das Labyrinth aus Fluren in Portcullis House zu machen, flüchtete sie in eine kleinere Cafeteria, die mit den dunklen Holzpaneelen und dem allgegenwärtigen waldgrünen Teppichboden an einen Universitätsaufenthaltsraum erinnerte, wenn man mal von der Theke und der Kasse absah. Eine schwere Trennwand aus Eichenholz teilte den hinteren Bereich ab, wo, separiert von den niederen Angestellten, die Parlamentsmitglieder saßen. Robin kaufte sich einen Kaffee, setzte sich an einen Fenstertisch, hängte ihren Mantel über die Stuhllehne und wartete auf Strikes Rückruf. Die Stille und Ruhe trugen wenig dazu bei, ihre Nerven zu besänftigen.

Erst nach einer knappen Dreiviertelstunde rief Strike zurück.

»Entschuldige, hab deinen Anruf nicht bekommen, ich war in der U-Bahn«, erklärte er ihr keuchend. »Und dann hat Chiswell angerufen – er hat eben erst aufgelegt. Es gibt Ärger.«

»Oh Gott, was ist denn jetzt schon wieder?« Robin setzte ihren Kaffee ab, und ihr Magen krampfte sich zusammen.

»Die *Sun* glaubt, dass *du* die Story bist.«

Im selben Moment dämmerte es Robin, wem sie gerade draußen begegnet war: Mitch Patterson, dem Privatdetektiv, den die Zeitung engagiert hatte.

»Sie graben nach Neuigkeiten in Chiswells Leben, und dabei sind sie auf dich gestoßen, die gut aussehende neue Praktikantin, und natürlich müssen sie dich durchleuchten. Chiswells erste Ehe ist an einer Büroaffäre gescheitert. Die Sache ist also die – sie werden alsbald herausfinden, dass du gar nicht seine Patentochter bist. *Autsch* – fuck!«

»Was ist denn?«

»Ich bin heute den ersten Tag wieder auf zwei Beinen, und prompt hat Teflon-Doc beschlossen, sich mit einem Mädchen zu treffen. Im Botanischen Garten – das heißt mit der U-Bahn zum Sloane Square, von dort aus in einem Gewaltmarsch bis zum Chelsea Physic Garden. Also«, keuchte er, »was hast *du* für schlechte Nachrichten?«

»Mehr oder weniger dieselben«, sagte Robin. »Mitch Patterson hat mir eben vor dem Parlament den Weg verstellt.«

»Scheiße. Glaubst du, er hat dich erkannt?«

»Meinem Eindruck nach nicht, aber sicher bin ich mir nicht. Ich sollte den Rückzug antreten, was?«, fragte Robin und hielt den Blick gedankenversunken an die cremefarbene Decke gerichtet, die ein Stuckmuster aus sich überlappenden Kreisen schmückte. »Wir könnten mich austauschen. Gegen Andy vielleicht. Oder Barclay?«

»Noch nicht«, sagte Strike. »Wenn du jetzt von der Bildfläche verschwindest, kaum dass Mitch Patterson dich angesprochen hat, sieht das so aus, als wärst du definitiv ihre Story. Außerdem will Chiswell, dass du morgen Abend zu diesem Empfang gehst, damit du dieses andere Vorstandsmitglied – wie hieß sie gleich wieder? Elspeth? *Kacke!* Entschuldige! Ich habe Schwierigkeiten – die haben den Weg mit verfluchten Holzspänen bestreut. Teflon-Doc nimmt das Mädchen mit auf einen Spaziergang ins Unterholz ... Die sieht aus wie allerhöchstens siebzehn!«

»Brauchst du dein Handy nicht, um Fotos zu machen?«

»Ich hab diese Brille mit der eingebauten Kamera auf ... und schon geht's los!«, ergänzte er leise. »Er befummelt sie im Gebüsch.«

Dann hörte Robin ein unendlich leises Klicken.

»Da, jetzt kommen ein paar echte Pflanzenfreunde«, murmelte Strike. »Das hat sie wieder aus den Büschen getrieben ... Hör zu«, fuhr er fort, »wir treffen uns morgen nach der Arbeit im Büro, bevor du zu dem Empfang gehst. Dann gehen wir durch, was wir bisher haben, und entscheiden, was wir als Nächstes machen. Versuch möglichst, die zweite Wanze abzumontieren. Fürs Erste keinen Ersatz – nur für den Fall, dass wir dich abziehen müssen.«

»Na gut«, sagte Robin mit einem extrem unguten Gefühl, »aber einfach wird das nicht. Ich bin mir sicher, dass Aamir Verdacht ... Ich muss Schluss machen, Cormoran.«

Izzy und Raphael waren in der Cafeteria aufgetaucht. Raphael hatte den Arm um seine Halbschwester gelegt, die – wie Robin sofort erkannte – mit den Tränen kämpfte. Sein Blick fiel auf Robin, die gerade ihr Telefon wegsteckte, er schnitt eine Grimasse, um ihr zu signalisieren, dass es Izzy schlecht gehe, und murmelte dann seiner Schwester etwas zu, die daraufhin nickte und an Robins Tisch kam, während Raphael zur Theke weiterging.

»Izzy!« Robin zog ihr einen Stuhl heran. »Ist alles in Ordnung?«

Noch während Izzy sich setzte, sickerten ihr Tränen aus den Augen. Robin reichte ihr eine Papierserviette.

»Danke, Venetia«, sagte sie rau. »Es tut mir so leid – so ein Trara zu machen! Wie albern.«

Sie holte schaudernd Luft und setzte sich dann aufrecht in

Positur wie ein Mädchen, dem man von frühester Kindheit an beigebracht hatte, gerade zu sitzen und sich zusammenzureißen.

»Wie albern«, wiederholte sie, und neue Tränen flossen.

»Dad war total arschig zu ihr«, sagte Raphael, der soeben mit einem Tablett zu ihnen stieß.

»Sag so was nicht, Raff«, hickste Izzy, und die nächste Träne rann an ihrer Nase hinab. »Ich weiß, dass er es nicht so gemeint hat. Er war außer sich, als ich kam, und ich hab alles nur noch schlimmer gemacht. Hast du gewusst, dass er Freddies goldene Geldklammer verloren hat?«

»Nein«, antwortete Raphael ohne großes Interesse.

»Er glaubt, er hat sie an Kinvaras Geburtstag in irgendeinem Hotel liegen lassen. Sie haben ihn gerade angerufen, als ich kam – sie haben sie immer noch nicht gefunden. Und du weißt, wie Papa ist, wenn es um Freddie geht – immer noch.«

Ein eigenartiger Ausdruck legte sich auf Raphaels Gesicht, als wäre ihm ein unangenehmer Gedanke gekommen.

»Und dann«, fuhr Izzy zittrig fort, »hab ich einen Brief mit dem falschen Datum versehen, und daraufhin ist er vollkommen ausgetickt ...«

Izzy wrang die feuchte Serviette in den Händen.

»Fünf Jahre!«, brach es aus ihr heraus. »Fünf Jahre arbeite ich jetzt für ihn, und ich kann an einer Hand abzählen, wie oft er sich mal für irgendetwas bedankt hat. Als ich ihm gesagt habe, dass ich mir überlege zu kündigen, hat er bloß gesagt: ›Aber nicht vor der Olympiade.‹« Ihre Stimme bebte. »›Bis dahin will ich niemand Neuen anlernen müssen.‹«

Raphael fluchte in sich hinein.

»Aber so schlimm ist er auch wieder nicht«, beteuerte Izzy leise in einer fast komischen Hundertachtzig-Grad-Wende. Robin argwöhnte, dass ihr gerade wieder eingefallen war, wie sehr sie darauf hoffte, dass Raphael ihren Job übernehmen würde. »Ich reg mich nur auf – das klingt jetzt schlimmer, als es ...«

Ihr Handy klingelte. Als sie den Namen auf dem Display ablas, stöhnte sie auf. »Nicht TTS, nicht jetzt! Das schaffe ich nicht! Sprich du mit ihr, Raff!«

Sie streckte ihm das Handy hin, doch Raphael zuckte zurück, als hätte sie ihm eine Tarantel entgegengeschleudert.

»Bitte, Raff – *bitte* ...«

Unwillig nahm Raff ihr das Handy ab. »Hi, Kinvara. Ich bin's, Raff. Izzy ist gerade rausgegangen. Nein ... Venetia ist nicht hier ... Nein ... Na klar bin ich im Büro. Ich bin nur an Izzys Telefon gegangen ... Er ist zum olympischen Park gefahren. Nein ... Nein, bin ich nicht ... Ich weiß nicht, wo Venetia ist, ich weiß nur, dass sie nicht hier ist ... Ja ... Ja ... Okay ... Bis dann ...« Er zog die Brauen hoch. »Aufgelegt.«

Er schob das Handy Izzy zu, die sofort fragte: »Wieso will sie unbedingt wissen, wo Venetia ist?«

»Dreimal darfst du raten«, sagte Raphael amüsiert, und als es Robin dämmerte, was er damit meinte, sah sie aus dem Fenster, spürte aber, wie sie sogleich rot geworden war. Sie fragte sich, ob Mitch Patterson Kinvara angerufen und ihr diesen Floh ins Ohr gesetzt hatte.

»Ach, das glaubst du doch selbst nicht«, sagte Izzy. »Sie denkt, dass Papa ... Venetia könnte seine *Tochter* sein!«

»Genau wie seine Frau, falls dir das noch nicht aufgefallen ist«, rief Raphael ihr in Erinnerung. »Und du kennst sie: Je rasanter ihre Ehe auf den Abgrund zuhält, umso eifersüchtiger wird sie. Dad geht nicht ans Telefon, wenn sie anruft, also zieht sie paranoide Schlüsse.«

»Papa geht nicht ans Telefon, wenn sie ihn anruft, weil sie ihn in den Wahnsinn treibt.« Izzys Zorn auf ihren Vater ging in der Abneigung gegen ihre Stiefmutter regelrecht unter. »Seit zwei Jahren weigert sie sich schon, aus dem Haus zu gehen oder ihre verfluchten Pferde allein zu lassen. Die Olympischen Spiele stehen vor der Tür, London ist voller Promis – und mit einem Mal will sie ständig mit ihm in die Stadt fahren, sich auftakeln und die Ministergattin spielen.« Sie atmete noch mal tief durch, tupfte sich erneut das Gesicht ab und stand auf. »Ich sollte lieber zurückgehen. Auf uns wartet ein Berg Arbeit. Danke, Raff«, sagte sie und gab ihm einen leichten Klaps auf die Schulter.

Dann war sie verschwunden. Raphael sah ihr nach und wandte sich wieder Robin zu. »Izzy war die Einzige, die mich besucht hat, als ich einsaß. Hast du das gewusst?«

»Ja«, sagte Robin. »Hat sie erwähnt.«

»Und wenn ich als Kind auf Besuch in dieses verfluchte Chiswell House musste, war sie die Einzige, die überhaupt mit mir gesprochen hat. Ich war der kleine Bastard, der ihre Familie zerstört hatte, darum haben mich alle anderen bis aufs Blut gehasst. Izzys Pony durfte ich trotzdem striegeln.«

Missmutig ließ er den Kaffee in seiner Tasse kreisen.

»Ich nehm an, du warst auch in den schneidigen Freddie verknallt, so wie alle anderen, habe ich recht? Er hat mich auch gehasst, hat mich immer nur ›Raphaela‹ genannt und behauptet, Dad habe der Familie erzählt, ich sei ein Mädchen.«

»Wie schrecklich«, sagte Robin, und Raphaels finstere Miene hellte sich zu einem zaghaften Lächeln auf.

»Du bist wirklich süß.« Er schien mit sich zu ringen, ob er noch etwas sagen sollte. Dann fragte er unvermittelt: »Bist du bei deinen Besuchen irgendwann mal Jack o'Kent begegnet?«

»Wem?«

»So einem alten Knaben, der früher mal für Dad gearbeitet hat. Hat auf dem Anwesen von Chiswell House gewohnt. Als Kind hatte ich höllische Angst vor ihm. Er hatte so ein eingesunkenes Gesicht und irre Augen und tauchte immer aus dem Nichts auf, wenn ich im Garten war. Er hat nie mit mir gesprochen, immer nur geschimpft, wenn ich ihm im Weg war.«

»Ich ... meine, mich an so jemanden zu erinnern«, log Robin.

»Jack o'Kent war Dads Spitzname für ihn. Aber wer *war* Jack o'Kent eigentlich? Hatte er nicht irgendwas mit dem Teufel zu tun? Auf jeden Fall hat mir der Alte wahrhafte Albträume beschert. Einmal hat er mich dabei erwischt, wie ich in eine Scheune schleichen wollte, und hat mir daraufhin die Hölle heißgemacht. Er hat sich über mich gebeugt und irgendwas in der Richtung gesagt, dass mir nicht gefallen würde, was ich da drin zu sehen bekäme, oder dass es ein gefährlicher Ort für kleine Jungen wäre oder ... Ich kann mich nicht mehr genau daran erinnern. Da war ich noch ein Kind.«

»Klingt ja gruselig«, sagte Robin, deren Interesse schlagartig erwacht war. »Und was hat er in der Scheune getrieben, hast du das je herausgefunden?«

»Wahrscheinlich wurden dort nur Landwirtschaftsmaschinen gelagert«, sagte Raphael. »Aber bei ihm klang es so, als würde er da drin satanische Rituale abhalten. Dabei war er ein echt guter Schreiner. Hat Freddies Sarg gezimmert ... Eine alte Eiche war umgestürzt ... Dad wollte, dass Freddie in Holz vom eigenen Grund und Boden bestattet würde ...«

Wieder schien er zu überlegen, ob er aussprechen sollte, was ihn gerade beschäftigte. Dann nahm er sie kritisch durch seine dunklen Wimpern hindurch ins Visier.

»Kommt Dad ... Also, kommt er dir zurzeit normal vor?«

»Wie meinst du das?«

»Findest du nicht, dass er sich ein bisschen merkwürdig verhält? Warum bringt er Izzy wegen so einer Kleinigkeit zum Heulen?«

»Arbeitsdruck?«, mutmaßte Robin.

»Ja ... vielleicht«, murmelte Raphael und ergänzte stirnrunzelnd: »Neulich hat er mitten in der Nacht bei mir angerufen, was an sich schon merkwürdig ist, weil er normalerweise kaum auch nur meinen Anblick erträgt. Nur zum Reden, sagte er, und das hatte es bis dahin noch nie gegeben. Klar, er hatte ein paar intus, das konnte ich hören. Jedenfalls fing er an, über Jack o'Kent zu faseln. Ich weiß bis heute nicht, was er mir eigentlich sagen wollte. Er redete davon, wie Freddie gestorben war und Kinvaras Baby auch, und dann ...«

Raphael beugte sich über den Tisch, und Robin spürte, wie sich unter der Tischplatte ihre Knie berührten.

»Kannst du dich noch an den Anruf erinnern, den wir an meinem ersten Tag hier bekommen haben? Diese verfluchte Schauernachricht über Menschen, die sich beim Sterben vollpinkeln?«

»Ja ...«

»Er sagte: ›Das ist jetzt die Strafe. Jack o'Kent hat angerufen, er kommt mich holen.‹«

Robin starrte ihn an.

»Aber wer immer da angerufen hat«, sagte Raphael, »Jack o'Kent kann das nicht gewesen sein. Der ist seit Jahren tot.«

Robin sagte nichts. Ihre Gedanken waren unwillkürlich zu Matthews Delirium zurückgewandert, zu der tiefen subtropischen Nacht, in der er sie für seine tote Mutter gehalten hatte. Raphaels Knie drückten gegen ihre. Sie schob ihren Stuhl ein paar Zentimeter zurück.

»Die halbe Nacht hab ich wach gelegen und mich gefragt, ob er jetzt endgültig den Verstand verliert. Wir können es uns nicht leisten, dass Dad auch noch anfängt zu spinnen. Nicht solange Kinvara mit ihren eingebildeten Pferdeschlächtern und Totengräbern ...«

»Totengräbern?«, fiel Robin ihm scharf ins Wort.

»Hab ich Totengräber gesagt?« Raphael wirkte ruhelos. »Na, du weißt schon, was ich meine. Männer mit Spaten im Wald.«

»Du glaubst, sie bildet sich das nur ein?«, hakte Robin nach.

»Keine Ahnung. Izzy und die anderen glauben das, andererseits tun sie Kinvara als Hysterikerin ab, seit sie ihr Kind verloren hat. Sie musste es zur Welt bringen, obwohl längst klar war, dass es tot wäre. Hast du das gewusst? Danach war sie nicht mehr ganz richtig im Kopf, aber als eine Chiswell hast du über solchen Dingen zu stehen. Setz dir einen Hut auf und eröffne eine Feier oder was weiß ich.«

Er schien Robin am Gesicht ablesen zu können, was sie dachte.

»Hast du vielleicht erwartet, ich würde sie hassen, nur weil es die anderen tun? Sie ist eine absolute Nervensäge, und sie findet, dass ich unnötig Platz wegnehme. Aber ich verbringe mein Leben nicht damit, im Kopf jede ihrer Ausgaben vom potenziellen Erbe der Nichten und Neffen abzuziehen. Sie ist nicht auf sein Geld aus, ganz gleich was Izzy und *Fizzy* glauben.« Ironisch betonte er den Spitznamen seiner anderen Schwester. »Sie haben auch meine Mutter für eine Goldgräberin gehalten. Es ist das einzige Motiv, das sie nachvollziehen können. Ich sollte eigentlich nicht wissen, dass sie sich auch für mich und meine Mutter nette Familienspitznamen ausgedacht haben ...« Er lief rot an. »So schwer es zu glauben ist – aber Kinvara war tatsächlich in Dad verliebt, das konnte ich ihr ansehen. Sie hätte es deutlich besser treffen können, wenn sie bloß auf Geld aus gewesen wäre. Er ist praktisch pleite.«

Robin, deren Definition von »pleite« kaum mit einem großen Landsitz in Oxfordshire in Übereinstimmung zu bringen war, mit neun Pferden, mit einem Stadthaus in London oder mit dem schweren Diamantcollier, das sie auf diversen Fotos um Kinvaras Hals gesehen hatte, behielt ihre teilnahmslose Miene bei.

»Warst du in letzter Zeit mal in Chiswell House?«

»In letzter Zeit nicht«, antwortete Robin.

»Es zerfällt. Ist komplett von Motten zerfressen und kaputt.«

»Ich kann mich eigentlich nur an einen einzigen Besuch in Chiswell House erinnern. Damals redeten die Erwachsenen ständig von einem verschwundenen kleinen Mädchen.«

»Wirklich?«, fragte Raphael überrascht.

»Ja, ich weiß allerdings nicht mehr, wie sie hieß. Ich war damals noch klein. Susan? Suki? Irgendwas in der Richtung.«

»Da klingelt nichts bei mir«, sagte Raphael. Wieder stießen seine Knie gegen ihre. »Sag mal, vertraut dir eigentlich jeder seine dunkelsten Familiengeheimnisse an, sobald er dich fünf Minuten kennt, oder geht das nur mir so?«

»Tim sagt immer, dass ich so mitfühlend aussehe«, sagte Robin. »Vielleicht sollte ich das mit der Politik vergessen und mich als Therapeutin versuchen.«

»Ja, vielleicht«, sagte er und sah ihr in die Augen. »Das ist aber keine starke Brille. Wieso schlägst du dich mit so was rum? Warum trägst du nicht einfach Kontaktlinsen?«

»Ach, ich … ich finde eine Brille angenehmer.« Robin schob sie sich auf die Nasenwurzel zurück und sammelte ihre Sachen zusammen. »Weißt du, ich sollte jetzt wirklich los …«

Raphael lehnte sich wehmütig lächelnd in seinem Stuhl zurück. »Botschaft angekommen … Ein glücklicher Mann, dein Tim. Richte ihm das von mir aus.«

Robin lachte verlegen und stand auf, stieß sich an der Tischkante und ließ verunsichert die Cafeteria hinter sich.

Auf dem Weg zu Izzys Büro dachte sie über das Verhalten des Kulturministers nach. Wutausbrüche und paranoides Geschwafel überraschten nicht weiter bei einem Mann, der gegenwärtig der Gnade gleich zweier Erpresser ausgeliefert war. Trotzdem war Chiswells Andeutung, dass ihn ein Toter angerufen habe, mehr als nur schrullig. Bislang war er ihr noch bei keiner ihrer Begegnungen wie ein Mann vorgekommen, der an Geister oder göttliche Vergeltung glaubte. Andererseits, überlegte Robin, brachte der Alkohol die merkwürdigsten Eigenschaften zum Vorschein ... Und mit einem Mal fiel ihr Matthews wutverzerrtes Gesicht wieder ein, als er sie am Sonntag quer durchs Wohnzimmer angebrüllt hatte.

Sie hatte Winns Büro fast erreicht, als ihr auffiel, dass sie einen Spalt weit offen stand. Robin spähte hinein. Ganz offensichtlich war es leer. Sie klopfte zweimal an. Niemand antwortete.

Sie brauchte keine fünf Sekunden, um an die Steckdose unter Geraints Schreibtisch zu kommen. Sie steckte den Ventilator aus, hebelte die Wanze aus der Dose und hatte gerade ihre Handtasche geöffnet, als hinter ihr Aamirs Stimme ertönte.

»Was zum Teufel haben Sie hier zu suchen?«

Robin schnappte nach Luft, versuchte aufzustehen, knallte mit dem Kopf gegen den Schreibtisch und quietschte vor Schmerz auf. Währenddessen richtete Aamir sich in seinem hinter der Tür stehenden Sessel auf und zupfte sich Kopfhörer aus den Ohren. Offenbar hatte er sich gerade einige Minuten Pause gegönnt und dabei auf dem iPod Musik gehört.

»Ich hab angeklopft!«, wimmerte Robin mit Tränen in den Augen, während sie sich den Scheitel massierte. Die Hand mit der Wanze hatte sie hinter dem Rücken verborgen. »Ich dachte, hier ist niemand!«

»Was«, wiederholte er und kam jetzt auf sie zu, »haben Sie hier zu *suchen*?«

Noch ehe sie antworten konnte, wurde die Tür aufgestoßen, und Geraint trat ein.

Heute Morgen gab es kein lippenloses Lächeln, keine aufgeplusterte Geschäftigkeit, keinen anstößigen Kommentar, obwohl Robin am Boden seines Büros kniete. Winn kam ihr irgendwie kleiner vor als sonst. Unter den kleinen Augen hinter den Brillengläsern lagen lila Schatten. Perplex sah er von Robin zu Aamir, und während Aamir ihm schilderte, wie Robin soeben ungebeten in sein Büro eingedrungen war, gelang es ihr, die Wanze in ihrer Handtasche verschwinden zu lassen.

»Es tut mir so leid!« Aus allen Poren schwitzend, stand sie auf. Nackte Angst unterspülte jeden vernünftigen Gedanken, doch dann tauchte wie ein rettendes Floß eine Idee auf. »Wirklich. Ich wollte Ihnen eine Nachricht hinterlassen – ich wollte mir den hier nur kurz ausleihen.«

Als die beiden Männer sie stirnrunzelnd ansahen, deutete sie auf den ausgesteckten Ventilator.

»Unserer ist kaputt. Bei uns im Büro ist es heiß wie in einem Backofen. Ich dachte, es macht Ihnen nichts aus«, flehte sie Geraint an, »ich wollte ihn mir wirklich nur ein halbes Stündchen ausborgen ...« Sie lächelte ihn Mitleid heischend an. »Ehrlich! Vorhin hab ich befürchtet, ich würde gleich in Ohnmacht fallen.«

Sie zupfte ihre Bluse von der tatsächlich klammen Haut weg. Geraints Blick wanderte unwillkürlich über ihren Brustkorb, und das übliche lüsterne Grinsen machte sich auf seinem Gesicht breit.

»Ich sollte so was zwar nicht sagen, aber die Hitze steht Ihnen ausgesprochen gut«, sagte Winn mit dem Anflug eines Schmunzelns, und Robin zwang sich zu kichern.

»Na schön. Für eine halbe Stunde können wir wohl darauf verzichten, oder?«, meinte er zu Aamir. Letzterer blieb stocksteif stehen und starrte Robin bloß schweigend, aber unverhohlen misstrauisch an. Geraint hob den Ventilator vorsichtig vom Schreibtisch und drückte ihn Robin in die Hände. Als sie zur Tür ging, tätschelte er sie leicht auf den unteren Rücken. »Viel Spaß damit.«

»Den werde ich haben.« Sie hatte eine leichte Gänsehaut. »Vielen, vielen Dank, Mr. Winn!«

28

Zu sehen, wie man mir in meiner Lebensarbeit Steine in den Weg legt und entgegenarbeitet.

HENRIK IBSEN, *ROSMERSHOLM*

Die Wanderung zum und durch den Botanischen Garten am Vortag hatte Strikes Schenkelmuskel nicht gutgetan. Weil sein Magen seit der ständigen Zufuhr von Ibuprofen rebellierte, hatte er in den vergangenen vierundzwanzig Stunden auf Schmerzmittel verzichtet – mit dem Ergebnis, dass er am Donnerstagnachmittag unter »erheblichen Beschwerden«, wie es die Ärzte gern ausdrückten, mit seinen anderthalb Beinen auf dem Sofa in seinem Büro saß und die Akte Chiswell durchging, während die Prothese an der Wand lehnte.

Im Gegenlicht vor dem Bürofenster hing wie ein kopfloser Aufpasser Strikes bester Anzug mitsamt Hemd. Die Krawatte baumelte an der Vorhangstange, und unter dem schlaffen Hosenbein standen Schuhe mit sauberen Socken bereit. Er würde heute Abend mit Lorelei essen gehen und hatte schon alles organisiert, damit er vor dem Schlafengehen nicht mehr die Treppe zu seiner Dachwohnung erklimmen müsste.

Wie nicht anders zu erwarten, hatte Lorelei Verständnis gezeigt, dass er sich während der Krankenwache an Jacks Bett nicht bei ihr gemeldet hatte, und nur mit kaum hörbarer Schärfe angemerkt, wie schlimm es gewesen sein müsse, dies allein durchzustehen. Strike war klug genug, ihr nicht zu erzählen, dass Robin ihm Beistand geleistet hatte. Dann hatte

Lorelei ihn ganz freundlich und ohne Groll um ein Essen gebeten, »um ein paar Dinge zu klären«.

Sie trafen sich inzwischen seit gut zehn Monaten, und kürzlich erst hatte sie ihn gepflegt, als er fünf Tage lang bewegungsunfähig gewesen war. Strike hatte das Gefühl, es wäre weder anständig noch fair gewesen, wenn er sie gebeten hätte, was immer sie ihm zu sagen hatte, am Telefon zu besprechen. Dass er spätestens jetzt eine Antwort auf die unvermeidliche Frage – »Wo siehst du unsere Beziehung eigentlich?« – finden musste, dräute unheilverheißend über ihm wie der leere Anzug vor dem Fenster.

Beherrscht wurden seine Gedanken indes vom in seinen Augen extrem riskanten Status des Chiswell-Falls, für den er bislang noch keinen Penny gesehen hatte und der ihn gleichzeitig beträchtliche Vorleistungen für Gehälter und Auslagen kostete. Zwar hatte Robin womöglich die akute Bedrohung durch Geraint Winn ausräumen können, doch seit seinem vielversprechenden Start hatte Barclay nichts Nennenswertes mehr zutage gefördert, was sie gegen Chiswells ersten Erpresser einsetzen konnten, und Strike sah eine Katastrophe voraus, sollte die *Sun* irgendwie auf Jimmy Knight aufmerksam werden. Trotz Chiswells Versicherung, Jimmy wolle die Geschichte nicht in der Presse sehen, hielt es Strike für extrem wahrscheinlich, dass Jimmy – nachdem Winn die versprochenen mysteriösen Fotos aus dem Außenministerium nicht geliefert hatte – in seinem Zorn und seiner Verbitterung alles versuchen würde, um noch irgendwie Profit aus der Angelegenheit zu schlagen, die ihm ansonsten durch die Lappen zu gehen drohte. Seine zahlreichen angezettelten Prozesse erzählten ihre eigene Geschichte: Jimmy hatte einen Hang dazu, sich mit seinen Aktionen ins eigene Fleisch zu schneiden.

Wie um Strikes Missmut noch zu verstärken, hatte Barclay ihm erklärt, nachdem er mehrere Tage und Nächte hintereinander mit Jimmy und seinen Freunden abgehangen habe, müsse er sich schleunigst wieder zu Hause blicken lassen, weil seine Frau andernfalls die Scheidung einreichen werde. Strike war Barclay noch Spesen schuldig und hatte geantwortet, er könne sich im Büro einen Scheck abholen und danach ein paar Tage freinehmen. Umso mehr ärgerte ihn, dass der sonst so zuverlässige Hutchins, der zurzeit in der Harley Street herumlungerte, wo Teflon-Doc wieder Patientinnen empfing, nur widerwillig Jimmy Knights Beschattung übernommen hatte.

»Haben Sie ein Problem damit?«, hatte Strike barsch gefragt und seinen pochenden Stumpf massiert. So gern er Hutchins auch hatte – er hatte nicht vergessen, dass der Expolizist sich kürzlich erst für eine Familienfeier freigenommen und außerdem seine Frau mit einem gebrochenen Handgelenk ins Krankenhaus gefahren hatte. »Ich bitte Sie lediglich darum, ein anderes Ziel zu verfolgen. Ich kann Knight nicht übernehmen, er kennt mich.«

»Ja, ja, schon gut. Ich mach's.«

»Sehr anständig von Ihnen«, hatte Strike wütend gesagt. »Danke.«

Darum lenkte es ihn angenehm von seinen zunehmend düsteren Gedanken ab, als er um halb sechs Barclay und Robin die Metalltreppe zu seinem Büro hochkommen hörte.

»Hi«, sagte Robin, nachdem sie mit einer Sporttasche über der Schulter ins Büro getreten war. Auf Strikes fragenden Blick hin erklärte sie: »Was Schickes für den Paralympics-Empfang. Ich ziehe mich nachher auf der Toilette um, die Zeit reicht nicht mehr, um nach Hause zu fahren.«

Barclay trat hinter Robin ein und schloss die Tür.

»Wir sind uns unten begegnet«, erklärte er Strike gut gelaunt. »Zum ersten Mal.«

»Sam hat mir gerade gestanden, wie viel Gras er rauchen

musste, um sich mit Jimmy gutzustellen«, erzählte Robin lachend.

»Hab aber nicht inhaliert, versteht sich«, meinte Barclay todernst. »Das wäre Arbeitsverweigerung.«

Dass sich die beiden offenbar auf Anhieb gut verstanden hatten, wurmte Strike auf perverse Weise. Betont mühevoll hievte er sich aus den Kunstlederpolstern, die prompt die gewohnten Furzgeräusche von sich gaben.

»Es ist das Sofa«, raunzte er Barclay an, der sich grinsend umgedreht hatte. »Ich hole Ihr Geld.«

»Bleib hier, ich mach das schon.« Robin stellte ihre Sporttasche ab, holte aus der unteren Schreibtischschublade das Scheckbuch und reichte es zusammen mit einem Stift an Strike weiter. »Wie sieht's mit einem Becher Tee aus? Cormoran? Sam?«

»Aye, warum nicht?«, kam es von Barclay.

»Ich weiß wirklich nicht, warum ihr so verflucht fröhlich seid«, meinte Strike säuerlich, während er Barclays Scheck ausstellte, »immerhin stehen wir kurz davor, den Auftrag zu verlieren, der uns alle über Wasser hält. Es sei denn, ihr wisst etwas, von dem ich noch nichts weiß.«

»In Knightville war diese Woche rein gar nichts los, außer dass Flick sich mit einer Mitbewohnerin in die Haare gekriegt hat«, sagte Barclay. »Laura heißt die Kleine. Sie ist sich ziemlich sicher, dass Jimmy ihr die Kreditkarte aus der Handtasche geklaut hat.«

»Und hat er?«, fragte Strike scharf.

»Wenn ihr mich fragt, war es eher Flick selbst. Ich hab doch erzählt, dass sie herumerzählt, sie würde was auf der Arbeit abzweigen?«

»Ja, haben Sie.«

»Die ganze Kiste ist im Pub geradezu explodiert, und auf einmal sind alle über das Mädel hergefallen. Sie und Flick hatten sich gerade gestritten, wer von ihnen die größere Mittelschichtenspießerin ist ...«

Trotz seiner Schmerzen und seiner schlechten Laune musste Strike grinsen.

»Aye, es wurde echt eklig. Sie haben sich Ponys und Ferien im Ausland um die Ohren geschleudert, und irgendwann meinte diese Laura, sie habe den starken Verdacht, dass Jimmy ihr vor ein paar Monaten die brandneue Kreditkarte geklaut hat. Daraufhin wurde Jimmy stinksauer, meinte, das sei Verleumdung ...«

»Zu schade, dass er sie nicht dafür verklagen darf«, sagte Strike und riss den Scheck aus dem Heft.

»... und da rannte Laura heulend raus. Sie ist inzwischen ausgezogen.«

»Haben Sie auch einen Nachnamen für mich?«

»Krieg ich schon noch raus, hoffentlich.«

»Was wissen Sie über Flicks Hintergrund?«, fragte Strike, während Barclay den Scheck in die Brieftasche schob.

»Also, mir hat sie erzählt, dass sie ihr Studium geschmissen hat«, sagte Barclay. »Hat alles hingeworfen, als sie direkt im ersten Jahr durch die Prüfung gerauscht ist.«

»Passiert den Besten«, kommentierte Robin und brachte zwei Becher Tee. Sie und Strike hatten beide ihr Studium abgebrochen.

»Danke.« Barclay nahm ihr einen Becher ab. »Ihre Eltern sind geschieden«, fuhr er fort, »und sie redet mit beiden nicht mehr. Sie können Jimmy nicht ausstehen. Kann ich ihnen nachfühlen. Wenn meine Tochter sich irgendwann mit einem Windei wie Knight einlassen sollte, weiß ich, was ich zu tun habe. Wenn sie nicht dabei ist, erzählt er jedem, wie viele junge Dinger er klarmacht. Die Mädels glauben, sie bumsen einen großen Revolutionär – so was wie für die gemeinsame Sache. Flick weiß nicht mal die Hälfte von dem, was er treibt.«

»Sind Minderjährige dabei? Seine Exfrau hat angedeutet, dass er da nicht unbelastet ist. Das wäre ein Druckmittel.«

»Die, von denen ich weiß, waren alle über sechzehn.«

»Zu schade«, sagte Strike. Er fing Robins Blick auf, die gerade mit ihrem Tee zu ihnen zurückkehrte. »Du weißt, wie ich das meine.« Er wandte sich wieder an Barclay. »Soweit ich bei dieser Demo gehört habe, lebt sie auch nicht monogam.«

»Aye, einer von ihren Freunden hat Witze über einen indischen Kellner gerissen.«

»Einen Kellner? Ich hab gehört, er ist Student.«

»Warum kann er nicht beides sein?«, fragte Barclay. »Wenn ihr mich fragt, ist sie eine echte ...«

Barclay fing Robins Blick auf und beschloss, das Wort nicht auszusprechen, sondern lieber einen Schluck Tee zu trinken.

»Irgendwas Neues von deiner Front?«, fragte Strike Robin.

»Ja. Ich habe die zweite Wanze abmontieren können.«

»Du machst Witze!« Sofort saß Strike aufrechter.

»Ich bin gerade erst mit dem Transkript fertig geworden. Es waren mehrere Stunden Material. Das meiste davon ist unbrauchbar, aber ...«

Sie stellte ihren Tee ab, zog den Reißverschluss der Sporttasche auf und holte die Wanze heraus.

»... es gibt eine interessante Stelle. Hört euch das hier an.«

Barclay setzte sich auf die Sofalehne. Robin setzte sich kerzengerade auf ihren Schreibtischstuhl und schaltete das Gerät ein.

Geraint singsangte durch das Büro: »... sie umgarnen und dafür sorgen, dass ich Elspeth Prinz Harry vorstellen kann. So, und damit bin ich weg, wir sehen uns morgen.«

»Gute Nacht«, war Aamirs Stimme zu hören.

Robin schüttelte stumm den Kopf und ermahnte Strike und Barclay tonlos: »Moment noch!«

Man hörte eine Tür zufallen. Nach der üblichen Stille von

dreißig Sekunden folgte das Klicken, mit dem das Gerät sich aus- und wieder eingeschaltet hatte. Dann war eine tiefe walisische Stimme zu vernehmen.

»Bist du da, Süßer?«

Strike zog die Brauen hoch, und Barclay hielt mitten in der Bewegung inne.

»Ja«, antwortete Aamir mit seinem typisch flachen Londoner Akzent.

»Komm, gib mir einen Kuss«, flötete Della.

Barclay hustete in seinen Tee. Dann war aus dem Gerät Lippenschmatzen zu hören, gefolgt von Schritten. Ein Stuhl wurde verrückt, dazu leises rhythmisches Klopfen.

»Was ist das?«

»Der Blindenhund, der mit dem Schwanz auf den Boden klopft«, sagte Robin.

»Gib mir deine Hand«, sagte Della. »Keine Angst, Geraint kommt nicht wieder. Ich hab ihn nach Chiswick geschickt. Hier ... Danke. Wir zwei müssen uns unterhalten. Die Sache ist die, Süßer – deine Nachbarn haben sich beschwert. Sie sagen, sie würden komische Geräusche durch die Wände hören.«

»Was denn für Geräusche?« Er klang verunsichert.

»Na ja, sie meinten, es könnte *möglicherweise* ein Tier sein«, sagte Della. »Ein winselnder oder jaulender Hund. Du hast doch nicht ...«

»Natürlich nicht«, sagte Aamir. »Das muss der Fernseher gewesen sein. Wozu sollte ich mir einen Hund zulegen? Ich bin den ganzen Tag im Büro.«

»Ich würde dir durchaus zutrauen, dass du einen armen kleinen Streuner mit nach Hause nimmst«, sagte sie. »Du mit deinem weichen Herzen ...«

»Hab ich aber nicht.« Aamir klang angespannt. »Wenn du mir nicht glaubst, kannst du gern hinfahren und dich davon selbst überzeugen. Du hast ja den Schlüssel.«

»Jetzt sei nicht so, Süßer«, sagte Della. »Es würde mir nicht im Traum einfallen, ohne deine Erlaubnis deine Wohnung zu betreten. Ich schnüffele nicht.«

»Du hättest jedes Recht dazu«, sagte er, und Strike hatte den Eindruck, dass er verbittert klang. »Es ist dein Haus.«

»Du regst dich auf, das war mir klar. Ich musste es ansprechen; denn wenn beim nächsten Mal Geraint ans Telefon geht ... Reines Glück, dass die Nachbarin mich erwischt hat ...«

»Ich seh in Zukunft leiser fern«, sagte Aamir. »Okay? Ich pass auf.«

»Du verstehst schon, mein Lieber, dass du tun und lassen kannst, was du willst, soweit es mich angeht ...«

»Hör mal, ich hab nachgedacht«, fiel Aamir ihr ins Wort. »Ich finde wirklich, ich sollte dir Miete zahlen. Was, wenn ...«

»Wir haben das doch schon durchgesprochen. Sei nicht albern, ich will dein Geld nicht.«

»Aber ...«

»Abgesehen von allem anderen«, fuhr sie fort, »könntest du dir das gar nicht leisten. Du allein – ein eigenes Haus mit vier Zimmern?«

»Aber ...«

»Wir haben das doch schon besprochen. Als du eingezogen bist, warst du so glücklich ... Ich dachte, es gefällt dir ...«

»Natürlich gefällt es mir. Das war sehr großzügig von dir«, antwortete er steif.

»Großzügig ... Das hat doch nichts mit Großzügigkeit zu tun, um Gottes willen ... Aber hör mal, sollen wir uns nicht später auf ein Curry treffen? Ich hab noch eine späte Abstimmung und wollte danach rüber ins Kennington Tandoori. Du bist eingeladen.«

»Tut mir leid, aber ich kann nicht«, sagte Aamir. Er klang gestresst. »Ich muss nach Hause.«

»Oh«, sagte Della hörbar kühler. »Oh ... jetzt bin ich aber enttäuscht. Wie schade.«

»Tut mir leid«, sagte er wieder. »Aber ich bin verabredet. Mit jemandem von der Universität.«

»Ich verstehe. Na schön, nächstes Mal ruf ich sicherheitshalber vorher an. Damit du mir einen Termin in deinem Kalender freihalten kannst.«

»Della, ich ...«

»Sei nicht albern. Ich ziehe dich nur auf. Kannst du mich wenigstens noch nach draußen begleiten?«

»Ja. Ja, natürlich.«

Wieder waren Schritte zu hören, dann das Öffnen der Tür. Robin schaltete das Gerät aus.

»Sie *bumst* ihn?«, platzte es aus Barclay heraus.

»Nicht unbedingt«, sagte Robin. »Vielleicht hat sie ihn nur auf die Wange geküsst.«

»›Gib mir deine Hand‹?«, wiederholte Barclay. »Seit wann ist das im Büro ein normaler Umgang?«

»Wie alt ist dieser Aamir?«, fragte Strike.

»Ich würde ihn auf Mitte zwanzig schätzen«, sagte Robin.

»Und sie ist ...«

»... Mitte sechzig«, ergänzte Robin.

»Und sie stellt ihm ein Haus zur Verfügung. Er ist aber nicht mit ihr verwandt, oder?«

»Soweit ich weiß, gibt es keine verwandtschaftliche Beziehung«, sagte Robin. »Aber Jasper Chiswell weiß irgendetwas Persönliches über ihn. Als sich die beiden in unserem Büro begegnet sind, hat er ein lateinisches Gedicht zitiert.«

»Das hast du mir gar nicht erzählt.«

»Tut mir leid«, sagte Robin, der einfiel, dass dies kurz vor ihrer Weigerung, Jimmy bei der Demo zu beschatten, passiert war. »Ist mir entfallen. Ja, Chiswell zitierte was auf Latein und sagte dann irgendwas von ›Männern mit Ihren Vorlieben‹.«

»Was war das für ein Gedicht?«

»Weiß ich nicht, ich hatte nie Latein.« Sie sah auf die Uhr. »Ich muss mich umziehen, ich will in vierzig Minuten im Ministerium sein.«

»Aye, ich bin auch weg, Strike«, sagte Barclay.

»Zwei Tage, Barclay«, rief Strike ihm auf dem Weg zur Tür nach. »Dann sind Sie wieder an Knight dran.«

»Kein Thema«, erwiderte Barclay. »Bis dahin brauche ich sowieso eine Pause von der Pause.«

»Ich mag ihn«, sagte Robin, sobald Barclays Schritte auf der Eisentreppe verhallten.

»Ja«, grunzte Strike und bückte sich nach seiner Prothese. »Er ist schon in Ordnung.«

Er und Lorelei würden sich auf seine Bitte hin schon früh treffen. Es war an der Zeit für den beschwerlichen Prozess, sich in Schale zu werfen. Während Robin zum Umziehen zur engen Toilette auf dem Treppenabsatz verschwand, legte Strike erst die Prothese an und zog sich dann in sein Einzelbüro zurück.

Er hatte gerade seine Anzughose angezogen, als sein Handy klingelte. In der leisen Hoffnung, Lorelei rufe an, um ihm zu erklären, dass sie es nicht schaffen werde, griff er nach dem gesprungenen Gerät. Als er sah, dass es Hutchins war, beschlich ihn sofort eine düstere Vorahnung.

»Strike?«

»Was gibt's?«

»Strike ... Ich hab's versaut.« Hutchins klang weinerlich.

»Was ist passiert?«

»Knight ist mit ein paar Leuten unterwegs. Ich bin ihnen in den Pub gefolgt. Sie planen irgendwas. Er hat ein Plakat mit Chiswells Gesicht drauf ...«

»Und?«, ging Strike dazwischen.

»Strike, tut mir leid ... Ich hatte Gleichgewichtsstörungen ... und hab sie verloren.«

»Sie blöder Idiot!«, brüllte Strike, der komplett die Fassung verlor. »Warum haben Sie mir nicht erzählt, dass Sie krank sind?«

»Ich hatte in letzter Zeit schon so oft frei ... und ich wusste, wie eng es momentan bei Ihnen ist ...«

Strike schaltete Hutchins auf Lautsprecher, legte das Handy auf den Schreibtisch, nahm sein Hemd vom Bügel und zog sich so schnell wie möglich an.

»Mann, es tut mir so leid ... aber ich kann kaum laufen ...«

»Scheiße, ich weiß, wie das ist!« Kochend vor Wut beendete Strike das Gespräch.

»Cormoran?«, rief Robin durch die Tür. »Alles okay?«

»Nein, ist es verflucht noch mal nicht!« Er riss die Bürotür auf.

Fast schon unterbewusst nahm er zur Kenntnis, dass Robin das grüne Kleid trug, das er ihr zwei Jahre zuvor geschenkt hatte, nachdem sie ihm geholfen hatte, ihren ersten Serienmörder zu fassen. Sie sah umwerfend aus.

»Knight hat ein Plakat mit Chiswells Gesicht drauf, er hat ein paar Leute dabei und plant irgendwas. Ich hab's *gewusst*, ich hab's verflucht noch mal *gewusst*, dass das passieren würde, nachdem Winn ihn ausgebootet hat ... Jede Wette, dass er unterwegs zu deinem Empfang ist! *Scheiße!*« Als Strike merkte, dass er keine Schuhe anhatte, kehrte er noch einmal um. »Und Hutchins hat sie verloren«, rief er ihr über die Schulter zu. »Der Volltrottel hat mir nicht erzählt, dass er immer noch krank ist.«

»Vielleicht kannst du ja Barclay zurückholen?«, schlug Robin vor.

»Der ist doch schon in der U-Bahn! Ich werd das verflucht noch mal selbst übernehmen müssen«, grollte er, ließ sich aufs Sofa fallen und schlüpfte in die Schuhe. »Wenn Harry heute Abend ebenfalls kommt, ist das dort von der Presse belagert.

Da muss nur irgendein Zeitungsheini checken, was Jimmys blödes Scheißschild zu bedeuten hat, und Chiswell ist seinen Job los – und wir unseren auch.« Er wuchtete sich wieder hoch. »Wo findet diese Sache heute Abend statt?«

»Lancaster House«, antwortete Robin. »Im Stable Yard.«

»Gut«, sagte Strike und ging zur Tür. »Du gibst mir Rückendeckung. Vielleicht wirst du eine Kaution für mich stellen müssen – gut möglich, dass ich ihn k. o. schlagen muss.«

29

Es ist jetzt ein Ding der Unmöglichkeit, noch länger den müßigen Zuschauer zu machen.

HENRIK IBSEN, *ROSMERSHOLM*

Das Taxi, das Strike an der Charing Cross Road abgeholt hatte, bog zwanzig Minuten später in die St. James's Street. Er hatte immer noch den Kulturminister am Handy.

»Ein Plakat? Und was ist drauf?«

»Ihr Gesicht«, sagte Strike. »Mehr weiß ich nicht.«

»Und er ist auf dem Weg zu dem Empfang? Also, das war's dann, verdammt, sehe ich das richtig?«, brüllte Chiswell so laut, dass Strike das Gesicht verzog und das Handy von seinem Ohr weghielt. »Wenn die Presse das sieht, ist alles vorbei! Genau so was hätten Sie verhindern sollen, verflucht noch eins!«

»Das versuch ich ja auch«, entgegnete Strike. »Aber an Ihrer Stelle würde ich vorgewarnt werden wollen. Ich rate Ihnen ...«

»Ich zahl nicht für Ihre Ratschläge!«

»Ich tue, was ich kann«, versprach Strike, aber da hatte Chiswell schon aufgelegt.

»Näher komm ich nicht ran, mein Freund«, sprach ihn der Taxifahrer über den Rückspiegel an, an dem ein Handy mit einem Saum aus bunten Baumwolltroddeln und einem aufgeprägten goldenen Ganesha hing. Das Ende der St. James's Street war abgesperrt: Eine anwachsende Menge von Fans des Königshauses und der Olympischen Spiele, viele mit Union

Jacks in den Händen, sammelte sich an den Absperrungen und erwartete die Ankunft der Paralympioniken und von Prinz Harry.

»Okay, ich steig hier aus«, sagte Strike und tastete nach seiner Brieftasche.

Wieder einmal erhob sich vor ihm die zinnengekrönte Front des St. James's Palace, dessen diamantförmige vergoldete Uhr in der Frühabendsonne leuchtete. Strike humpelte die Straße entlang auf die Menge zu und passierte dabei die Seitenstraße, an der sich das Pratt's befand. Schick gekleidete Passanten, Arbeiter und Kunden der Galerien und Weinhandlungen machten ihm höflich Platz, weil sein unsteter Gang mit jedem Schritt wackliger wurde.

»Fuck, fuck, *fuck*«, murmelte er, als er sich den versammelten Sportfans und Schaulustigen näherte, weil jedes Mal, wenn er seine Prothese belastete, ein stechender Schmerz in seinen Unterleib schoss. Plakate oder Banner mit politischem Inhalt konnte er keine erkennen, aber als er sich von hinten durch die Menge schob und die Cleveland Row hinuntersah, entdeckte er einen abgesperrten Pressebereich und Horden von Fotografen, die auf den Prinzen und die berühmten Athleten warteten. Erst als ein Wagen vorüberglitt und Strike auf dem Rücksitz eine Brünette mit seidigem Haar sitzen sah, die er vage aus dem Fernsehen kannte, fiel ihm wieder ein, dass er Lorelei gar nicht Bescheid gesagt hatte, dass er zu spät kommen würde. Eilig rief er ihre Nummer auf.

»Hallo, Corm.« Sie klang angespannt. Vermutlich rechnete sie damit, dass er absagen wollte.

»Hallo.« Er blickte sich gehetzt um, ob er irgendwo Jimmy entdecken konnte. »Tut mir wirklich leid, aber mir ist etwas dazwischengekommen. Es könnte später werden.«

»Ach, das macht doch nichts«, sagte sie. Er konnte hören, wie erleichtert sie war, dass er zumindest noch kommen wollte.

»Soll ich dort anrufen und fragen, ob ich die Reservierung verschieben kann?«

»Ja – vielleicht auf acht Uhr statt um sieben?«

Als sich Strike zum dritten Mal umdrehte und die hinter ihm liegende Pall Mall absuchte, entdeckte er Flicks tomatenroten Haarschopf. Acht CORE-Mitglieder hielten auf die Menge zu, darunter ein drahtiger Jugendlicher mit blonden Dreadlocks und ein kleinerer Dicker, der wie ein Türsteher aussah. Flick war die einzige Frau in der Gruppe. Alle außer Jimmy trugen Plakate mit zerbrochenen Olympiaringen und Slogans wie »Gerechte Spiele – gerechte Löhne« und »Wohnungen statt Bomben«. Jimmy hielt sein Plakat nach unten und mit der bedruckten Seite gegen sein Bein gepresst.

»Ich muss Schluss machen. Wir sprechen uns später, Lorelei.«

Uniformierte Polizisten patrouillierten mit Walkie-Talkies in den Händen an den Absperrgittern, mit denen die Zuschauer zurückgehalten werden sollten, und ließen die Blicke beständig über die gut gelaunten Schaulustigen schweifen. Auch sie hatten die CORE-Gruppe entdeckt, die jetzt versuchte, sich einen Platz gegenüber dem Pressebereich zu sichern.

Mit vor Schmerz zusammengebissenen Zähnen bahnte sich Strike – den Blick fest auf Jimmy gerichtet – einen Weg durchs Gedränge.

30

Kein Zweifel, wir wären heut besser dran, wenn wir schon an einem früheren Zeitpunkt den Strom gehemmt hätten.

HENRIK IBSEN, *ROSMERSHOLM*

Robin zog die wohlgefälligen Blicke zahlreicher männlicher Passanten auf sich, als sie leicht nervös in ihrem hautengen grünen Kleid und auf hohen Schuhen am Eingang zum Ministerium aus ihrem Taxi stieg. Als sie die Tür erreichte, erkannte sie in fünfzig Metern Entfernung Izzy in leuchtendem Orange und an ihrer Seite Kinvara in, wie es aussah, demselben aufreizenden schwarzen Kleid mit dem schweren Diamantcollier, in dem Robin sie schon auf einem Online-Foto gesehen hatte.

Auch wenn ihr keine Ruhe ließ, was sich zwischen Jimmy und Strike abspielen mochte, fiel Robin auf, wie aufgebracht Kinvara aussah. Izzy verdrehte die Augen, als sie aufeinander zugingen. Kinvara musterte Robin spitz von Kopf bis Fuß, und ihr Blick ließ keinen Zweifel daran, dass sie das grüne Kleid unpassend, wenn nicht gar unanständig fand.

»*Hier*«, sagte eine dröhnende Männerstimme direkt neben Robin, »wollten wir uns treffen.«

Jasper Chiswell war eben aus dem Gebäude getreten – in der Hand drei Einladungen mit Prägedruck, von denen er eine Robin hinstreckte.

»Ja, das weiß ich jetzt auch, Jasper, vielen Dank«, grollte Kinvara und trat auf ihn zu. »Tut mir leid, dass ich dich schon wieder missverstanden habe. Aber niemand hat sich die Mühe gemacht, bei mir nachzufragen, ob man mir euer Arrangement auch mitgeteilt hat.«

Die Passanten starrten Chiswell an, der ihnen mit seinem Kaminbürstenhaar irgendwie vertraut vorkam. Robin sah, wie ein Mann im Anzug seine Begleiterin anstupste und auf Chiswell deutete.

Im nächsten Moment hielt ein eleganter schwarzer Mercedes am Bordstein, der Chauffeur stieg aus, Kinvara lief hinten um den Wagen herum und setzte sich hinter den Fahrersitz. Izzy zwängte sich auf den Mittelplatz, sodass Robin der Sitz direkt hinter Chiswell blieb. Der Wagen rollte wieder vom Bordstein weg, doch die Atmosphäre blieb angespannt. Robin drehte sich um, sah Menschen auf dem Weg zum Pub oder zum Einkaufen und fragte sich, ob Strike bereits auf Knight gestoßen war und was wohl geschehen würde, wenn er es täte. Sie wünschte sich, sie könnte den Wagen per Kraft ihrer Gedanken direkt zum Lancaster House versetzen.

»Raphael hast du demnach nicht eingeladen?«

Kinvara hatte die Frage auf den Hinterkopf ihres Gemahls abgefeuert.

»Nein«, sagte Chiswell. »Er wollte natürlich unbedingt eingeladen werden. Aber nur weil er eine Schwäche für Venetia hat.«

Robin spürte, wie sie rot anlief.

»Offenbar hat Venetia viele Verehrer«, erklärte Kinvara gereizt.

»Ich rede morgen mit Raphael«, sagte Chiswell. »Inzwischen sehe ich ihn anders, das darfst du mir glauben.«

Aus dem Augenwinkel sah Robin, wie sich Kinvaras Hände um die Kette ihrer hässlichen Handtasche schlossen, auf der ein Pferdekopf aus Kristallen aufgenäht war. Angespannte Stille senkte sich über das Wageninnere, während sie der warmen Stadt entgegensurrten.

31

Aber dann bekam er Prügel und wurde in den Rinnstein geworfen.

HENRIK IBSEN, *ROSMERSHOLM*

Das Adrenalin half Strike, die stärker werdenden Schmerzen in seinem Bein auszublenden. Schritt um Schritt näherte er sich Jimmy und seinen Freunden, deren Ziel, sich vor der Presse aufzubauen, fürs Erste durch die aufgeregte Menge vereitelt wurde, die jetzt, da die ersten Limousinen vorüberglitten, nach vorn drängte, um nach Möglichkeit ein paar Prominente zu erspähen. CORE war zu spät angerückt und sah sich einer undurchdringlichen Menschenmasse gegenüber.

Mercedesse und Bentleys rollten vorbei und ermöglichten den Zuschauern flüchtige Blicke auf berühmte und weniger berühmte Leute. Ein Comedian winkte und wurde bejubelt. Ein paar Kamerablitze flammten auf.

Ganz eindeutig hatte Jimmy beschlossen, dass er keine bessere Stelle mehr erreichen würde. Also nestelte er mühsam sein selbst gebasteltes Plakat aus dem Gewirr aus Beinen, um es hochzuheben.

Eine Frau vor Strike schrie entrüstet auf, als er sie beiseiteschubste. Nach drei langen Schritten hatte Strike seine große Linke um Jimmys rechtes Handgelenk geschlossen, verhinderte damit, dass er das Plakat höher als auf Bauchhöhe heben konnte, und drückte es wieder nach unten. Strike sah gerade noch, wie Jimmy in plötzlicher Erkenntnis die Augen aufriss, dann schoss dessen Faust auf seine Kehle zu. Eine zweite Frau sah den Schlag ebenfalls kommen und kreischte auf.

Strike duckte sich unter der Faust weg, rammte den linken Fuß gegen das Plakat und zertrat den Stiel, doch das amputierte Bein war nicht so stabil, als dass es sein ganzes Gewicht getragen hätte – erst recht nicht, als Jimmys zweiter Hieb traf. Strike ging zwar zu Boden, konnte aber gerade noch einen Schlag in Jimmys Weichteile landen, der daraufhin einen leisen Schmerzensschrei ausstieß und in sich zusammensackte – und zwar genau auf den fallenden Strike. Beide kippten um und sprengten die Umstehenden beiseite, die entrüstet aufschrien.

Sowie Strike auf dem Pflaster gelandet war, zielte einer von Jimmys Begleitern mit dem Fuß auf seinen Kopf. Strike bekam den Knöchel zu fassen und verdrehte ihn. Durch das Chaos hindurch hörte er eine dritte Frau kreischen: »Da wird jemand angegriffen!«

Strike war immer noch zu sehr damit beschäftigt, Jimmys zerknautschtes Pappschild in die Hände zu kriegen, als dass es ihn interessiert hätte, ob er als Opfer oder Angreifer angesehen wurde. Mit aller Kraft zerrte er an dem Plakat, auf dem – genau wie auf ihm selbst – inzwischen zahllose Füße herumtrampelten, und riss es schließlich in Stücke. Ein Fetzen blieb am spitzen Absatz einer Frau hängen, die panisch vor dem Handgemenge Reißaus nahm, und verschwand mit ihr im Gedränge.

Von hinten schlossen sich Finger um Strikes Hals. Er zielte mit dem Ellbogen auf Jimmys Gesicht, der daraufhin den Griff lockerte, doch dann trat jemand Strike in den Bauch, während ein zweiter Schlag seinen Hinterkopf traf. Rote Punkte tanzten vor seinen Augen.

Neuerliches Geschrei, eine Trillerpfeife – und schlagartig löste sich die Menge um sie herum auf. Strike schmeckte Blut, aber soweit er erkennen konnte, waren die zersplitterten, zerfetzten Überreste von Jimmys Plakat in alle Winde verstreut. Jimmys Hände wollten sich gerade erneut um Strikes Hals schließen, als Jimmy mit einem Mal unter lauten Flüchen von ihm weggezogen wurde. Und auch der völlig erledigte Strike wurde gepackt und angehoben. Er leistete keinen Widerstand. Aus eigener Kraft hätte er wahrscheinlich ohnehin nicht mehr stehen können.

32

Und jetzt können wir zu Tische gehen. Wenn ich bitten darf …

HENRIK IBSEN, *ROSMERSHOLM*

Chiswells Mercedes bog von der St. James's Street auf die Pall Mall und fuhr dann weiter auf die Cleveland Row.

»Was ist denn da los?«, grollte Chiswell, als der Wagen langsamer wurde und schließlich anhielt.

Der Lärm weiter vorn war nicht der aufgeregte, begeisterte Jubel, den Royals oder Prominente erwarteten. Mehrere uniformierte Polizisten kämpften sich in die Menge auf der linken Straßenseite vor, wo gerangelt und geschubst wurde und es aussah, als würden die Zuschauer bestmöglich Abstand zu einer Auseinandersetzung zwischen ein paar Demonstranten und der Polizei halten wollen. Zwei zerraufte Männer tauchten aus dem Handgemenge auf – beide im Polizeigriff: Jimmy Knight und ein junger Mann mit schlaffen blonden Dreadlocks.

Im nächsten Moment musste sich Robin einen Schreckensschrei verkneifen, denn gleich darauf erschien ein humpelnder, blutender Strike, der ebenfalls von zwei Polizisten abgeführt wurde. Hinter ihnen flaute die Rauferei nicht ab – im Gegenteil: Sie schien sich zu intensivieren. Ein Absperrgitter wankte bedenklich.

»Anhalten, ANHALTEN!«, schnauzte Chiswell den Fahrer an, der gerade wieder beschleunigen wollte. Chiswell fuhr sein Fenster hinunter.

»Tür auf – *die Tür auf, Venetia!* Dieser Mann«, röhrte Chiswell einen Polizisten an, der sich daraufhin verdattert umdrehte und den brüllenden Kulturminister mit einer Einladungskarte auf Strike deuten sah, »er ist mein Gast – dieser Mann! Lassen Sie ihn verdammt noch mal los!«

Eingeschüchtert durch den offiziellen Wagen, Chiswells Ministerstatus, seine laute, sonore Stimme und die dicke, geprägte Einladungskarte, leisteten die Beamten Folge. Die meisten Zuschauer konzentrierten sich unterdessen auf das zunehmend brutale Handgemenge zwischen der Polizei und den CORE-Leuten sowie das Geschubse und Geschiebe der Umstehenden, die versuchten davonzukommen. Ein paar Kameramänner rannten bereits aus dem Pressebereich auf das Durcheinander zu.

»Izzy, rutsch rüber – einsteigen, EINSTEIGEN!«, fauchte Chiswell Strike durchs Fenster an.

Robin rückte zur Seite, bis sie halb auf Izzys Schoß saß, um Platz für Strike zu machen, der sofort auf den Rücksitz kletterte. Die Tür knallte zu, und der Wagen rollte wieder an.

»Wer sind Sie?«, quiekte die verängstigte Kinvara, die von Izzy an die Tür gepresst wurde. »Was ist hier los?«

»Er ist Privatdetektiv«, knurrte Chiswell. Strike in den Wagen steigen zu lassen war offenbar eine Panikreaktion gewesen. Er drehte sich auf seinem Sitz herum und sah Strike wutentbrannt an. »Wie soll es mir helfen, wenn Sie verhaftet werden, verdammt noch mal?«

»Ich wurde nicht verhaftet.« Strike tupfte mit dem Handrücken Blut von seiner Nase. »Die wollten nur meine Aussage aufnehmen. Knight ist auf mich losgegangen, als ich ihm das Plakat wegnehmen wollte. Danke«, ergänzte er, als Robin ihm – unter Schwierigkeiten, weil alle so beengt saßen – eine Packung Taschentücher reichte, die auf der Hutablage hinter dem Rücksitz gelegen hatte. Er presste sich eins auf die Nase.

»Ich hab's vernichtet«, murmelte Strike durch das blutfleckige Taschentuch, aber dazu wollte ihm niemand gratulieren.

»Jasper«, sagte Kinvara stattdessen erneut, »was ist hier los?«

»Halt den Mund«, fauchte Chiswell, ohne sie anzusehen.

»Ich kann Sie nicht vor all diesen Leuten aussteigen lassen«, erklärte er Strike wütend, als hätte der das soeben vorgeschlagen. »Hier sind doch noch mehr Fotografen ... Sie müssen mit uns reinkommen. Ich regle das.«

Der Wagen näherte sich einer Sperre, an der die Polizei und ein Sicherheitsdienst Ausweise und Einladungen kontrollierten.

»Niemand sagt ein Wort«, befahl Chiswell. »*Und du hältst auch den Mund!*«, schnauzte er Kinvara vorsorglich an, die drauf und dran gewesen war, etwas zu sagen.

Der Bentley vor ihnen wurde durchgelassen. Dann rollte der Mercedes vor.

Im selben Moment hörte Robin Geschrei hinter ihnen. Unter Schmerzen, weil ein Gutteil von Strikes Gewicht auf ihrem linken Bein lagerte, drehte sie sich um und sah, wie eine junge Frau, von einer Polizistin verfolgt, ihrem Wagen hinterherrannte. Das Mädchen hatte wirres tomatenrotes Haar, trug ein T-Shirt, auf dem zerbrochene olympische Ringe zu sehen waren, und schrie Chiswells Auto nach: »Er hat das Pferd draufgesetzt, Chiswell! Er hat das Scheißpferd draufgesetzt, du geldgeiler Bastard, du Betrüger, du *Mörder* ...«

»Ich habe einen Gast dabei, der seine Einladung nicht erhalten hat«, rief Chiswell durch das heruntergelassene Fenster dem bewaffneten Polizisten an der Absperrung zu. »Cormoran Strike, der Invalide. War in der Zeitung. In meinem Ministerium gab's wohl ein Missverständnis – seine Einladung ging nicht raus. Der Prinz«, verkündete er mit atemberaubender Chuzpe, »will ihn unbedingt kennenlernen.«

Strike und Robin beobachteten derweil, was sich hinter dem Wagen abspielte. Zwei Polizisten hatten die um sich schlagende

Flick gepackt und führten sie ab. Ein paar Kamerablitze flammten auf. Währenddessen knickte der Polizist unter dem ministeriellen Druck ein und verlangte lediglich, Strikes Ausweis zu sehen. Strike, der immer mehrere Ausweise bei sich führte, wenn auch nicht unbedingt mit seinem Namen, reichte ihm seinen echten Führerschein. Hinter ihnen hatte sich bereits eine Schlange von Luxuswagen gebildet. Der Prinz würde in fünfzehn Minuten eintreffen. Eilig winkte der Polizist sie durch.

»Das hätte er nicht machen dürfen«, meinte Strike leise zu Robin. »Er hätte mich nicht reinlassen dürfen. Grober Fehler.«

Der Mercedes steuerte den Innenhof an und hielt am Fuß einer flachen, mit rotem Teppich ausgelegten Freitreppe, die zu einem honiggelben Gebäude hinaufführte. Es sah aus wie ein vornehmer Landsitz. Zu beiden Seiten des roten Teppichs waren Rollstuhlrampen montiert worden, und auf einer rollte soeben eine gefeierte Rollstuhl-Basketballerin aufwärts.

Strike drückte die Wagentür auf, kletterte hinaus, drehte sich dann um und beugte sich ins Innere, um Robin herauszuhelfen. Sie griff nach seiner Hand. Ihr linkes Bein, auf dem er gesessen hatte, war praktisch taub.

»Schön, dich wiederzusehen, Corm«, begrüßte Izzy ihn strahlend, als sie hinter Robin ausgestiegen war.

»Hi, Izzy«, sagte Strike.

Mit Strike als weiterem Anhängsel, ob es ihm nun gefiel oder nicht, eilte Chiswell die Stufen hinauf, um einem der livrierten Angestellten vor der schweren Tür zu erklären, dass Strike auch ohne Einladung eingelassen werden müsse. Mehrmals hörten sie dabei das Wort »Invalide«. Um sie herum stiegen immer mehr elegant gekleidete Gäste aus ankommenden Wagen.

»Was soll das alles?« Kinvara war hinten um den Mercedes herumgekommen und stellte Strike zur Rede. »Was hat das zu bedeuten? Wozu braucht mein Mann einen Privatdetektiv?«

»*Hältst du jetzt endlich den Mund, du blöde, blöde Kuh?*«

Auch wenn Chiswell ohne jeden Zweifel gestresst und außer Fassung war, schockierte Robin seine blanke Feindseligkeit. *Er hasst sie*, schoss es ihr durch den Kopf. *Er hasst sie bis aufs Blut.*

»Ihr zwei«, sagte der Minister und richtete den Finger dabei auf Frau und Tochter, »geht schon mal rein.« Dann wandte er sich an Strike, während immer mehr Gäste an ihnen vorüberströmten. »Nennen Sie mir einen guten Grund, warum ich Sie weiter bezahlen sollte. Ihnen ist doch wohl klar«, sagte er, und angesichts seines kaum mehr unterdrückten Zorns stoben Speicheltropfen auf Strikes Krawatte, »dass ich eben vor bald zwanzig Menschen, darunter Leuten von der Presse, als Mörder beschimpft wurde?«

»Sie werden sie für eine Irre halten«, schlug Strike vor.

Falls Strikes Antwort Chiswell irgendwie tröstete, zeigte er keine Regung.

»Ich will Sie morgen um zehn sehen«, befahl er Strike, »allerdings nicht in meinem Büro. Kommen Sie in die Ebury Street.« Er hatte sich bereits abgewandt, drehte sich in einem Nachgedanken aber noch einmal um. »Und Sie auch«, schnauzte er Robin an.

Seite an Seite sahen sie ihn die Stufen hochstampfen.

»Wir werden gekündigt, sehe ich das richtig?«, flüsterte Robin.

»Es spricht einiges dafür, würde ich sagen«, erwiderte Strike, der beträchtliche Schmerzen litt, jetzt, da er wieder stehen musste.

»Was stand eigentlich auf dem Plakat, Cormoran?«, fragte Robin.

Strike wartete ab, bis eine Frau in pfirsichfarbenem Chiffon an ihnen vorübergerauscht war, und antwortete dann leise: »Ein Bild von Chiswell am Galgen und unter ihm ein Haufen toter Kinder. Eins war allerdings merkwürdig.«

»Was?«

»Die Kinder waren alle schwarz.«

Immer noch mit dem Taschentuch unter der blutenden Nase tastete Strike nach seinen Zigaretten, besann sich dann, wo er war, und ließ die Hand wieder sinken.

»Pass auf. Wenn diese Elspeth irgendwo da drinnen ist, kannst du sie auch gleich aushorchen, was sie noch über Winn weiß – und sei es nur, um unsere Abschlussrechnung zu rechtfertigen.«

»Okay«, sagte Robin. »Übrigens blutest du am Hinterkopf.«

Strike drückte sich wenig erfolgreich weitere Taschentücher auf die Wunde und humpelte dann an Robins Seite die Stufen hinauf.

»Man sollte uns heute Abend lieber nicht mehr zusammen sehen«, erklärte er ihr, als sie über die Schwelle in ein Gepränge aus Ocker, Scharlachrot und Gold traten. »An der Ebury Street gibt's ein Café nicht weit von Chiswells Haus. Dort treffen wir uns morgen um neun, und danach können wir uns gemeinsam dem Erschießungskommando stellen. Und jetzt geh.« Als sie bereits von ihm weg auf die große Treppe zusteuerte, rief er ihr nach: »Nettes Kleid übrigens!«

33

Wen könnten Sie auch nicht behexen, wenn Sie es drauf anlegen.

HENRIK IBSEN, *ROSMERSHOLM*

Die Eingangshalle des Lancaster House war ein weitläufiger, unmöblierter Raum, aus dem eine mit rot-goldfarbenem Teppich belegte Zentraltreppe zu einem ersten Absatz führte und sich in zwei Richtungen zum Balkon hin teilte. Die Wände, die aus Marmor zu bestehen schienen, waren in Ocker, Mattgrün und Altrosa gehalten. Diverse Paralympioniken wurden zu einem Aufzug links vom Eingang gelotst, während der humpelnde Strike sich Stufe um Stufe aufwärtsarbeitete und sich dabei unter großzügiger Verwendung des Geländers nach oben wuchtete. Hinter den großen, kunstvollen Oberlichtern über der Säulengalerie verblasste der Himmel in zahllosen Technicolor-Schattierungen, die die Farben der riesigen venezianischen Wandgemälde mit ihren klassischen Themen verstärkten.

Bemüht, sich möglichst unauffällig zu bewegen, damit ihn niemand für einen ehemaligen Paralympioniken hielt und am Ende etwas über seine vergangenen Triumphe erfahren wollte, folgte Strike der Menge die rechte Treppe hinauf und dann über den Balkon in einen kleinen Vorraum mit Blick auf den Hof, in dem die Wagen parkten. Von dort wurden Gäste nach links in eine lang gezogene, geräumige Bildergalerie geleitet, wo sie über einen apfelgrünen, mit Rosetten gemusterten

Teppich liefen. Zu beiden Enden befanden sich hohe Fenster, und praktisch jeder Zentimeter der weißen Wände war mit Gemälden bedeckt.

»Etwas zu trinken, Sir?«, fragte ein Ober gleich hinter der Tür.

»Champagner?«, fragte Strike.

»Englischer Schaumwein«, erwiderte der Ober.

Strike nahm sich ein Glas, allerdings ohne große Begeisterung, und schlenderte weiter durch die Menge. Chiswell und Kinvara hörten gerade einem Athleten im Rollstuhl zu (oder, wie Strike vermutete, taten sie so, als würden sie ihm zuhören). Kinvara warf Strike einen argwöhnischen Seitenblick zu, während er an ihr vorüberging und die Wand gegenüber ansteuerte, wo er entweder einen Stuhl oder etwas anderes zu finden hoffte, worauf er sich stützen konnte. Bedauerlicherweise waren die Wände der Galerie derart mit Bildern vollgepackt, dass man sich nirgends anlehnen konnte, und Sitzgelegenheiten gab es auch keine, sodass Strike schließlich neben einem riesigen Gemälde Alfred d'Orsays zu stehen kam, das Königin Viktoria auf dem Rücken eines Apfelschimmels zeigte. Während er seinen Sekt schlürfte, versuchte er, sich diskret das Blut abzutupfen, das immer noch aus seiner Nase leckte, und den schlimmsten Dreck von seiner Hose zu klopfen.

Kellner mit Tabletts voller Kanapees machten die Runde. Strike erhaschte ein paar winzige Krabbenpuffer, dann beschränkte er sich darauf, seine Umgebung zu beobachten, wobei ihm ein weiterer Kranz Oberlichte auffiel, die von einer Reihe vergoldeter Palmen getragen wurden.

Eine eigenartige Energie herrschte im Raum; die Ankunft des Prinzen stand unmittelbar bevor, und die Fröhlichkeit der Gäste äußerte sich in flüchtigen, nervösen Ausbrüchen und immer häufigeren Blicken zur Tür. Von seinem Standpunkt neben Königin Viktoria konnte Strike eine imposante Gestalt in einem schlüsselblumengelben Kleid sehen, die ihm neben einem reich verzierten schwarz-goldfarbenen Kamin fast direkt gegenüberstand. Eine Hand hielt locker das Geschirr eines hellgelben Labradors, der hechelnd zu ihren Füßen saß. Strike hatte sie nicht sofort erkannt, weil Della keine Sonnenbrille, sondern Augenprothesen trug. Ihr leicht versunkener, undurchdringlicher, porzellanblauer Blick verlieh ihr eine eigenwillige Unschuld. Nicht weit von seiner Gemahlin stand Geraint und redete auf eine dünne, mausartige Frau ein, deren Blick durch den Raum irrte, als hielte sie nach einem potenziellen Retter Ausschau.

Auf einmal wurde es still in der Nähe der Tür, durch die Strike hereingekommen war, und er konnte ein paar Anzüge und einen roten Schopf ausmachen. Wie ein versteinernder Windhauch machte sich eine befangene Stille in dem überfüllten Raum breit. Strike sah den roten Scheitel zur rechten Hälfte des Saals weitergehen. Während er noch an seinem Sekt nippte und sich insgeheim fragte, welche der anwesenden Frauen wohl das Vorstandsmitglied war, das etwas Belastendes über Geraint Winn wusste, wurde seine Aufmerksamkeit unvermittelt auf eine große Frau ganz in seiner Nähe gelenkt, die mit dem Rücken zu ihm dastand.

Ihr langes Haar war zu einem nachlässigen Dutt hochgesteckt, und ihr Outfit hatte – anders als bei allen anderen anwesenden Frauen – nichts von einer Gala-Garderobe. Das einfache schwarze, knielange Kleid war schlicht bis an die Grenze zur Strenge, und an ihren strumpflosen Füßen trug sie ein Paar Stiefeletten mit Stilettoabsatz und offenen Zehen. Für einen Sekundenbruchteil meinte Strike, sich geirrt zu haben – doch dann bewegte sie sich, und er war sicher, dass sie es war. Noch ehe er sich leise davonschleichen konnte, hatte sie sich umgedreht und sah ihm genau in die Augen.

Ihr Teint wechselte die Farbe. Von Natur aus war sie, wie er wusste, blass wie eine Kamee. Und sie war hochschwanger – doch das zeigte sich allein an ihrem runden Bauch. Gesicht und Gliedmaßen waren schmal wie eh und je. Auch wenn sie weniger aufgetakelt war als jede andere Frau im Raum, war sie doch mit Abstand die schönste. Sekundenlang sahen sie einander nur an, dann machte sie ein paar zaghafte Schritte auf ihn zu, wobei die Farbe so schnell aus ihren Wangen wich, wie sie eingeschossen war.

»Corm?«

»Hallo, Charlotte.«

Falls sie mit dem Gedanken spielte, ihn zu küssen, schreckte seine steinerne Miene sie ab.

»Was in aller Welt machst du denn hier?«

»Bin eingeladen«, log Strike. »Als prominenter Invalide. Und du?«

Sie wirkte wie benommen. »Jagos Nichte macht bei den Paralympischen Spielen mit. Sie ist ...«

Charlotte sah sich um, versuchte anscheinend, die Nichte ausfindig zu machen, und nahm dann einen Schluck Wasser. Ihre Hand zitterte. Ein paar Tropfen stahlen sich über den Glasrand. Er sah sie wie Glasperlen auf Charlottes prallem Bauch zerplatzen.

»... also, sie muss irgendwo hier sein«, sagte sie mit einem nervösen Kichern. »Sie hat Zerebralparese. Und sie ist eine bemerkenswerte, nein, eine wirklich phänomenale Reiterin. Ihr Vater ist derzeit in Hongkong, darum hat ihre Mutter stattdessen mich mitgenommen.« Sein Schweigen brachte sie aus der Fassung. Nervös plapperte sie weiter: »Jagos Familie führt mich ständig aus und unternimmt was mit mir, nur meine Schwägerin ist sauer, weil ich das Datum verwechselt hab. Ich dachte, wir wären heute zum Essen im Shard verabredet, und das hier wäre am Freitag, also morgen, darum bin ich nicht angemessen angezogen für das Königshaus, aber ich war zu spät dran und konnte mich nicht noch mal umziehen.« Sie deutete hilflos auf ihr schlichtes schwarzes Kleid und die Stiefeletten mit den Pfennigabsätzen.

»Jago ist nicht hier?«

Ihre goldfleckig grünen Augen flackerten leicht. »Nein, er ist in den Staaten.« Ihr Blick senkte sich auf seine Oberlippe. »Hast du dich geprügelt?«

»Nein«, sagte er und tupfte sich mit dem Handrücken die Nase ab. Dann richtete er sich gerade auf und belastete vorsichtig seine Prothese, um sich aus dem Staub zu machen. »Tja, war schön, dich ...«

»Geh nicht, Corm«, sagte sie und streckte die Hand aus. Ihre Finger berührten seinen Ärmel nicht ganz; kurz davor ließ sie die Hand sinken. »Nicht, nicht so schnell, ich ... Du hast so unglaubliche Sachen vollbracht. Ich hab alles darüber in der Zeitung gelesen.«

Als sie sich zuletzt gesehen hatten, hatte er ebenfalls geblutet, nachdem ihn ein fliegender Aschenbecher im Gesicht getroffen hatte; nur Sekunden zuvor hatte er mit ihr Schluss gemacht. Er erinnerte sich noch an ihre SMS – »Es war deins« –, die sie ihm am Vorabend ihrer Hochzeit mit Ross geschickt hatte und in der sie auf ein anderes Baby Bezug genommen hatte, das sie angeblich unter dem Herzen getragen hatte und das verschwunden war, ehe er je einen Beweis für dessen Existenz gesehen hatte. Er erinnerte sich auch noch an das Bild, das sie ihm ins Büro geschickt hatte – nur Minuten nachdem sie zu Jago Ross »Ja, ich will« gesagt hatte – und auf dem sie wunderschön und leidend wie ein unschuldiges Opferlamm dagestanden hatte.

»Glückwunsch«, sagte er und sah ihr dabei ins Gesicht.

»Es werden Zwillinge, darum bin ich so fett.« Sie berührte dabei nicht ihren Bauch, wie er es bei so vielen anderen Schwangeren gesehen hatte, sondern sah nur an sich hinab, als würde ihre veränderte Körperform sie überraschen. Als sie noch mit ihm zusammen gewesen war, hatte sie nie Kinder haben wollen. Das Baby, das angeblich seins gewesen war, war für sie beide eine unangenehme Überraschung gewesen.

In Strikes Fantasie lagen Jago Ross' Nachkommen, eingerollt wie weiße Welpen, unter dem schwarzen Kleid, nicht ganz menschlich, zwei Abgesandte ihres Vaters, der etwas von einem verlotterten Eisfuchs hatte. Strike war froh, dass sie da waren, falls man eine so gefühllose Empfindung als Freude bezeichnen konnte. Ihm war jedes Hemmnis, jedes Abschreckungsmittel willkommen, denn schon jetzt spürte er, dass die unwiderstehliche Anziehungskraft, die Charlotte damals auf ihn ausgeübt hatte, trotz der unzähligen Streits und Szenen und Tausenden Lügen immer noch vorhanden war. Wie eh und je hatte er das Gefühl, dass sie hinter den grünen, goldgefleckten Augen ganz genau wusste, was er dachte.

»Es ist noch ewig hin. Ich hab einen Ultraschall machen lassen, es sind ein Junge und ein Mädchen. Jago freut sich besonders auf den Jungen. Bist du mit jemandem hier?«

»Nein.«

Im selben Moment sah er hinter Charlottes Schulter etwas Grünes aufblitzen. Robin plauderte munter mit der mausähnlichen Frau im lila Brokat, die Geraint endlich entronnen war.

»Wie hübsch«, sagte Charlotte, die sich umgedreht hatte, um zu sehen, was ihn abgelenkt hatte. Sie hatte schon immer eine fast übernatürliche Gabe besessen zu erspüren, wann er auch nur einen Funken Interesse für andere Frauen zeigte. »Nein, warte«, sagte sie langsam. »Ist das nicht das Mädchen, das für dich arbeitet? Sie war doch auch in der Zeitung – wie heißt sie noch, Rob…«

»Nein«, sagte Strike. »Das ist sie nicht.«

Es überraschte ihn kein bisschen, dass Charlotte Robins Namen kannte und sie trotz der braunen Kontaktlinsen sofort wiedererkannt hatte. Ihm war klar gewesen, dass Charlotte ihn im Blick behalten würde.

»Du hast schon immer auf rote Haare gestanden, nicht wahr?«, stellte Charlotte mit irgendwie synthetischer Fröhlichkeit fest. »Diese kleine Amerikanerin, mit der du dich in Deutschland getroffen hast, nachdem du behauptet hattest, wir hätten uns getrennt, hatte genau die gleiche ...«

In ihrer Nähe war eine Art unterdrückter Aufschrei zu hören.

»Ohmeingott, *Charlie!*«

Izzy stürmte auf sie zu – strahlend, das rosige Gesicht in krassem Farbkontrast zu ihrem orangefarbenen Kleid. Wie Strike vermutete, hatte sie nicht erst ein Glas geleert.

»Hallo, Izz.« Charlotte rang sich ein Lächeln ab. Strike spürte beinahe, wie sie sich aus dem Geflecht alter Verletzungen und Wunden befreien musste, an dem ihre Beziehung damals erstickt war.

Er wollte endlich gehen, doch im selben Moment teilte sich die Menge, und urplötzlich stand in seiner hyperrealen Vertrautheit Prinz Harry vor ihnen, keine drei Meter von Strike und den beiden Freundinnen entfernt, sodass jeder Zweite im Raum es mitbekommen hätte, wenn Strike sich bewegt hätte. Zum Stillstand verdammt, erschreckte er einen vorbeieilenden Ober, indem er mit einem langen Arm ein weiteres Glas Sekt von dessen Tablett stibitzte. Sekundenlang starrten Charlotte und Izzy den Prinzen bloß an. Dann dämmerte ihnen, dass er ihnen wohl keine Aufmerksamkeit schenken würde, und sie wandten sich wieder einander zu.

»Man sieht schon was«, kommentierte Izzy bewundernd Charlottes Bauch. »Warst du schon beim Ultraschall? Weißt du schon, was es wird?«

»Zwillinge«, antwortete Charlotte ohne Begeisterung. Sie deutete auf Strike. »Du erinnerst dich ...«

»Corm, ja, natürlich. Wir haben ihn mitgebracht«, sagte Izzy strahlend und ohne sich irgendeiner Indiskretion bewusst zu sein.

Charlotte wandte sich von ihrer alten Schulfreundin wieder ihrem Ex zu, und Strike spürte, wie sie nach einer Erklärung witterte, warum Strike und Izzy zusammen hergekommen sein könnten. Sie drehte sich ein winziges bisschen zur Seite, scheinbar um Izzy ins Gespräch einzubeziehen, und drängte Strike dadurch geschickt in die Enge, sodass er nirgends mehr hingehen konnte, ohne dass ihm eine der beiden Frauen den Weg hätte freimachen müssen. »Ach, warte, natürlich! Du hast die Ermittlungen nach Freddies Tod beim Militär geleitet, nicht wahr?«, fragte sie. »Ich kann mich erinnern, dass du mir damals davon erzählt hast. Der arme Freddie!«

Izzy kommentierte den Tribut an ihren Bruder höflich, indem sie leicht ihr Glas neigte. Dann sah sie über die Schulter zu Prinz Harry.

»Er sieht mit jedem Tag besser aus, oder?«, wisperte sie.

»Trotzdem – rote Schamhaare, Schätzchen«, frotzelte Charlotte trocken.

Wider Willen musste Strike grinsen, während Izzy schnaubend lachte.

»Wo wir gerade davon sprechen«, sagte Charlotte (die sich nie dazu bekannte, etwas witzig gemeint zu haben), »ist das da drüben nicht Kinvara Hanratty?«

»Meine böse Stiefmutter? Ja«, sagte Izzy. »Kennst du sie?«

»Meine Schwester hat ihr ein Pferd verkauft.«

Während Strikes sechzehnjähriger On-off-Beziehung mit Charlotte hatte er zahllose Unterhaltungen wie diese mit angehört. Menschen von Charlottes Stand schienen sich alle irgendwie zu kennen. Selbst wenn sie einander nie zuvor begegnet waren, kannten sie Geschwister oder Cousinen oder Freundinnen oder Klassenkameraden – oder aber ihre Eltern kannten die Eltern von jemand anderem. Alle standen miteinander in Verbindung und bildeten ein Netz, das für jeden Außenseiter ein feindseliges Habitat darstellte. Nur ganz selten verließen diese Netzbewohner ihr Territorium, um im Rest der Gesellschaft nach Freundschaften oder Liebe zu suchen. Charlotte war einzigartig in ihren Kreisen gewesen, indem sie jemanden erwählt hatte, der so wenig einzuordnen war wie Strike; dessen nicht fassbarer Appeal und niedriger Status unendliche schockierte Debatten unter den meisten ihrer Freunde und Verwandten ausgelöst hatte, wie ihm wohl bewusst war.

»Na, hoffentlich war es kein Pferd, an dem Amelia etwas lag«, sagte Izzy. »Denn Kinvara verdirbt es garantiert. Harte Hand und schrecklicher Sitz, aber sie hält sich für Charlotte Dujardin. Reitest du auch, Cormoran?«, fragte Izzy.

»Nein«, antwortete Strike.

»Er misstraut Pferden«, meinte Charlotte und lächelte ihn an, doch er ging nicht darauf ein. Er war nicht in der Stimmung, alte Späße oder gemeinsame Erinnerungen wiederzubeleben.

»Kinvara ist stinksauer, sieh sie dir an«, meinte Izzy mit hörbarer Befriedigung. »Papa hat eben angedeutet, dass er versuchen könnte, auf meinen Bruder Raff einzuwirken, damit er meinen Job übernimmt, was *fantastisch* wäre und worauf ich so gehofft habe! Papa hat viel zu lang vor Kinvara gekuscht, wenn es um Raff ging, aber in letzter Zeit setzt er sich durch.«

»Ich glaube, ich bin Raphael schon mal begegnet«, sagte Charlotte. »Hat er nicht gerade erst in Henry Drummonds Galerie angefangen?«

Strike sah auf die Uhr und sich dann wieder im Raum um. Der Prinz bewegte sich langsam aus ihrem Eck fort, und Robin war nirgends zu sehen. Mit ein bisschen Glück wäre sie der Frau aus dem Vorstand, die etwas Belastendes über Winn wusste, auf die Toilette gefolgt und entlockte ihr jetzt vor dem Spiegel vertrauliche Geständnisse.

»Oh Gott«, sagte Izzy, »passt auf – da kommt der Wider... *Hallo, Geraint!*«

Geraint hatte ganz klar Charlotte ins Visier genommen.

»Hallo, hallo«, sagte er, spähte dabei durch seine schlierige Brille und hatte den lippenlosen Mund zu einem lüsternen Feixen verzogen. »Ihre Nichte hat mich eben auf Sie aufmerksam gemacht. Was für eine außergewöhnliche junge Frau, wirklich außergewöhnlich. Unsere Organisation unterstützt unter anderem die Reiter. Geraint Winn«, sagte er und streckte die Hand aus. »Von *The Level Playing Field*.«

»Ach«, sagte Charlotte. »Hallo.«

Strike hatte jahrelang beobachten können, wie sie notgeile Männer abgewehrt hatte. Nachdem sie Geraints Anwesenheit zur Kenntnis genommen hatte, starrte sie ihn eisig an, als wüsste sie nicht, warum er noch immer in ihrer Nähe war.

Strikes Handy vibrierte in seiner Tasche. Eine ihm unbekannte Nummer. Er nahm es zum Vorwand, von hier zu verschwinden. »Tut mir leid, aber ich muss los – entschuldige bitte, Izzy.«

»Ach, das ist aber schade«, schmollte Izzy. »Dabei wollte ich endlich alles über den Shacklewell Ripper erfahren!«

Strike sah, wie Geraints Augen größer wurden. »Guten Abend ... und adieu«, ergänzte er, an Charlotte gewandt, wenn er sie auch insgeheim zu verfluchen schien.

Während Strike in aller Eile loshumpelte, nahm er den Anruf entgegen, doch bis er das Handy am Ohr hatte, hatte der Anrufer bereits aufgelegt.

»Corm ...«

Jemand berührte leicht seinen Arm. Er drehte sich um. Charlotte war ihm gefolgt.

»Ich gehe auch.«

»Was ist mit deiner Nichte?«

»Sie hat Harry getroffen, die ist jetzt bestimmt hin und weg. Ehrlich gesagt mag sie mich nicht besonders. Keiner von ihnen. Was ist denn mit deinem Handy passiert?«

»Ich bin draufgefallen.«

Er ging weiter, doch mit ihren langen Beinen hatte sie ihn sofort wieder eingeholt. »Also, die paar Schritte werden wir doch wohl zusammen gehen können. Es sei denn, du willst dich durch den Teppich graben.«

Er humpelte weiter, ohne ihr zu antworten. Linker Hand sah er erneut etwas Grünes aufblitzen. Als sie die große Treppe in der Eingangshalle erreicht hatten, kam Charlotte auf ihren für eine Schwangere ungeheuer unpraktischen Highheels ins Straucheln und klammerte sich an seinen Arm. Er widerstand seinem Instinkt, sie abzuschütteln.

Sein Handy klingelte schon wieder. Dieselbe unbekannte Nummer auf dem Display. Charlotte hielt neben ihm an und musterte seine Miene, als er das Gespräch entgegennahm.

Sowie das Handy sein Ohr berührt hatte, hörte er einen verzweifelten, gespenstischen Schrei. *»Die bringen mich um, Mr. Strike, helfen Sie mir, helfen Sie mir, bitte helfen Sie mir…«*

34

*Aber wer konnte denn auch voraussehen, was da kommen würde?
Ich jedenfalls nicht.*

HENRIK IBSEN, *ROSMERSHOLM*

Das leicht diesige Versprechen auf einen weiteren wolkenlosen Sommertag hatte sich noch nicht in echte Wärme übertragen, als Robin am nächsten Morgen das Café in der Nähe von Chiswells Stadthaus erreichte. Sie hätte sich an einen der runden Tische draußen auf dem Gehweg setzen können; stattdessen kauerte sie in einer Ecke des Cafés, die Hände wärmesuchend um ihren Latte gelegt, ihr Spiegelbild in der Espressomaschine blass und schwerlidrig.

Irgendwie war ihr klar gewesen, dass Strike noch nicht hier sein würde. Sie war gleichzeitig deprimiert und nervös. Lieber wäre sie nicht allein mit ihren Gedanken gewesen, aber nun saß sie hier, wo ihr nur das Zischen der Espressomaschine Gesellschaft leistete, fröstelte trotz der Jacke, die sie auf dem Weg aus dem Haus vom Haken gerissen hatte, und wartete bang auf die bevorstehende Konfrontation mit Chiswell, der nach Strikes katastrophaler Rangelei mit Jimmy Knight möglicherweise an seiner Abrechnung herumkritteln würde.

Aber nicht nur das beschäftigte Robin. Am Morgen war sie aus einem konfusen Traum erwacht, in dem Charlotte mit ihren schwarzen Haaren und spitzen Stiefeln mitgespielt hatte. Robin hatte sie sofort erkannt, als sie Charlotte auf dem Empfang entdeckt hatte. Sie hatte sich alle Mühe gegeben, das einst verlobte Paar im Gespräch nicht anzustarren, und sie war wütend auf sich gewesen, weil es sie dermaßen interessiert hatte, was sich zwischen den beiden abspielte. Dennoch war ihr Blick, während sie von einem Grüppchen zum nächsten gewandert war und sich schamlos in fremde Gespräche eingemischt hatte, um die unbekannte Elspeth Curtis-Lacey ausfindig zu machen, immer wieder zu Strike und Charlotte zurückgekehrt und ihr Magen kurz darauf wie im Aufzug nach unten gesackt, als sie die beiden gemeinsam den Empfang hatte verlassen sehen.

Als sie nach Hause gekommen war, hatte sie an kaum etwas anderes denken können und darum sofort Gewissensbisse bekommen, als Matthew mit einem Sandwich aus der Küche gekommen war. Sie hatte den Eindruck, dass er noch nicht lange zu Hause war. Fast wie zuvor Kinvara unterzog er das grüne Kleid einer ausgiebigen Inspektion, und als sie an ihm vorbei nach oben gehen wollte, versperrte er ihr den Weg.

»Komm schon, Robin. Bitte. Lass uns reden.«

Also waren sie ins Wohnzimmer gegangen und hatten geredet. Des Streitens müde, hatte sie sich dafür entschuldigt, dass sie Matthews Match verpasst und damit seine Gefühle verletzt hatte – und dass sie ihren Ehering am Hochzeitstagswochenende vergessen hatte. Matthew seinerseits hatte Reue dafür gezeigt, was er während ihres Streits am Sonntag gesagt hatte, vor allem für seine Bemerkung über ihre mangelnden Erfolge.

Für Robin war es, als würden sie Schachfiguren auf einem Brett verschieben, das unter den Vorläufern eines Erdbebens erzitterte. *Es ist zu spät. Dir ist doch wohl klar, dass dies alles keine Bedeutung mehr hat?*

Doch als das Gespräch zu Ende war, fragte Matt: »Es ist also alles wieder okay?«

»Ja«, sagte sie. »Alles gut.«

Er stand auf, streckte die Hand aus und half ihr aus dem Stuhl auf. Sie rang sich ein Lächeln ab, doch dann küsste er sie mit einem Mal auf den Mund und zerrte rücksichtslos an ihrem grünen Kleid. Sie hörte, wie der Stoff am Reißverschluss riss, doch als sie protestieren wollte, hatte er den Mund erneut auf ihren gepresst.

Sie wusste, dass sie ihn würde aufhalten können, sie wusste genau, dass er nur darauf wartete – dass sie auf eine gemeine, heimtückische Art auf die Probe gestellt wurde. Dass er abstreiten würde, was er gerade tat, dass er sich stattdessen als Opfer darstellen würde. Sie hasste ihn dafür, dass er es auf diese Weise tat, und etwas in ihr wünschte sich, sie wäre die Art von Frau, die sich innerlich von ihrem eigenen Ekel, von ihrem widerstrebenden Fleisch loslösen konnte. Aber sie hatte zu lange und zu erbittert darum gekämpft, ihren Körper zurückzuerobern, als dass sie sich auf so einen Handel einlassen konnte.

»Nein.« Sie stieß ihn weg. »Ich will das nicht.«

Er ließ sie sofort los, genau wie sie es vorhergesehen hatte, und sah sie zornig und zugleich triumphierend an. Und mit einem Mal war klar, dass sie ihm auch nichts hatte vorspielen können, als sie an ihrem Hochzeitstag mit ihm geschlafen hatte. Auf paradoxe Weise weckte das ihr Mitgefühl.

»Tut mir leid«, sagte sie. »Ich bin einfach müde.«

»Ja«, sagte Matthew. »Ich auch.«

Damit war er aus dem Zimmer gegangen und hatte Robin mit einer Gänsehaut am Rücken zurückgelassen, genau unter dem Riss in ihrem grünen Kleid.

Wo zum Teufel steckte Strike? Es war fünf nach neun, und sie brauchte Gesellschaft. Außerdem wollte sie erfahren, was sich abgespielt hatte, nachdem er mit Charlotte den Empfang verlassen hatte. Alles war besser, als hier zu sitzen und an Matthew zu denken.

Als hätte sie Strike mittels ihrer Gedanken heraufbeschworen, klingelte ihr Telefon.

»Entschuldigung«, sagte er, bevor sie auch nur ein Wort gesprochen hatte. »Verdächtiges Paket an der Haltestelle Green Park. Ich stecke seit zwanzig Minuten in der U-Bahn fest und hab erst jetzt wieder Empfang. Ich komme, so schnell ich kann, aber vielleicht musst du ohne mich anfangen.«

»Oh Gott.« Robin schloss die müden Augen.

»Tut mir leid«, beteuerte Strike. »Ich bin auf dem Weg. Und ich muss dir noch was erzählen – gestern Abend ist was Komisches passiert ... Ah, Moment, wir fahren wieder. Bis gleich!«

Er legte auf, und Robin sah sich vor die Aussicht gestellt, Jasper Chiswells ersten Zornesausbruch allein über sich ergehen zu lassen, während sie zugleich noch immer mit diffusen Angst- und Elendsgefühlen kämpfte, in deren Mittelpunkt eine dunkle, graziöse Frau stand, die ihr in Sachen Cormoran Strike sechzehn Jahre an gemeinsamen Erfahrungen und Erinnerungen voraushatte – *was, wie Robin sich sagte, nun wirklich keine Rolle spielen sollte, Herr im Himmel, hast du nicht schon genug Probleme, musst du dir wirklich auch noch Gedanken über Strikes Liebesleben machen, das geht dich doch überhaupt nichts an ...*

Unvermittelt spürte sie ein Prickeln um die Lippen, wo sie Strikes fehlgeleiteter Kuss vor dem Krankenhaus getroffen hatte. Wie um das Gefühl wegzuspülen, trank sie in einem tiefen Zug ihren Kaffee aus, stand auf und trat aus dem Café auf die breite, schnurgerade Straße hinaus, die von zwei symmetrischen Reihen identischer Häuser aus dem vorletzten Jahrhundert gesäumt war.

Sie lief zügig, nicht weil sie es besonders eilig gehabt hätte, sich Chiswells Zorn und Enttäuschung in ungebremster Wucht zu stellen, sondern weil die Bewegung half, ihre unangenehmen Gedanken zu vertreiben.

Genau zur vereinbarten Uhrzeit stand sie vor Chiswells Haus, blieb aber noch ein paar Sekunden hoffnungsvoll neben der glänzend schwarzen Haustür stehen. Vielleicht tauchte Strike ja doch noch im letzten Moment auf. Was er nicht tat. Robin wappnete sich, stieg die drei sauberen weißen Stufen hinauf und klopfte an die Haustür, die unversperrt war und sich prompt um eine Handbreit öffnete. Eine dumpfe Männerstimme rief etwas, was sich nach »Herein« anhörte.

Robin trat in einen kleinen, schmuddeligen Flur, der fast vollends von einer schwindelerregend steilen Treppe eingenommen wurde. Die freudlos olivgrüne Tapete schälte sich stellenweise von der Wand. Sie drückte die Tür halb hinter sich zu und rief laut: »Herr Minister?«

Er antwortete nicht.

Vorsichtig klopfte Robin an die Tür zu ihrer Rechten und schob sie auf.

Für einen Moment stand die Zeit still. Es war, als würde sich das Bild erst ganz langsam vor ihren Augen entfalten müssen, sich durch ihre Netzhaut in ihr argloses Hirn brennen. Schockiert war sie in der Tür stehen geblieben, hatte die Hand immer noch auf der Klinke, den Mund leicht geöffnet und war unfähig zu verstehen, was sie dort vor sich sah.

Ein Mann saß in einem Queen-Anne-Sessel, breitbeinig und mit herabhängenden Armen, doch an der Stelle seines Kopfes saß eine Art glänzend graue Futterrübe ohne Augen, dafür mit einem klaffend eingeschnittenen Mund.

Erst allmählich registrierte Robins überforderter Verstand, dass es sich um keine Futterrübe handelte, sondern um einen menschlichen Kopf in einer transparenten, eng anliegenden Plastiktüte, aus der ein Schlauch zu einem großen Gaszylinder führte. Der Mann sah aus, als wäre er erstickt. Der linke Fuß ruhte seitlich auf dem Teppich, sodass ein kleines Loch in der Sohle zu sehen war. Die dicken Finger baumelten knapp über dem Teppichflor, und im Schritt des Mannes hatte sich, wo sich die Blase geleert hatte, ein großer Fleck gebildet.

Dann begriff sie, dass Chiswell selbst vor ihr in dem Sessel saß, dass sein dichter grauer Schopf unter dem Beutel gegen sein Gesicht gepresst wurde und die Plastiktüte durch das Vakuum in den offenen Mund gesogen worden war und sich dadurch das klaffende dunkle Loch gebildet hatte.

35

Von weißen Rossen! Am hellerlichten Tage!

HENRIK IBSEN, *ROSMERSHOLM*

Weit weg, irgendwo draußen, rief ein Mann. Es klang nach einem Arbeiter, und irgendein Teil von Robins Hirn begriff, dass sie ihn gehört haben musste, während sie ein »Herein« erwartet hatte. Es hatte sie niemand ins Haus gerufen, die Tür hatte einfach offen gestanden.

Obwohl es erwartbar gewesen wäre, geriet sie nicht in Panik. Hier drohte keine Gefahr mehr, so schrecklich der Anblick des grauenvollen Körpers mit dem Futterrübenkopf und dem Schlauch auch war. Diese arme leblose Gestalt konnte ihr nichts mehr anhaben. Robin wusste, dass sie sich davon würde überzeugen müssen, dass Chiswell auch wirklich tot war, und trat auf ihn zu, berührte ganz zaghaft seine Schulter. Dass sie seine Augen nicht sehen konnten, die unter den wilden Haaren verborgen lagen wie unter der Stirnlocke eines Pferdes, machte die Sache einfacher. Das Fleisch unter dem gestreiften Hemd fühlte sich hart an und kälter, als sie erwartet hatte.

Dann stellte sie sich vor, wie der aufklaffende Mund zu ihr spräche, und machte eilig mehrere Schritte zurück, bis ihr Fuß knirschend auf etwas Hartem im Teppich landete und sie ins Taumeln geriet. Sie hatte ein hellblaues Plastikröhrchen zertreten. Sie erkannte eins der Röhrchen für homöopathische Pillen, die auch bei ihrem Apotheker verkauft wurden.

Sie nahm das Handy heraus, wählte die 999 und ließ sich

mit der Polizei verbinden. Nachdem sie erklärt hatte, sie habe eine Leiche gefunden, und die Adresse durchgegeben hatte, wurde ihr versichert, dass sofort jemand zu ihr kommen werde.

Im Bemühen, Chiswell nicht anzusehen, wanderte ihr Blick über die verschlissenen Vorhänge, die in einem undefinierbaren Graubraun gehalten und mit traurigen kleinen Bommeln behängt waren; den antiquierten Fernseher in Holzimitatverschalung; den dunklen Fleck auf der Tapete über dem Kamin, wo einst ein Gemälde gehangen hatte; die silbergerahmten Fotografien. Neben dem vakuumierten Kopf, dem Gummischlauch und dem kalten Glanz des Gaszylinders wirkte alles Alltägliche wie aus Pappmaschee. Allein der Albtraum war real.

Kurzerhand schaltete Robin ihre Handykamera ein und begann, Bilder zu machen. Die Linse zwischen ihr und der Szene filterte den Horror. Langsam und methodisch dokumentierte sie den Tatort.

Auf dem Tisch vor der Leiche stand ein Glas, das ein paar Millimeter hoch mit einer Flüssigkeit gefüllt war, die wie Orangensaft aussah. Daneben lagen verstreut Bücher und Papiere. Sie entdeckte ein Blatt dickes cremefarbenes Schreibpapier mit Briefkopf, der sich aus der Adresse des Hauses, in dem Robin stand, und einer blutroten Tudorrose zusammensetzte. Jemand hatte in runder, mädchenhafter Handschrift geschrieben:

Den heutige Abend war der Tropfen, den das Fass zum Überlaufen gebracht hat. Für wie dumm hältst du mich, das Mädchen von meinen Augen in dein Büro zu setzen? Hoffentlich ist dir klar, wie lächerlich du dich machst, wie die Leute sich über den alten Greis das Maul zerreißen, der einem Mädchen nachjagt, das jünger ist als seine eigenen Töchter.
Mir reicht es. Mach dich nur zum Affen, mir ist das gleich. Es ist vorbei.

Ich bin nach Woolstone zurückgefahren. Sobald ich sämtliche nötigen Arrangements für die Pferde getroffen habe, ziehe ich aus. Deine grauenvollen Kinder werden glücklich sein; aber du auch, Jasper? Ich bezweifle es. Nur ist es jetzt zu spät.
K

Während Robin sich vorbeugte, um den Brief zu fotografieren, hörte sie die Haustür zufallen und fuhr mit angehaltenem Atem herum. Strike stand in der Tür: groß, unrasiert, immer noch im selben Anzug, den er zu dem Empfang getragen hatte. Er starrte die Gestalt im Sessel an.

»Die Polizei ist unterwegs«, sagte Robin. »Ich hab sie gerade gerufen.«

Strike trat vorsichtig in den Raum. »Heilige Scheiße ...«

Dann bemerkte er das zersplitterte Pillenröhrchen auf dem Boden, machte einen Schritt darüber hinweg und inspizierte den Schlauch und das vakuumierte Gesicht.

»Raff meinte noch, er verhält sich merkwürdig«, sagte Robin, »aber ich kann mir nicht vorstellen, dass er auch nur im Traum daran gedacht hat ...«

Strike schwieg. Er untersuchte immer noch den Leichnam. »War das da gestern Abend auch schon da?«

»Was?«

»Das da«, sagte Strike und deutete darauf.

Auf Chiswells Handrücken leuchtete ein dunkelroter, halbrunder Abdruck auf der rauen, bleichen Haut.

»Ich kann mich nicht erinnern«, sagte Robin.

Im selben Moment setzte der Schock bei ihr ein, und sie spürte, wie schwer es ihr fiel, die Gedanken festzuhalten, die ankerlos und unzusammenhängend durch ihren Kopf trieben: Chiswell, der am Vorabend aus dem Autofenster einen Polizisten anblaffte, damit Strike auf den Empfang gelassen würde. Chiswell, der Kinvara als dumme Schlampe beschimpfte. Chiswell, der sie für heute Morgen herzitiert hatte. Wie konnte jemand da vernünftigerweise erwarten, dass sie sich an seinen Handrücken erinnerte?

»Hm.« Strikes Blick fiel auf das Handy in Robins Hand. »Hast du alles aufgenommen?«

Sie nickte.

»Auch das hier?«, fragte er und wedelte mit der Hand über den Tisch. »Und das?«, ergänzte er und deutete auf das zertretene Pillenröhrchen auf dem Teppich.

»Ja. Das war übrigens meine Schuld. Ich bin draufgetreten.«

»Wie bist du ins Haus gekommen?«

»Die Tür war offen. Ich dachte, er hätte sie unseretwegen unversperrt gelassen«, erklärte Robin. »Dann hat irgendwer draußen auf der Straße etwas gerufen, und ich dachte, Chiswell hätte ›Herein‹ gesagt. Ich dachte …«

»Bleib hier«, sagte Strike.

Er selbst verließ das Zimmer. Sie hörte ihn die Treppe hinaufgehen, dann seine schweren Schritte über der Zimmerdecke, wusste aber intuitiv, dass sonst niemand im Haus war. Sie spürte eine allgegenwärtige Leblosigkeit, die Unwirklichkeit der fadenscheinigen Pappmascheekulisse, und tatsächlich kehrte Strike keine fünf Minuten später kopfschüttelnd zurück.

»Niemand da.«

Er lief an ihr vorbei nach nebenan. Robin erkannte an dem harten Fliesenklang, dass dort die Küche lag.

»Komplett leer«, sagte Strike, als er wieder auftauchte.

»Was war denn gestern Abend los?«, fragte Robin. »Du hast gesagt, es ist was Komisches passiert.«

Sie wollte über etwas anderes sprechen als über die grauenvolle Gestalt, die in ihrer grotesken Leblosigkeit den Raum beherrschte.

»Billy hat angerufen und geschrien, dass ihn jemand umbringen will – dass er gejagt wird. Angeblich hat er aus einer Telefonzelle am Trafalgar Square angerufen. Ich bin sofort hingefahren und hab nach ihm gesucht, aber er war nicht dort.«

»Ach«, sagte Robin.

Dann war er also gar nicht mit Charlotte zusammen gewesen. Selbst in dieser extremen Lage war Robin insgeheim froh.

»Was zum ...«, hob Strike leise an. Er hielt den Blick an ihr vorbei in die Ecke gerichtet. Ein krummer Säbel lehnte in einem dunklen Winkel an der Wand. Es sah aus, als hätte jemand ihn mit Gewalt verbogen oder sich dagegengestemmt. Vorsichtig umrundete Strike den Leichnam, um die Waffe genauer zu untersuchen, doch im selben Moment hörten sie den Streifenwagen vor dem Haus halten, und er richtete sich wieder gerade auf.

»Wir erzählen ihnen alles, versteht sich«, sagte Strike.

»Klar.«

»Bis auf die Sache mit den Abhörgeräten. Scheiße – die finden sie doch in deinem Büro ...«

»Nein«, entgegnete Robin. »Ich hab sie gestern mit nach Hause genommen für den Fall, dass ich wegen der *Sun* das Feld räumen muss.«

Ehe Strike seine Bewunderung für ihre kluge Umsicht äußern konnte, klopfte jemand energisch an die Tür.

»Tja, das war doch mal nett, oder?« Strike grinste grimmig und ging in Richtung Flur. »Zur Abwechslung mal nicht in der Zeitung zu stehen?«

TEIL ZWEI

36

Was geschehen ist, kann totgeschwiegen werden –
oder es kann zum mindesten als ... Verirrung ausgelegt werden.

HENRIK IBSEN, *ROSMERSHOLM*

Der Fall Chiswell blieb außergewöhnlich, auch nachdem ihr Klient aus dem Leben geschieden war.

Während der Leichnam den üblichen mühseligen Prozeduren und Formalitäten unterzogen wurde, brachte man Strike und Robin von der Ebury Street zum Scotland Yard, wo sie getrennt voneinander befragt wurden. Strike war klar, dass ein Tornado wilder Spekulationen durch die Londoner Redaktionen fegen musste: Immerhin war ein leibhaftiger Minister gestorben, und tatsächlich wurden, als sie sechs Stunden später aus dem Scotland Yard traten, bereits auf allen Fernseh- und Radiosendern farbenfrohe Details aus Chiswells Privatleben verbreitet, und nach dem Öffnen der Internetbrowser auf ihren Handys wurden sie schier überschwemmt von Kurzmeldungen der Nachrichtenseiten sowie einem Wust barocker Theorien in unterschiedlichsten Blogs und sozialen Medien, in denen eine Vielzahl zur Karikatur verzerrter Chiswells durch die Hand unzähliger nebulöser Widersacher sterben musste. Während Strike im Taxi in Richtung Denmark Street fuhr, las er beispielsweise, wie Chiswell, der korrupte Kapitalist, von der russischen Mafia ermordet worden war, nachdem er versäumt hatte, Zinsen für eine zwielichtige Transaktion zu zahlen, während ein anderer Chiswell, Verteidiger alter englischer Werte, von rachsüchtigen Islamisten dahingerafft worden war, die ihm seine Versuche verübelt hatten, den Siegeszug der Scharia zu vereiteln.

Strike kehrte nur kurz in seine Dachwohnung zurück, um ein paar Sachen zu packen, dann zog er vorübergehend zu seinen alten Freunden Nick und Ilsa, einem Gastroenterologen und einer Anwältin. Robin war auf Strikes strikte Anweisung mit dem Taxi direkt nach Hause in die Albury Street gefahren und hatte dort Matthews herrische Umarmung über sich ergehen lassen. Seine schlecht gespielten Mitleidsbekundungen waren noch schwerer zu ertragen als ein offener Zornesausbruch.

Als Matthew hörte, dass Robin am nächsten Tag für weitere Befragungen zum Scotland Yard einbestellt war, war es mit seiner Selbstbeherrschung vorbei.

»Das war ja nicht anders zu erwarten!«

»Komisch, die meisten Menschen hat es überrascht«, konterte Robin. Sie hatte eben den vierten Anruf ihrer Mutter an diesem Morgen ignoriert.

»Ich meine nicht, dass Chiswell sich umgebracht hat ...«

»Man spricht es ›Chizzle‹ aus ...«

»... sondern dass du in Schwierigkeiten gerätst, weil du im Parlament rumschnüffelst.«

»Keine Angst, Matt. Ich werde der Polizei ausdrücklich erklären, dass du damit nicht einverstanden warst. Ich möchte doch nicht, dass sich deine Aussichten auf eine Beförderung verschlechtern.«

Sie war sich indes gar nicht sicher, ob die zweite Person, die sie befragte, ebenfalls von der Polizei war. Der leise Mann im dunkelgrauen Anzug verriet ihr mit keinem Wort, für wen er arbeitete. Robin fand diesen Gentleman wesentlich einschüchternder als die Polizisten vom Vortag, auch wenn die zeitweise so energisch nachgebohrt hatten, dass es schon an Aggression grenzte. Robin erzählte dem neuen Vernehmer alles, was sie im

Unterhaus gesehen und gehört hatte, und verschwieg dabei einzig und allein die merkwürdige Unterhaltung zwischen Della Winn und Aamir Mallik, die auf ihrem zweiten Abhörgerät gespeichert war. Da der Austausch hinter verschlossenen Türen und außerhalb der offiziellen Arbeitszeit erfolgt war, hatte sie ihn nur per Wanze mithören können. Robin beschwichtigte ihr Gewissen, indem sie sich einredete, dass diese Unterhaltung unmöglich etwas mit Chiswells Tod zu haben konnte. Dennoch zitterte sie vor Schuldgefühlen und Angst, als sie zum zweiten Mal das Gebäude verließ. Sie hoffte, es wäre nur Paranoia, die sie nach ihrem kurzen Kontakt mit den Sicherheitsdiensten dazu trieb, Strike von einem öffentlichen Telefon in der Nähe der U-Bahn anzurufen, statt ihr Handy zu verwenden.

»Ich komme eben aus der zweiten Befragung. Ich bin mir ziemlich sicher, dass der Typ vom MI5 war.«

»Musste so kommen«, sagte Strike, und sein sachlicher Tonfall beruhigte sie sofort. »Die müssen dich überprüfen, sicherstellen, dass du diejenige bist, die du behauptest zu sein. Kannst du irgendwo anders unterkommen als zu Hause? Ich hab eigentlich angenommen, dass uns die Presse längst im Genick sitzen würde ... Aber lang kann es nicht mehr dauern.«

»Ich könnte mich wahrscheinlich nach Masham absetzen«, antwortete Robin, »aber da probieren sie es zuallererst, wenn sie mich aufspüren wollen. Dort sind sie auch nach der Ripper-Sache aufgetaucht.«

Im Unterschied zu Strike hatte sie keine eigenen Freunde, in deren anonymen Häusern sie untertauchen konnte. Ihre Freunde waren ausnahmslos auch Matthews Freunde, und ohne jeden Zweifel würden sie genau wie ihr Ehemann davor zurückschrecken, jemanden zu beherbergen, für den sich der Geheimdienst interessierte. Weil sie nicht wusste, wohin sie sonst sollte, kehrte sie in die Albury Street zurück.

Doch die Presse hatte sie gar nicht im Visier, obwohl die Nachrichten ausführlich über Chiswell berichteten. Die *Mail* hatte auf einer Doppelseite die diversen Unglücksfälle und Skandale ausgebreitet, die Jasper Chiswells Leben geprägt hatten. *»Einst als möglicher Premierminister gehandelt«*, *»die schöne Italienerin Ornella Serafin, an der seine erste Ehe zerbrach«*, *»die üppige Kinvara Hanratty, dreißig Jahre jünger als er«*, *»der älteste Sohn Freddie Chiswell, gefallen im selben Irakkrieg, den sein Vater so vehement unterstützt hatte«*, *»das jüngste Kind Raphael, dessen Drogenfahrt mit dem Tod einer jungen Mutter endete«* …

Die seriösen Zeitungen brachten Nachrufe von Freunden und Kollegen: *»ein kluger Geist, ein extrem fähiger Minister, einer von Thatchers klugen jungen Männern«*, *»trotz seines recht turbulenten Lebens gab es keinen Posten, den man ihm nicht zugetraut hätte«*, *»die öffentliche Person war reizbar, manchmal sogar grob, aber der Jasper Chiswell, den ich aus Harrow kannte, war ein witziger und intelligenter junger Mann«* …

Fünf Tage voller Sensationsberichte vergingen, und immer noch wahrte die Presse beim Thema Strike und Robin eine rätselhafte Zurückhaltung; immer noch hatte niemand ein Wort über eine Erpressung geschrieben.

Am Freitagmorgen nach der Entdeckung von Chiswells Leiche saß Strike still an Nicks und Ilsas Küchentisch in der Sonne, die durchs Fenster schien.

Seine beiden Gastgeber waren arbeiten gegangen. Nick und Ilsa, die jahrelang versucht hatten, ein Kind zu bekommen, hatten jüngst zwei junge Kätzchen adoptiert, die sie auf Nicks Drängen hin Ossie und Ricky getauft hatten – nach zwei Spurs-Spielern, die er in seiner Jugend verehrt hatte. Die Katzen, die sich erst in jüngster Zeit dazu herabgelassen hatten, auf den Knien ihrer Adoptiveltern zu sitzen, hatten die Ankunft des großen, fremden Mannes nicht gutgeheißen. Nachdem sie sich unvermittelt mit ihm allein gelassen sahen, hatten sie Zuflucht auf einem Küchenschrank gesucht. Im Moment war er sich der kritischen Überwachung durch vier hellgrüne Augen bewusst, die von hoch oben jede seiner Bewegungen verfolgten.

Nicht dass er sich besonders viel bewegt hätte. Tatsächlich hatte er einen Gutteil der letzten halben Stunde praktisch reglos über den Fotos gebrütet, die Robin in der Ebury Street geschossen und die er in Nicks Arbeitszimmer ausgedruckt hatte, um sie besser untersuchen zu können. Am Ende hatte Strike neun Fotos ausgewählt und den Rest energisch zu einem Stapel zusammengeschoben, woraufhin Ricky mit flauschig gesträubtem Fell panisch aufgesprungen war. Erst als Strike sich über die ausgewählten Bilder gebeugt und Ruhe gegeben hatte, hatte Ricky sich wieder niedergelassen, doch die zuckende schwarze Schwanzspitze verriet, dass er nur auf die nächste Bewegung des Detektivs lauerte.

Das erste ausgewählte Foto war eine Nahaufnahme des kleinen, halbrunden Blutergusses auf Chiswells linker Hand.

Das zweite und dritte Foto zeigten aus verschiedenen Winkeln das Glas, das auf dem Tisch vor Chiswell gestanden hatte. Einen Fingerbreit über dem Orangensaft war ein pulvriger Rückstand zu erkennen.

Die Fotos vier, fünf und sechs hatte Strike nebeneinander ausgelegt. Auf allen dreien war der Leichnam aus unterschiedlichen Perspektiven zu sehen sowie ein jeweils anderer Ausschnitt des umgebenden Raumes. Zum wiederholten Mal studierte Strike die gespenstische Silhouette des krummen Säbels in der Ecke, den dunklen Fleck über dem Kaminsims, wo einst ein Bild gehangen hatte, und zwei im Abstand von etwa achtzig Zentimetern angebrachte Messinghaken, die vor der dunklen Tapete kaum zu sehen waren.

Die Fotos sieben und acht bildeten nebeneinandergelegt

den ganzen Tisch ab. Kinvaras Abschiedsbrief lag auf einem Stapel von Büchern und Papieren, von denen nur ein schmaler Streifen eines Briefes zu sehen war, den eine »Brenda Bailey« unterschrieben hatte. Von den Büchern konnte Strike nur teils den Rücken eines alten Leinenbandes – »CATULL« – sowie den unteren Rand eines Taschenbuches erkennen. Auch die nach oben geklappte Ecke des fadenscheinigen Teppichs war auf dem Bildausschnitt zu sehen.

Das neunte und letzte Bild, das Strike aus einer anderen Aufnahme der Leiche vergrößert hatte, zeigte Chiswells weit offen stehende Hosentasche, in der unter Robins Kamerablitz etwas Goldenes aufglänzte. Noch während Strike das funkelnde Objekt zu erkennen versuchte, klingelte sein Handy. Es war Ilsa, seine Gastgeberin.

»Hi«, sagte er im Aufstehen, griff nach seinem Päckchen Benson & Hedges und dem Feuerzeug, die halb hinter ihm lagen – und prompt schossen unter lautem Krallenscharren über Holz Ossie und Ricky über den Küchenschrank, wohl weil sie befürchteten, Strike könnte sie gleich mit Gegenständen bewerfen. Nachdem Strike sich vergewissert hatte, dass beide zu weit weg waren, um in den Garten auszubüxen, trat er ins Freie und schloss eilig die Tür hinter sich. »Gibt's was Neues?«

»Ja. Sieht aus, als hättest du recht gehabt.«

Strike setzte sich auf einen schmiedeeisernen Gartenstuhl und zündete sich eine Zigarette an. »Erzähl.«

»Ich war eben beim Kaffeetrinken mit meinem Kontaktmann. Angesichts der Sache, um die es hier geht, kann er natürlich nicht frei sprechen, aber ich habe ihm deine Theorie geschildert, und er meinte: ›Das hört sich *sehr* plausibel an.‹ Daraufhin hab ich gefragt: ›Eine weitere Politikerin?‹, auch das hielt er für ›wahrscheinlich‹, und als ich sagte, dass in diesem Fall die Presse bestimmt Widerspruch einlegen werde, meinte er, ja, das glaube er auch.«

Strike atmete tief aus. »Ich bin dir was schuldig, Ilsa, danke! Die gute Nachricht ist, dass ihr mich bald los seid.«

»Corm, es stört uns nicht, wenn du länger bleibst, das weißt du doch.«

»Die Katzen können mich nicht ausstehen.«

»Sie spüren, dass du Arsenal-Fan bist, meint Nick.«

»Die Comedy-Szene hat ein strahlendes Licht verloren, als dein Mann sich für die Medizin entschieden hat. Das Essen heute Abend geht auf mich. Danach bin ich weg.«

Gleich darauf rief Strike bei Robin an. Sie war nach dem zweiten Klingeln am Apparat. »Alles okay?«

»Ich hab herausgefunden, warum uns die Presse nicht im Genick sitzt. Della hat eine Geheimhaltungsverfügung erlassen. Die Zeitungen dürfen nicht darüber berichten, dass Chiswell uns beauftragt hat, weil so die Geschichte mit der Erpressung durchsickern könnte. Ilsa hat gerade ihren Bekannten vom Gericht getroffen, und der hat es bestätigt.«

Es blieb kurz still, während Robin diese Information sacken ließ. »Della hat also einen Richter davon überzeugen können, dass Chiswell die Erpressung nur erfunden hat?«

»Genau – und dass er uns nur deshalb engagiert hat, um Material gegen seine Feinde zu sammeln. Ich bin nicht überrascht, dass der Richter das geschluckt hat. Alle Welt hält Della für eine Heilige.«

»Aber Izzy weiß, weswegen ich dort war«, protestierte Robin. »Bestimmt hat die Familie bestätigt, dass er erpresst wurde.«

Strike aschte gedankenverloren in Ilsas Rosmarintopf. »Bist du dir sicher? Oder ist es ihnen nicht vielleicht lieber, wenn jetzt, da er tot ist, Gras über die Sache wächst?«

Er nahm ihr Schweigen als Zustimmung.

»Die Presse dürfte gegen die Verfügung Widerspruch einlegen, oder?«

»Ist schon passiert, sagt Ilsa. Wenn ich Boulevard-Redakteur wäre, würde ich uns weiter im Blick behalten. Wir sollten uns also in Acht nehmen. Ich fahre heute Abend ins Büro zurück. Du solltest trotzdem noch zu Hause bleiben.«

»Und wie lange noch?«, fragte Robin.

Er hörte die Anspannung in ihrer Stimme und fragte sich, ob sie allein auf den Fall zurückzuführen war.

»Das entscheiden wir je nach Lage. Sie wissen, dass du für ihn gearbeitet hast, Robin. Du warst schon für eine Schlagzeile gut, als er noch am Leben war, und das bist du jetzt erst recht, da sie wissen, wer du in Wahrheit bist – und jetzt, da er tot ist.«

Keine Reaktion.

»Wie kommst du mit der Abrechnung voran?«, fragte er in die Stille.

Sie hatte darauf bestanden, die Abrechnung zu machen, auch wenn das weder ihr noch ihm besonderes Vergnügen bereitete.

»Die sähe deutlich besser aus, wenn Chiswell seine Rechnung beglichen hätte.«

»Ich versuche mal, die Familie anzuzapfen«, versprach Strike und rieb sich die Augen. »Aber das Geld noch vor der Beerdigung einzufordern fände ich geschmacklos.«

»Ich hab die Fotos noch mal durchgesehen«, sagte Robin.

Seit sie den Toten gefunden hatten, standen sie täglich in Kontakt, und jede ihrer Unterhaltungen endete irgendwann bei den Fotos von Chiswells Leiche und dem Leichenfundort.

»Ich auch. Ist dir was Neues aufgefallen?«

»Ja, zwei kleine Messinghaken an der Wand. Ich glaube, der Säbel hing eigentlich ...«

»... unter dem fehlenden Gemälde?«

»Genau. Glaubst du, Chiswell hat ihn nach seiner Zeit bei der Armee behalten?«

»Durchaus möglich. Oder er gehörte einem seiner Ahnen.«

»Ich wüsste zu gern, warum er runtergenommen wurde – und warum er so verbogen ist.«

»Du glaubst, Chiswell hat ihn von der Wand gerissen, um sich gegen seinen Mörder zu wehren?«

»Das ist das erste Mal«, stellte Robin leise fest, »dass du es ausgesprochen hast. ›Mörder‹.«

Eine Wespe summte tief über Strike hinweg, schwirrte aber, vom Zigarettenrauch vertrieben, sofort wieder ab.

»Das sollte ein Witz sein.«

»Wirklich?«

Strike streckte die Beine aus und betrachtete seine Füße. Weil er im warmen Haus festsaß, hatte er sich nicht die Mühe gemacht, Schuhe und Socken anzuziehen. Sein nackter Fuß, der kaum je die Sonne sah, war blass und haarig. Die Fußprothese, ein Karbonfaserblock ohne einzelne Zehen, glänzte matt im Sonnenschein.

»Es gibt da noch einiges, was merkwürdig ist«, sagte Strike und wackelte mit seinen verbliebenen Zehen, »aber inzwischen ist eine Woche vergangen, ohne dass jemand verhaftet wurde. Die Polizei ist höchstwahrscheinlich über alles, was wir getan haben, auf dem Laufenden.«

»Hat Wardle auch nichts gehört? Vanessas Dad ist krank, sie hat frei, weil sie ihn pflegen muss, sonst hätte ich sie gefragt.«

»Wardle hat alle Hände voll mit den Antiterrormaßnahmen für die Olympischen Spiele zu tun. Trotzdem hat er sich ein paar Minuten Zeit genommen, um meine Mailbox anzurufen und sich halb totzulachen, weil mir mein Mandant weggestorben ist.«

»Cormoran, ist dir aufgefallen, wie die Pillen hießen, auf die ich getreten bin?«

»Nein …« Das Röhrchen war auf keinem der Fotos zu sehen, die Strike herausgelegt hatte. »Wie denn?«

»Lachesis. Das ist mir aufgefallen, als ich das Bild vergrößert habe.«

»Und inwiefern ist das von Bedeutung?«

»Als Chiswell in unserem Büro dieses lateinische Gedicht zitiert hat und zu Aamir irgendwas über Männer mit dessen Vorlieben sagte, da hat er auch Lachesis erwähnt. Er meinte, das sei ...«

»Eine der Moiren.«

»Genau. Diejenige, ›die den Lebensfaden bemisst‹.«

Strike zog mehrmals schweigend an seiner Zigarette. »Klingt nach einer Drohung.«

»Ich weiß.«

»Und du kannst dich wirklich nicht daran erinnern, was für ein Gedicht das war? Oder vielleicht an den Dichter?«

»Ich hab's versucht, aber leider ... Warte ...«, sagte Robin plötzlich. »Es hatte eine Nummer.«

»Catull«, rief Strike und setzte sich in seinem Gartenstuhl auf.

»Woher weißt du das?«

»Weil Catulls Gedichte keine Titel haben, sondern durchnummeriert sind und weil eine alte Catull-Ausgabe auf Chiswells Tisch lag. Catull hat eine Menge interessanter Vorlieben geschildert: Inzest, Sodomie, Kindesmissbrauch ... Sodomie mit Tieren scheint er ausgelassen zu haben. Es gibt da ein berühmtes Gedicht über einen Sperling, aber der bleibt unberührt.«

»Komischer Zufall.« Auf seine Bemerkung ging Robin nicht weiter ein.

»Vielleicht hat Chiswell die Pillen verschrieben bekommen und nur deshalb an diese Schicksalsgöttin gedacht?«

»Kam er dir wie jemand vor, der sich auf Homöopathie verlassen würde?«

»Nein«, gab Strike zu, »aber wenn du damit andeuten willst,

der Mörder habe ein Röhrchen Lachesis als künstlerische Signatur hinterlassen ...«

Er hörte ein fernes Klingeln.

»Moment, da ist jemand an der Tür«, sagte Robin. »Ich muss schnell ...«

»Sieh nach, wer es ist, bevor du aufmachst«, warnte Strike sie. Er hatte eine ungute Vorahnung.

Ihre Schritte klangen gedämpft. Er nahm an, dass sie über Teppichboden lief.

»Oh Gott!«

»Wer ist es?«

»Mitch Patterson.«

»Hat er dich gesehen?«

»Nein, ich bin oben.«

»Dann mach nicht auf.«

»Ganz sicher nicht!«

Trotzdem ging ihr Atem laut und flattrig.

»Alles in Ordnung?«

»Ja«, antwortete sie gepresst.

»Was macht er?«

»Ich muss Schluss machen, wir sprechen uns später.«

Dann war die Leitung tot.

Strike ließ das Handy sinken. Dann spürte er ein Brennen in den Fingern der anderen Hand und stellte verdutzt fest, dass seine Zigarette bis zum Filter abgebrannt war. Er drückte sie auf den heißen Pflastersteinen aus und schnippte sie dann über die Mauer in den Garten eines Nachbarn, den Nick und Ilsa nicht leiden konnten, bevor er sich, immer noch in Gedanken bei Robin, sofort eine neue anzündete.

Er machte sich Sorgen um sie. Es war nur natürlich, dass sie Stress und Angst hatte, nachdem sie eine Leiche gefunden hatte und vom Geheimdienst befragt worden war. Aber ihm war nicht entgangen, dass sie ihn bei ihren Telefonaten zwei-, dreimal dasselbe gefragt hatte, als hätte sie Konzentrationsstörungen. Daneben zeigte sie einen in seinen Augen ungesunden Eifer, wieder ins Büro zurückzukehren und im Außeneinsatz arbeiten zu dürfen.

Strike war der felsenfesten Überzeugung, dass sie eine Auszeit brauchte, daher hatte er ihr auch nichts von einem Ermittlungsstrang erzählt, den er zurzeit verfolgte. Er war sicher, dass Robin darauf bestehen würde, ihm zu helfen.

Strike hatte keinen Zweifel daran, dass der Fall Chiswell nicht mit dem Erpressungsverdacht des Verstorbenen, sondern mit Billy Knights Geschichte von einem erwürgten Kind begonnen hatte, das in einer rosa Decke begraben worden war. Seit Billys letztem Hilferuf hatte Strike immer wieder die Nummer angewählt, von der aus er angerufen worden war. Am vorigen Morgen hatte endlich ein neugieriger Passant den Hörer abgenommen und bestätigt, dass die Telefonzelle am Trafalgar Square stand.

Strike. Dieser scheißeinbeinige Soldat. Billy glaubt, der wird ihn retten.

Bestimmt bestand die Möglichkeit – selbst wenn sie verschwindend klein war –, dass Billy an den Ort zurückkehren würde, an dem er zuletzt Hilfe gesucht hatte. Am Nachmittag des Vortags war Strike stundenlang über den Trafalgar Square geschlendert, wohl wissend, wie unwahrscheinlich es war, dass Billy ausgerechnet jetzt auftauchen würde, und doch unter dem inneren Zwang, irgendetwas zu unternehmen, so sinnlos es auch sein mochte.

Strikes zweite Entscheidung, die noch schwerer zu rechtfertigen war, weil sie Kosten verursachte, die sich die Detektei zurzeit kaum leisten konnte, hatte darin bestanden, Barclay weiter bei Jimmy und Flick ermitteln zu lassen.

»Es ist Ihr Geld«, hatte der Glasgower gesagt, als der Detektiv ihm die Anweisung erteilt hatte. »Aber wonach soll ich denn Ausschau halten?«

»Billy«, sagte Strike. »Und bis der auftaucht, nach irgendwelchen Merkwürdigkeiten.«

Natürlich würde Robin bei der nächsten Abrechnung Wind davon bekommen, was Barclay trieb.

Aus heiterem Himmel hatte Strike das Gefühl, beobachtet zu werden. Ossie, das frechere der beiden Kätzchen, saß am Küchenfenster neben dem Wasserhahn und starrte ihn mit Augen wie aus heller Jade an. Der Blick wirkte vernichtend.

37

Darüber komme ich niemals hinweg – ganz hinweg nie.
Immer wird ein Zweifel zurückbleiben. Eine Frage.

HENRIK IBSEN, *ROSMERSHOLM*

Aus Angst, möglicherweise gegen die Geheimhaltungsverfügung zu verstoßen, hielten sich die Fotografen von Chiswells Beerdigung in Woolstone fern. Die Nachrichtenagenturen beschränkten sich auf die knappe, sachliche Meldung, dass die Trauerfeier stattgefunden habe. Strike, der mit dem Gedanken gespielt hatte, Blumen zu schicken, hatte sich letztlich dagegen entschieden, weil er befürchtete, die Geste könnte als Erinnerung an die unbezahlte Rechnung und somit als Geschmacklosigkeit ausgelegt werden. Unterdessen war die gerichtliche Untersuchung von Chiswells Tod eröffnet und dann vertagt worden, bis weitere Ermittlungsergebnisse vorlagen.

Und dann, ganz plötzlich, interessierte sich kaum noch jemand für Jasper Chiswell. Es war, als wäre der Leichnam, der eine Woche lang auf einer breiten Woge aus Zeitungsnachrichten, Klatsch und Gerüchten getragen worden war, versunken unter Geschichten von Sportlerinnen und Sportlern, von den Vorbereitungen auf und Vorhersagen über die Spiele, so als wäre das ganze Land überall und ausschließlich mit Olympia befasst, denn ob man das Ereignis nun begrüßte oder ablehnte, man konnte ihm doch nicht entrinnen und es genauso wenig ignorieren.

Robin telefonierte immer noch täglich mit Strike und forderte, wieder arbeiten zu dürfen, doch Strike schlug es ihr weiterhin ab. Nicht nur dass Mitch Patterson zweimal in ihrer Straße aufgetaucht war; gegenüber von Strikes Büro hatte auch ein junger Straßenmusiker zu spielen begonnen, der jedes Mal, wenn er den Detektiv entdeckte, seine Akkordwechsel verpatzte und verdächtig oft mitten im Stück abbrach, um an sein Handy zu gehen. Die Presse, so schien es, hatte nicht vergessen, dass die Olympischen Spiele auch irgendwann zu Ende wären und hinter der Frage, warum Jasper Chiswell wohl Privatdetektive beschäftigt hatte, immer noch eine saftige Story wartete.

Keiner von Strikes Kontakten bei der Polizei konnte ihm sagen, wie die Ermittlungen der Kollegen in dem Fall vorangingen. Strike, der ansonsten unter den widrigsten Umständen schlafen konnte, spürte nachts eine ungewohnte Rastlosigkeit und Unruhe und lauschte stattdessen dem zunehmenden Lärm der Stadt, die unter dem olympischen Besucheransturm ächzte. So lange Phasen der Schlaflosigkeit hatte er zuletzt durchgemacht, als er aus der Bewusstlosigkeit erwacht war, nachdem in Afghanistan eine Sprengfalle sein Bein zerfetzt hatte. Damals hatte ihn eine Woche lang ein quälender Juckreiz wach gehalten, den er nicht hatte wegkratzen können, weil er ihn an seinem fehlenden Fuß spürte.

Strike hatte Lorelei seit dem Abend des Empfangs für die Paralympischen Spiele nicht mehr gesehen. Nachdem er Charlotte auf der Straße hatte stehen lassen, war er zum Trafalgar Square gefahren, um nach Billy Ausschau zu halten, was dazu geführt hatte, dass er noch später zum Essen mit Lorelei aufgetaucht war als befürchtet. Müde, erschöpft, frustriert nach seiner glücklosen Suche nach Billy und missgelaunt ob der unerwarteten Begegnung mit seiner Ex, hatte er das indische Restaurant in der Erwartung, ja sogar in der Hoffnung betreten, dass Lorelei bereits gegangen wäre.

Doch sie hatte nicht nur geduldig am Tisch auf ihn gewartet, sondern ihn mit einem, wie er es insgeheim sah, strategischen Rückzugsmanöver überrumpelt. Statt wie erwartet eine Diskussion über die Zukunft ihrer Beziehung zu erzwingen, hatte sie sich für ihre Liebeserklärung im Bett entschuldigt, die ihren Worten zufolge idiotisch und überstürzt gewesen war und ihn natürlich in Verlegenheit gebracht hatte, was sie aufrichtig bedauerte.

Strike, der gleich nach dem Hinsetzen fast sein komplettes Pint hinuntergestürzt hatte, um sich für die unangenehme Pflicht zu wappnen, ihr zu erklären, dass er weder eine ernste noch dauerhafte Beziehung wollte, war perplex gewesen. Ihre Behauptung, sie habe ihr »Ich liebe dich« als eine Art *cri de joie* ausgestoßen, hatte seine vorbereitete Ansprache obsolet gemacht, und da sie in dem schummrigen Lokal ganz bezaubernd ausgesehen hatte, war es leichter und angenehmer gewesen, ihre Erklärung unwidersprochen hinzunehmen, als einen Bruch zu erzwingen, den beide eindeutig nicht wollten. Während der darauffolgenden Woche hatte er sie zwar nicht gesehen, aber ihr mehrmals geschrieben und mit ihr gesprochen, allerdings bei Weitem nicht so oft wie mit Robin. Nachdem er Lorelei eröffnet hatte, dass sein verstorbener Klient der Minister gewesen sei, der in einer Plastiktüte erstickt war, hatte sie volles Verständnis dafür gezeigt, dass er eine Weile abtauchen musste. Sie hatte sogar die Fassung bewahrt, als er ihre Einladung ausgeschlagen hatte, sich mit ihr zusammen die Eröffnungsveranstaltung der Olympischen Spiele anzusehen, weil er bereits zugesagt hatte, den Abend bei Lucy und Greg zu verbringen. Dann hatte Strikes Schwester ein gemeinsames Abendessen vorgeschlagen, weil sie ihren Sohn Jack immer noch nicht aus den Augen und ihn am Wochenende mit Strike ins Imperial War Museum gehen lassen wollte.

Noch während er Lorelei die neue Sachlage erläuterte,

spürte er ihre leise Hoffnung, er würde sie bitten mitzukommen, damit sie endlich zumindest einen Teil seiner Familie kennenlernte. Er erklärte ihr wahrheitsgemäß, dass er lieber allein gehen und Zeit mit seinem Neffen verbringen wolle, den er seinem Gefühl nach viel zu lange vernachlässigt habe – eine Erklärung, die Lorelei sanftmütig akzeptierte, bevor sie fragte, ob er am darauffolgenden Abend Zeit hätte.

Während ihn das Taxi vom Bahnhof Bromley South zu Lucy und Greg brachte, grübelte Strike darüber, wie die Dinge zwischen ihm und Lorelei tatsächlich standen. Für gewöhnlich verlangte Lucy zumindest einen Kurzbericht über sein Liebesleben. Auch darum mied er derlei Familientreffen nach Möglichkeit. Lucy ertrug es nicht, dass ihr Bruder mit beinahe achtunddreißig Jahren immer noch unverheiratet war. Bei einer peinlichen Gelegenheit hatte sie sich sogar dazu verstiegen, eine Frau zum Essen einzuladen, die er ihrer Meinung nach toll finden würde, was ihn nur gelehrt hatte, wie falsch seine Schwester seine Bedürfnisse und Vorlieben einschätzte.

Während das Taxi ihn tiefer und tiefer in die Mittelschichtvorstadt brachte, sah sich Strike mit einer unangenehmen Wahrheit konfrontiert: dass Lorelei ihre Beziehung keineswegs als so unverbindlich betrachtete wie er, sondern nur bereit war, sich mit ihrem gegenwärtigen beiläufigen Arrangement abzufinden, weil sie ihn um jeden Preis halten wollte.

Während er aus dem Fenster auf die großzügigen Häuser mit den Doppelgaragen und gemähten Rasenflächen schaute, wanderten seine Gedanken erneut zu Robin, die ihn täglich anrief, sobald ihr Mann aus dem Haus war, und dann zu Charlotte, die sich leicht an seinen Arm gehängt hatte, als sie in ihren Stilettoabsätzen die breite Treppe in Lancaster House hinabgeschritten war. Es war praktisch und angenehm gewesen, die letzten zehneinhalb Monate mit Lorelei zu verbringen, die so genügsam, erotisch begabt und angeblich nicht in ihn verliebt war. Diese Beziehung würde er fortsetzen können, er würde sich einreden können, dass er »abwarten wollte, wie sich die Dinge entwickeln«, um diesen inhaltsleeren Satz zu gebrauchen, oder aber er müsste der Tatsache ins Auge sehen, dass er nur hinauszögerte, was irgendwann passieren musste, und dass die Trennung nur umso schmutziger und schmerzhafter würde, je länger er die Dinge treiben ließe.

Diese Überlegungen trugen kaum dazu bei, ihn aufzuheitern, und als das Taxi vor dem Haus mit der Magnolie im Vorgarten und der aufgeregt zuckenden Gardine hielt, empfand er einen irrationalen Groll gegen seine Schwester, als wäre all das nur ihre Schuld.

Ehe Strike auch nur anklopfen konnte, hatte Jack die Haustür aufgerissen. Verglichen damit, wie Strike ihn zuletzt gesehen hatte, wirkte sein Neffe verblüffend gesund, und der Detektiv schwankte zwischen Erleichterung angesichts seiner Gesundung und dem Ärger darüber, dass er Jack nicht ins Museum hatte mitnehmen dürfen, was ihm die lange, umständliche Reise nach Bromley erspart hätte.

Doch Jacks Freude über seinen Besuch, seine wissbegierigen Fragen, woran Strike sich aus ihrer gemeinsamen Zeit im Krankenhaus erinnere, während Jack selbst in glorreicher Bewusstlosigkeit gelegen hatte, rührten Strike ebenso wie die Tatsache, dass der Junge darauf bestand, beim Essen neben seinem Onkel zu sitzen, und dann seine ganze Aufmerksamkeit beanspruchte. Ganz eindeutig hatte Jack das Gefühl, dass sie etwas verband, nachdem sie beide die Gefahren einer Notoperation überstanden hatten. Er wollte so viele Einzelheiten über Strikes Amputation erfahren, dass Greg irgendwann Messer und Gabel beiseitelegte und mit angewiderter Miene den Teller von sich wegschob. Strike hatte schon früher den Eindruck gehabt, dass Greg mit seinem mittleren Sohn am wenigsten anfangen konnte. Darum befriedigte Strike Jacks Neugier mit einer leicht boshaften Freude – erst recht weil Greg, der so ein Gespräch ansonsten unterbunden hätte, ungewöhnliche Zurückhaltung zeigte, da sein Sohn immer noch nicht ganz auf dem Damm war. Lucy spürte nichts von den leisen Spannungen am Tisch, sondern strahlte das ganze Essen hindurch und konnte ihren Blick nur mit Mühe von Strike und Jack abwenden. Sie stellte ihrem Halbbruder keine einzige Frage nach seinem Privatleben. Ganz offensichtlich wünschte sie sich einzig und allein, dass er nett und geduldig mit ihrem Sohn umginge.

Onkel und Neffe standen in bestem Einvernehmen vom Tisch auf, und Jack sicherte sich auch auf dem Sofa einen Platz neben Strike, um gemeinsam mit ihm auf die Liveübertragung der Eröffnungszeremonie zu warten, wobei er ununterbrochen plapperte und unter anderem die Hoffnung äußerte, dass es auch Waffen, Kanonen und Soldaten zu sehen gebe.

Diese unschuldige Bemerkung erinnerte Strike wieder an Jasper Chiswell und Robins Erwähnung, wie sehr er sich darüber ereifert hatte, dass Großbritanniens militärische Tüchtigkeit auf dieser größten aller nationalen Bühnen nicht zur Schau gestellt werden sollte. Und auf einmal fragte sich Strike, ob Jimmy Knight wohl irgendwo vor einem Fernseher saß und nur darauf wartete, feixend über das Ereignis herzuziehen, das für ihn einem Karneval des Kapitalismus gleichkam.

Greg reichte Strike eine Flasche Heineken.

»Jetzt geht's los!«, verkündete Lucy aufgeregt.

Die Übertragung begann mit einem Countdown. Nach ein paar Sekunden wollte einer der Ziffernballons nicht platzen. *Hoffentlich wird das keine Riesenscheiße*, dachte Strike noch – und auf einmal war alles andere in einem Überschwang an patriotischer Paranoia vergessen.

Doch die Eröffnungszeremonie erwies sich so sehr als das Gegenteil von Scheiße, dass Strike sie sich bis zum Schluss ansah, dafür freiwillig den letzten Zug verpasste und auf dem Ausziehsofa nächtigte, um dann am Samstagmorgen mit der Familie zu frühstücken.

»Und die Detektei läuft, ja?«, fragte Greg ihn über das englische Frühstück hinweg, das Lucy zubereitet hatte.

»Nicht schlecht«, erwiderte Strike.

Er vermied es, seine Geschäfte mit Greg zu besprechen, der Strike seinen Erfolg insgeheim zu verübeln schien. Sein Schwager hatte immer den Eindruck erweckt, als würde er sich an Strikes herausragender militärischer Karriere stören. Während Strike Gregs Fragen nach der Struktur seiner Klientenschaft, Rechten und Verpflichtungen gegenüber seinen freien Mitarbeitern, Robins Sonderstatus als Partnerin mit festem Gehalt und nach dem Expansionspotenzial der Detektei auswich, spürte er – nicht zum ersten Mal – Gregs fast unverhohlene Hoffnung, Strike könnte irgendetwas vergessen oder übersehen haben, könnte zu sehr Soldat sein, um sich in der zivilen Geschäftswelt zurechtzufinden.

»Und was ist letztendlich das Ziel?«, fragte er, während Jack geduldig neben Strike saß und sichtlich darauf hoffte, dass sie weiter übers Militär redeten. »Ich nehme an, du willst das Geschäft ausbauen, bis du nicht mehr selbst auf die Straße musst? Sondern alles vom Büro aus steuern kannst?«

»Nein«, entgegnete Strike. »Wenn ich einen Schreibtischjob gewollt hätte, hätte ich beim Militär bleiben können. Irgendwann will ich so viele zuverlässige Mitarbeiter haben, dass wir einen stetigen Fluss an Aufträgen bearbeiten können und dabei alle genug verdienen. Kurzfristig würde ich gerne wenigstens so viel auf der Bank haben, dass wir auch Engpässe überstehen.«

»Das klingt aber wenig ambitioniert«, sagte Greg. »Mit der Gratisreklame, die du durch den Ripper bekommen hast ...«

»Darüber reden wir nicht am Frühstückstisch«, unterbrach

ihn Lucy, die wieder am Herd stand, und nach einem kurzen Blick auf Jack verstummte Greg, wodurch sein Sohn wieder das Gespräch übernehmen und sich nach diversen Ausbildungsanlagen erkundigen konnte.

Lucy war von der ersten bis zur letzten Sekunde begeistert vom Besuch ihres Bruders und glühte regelrecht, als sie ihn nach dem Frühstück zum Abschied an sich drückte.

»Sag Bescheid, sobald ich mit Jack ins Museum darf«, sagte Strike, und sein Neffe sah strahlend zu ihm hoch.

»Mach ich, und noch mal vielen, vielen Dank, Strike. Ich werde dir nie vergessen ...«

»Ich hab gar nichts getan.« Strike tätschelte ihr brüderlich den Rücken. »Er hat das alles selbst getan. Er ist ein zäher Kerl, stimmt's nicht, Jack? Danke für den netten Abend, Luce.«

So wie Strike es sah, war er gerade noch rechtzeitig entkommen. Während er vor dem Bahnhof eine Zigarette rauchte, um die zehn Minuten bis zum nächsten Zug nach London zu überbrücken, ging ihm durch den Kopf, wie Greg im Lauf des Frühstücks schon wieder jene Mischung aus aufgesetzter Munterkeit und Jovialität an den Tag gelegt hatte, mit der er seinem Schwager immer begegnete, während Lucys Fragen nach Robin, als er seinen Mantel übergestreift hatte, fast zu einer weitgespannten Erkundigung nach seinem Verhältnis zu Frauen im Allgemeinen ausgeufert wären. Seine Gedanken waren soeben mutlos zu Lorelei zurückgekehrt, als sein Handy klingelte.

»Hallo?«

»Spreche ich mit Cormoran?«, fragte eine ihm unbekannte Stimme fast hoheitsvoll.

»Ja. Wer ist denn da?«

»Izzy Chiswell.« Sie klang verschnupft.

»Izzy!«, rief Strike überrascht. »Äh ... Wie geht es dir?«

»Ach, muss ... Wir haben ... ähm ... deine Rechnung bekommen.«

»Richtig«, sagte Strike und fragte sich, ob sie die doch recht hohe Gesamtsumme anzweifeln wollte.

»Ich würde dir das Geld gern sofort auszahlen, falls du ... Ich frage mich, ob du vielleicht bei mir vorbeikommen könntest? Heute noch, wenn das passt? Wie sieht es denn bei dir aus?«

Strike sah auf die Uhr. Zum ersten Mal seit Wochen hatte er nichts zu tun, außer später zum Essen bei Lorelei aufzukreuzen, und die Aussicht auf einen fetten Scheck war definitiv verlockend.

»Ja, das sollte gehen«, sagte er. »Wo finde ich dich, Izzy?«

Sie nannte ihm eine Adresse in Chelsea.

»In etwa einer Stunde bin ich da.«

»Perfekt.« Sie klang erleichtert. »Bis später!«

38

Ach, diese tödlichen Zweifel!

HENRIK IBSEN, *ROSMERSHOLM*

Als Strike Izzys Stadthaus an der Upper Cheyne Row in Chelsea erreichte, war es beinahe Mittag. Anders als in der Ebury Street zeugten die Anwesen in dieser ruhigen, exklusiven Wohngegend von einer gewissen Individualität, die sich dennoch zu einem geschmackvollen Ganzen fügte. Izzy wohnte in einem kleinen, weiß gestrichenen Haus mit einer Kutschenlampe neben der Eingangstür. Strike klingelte, und sie machte ihm schon nach wenigen Sekunden auf.

Beim Anblick ihrer weiten schwarzen Hose und dem schwarzen, für einen so sonnigen Tag viel zu warmen Pullover musste Strike unwillkürlich an seine erste Begegnung mit ihrem Vater denken, der im Juni einen dicken Mantel getragen hatte. An ihrem Hals baumelte ein mit Saphiren besetztes Kreuz. Strikes Empfinden nach trug sie so weit Trauer, wie es die Mode und die Gepflogenheiten der heutigen Zeit zuließen.

»Komm rein, komm rein«, sagte sie nervös, ohne ihn direkt anzusehen. Dann machte sie einen Schritt zurück und winkte ihn in eine große, luftige Wohnküche mit weißen Wänden, bunt gemusterten Sofas und einem Jugendstilkamin, dessen Sims von Plastiken in Form üppiger Frauengestalten getragen wurde. Hinter den hohen Fenstern lag ein kleiner privater Innenhof, in dem teure schmiedeeiserne Gartenmöbel zwischen perfekt gestutzten Büschen platziert waren.

»Nimm Platz«, sagte Izzy und deutete auf eines der bunten Sofas. »Tee? Kaffee?«

»Tee wäre nett, vielen Dank.«

Strike setzte sich, entfernte unauffällig mehrere unbequeme perlenbesetzte Zierkissen unter seinem Hinterteil und sah sich um. Trotz der fröhlichen, modernen Farben war der Raum in guter alter englischer Tradition eingerichtet. Zwei Jagdstiche hingen über einem mit Fotografien in Silberrahmen vollgestellten Tisch, darunter ein großes Schwarz-Weiß-Bild, auf dem Izzys Eltern bei ihrer Hochzeit zu sehen waren: Jasper Chiswell in der Uniform der Queen's Own Hussars und die breit lächelnde blonde Lady Patricia in einer Tüllwolke. Das große Aquarell über dem Kaminsims zeigte drei blonde Kleinkinder, bei denen es sich, wie Strike vermutete, um Izzy und ihre beiden älteren Geschwister handelte – den toten Freddie und die ihm noch immer unbekannte Fizzy.

Izzy ging unterdessen geräuschvoll in der Küche zu Werke, ließ Teelöffel fallen und öffnete und schloss Schranktüren, ohne zu finden, wonach sie suchte. Am Ende balancierte sie – nachdem sie Strikes Hilfe abgelehnt hatte – ein Tablett mit einer Teekanne, zwei Tassen aus Knochenporzellan und Keksen die kurze Strecke zum Kaffeetisch hinüber und stellte alles dort ab.

»Hast du die Eröffnungszeremonie gesehen?«, fragte sie, während sie mit Teekanne und Sieb hantierte.

»Hab ich, ja«, sagte Strike. »Beeindruckend, was?«

»Der erste Teil hat mir ganz gut gefallen«, sagte Izzy, »das mit der industriellen Revolution und so weiter. Dann wurde es mir etwas zu, na ja, politisch korrekt. Und ob man im Ausland die Anspielungen auf unser Gesundheitssystem versteht? Außerdem hätte ich gut auf die Rapmusik verzichten können. Milch und Zucker?«

»Ja, danke.«

Es entstand eine kurze, nur vom Klirren des Tafelsilbers auf Porzellan unterbrochene Pause, eine fast vornehme Stille, wie sie sich in London nur sehr wohlhabende Leute leisten konnten. In Strikes Dachgeschosswohnung war es selbst im Winter nie leise: Von der Straße in Soho unter ihm drangen ständig Musik, Schritte oder Stimmen zu ihm herauf, und selbst nachts, wenn keine Passanten mehr unterwegs waren, hörte der Verkehrslärm nie auf. Außerdem brachte schon der kleinste Windstoß seine undichten Fenster zum Klappern.

»Ach, dein Scheck«, rief Izzy unvermittelt, sprang wieder auf und holte einen Umschlag von der Kücheninsel. »Hier.«

»Besten Dank«, sagte Strike und nahm ihn entgegen.

Izzy setzte sich wieder, nahm einen Keks, wollte ihn dann aber doch nicht essen und legte ihn auf ihren Teller. Strike nippte an seinem Tee, der unzweifelhaft von höchster Qualität war, aber leicht unangenehm nach Trockenblumen schmeckte.

»Äh«, sagte Izzy schließlich, »ich weiß gar nicht recht, wo ich anfangen soll.«

Sie betrachtete ihre nicht manikürten Finger.

»Du hältst mich bestimmt gleich für nicht ganz dicht«, murmelte sie und sah durch die blonden Wimpern zu ihm auf.

»Kann ich mir nicht vorstellen«, sagte Strike, stellte die Tasse ab und machte einen, wie er hoffte, ermutigenden Gesichtsausdruck.

»Hast du gehört, was sie in Papas Orangensaft gefunden haben?«

»Nein«, sagte Strike.

»Zerstoßene Amitriptylintabletten. Ich weiß nicht, ob du … Das ist ein Antidepressivum. Eine ziemlich effiziente und schmerzlose Selbstmordmethode, sagt die Polizei. Die Tabletten und die … die Plastiktüte … Da wollte jemand wohl auf … auf Nummer sicher gehen.«

Sie trank hörbar von ihrem Tee.

»Die Polizisten waren sehr freundlich. Na ja, die sind ja auch für so was ausgebildet ... Wenn das Helium konzentriert genug ist, haben sie gesagt, dann reicht ein Atemzug, und man ... man schläft ein.«

Sie schürzte die Lippen.

»Das Problem ist nur«, brach es im nächsten Moment lauter aus ihr heraus, »dass sich Papa nie umgebracht hätte, das weiß ich *ganz genau*. Er hat Selbstmord verabscheut – ein Ausweg für Feiglinge, hat er immer gesagt, entsetzlich für die Familie und alle Hinterbliebenen. Außerdem ist es doch seltsam, dass die Amitriptylinschachtel nirgends im Haus auffindbar war. Keine leere Verpackung, kein Folienstreifen – nichts. Natürlich hätte Kinvaras Name auf der Schachtel gestanden. Sie hat Amitriptylin verschrieben bekommen. Nimmt sie seit über einem Jahr.«

Sie warf Strike einen Blick zu, brannte sichtlich auf seine Reaktion.

»Papa und Kinvara haben am Abend zuvor gestritten«, fuhr sie fort, als er nichts darauf erwiderte. »Auf dem Empfang, kurz bevor ich mit dir und Charlie gesprochen hab. Papa hat uns erzählt, dass er Raff gebeten hatte, am nächsten Morgen in die Ebury Street zu kommen. Kinvara war stinksauer und hat ihn nach dem Grund gefragt. Papa hat nur gelächelt – und das hat sie richtig auf die Palme gebracht.«

»Aber weshalb ...«

»Weil sie uns alle hasst«, sagte Izzy, die Strikes Frage vorausahnte. Sie hatte die Finger so fest verschränkt, dass die Knöchel weiß hervortraten. »Sie hat schon immer alles und jeden gehasst, der ihr Papas Aufmerksamkeit oder Zuneigung streitig gemacht hat. *Ganz besonders* Raff. Weil er so nach seiner Mutter kommt, und Kinvara hat Komplexe, was Ornella angeht – weil sie immer noch so gut aussieht. Und dass Raff ein Mann ist, passt ihr auch nicht. Weil sie ständig Angst hat, er könnte irgendwann Freddies Stelle einnehmen. Er könnte wieder im Testament auftauchen. Kinvara hat Papa wegen seines Geldes geheiratet, nicht aus Liebe.«

»Wenn du sagst, ›wieder auftauchen‹, dann ...«

»Papa hat Raff aus dem Testament gestrichen, als er diese Frau ... als er den Unfall hatte. Das ist auf Kinvaras Mist gewachsen. Sie hatte darauf bestanden, dass Papa nichts mehr mit Raff zu tun haben sollte ... Aber wie dem auch sei, Papa hat uns bei dem Empfang in Lancaster House mitgeteilt, dass er Raff für den nächsten Morgen zu sich bestellt hat, und Kinvara wurde plötzlich ganz still. Ein paar Minuten später hat sie sich dann verabschiedet und ist abgerauscht. Angeblich ist sie in die Ebury Street zurück und hat Papa einen Abschiedsbrief geschrieben – aber du warst ja selbst dort. Hast du ihn gesehen?«

»Ja«, sagte Strike. »Hab ich.«

»Ja, na gut, sie behauptet also, sie hat diesen Brief geschrieben, ihre Sachen gepackt und den Zug zurück nach Woolstone genommen. Bei der Befragung hat die Polizei angedeutet, Papa dürfte sich umgebracht haben, weil Kinvara ihn verlassen hatte – aber das ist unsagbar lächerlich! Sie hatten schon seit einer Ewigkeit Eheprobleme. Er hatte sie schon vor Monaten durchschaut. Sie hat sich irgendwelche irren Geschichten ausgedacht und diese ganzen melodramatischen Aktionen veranstaltet, damit er nicht das Interesse an ihr verliert. Glaub mir, wenn Papa auch nur geahnt hätte, dass sie ihn verlässt, dann hätte er erleichtert reagiert und nicht mit Selbstmord! Natürlich hätte er auch ihren Abschiedsbrief nicht ernst genommen. Er hätte genau gewusst, dass sie ihm nur wieder etwas vorspielt. Kinvara hat neun Pferde und keinerlei eigenes Einkommen. Man müsste sie schon mit Gewalt aus Chiswell House entfernen, genau wie Tinky the First – Grampys dritte Ehefrau. Anscheinend haben die männlichen Chiswells eine Vorliebe für Frauen mit Pferden ... und einem großen Vorbau.«

Izzy errötete unter den Sommersprossen und holte tief Luft.

»Ich glaube, dass Kinvara Papa umgebracht hat«, fuhr sie fort. »Das geht mir nicht mehr aus dem Kopf, ich kann mich auf nichts anderes mehr konzentrieren. Sie war überzeugt davon, dass Papa was mit Venetia hatte – sie hat sie vom ersten Augenblick an verdächtigt, und als dann auch noch die *Sun* rumgeschnüffelt hat, hat sie das nur mehr darin bestätigt, dass sie sich Sorgen machen müsste. Wahrscheinlich dachte sie, dass Papa eine neue Ära einläuten und Raff wieder als Erben einsetzen wollte, und da hat sie ihr Antidepressivum zerbröselt und in den Orangensaft getan, als er gerade nicht hingesehen hat – er hat am Morgen immer zuerst ein Glas Saft getrunken, das war eine feste Angewohnheit von ihm ... Und dann, als er müde wurde und sich nicht mehr wehren konnte, hat sie ihm die Plastiktüte über den Kopf gezogen, und danach, als er schon tot war, hat sie den Brief geschrieben, damit es so aussieht, als hätte sie sich von ihm scheiden lassen wollen. Sie hat sich aus dem Haus geschlichen – nach dem Mord – und ist heim nach Woolstone gefahren und hat so getan, als wäre sie die ganze Zeit dort gewesen, während Papa gestorben ist.«

Atemlos griff Izzy nach dem Kreuz um ihren Hals und spielte nervös daran herum. Mit ängstlicher und zugleich trotziger Miene wartete sie ab, was Strike dazu zu sagen hätte.

Strike, der als Militärpolizist diverse Selbstmordfälle bearbeitet hatte, kannte diese verheerende Art der Trauer, die Angehörige fast immer an den Tag legten: Ein Suizid hinterließ bei den Hinterbliebenen eine vergiftete Wunde, die weitaus stärker schmerzte, als wenn der Tote feindlichen Kugeln zum Opfer gefallen wäre. Strike hatte seine ganz eigenen Vermutungen, was Chiswells Ableben betraf, doch die wollte er unter keinen Umständen mit der verwirrten, trauernden Frau vor sich teilen. Am bemerkenswertesten an Izzys wilden Spekulationen fand er den Hass, den sie ganz offensichtlich für ihre Stiefmutter empfand. Was sie Kinvara vorwarf, war wahrhaftig kein Pappenstiel; Strike fragte sich, wie sie auf die Idee gekommen war, dass diese kindische, schnell eingeschnappte Frau, mit der er fünf Minuten im Auto verbracht hatte, imstande sein könnte, eine geradezu methodisch ausgeführte Hinrichtung zu planen.

»Izzy«, sagte er schließlich, »die Polizei nimmt Kinvara genau unter die Lupe. In solchen Fällen wird immer zuerst der Ehepartner überprüft.«

»Aber sie kaufen ihr diese Geschichte ab«, entgegnete Izzy aufgebracht. »Das hab ich deutlich gespürt.«

Dann muss es ja stimmen, dachte Strike. Die Beamten würden die Behauptungen einer Frau, die Zugang zum Tatort hatte und der obendrein Medikamente verschrieben worden waren, die man bei der Obduktion nachgewiesen hatte, mitnichten einfach so für bare Münze nehmen. So viel Vertrauen zur Met hatte Strike dann doch.

»Wer hätte denn sonst wissen können, dass Papa morgens immer Orangensaft getrunken hat? Wer hatte sonst Zugang zum Amitriptylin und dem Helium ...«

»Hat sie denn zugegeben, das Helium gekauft zu haben?«, fragte Strike.

»Nein«, antwortete Izzy. »Aber das würde sie wohl auch kaum tun, oder? Sie spielt einfach nur das hysterische Weibchen. ›Ich weiß auch nicht, wie das dort hinkommt‹«, äffte Izzy sie schrill nach. »›Was wollt ihr denn alle von mir, lasst mich in Frieden, ich habe gerade meinen Mann verloren!‹ Ich hab der Polizei erzählt, dass sie vor einem guten Jahr mit einem Hammer auf Papa losgegangen ist.«

Strikes Hand, die gerade die Tasse mit dem wenig appetitlichen Tee zum Mund führen wollte, erstarrte.

»Was?«

»Sie hat Papa mit einem Hammer angegriffen«, wiederholte Izzy. Ihr Blick bohrte sich regelrecht in Strike, als könnte sie ihn so zur Einsicht bringen. »Sie hatten einen Riesenstreit wegen ... Egal, ist nicht so wichtig. Jedenfalls waren sie draußen im Stall – draußen in Chiswell House selbstverständlich –, und Kinvara hat sich einen Hammer aus einem Werkzeugkasten geschnappt und ihn Papa über den Schädel gezogen. Sie hatte Glück, dass sie ihn nicht damals schon umgebracht hat. Danach konnte er nicht mehr richtig riechen und schmecken – eine olfaktorische Störung – und ist bei jeder Kleinigkeit ausgeflippt. Trotzdem wollte er die Sache nicht weiter aufbauschen. Er hat sie in eine Einrichtung gesteckt und allen erzählt, sie würde an ›nervöser Erschöpfung‹ leiden. Nur hatte das Stallmädchen alles mit angesehen und uns verraten, was wirklich passiert war. Sie musste sogar den Dorfarzt rufen, weil Papa so schlimm geblutet hat. Wenn Papa Kinvara nicht in die Klapse gesteckt und die Journalisten zurückgepfiffen hätte, wäre es sofort durch die Presse gegangen.«

Izzy streckte sich nach ihrer Tasse aus, doch ihre Hand zitterte mittlerweile so stark, dass sie sie wieder absetzen musste.

»Sie ist nicht das, wofür die Männer sie halten«, fuhr sie mit Nachdruck fort. »Die kaufen ihr dieses Kleine-Mädchen-Gehabe alle ab – sogar Raff. ›Aber sie hat ein *Kind* verloren, Izzy!‹ Wenn er auch nur ein Viertel von allem mitbekäme, was sie hinter seinem Rücken über ihn sagt, würde er anders reden.« Sie wechselte abrupt das Thema. »Und was war überhaupt mit der offenen Haustür? Darüber weißt du ja Bescheid – so seid ihr, du und Venetia, ja überhaupt erst reingekommen, oder? Die Tür schließt nur, wenn man sie richtig fest zuknallt. Papa wusste das. Wäre er allein im Haus gewesen, hätte er sie doch nicht offen stehen lassen, oder? Aber wenn sich Kinvara frühmorgens rausgeschlichen und nicht gewollt hat, dass man sie hört, hat sie die Tür nur ganz leise hinter sich zuziehen können, stimmt's? Sie ist nicht gerade die Hellste, weißt du. Bestimmt hat sie die Amitriptylinschachtel weggeworfen, weil sie sich gedacht hat, dass sie sie belasten würde. Ich weiß, dass sich die Polizei auf die fehlende Packung keinen Reim machen kann, trotzdem fürchte ich, dass sie das Ganze als Selbstmord abtut. Und deshalb wollte ich mit dir reden, Cormoran.«

Nachdem Izzy geendet hatte, rutschte sie auf ihrem Sessel ein Stück nach vorn.

»Ich will dich engagieren. Ich will, dass du Papas Tod untersuchst.«

Von dem Augenblick an, da sie ihm den Tee gebracht hatte, war Strike mehr oder weniger klar gewesen, dass sie genau das sagen würde. Die Vorstellung, für Ermittlungen in einer Angelegenheit bezahlt zu werden, die ihn ohnehin bis zur Obsession beschäftigte, war mehr als verlockend. Andererseits machten Klienten, die ausschließlich an der Bestätigung ihrer eigenen Theorien interessiert waren, erfahrungsgemäß nur Probleme. Er konnte den Auftrag nicht zu Izzys Bedingungen annehmen – nur aus Mitleid mit ihr versuchte er, seine Ablehnung so schonend wie möglich zu formulieren.

»Izzy, die Polizei würde nicht wollen, dass ich mich weiter einmische.«

»Die muss ja nicht wissen, dass du eigene Ermittlungen anstellst«, sagte sie eifrig. »Du könntest so tun, als würdest du diese komischen Eindringlinge jagen, die Kinvara ständig im Wald sieht. Würde ihr nur recht geschehen, wenn wir sie am Ende doch ernst nähmen.«

»Weiß denn die übrige Familie, dass du mich anheuern willst?«

»Na klar«, beteuerte Izzy. »Fizzy ist auch dafür.«

»Wirklich? Glaubt sie auch, dass es Kinvara war?«

»Das nicht«, gab Izzy leicht enttäuscht zu. »Aber sie ist zu hundert Prozent der gleichen Ansicht, nämlich dass sich Papa unmöglich selbst umgebracht haben kann.«

»Aber wenn sie Kinvara nicht für die Mörderin hält, wen dann?«

»Tja«, druckste Izzy herum, der die Frage offensichtlich nicht schmeckte, »Fizz hat die fixe Idee, dass Jimmy Knight da irgendwie mit drinstecken könnte. Was aber vollkommen lächerlich ist. Als Papa gestorben ist, war Jimmy in Gewahrsam, oder nicht? Wir haben doch beide gesehen, wie ihn die Polizei am Abend zuvor abgeführt hat. Aber davon will Fizz nichts hören. Sie ist von Jimmy *besessen*. ›Woher hätte Jimmy denn wissen sollen, wo das Amitriptylin und das Helium waren?‹, hab ich sie gefragt, aber sie hört mir gar nicht zu, sondern fängt immer wieder davon an, dass Knight Rache will und ...«

»Rache wofür?«

»Was?«, fragte Izzy zerstreut, obwohl Strike wusste, dass sie ihn genau gehört hatte. »Ach ... das ist nicht so wichtig. Das ist vorbei.«

Sie griff nach der Teekanne und marschierte in die Küche, um heißes Wasser nachzufüllen.

»Was Jimmy angeht, ist Fizz einfach nicht bei Verstand«, sagte sie, als sie mit der aufgefüllten Kanne zurückkehrte und sie mit einem Knall auf den Tisch stellte. »Sie konnte ihn schon damals nicht leiden, als wir noch Teenager waren.« Sie schenkte sich die zweite Tasse Tee ein und errötete. »Diese Erpressungsgeschichte kann nichts mit Papas Tod zu tun haben. Das ist vorbei«, wiederholte sie nervös.

»Du hast der Polizei nichts davon erzählt, stimmt's?«, fragte Strike ruhig.

In der darauffolgenden Pause vertiefte sich das Rot in Izzys Gesicht.

»Nein«, sagte sie nach einem Schluck Tee. »Tut mir leid, aber ich kann mir vorstellen, wie du und Venetia darüber denkt, aber uns geht es jetzt in erster Linie um Papas Vermächtnis«, sagte sie hastig. »Die Medien dürfen nicht davon Wind kriegen, Corm. Die Erpressung hätte nur dann etwas mit seinem Tod zu tun gehabt, wenn sie ihn in den Selbstmord getrieben hätte – aber ich kann einfach nicht glauben, dass er sich wegen dieser oder sonst irgendeiner Sache umgebracht haben sollte.«

»Kein Wunder, dass man Della so schnell diese Geheimhaltungsverfügung bewilligt hat«, sagte Strike. »Wenn sogar Chiswells Angehörige ihre Aussage stützen und beteuern, dass es keine Erpressung gab.«

»Uns geht es darum, wie Papa in Erinnerung bleibt. Diese Erpressung ... Das alles ist doch längst aus und vorbei.«

»Trotzdem glaubt Fizzy, dass Jimmy etwas mit dem Tod deines Vaters zu tun hat.«

»Das hat doch nichts ... Er hat ihn doch wegen einer ganz anderen Sache erpresst«, sagte Izzy etwas zusammenhanglos. »Jimmy war sauer auf ... Das ist schwer zu erklären ... Wenn es um Jimmy geht, kann Fizz echt unvernünftig sein.«

»Und was sagt die übrige Familie dazu, wenn ich wieder ins Spiel komme?«

»Also ... Raff ist nicht gerade begeistert. Aber das geht ihn ja auch nichts an. Immerhin werde ich dich bezahlen.«

»Und warum ist Raff nicht gerade begeistert?«

»Weil, na ja ... Die Polizei hat Raff stärker in die Mangel genommen als uns, weil ... Egal, Raff spielt keine Rolle«, wiederholte sie. »Ich bin deine Klientin, du arbeitest für mich. Widerlege einfach nur Kinvaras Alibis – das kriegst du schon hin, davon bin ich überzeugt.«

»Izzy, es tut mir leid«, sagte Strike, »aber unter diesen Bedingungen kann ich den Auftrag nicht übernehmen.«

»Wieso denn nicht?«

»Weil mir meine Klienten nicht vorzuschreiben haben, was

ich untersuchen darf und was nicht. Wenn du nicht an der Wahrheit interessiert bist, bin ich nicht der Richtige für dich.«

»Aber das bist du – du bist der Beste, sonst hätte Papa dich doch gar nicht erst angeheuert. Jetzt arbeitest du eben für mich.«

»Dann musst du mir aber auch meine Fragen beantworten, statt mir zu erzählen, was eine Rolle spielt und was nicht.«

Sie funkelte ihn über den Tassenrand hinweg an. Dann stieß sie zu seiner Überraschung ein sprödes Lachen aus.

»Das sollte mich eigentlich nicht wundern. Du bist immer noch ganz der Alte. Weißt du noch, wie du dich mit Jamie Maugham im Nam Long Le Shaker gestritten hast? Daran musst du dich doch noch erinnern! Du wolltest einfach nicht nachgeben, obwohl alle gegen dich waren. Ich glaube, es ging um ...«

»... die Todesstrafe«, sagte der verblüffte Strike. »Ja. Ich erinnere mich noch daran.«

Einen winzigen Augenblick lang sah er nicht Izzys makelloses, helles Wohnzimmer mit den spärlichen Spuren einer glorreichen englischen Vergangenheit, sondern das zwielichtige, schummrige vietnamesische Lokal in Chelsea vor sich, wo sich er und einer von Charlottes Freunden vor zwölf Jahren beim Essen in die Haare geraten waren. Jamie Maugham, mit dem Strike in seiner Erinnerung ein glattes, schweinchenhaftes Gesicht verband, hatte den Proleten, den Charlotte statt seines alten Freundes Jago Ross angeschleppt hatte, in seine Schranken verweisen wollen.

»Da war Jamie richtig, richtig sauer«, sagte Izzy. »Inzwischen ist er angesehener Kronanwalt, wusstest du das?«

»Anscheinend hat er sein Temperament mittlerweile unter Kontrolle«, meinte Strike, was ihr ein weiteres leises Kichern entlockte. »Izzy«, sagte er dann und kehrte zum eigentlichen Thema zurück. »Wenn es dir wirklich ernst damit ist ...«

»Ist es.«

»… dann musst du meine Fragen beantworten«, sagte Strike und zog sein Notizbuch aus der Tasche.

Unentschlossen beobachtete sie, wie er nach einem Stift griff.

»Ich bin diskret«, versicherte Strike ihr. »In den letzten Jahren haben mir hundert Familien ihre Geheimnisse anvertraut, und ich hab nicht eines verraten. Über nichts, was nicht unmittelbar mit dem Tod deines Vaters zu tun hat, wird außerhalb meiner Detektei auch nur ein Sterbenswörtchen gesprochen. Wenn du mir nicht vertraust …«

»Ich vertraue dir«, sagte Izzy verzweifelt. Zu seiner Verblüffung beugte sie sich vor und berührte sein Knie. »Cormoran, ich vertraue dir, wirklich. Aber es … Über Papa zu reden ist nicht leicht …«

»Das verstehe ich«, sagte Strike und hob den Stift. »Fangen wir mit dem Grund an, warum die Polizei Raphael länger befragt hat als dich und die anderen.«

Dass sie die Frage nicht beantworten wollte, war offensichtlich. »Wahrscheinlich, weil Papa Raff früh an dem Morgen, an dem er gestorben ist, angerufen hat«, sagte sie nach einigem Zögern. »Es war sein letzter Anruf.«

»Was wollte er von ihm?«

»Nichts Wichtiges. Mit seinem Tod kann es jedenfalls nichts zu tun gehabt haben. Aber«, fuhr sie eilig fort, als wollte sie verhindern, dass er sich eine wie auch immer geartete Meinung über ihre letzten Worte bildete, »dass Raff dagegen ist, dich anzuheuern, liegt in erster Linie daran, dass er sich in deine Venetia verguckt hat, als sie im Büro zusammengearbeitet haben. Und jetzt kommt er sich ziemlich dämlich vor, weil er ihr sein Herz ausgeschüttet hat.«

»Er hat sich also in sie verguckt, ja?«

»Ja. Kein Wunder, dass er denkt, wir hätten ihn alle zum Narren gehalten.«

»Trotzdem ...«

»Ich weiß, was du jetzt sagen willst, aber ...«

»... wenn ich in diesem Fall ermitteln soll, dann entscheide ich und nicht du, was eine Rolle spielt und was nicht, Izzy. Und jetzt will ich wissen ...« – er zählte die Fragen, die sie mit »Spielt keine Rolle« beantwortet hatte, an den Fingern ab – »... weshalb dein Vater Raphael am Morgen seines Todes angerufen hat, worüber sich dein Vater und Kinvara gestritten haben, als sie ihm mit dem Hammer auf den Kopf geschlagen hat, und womit dein Vater erpresst wurde.«

Das Saphirkreuz blitzte bedrohlich auf, als sich Izzys Brust hob und senkte.

»Es steht mir wirklich nicht zu, dir zu erzählen, worüber Papa und Raff bei ihrem l... letzten Gespräch geredet haben«, sagte sie schließlich knapp. »Das kann nur Raff.«

»Eine Privatangelegenheit?«

»Ja.« Sie war inzwischen puterrot, und er fragte sich, ob sie die Wahrheit sagte.

»Du meinst, dass dein Vater Raphael am Tag seines Todes in die Ebury Street einbestellt hatte. Hatte er den Termin verschoben? Abgesagt?«

»Abgesagt. Aber frag das alles doch bitte Raff selbst«, bat sie Strike erneut.

»Also gut.« Er machte sich eine Notiz. »Was hat deine Stiefmutter dazu gebracht, deinem Vater mit einem Hammer auf den Kopf zu schlagen?«

Izzys Augen füllten sich mit Tränen. Mit einem Schluchzen zog sie ein Taschentuch aus dem Ärmel und presste es sich vors Gesicht. »Das w... wollte ich dir nicht sagen, w... weil ich ni... nicht wollte, dass du schlecht von Papa denkst, jetzt, wo er ... wo er ... Weißt du, er h... hat etwas getan, was ...«

Ihre Schultern bebten, und sie gab ein paar laute, nicht sonderlich damenhafte Schluchzer von sich. Strike fand diese ehrliche, geräuschvolle Trauer weit anrührender als das grazile Augentupfen. Hilflos und mitfühlend saß er eine Weile da, während sie eine Entschuldigung zu artikulieren versuchte.

»Es tut ... Es tut m...«

»Sei nicht albern«, sagte er fast schon unwirsch. »Das ist doch ganz normal.«

Doch ihr schien der Kontrollverlust hochgradig peinlich zu sein.

»Verzeihung«, flüsterte sie mehrmals, während sie unter weiteren Schluchzern allmählich wieder zur Ruhe kam. Dann wischte sie sich das Gesicht so grob trocken, als würde sie die Fenster putzen, stieß ein letztes »Sorry« hervor und setzte sich wieder aufrecht hin. »Wenn du den Auftrag annimmst«, sagte sie zu guter Letzt mit einer Entschiedenheit, die Strike angesichts der Umstände Respekt abnötigte, »sobald wir den Vertrag unterzeichnet haben ... erzähle ich dir, wieso Kinvara Papa geschlagen hat.«

»Und vermutlich gilt das auch für den Grund, warum Winn und Knight deinen Vater erpresst haben?«, hakte Strike nach.

»Das musst du verstehen«, sagte sie, und wieder flossen die Tränen, »es geht jetzt um Papas Vermächtnis, sein Erbe ... Ich will nicht, dass man sich nur wegen dieser Sache an ihn erinnert – bitte, Corm, hilf uns. *Bitte.* Ich weiß, dass es kein Selbstmord war, ich *weiß* ...«

Er ließ sein Schweigen für sich arbeiten.

»Also gut«, stammelte sie schließlich mit erbarmungswürdiger Miene, »ich sag dir, worum es bei dieser Erpressung ging – aber nur, wenn Fizz und Torks einverstanden sind.«

»Wer ist Torks?«, fragte Strike.

»Torquil. Fizzys Mann. Wir haben uns zwar geschworen, es niemandem zu sagen, aber ich r... rede mit ihnen. Und wenn sie einverstanden sind, d... dann erfährst du alles.«

»Und Raphael hat da nichts zu melden?«

»Er hat keine Ahnung von der Erpressung. Als Jimmy Papa zum ersten Mal aufgesucht hat, saß Raff im Gefängnis. Außerdem ist er nicht mit uns aufgewachsen, er kann also gar nicht ... Raff hat davon keine Ahnung.«

»Was ist mit Kinvara?«, fragte Strike. »Hat sie eine Ahnung?«

»Aber sicher«, sagte Izzy, und ein bösartiger Zug schlich sich auf ihr sonst so sanftmütiges Gesicht. »Nur will *sie ganz bestimmt* nicht, dass wir es dir verraten. Nicht um Papa zu schützen, wohlgemerkt. Sondern aus Selbstschutz«, fügte sie hinzu, da sie Strikes Miene richtig deutete. »Kinvara hat ihn bloß ausgenutzt, musst du wissen. Ihr war es egal, was Papa gemacht hat, solange sie nur davon profitierte.«

39

Aber ich rede natürlich so wenig wie möglich darüber.
So etwas schweigt man am besten tot.

HENRIK IBSEN, *ROSMERSHOLM*

Robin erlebte einen schlimmen Samstag, auf den eine noch schlimmere Nacht folgte.

Um vier Uhr morgens war sie mit einem Schreckensschrei aufgewacht, noch halb in jenem Albtraum, in dem sie eine Tasche voller Abhörgeräte durch dunkle Straßen trug – in der festen Gewissheit, von maskierten Männern verfolgt zu werden. Die alte Stichwunde am Arm hatte sich wieder geöffnet, sodass die Männer nur der Blutspur zu folgen brauchten, und sie würde es nie bis dorthin schaffen, wo Strike auf die Tasche mit den Wanzen wartete ...

»Was?«, hatte Matt im Halbschlaf gefragt.

»Nichts«, hatte Robin geantwortet. Danach war an Schlaf nicht mehr zu denken gewesen. Trotzdem hatte sie sich verpflichtet gefühlt, bis sieben Uhr liegen zu bleiben.

Seit zwei Tagen lungerte ein heruntergekommener blonder Mann auf der Albury Street herum. Er machte sich nicht mal die Mühe zu verbergen, dass er sie beobachtete. Als Robin Strike darauf angesprochen hatte, war der ziemlich sicher gewesen, dass es sich dabei um einen Reporter handelte. Wahrscheinlich hatten sie einen Anfänger auf Robin angesetzt, weil sie sich Mitch Pattersons Stundensatz nicht länger leisten konnten.

Sie war mit Matthew in die Albury Street gezogen, um dem Ort zu entkommen, an dem der Shacklewell Ripper ihr aufgelauert hatte. Doch auch die vermeintlich sichere neue Zuflucht war nun durch einen unnatürlichen Tod kontaminiert. Mitten am Vormittag hatte sie sich ins Badezimmer geflüchtet, damit Matthew nicht mitbekam, dass sie wieder hyperventilierte. Sie hatte auf dem Badezimmerboden gesessen und die Technik aufgerufen – die kognitive Restrukturierung –, die sie in der Therapie gelernt hatte und die ihr half, sich bewusst zu machen, dass ihr die Gedanken an Verfolgung, Schmerz und Gefahr bei gewissen Schlüsselreizen automatisch in den Kopf kamen. *Das ist nur irgendein Idiot, der für die* Sun *arbeitet. Er will seine Story, mehr nicht. Du bist hier sicher. Er kann dir nichts anhaben. Du bist hier vollkommen sicher.*

Als Robin das Badezimmer verließ und nach unten ging, fand sie ihren Ehemann in der Küche vor, wo er unter lautem Zuknallen von Schranktüren und Schubladen ein Sandwich zubereitete. Ihr bot er keines an.

»Und was sollen wir Tom und Sarah sagen, wenn dieses Arschloch ständig durchs Fenster starrt?«

»Warum sollten wir Tom und Sarah überhaupt etwas sagen?«, fragte Robin verwirrt.

»Weil wir heute bei ihnen zum Essen eingeladen sind?«

»Oh nein!«, stöhnte Robin. »Ich meine, ja natürlich! Entschuldige, das hatte ich ganz vergessen.«

»Was, wenn dieser verfluchte Reporter uns verfolgt?«

»Dann ignorieren wir ihn einfach«, sagte Robin. »Etwas anderes können wir sowieso nicht tun.«

Sie hörte ihr Handy oben klingeln. Dankbar für den Vorwand, nicht länger in Matthews Nähe bleiben zu müssen, lief sie die Treppe hinauf.

»Hi«, sagte Strike. »Gute Nachrichten. Izzy hat uns damit beauftragt, Chiswells Tod zu untersuchen. Eigentlich«, korrigierte er sich selbst, »sollen wir für sie beweisen, dass es Kinvara war – aber ich konnte das Aufgabenspektrum ein bisschen modifizieren.«

»Fantastisch«, flüsterte Robin, ehe sie vorsichtig die Schlafzimmertür schloss und sich aufs Bett setzte.

»Dacht ich's mir doch, dass dir das gefällt«, sagte Strike. »Als Erstes brauchen wir Infos von der Polizei, insbesondere von der Spurensicherung. Ich habe gerade mit Wardle telefoniert, aber dem ist eingeschärft worden, bloß nicht mit uns zu reden. Anscheinend haben sie schon vermutet, dass ich weiterbohren würde. Bei Anstis war auch nichts zu holen, der ist gerade in Vollzeit mit den Olympischen Spielen beschäftigt und weiß nicht einmal, wer den Fall bearbeitet. Daher wollte ich mal vorsichtig anfragen, ob Vanessa schon aus der Pflegefreistellung zurück ist …«

»Ja«, rief Robin wie elektrisiert. Zum ersten Mal war sie diejenige, nicht Strike, die eine nützliche Kontaktperson kannte. »Und es kommt noch besser – sie ist mit einem gewissen Oliver aus der Rechtsmedizin zusammen. Ich hab ihn zwar noch nicht kennengelernt, aber …«

»Vielleicht ist Oliver ja bereit, mit uns zu sprechen«, sagte Strike. »Das wäre großartig! Weißt du was? Ich rufe Shanker an, vielleicht hat der irgendwas zu verkaufen, was wir im Gegenzug anbieten könnten. Ich melde mich gleich noch mal.«

Er legte auf.

Obwohl Robin hungrig war, wollte sie lieber nicht wieder nach unten gehen. Stattdessen streckte sie sich auf dem teuren Mahagonibett aus, das Matthews Vater ihnen zur Hochzeit geschenkt hatte. Es war so sperrig und schwer, dass es sämtliche Möbelpacker nur mit Mühe, schwitzend und in sich hineinfluchend die Treppe hinaufbekommen hatten – und das in Einzelteilen! Robins Schminktisch dagegen war alt, billig und ohne die Schubladen so leicht wie eine Orangenkiste. Den hatte ein Mann allein mühelos hochgetragen können und in die Lücke zwischen den beiden Fenstern im Schlafzimmer gestellt.

Zehn Minuten später klingelte das Telefon erneut.

»Das ging aber schnell!«

»Ja, wir haben Glück. Shanker hat heute seinen freien Tag, und wie es der Zufall will, haben wir die gleichen Interessen. Es käme ihm sehr gelegen, wenn die Polizei eine ganz bestimmte Person festnähme. Sag Vanessa, wir können ihr im Gegenzug Informationen zu Ian Nash anbieten.«

»Ian Nash?« Robin setzte sich auf, griff zu Papier und Stift und notierte sich den Namen. »Wer genau …«

»Ein Gangster. Vanessa weiß sicher Bescheid.«

»Und wie teuer war das Ganze?«, fragte Robin. Für Shanker hatte das Geschäftliche stets Priorität, so eng die Freundschaft zwischen ihm und Strike auch sein mochte.

»Eine halbe Wochenrate«, sagte Strike. »Aber das Geld ist gut angelegt, wenn uns Oliver etwas dafür bieten kann. Wie geht's dir überhaupt?«

»Was?« Die Frage brachte Robin kurz aus dem Konzept. »Mir geht's gut … Wieso?«

»Als dein Arbeitgeber habe ich Fürsorgepflicht.«

»Wir sind Partner.«

»Du bist eine angestellte Partnerin mit einem Festgehalt«, erinnerte er sie. »Du könntest mich wegen schlechter Arbeitsbedingungen verklagen.«

»Meinst du nicht«, sagte Robin und betrachtete dabei die zwanzig Zentimeter lange lila Narbe, die sich immer noch deutlich auf ihrer blassen Haut abzeichnete, »dass ich das längst getan hätte, wenn ich das wollte? Aber wenn das bedeuten soll, dass du dich demnächst um die Toilette auf dem Treppenabsatz kümmerst …«

»Ich meine ja nur«, sagte Strike. »Es ist ganz natürlich, wenn dir diese Angelegenheit nahegeht. Die meisten Menschen finden es nicht besonders lustig, eine Leiche zu finden.«

»Mir geht's glänzend«, log Robin.

Und das muss es auch, dachte sie, nachdem sie das Gespräch beendet hatten. *Ich will nicht noch einmal alles verlieren.*

40

Die Voraussetzungen bei Ihnen und bei ihm sind ja doch so himmelweit voneinander verschieden.

HENRIK IBSEN, *ROSMERSHOLM*

Robin, die wieder einmal im Gästezimmer geschlafen hatte, stand am Mittwoch um sechs Uhr morgens auf und schlüpfte in Jeans, T-Shirt, Sweatshirt und Turnschuhe. In ihrem Rucksack befand sich eine schwarze Perücke, die sie online bestellt und unter den Augen des neugierigen Reporters nach Hause geliefert bekommen hatte. Leise, um Matthew nicht zu wecken, schlich sie nach unten. Sie hatte ihm nichts von ihrem Plan erzählt; wie sie genau wusste, wäre er ohnehin dagegen gewesen.

Gegenwärtig herrschte ein brüchiger Frieden zwischen ihnen, obwohl das Abendessen bei Tom und Sarah am Samstag eine Katastrophe gewesen war – oder vielmehr gerade *weil* es eine Katastrophe gewesen war. Es hatte schon unter schlechten Vorzeichen begonnen, da ihnen der Reporter tatsächlich gefolgt war. Hauptsächlich dank Robins Fortbildung in Gegenüberwachung war es ihnen gelungen, ihn abzuschütteln. Dazu hatten sie jedoch in letzter Sekunde aus einem überfüllten U-Bahn-Wagen springen müssen, was der verärgerte Matthew als würdelosen, kindischen Trick bezeichnet hatte. Den weiteren Fortgang des Abends konnte er jedoch beim besten Willen nicht Robin zur Last legen.

Was beim Essen als harmlose Analyse der Niederlage beim Wohltätigkeits-Cricketmatch begonnen hatte, war im Handumdrehen zu einem erbitterten, heftigen Wortgefecht ausgeartet. Der betrunkene Tom hatte Matthew vorgeworfen, nicht halb so gut zu sein, wie er behauptete, dafür aber nicht nur dem Team, sondern auch seinen Kollegen mit seiner Arroganz bis zur Unerträglichkeit auf die Nerven zu gehen. Matthew, überrumpelt angesichts der unvorhergesehenen Attacke, hatte gefragt, was er denn bei der Arbeit falsch gemacht habe. Tom, der inzwischen so alkoholisiert war, dass er, wie Robin insgeheim vermutete, schon lang vor ihrer Ankunft mit dem Wein angefangen haben musste, hatte die Ungläubigkeit des gekränkten Matthew als weiteren Affront aufgefasst.

»Tu nicht so scheißunschuldig!«, hatte er geschrien. »Das lass ich mir nicht länger gefallen! Ständig macht er sich über mich lustig, provoziert mich ...«

»Stimmt das?«, hatte der sichtlich erschütterte Matthew Robin auf dem nächtlichen Rückweg zur U-Bahn gefragt.

»Nein«, hatte Robin ehrlich geantwortet. »Du hast überhaupt nichts Böses zu ihm gesagt.«

Und fügte in Gedanken »heute Abend« hinzu. Es war eine Erleichterung, Matthew zur Abwechslung einmal perplex und angeschlagen zu erleben. Mit ihrem Mitgefühl und ihrer Unterstützung hatte sie sich eine mehrtägige Feuerpause erkauft, und sie wollte den Waffenstillstand nicht gefährden, indem sie Matthew auf die Nase band, wie sie den immer noch lauernden Reporter abzuschütteln gedachte. Aber dass er ihr zu einem Treffen mit einem Rechtsmediziner folgte, konnte sie sich nicht leisten – insbesondere da sich Oliver laut Vanessa nur unter größten Mühen hatte breitschlagen lassen, überhaupt mit Strike und Robin zu reden.

Leise schlüpfte sie durch die Verandatür in den kleinen Garten hinter dem Haus. Mithilfe eines Gartenstuhls kletterte sie auf die Mauer, die ihr Grundstück von dem des Nachbarn trennte. Die Vorhänge des Hauses nebenan waren gottlob noch zugezogen. Sie sprang von der Wand und kam mit einem gedämpften, erdigen Laut auf dem nachbarlichen Rasen auf.

Der nächste Teil ihrer Flucht gestaltete sich etwas schwieriger. Zunächst musste sie eine schwere, verschnörkelte Bank beinahe einen Meter weit verrücken, bis sie parallel zum hohen Holzzaun stand. Dann stellte sie sich auf die Rückenlehne und kletterte von dort auf die mit Teeröl imprägnierten Bretter, die sich gefährlich bogen, bis sie sich in das Blumenbeet auf der anderen Seite fallen ließ. Sie verlor das Gleichgewicht, landete auf den Knien, rappelte sich wieder auf und eilte über den frisch angelegten Rasen zum Zaun gegenüber, in dem sich ein Tor zu einem Parkplatz befand.

Zu Robins Erleichterung ließ sich der Riegel mühelos aufschieben. Während sie das Gartentor hinter sich schloss, dachte sie reumütig an die Fußabdrücke, die sie auf den taufeuchten Rasenflächen hinterlassen hatte. Die Frühaufsteher unter den Nachbarn würden sofort bemerken, aus welcher Richtung der Eindringling gekommen war, der das Gartenmobiliar verrückt und die Begonien zertrampelt hatte. Chiswells Mörder – wenn es denn einen gab – hatte seine Spuren weitaus gekonnter verwischt.

Auf dem menschenleeren Parkplatz, auf dem die Nachbarschaft in Ermangelung von Garagen ihre Autos abstellte, kauerte Robin sich hinter einen Skoda, angelte die Perücke aus ihrem Rucksack und setzte sie auf, prüfte deren Sitz im Rückspiegel, marschierte schnellen Schrittes die Parallelstraße zur Albury Street entlang und bog an der Kreuzung rechts in die Deptford High Street ab.

Bis auf ein paar Lieferwagen, die ihre frühmorgendliche Fracht ausfuhren, und den Besitzer eines Zeitungskiosks, der gerade die Metalljalousie vor seinem Geschäft aufzog, war die Straße verwaist. Robin warf einen Blick über die Schulter, und statt der erwarteten Panik überkam sie eine Woge der Erleichterung: Sie wurde nicht verfolgt. Trotzdem setzte sie die Perücke erst ab, als sie in der U-Bahn saß – zur nicht geringen Verwunderung eines jungen Mannes, der sie verstohlen über sein Kindle hinweg beobachtete.

Strike hatte das Corner Café an der Ecke Lambeth Road wegen der Nähe zum kriminaltechnischen Labor ausgewählt, in dem Oliver Bargate arbeitete. Der Detektiv stand bereits vor dem Lokal und rauchte. Sofort fiel sein Blick auf die Schlammflecken an ihren Knien.

»Unsanfte Landung in einem Blumenbeet«, erklärte sie, sobald sie in Hörweite war. »Dieser Reporter will einfach nicht aufgeben.«

»Hat dir Matthew über den Zaun geholfen?«

»Nö, eine Gartenbank.«

Strike drückte die Zigarette an der Wand aus und folgte ihr in das angenehm nach Gebratenem duftende Café. Obwohl Robin blasser und dünner wirkte als sonst, bestellte sie gut gelaunt Kaffee und zwei Bacon-Sandwiches.

»Nur eins«, ging Strike dazwischen. »Ich will abnehmen«, verriet er Robin, als sie sich an einen frei werdenden Tisch setzten. »Ist besser für mein Bein.«

»Aha«, sagte Robin. »Verstehe.«

Er fegte mit dem Ärmel Krümel von der Tischplatte. Nicht zum ersten Mal fiel Strike auf, dass Robin von allen Frauen, die er je kennengelernt hatte, die einzige war, die kein Interesse daran zu haben schien, ihn umzuerziehen. Wenn er es sich jetzt anders überlegt und fünf Bacon-Sandwiches bestellt hätte, hätte sie nur gegrinst und sie ihm rübergereicht. Bei dem Gedanken empfand er, als sie sich in ihrer schlammverschmierten Jeans zu ihm an den Tisch setzte, einmal mehr große Zuneigung für sie.

»Alles klar?«, fragte er. Sie garnierte ihr Sandwich mit Ketchup. Ihm lief das Wasser im Mund zusammen.

»Ja«, log Robin. »Alles prima. Wie geht's deinem Bein?«
»Besser. Wie sieht der Kerl überhaupt aus?«
»Groß, schwarz, Brille«, murmelte Robin mit einem Mund voll Bacon und Brot. Sie war so hungrig wie seit Tagen nicht mehr, was wohl der frühmorgendlichen Aktivität geschuldet war.
»Ist Vanessa wieder im Olympia-Einsatz?«
»Ja«, antwortete Robin. »Sie hat Oliver bekniet, sich mit uns zu treffen. Er war nicht sonderlich erpicht darauf, aber sie will befördert werden.«
»Da sind die Infos über Ian Nash sicher hilfreich«, sagte Strike. »Shanker meinte, die Met ist schon seit …«
»Ich glaube, das ist er«, flüsterte Robin.
Strike drehte sich um. Ein schlaksiger Schwarzer mit besorgtem Gesichtsausdruck und einer rahmenlosen Brille war in die Tür getreten. Er hielt eine Aktentasche in der Hand. Strike winkte ihm zu, Robin schob ihr Sandwich und die Kaffeetasse einen Platz weiter, damit Oliver sich Strike gegenübersetzen konnte.

Robin wusste nicht recht, was sie erwartet hatte; Oliver sah mit seinem modischen Bürstenhaarschnitt und dem makellos weißen Hemd ausnehmend gut aus, wirkte aber auch misstrauisch und abweisend, zwei Eigenschaften, die sie nicht unbedingt mit Vanessa in Verbindung brachte. Nichtsdestotrotz schüttelte er Strikes Hand.

»Sie sind Robin?«, fragte er. »Irgendwie verpassen wir uns ständig.«
»Stimmt«, sagte Robin und gab ihm ebenfalls die Hand. Im Vergleich zu seiner gepflegten Erscheinung war sie sich ihrer zerzausten Frisur und der dreckigen Jeans schlagartig umso bewusster. »Freut mich, Sie endlich kennenzulernen. Hier ist Selbstbedienung, darf ich Ihnen einen Tee oder einen Kaffee bringen?«

»Äh ... Kaffee wäre nett«, sagte Oliver. »Danke.«

Während Robin an die Theke trat, wandte sich Oliver Strike zu. »Vanessa sagt, Sie hätten etwas für sie.«

»Schon möglich«, sagte Strike. »Kommt darauf an, was Sie für uns haben, Oliver.«

»Bevor wir weiterreden, will ich erst ganz genau wissen, was Sie anzubieten haben.«

Strike nahm einen Umschlag aus der Jacketttasche und hielt ihn in die Höhe. »Ein Autokennzeichen und eine von Hand gezeichnete Karte.«

Damit schien Oliver etwas anfangen zu können. »Darf ich fragen, woher Sie das haben?«

»Fragen dürfen Sie«, sagte Strike heiter, »aber diese Info ist nicht Teil unserer Abmachung. Eric Wardle kann Ihnen aber gern bestätigen, dass man sich auf meinen Informanten zu hundert Prozent verlassen kann.«

Eine Gruppe sich laut miteinander unterhaltender Arbeiter betrat das Café.

»Das hier ist streng vertraulich«, sagte Strike leise. »Niemand wird je erfahren, dass Sie mit uns gesprochen haben.«

Oliver seufzte, dann beugte er sich vor, öffnete die Aktentasche und holte ein großes Notizbuch heraus. Robin kehrte mit dem Kaffee zurück, und Strike zückte seinen Stift.

»Ich hab mit einem der Jungs gesprochen, die für die Spurensicherung zuständig waren«, sagte Oliver und warf einen Blick auf die Arbeiter, die am Nachbartisch laut und grob miteinander scherzten. »Und Vanessa hat sich mit jemandem unterhalten, der weiß, in welche Richtung allgemein ermittelt wird.« Er wandte sich Robin zu. »Die wissen nicht, dass Sie mit Vanessa befreundet sind. Wenn rauskommt, dass wir dabei geholfen haben ...«

»Von uns werden sie es nicht erfahren«, versicherte sie ihm.

Mit leichtem Stirnrunzeln schlug Oliver sein Notizbuch auf

und überflog die Einzelheiten, die er mit kleiner, aber gut lesbarer Schrift festgehalten hatte.

»Die Spuren waren recht eindeutig. Ich weiß nicht, wie sehr ich ins Detail gehen soll ...«

»So wenig wie möglich«, sagte Strike. »Nur die Highlights, bitte.«

»Chiswell hat auf nüchternen Magen fünfhundert Milligramm in Orangensaft aufgelöstes Amitriptylin zu sich genommen.«

»Das ist eine beträchtliche Dosis, oder?«, hakte Strike nach.

»Die selbst ohne das Helium hätte tödlich sein können. Nur dass der Tod nicht so schnell eingetreten wäre. Andererseits litt er unter einer Herzkrankheit, was die Sache unter Umständen beschleunigt hat. Eine Überdosis Amitriptylin kann Herzrhythmusstörungen und sogar einen Herzstillstand verursachen.«

»Ist das eine beliebte Selbstmordmethode?«

»Ja«, sagte Oliver. »Aber nicht so schmerzlos, wie es die Leute gern hätten. Das meiste Amitriptylin befand sich noch in seinem Magen, im Zwölffingerdarm waren kaum Spuren davon nachzuweisen. Nach der Untersuchung des Lungen- und Hirngewebes zu schließen ist er erstickt. Das Amitriptylin war wohl nur eine zusätzliche Maßnahme – um auf Nummer sicher zu gehen.«

»Waren Fingerabdrücke auf dem Glas oder dem Orangensaftkarton?«

Oliver blätterte um. »Auf dem Glas nur die von Chiswell. Der Karton wurde leer im Müll gefunden, auch da waren Chiswells Fingerabdrücke drauf, aber nicht nur. Allerdings ist das nicht ungewöhnlich. Auf dem Weg in den Laden geht so etwas durch mehrere Hände. Trotzdem – der Saft wurde negativ auf das Medikament getestet. Es muss direkt ins Glas gegeben worden sein.«

»Und der Heliumzylinder?«

»Auch da waren Abdrücke von Chiswell und von anderen Personen drauf, was aber zunächst mal nicht verdächtig ist. Hier verhält es sich genau wie mit dem Saftkarton.«

»Schmeckt Amitriptylin nach irgendetwas?«, fragte Robin.

»Ja, bitter«, sagte Oliver.

»Olfaktorische Störung«, rief Strike ihr in Erinnerung, »als Folge der Kopfverletzung. Vielleicht hat er es also überhaupt nicht geschmeckt.«

»Hat es ihn benommen gemacht?«, fragte Robin.

»Schon möglich, besonders wenn er nicht daran gewöhnt war. Aber der Wirkstoff kann unberechenbare Reaktionen hervorrufen. Manche Leute werden erregt ...«

»Konnte man herausfinden, wo und wie die Tabletten zerdrückt wurden?«, ging Strike dazwischen.

»In der Küche. An Mörser und Stößel dort wurden Pulverspuren gefunden.«

»Fingerabdrücke?«

»Von Chiswell.«

»Wissen Sie, ob man die homöopathischen Pillen auch untersucht hat?«

»Die was?«, fragte Oliver.

»Auf dem Boden lag ein Röhrchen mit homöopathischen Pillen. Ich bin draufgetreten«, erklärte Robin. »Lachesis.«

»Das ist mir neu«, sagte Oliver, worauf sich Robin leicht dämlich vorkam, weil sie sie überhaupt zur Sprache gebracht hatte.

»An Chiswells linker Hand war ein Bluterguss.«

»Stimmt«, sagte Oliver und wandte sich wieder seinen Notizen zu. »Hautabschürfungen im Gesicht und ein kleiner Bluterguss auf dem Handrücken.«

»Im Gesicht?«, fragte Robin und erstarrte mit dem Sandwich in der Hand.

»Ja.«

»Gibt es dafür eine Erklärung?«

»Sie überlegen, ob ihm die Tüte wohl mit Gewalt über den Kopf gezogen wurde«, sagte Oliver – eher als Feststellung denn als Frage. »Das MI5 hat sich das auch gefragt. Dort gehen sie davon aus, dass er sich die Verletzungen nicht selbst zugefügt hat. Unter den Fingernägeln war nichts. Andererseits hat er sonst nirgends am Körper weitere blaue Flecken, die auf ein Handgemenge hätten schließen lassen, am Tatort herrschte keine Unordnung, keine Kampfspuren …«

»Bis auf den verbogenen Säbel«, warf Strike ein.

»Richtig, Sie waren ja dort, das hatte ich ganz vergessen.«

»Waren denn auf dem Säbel irgendwelche Spuren?«

»Er war erst kürzlich gereinigt worden. Auf dem Griff waren Chiswells Fingerabdrücke.«

»Und wann ist der Tod eingetreten?«

»Zwischen sechs und sieben Uhr«, antwortete Oliver.

»Er war schon angezogen«, gab Robin zu bedenken.

»Wie man so hört, war er nicht der Typ, der sich im Schlafanzug in der Öffentlichkeit zeigt – selbst als Toter nicht«, sagte Oliver trocken.

»Die Met tendiert also zu Selbstmord?«, fragte Strike.

»Mal ganz unter uns: Ich glaube, dass man sich auf ›unbekannte Todesursache‹ einigen wird. Ein paar Ungereimtheiten gibt es noch. Das mit der Haustür wissen Sie sicher schon; sie ist verzogen und schließt nur, wenn man sie kräftig zudrückt. Wenn man sie allerdings zu fest zuwirft, springt sie wieder auf. Dass sie offen stand, könnte reiner Zufall gewesen sein – vielleicht hatte Chiswell es einfach nicht bemerkt. Aber wie dem auch sei, wenn es einen Mörder gab, wusste der vielleicht nicht, wie man sie richtig schließt.«

»Sie wissen nicht zufällig, wie viele Schlüssel es zu der Tür gibt?«, fragte Strike.

»Nein«, sagte Oliver. »Sie verstehen bestimmt, dass Van und ich nur beiläufiges Interesse heucheln konnten, um keinen Verdacht zu erregen.«

»Beiläufiges Interesse? Bei einem toten Minister?«, fragte Strike.

»Eins weiß ich jedenfalls«, fuhr Oliver ungerührt fort. »Er hatte eine Menge Gründe, sich umzubringen.«

»Zum Beispiel?«, fragte Strike mit gezücktem Stift.

»Seine Frau wollte ihn verlassen ...«

»Angeblich«, warf Strike ein, während er schrieb.

»... sie haben ein Kind verloren, der älteste Sohn ist im Irak gefallen, die Familie gibt an, er habe sich in letzter Zeit merkwürdig verhalten, zu viel getrunken und so weiter. Und er steckte in ernsthaften finanziellen Schwierigkeiten.«

»Ach?« Strike merkte auf. »Wie das?«

»Während der Finanzkrise 2008 hat er so gut wie alles verloren«, erklärte Oliver. »Und dann noch ... Na ja, diese Angelegenheit, in der Sie ermittelt haben.«

»Wissen Sie, wo sich die Erpresser zum Zeitpunkt des ...«

Oliver beugte sich zu Strike vor, hieb mit der Hand fast krampfhaft schnell in dessen Richtung, sodass er um ein Haar seine Kaffeetasse umstieß, und zischte: »Es besteht eine Geheimhaltungsverfügung, falls Sie es noch nicht ...«

»Ja, ja, haben wir gehört.«

»Also, ich für meinen Teil hänge an meinem Job.«

»Schon gut«, sagte Strike unbeeindruckt, senkte aber ebenfalls die Stimme. »Lassen Sie mich die Frage anders formulieren. Weiß man, wo Geraint Winn und Jimmy ...«

»Ja«, unterbrach ihn Oliver barsch. »Beide haben Alibis.«

»Inwiefern?«

»Der Erste war in Bermondsey, zusammen mit ...«

»Doch nicht etwa Della?«, platzte es aus Robin heraus. Dass Geraints blinde Frau ihm ein Alibi verschaffte, kam ihr fast unanständig vor. Robin hatte den Eindruck gehabt, Della hätte nichts mit Geraints kriminellen Machenschaften zu tun, aber das war womöglich naiv von ihr gewesen.

»Nein«, sagte Oliver knapp. »Und bitte keine Namen.«

»Mit wem dann?«, fragte Strike.

»Mit einem Angestellten. Er behauptet, dass er mit einem Angestellten dort gewesen sei – und der hat seine Aussage bestätigt.«

»Gibt es weitere Zeugen?«

»Keine Ahnung«, sagte Oliver leicht frustriert. »Wahrscheinlich schon. Das Alibi scheint jedenfalls wasserdicht zu sein.«

»Was ist mit Ji… mit dem anderen Mann?«

»Der war bei seiner Freundin in East Ham.«

»Wirklich?« Strike machte sich eine entsprechende Notiz. »Ich habe selbst gesehen, wie er am Abend vor Chiswells Tod abgeführt und in einen Polizeitransporter gesteckt wurde.«

»Er wurde verwarnt und wieder entlassen. Außerdem«, fügte Oliver leise hinzu, »pflegen Erpresser ihre Opfer nicht umzubringen, oder?«

»Wenn die Opfer bezahlen, dann nicht«, sagte Strike und schrieb weiter. »Aber Chiswell hat nicht gezahlt.«

Oliver sah auf die Uhr.

»Noch ein paar Fragen«, sagte Strike unbeeindruckt, ohne den Ellbogen von dem Umschlag mit den Informationen zu Ian Nash zu nehmen. »Weiß Vanessa, dass Chiswell angeblich noch am Morgen, an dem er starb, seinen Sohn angerufen hat?«

»Ja, das hat sie erwähnt«, sagte Oliver und blätterte auf der Suche nach der richtigen Stelle durch sein Notizbuch. »Hier. Chiswell hat um kurz nach sechs noch zweimal telefoniert: erst mit seiner Frau, dann mit seinem Sohn.«

Wieder wechselten Strike und Robin einen Blick.

»Dass er Raphael angerufen hat, wissen wir. Aber seine Frau?«

»Ja, deren Nummer hat er zuerst gewählt. Die Frau kann es also nicht gewesen sein«, fügte Oliver, der ihre Überraschung richtig interpretiert hatte, schnell hinzu. »Sobald klar war, dass es sich nicht um eine politisch motivierte Tat handelt, hat man sie als Erstes unter die Lupe genommen. Ein Nachbar hatte gesehen, wie sie am Abend zuvor das Haus an der Ebury Street betreten und es kurz darauf mit einer Tasche wieder verlassen hat – zwei Stunden bevor ihr Ehemann eintraf. Sie hielt auf der Straße ein Taxi an, das sie nach Paddington brachte. Im Zug nach – wo wohnt sie gleich wieder? Oxfordshire? – ist sie von einer Überwachungskamera gefilmt worden. Als sie bei sich zu Hause ankam, war dort anscheinend jemand anwesend, der bezeugen kann, dass sie noch vor Mitternacht eintraf und das Haus nicht mehr verlassen hat, bis die Polizei ihr tags darauf die Nachricht von Chiswells Tod überbrachte. Für jeden Abschnitt ihrer Fahrt gibt es Zeugen.«

»Und wer war bei ihr zu Hause?«

»Das weiß ich nicht.« Olivers Blick wanderte zu dem Umschlag unter Strikes Ellenbogen. »Und das ist auch wirklich alles, was ich Ihnen sagen kann.«

Strike hatte alle Fragen gestellt, die er hatte stellen wollen, und Kenntnis von mehreren zum Teil unerwarteten Details erhalten, wie etwa von Abschürfungen in Chiswells Gesicht, von dessen Geldsorgen und dass er am frühen Morgen Kinvara angerufen hatte.

»Sie waren eine große Hilfe«, sagte er und schob den Umschlag über den Tisch.

Oliver war sichtlich erleichtert, dass das Gespräch zu Ende war. Nach einem weiteren hastigen Händedruck und einem Nicken in Robins Richtung verließ er eilig das Café. Sobald er außer Sichtweite war, lehnte sich Robin in ihrem Stuhl zurück und seufzte.

»Warum die Trauermiene?«, fragte Strike und trank seinen Tee aus.

»Wenn Izzy Beweise dafür will, dass es Kinvara war, wird das der kürzeste Job aller Zeiten.«

»Sie will die Wahrheit über den Tod ihres Vaters«, wandte Strike ein, auch wenn er sich bei Robins skeptischem Gesichtsausdruck ein Grinsen nicht verkneifen konnte. »Und ja, sie hätte gern, dass es Kinvara war. Aber gut. Dann müssen wir jetzt wohl versuchen, ihre zig Alibis auseinanderzunehmen. Ich fahre am Samstag nach Woolstone. Izzy hat mich eingeladen, damit ich ihre Schwester kennenlerne. Willst du mit? Mein Bein macht gerade solche Zicken, dass ich lieber nicht selbst fahren will.«

»Ja, natürlich«, sagte Robin wie aus der Pistole geschossen.

Die Vorstellung, mit Strike zusammen aus London rauszukommen, wenn auch nur für einen Tag, war so verlockend, dass sie nicht einmal darüber nachdachte, ob Matthew das Wochenende vielleicht schon anderweitig verplant hatte. Doch im Licht der unerwarteten Annäherung in letzter Zeit würde er nichts dagegen haben. Immerhin hatte sie anderthalb Wochen lang überhaupt nicht gearbeitet. »Wir könnten den Land Rover nehmen. Der ist auf der Landstraße besser als dein BMW.«

»Wenn dich dieser Schreiberling immer noch beobachtet, brauchst du ein Ablenkungsmanöver«, sagte Strike.

»Mit dem Wagen kann ich etwaige Verfolger bestimmt leichter abschütteln als zu Fuß.«

»Ja, gut möglich.«

Robin hatte ein Fahrsicherheitstraining absolviert, und obwohl Strike es ihr gegenüber nie eingestanden hatte, war sie die einzige Person, von der er sich bedenkenlos chauffieren ließ.

»Wann sollen wir denn dort sein?«

»Um elf«, sagte Strike. »Aber nimm dir für den Rest des Tages lieber nichts anderes mehr vor. Wenn wir schon mal in der

Gegend sind, würde ich gern auch einen Blick auf das Haus werfen, in dem die Knights früher gewohnt haben.« Er zögerte kurz. »Ich weiß nicht, ob ich es dir schon erzählt habe ... aber ich habe Barclay auf Jimmy und Flick angesetzt. Undercover.«

Er machte sich bereits auf eine Rüge gefasst, weil er nicht erst mit ihr abgesprochen hatte, dass Barclay hatte arbeiten dürfen und sie nicht. Oder – was noch wahrscheinlicher war – gegen die vorwurfsvolle Frage, was er sich angesichts der finanziellen Situation der Detektei davon versprochen habe.

»Du weißt genau, dass du es mir noch nicht erzählt hast«, gab sie stattdessen eher belustigt zurück. »Und warum hast du ihn da eingeschleust?«

»Weil mein Bauch mir sagt, dass an den Knight-Brüdern mehr dran ist, als es auf den ersten Blick den Anschein hat.«

»Hast du mir nicht immer eingeschärft, dass man seinem Bauchgefühl nicht trauen darf?«

»Ach was, Geschwätz von gestern. Und jetzt halt dich fest«, sagte Strike, während sie aufstanden. »Raphael ist nicht besonders gut auf dich zu sprechen.«

»Warum nicht?«

»Izzy zufolge hat er sich in dich verguckt. Er hat sich wohl ziemlich aufgeregt, als er erfahren hat, dass du eine verdeckte Ermittlerin bist.«

»Oh«, sagte Robin und errötete zart. »Tja, so wie ich ihn einschätze, wird er darüber wegkommen.«

41

Aber das, was uns von Anfang an zusammengeführt –
das, was uns so fest miteinander verknüpft hat …

HENRIK IBSEN, *ROSMERSHOLM*

Strike hatte schon viele Stunden in seinem Leben damit verbracht, darüber nachzugrübeln, was er wohl angestellt hatte, wenn in seiner Anwesenheit wieder einmal eine Frau in beleidigtes Schweigen verfiel. Was das anhaltende Schmollen anging, mit dem ihn Lorelei den größten Teil des Freitagabends strafte, so wusste er diesmal zumindest, womit er sie verletzt hatte, und war sogar zu dem Eingeständnis bereit, dass ihr Groll bis zu einem gewissen Grad nicht ganz ungerechtfertigt war.

Fünf Minuten nachdem er in ihrer Wohnung in Camden eingetroffen war, hatte Izzy ihn auf dem Handy angerufen – einerseits um ihm von einem Brief zu berichten, den sie von Geraint Winn erhalten hatte, und andererseits – wie er sich wohl bewusst war – um zu reden. Sie war nicht die erste Klientin, die von der Annahme ausging, mit einem Detektiv auch gleichzeitig eine Mischung aus Beichtvater und Therapeuten engagiert zu haben. Wie es sich anhörte, hatte sich Izzy darauf eingerichtet, den Freitagabend im Gespräch mit Strike zu verbringen, und ihre Flirtbereitschaft, die sich bei ihrem letzten Treffen durch die Berührung seines Knies bereits angedeutet hatte, war am Telefon noch deutlicher zu spüren.

Dass die emotional instabilen und einsamen Frauen, mit

denen er beruflich immer wieder zu tun hatte, ihn als potenziellen Liebhaber ins Auge fassten, kam öfter vor. Doch so versucht er hin und wieder auch gewesen sein mochte – er hatte nie mit einer Klientin geschlafen. Dafür bedeutete ihm die Detektei zu viel. Selbst wenn Izzy sein Typ gewesen wäre, hätte er dafür gesorgt, dass ihre Beziehung rein geschäftlich blieb – ihre Freundschaft mit Charlotte war in dieser Hinsicht ohnehin ein nicht auszulöschender Makel.

Er hätte das Gespräch nur allzu gern beendet – Lorelei hatte gekocht und sah in ihrem saphirblauen, einem Nachthemd nicht unähnlichen Seidenkleidchen ganz besonders hinreißend aus –, doch Izzy erwies sich als anhänglich wie eine Klette. Obwohl er sich ehrlich bemühte, brauchte Strike fast eine Dreiviertelstunde, um die Klientin abzuwimmeln. Sie lachte lang und laut über jede seiner auch nur halbwegs witzigen Bemerkungen, sodass Lorelei irgendwann zwangsläufig mitbekam, dass eine Frau in der Leitung war. Nachdem er Izzy endlich losgeworden war und Lorelei gerade erklären wollte, dass er lediglich eine trauernde Klientin am Apparat gehabt hatte, rief Barclay an, um ihn in Sachen Jimmy Knight auf den neuesten Stand zu bringen. Die Tatsache, dass er das zweite, wenn auch weitaus kürzere, Gespräch überhaupt annahm, machte in Loreleis Augen die Kränkung nur umso schlimmer.

Es war ihr erstes Treffen, seit Lorelei ihre Liebeserklärung zurückgenommen hatte. Ihr verletztes, beleidigtes Verhalten während des Abends bestätigte seine Befürchtung, dass sie nicht die Absicht hatte, ihre Beziehung auf diese unverbindliche Art weiterzuführen. Stattdessen klammerte sie sich an die Hoffnung, dass er, wenn sie nur aufhörte, Druck auf ihn auszuüben, von selbst zu der Erkenntnis käme, unsterblich in sie verliebt zu sein. Doch das beinahe eine Stunde dauernde Telefongespräch, während das Essen im Ofen vor sich hin schrumpelte, hatte alle Hoffnungen auf einen perfekten Abend und eine

Fortführung der Beziehung unter anderen Vorzeichen zunichtegemacht.

Hätte Lorelei seine ehrlich gemeinte Entschuldigung angenommen, wäre damit auch seine Lust auf Sex womöglich wieder geweckt worden. Doch als sie gegen halb drei Uhr in einer Mischung aus Selbstvorwürfen und Selbstrechtfertigung in Tränen ausbrach, war er zu müde und zu schlecht gelaunt, um körperliche Avancen zuzulassen, denen sie, wie er fürchtete, eine Bedeutung zuschreiben würde, die sie nicht gehabt hätten.

Das muss ein Ende haben, dachte er sich, als er um sechs Uhr morgens mit dunklen Augenringen und Bartschatten aufstand und sich so leise wie möglich, um sie nicht aufzuwecken, aus der Wohnung schleichen wollte. Weil Lorelei die Küchentür durch einen amüsant altmodischen, leider auch laut klimpernden Perlenvorhang ersetzt hatte, war an Frühstück nicht zu denken. Er schaffte es gerade bis zur Wohnungstür, als Lorelei verschlafen, traurig und – in einem sehr kurzen Kimono – begehrenswert aus dem dunklen Schlafzimmer trat.

»Wolltest du dich noch nicht mal verabschieden?«

Bitte nicht weinen. Scheiße, fang jetzt bitte nicht an zu weinen.

»Du hast so friedlich geschlafen, und ich muss los. Robin holt mich am …«

»Ach«, sagte Lorelei. »Nein, Robin wollen wir auf keinen Fall warten lassen.«

»Ich ruf dich an.«

An der Haustür meinte er noch, ein Schluchzen zu vernehmen, doch indem er die Tür geräuschvoller als nötig aufriss, konnte er sich glaubhaft einreden, nichts gehört zu haben.

Strike hatte noch genug Zeit, einen Umweg über einen günstig gelegenen McDonald's einzuschlagen und sich dort einen Egg McMuffin und einen großen Kaffee zu gönnen. Er verzehrte beides an einem schmutzigen Tisch inmitten der anderen samstäglichen Frühaufsteher. Direkt vor ihm las ein junger Mann mit einem Furunkel im Genick den *Independent*. Der Detektiv hatte gerade die Worte »Ehe der Sportministerin am Ende« ausgemacht, als der Mann weiterblätterte.

Strike kramte sein Handy hervor, googelte »Winn Ehe« und erhielt sofort mehrere Nachrichtenmeldungen: »Sportministerin verlässt Ehemann: ›einvernehmliche Trennung‹«; »Ehe-Aus für Della Winn«; »Blinde Paralympics-Ministerin will die Scheidung«.

Die Berichte der großen Zeitungen fielen nüchtern und knapp aus, nur gelegentlich fand sich ein Abriss von Della Winns beeindruckender Karriere in und außerhalb der Politik. Da die Geheimhaltungsverfügung noch immer in Kraft war, hatten die Anwälte der Zeitungen, was die Winns anging, sicher zur Vorsicht geraten. Strike verschlang seinen McMuffin mit zwei Bissen, schob sich eine Zigarette zwischen die Lippen und humpelte hinaus auf die Straße. Draußen zündete er sich die Zigarette an und rief die Webseite eines bekannten und für Infamie berüchtigten Politbloggers auf.

Der letzte, kurze Eintrag auf der Seite war erst ein paar Stunden alt.

> Welches gruselige Westminster-Pärchen mit bekannter Vorliebe für junge Mitarbeiter denkt gerüchteweise daran, sich endlich zu trennen? Er verliert damit den Zugang zu den knackigen Politneulingen, denen er so lange nachgestellt hat; sie dagegen scheint schon einen hübschen jungen »Helfer« gefunden zu haben, der sie über den Trennungsschmerz hinwegtröstet.

Vierzig Minuten später hatte Strike die U-Bahn-Haltestelle Barons Court verlassen und lehnte gegen den Briefkasten: eine einsame Gestalt unter der Jugendstilschrift und dem Fachwerkgiebel des altehrwürdigen Bahnhofsgebäudes. Wieder nahm er sein Handy zur Hand und machte sich in Sachen Trennung der Winns schlau. Sie waren über dreißig Jahre lang verheiratet gewesen. Strike kannte nur ein anderes Paar, das so lang durchgehalten hatte: seine Tante und sein Onkel aus Cornwall, die immer dann als Ersatzeltern für ihn und seine Schwester fungiert hatten, wenn Strikes Mutter nicht willens oder imstande gewesen war, sich um die Kinder zu kümmern – was nicht gerade selten vorgekommen war.

Als er ein vertrautes Röhren und Klappern hörte, blickte er auf. Der uralte Land Rover, den Robin von ihren Eltern übernommen hatte, rollte auf ihn zu. Die Freude, die den müden und leicht niedergeschlagenen Strike beim Anblick ihres goldblonden Haarschopfs hinter dem Steuer erfasste, traf ihn gänzlich unerwartet.

»Guten Morgen«, rief Robin, doch erst als Strike die Tür aufzog und seine Reisetasche in den Wagen wuchtete, fiel ihr auf, wie furchtbar er aussah. »Ach, halt die Klappe«, raunte sie leicht verärgert, weil Strike so lang zum Einsteigen brauchte, in Richtung des Fahrers hinter ihr, der auf die Hupe drückte.

»Tut mir leid ... Bein macht wieder Probleme ... Musste mich in aller Eile fertig machen.«

»Kein Thema ... *Du mich auch!*«, keifte sie den Fahrer an, der sich jetzt an ihnen vorbeimanövrierte, dabei wild gestikulierte und unhörbare Verwünschungen ausstieß.

Endlich sank Strike auf den Beifahrersitz, schloss die Tür, und Robin fuhr los.

»War's schwierig wegzukommen?«

»Wie meinst ...«

»Der Reporter.«

»Ach so«, sagte sie. »Nein – der ist weg. Hat wohl aufgegeben.«

Strike fragte sich insgeheim, wie Matthew wohl auf Robins Ankündigung reagiert hatte, den Samstag der Arbeit zu opfern.

»Hast du das von den Winns gehört?«, wollte er wissen.

»Nein, was denn?«

»Sie haben sich getrennt.«

»*Nein!*«

»Doch. Steht überall in den Zeitungen. Hör dir das an ...« Dann las er ihr den an Andeutungen reichen Artikel des Politbloggers vor.

»Meine Güte«, sagte Robin schließlich.

»Gestern Abend hab ich noch ein paar interessante Anrufe erhalten«, sagte Strike, während sie Kurs auf die M4 nahmen.

»Von wem?«

»Einen von Izzy und einen von Barclay. Izzy hat gestern einen Brief von Geraint bekommen.«

»Wirklich?«

»Ja. Er hatte ihn an Chiswell House statt an ihre Londoner Wohnung geschickt. Als sie nach Woolstone kam, lag er dort schon ein paar Tage herum. Sie hat ihn eingescannt und mir gemailt, soll ich vorlesen?«

»Aber sicher«, sagte Robin.

»›Meine hochgeschätzte Isabella ...‹«

»Igitt!« Robin schüttelte sich leicht.

»›Wie Sie sicher verstehen, hielt es weder Della noch ich für angemessen, Sie unmittelbar nach dem tragischen Tod Ihres Vaters zu kontaktieren. Dies wollen wir jetzt in aller Freundschaft und Anteilnahme nachholen ...‹«

»Wenn man darauf extra hinweisen muss ...«

»›Della und ich hatten unsere politischen und persönlichen Differenzen mit Jasper, aber wir haben stets respektiert, wie sehr er an seiner Familie hing. Es muss ein schwerer Verlust für Sie sein. Sie haben sein Büro immer zuvorkommend und effizient geleitet, und wir werden Sie auf unserem kleinen Flur sehr vermissen.‹«

»Er hat sie doch immer geschnitten!«

»Das hat Izzy gestern am Telefon auch gesagt«, pflichtete Strike ihr bei. »Aber warte, du wirst auch erwähnt. ›Es fällt uns schwer zu glauben, dass auch Sie mit den fast sicher illegalen Aktivitäten der jungen Frau zu tun hatten, die sich als ›Venetia‹ ausgegeben hat. Wir halten es für geboten, Sie davon in Kenntnis zu setzen, dass wir zum gegenwärtigen Zeitpunkt nicht ausschließen können, dass sie sich beim fortgesetzten unrechtmäßigen Eindringen in unsere Büroräume Zugang zu vertraulichen Daten verschafft hat.‹«

»Ich habe mir ausschließlich Zugang zur Steckdose verschafft, sonst hat mich da nichts interessiert«, grollte Robin. »Außerdem bin ich nicht ›fortgesetzt‹ eingedrungen, sondern nur dreimal. Das kann man allerhöchstens als ›wiederholt‹ bezeichnen.«

»›Wie Sie wissen, musste auch unsere Familie einen tragischen Selbstmord beklagen. Daher ist uns bewusst, was für eine schwere, schmerzhafte Zeit Sie gerade durchmachen. Anscheinend ist es das Schicksal unserer Familien, stets in den finstersten Stunden aufeinanderzutreffen. Wir sind in Gedanken bei Ihnen und Ihrer Familie, sprechen Ihnen unsere herzlichste Anteilnahme aus‹ et cetera, et cetera.« Strike sah vom Telefon auf.

»Das ist kein Beileidsschreiben«, stellte Robin fest.

»Nein. Das ist eine Drohung. Falls die Chiswells mit all dem, was du über Geraint und die Wohltätigkeitsorganisation herausgefunden hast, an die Öffentlichkeit gehen, wird er es ihnen heimzahlen. Und dafür benutzt er dich.«

Robin fuhr auf den Motorway. »Wann hat er den Brief abgeschickt?«

Strike sah nach. »Vor fünf, nein, sechs Tagen.«

»Klingt nicht so, als hätte er da schon gewusst, dass seine Ehe beendet ist, oder? ›Wir werden Sie auf unserem kleinen Flur sehr vermissen‹ und so weiter? Wenn sich Della von ihm trennt, ist er seinen Job doch auch los, oder nicht?«

»Sollte man meinen«, sagte Strike. »Wie hübsch ist Aamir Mallik deiner Meinung nach?«

»Was?«, fragte Robin erschrocken. »Ach so – der ›junge Helfer‹. Na ja, er sieht ganz okay aus. Zum Model reicht es aber nicht.«

»Das muss er sein. Wie vielen jungen Männern hält sie wohl die Hand und nennt sie ›Süßer‹?«

»Dass er ihr Liebhaber ist, kann ich mir nicht vorstellen.«

»›Männer mit Ihren Vorlieben‹«, zitierte Strike. »Schade, dass du dir die Nummer des Gedichts nicht gemerkt hast.«

»Gibt es denn eins, in dem es um Sex mit älteren Frauen geht?«

»Genau davon handeln ausgerechnet die bekanntesten«, erklärte Strike. »Catull war selbst in eine ältere Frau verliebt.«

»Aamir ist aber nicht verliebt«, sagte Robin. »Du erinnerst dich doch an die Aufzeichnung.«

»Zugegeben, liebestoll hat er da nicht geklungen. Mich würde trotzdem interessieren, was der Grund für die Tiergeräusche ist, die nachts aus seiner Wohnung kommen. Die, über die sich die Nachbarn beschwert haben.«

Strike beugte sich vor und betastete den Stumpf, der schmerzhaft pochte, was nicht zuletzt daran lag, dass er die Prothese in aller Eile und im Dunklen angelegt hatte.

»Macht es dir was aus, wenn ich mal kurz …«

»Nur zu«, sagte Robin.

Strike krempelte das Hosenbein hoch und machte sich daran, die Prothese abzunehmen. Seit er gezwungen gewesen war, sie zwei Wochen lang gar nicht zu tragen, beschwerte sich die Haut am Stumpf über jede noch so geringe Reibung. Er angelte seine E45-Feuchtigkeitscreme aus dem Rucksack und verteilte sie großzügig auf den geröteten Stellen.

»Das hätte ich schon heute Morgen tun sollen«, sagte er entschuldigend.

Nach der Tasche zu schließen hatte Strike bei Lorelei übernachtet. Gegen ihren Willen fragte sich Robin, ob er sich nur deshalb nicht um sein Bein gekümmert hatte, weil er zu beschäftigt mit anderen Vergnügungen gewesen war. Seit ihrem Hochzeitstagsausflug hatte sie mit Matthew keinen Sex mehr gehabt.

»Ich lasse sie mal eine Weile abgeschnallt«, sagte Strike und stellte Prothese und Tasche auf die Rückbank des Land Rovers, die, wie er jetzt erst bemerkte, bis auf eine Thermoskanne mit Karomuster und zwei Plastikbecher leer war. Was für eine Enttäuschung. Früher hatte er sich darauf verlassen können, dass bei längeren Autofahrten immer ein mit Snacks gefüllter Rucksack auf ihn wartete.

»Keine Kekse dabei?«

»Ich dachte, du wolltest abnehmen?«

»Was man im Auto zu sich nimmt, zählt nicht. Das kann dir jeder kompetente Ernährungswissenschaftler bestätigen.«

Robin grinste. »*Kalorien zählen ist Schwachsinn – die Cormoran-Strike-Diät.*«

»*Hunger-Strike – Autofahrten, auf denen ich beinahe verhungert wäre.*«

»Tja, du hättest frühstücken sollen«, sagte Robin und fragte sich zu ihrem Verdruss schon zum zweiten Mal, ob er anderweitig beschäftigt gewesen war.

»Ich habe gefrühstückt. Und jetzt will ich einen Keks.«

»Wenn du so hungrig bist, halten wir eben irgendwo an, dafür ist genug Zeit.«

Robin beschleunigte behutsam, um mehrere langsamere Fahrzeuge zu überholen. Die Ruhe und Behaglichkeit, die

Strike verspürte, war nicht ausschließlich seiner halbwegs geglückten Flucht aus Loreleis Wohnung mit ihrer kitschigen Einrichtung und der liebeskranken Bewohnerin zuzuschreiben. Allein die Tatsache, dass er während der Fahrt die Prothese abnehmen und dasitzen konnte, ohne vor Nervosität alle Muskeln anzuspannen, war äußerst ungewöhnlich. Nach der Explosion, bei der ihm der Fuß abgerissen worden war, hatte er sich nur unter großen Mühen dazu überwinden können, in jedwedes Fahrzeug zu steigen, in dem jemand anders als er selbst am Steuer saß. Überdies hegte er eine geheime, aber tief sitzende Abneigung gegen Frauen am Steuer – ein Vorurteil, das er zum Großteil auf diverse nervenaufreibende Vorfälle mit seiner weiblichen Verwandtschaft zurückführte. Doch es lag nicht allein an Robins fahrerischer Kompetenz, dass ihm das Herz leicht geworden war, als er am Morgen den Land Rover erblickt hatte. Während er den Blick auf die Straße gerichtet hielt, überkam ihn erneut eine in Freude und Schmerz gleichermaßen intensive Erinnerung: Wieder schien er den Duft der weißen Rosen zu riechen und Robin bei ihrer Hochzeit auf der Treppe im Arm zu halten, wieder spürte er im heißen, staubigen Dunst auf dem Krankenhausparkplatz ihre Lippen auf seinen.

»Gibst du mir mal meine Sonnenbrille?«, bat Robin ihn. »Sie steckt in meiner Tasche.«

Er tat wie geheißen. »Tee?«

»Später«, sagte Robin. »Aber bedien dich ruhig.«

Er griff nach der Thermoskanne auf dem Rücksitz und schenkte sich einen Becher voll ein. Der Tee war genau, wie er ihn mochte.

»Ich hab Izzy gestern Abend noch zu Chiswells Testament befragt«, sagte Strike.

»Hatte er viel zu vererben?«, fragte Robin, die noch genau vor sich sah, wie schäbig das Haus an der Ebury Street eingerichtet gewesen war.

»Viel weniger, als man vermuten könnte«, sagte Strike und nahm das Notizbuch heraus, in dem alles stand, was Izzy ihm erzählt hatte.

»Wie es aussieht, hatte Chiswells Vater sein Vermögen für Frauen und Pferde ausgegeben. Dann kam die Scheidung von Chiswell und Lady Patricia – eine ziemlich hässliche Angelegenheit. Sie stammt aus reichem Hause und konnte sich die besseren Anwälte leisten. Izzy und ihre Geschwister sind durch die Familie mütterlicherseits gut versorgt ... ein Treuhandfonds. Was auch Izzys schicke Bude in Chelsea erklärt. Raphaels Mutter hingegen bezieht seither so hohe Unterhaltszahlungen, dass die allein Chiswell fast das Genick gebrochen hätten. Dann hat er auch noch das bisschen versenkt, was er noch hatte, und zwar auf Anraten seines Schwiegersohns, eines Börsenmaklers für Hochrisikoanlagen. ›Torks‹ hat deshalb wohl ein ziemlich schlechtes Gewissen, also wäre es besser, wenn wir das heute nicht erwähnten. Jedenfalls hat die Finanzkrise 2008 Chiswell mehr oder weniger ruiniert. Dann hat er versucht, Erbschaftssteuern zu umgehen – kurz nachdem sich sein Vermögen so gut wie in Wohlgefallen aufgelöst hatte, ließ er mehrere wertvolle Familienerbstücke sowie Chiswell House seinem ältesten Enkel überschreiben ...«

»Pringle«, warf Robin ein.

»Was?«

»Pringle. So nennen sie ihn. Fizzy hat drei Kinder«, führte Robin aus. »Izzy hat mir pausenlos von ihnen erzählt: Pringle, Flopsy und Pong.«

»Herr im Himmel«, murmelte Strike. »Ermitteln wir jetzt für die Teletubbies?«

Robin lachte.

»Chiswell hat außerdem versucht, sich zu sanieren, indem er Teile des Grundstücks um Chiswell House und Gegenstände von weniger sentimentalem Wert verkaufte. Und er hat eine zweite Hypothek auf das Haus an der Ebury Street aufgenommen.«

»Also leben Kinvara und ihre vielen Pferde auf dem Anwesen ihres Stiefenkels?«, hakte Robin nach und schaltete runter, um einen Lieferwagen zu überholen.

»Genau. Chiswell hat seinem Testament eine Willenserklärung beigefügt, in der er verfügt, dass Kinvara in Chiswell House wohnen bleiben darf, bis sie stirbt oder erneut heiratet. Wie alt ist dieser Pringle?«

»So ungefähr zehn, glaube ich.«

»Tja, mal sehen, ob die Hinterbliebenen Chiswells letzten Wunsch erfüllen. Immerhin glaubt mindestens eine Erbin, Kinvara hätte ihn umgebracht. Die Frage, ob Kinvara das Geld für den Unterhalt des Anwesens aufbringen kann, erübrigt sich wohl. Izzy hat gestern Abend erzählt, dass sie und ihre Schwester jeweils fünfzigtausend erben. Die Enkel erhalten jeweils zehntausend. Also muss sich Kinvara mit dem zufriedengeben, was nach dem Verkauf des Hauses an der Ebury Street und seiner anderen Habseligkeiten übrig bleibt – minus die wertvollen Sachen, die bereits dem Enkel überschrieben wurden. Mehr oder weniger hat sie nur den wertlosen Krempel und sämtliche Geschenke geerbt, die er ihr im Lauf ihrer Ehe gemacht hat.«

»Und Raphael geht leer aus?«

»Der muss dir nicht leidtun. Izzy zufolge finanziert seine glamouröse Mutter ihren Lebensstil dadurch, dass sie reichen Männern das Geld aus der Tasche zieht. Er wird eines Tages eine Wohnung in Chelsea von ihr erben. Das alles legt nicht gerade nahe, dass Chiswell wegen seines Geldes umgebracht wurde«, schlussfolgerte Strike. »Verdammt, wie heißt die *andere* Schwester gleich wieder? Ich kann sie auf keinen Fall Fizzy nennen.«

»Sophia«, antwortete Robin belustigt.

»Richtig. Sie können wir ebenfalls ausschließen. Als ihr Vater starb, war sie in Northumberland und hat sich für *Riding for the Disabled* als Reitlehrerin für Behinderte ausbilden lassen – das hab ich nachgeprüft. Raphael hatte nichts vom Tod seines Vaters, und Izzy glaubt, dass er das auch wusste. Trotzdem müssen wir das überprüfen. Izzy war, in ihren eigenen Worten, ›leicht angesäuselt‹, sodass sie sich am Morgen nach dem Empfang in Lancaster House leicht unwohl fühlte. Ihre Nachbarin kann bezeugen, dass sie zum Zeitpunkt, als ihr Vater gestorben ist, im gemeinsamen Innenhof saß und Tee getrunken hat. Klang ziemlich glaubwürdig.«

»Womit Kinvara übrig bliebe«, sagte Robin.

»Stimmt. Wenn Chiswell ihr schon nicht verraten wollte, dass er einen Privatdetektiv engagiert hat, dann war er unter Umständen auch nicht ganz ehrlich, was die finanzielle Situation der Familie anging. Gut möglich, dass sie sich weit mehr erwartet hat als das, was sie am Ende bekommt, aber ...«

»Sie hat das beste Alibi der Familie«, wandte Robin ein.

»Korrekt.«

Nach Windsor und Maidenhead ließen sie die eindeutig von menschlicher Hand angelegten Böschungen entlang des Motorway hinter sich. Nun war die Fahrbahn von großen Bäumen gesäumt – Bäumen, die älter als die Straße waren, für die ihre Kameraden hatten weichen müssen.

»Barclay hatte ebenfalls Interessantes zu berichten«, fuhr Strike fort und blätterte ein paar Seiten weiter. »Anscheinend hat Knight seit Chiswells Tod schlechte Laune, will Barclay aber nicht erzählen, warum. Am Mittwochabend hat er Flick damit aufgezogen, dass ihre Mitbewohnerin zu Recht gelegentlich kleinbürgerliche Anwandlungen bei ihr vermutet. Macht's dir was aus, wenn ich rauche? Ich kurble auch das Fenster runter.«

Im Fahrtwind tränten seine Augen, trotzdem war es erfrischend. Zwischen den Zügen hielt Strike die Zigarette aus dem Fenster.

»Flick ist richtig sauer geworden. Sie meinte, sie habe ›diese Drecksarbeit für dich gemacht‹ und dass es nicht ihre Schuld sei, dass er die vierzigtausend nicht bekommen habe, woraufhin Jimmy – O-Ton Barclay – ›völlig ausgerastet‹ ist. Flick ist wutschnaubend abgedampft, und am Donnerstagmorgen hat Jimmy Barclay per SMS mitgeteilt, dass er in seinen Geburtsort fährt, um seinen Bruder zu besuchen.«

»Billy ist in Woolstone?«, fragte Robin verblüfft. Der jüngere der Brüder Knight war, wie ihr jetzt dämmerte, beinahe zu so etwas wie einem Fabelwesen für sie geworden.

»Vielleicht hat Jimmy ihn auch nur als Vorwand benutzt. Wer weiß, wo er wirklich hin ist ... Aber wie dem auch sei – Jimmy und Flick sind gestern Abend wieder in trautester Zweisamkeit im Pub aufgetaucht. Barclay glaubt, dass sie sich wohl übers Telefon wieder versöhnt haben und dass sie sich in den beiden Tagen, in denen er unterwegs war, einen schönen, nicht kleinbürgerlichen Job gesucht hat.«

»Gute Arbeit«, sagte Robin.

»Gefällt's dir hinter einer Ladentheke?«

»Das hab ich in meiner Jugend eine Zeit lang gemacht«, sagte Robin. »Wieso?«

»Flick arbeitet in Teilzeit im Schmuckladen einer – wie sich Barclay ausdrückt – ›verrückten Wicca-Tante‹. Anscheinend wollte den Job sonst niemand haben: Mindestlohn und eine komplett durchgeknallte Chefin.«

»Würden sie mich denn nicht erkennen?«

»Knight und seine Truppe haben dich noch nie in natura gesehen. Wenn du irgendwas Schräges mit deinen Haaren anstellst und die farbigen Kontaktlinsen wieder rausholst ... Irgendwie habe ich das Gefühl«, sagte Strike und nahm einen tiefen Zug von seiner Zigarette, »dass Flick eine Menge zu verbergen hat. Woher hätte sie sonst gewusst, womit sie Chiswell erpressen konnten? Jimmy hatte es von ihr, vergiss das nicht. Merkwürdig ...«

»Moment«, sagte Robin. »Was?«

»Ja, das hat sie gesagt, als ich ihnen bei der Demo gefolgt bin«, sagte Strike. »Hab ich dir das nicht erzählt?«

»Nein.«

Erst jetzt fiel Strike wieder ein, dass er die Woche nach dem Protestmarsch mit hochgelegtem Bein bei Lorelei verbracht hatte und immer noch so wütend gewesen war, weil Robin die Arbeit verweigert hatte, dass er nur das Nötigste mit ihr besprochen hatte. Im Krankenhaus war er dann zu abgelenkt und besorgt gewesen, um derlei Informationen in seiner gewohnt methodischen Art weiterzugeben.

»Entschuldige«, sagte er. »Das war in der Woche nach ...«

»Schon gut«, fiel sie ihm ins Wort. Auch sie vermied es nach Möglichkeit, über das Wochenende der Demonstration zu sprechen. »Was genau hat sie gesagt?«

»Dass er ohne sie nicht mal wüsste, was Chiswell getan hat.«

»Seltsam«, sagte Robin. »Dabei ist er doch derjenige, der mit den Chiswells aufgewachsen ist.«

»Womit immer sie ihn erpresst haben, liegt allerdings erst sechs Jahre zurück. Da war Jimmy schon lang von zu Hause ausgezogen«, rief ihr Strike in Erinnerung. »Wenn du mich fragst, ist Jimmy nur deshalb noch mit Flick zusammen, weil sie zu viel weiß. Er hat Angst, dass sie plaudert, wenn er mit ihr Schluss macht. Sobald du was Brauchbares aus ihr rausgekitzelt hast, kannst du ja so tun, als wäre Ohrringe zu verkaufen nicht so dein Ding. Aber nach dem Zustand ihrer Beziehung zu urteilen könnte Flick glatt in der Stimmung sein, einer mitfühlenden Fremden ihr Herz auszuschütten. Oder hast du etwa vergessen«, sagte er, warf die Kippe aus dem Fenster und kurbelte es wieder hoch, »dass sie Jimmys Alibi für die Tatzeit ist?«

»Das hab ich ganz bestimmt nicht vergessen«, sagte Robin, der es bei der Vorstellung, wieder undercover zu arbeiten, ganz kribbelig wurde.

Was Matthew wohl sagen würde, wenn sie sich das Haar an den Seiten abrasierte oder blau färbte? Dass sie den Samstag mit Strike verbringen würde, war auf keinen nennenswerten Widerstand gestoßen. Durch die langen Tage des faktischen Hausarrests und ihr Mitleid nach seinem Streit mit Tom schien sie bei ihm wohl etwas gutgehabt zu haben.

Kurz nach halb elf fuhren sie vom Motorway ab und bogen auf eine Landstraße ein, die sich in das Tal hinabschlängelte, in das sich das kleine Städtchen Woolstone schmiegte. Robin hielt neben einer hohen Klematishecke an, damit Strike die Prothese wieder anlegen konnte. Als Robin die Sonnenbrille zurück in die Handtasche schob, sah sie, dass Matthew ihr bereits vor zwei Stunden zwei SMS geschrieben hatte. Wahrscheinlich hatte das Klappern des Land Rovers das Piepsen des Handys übertönt.

Die erste Nachricht lautete:

Den ganzen Tag. Und Tom?)

Die zweite hatte er zehn Minuten später geschickt:

SMS war nicht für dich. Arbeit.

»Scheiße«, sagte Strike, während sie die Nachrichten zum zweiten Mal las. Er hatte die Prothese bereits wieder angelegt und durchs Fenster etwas entdeckt, was sie nicht sehen konnte.
»Was?«
»Sieh dir das an.«

Strike deutete den Hügel hinauf, den sie gerade hinuntergefahren waren. Robin musste den Kopf einziehen, damit sie es ebenfalls sehen konnte.

Über dem Hang war ein gewaltiges prähistorisches Scharrbild erkennbar, das Robin im ersten Moment an einen stilisierten Leoparden erinnerte. Doch bis Strike sie darauf hinwies, worum es sich dabei handelte, war der Groschen bereits gefallen.

»›Oben beim Pferd‹«, sagte Strike. »›Er hat das Kind erwürgt, oben beim Pferd.‹«

42

In einer Familie, da ist immer etwas, das quer geht.

HENRIK IBSEN, *ROSMERSHOLM*

Ein Holzschild, von dem die Farbe abblätterte, wies ihnen den Weg nach Chiswell House. Die überwucherte und mit Schlaglöchern übersäte Einfahrt wurde zur Linken von einem dichten Wald und zur Rechten von einer mit Elektrozäunen in einzelne Koppeln unterteilten Weide gesäumt, auf der mehrere Pferde grasten. Der Land Rover rumpelte und polterte auf das immer noch nicht sichtbare Anwesen zu, als zwei der größeren Pferde, aufgeschreckt durch das unbekannte, laute Fahrzeug, die Flucht ergriffen. Was folgte, war eine Kettenreaktion: Während auch ihre Kameraden in den Galopp verfielen, keilten die ersten beiden Pferde im Lauf gegeneinander aus.

»Wow«, sagte Robin, während der Land Rover über den unebenen Boden holperte. »Sie stellt zwei Hengste auf eine Koppel.«

»Das ist nicht gut, oder?«, fragte Strike. Ein pechschwarzer Hengst ging mit Zähnen und Hinterbeinen auf ein zweites großes Tier los, das der Detektiv als braun bezeichnet hätte. Er zweifelte allerdings nicht daran, dass in Pferdekennerkreisen für derlei Fellfarben weitaus ausgesuchtere Begriffe gebräuchlich waren.

»Zumindest ist es eher unüblich«, sagte Robin und zuckte zusammen, als die Hinterhand des schwarzen Hengstes in die Flanke seines Artgenossen krachte.

Sie bogen um eine Ecke, und die schmucklose Fassade eines neoklassizistischen Gebäudes aus schmutzig gelbem Stein tauchte vor ihnen auf. Genau wie auf der Auffahrt war der Schotter des Vorplatzes uneben und mit Unkraut bewachsen. Die Fenster waren verdreckt, und ein großer Sack Pferdefutter lag ziemlich unpassend neben der Eingangstür. Neben dem Haus parkten bereits drei Autos: ein roter Audi Q3, ein Range Rover in Racing Green und ein alter, schlammbespritzter Grand Vitara. Rechts neben dem Haupthaus befanden sich die Ställe, links ein Krocket-Rasen, der schon vor langer Zeit Opfer der Gänseblümchen geworden war. Hinter dem Anwesen schloss sich weiterer dichter Wald an.

Sobald Robin anhielt, schossen ein übergewichtiger schwarzer Labrador und ein drahthaariger Terrier wild kläffend aus der Eingangstür. Der Labrador schien darauf erpicht zu sein, neue Freundschaften zu schließen, während der Norfolk Terrier, dessen Kopf an einen bösartigen Affen erinnerte, bellte und knurrte, bis ein blonder Mann in gestreiftem Hemd und senffarbener Cordhose in der Tür erschien.

»RATTENBURY, AUS!«

Das Bellen des eingeschüchterten Hundes ging in ein tiefes, ausschließlich gegen Strike gerichtetes Knurren über.

»Torquil D'Amery«, sagte der Mann affektiert und ging mit ausgestreckter Hand auf Strike zu. Unter seinen Augen hingen dicke Tränensäcke, und sein glänzend rosiges Gesicht sah aus, als hätte es niemals eine Rasur nötig. »Beachten Sie den Hund einfach nicht. Er ist eine echte Plage.«

»Cormoran Strike. Und das ist ...«

Robin wollte ihm gerade die Hand schütteln, als Kinvara aus dem Haus stürmte. Sie trug eine alte Reiterhose und ein verwaschenes T-Shirt. Das offene rote Haar war völlig durcheinander.

»Himmelherrgottnochmal! Haben Sie denn gar keine Ahnung von Pferden?«, kreischte sie Strike und Robin an. »Wie konnten Sie so schnell fahren?«

»Setz dir lieber einen Helm auf, bevor du da reingehst«, rief Torquil der davonmarschierenden Kinvara hinterher. Falls sie ihn gehört hatte, ließ sie es sich nicht anmerken. »Sie trifft keine Schuld«, versicherte er Strike und Robin und verdrehte die Augen. »Ohne einen gewissen Schwung bleibt man ja in einem dieser verdammten Schlaglöcher stecken, haha. Wenn ich bitten darf ... Oh, da ist Izzy.«

Izzy trat in einem marineblauen Hemdkleid und mit dem Saphirkreuz um den Hals aus dem Haus. Zu Robins leichter Verblüffung umarmte sie Strike, als wäre der ein alter Freund, der gekommen war, um sein Beileid auszusprechen.

»Hallo, Izzy«, sagte er und trat einen halben Schritt zurück. »Robin kennst du ja bereits.«

»Aber ja. Ich muss mich nur erst daran gewöhnen, dich ›Robin‹ zu nennen«, sagte Izzy lächelnd und hauchte Robin Küsschen auf beide Wangen. »Nimm's mir nicht übel, wenn ich doch mal Venetia zu dir sage – das wird früher oder später bestimmt passieren. Habt ihr das von den Winns gehört?«, fragte sie, ohne zwischendurch Luft zu holen.

Sie nickten.

»Dieser grässliche, *grässliche* kleine Mann«, sagte Izzy. »Zum Glück hat Della ihn endlich zum Teufel gejagt. Wie dem auch sei, kommt rein ... Wo ist Kinvara?«, fragte sie ihren Schwager, während sie Robin und Strike ins Haus führte, das ihnen, da es draußen so hell gewesen war, schlagartig düster vorkam.

»Die verfluchten Pferde sind wieder ausgeflippt«, rief Torquil ihr über das neuerliche Bellen des Norfolk Terriers hinweg zu. »Nein, Rattenbury! Verpiss dich! Du bleibst draußen.«

Er schlug dem Terrier die Tür vor der Nase zu. Dieser begann umgehend zu winseln und daran zu kratzen. Der Labrador dagegen trottete gemächlich hinter Izzy her durch einen unordentlichen Eingangsbereich mit breiter Steintreppe und in einen Salon zur Rechten.

Hinter den hohen Fenstern waren der Krocket-Rasen und der Wald dahinter zu sehen. Als sie den Raum betraten, liefen gerade drei weißblonde Kinder laut schreiend über das ungemähte Gras. Die Moderne schien spurlos an ihnen vorübergegangen zu sein – ihre Kleidung und die Frisuren hätten genauso gut aus den Vierzigerjahren stammen können.

»Das sind Torquils und Fizzys Kinder«, sagte Izzy liebevoll.

»Schuldig im Sinne der Anklage«, sagte Torquil stolz. »Meine Frau ist oben. Ich hole sie.«

Als sich Robin vom Fenster abwandte, stieg ihr ein starker, berauschender Duft in die Nase, bei dem sie sich intuitiv unwohl fühlte. Dann fiel ihr Blick auf eine Vase mit Stargazer-Lilien auf einem Tisch hinter dem Sofa. Die Blüten harmonierten perfekt mit den ausgeblichenen, einst purpurroten, inzwischen blassrosa Vorhängen und der ausgefransten Stofftapete an den Wänden. Zwei dunkelrote Rechtecke markierten die Stellen, an denen früher Bilder gehangen hatten. Alles hier wirkte verschlissen und abgewohnt. Über dem Kaminsims hing eines der wenigen verbliebenen Gemälde. Es zeigte ein aufgestalltes Pferd mit braun-weiß geschecktem Fell, das mit den Nüstern ein blütenweißes, im Stroh liegendes Fohlen berührte.

Unter dem Gemälde, mit dem Rücken zum Kamin und den Händen in den Jeanstaschen, stand Raphael so reglos da, dass sie ihn zunächst nicht einmal bemerkt hatten. Im Kontrast zu dem ungemein englischen Raum mit den ausgeblichenen Gobelinkissen, dem kleinen Stapel aufgetürmter Gartenbücher auf einem Beistelltischchen und der angeschlagenen Chinoiserielampe wirkte er italienischer denn je.

»Hi, Raff«, sagte Robin.

»Hallo, Robin«, sagte er, ohne zu lächeln.

»Raff, das ist Cormoran Strike«, sagte Izzy. Da sich Raphael nicht rührte, trat Strike auf ihn zu und hielt ihm die Hand hin. Raphael schüttelte sie nach kurzem Zögern, ließ dann aber seine Hand sofort wieder in der Jeanstasche verschwinden.

»Also gut ... Fizz und ich haben uns gerade über Winn unterhalten«, sagte Izzy, die die kürzlich erfolgte Trennung der Winns sehr zu beschäftigen schien. »Ich hoffe bei Gott, dass er seine Klappe hält. Jetzt, da Papa tot ist, könnte er doch theoretisch ungestraft über ihn herumerzählen, was er will, oder nicht?«

»Angesichts dessen, was du über ihn weißt, wird er das nicht wagen«, sagte Strike.

Sie warf ihm einen dankbaren Blick zu. »Da hast du natürlich recht, und das haben wir dir zu verdanken ... und Venetia ... Robin, meine ich«, fügte sie schnell hinzu.

»Torks, ich bin hier unten!«, rief eine Frau von irgendwo außerhalb des Raumes. Dann betrat sie – unverkennbar Izzys ältere Schwester – mit einem vollgestellten Tablett den Salon. Ihr sommersprossiges Gesicht war wettergegerbt, silberne Strähnen durchzogen das blonde Haar, und ihr gestreiftes Hemd war dem ihres Ehemannes sehr ähnlich, nur dass sie ihres mit Perlenschmuck kombiniert hatte. »TORKS!«, brüllte sie gegen die Zimmerdecke, sodass Robin zusammenzuckte. »ICH BIN HIER UNTEN!«

Sie stellte das Tablett unter großem Geklapper auf einer mit Gobelinstickereien verzierten Ottomane vor dem Kamin ab.

»Hi, ich bin Fizzy ... Wo ist Kinvara hin?«

»Die ist bei den Pferden.« Izzy umrundete das Sofa und setzte sich. »Wahrscheinlich ein Vorwand, um nicht hierbleiben zu müssen. Nehmt doch Platz.«

Strike und Robin ließen sich auf zwei durchgesessenen Sesseln nieder, die nebeneinander und im rechten Winkel zum Sofa standen. Die Federn waren über Jahrzehnte ausgeleiert. Robin spürte, wie Raphael sie beobachtete.

»Sind Sie ein Bekannter von Charlie Campbell?«, fragte Fizzy Strike, während sie allen Tee eingoss.

»Stimmt«, sagte Strike.

»Sie Glücklicher«, sagte Torquil, der den Raum gerade erst wieder betreten hatte.

Strike beschloss, die Bemerkung zu ignorieren.

»Dann kennen Sie auch Jonty Peters?«, fuhr Fizzy fort. »Ebenfalls ein Freund der Campbells. Er war bei der Polizei oder so ... Nein, Badger, die sind nicht für dich! Torks, was hat Jonty Peters noch mal gemacht?«

»Amtsrichter«, sagte Torquil prompt.

»Ach, richtig, Amtsrichter«, sagte Fizzy. »Kennen Sie Jonty auch?«

»Leider nicht«, sagte Strike.

»Er war mit dieser reizenden Frau verheiratet – wie hieß sie gleich wieder? Annabel. Sie hat sich wahnsinnig bei *Save the Children* engagiert. Der Verdienstorden letztes Jahr war mehr als verdient. Ach, aber wenn Sie die Campbells kennen, kennen Sie doch sicher auch Rory Moncrieff?«

»Ich glaube nicht«, antwortete Strike geduldig. Was Fizzy wohl sagen würde, wenn er ihr erzählte, dass ihn die Campbells so weit wie möglich von ihrem Familien- und Freundeskreis ferngehalten hatten? Wahrscheinlich hätte sie auch das nicht weiter gestört. *Oh, dann haben Sie doch sicher Basil Plumley kennengelernt? Den haben sie auch wie einen Paria behandelt. Ein gewalttätiger Alkoholiker, aber seine Frau hat für den Hundeschutzbund den Kilimandscharo bestiegen ...*

Torquil schob den fetten Labrador außer Reichweite der Kekse. Das Tier trottete in eine Ecke, legte sich hin und fing an zu dösen. Fizzy setzte sich zwischen ihren Mann und Izzy aufs Sofa.

»Ich weiß wirklich nicht, ob Kinvara noch dazukommt«, sagte Izzy. »Fangen wir doch schon mal an.«

Als Erstes wollte Strike wissen, ob die Polizei die Familie schon über den weiteren Verlauf der Ermittlungen informiert hatte. Während des darauffolgenden kurzen Schweigens hallte das entfernte Kreischen der Kinder über den Rasen.

»Viel mehr als das, was wir dir schon erzählt haben, wissen wir nicht«, sagte Izzy. »Aber ich glaube, uns allen ist klar, dass die Polizei von einem Selbstmord ausgeht. Oder etwa nicht?« Sie sah sich unter den anderen Familienmitgliedern um. »Andererseits fühlen sie sich wohl verpflichtet, so gründlich wie möglich zu ermitteln ...«

»Kein Wunder bei seiner Position«, fiel ihr Torquil ins Wort. »Selbstverständlich forscht man bei einem Minister genauer nach als beim kleinen Mann von der Straße. Das wissen Sie doch auch, Cormoran«, sagte er bedeutungsschwer und verlagerte sein Gewicht auf dem Sofa. »Mädels, so leid es mir tut, es auszusprechen, aber ich persönlich bin der Meinung, dass es Selbstmord war. Eine schreckliche Vorstellung, ich weiß, und ich habe vollstes Verständnis dafür, dass man Sie hinzugezogen hat«, versicherte er Strike. »Wenn die Mädels so ruhiger schlafen können, soll es mir recht sein. Aber der ... äh ... männliche Teil der Familie – oder, Raff? – glaubt nun mal, dass mein Schwiegervater, na ja ... einfach nicht mehr konnte. So etwas kommt vor. Anscheinend war er nicht ganz bei Sinnen. Oder, Raff?«, wiederholte Torquil.

Raphael, dem diese implizite Aufforderung gar nicht zu schmecken schien, wandte sich direkt an Strike.

»Mein Vater hat sich in den letzten Wochen tatsächlich seltsam verhalten. Damals wusste ich noch nicht, weshalb. Niemand hat mir gesagt, dass er erpr...«

»Darüber wollen wir nicht sprechen«, fiel ihm Torquil ins Wort. »Darauf haben wir uns geeinigt. Familienbeschluss.«

»Cormoran, ich weiß, du willst wissen, womit man Papa erpresst hat ...«, begann Izzy vorsichtig.

»Jasper hat gegen kein Gesetz verstoßen«, sagte Torquil bestimmt. »Schluss, aus, Ende.« Dann wandte er sich an Strike. »Ich zweifle nicht an Ihrer Verschwiegenheit, aber solche Dinge kommen immer ans Licht, immer. Wir wollen nicht, dass die Medien noch mal über uns herfallen. Da sind wir uns doch einig, oder?«, fragte er seine Frau.

»Ich schätze schon«, sagte Fizzy, die sichtlich mit sich rang. »Nein, natürlich wollen wir das nicht in den Zeitungen lesen müssen. Aber Jimmy Knight hatte gute Gründe dafür, Papa schaden zu wollen. Torks, ich glaube, so viel sollte Cormoran dann doch erfahren, oder nicht? Hast du gewusst, dass er in dieser Woche hier in Woolstone war?«

»Nein«, sagte Torquil. »Das ist mir neu.«

»Mrs. Ankill hat ihn getroffen«, sagte Fizzy. »Er hat sie gefragt, ob sie seinen Bruder gesehen hat.«

»Der arme kleine Billy«, murmelte Izzy. »Er war nicht ganz richtig im Kopf. Na ja, kein Wunder, wenn man bei Jack o'Kent aufwächst, oder? Papa war vor Jahren mal abends mit den Hunden draußen«, erzählte sie Strike und Robin. »Und da hat er gesehen, wie Jack Billy *getreten* hat. Er hat ihn *quer durch den Garten* getreten! Und der Junge war nackt! Jack o'Kent hat natürlich sofort aufgehört, als er Papa bemerkt hat.«

Auf die Idee, die Polizei oder das Jugendamt von dem Vorfall zu unterrichten, schien weder Izzy noch ihr Vater gekommen zu sein, als wären Jack o'Kent und sein Sohn wilde Kreaturen des Waldes, die sich leider so verhielten, wie es derlei Kreaturen nun mal taten.

»Je weniger wir über Jack o'Kent reden, umso besser«, sagte Torquil. »Fizz, du meintest, dass Jimmy Grund dazu hatte, deinem Vater zu schaden. Aber eigentlich wollte er doch nur Geld, und deinen Vater umzubringen hätte doch wohl kaum ...«

»Trotzdem war er wütend auf Papa«, beharrte Fizzy. »Irgendwann hat er begriffen, dass Papa nicht bezahlen würde, und da hat er rotgesehen. Der war schon als Teenager ein echter Satansbraten«, verriet sie Strike. »Kam früh mit linksextremen Gruppen in Berührung, hing immer mit den Butcher-Brüdern unten im Pub rum und hat herumerzählt, die gerechte Strafe für sämtliche Tories sei Hängen, Ausweiden und Vierteilen. Er hat den *Socialist Worker* verkauft ...«

Fizzy warf ihrer jüngeren Schwester einen Seitenblick zu, die diesen für Strikes Geschmack etwas zu geflissentlich übersah.

»Er hat immer nur Ärger gemacht«, warf Fizzy ein. »Bei den Mädels stand er hoch im Kurs, aber ...«

Die Tür zum Salon wurde aufgerissen, und zur sichtlichen Überraschung der Familie marschierte die rotgesichtige und aufgeregte Kinvara wieder herein. Strike hatte einige Mühe, sich aus dem durchgesessenen Sessel zu befreien, aber sobald er stand, hielt er ihr die Hand hin.

»Cormoran Strike. Wie geht es Ihnen?«

Kinvara sah aus, als hätte sie seine freundliche Begrüßung am liebsten ignoriert, ließ sich dann aber doch dazu herab, ihm die Hand zu schütteln. Torquil stellte einen Stuhl neben die Ottomane, Fizzy schenkte noch eine Tasse Tee ein.

»Alles klar mit den Pferden?«, fragte Torquil fröhlich.

»Mystic hat Romano so heftig gebissen, dass ich mal wieder den Tierarzt rufen musste«, sagte sie und warf Robin einen vernichtenden Blick zu. »Er regt sich immer furchtbar auf, wenn jemand zu schnell die Auffahrt raufprescht. Aber sonst geht's ihm gut.«

»Kinvara, ich weiß wirklich nicht, warum du die Hengste unbedingt zusammen halten musst«, sagte Fizzy.

»Dass Hengste nicht miteinander auskommen, ist ein Mythos«, blaffte Kinvara. »In freier Wildbahn sind Junggesellenherden etwas völlig Normales. Einer Schweizer Studie zufolge leben sie friedlich zusammen, sobald die Rangordnung festgelegt ist«, verkündete sie in dogmatischem, fast schon fanatischem Tonfall.

»Wir haben gerade mit Cormoran über Jimmy Knight gesprochen«, erklärte Fizzy.

»Ich dachte, wir hätten uns darauf geeinigt, dass …«

»Nicht über die Erpressung«, sagte Torquil schnell. »Sondern darüber, was er als Jugendlicher für einen Ärger gemacht hat.«

»Ach so«, sagte Kinvara. »Verstehe.«

»Ihre Stieftochter hat die Befürchtung geäußert, er könnte etwas mit dem Tod Ihres Mannes zu tun haben«, sagte Strike und ließ sie dabei nicht aus den Augen.

»Ich weiß«, sagte Kinvara scheinbar gleichgültig und sah zu Raphael, der sich von seinem Platz vor dem Kamin entfernt hatte, um sich die Schachtel Marlboro Lights zu holen, die neben einer Tischlampe lag. »Ich kannte Jimmy Knight nicht. Ich hab ihn zum ersten Mal vor einem Jahr gesehen, als er vor der Tür stand und mit Jasper reden wollte. Raphael, unter der Zeitschrift ist ein Aschenbecher.«

Ihr Stiefsohn zündete sich eine Zigarette an, griff sich den Aschenbecher, stellte ihn auf den Tisch neben Robin und nahm dann wieder seinen Platz vor dem Kamin ein.

»Damit fing die Erpressung an«, fuhr Kinvara fort. »Jasper war an dem Abend nicht da, also hat Jimmy mit mir geredet. Als ich es Jasper später erzählte, wurde er fuchsteufelswild.«

Strike wartete einfach nur ab. Anscheinend war er nicht der Einzige, der damit rechnete, dass sie gleich gegen die Omertà verstoßen würde, die sich die Familie auferlegt hatte, und Strike brühwarm erzählte, was Jimmy von ihr gewollt hatte. Doch sie riss sich am Riemen, woraufhin Strike sein Notizbuch hervorholte.

»Dürfte ich Ihnen vielleicht ein paar Routinefragen stellen? Wahrscheinlich wollte das die Polizei auch schon alles wissen, aber ich müsste noch ein paar Punkte klären, wenn Sie nichts dagegen hätten. Wie viele Schlüssel gibt es zum Haus in der Ebury Street?«

»Drei, soweit *ich* weiß«, sagte Kinvara. Der Betonung nach zu urteilen verdächtigte sie die anderen Familienmitglieder anscheinend, weitere Schlüssel vor ihr zu verbergen.

»Und wer war im Besitz dieser Schlüssel?«, fragte Strike.

»Jasper hatte natürlich einen«, sagte sie, »ich hatte einen, und den Reserveschlüssel hat er der Putzfrau gegeben.«

»Wie heißt diese Putzfrau?«

»Keine Ahnung. Jasper hat sie ein paar Wochen vor ... vor seinem Tod entlassen.«

»Weshalb?«

»Wenn Sie es unbedingt wissen müssen: Wir waren gezwungen, den Gürtel enger zu schnallen. Deshalb.«

»Kam sie über eine Reinigungsfirma?«

»Aber nein. In solchen Sachen war Jasper sehr altmodisch. Er hat eine Anzeige in einem Geschäft in der Nähe aufgehängt. Ich glaube, sie war Rumänin oder Polin oder so.«

»Haben Sie ihren Namen und ihre Adresse?«

»Nein. Jasper hat sie eingestellt und auch wieder gefeuert. Ich hab sie kein einziges Mal zu Gesicht bekommen.«

»Was ist mit ihrem Schlüssel passiert?«

»Der lag erst in der Küchenschublade in der Ebury Street, aber irgendwann hat Jasper ihn mit zur Arbeit genommen und in seinen Büroschreibtisch gesperrt. Das haben wir allerdings erst nach seinem Tod erfahren«, sagte sie. »Das Ministerium hat ihn uns mit seinem übrigen Privateigentum zukommen lassen.«

»Merkwürdig«, sagte Strike. »Kann sich jemand einen Reim darauf machen, weshalb er das getan hat?«

Alle wirkten ratlos – bis auf Kinvara. »Er war immer schon sicherheitsbewusst, in letzter Zeit sogar fast paranoid. Nur nicht, wenn es um die Pferde ging – dann natürlich nicht. Wir haben hier eine Schließanlage. Die Schlüssel kann man unmöglich nachmachen.«

»Man kann sie nicht ohne Weiteres nachmachen«, korrigierte Strike sie und notierte sich etwas. »Unmöglich ist es nicht, wenn man die richtigen Leute kennt. Wo waren die anderen beiden Schlüssel zum Zeitpunkt seines Todes?«

»Jasper hatte seinen in der Jacketttasche und ich meinen hier, in der Handtasche«, antwortete Kinvara.

Strike ging zum nächsten Punkt über. »Weiß jemand, wann die Heliumflasche gekauft wurde?«

Totenstille.

»Vielleicht anlässlich einer Party?«, schlug Strike vor. »Ein Kindergeburtstag ...«

»Unmöglich«, sagte Fizzy. »Die Ebury Street war Papas Arbeitswohnung. Dort haben nie Partys stattgefunden.«

»Was ist mit Ihnen, Mrs. Chiswell?«, fragte er Kinvara. »Fällt Ihnen vielleicht eine Gelegenheit ein, bei der ...«

»Nein«, fiel sie Strike ins Wort. »Und das habe ich der Polizei auch schon erzählt. Jasper muss sie sich selbst besorgt haben, das ist die einzige Erklärung.«

»Ist dafür eine Rechnung aufgetaucht? Ein Kreditkartenbeleg?«

»Womöglich hat er bar bezahlt«, mutmaßte Torquil.

»Eine weitere Sache, die der Klärung bedarf«, sagte Strike und wandte sich dem nächsten Punkt auf seiner Liste zu, »sind die Anrufe des Ministers am Morgen, bevor er starb. Offenbar hat er erst Sie angerufen, Mrs. Chiswell, und dann Sie, Raphael.«

Raphael nickte.

»Er wollte wissen, ob es mir ernst damit ist, ihn zu verlassen«, sagte Kinvara. »Ja, habe ich gesagt, es ist mir ernst. Es war kein langes Gespräch. Ich wusste ja nicht ... Ich konnte ja nicht wissen, wer seine Praktikantin in Wahrheit war. Sie ist einfach so aus dem Nichts aufgetaucht, und Jasper hat so komisch herumgedruckst, als ich auf sie zu sprechen kam, und ich ... Das hat mich wütend gemacht. Ich dachte, da wäre was im Busch.«

»Kam es Ihnen nicht merkwürdig vor, dass Ihr Mann bis zum Morgen gewartet hat, bevor er Sie wegen des Briefs anrief?«, wollte Strike wissen.

»Er meinte, am Abend zuvor hätte er ihn nicht bemerkt.«

»Wo hatten Sie ihn denn deponiert?«

»Auf seinem Nachttisch. Als er heimkam, war er womöglich betrunken. In letzter Zeit trinkt ... *trank* er ziemlich viel. Seit diese Erpressungsgeschichte angefangen hat.«

Vor einem der Fenster tauchte der ausgesperrte Norfolk Terrier auf und kläffte los.

»Verdammter Köter«, murmelte Torquil.

»Er vermisst Jasper«, stellte Kinvara fest. »Er war Jaspers H... Hund ...«

Sie stand abrupt auf und lief zu der Taschentuchbox, die auf den Gartenbüchern lag. Die anderen blickten betreten drein, während der Terrier sich einfach nicht beruhigen wollte. Der Labrador wachte auf und stieß nun seinerseits ein einzelnes tiefes Bellen aus. Im nächsten Moment erschien ein flachsblondes Kind, rief den Norfolk Terrier zu sich, um mit ihm Ball zu spielen, und der Hund wieselte davon.

»Gut gemacht, Pringle!«, rief Torquil.

Ohne das Bellen waren Kinvaras leise Schluchzer und das Rascheln, mit dem sich der Labrador erneut schlafen legte, wieder deutlich zu hören. Izzy, Fizzy und Torquil wechselten verlegene Blicke; Raphael starrte wie versteinert geradeaus. Obwohl Robin Kinvara nicht besonders sympathisch fand, kam ihr die Teilnahmslosigkeit der Familie doch etwas gefühlskalt vor.

»Wo kommt überhaupt dieses Bild her?«, fragte Torquil mit geheucheltem Interesse und studierte mit zusammengekniffenen Augen das Pferdegemälde über Raphaels Kopf. »Das ist neu, oder?«

»Das hat Tinky gehört«, antwortete Fizzy und blickte ebenfalls auf. »Sie hat allen möglichen Pferdekrempel aus Irland mitgebracht.«

»Seht euch das Fohlen an.« Torquil musterte das Bild kritisch. »Wisst ihr, wonach das aussieht? Nach dem Overo-Lethal-White-Syndrom. OLWS – schon mal gehört?«, fragte er Frau und Schwägerin. »Du doch bestimmt, Kinvara.« Anscheinend war er der Ansicht, das Gespräch durch eine unverfängliche Konversation wieder in Gang bringen zu können. »Ein reinweißes Fohlen, das bei der Geburt ganz gesund aussieht, aber unter einem tödlichen Gendefekt leidet. Resultat Darmverschluss. Mein Vater hat Pferde gezüchtet«, erklärte er Strike. »So ein Fohlen hat keine Chance. Das Tragische ist, dass es lebend geboren, von der Mutterstute angenommen und gesäugt wird und dann maximal ein paar Tage später ...«

»Torks«, ermahnte ihn Fizzy betreten, doch es war bereits zu spät: Kinvara stürzte aus dem Zimmer und knallte die Tür hinter sich zu.

»Was denn?«, fragte Torquil verwundert. »Was hab ich denn ...«

»*Baby*«, flüsterte Fizzy.

»Ach, du großer Gott!«, sagte er. »Das habe ich glatt vergessen.« Er stand beschämt auf und zog sich die senffarbene Cordhose hoch. »Also bitte«, sagte er dann zu niemandem im Besonderen, »wer kann denn ahnen, dass sie so darauf reagiert? Gemalte Pferde auf einem verdammten Bild!«

»Du weißt doch, wie sie ist, wenn es auch nur im Entferntesten um das Thema Geburt geht. Verzeihung«, sagte sie an

Strike und Robin gewandt, »sie hat ein Kind verloren, müssen Sie wissen. Was das angeht, ist sie sehr empfindlich.«

Torquil ging zu dem Gemälde hinüber und studierte mit zusammengekniffenen Augen die kleine Plakette auf dem Bilderrahmen.

»›*Mare mourning*‹«, las er vor. »Die trauernde Stute – na bitte, da haben wir's doch«, verkündete er triumphierend. »Das Fohlen ist *tot*.«

»Kinvara mag das Bild so gern«, mischte sich Raphael unvermittelt ein, »weil die Stute sie an Lady erinnert.«

»An wen?«, fragte Torquil.

»An die Stute, die Hufrehe bekommen hat.«

»Hufrehe?«, fragte Strike.

»Eine Hufkrankheit«, informierte ihn Robin.

»Ach, reiten Sie auch?«, wollte Fizzy interessiert wissen.

»Früher mal.«

»Hufrehe ist eine ernste Angelegenheit«, sagte Fizzy. »Sie kann ein Pferd verkrüppeln. Ein krankes Tier braucht intensive Pflege, aber manchmal kommt jede Hilfe zu spät, und dann wäre es grausam, das Tier noch länger …«

»Meine Stiefmutter hat sich wochenlang aufopfernd um die Stute gekümmert«, teilte Raphael Strike mit. »Sie stand mitten in der Nacht auf und so weiter. Mein Vater hat abgewartet …«

»Raff, das tut jetzt überhaupt nichts zur Sache«, ging Izzy dazwischen.

»… abgewartet«, fuhr Raphael unbeirrt fort, »bis Kinvara aus dem Haus war, dann hat er den Tierarzt gerufen, ohne es ihr zu erzählen, und das Pferd einschläfern lassen.«

»Lady hatte sehr gelitten«, sagte Izzy. »Papa hat mir doch selbst erzählt, in welchem Zustand sie war. Kinvara hat sie aus reinem Egoismus am Leben erhalten.«

»Wie dem auch sei.« Raphael blickte über den Rasen hinter den Fenstern. »Wenn ich heimkäme und mein heiß geliebtes

Tier tot vorfände, würde ich mich auch nach dem nächstbesten stumpfen Gegenstand umsehen.«

»Raff«, ermahnte ihn Izzy, »bitte!«

»Es war deine Idee, Izzy«, sagte er mit grimmiger Befriedigung. »Glaubst du wirklich, dass Mr. Strike und seine hübsche Assistentin Tegan nicht aufspüren und mit ihr reden? Sie finden im Handumdrehen heraus, was für ein Arschloch Papa manchmal ...«

»Raff!«, herrschte ihn Fizzy scharf an.

»Nun mach mal halblang, alter Junge«, sagte Torquil. Robin hätte sich nie träumen lassen, einen solchen Satz, der eigentlich in ein Buch gehörte, aus dem Mund einer realen Person zu hören. »Das alles geht dir sicher verdammt nahe, aber das muss doch nun wirklich nicht sein.«

Raphael wandte sich wieder Strike zu, ohne die anderen zu beachten. »Jetzt werden Sie mich sicher gleich fragen, was mein Vater von mir wollte, als er mich an jenem Morgen angerufen hat.«

»Stimmt.«

»Er hat mich hierher zitiert«, sagte Raphael.

»Hierher? Nach Woolstone?«

»Hierher, in dieses Haus. Er hatte Angst davor, dass Kinvara eine Dummheit begehen könnte. Seine Stimme klang belegt. Undeutlich. Als hätte er einen schweren Kater.«

»Worin hätte diese ›Dummheit‹ Ihrer Meinung nach denn bestehen sollen?«, fragte Strike. Sein Stift schwebte über dem Papier.

»Tja, sie beherrscht die Kunst der Selbstmorddrohung bis zur Perfektion«, antwortete Raff. »Vielleicht hat er auch befürchtet, dass sie das Letzte abfackelt, was ihm noch geblieben war.« Er gestikulierte vage durch den abgewohnten Raum. »Was nicht viel ist, wie Sie sehen.«

»Hat er Ihnen erzählt, dass sie ihn verlassen wollte?«

»Ich hatte zumindest den Eindruck, dass es zwischen ihnen nicht zum Besten stand. An seine genauen Worte erinnere ich mich nicht mehr. Aber er war ziemlich durcheinander.«

»Haben Sie denn getan, worum er Sie gebeten hat?«

»Klar«, sagte Raphael. »Ich bin sofort ins Auto gestiegen, ganz der folgsame Sohn, und den weiten Weg hier raufgefahren. Und Kinvara steht gesund und munter in der Küche und schimpft über Venetia – Robin«, korrigierte er sich. »Wie Sie inzwischen wohl wissen, dachte Kinvara, Dad würde sie ficken.«

»Raff!«, rief Fizzy empört.

»Eine solche Wortwahl ist höchst unangebracht«, fügte Torquil hinzu.

Alle vermieden es nach Kräften, Robin anzusehen, die inzwischen, wie sie selbst sehr wohl wusste, knallrot angelaufen war.

»Das ist doch merkwürdig, oder nicht?«, fragte Strike. »Ihr Vater verlangt von Ihnen, dass Sie nach Oxfordshire fahren, obwohl andere Personen vor Ort waren, die er hätte bitten können, seine Frau im Auge zu behalten. Meines Wissens hat hier sogar jemand übernachtet, oder nicht?«

»Tegan – das Stallmädchen – hat die Nacht hier verbracht«, erklärte Izzy, bevor Raphael antworten konnte. »Kinvara lässt die Pferde nie unbeaufsichtigt. Leider haben wir keine Kontaktinformationen von ihr«, fügte sie hinzu und nahm damit Strikes nächste Frage vorweg. »Kinvara hat sich kurz nach Papas Tod mit ihr gestritten, und Tegan hat gekündigt. Wo sie jetzt arbeitet, weiß ich nicht. Aber vergiss nicht« – Izzy beugte sich mit ernster Miene zu Strike vor –, »dass Tegan zu dem Zeitpunkt, an dem Kinvara angeblich hier eintraf, wahrscheinlich tief und fest geschlafen hat. Das hier ist ein großes Haus. Tegan weiß also womöglich gar nicht, wann Kinvara tatsächlich hier ankam.«

»Aber wenn Kinvara bei ihm in der Ebury Street war, warum hätte er mich dann hierherschicken sollen, um nach ihr zu sehen?«, fragte Raphael genervt. »Und wie hätte sie vor mir hier sein können?«

Izzy sah aus, als suchte sie verzweifelt nach einer guten Erwiderung – nur fiel ihr keine ein. Allmählich begriff Strike, weshalb Izzy behauptet hatte, der Gegenstand des Telefonats zwischen Chiswell und seinem Sohn »spiele keine Rolle«: Er war bloß ein weiteres Indiz, das Kinvara entlastete.

»Wie heißt Tegan mit Nachnamen?«, fragte er.

»Butcher«, antwortete Izzy.

»Ist sie verwandt mit den Butcher-Brüdern, mit denen sich Jimmy Knight herumgetrieben hat?«, hakte Strike nach.

Robin war sich sicher, dass die drei Personen auf dem Sofa krampfhaft versuchten, einander nicht anzusehen.

»Ist sie tatsächlich«, sagte Fizzy schließlich, »aber ...«

»Ich kann ja mal bei den Butchers anrufen und fragen, ob sie mir Tegans Handynummer geben können«, sagte Izzy. »Ja, Cormoran, das mache ich, dann gebe ich dir sofort Bescheid.«

Strike wandte sich wieder Raphael zu. »Sind Sie sofort losgefahren, als Ihr Vater Sie gebeten hat, nach Kinvara zu sehen?«

»Nein, erst hab ich noch gefrühstückt und geduscht«, sagte Raphael. »Ich hatte es ehrlich gesagt nicht eilig. Kinvara und ich kommen nicht gerade gut miteinander aus. Ich war so gegen neun Uhr hier.«

»Und wie lang sind Sie geblieben?«

»Tja, letztendlich mehrere Stunden«, sagte Raphael leise. »Irgendwann stand die Polizei mit der Nachricht von Dads Tod vor der Tür. Da konnte ich ja schlecht einfach wieder fahren, oder? Kinvara wäre beinahe zusammenge...«

Die Tür ging auf, Kinvara trat ein und setzte sich mit versteinerter Miene wieder auf ihren harten Stuhl. Sie hielt mehrere zusammengeknüllte Taschentücher in der Hand.

»In fünf Minuten muss ich wieder weg«, sagte sie. »Der Tierarzt hat gerade angerufen. Er ist in der Gegend und kommt gleich vorbei, um nach Romano zu sehen. Ich kann also nicht bleiben.«

»Dürfte ich auch etwas fragen?«, wandte sich Robin an Strike. »Wahrscheinlich ist es völlig unwichtig«, sagte sie in die Runde, »aber als ich den Minister gefunden habe, lag ein kleines blaues Röhrchen mit homöopathischen Pillen neben ihm auf dem Boden. Er kam mir nicht wie der Typ vor, der an Homöopathie ...«

»Was für Pillen?«, fragte Kinvara zu Robins Überraschung mit schneidender Stimme.

»Lachesis«, sagte Robin.

»In einem kleinen blauen Röhrchen?«

»Richtig. Gehörten die Ihnen?«

»Ja, genau!«

»Haben Sie die in der Ebury Street vergessen?«

»Nein, die hatte ich schon vor Wochen verloren ... aber dort hatte ich sie doch gar nicht dabei«, sagte sie wie zu sich selbst und runzelte die Stirn. »Ich hatte sie allerdings in London gekauft, weil es in der Apotheke in Woolstone keine gab.« Konzentriert versuchte sie, die Ereignisse zu rekonstruieren. »Ich weiß noch, dass ich gleich vor der Apotheke ein paar probiert habe. Ich wollte wissen, ob er es bemerkt, wenn ich sie in sein Fressen tue ...«

»Verzeihung, wie war das?«, fragte Robin, die nicht sicher war, ob sie richtig gehört hatte.

»In Mystics Futter«, sagte Kinvara. »Ich wollte sie Mystic geben.«

»Du wolltest einem *Pferd* homöopathische Pillen geben?«, fragte Torquil belustigt und sah sich Beifall heischend um.

»Jasper fand es auch lächerlich«, murmelte Kinvara, die immer noch in ihrem Gedächtnis kramte. »Ja, ich hab das Röhrchen gekauft, aufgemacht, ein paar Pillen genommen« – sie stellte die Handlung pantomimisch dar – »und sie mir dann in die Jackentasche gesteckt. Aber als ich zu Hause ankam, war das Röhrchen weg. Ich dachte, ich hätte es unterwegs verloren ...«

Sie keuchte leise auf und wurde rot. Anscheinend hatte sie soeben eine Erkenntnis ereilt.

»Ich bin an dem Tag mit Jasper aus London hierher zurückgefahren«, erklärte sie, sowie sie bemerkte, dass alle sie anstarrten. »Wir haben uns am Bahnhof getroffen und sind gemeinsam in den Zug gestiegen ... Er hat sie aus meiner Tasche genommen! Er hat sie gestohlen, damit ich sie Mystic nicht gebe!«

»Kinvara, jetzt mach dich aber doch nicht lächerlich«, sagte Fizzy mit einem abgehackten Lachen.

Mit fahrigen Bewegungen drückte Raphael seine Zigarette im Porzellanaschenbecher neben Robins Ellbogen aus. Ihm war deutlich anzusehen, dass er sich einen Kommentar nur mit Mühe verkneifen konnte.

»Und haben Sie sich neue Pillen gekauft?«, fragte Robin.

»Ja«, sagte Kinvara, die vor Schreck völlig durcheinander zu sein schien, obwohl Robin ihre Theorie, was mit den Pillen geschehen sein könnte, doch etwas weit hergeholt vorkam. »Aber die waren anders verpackt. In dem blauen Röhrchen waren nur die ersten ...«

»Aber Homöopathie beruht doch auf dem Placeboeffekt, oder nicht?«, fragte Torquil in den Raum hinein. »Wie soll denn ein *Pferd* ...«

»Torks«, zischte ihm Fizzy durch die zusammengebissenen Zähne zu, »halt die Klappe!«

»Warum hätte Ihr Mann Ihnen dieses homöopathische Mittel stehlen sollen?«, fragte Strike neugierig. »Das wäre doch ...«

»Eine grundlose Gemeinheit?«, schlug Raphael vor, der mit verschränkten Armen unter dem Bild des toten Fohlens stand. »Aber wenn man der Ansicht ist, dass man selbst recht und der andere unrecht hat – da ist es wohl in Ordnung, ihn von etwas völlig Harmlosem abzuhalten?«

»Raff«, sagte Izzy, »ich weiß, du bist wütend ...«

»Ich bin nicht wütend, Izz«, entgegnete Raphael. »Im Gegenteil, diese ganze Scheiße durchzuhecheln, die Dad zu Lebzeiten gebaut hat, kann sehr befreiend ...«

»Junge, es reicht!«, sagte Torquil.

»Wag es nicht, mich ›Junge‹ zu nennen.« Raphael schüttelte die nächste Zigarette aus der Schachtel. »Verstanden? Nenn mich verdammt noch mal nicht ›Junge‹.«

»Sie müssen Raff entschuldigen«, sagte Torquil etwas lauter als nötig zu Strike. »Das Testament meines verstorbenen Schwiegervaters macht ihm sehr zu schaffen.«

»Ich wusste schon lange, dass er mich aus dem Testament gestrichen hat«, fauchte Raphael und deutete auf Kinvara. »Dafür hatte sie doch gesorgt!«

»Auf die Idee ist dein Vater von ganz allein gekommen, dazu brauchte er meine Hilfe nicht«, gab die inzwischen knallrot angelaufene Kinvara zurück. »Außerdem hast du doch genug Geld, du verwöhntes Muttersöhnchen.« Sie wandte sich an Robin. »Seine Mutter hat Jasper für einen Diamantenhändler verlassen, nachdem sie ihm buchstäblich das letzte Hemd ...«

»Ich hätte noch ein paar Fragen«, sagte Strike mit erhobener Stimme, bevor Raphael zu einer Erwiderung ansetzen konnte.

»Der Tierarzt ist jeden Moment da«, sagte Kinvara. »Ich muss zu Romano in den Stall zurück.«

»Nur noch ein paar letzte Fragen, dann sind wir hier fertig«, versprach Strike. »Sind Ihnen irgendwann Amitriptylintabletten abhandengekommen? Die hat man Ihnen doch verschrieben, oder?«

»Das hat mich die Polizei auch schon gefragt. Kann sein, dass ich ein paar verloren habe, ich weiß nicht so genau«, sagte Kinvara irritierend vage. »Einmal dachte ich, ich hätte eine Schachtel verloren, aber dann ist sie wieder aufgetaucht. Es waren allerdings nicht mehr annähernd so viele Tabletten drin, wie ich in Erinnerung hatte. Dann wollte ich mal eine Schachtel in der Ebury Street deponieren, für den Fall, dass ich nach London fahren und vergessen würde, welche mitzunehmen. Ich weiß nicht mehr, ob ich das tatsächlich gemacht hab oder nicht ... Aber das habe ich auch schon der Polizei gesagt.«

»Also können Sie nicht mit Sicherheit sagen, ob Ihnen Tabletten abhandengekommen sind oder nicht?«

»Nein«, sagte Kinvara. »Vielleicht hat Jasper mir die ja auch gestohlen, keine Ahnung.«

»Haben Sie seit dem Tod Ihres Mannes weitere Eindringlinge im Garten beobachtet?«, fragte Strike.

»Nein«, sagte Kinvara. »Keinen einzigen.«

»Angeblich hat ein Bekannter Ihres Mannes versucht, ihn früh am Morgen anzurufen, kam aber nicht durch. Wissen Sie, um wen es sich dabei gehandelt haben könnte?«

»Äh ... ja, sicher. Das war Henry Drummond«, sagte Kinvara.

»Und wer ist ...«

»Ein Kunsthändler. Ein alter Bekannter von Papa«, warf Izzy ein. »Raphael hat vor einer Weile für ihn gearbeitet, nicht wahr, Raff? Bevor du im Wahlkreisbüro ausgeholfen hast, stimmt's?«

»Ich wüsste nicht, was Henry mit der ganzen Sache zu tun hätte«, sagte Torquil mit einem wütenden kurzen Lachen.

»Tja, das wäre dann wohl alles«, sagte Strike, ohne auf die Bemerkung einzugehen, und schlug sein Notizbuch zu. »Nur eins hätte ich noch gern gewusst, Mrs. Chiswell: Glauben Sie, dass Ihr Mann Selbstmord begangen hat?«

Ihre Hand schloss sich etwas fester um die Taschentücher. »Meine Meinung interessiert hier doch sowieso keinen.«

»Mich schon. Ganz bestimmt«, sagte Strike.

Kinvaras Blick wanderte von Raphael, der finster auf den Rasen hinausstarrte, zu Torquil. »Also, wenn Sie mich fragen, hat Jasper etwas sehr, sehr Dummes angestellt, bevor er ...«

»Kinvara«, sagte Torquil streng, »du wärst gut beraten ...«

»Deine Ratschläge interessieren mich nicht!«, giftete Kinvara mit zusammengekniffenen Augen und wirbelte zu ihm herum. »Deine Ratschläge haben diese Familie finanziell ruiniert!«

Über Izzy hinweg warf Fizzy ihrem Gatten einen Blick zu, mit dem sie ihm jedes Widerwort untersagte. Kinvara wandte sich wieder an Strike.

»Mein Mann hat sich kurz vor seinem Tod mit jemandem angelegt, obwohl ich ihn davor gewarnt hatte ...«

»Meinen Sie etwa Geraint Winn?«, fragte Strike.

»Nein«, sagte Kinvara, »aber nahe dran. Torquil will nicht, dass ich darüber spreche, weil sein guter Freund Christopher ...«

»Verflucht noch mal!«, brüllte Torquil, sprang auf, zog ein weiteres Mal die senfgelbe Cordhose hoch und warf einen erbosten Blick in die Runde. »Meine Güte, müssen wir wirklich wildfremde Leute in dieses Hirngespinst verwickeln? Was in drei Teufels Namen hat Christopher damit zu tun? Jasper hat Selbstmord begangen«, rief er Strike zu, bevor er sich seine Frau und seine Schwägerin vorknöpfte. »Ich hab mir diesen Schwachsinn um eures Seelenfriedens willen gefallen lassen, aber wenn das Ganze darauf hinausläuft, dass ...«

Izzy und Fizzy setzten beide zu einer empörten Rechtfertigung an und versuchten gleichzeitig, ihn zu beruhigen. Von dem Spektakel sichtlich unbeeindruckt, stand Kinvara auf, warf ihr langes rotes Haar zurück und ging zur Tür. Robin hatte das unbestimmte Gefühl, dass sie diese Bombe absichtlich hatte platzen lassen. Sie blieb an der Tür stehen, woraufhin sich alle zu ihr umwandten, als hätte sie um Aufmerksamkeit gebeten.

»Ihr sitzt hier herum und tut so, als wäre es euer Haus und ich hier nur Gast«, sagte sie mit ihrer hohen, klaren Mädchenstimme. »Aber Jasper hat verfügt, dass ich bis an mein Lebensende hier wohnen darf. Ich gehe jetzt und helfe dem Tierarzt mit Romano, und wenn ich zurückkomme, dann seid ihr alle verschwunden. Ihr seid hier nicht länger willkommen.«

43

Denn ich fürchte, wir werden bald von derlei Spuk zu hören bekommen.

HENRIK IBSEN, *ROSMERSHOLM*

Bevor sie Chiswell House verließen, bat Robin darum, die Toilette benutzen zu dürfen. Fizzy, die immer noch wütend auf Kinvara war, wies ihr den Weg.

»Wie kann sie es wagen!«, sagte sie auf dem Flur. »*Wie kann sie es wagen!* Das Haus gehört Pringle, nicht ihr«, schimpfte sie. »*Bitte* vergessen Sie alles, was sie über Christopher gesagt hat«, bat sie Robin im selben Atemzug. »Sie will Torks nur auf die Palme bringen – und das ist ihr gelungen, er ist außer sich!«

»Wer ist denn dieser Christopher überhaupt?«, fragte Robin.

»Ach, ich weiß gar nicht, ob ich Ihnen das sagen sollte«, antwortete Fizzy. »Aber Sie werden wohl sowieso … Selbstverständlich kann er nichts mit der Sache zu tun haben, das sind nur Kinvaras niederträchtige Behauptungen. Sir Christopher Barrowclough-Burns ist ein alter Freund von Torks' Familie. Christopher ist Legationsrat, er hat sich im Außenministerium um diesen jungen Mann gekümmert, Mallik heißt er, glaube ich.«

In der altmodischen Toilette war es nicht gerade warm. Während Robin den Riegel vorlegte, hörte sie, wie Fizzy in den Salon zurückkehrte, zweifellos um den aufgebrachten Torquil zu beruhigen. Sie sah sich um. Die Wände, von denen bereits die Farbe abblätterte, waren bis auf eine Vielzahl kleiner schwarzer Löcher, in denen hier und da noch ein Nagel steckte, vollkommen leer. Irgendjemand – wahrscheinlich Kinvara – hatte die hinter Plexiglasscheiben zu unordentlichen Collagen zusammengestellten Familienfotos, die hier gehangen hatten, abgenommen und gegenüber der Toilette auf den Boden gestellt.

Nachdem sich Robin die Hände an einem feuchten, nach Hund riechenden Handtuch abgetrocknet hatte, ging sie in die Hocke und sah sich die Bilder genauer an.

Izzy und Fizzy waren als Kinder nicht auseinanderzuhalten gewesen. Robin hätte unmöglich sagen können, wer dort auf dem Krocket-Rasen ein Rad schlug, beim Springreiten auf einem Pony saß, vor dem Weihnachtsbaum in der Eingangshalle herumtänzelte oder einen noch jungen Jasper Chiswell beim Tontaubenschießen umarmte, zu dem die Männer ausnahmslos Tweed oder Barbourjacken trugen.

Obwohl Freddie in seiner Jugend das gleiche weißblonde Haar wie seine Nichte und seine Neffen gehabt hatte, war er auf den Fotos deutlich von den anderen zu unterscheiden, weil er im Gegensatz zu seinen Schwestern die prominente Unterlippe seines Vaters geerbt hatte. Er war oft auf den Bildern zu sehen – ob als in die Kamera grinsendes Kleinkind, mit versteinerter Miene in seiner neuen Grundschuluniform oder triumphierend in schlammbedeckter Rugbyausrüstung.

Robin hielt inne und betrachtete ein Gruppenbild, auf dem mehrere Teenager in weißer Fechtmontur zu sehen waren. Auf den Hosen prangte der Union Jack, und Freddie, der in der Mitte stand, hielt einen großen Silberpokal in den Händen. In dem unglücklich dreinblickenden Mädchen ganz am Rand der Gruppe erkannte Robin Rhiannon Winn wieder. Hier war sie älter und dünner als auf dem Foto, das ihr Vater Robin gezeigt hatte. Ihre leicht unsichere Miene wollte nicht recht zu den stolz lächelnden Gesichtern der anderen passen.

Hinter der letzten Plexiglasscheibe steckte das vergilbte Foto einer großen Feier. Das Bild war anscheinend von einer Bühne unter einem Festzelt aufgenommen worden. Hellblaue, wie eine Achtzehn geformte Heliumballons tanzten über den Köpfen der Menge. Ungefähr einhundert Teenager blickten in die Kamera. Robin sah sich alle genau an. Auch hier stach Freddie sofort heraus. Er war umgeben von einer großen Gruppe aus Jungen und Mädchen, die die Arme umeinandergelegt hatten, breit grinsten oder herzlich lachten. Nach etwa einer Minute entdeckte Robin das Gesicht, nach dem sie instinktiv Ausschau gehalten hatte: Rhiannon Winn – dünn, blass und ernst stand sie am Getränkebüfett. Direkt hinter ihr, halb im Schatten verborgen, waren zwei junge Männer erkennbar, die nicht wie die anderen Smoking, sondern Jeans trugen. Einer der Jungs trug ein The-Clash-T-Shirt, hatte langes Haar und war auf verwegene Art gut aussehend.

Robin holte ihr Handy heraus und fotografierte die Fechtmannschaft und die Geburtstagsgesellschaft ab. Anschließend stellte sie die Plexiglasrahmen wieder sorgfältig in die ursprüngliche Position zurück und verließ die Toilette.

Es dauerte einen Augenblick, bis sie Raphael bemerkte, der im stillen Flur mit verschränkten Armen an einem Tisch lehnte.

»Tschüss«, sagte Robin und wandte sich zur Tür.

»Moment ...« Er stieß sich vom Tisch ab und kam auf sie zu. »Ich war ziemlich wütend auf dich, weißt du.«

»Das verstehe ich«, sagte Robin leise. »Aber ich hab nur das getan, wofür mich dein Vater engagiert hat.«

Er kam näher und blieb unter einer alten Glaslaterne stehen, in der die Hälfte der Glühbirnen fehlte.

»Das kannst du ziemlich gut, oder? Fremde Leute dazu bringen, dir zu vertrauen?«

»Das gehört zu meinem Job«, entgegnete Robin.

»Du bist verheiratet«, sagte er mit Blick auf ihre linke Hand.
»Stimmt.«
»Mit Tim?«
»Nein ... Tim gibt es nicht.«
»Aber doch nicht etwa mit *ihm*?«, fragte Raphael interessiert und deutete in Richtung Ausgang.
»Nein. Wir sind bloß Kollegen.«
»Das ist also dein echter Akzent«, stellte Raphael fest. »Yorkshire.«
»Ja. Yorkshire.«

Sie wappnete sich bereits gegen einen abfälligen Kommentar, doch er ließ nur den Blick aus seinen olivdunklen Augen über ihr Gesicht wandern. Schließlich schüttelte er beinahe unmerklich den Kopf.

»Der Akzent gefällt mir, aber ›Venetia‹ war mir lieber. Hat mich irgendwie an eine Maskenorgie erinnert.«

Er drehte sich um und ging, und Robin eilte hinaus in den Sonnenschein. Strike wartete sicher schon ungeduldig im Land Rover auf sie.

Doch da täuschte sie sich. Er stand neben der Motorhaube, während Izzy, die ihm dicht auf die Pelle gerückt war, leise, aber vehement auf ihn einredete. Sobald sie Robins Schritte auf dem Schotter hörte, trat sie hastig und mit einem – wie Robin fand – schuldbewusst verlegenen Blick ein Stück zurück.

»Hat mich gefreut, dich wiederzusehen«, sagte Izzy und hauchte Robin Küsschen auf beide Wangen, als wären sie lediglich zum Tee vorbeigekommen. »Und du rufst mich an, ja?«

»Ich halte dich auf dem Laufenden«, sagte Strike und ging zur Beifahrertür hinüber.

Sowohl Strike als auch Robin schwiegen, während sie den Wagen wendete und Izzy ihnen nachwinkte. In ihrem weiten Hemdkleid machte sie eine traurige Figur. Kurz bevor sie hinter der Kurve außer Sichtweite kam, hob Strike zum Abschied die Hand.

Um die schreckhaften Hengste nicht erneut aufzuscheuchen, fuhr Robin im Schneckentempo. Strike warf einen Blick nach links. Das verletzte Pferd stand nicht mehr auf der Koppel, der schwarze Hengst dagegen flippte sofort wieder aus, sobald das klappernde alte Auto an ihm vorbeirollte – da konnte Robin so langsam fahren, wie sie wollte.

»Wer ist wohl als Erstes auf die Idee gekommen«, fragte sich Strike und beobachtete, wie das Tier buckelte und auskeilte, »sich auf den Rücken von so einem Vieh zu setzen?«

»Da gibt es eine alte Redensart«, sagte Robin und versuchte, um die tiefsten Schlaglöcher herumzumanövrieren. »›Das Pferd ist dein Spiegel.‹ Es heißt immer, Hunde werden irgendwann ihren Besitzern ähnlich, aber für Pferde gilt das erst recht.«

»Also ist Kinvara leicht reizbar und tritt bei jeder Gelegenheit wild um sich? Klingt plausibel. Fahr hier rechts rein, ich will noch einen Blick auf das Steda Cottage werfen.«

Der Weg dorthin war so überwuchert, dass Robin ihn auf der Herfahrt nicht einmal bemerkt hatte.

»Hier – da hoch«, sagte Strike, nachdem sie etwa zwei Minuten durch den Wald gefahren waren, der den Garten von Chiswell House säumte. Sie kamen noch etwa zehn Meter weit, dann war die Fahrspur selbst für den Land Rover unpassierbar. Robin stellte den Motor ab, und während sie sich insgeheim fragte, wie Strike einen unter dichtem Grün kaum erkennbaren, von Dorngestrüpp und Brennnesseln überwucherten Trampelpfad bewältigen wollte, war er schon drauf und dran, aus dem Wagen zu steigen. Sie folgte ihm und donnerte die Fahrertür hinter sich zu.

Der Boden war rutschig und das Blätterdach über ihnen so dicht, dass der Pfad darunter klamm und schlammig war.

Bitterer Gestank stieg ihnen in die Nase, und die Luft war erfüllt vom Rascheln der Vögel und anderen Kreaturen, in deren Heim sie so rüde eindrangen.

»Christopher Barrowclough-Burns«, sagte Strike, während sie sich durch das Dickicht kämpften. »Von dem hatten wir bislang noch nichts gehört.«

»Das stimmt nicht ganz«, wandte Robin ein.

Strike warf ihr einen Seitenblick zu, grinste und stolperte prompt über eine Wurzel, was seinem ohnehin schon schmerzenden Stumpf nicht gut bekam. Er konnte sich nur mit Mühe auf den Beinen halten.

»*Scheiße* ... Ich wollte nur sehen, ob du es noch weißt.«

»›Christopher hat in Bezug auf die Bilder nichts versprechen können‹«, zitierte Robin, ohne lang nachzudenken. »Legationsrat und Mentor von Aamir Mallik im Außenministerium – das hat mir Fizzy vorhin verraten.«

»Tja, womit wir wieder bei ›Männern mit Ihren Vorlieben‹ wären.«

Dann schwiegen sie und konzentrierten sich auf ein besonders tückisches Wegstück. Zweige peitschten über Stoff und Gliedmaßen. Das Sonnenlicht, das durch das Blätterdach fiel, warf hellgrüne Sprenkel auf Robins blasse Haut.

»Hast du noch mal mit Raphael gesprochen?«

»Äh ... ja, hab ich«, sagte Robin mit einem leichten Anflug von Verlegenheit. »Er kam gerade aus dem Salon, als ich vom Klo kam.«

»Ich dachte mir schon, dass er keine Gelegenheit verstreichen lassen würde, um mit dir zu reden«, sagte Strike.

»So war es nicht«, beteuerte Robin im Hinblick auf die »Maskenorgien« nicht ganz wahrheitsgemäß. »Apropos – was hatte dir Izzy denn so Interessantes zuzuflüstern?«

Diese Retourkutsche amüsierte Strike so sehr, dass er kurz unachtsam war und einen halb im Schlamm versunkenen

Baumstumpf übersah. Er stolperte zum zweiten Mal und entging einem schmerzhaften Sturz nur, indem er sich an einem mit stachligen Ranken umwucherten Baum festhielt.

»*Fuck!*«

»Ist alles …«

»Schon gut«, sagte er, starrte – auf sich selbst wütend – auf die Dornen hinab, die in seiner Hand steckten, ehe er sie mit den Zähnen herauszog. Dann hörte er ein lautes Knacken hinter sich und drehte sich um. Robin hatte einen Ast zu einem groben Gehstock zurechtgebrochen.

»Hier.«

»Ich brauch k…«, hob er an, fing ihren tadelnden Blick auf und lenkte ein. »Danke.«

Sie setzten sich wieder in Bewegung. Strike hätte nie zugegeben, welch große Erleichterung der Stock darstellte.

»Izzy wollte mich davon überzeugen, dass Kinvara Chiswell zwischen sechs und sieben Uhr morgens kaltgemacht hat und dann erst nach Oxfordshire gefahren ist. Ich glaube, sie ist sich nicht bewusst, dass es für jeden Abschnitt der Fahrt von der Ebury Street bis Chiswell House mehrere Zeugen gibt. Wahrscheinlich hat die Polizei die Familie noch nicht über die Einzelheiten informiert, aber irgendwann wird Izzy zu der Einsicht gelangen, dass Kinvara es unmöglich selbst getan haben kann. Als Nächstes vermutet sie sicher, dass Kinvara einen Auftragskiller angeheuert hat. Was hältst du im Übrigen von Raphaels Gefühlsausbrüchen?«

»Tja.« Robin wich einem Brennnesselstrauch aus. »Dass ihm bei Torquil die Sicherung durchgebrannt ist, kann man ihm kaum zum Vorwurf machen.«

»Nein«, pflichtete Strike ihr bei. »Der gute alte Torks würde mir auch tierisch auf die Nerven gehen.«

»Raphael hat eine Mordswut auf seinen Vater, oder? Er hätte uns nicht erzählen *müssen*, dass Chiswell die Stute hat einschläfern lassen. Er hat nichts unversucht gelassen, um seinen Vater als ... na ja ...«

»Als Arschloch dastehen zu lassen«, brachte Strike ihren Satz zu Ende. »Er hat außerdem angedeutet, dass Chiswell Kinvara die Pillen nur aus Boshaftigkeit gestohlen hat. Diese ganze Sache ist sowieso verdammt merkwürdig ... Wieso haben dich die Pillen so interessiert?«

»Sie kamen mir bei Chiswell fehl am Platz vor.«

»Jedenfalls hattest du den richtigen Riecher. Sonst scheint sich ja niemand dafür zu interessieren. Was sagt die Psychologin denn zu der Herabwürdigung des toten Vaters durch den Sohn?«

Robin schüttelte grinsend den Kopf, wie immer, wenn Strike sie so anredete. Beide wussten genau, dass sie das Psychologiestudium nie abgeschlossen hatte.

»Nein, wirklich, es interessiert mich«, sagte Strike und verzog das Gesicht, als er mit dem künstlichen Fuß auf einem Laubhaufen ins Rutschen kam. Diesmal konnte er den Sturz nur mithilfe von Robins Stock abwenden. »*Mist* ... Jetzt sag schon. Wieso ist er Chiswell gegenüber so nachtragend?«

»Also ... Ich glaube, er ist wütend und verletzt.« Robin wählte ihre Worte mit Bedacht. »Er hat mir im Unterhaus erzählt, dass er und sein Vater in letzter Zeit besser miteinander ausgekommen seien denn je – aber jetzt ist Chiswell tot, und Raphael kann sich nicht mehr mit ihm aussöhnen. Er muss von nun an damit leben, dass er aus dem Testament gestrichen wurde, und weiß nicht, was Chiswell wirklich für ihn empfunden hat. Denn Chiswells Verhalten ihm gegenüber war durchaus ambivalent. Wenn er betrunken oder depressiv war, hat er Raphaels Nähe gesucht, ihn sonst aber ziemlich grob behandelt ... obwohl – um ganz ehrlich zu sein, war Chiswell zu niemandem besonders freundlich, bis auf ...«

Sie verstummte.

»Sprich weiter«, sagte Strike.

»›Bis auf mich‹, wollte ich gerade sagen. An dem Tag, an dem ich das mit *The Level Playing Field* herausgefunden habe, war er wirklich nett zu mir.«

»Als er dir den Job angeboten hat?«

»Genau. Und er hat gesagt, dass er noch mehr Arbeit für uns hätte, wenn wir Winn und Knight erst losgeworden wären.«

»Wirklich?«, sagte Strike neugierig. »Das hast du mir gar nicht erzählt.«

»Nicht? Oh, hab ich dann wohl vergessen.«

Schlagartig waren beide in Gedanken wieder bei jener Woche, in der Strike sich bei Lorelei auskuriert und dann dramatische Stunden bei Jack im Krankenhaus verbracht hatte.

»Aber du weißt schon, dass ich in seinem Büro gewesen bin und er gerade mit einem Hotel telefoniert hat? Da ging es um eine Geldklammer, die er verloren hatte. Freddies Geldklammer. Als er aufgelegt hat, hab ich ihm das von *The Level Playing Field* erzählt, und er war so glücklich, wie ich ihn noch nie erlebt hatte. ›Da bringt sich einer nach dem anderen selbst zu Fall‹, hat er gesagt.«

»Sehr interessant«, sagte Strike, dem sein Bein mittlerweile schwer zu schaffen machte. »Du glaubst also, dass Raphael so verbittert ist, weil er nicht im Testament steht?«

»Es geht nicht nur ums Geld«, sagte Robin, die einen sarkastischen Unterton in Strikes Stimme gehört zu haben meinte.

»Das sagen sie immer, ja«, grunzte er. »Dabei geht es *immer* ums Geld – und dann auch wieder nicht. Was bedeutet Geld denn letztendlich? Freiheit, Sicherheit, Spaß, ein Neuanfang … Ich glaube, aus Raphael wäre noch mehr rauszukriegen«, stellte Strike fest. »Aber das musst wohl du übernehmen.«

»Was könnte er denn noch Interessantes zu sagen haben?«

»Ich will mehr über das Telefonat wissen, das Chiswell mit ihm geführt hat, kurz bevor sein Kopf eingetütet wurde«, keuchte Strike, der inzwischen starke Schmerzen hatte. »Das ist mir immer noch ein Rätsel. Selbst wenn Chiswell vorgehabt hätte, sich umzubringen, hätte es doch eine Menge Personen gegeben, die besser geeignet gewesen wären, Kinvara Gesellschaft zu leisten, als ein Stiefsohn, den sie nicht leiden kann und der meilenweit weg in London sitzt. Und wenn Chiswell ermordet wurde, ergibt der Anruf noch weniger Sinn. Irgendwas übersehen wir da ... Oh, Gott sei Dank.«

Steda Cottage stand auf einer Lichtung vor ihnen. Der von einem morschen Zaun umgebene Garten war so überwuchert, dass er kaum noch von seiner Umgebung zu unterscheiden war. Das gedrungene Gebäude aus dunklem Stein war ganz eindeutig unbewohnt. Im Dach klaffte ein großes Loch, fast alle Fensterscheiben waren zerbrochen.

»Setz dich da hin.« Robin deutete auf einen großen Baumstumpf vor dem Zaun. Strike, dessen Schmerzen jeden Widerspruch im Keim erstickten, folgte ihrem Rat, während sich Robin einen Weg zur Eingangstür bahnte und leicht dagegendrückte. Es war abgeschlossen.

Robin watete durch das kniehohe Gras und spähte durch die schmutzigen Fenster. Dahinter war alles von einer dicken Staubschicht bedeckt. Der einzige Hinweis auf die ehemaligen Bewohner war eine einsame Tasse mit einem Johnny-Cash-Bild darauf, die auf der verdreckten Arbeitsfläche in der Küche stand.

»Wie es aussieht, ist das Haus schon seit Jahren verlassen. Nicht mal Landstreicher waren in der Zwischenzeit hier«, sagte sie, nachdem sie das Cottage einmal umrundet hatte.

Strike, der sich gerade eine Zigarette angezündet hatte, antwortete nicht. Er starrte auf eine längliche, etwa zwei Quadratmeter große Vertiefung im Waldboden, die von Bäumen, Dorngestrüpp und mannshohem Gebüsch umgeben war.

»Würdest du das als Mulde bezeichnen?«, fragte er.

Robin spähte in das beckenartige Loch. »Es ist zumindest das Muldenähnlichste, an dem wir bisher vorbeigekommen sind.«

»Er hat das Kind erwürgt, und dann haben sie es vergraben, unten in der Mulde beim Haus von meinem Dad««, zitierte Strike.

»Ich sehe mir das mal an«, sagte Robin. »Du bleibst hier.«

»Nicht ...« Strike gebot ihr mit erhobener Hand Einhalt. »Du findest sowieso nichts ...«

Aber Robin schlitterte bereits die steile Kante der »Mulde« hinab. Dornen zerrten an ihrer Jeans.

Sobald sie die Sohle erreicht hatte, konnte sie sich nur mit Mühe bewegen. Die Brennnesseln reichten ihr bis fast zur Hüfte, und sie musste die Arme hochhalten, um Kratzer und Stiche zu vermeiden. Sumpf-Haarstrang und Nelkenwurz sorgten für weiße und gelbe Pünktchen im Dunkelgrün. Die langen, dornigen Zweige der Wildrosen leisteten bei jedem Schritt Widerstand wie Stacheldraht.

»Sei vorsichtig«, rief Strike und musste hilflos zusehen, wie sie sich langsam vorwärtskämpfte und sich mit jedem Schritt mehr Kratzer und Stiche einhandelte.

»Geht schon«, erwiderte Robin und nahm den Boden unter der wuchernden Vegetation genau in Augenschein. Was immer man hier womöglich vergraben hatte, war schon seit Ewigkeiten überwuchert und würde sich nur mit viel Mühe wieder ausgraben lassen. Das teilte sie auch Strike mit. Dann beugte sie sich vor und spähte unter einen dichten Brombeerstrauch.

»Ich könnte mir vorstellen, dass Kinvara nicht begeistert wäre, wenn wir hier herumbuddelten«, sagte Strike, und unwillkürlich schoss ihm durch den Kopf, was Billy gesagt hatte. *Mich lässt sie nicht graben, aber Sie schon.*

»Moment mal«, sagte Robin atemlos.

Obwohl Strike sich sicher war, dass sie hier nichts finden würden, war er schlagartig hellwach. »Was?«

»Hier ist irgendwas.« Robin neigte den Kopf zur Seite, um besser unter einen Brennnesselstrauch fast genau in der Mitte der Mulde spähen zu können.

»Oh Gott ...«

»Was?«, wiederholte Strike. Obwohl er von oben die bessere Sicht hatte, konnte er in dem Dickicht nichts erkennen.

»Ich weiß auch nicht ... Ich könnte es mir auch nur einbilden ...« Sie zögerte. »Du hast nicht zufällig Handschuhe dabei, oder?«

»Nein. Robin, lass doch ...«

Aber sie war bereits mit hocherhobenen Händen in die Brennnesseln getreten und trampelte sie so platt wie möglich. Dann beobachtete Strike, wie sie sich bückte, etwas aus dem Boden rupfte, sich wieder aufrichtete und wie erstarrt den rotgoldenen Kopf über ihren Fund beugte.

»Was ist das?«, fragte Strike ungeduldig.

Als sie aufblickte, fiel ihr Haar aus dem inmitten des dunkelgrünen Morasts leichenblass wirkenden Gesicht zurück auf die Schultern. Sie hielt ein kleines hölzernes Kreuz in die Höhe.

»Bleib, wo du bist«, sagte sie, als er sich sofort zum Rand der Mulde bewegte, um ihr herauszuhelfen. »Es geht schon.«

Inzwischen war sie über und über mit Kratzern und Brennnesselquaddeln bedeckt, sodass ein paar mehr wohl keine Rolle mehr spielten. Robin arbeitete sich auf allen vieren aus dem Loch und zog sich am Hang hoch, bis sie Strikes Hand packen und sich den letzten Meter von ihm heraushelfen lassen konnte.

»Danke«, sagte sie atemlos und wischte die feuchte Erde vom unteren, zugespitzten Ende des morschen Kreuzes. »Das steckt dort unten bestimmt schon seit Jahren.«

»Da steht was drauf«, stellte Strike fest, nahm ihr das Kreuz aus der Hand und kniff die Augen zusammen.

»Wo?«, fragte Robin. Ihr Haar berührte seine Wange, als sie an seine Seite trat und die kaum noch erkennbaren, von Regen und Tau ausgewaschenen Filzstiftspuren zu entziffern versuchte. »Sieht aus wie eine Kinderschrift«, bemerkte sie leise.

»Das ist ein S«, sagte Strike. »Und am Schluss ... ein G? Oder ein Y?«

»Keine Ahnung«, flüsterte Robin.

Schweigend betrachteten sie das Kreuz, bis Rattenburys leises, hallendes Bellen ihre Andacht störte.

»Wir befinden uns immer noch auf Kinvaras Grund und Boden«, sagte Robin nervös.

»Ja.« Mit dem Kreuz in der Hand machte sich Strike humpelnd auf den Rückweg. Die Schmerzen waren so groß, dass er die Zähne zusammenbeißen musste. »Suchen wir uns einen Pub. Ich bin am Verhungern.«

44

*Aber es gibt gar mancherlei weiße Rosse auf dieser Welt,
Madam Helseth.*

HENRIK IBSEN, *ROSMERSHOLM*

»Selbstverständlich«, sagte Robin, während sie in Richtung Dorf fuhren, »bedeutet ein Holzkreuz im Boden noch lange nicht, dass dort auch etwas vergraben liegt.«

»Das stimmt«, japste Strike, der sich durch das viele Rutschen und Stolpern und die lauten Flüche leicht verausgabt hatte. »Aber es wundert einen schon, oder nicht?«

Robin schwieg. Ihre Hände auf dem Lenkrad waren mit schmerzenden, juckenden Brennnesselquaddeln bedeckt.

Der Landgasthof, den sie fünf Minuten später erreichten, war die reinste Postkartenidylle: ein weißes Fachwerkhaus samt Erker mit Butzenscheiben, moosbedeckten Dachschindeln und einem roten Rosenstrauch, der sich um die Eingangstür rankte. Ein Biergarten mit aufgespannten Sonnenschirmen vervollständigte die typisch englische Szenerie. Robin stellte den Land Rover auf dem kleinen Parkplatz gegenüber ab.

»Allmählich wird's albern«, murmelte Strike, der beim Aussteigen den Pub in Augenschein nahm. Das Holzkreuz ließ er auf dem Armaturenbrett liegen.

»Was denn?«, fragte Robin und umrundete den Wagen.

»Der Pub heißt The White Horse.«

»Nach dem weißen Pferd auf dem Hügel«, sagte Robin,

während sie Seite an Seite die Straße überquerten. »Sieh dir das Schild an.«

An einer Holzstange befestigt war ein Brett, auf dem das merkwürdige Scharrbild zu sehen war, an dem sie zuvor vorbeigekommen waren.

»Der Pub, vor dem ich Jimmy Knight zum ersten Mal getroffen habe, hieß auch so«, sagte Strike.

»The White Horse ist einer der zehn beliebtesten Pubnamen in Großbritannien«, sagte Robin, als sie die Stufen zum Biergarten in Angriff nahmen. Strike humpelte mittlerweile noch stärker. »Das hab ich irgendwo mal gelesen. Da vorn, ich glaube, die gehen gerade ... Setz dich schon mal. Ich hole die Getränke.«

Im Schankraum mit der niedrigen Decke herrschte reger Betrieb. Robin suchte zunächst die Damentoilette auf, wo sie sich ihre Jacke auszog, um die Hüfte knotete und sich die schmerzenden Hände wusch. Sie hätte auf dem Rückweg vom Steda Cottage nur zu gern nach Sauerampfer Ausschau gehalten, der das Jucken der Quaddeln gelindert hätte, doch Strike, der, mit sich selbst hadernd, durch den Wald gehinkt war, hatte den Großteil ihrer Aufmerksamkeit beansprucht. Er war noch zwei weitere Male um ein Haar gestürzt, hatte aber jedes Hilfsangebot brüsk zurückgewiesen und sich stattdessen schwer auf seinen improvisierten Gehstock gestützt.

Ein Blick in den Spiegel verriet Robin, wie zerzaust und schmutzig sie im Gegensatz zu den anderen, gut situierten Gästen mittleren Alters aussah. Doch in ihrer Eile, zu Strike zurückzukehren und alles zu besprechen, was sich an diesem Vormittag ereignet hatte, fuhr sie sich lediglich mit ihrer Bürste durchs Haar und wischte sich einen grünlichen Fleck vom Hals, bevor sie sich am Tresen anstellte.

»Du bist ein Schatz, Robin«, sagte Strike dankbar, als sie mit einem Pint Arkell's Wiltshire Gold zu ihm zurückkehrte. Er schob ihr die Speisekarte zu. »Ah, genau das Richtige«, seufzte er, nachdem er einen Schluck genommen hatte. »Und was ist der beliebteste?«

»Wie bitte?«

»Der beliebteste Pubname. The White Horse ist in den Top Ten, hast du vorhin gesagt.«

»Ach so, richtig ... The Red Lion oder The Crown, ich weiß nicht mehr so genau.«

»Mein Stammpub hieß The Victory«, sagte Strike sentimental.

Er war seit zwei Jahren nicht mehr in Cornwall gewesen, doch den Pub, einen gedrungenen, weiß getünchten Kaolinsteinbau, sah er noch immer deutlich vor sich. Dort hatte er im zarten Alter von sechzehn Jahren zum ersten Mal Alkohol bekommen, ohne dass er seinen Ausweis hatte vorzeigen müssen. Seine Mutter hatte gerade wieder einmal eine chaotische Lebensphase durchgemacht und ihn deshalb für mehrere Wochen bei seinem Onkel und seiner Tante geparkt.

»Unserer war das Bay Horse«, sagte Robin, und vor ihrem geistigen Auge erschien ein ebenfalls weißes Gebäude in einer vom Marktplatz abgehenden Straße in Masham, jenem Ort, den sie wohl immer als Heimat bezeichnen würde. In dem Pub hatte sie ihren Schulabschluss gefeiert und sich noch am selben Abend mit Matthew wegen irgendeiner Nebensächlichkeit gestritten. Er war beleidigt abgerauscht, und sie war bei ihren Freunden geblieben, anstatt ihm hinterherzulaufen.

»Das ›braune Pferd‹?« Strike hatte sein Pint bereits zur Hälfte geleert, aalte sich nun in der Sonne und streckte das schmerzende Bein vor sich aus.

»Nur der ›Braune‹. Es gibt zwar auch andere braune Pferde«, erklärte Robin, »aber ein Brauner hat zum braunen Fell eine schwarze Mähne, einen schwarzen Schweif und schwarze Beine.«

»Und welche Farbe hatte dein Pony? Angus, oder?«

»Dass du dich daran erinnerst!«, bemerkte Robin verblüfft.

»Und du erinnerst dich an die beliebtesten Pubnamen«, gab Strike zurück. »Manche Sachen bleiben einfach hängen.«

»Angus war ein Schimmel.«

»Also weiß. Das ist doch alles nur Fachchinesisch, um den unberittenen Pöbel zu verwirren.«

»Nein«, sagte Robin lachend. »Ein Schimmel hat schwarze Haut unter dem weißen Fell. Ein reinweißes Pferd dagegen …«

»… stirbt ein paar Tage nach der Geburt«, fiel Strike ihr ins Wort.

Die Kellnerin kam. Strike bestellte einen Burger, dann zündete er sich eine Zigarette an. Als das Nikotin sein Gehirn durchströmte, verspürte er ein Gefühl, das der Euphorie recht ähnlich war. Ein Pint und bald eine Mahlzeit, ein warmer Augusttag, ein gut bezahlter Auftrag – und Robin, die ihm gegenübersaß. Sie hatten sich wieder vertragen. Vielleicht waren sie nicht mehr ganz so dicke miteinander wie noch vor Robins Flitterwochen, aber doch so gut befreundet, wie es deren Status als verheiratete Frau zuließ. Trotz des schmerzenden Beins, der Müdigkeit und seiner Beziehung zu Lorelei, die ein zusehends verworrenes, einer Lösung harrendes Problem darstellte, war Strike in diesem Moment glücklich und voller Zuversicht.

»Gruppenbefragungen sind nie optimal«, sagte er und wandte sich ab, um Robin keinen Rauch ins Gesicht zu blasen. »Obwohl zwischen den Chiswells einige spannende Beziehungsverhältnisse zu beobachten waren, findest du nicht? Ich werde mir Izzy mal gesondert vornehmen. Ohne die Familie ist sie bestimmt etwas aufgeschlossener.«

Das wird Izzy sicher gefallen, dachte Robin und kramte ihr Handy heraus. »Ich muss dir was zeigen. Guck mal.«

Sie rief das Foto von Freddie Chiswells Geburtstagsfeier auf.

»Das hier« – sie deutete auf das blasse, unglückliche Mädchen – »ist Rhiannon Winn. Sie war zu Freddie Chiswells achtzehntem Geburtstag eingeladen, weil sie« – sie zeigte ihm das vorherige Bild mit den weiß gekleideten Teenagern – »gemeinsam in der britischen Fechtmannschaft waren.«

»Himmel, natürlich!«, rief Strike und nahm Robin das Handy aus der Hand. »Der Säbel – der Säbel bei Chiswell in der Ebury Street! Jede Wette, dass er Freddie gehört hat.«

»Natürlich!«, wiederholte Robin und fragte sich, wieso sie nicht selbst darauf gekommen war.

»Das Foto muss kurz vor ihrem Selbstmord aufgenommen worden sein«, sagte Strike und sah sich Rhiannon Winn genauer an, die bei dem Geburtstagsfest eine tragische Figur abgab. »Und ... Scheiße noch mal, das hinter ihr ist doch Jimmy Knight! Was macht der denn auf der Feier eines reichen Privatschülers?«

»Gratis saufen?«, schlug Robin vor.

Strike gab ihr mit einem belustigten Schnauben das Telefon zurück. »Manchmal ist die offensichtlichste Antwort auch die richtige. War Izzy irgendwie peinlich berührt, als die Sprache auf Jimmys Sex-Appeal kam, oder hab ich mir das nur eingebildet?«

»Nein«, sagte Robin. »Das ist mir auch aufgefallen.«

»Und anscheinend will niemand, dass wir mit Jimmys alten Kumpels reden, diesen Brüdern Butcher.«

»Weil die uns mehr sagen könnten als nur, wo ihre Schwester jetzt arbeitet?«

Strike nahm einen Schluck Bier und dachte daran zurück, was ihm Chiswell bei ihrer ersten Unterhaltung gesagt hatte.

»Chiswell hat angedeutet, dass noch andere Personen an der Angelegenheit beteiligt seien, derentwegen er erpresst wurde, aber dass die zu viel zu verlieren hätten, wenn das Ganze herauskäme.«

Er holte sein Notizbuch hervor und starrte auf seine krakelige, schwer zu entziffernde Schrift hinab. Robin genoss unterdessen das leise, friedliche Murmeln der Gäste im Biergarten. Eine Biene summte träge in der Nähe, was sie an den Lavendelpfad im Manoir aux Quat'Saisons erinnerte, wo sie mit Matthew ihren Hochzeitstag gefeiert hatte. Es war wohl besser, ihre gegenwärtige Stimmung nicht mit der damaligen zu vergleichen.

»Vielleicht«, sagte Strike nach einer Weile und tippte mit dem Stift auf die aufgeschlagene Seite, »hat Jimmy von London aus ja die Butcher-Brüder damit beauftragt, ein bisschen an den Pferden herumzuschnippeln? Ich hatte schon vermutet, dass er ein paar Männer fürs Grobe hier vor Ort hat. Warten wir, bis Izzy sie nach Tegan gefragt hat, bevor wir sie selbst kontaktieren. Ich will unsere Klientin nicht unnötig in Aufregung versetzen.«

»Nein«, sagte Robin. »Ob Jimmy sie wohl getroffen hat, als er hier nach Billy gesucht hat?«

»Gut möglich«, sagte Strike, nachdem er einen Blick in seine Aufzeichnungen geworfen hatte. »Das ist sowieso eine seltsame Geschichte. Damals bei der Demo wussten Jimmy und Flick doch allem Anschein nach, wo Billy steckte. Jedenfalls haben sie von ihm gesprochen. Sie wollten gerade los, um ihn zu besuchen, als mein Schenkelmuskel den Geist aufgegeben hat. Und jetzt haben sie ihn schon wieder verloren ... Ich würde wirklich einiges darum geben, Billy zu finden. Mit ihm hat alles angefangen, und wir sind immer noch ...«

Das Essen kam – ein Burger mit Blauschimmelkäse für Strike, eine Schale mit Chili für Robin –, und er verstummte.

»Und wir sind immer noch ...«, soufflierte Robin, sobald die Kellnerin wieder verschwunden war.

»... so schlau wie zuvor«, sagte Strike. »Zumindest was dieses Kind angeht, dessen Ermordung Billy angeblich mit angesehen hat. Ich wollte Suki Lewis nicht vor den Chiswells erwähnen – noch nicht. Vorerst sollten wir so tun, als wären wir ausschließlich an Chiswells Tod interessiert.«

Den leeren Blick auf die Straße gerichtet, nahm er einen gewaltigen Bissen von seinem Burger. Erst nachdem er ihn zur Hälfte vernichtet hatte, wandte er sich wieder seinen Aufzeichnungen zu.

»Es gibt viel zu tun«, verkündete er und nahm wieder den Stift zur Hand. »Zunächst mal will ich diese Putzfrau finden, die Jasper Chiswell gefeuert hat. Die hatte für geraume Zeit einen Hausschlüssel und kann uns vielleicht sagen, wie und wann das Helium ins Haus kam. Wenn wir Glück haben, kann Izzy außerdem Tegan Butcher für uns aufstöbern. Vielleicht weiß die ja mehr über Raphaels ominöse Anreise an jenem Morgen, als sein Vater starb. Die Geschichte kaufe ich ihm nämlich immer noch nicht ab. Nachdem die Chiswells nicht wollen, dass wir Tegans Brüder befragen, sollten wir sie fürs Erste in Ruhe lassen. Allerdings würde ich gern ein paar Takte mit Henry Drummond reden, dem Kunsthändler.«

»Und weshalb?«, fragte Robin.

»Er ist ein alter Bekannter von Chiswell und hat ihm den Gefallen getan und Raphael eingestellt. Also müssen sie halbwegs gut miteinander befreundet gewesen sein. Wer weiß, vielleicht hat Chiswell ihm sogar verraten, womit er erpresst wurde. Außerdem hat er am Tag von Chiswells Tod noch versucht, ihn früh am Morgen zu erreichen. Ich wüsste gern, worum es da ging. Der Plan lautet also folgendermaßen: Du schmeißt dich in diesem Schmuckladen an Flick ran, Barclay bleibt in Jimmys und Flicks Nähe, und ich kümmere mich um Geraint Winn und Aamir Mallik.«

»Die reden nicht mit dir«, warf Robin sofort ein. »Niemals.«
»Wetten?«
»Abgemacht. Um zehn Pfund?«

»Bei dem Gehalt, das ich dir zahle, kannst du es dir nicht leisten, einfach so zehn Pfund aus dem Fenster zu werfen«, sagte Strike. »Gib mir stattdessen ein Bier aus.«

Strike beglich die Rechnung, dann überquerten sie wieder die Straße und liefen zum Wagen. Robin, der die Vorstellung, in die Albury Street zurückzukehren, aufs Gemüt schlug, wünschte sich insgeheim, sie wären noch nicht am Ende der Reise angelangt.

»Wir sollten über die M40 nach Hause fahren«, sagte Strike nach einem Blick auf die Streckenkarte auf seinem Handy. »Auf der M4 gab es einen Unfall.«

»Okay ...«

Der Umweg würde sie am Manoir aux Quat'Saisons vorbeiführen. Während sie aus der Parklücke stieß, fielen ihr Matthews SMS wieder ein. »Arbeit« hatte er behauptet, obwohl er sich an einem Wochenende noch nie um Geschäftliches gekümmert hatte, im Gegenteil, eine seiner Hauptbeschwerden in Bezug auf ihren Beruf lautete, dass der sich gelegentlich auf Samstag und Sonntag ausdehnte. Was bei ihm nie der Fall war.

»Was?«, fragte sie, als ihr dämmerte, dass Strike sie gerade angesprochen hatte.

»Sie bedeuten Unglück, hab ich gesagt. Oder nicht?«, wiederholte Strike.

»Wer?«

»Weiße Pferde«, sagte er. »Gibt es da nicht ein Theaterstück, in dem weiße Pferde als Todesboten vorkommen?«

»Keine Ahnung.« Robin schaltete höher. »Aber in der Johannesoffenbarung reitet der Tod ein weißes Pferd.«

»Ein fahles Pferd«, korrigierte Strike und kurbelte das Fenster herunter, damit er rauchen konnte.

»Erbsenzähler.«

»Sagt die Frau, für die ein Schimmel und ein weißes Pferd zwei verschiedene Dinge sind«, gab Strike zurück.

Er griff nach dem schmutzigen Holzkreuz, das auf dem Armaturenbrett hin und her rutschte. Robin hielt den Blick auf die Straße gerichtet und versuchte verzweifelt, das Bild zu verscheuchen, das sich ihr beim Anblick des zwischen den haarigen Brennnesselstrünken verborgenen Kreuzes aufgedrängt hatte: das eines toten Kindes, das am Grund jenes dunklen Lochs im Wald vor sich hin rottete, von allen vergessen und nur mehr lebendig in der Erinnerung eines Wahnsinnigen.

45

Für mich ist es eine Notwendigkeit, aus einer falschen und zweideutigen Stellung herauszukommen.

HENRIK IBSEN, *ROSMERSHOLM*

Die Quittung für den Waldspaziergang in der Nähe von Chiswell House erhielt Strike am folgenden Morgen in Form heftiger Schmerzen. Er hatte so wenig Lust, aufzustehen und sich – noch dazu an einem Sonntag – ins Büro hinunterzuquälen und zu arbeiten, dass er sich wieder daran erinnern musste, seinen Beruf freiwillig ergriffen zu haben – genau wie Hyman Roth, eine Figur in einem seiner Lieblingsfilme. Wenn außergewöhnliche Anstrengungen notwendig waren, dann musste man sie eben in Kauf nehmen, um Erfolg zu haben. Das war in der Privatermittlerbranche nicht anders als bei der Mafia.

Immerhin hatte er die Wahl gehabt. Die Army hätte ihn trotz des fehlenden Beins gern behalten. Bekannte von Bekannten hatten ihm alle möglichen Anstellungen angeboten, von einem Posten im Management bis hin zum Personenschutz. Doch er hatte seinen Drang, nachzuforschen, Rätsel zu lösen und moralische Schieflagen wieder ins Lot zu bringen, nicht unterdrücken können und bezweifelte, dass ihm dies jemals möglich sein würde. Der Papierkram jedoch, die häufig unbequemen Klienten, das Einstellen und Entlassen freier Mitarbeiter – dies alles verschaffte ihm keine Befriedigung an sich. Die langen Arbeitszeiten hingegen, die körperlichen Entbehrungen und gelegentlichen Risiken, die sein Job mit sich brachte, ertrug er stoisch; gelegentlich hatte er sogar Freude daran. Also duschte er, legte die Prothese an und machte sich nach einem herzhaften Gähnen auf den beschwerlichen Weg nach unten und erinnerte sich sogar an den Rat seines Schwagers, es sollte sein Ziel sein, im Büro zu sitzen, während sich andere für ihn die Hacken abliefen.

Als er vor dem Computer saß, musste er wieder an Robin denken. Er hatte sie nie gefragt, wohin sich die Detektei ihrer Meinung nach entwickeln solle; bisher war er – ein bisschen anmaßend vielleicht – davon ausgegangen, dass sie das gleiche Ziel verfolgte wie er: den Aufbau eines hinreichenden Finanzpolsters, das ihnen ein geregeltes Einkommen garantierte und gleichzeitig ermöglichte, sich die interessantesten Fälle herauszupicken, ohne mit dem Verlust eines Klienten auch den Verlust der Firma fürchten zu müssen. Vielleicht wartete Robin ja darauf, dass er eine Diskussion über jene von Greg angesprochenen zukünftigen Entwicklungen anstieße? Wie würde sie wohl reagieren, wenn er sie auf das furzende Sofa setzte und mit PowerPoint-Folien über die langfristigen Ziele und verschiedenen Konzepte zur Markenentwicklung der Detektei traktierte?

Die Gedanken an Robin wurden von Erinnerungen an Charlotte abgelöst. Auch während ihrer Beziehung hatte es Tage gegeben, an denen er stundenlang vor dem Computer hatte verbringen müssen. Manchmal war Charlotte ausgegangen – nicht ohne zuvor unnötigerweise ein großes Geheimnis darum zu machen, wohin sie unterwegs wäre. Dann wieder hatte sie sich den einen oder anderen Vorwand gesucht, um ihn zu stören, oder gleich einen Streit angefangen, der ihm wertvolle Zeit geraubt hatte. Ihm war klar, dass er sich dieses anstrengende, nervtötende Verhalten absichtlich in Erinnerung rief; seit ihrem Wiedersehen in Lancaster House schlich sich

Charlotte wie eine streunende Katze regelmäßig unangekündigt in seine Gedanken.

Knapp acht Stunden, sieben Tassen Tee, drei Pinkelpausen, vier Käsesandwiches, drei Chipstüten, einen Apfel und dreiundzwanzig Zigaretten später hatte Strike sämtlichen Mitarbeitern ihre Spesen erstattet, dem Steuerberater die Ausgabenbelege zusammengestellt und Hutchins' jüngsten Bericht über Teflon-Doc gelesen. Außerdem war er mehreren Aamir Malliks durch den Cyberspace hinterhergejagt, ohne denjenigen zu finden, den er suchte. Einmal – gegen siebzehn Uhr – glaubte er, ihn endlich ausfindig gemacht zu haben, aber das zugehörige Foto war so weit vom Ausdruck »hübsch« entfernt – wie er in dem Blogbeitrag beschrieben worden war –, dass er Robin eine E-Mail mit den Resultaten der Google-Bildersuche schickte, damit sie seine Vermutung bestätigte.

Strike streckte sich, gähnte und lauschte dem Schlagzeugsolo eines potenziellen Käufers unten im Musikaliengeschäft an der Denmark Street. Voller Vorfreude auf die Fernsehübertragung der Olympischen Spiele, zu der heute auch der Hundertmeterlauf mit Usain Bolt gehören würde, wollte er gerade den Computer ausschalten, als ihn ein leises Ping auf den Eingang einer E-Mail mit dem Absender Lorelei@VintageVamps.com hinwies. In der Betreffzeile stand lediglich: *Du und ich*.

Strike rieb sich mit den Handballen die Augen, als wäre der Anblick dieses Neuzugangs in seinem Postfach einer vorübergehenden Sehstörung geschuldet. Doch als er den Kopf hob und die Augen wieder aufschlug, wartete die Nachricht noch immer im Posteingangsordner.

»Ach, Scheiße«, murmelte er, fügte sich in sein Schicksal und klickte darauf.

Die beinahe tausend Wörter umfassende Nachricht, in der Strikes Charakter einer methodischen Analyse unterzogen wurde, machte einen überlegt und sorgfältig formulierten Eindruck. Sie las sich wie die Fallakte eines Psychiatriepatienten, für den bei rechtzeitigem Einschreiten unter Umständen noch Hoffnung bestehen könnte. Lorelei kam darin zu dem Schluss, dass Cormoran Strike aufgrund seiner schwer traumatisierten und hochgradig gestörten Persönlichkeit nicht nur seinem eigenen Glück im Weg stand, sondern durch seine tief sitzende Weigerung, ehrlich mit seinen Gefühlen umzugehen, auch seinen Mitmenschen Schaden zufügte. Da er nie eine funktionierende Beziehung erlebt habe, ergreife er nicht die Gelegenheit, wenn sich eine biete, sondern die Flucht. Dass es Menschen gebe, die sich um ihn kümmerten, halte er für selbstverständlich – bis er sich irgendwann allein, ungeliebt und von tiefer Reue geplagt ganz unten wiederfinden werde.

Im Anschluss an den Befund folgte eine Schilderung von Loreleis seelischen Konflikten und Zweifeln, die dem Entschluss vorausgegangen waren, ihm diese E-Mail zu schreiben. Statt Strike einfach mitzuteilen, dass ihre unverbindliche Beziehung zu Ende sei, hielt sie es für angebracht, ihm schriftlich darzulegen, weshalb sie und damit auch jede andere Frau ihn erst akzeptieren könne, wenn er sein Verhalten ändere. Sie bat ihn, eingehend über ihre Worte nachzudenken, die sie »nicht mit Wut, sondern mit Trauer im Herzen« geschrieben habe, und regte ein Treffen an, bei dem sie dann entscheiden könnten, »ob dir an dieser Beziehung so viel liegt, dass du es noch einmal auf andere Weise versuchen willst«.

Als er das Ende der Mail erreicht hatte, blieb Strike reglos sitzen und starrte den Bildschirm an – nicht etwa weil er sich eine Antwort überlegte, sondern weil er die Schmerzen fürchtete, die mit dem Aufstehen einhergehen würden. Am Ende richtete er sich auf, verlagerte mit verkniffenem Gesicht das Gewicht auf die Prothese, fuhr den Rechner runter und schloss das Büro hinter sich ab.

Warum macht sie nicht einfach am Telefon Schluss?, fragte er sich, während er sich mithilfe des Handlaufs die Treppe hinaufschleppte. *Diese Beziehung ist tot, das ist doch sonnenklar. Wozu also noch die Leichenschau?*

In seiner Wohnung zündete er sich die nächste Zigarette an, ließ sich auf einen Küchenstuhl fallen und rief Robin an. Sie ging sofort ran.

»Hallo«, sagte sie leise. »Einen Augenblick bitte …«

Er hörte das Schließen einer Tür, dann Schritte, dann eine weitere Tür, die ins Schloss fiel.

»Hast du meine E-Mail bekommen? Ich hab dir ein paar Bilder geschickt.«

»Nein«, sagte Robin mit immer noch gedämpfter Stimme. »Was für Bilder?«

»Ich glaub, ich hab Mallik gefunden. Er wohnt in Battersea. Untersetzter Typ, zusammengewachsene Augenbrauen?«

»Das ist er nicht. Unser Mallik ist groß, schlank und trägt eine Brille.«

»Dann hab ich gerade eine Stunde lang umsonst recherchiert«, sagte Strike frustriert. »Hat er nie erwähnt, wo er wohnt? Was er am Wochenende so macht? Wie seine Sozialversicherungsnummer lautet?«

»Nein«, sagte Robin. »Wir haben kaum miteinander gesprochen, wie du sehr wohl weißt.«

»Was macht die Verkleidung?«

Robin hatte Strike bereits per SMS darüber informiert, dass sie für Donnerstag ein Vorstellungsgespräch bei der »irren Wicca-Tante« vereinbart hatte, der das Schmuckgeschäft in Camden gehörte.

»Fortschritte«, antwortete Robin. »Ich hab ein bisschen herumexperimentiert und …«

Im Hintergrund war gedämpftes Rufen zu hören.

»Sorry, ich muss los«, sagte Robin eilig.

»Alles klar?«

»Alles prima. Bis morgen.«

Sie legte auf. Strike blieb mit dem Telefon am Ohr sitzen. Anscheinend hatte er sie in einem ungünstigen Augenblick erwischt, womöglich sogar mitten in einem Ehestreit. Leicht enttäuscht darüber, dass sich keine längere Unterhaltung entsponnen hatte, ließ er das Handy sinken und starrte es eine Weile an. Lorelei erwartete bestimmt, dass er sie sofort nach Erhalt ihrer E-Mail zurückrief; weil er aber glaubwürdig behaupten konnte, sie noch nicht gelesen zu haben, legte er das Telefon beiseite und griff stattdessen zur Fernbedienung.

46

… hätte ich Ihre Verfehlung mit behutsameren Händen angefasst.

HENRIK IBSEN, *ROSMERSHOLM*

Vier Tage später lehnte Strike zur Mittagszeit am Tresen einer winzigen Pizzeria, die bestens dazu geeignet war, um von dort aus das braune Backsteinhaus gegenüber zu beobachten. Über dem Eingang der einen Doppelhaushälfte war der Schriftzug »Ivy Cottages« in den Stein gemeißelt – ein bescheidener Name für die eleganten Anwesen mit den markanten Schlusssteinen in den Fensterbogen.

Strike aß gerade ein Stück Pizza, als das Telefon in seiner Tasche vibrierte. Er sah erst aufs Display; eine angespannte Konversation mit Lorelei pro Tag reichte ihm vollends. Doch es war Robin. Er ging ran.

»Ich hab den Job«, verkündete sie aufgeregt. »Ich komme gerade vom Vorstellungsgespräch. Die Inhaberin ist eine grauenhafte Person! Kein Wunder, dass es dort niemand aushält. Flexible Arbeitszeiten – was im Prinzip bedeutet, dass ich immer dann antanzen muss, wenn sie keine Lust hat zu arbeiten.«

»Ist Flick noch dort?«

»Ja, die stand an der Kasse, während ich mit der Inhaberin gesprochen habe. Morgen ist Probearbeiten.«

»Ist dir jemand gefolgt?«

»Nein. Der Reporter hat anscheinend aufgegeben, seit gestern ist er weg. Aber wahrscheinlich hätte er mich sowieso nicht erkannt. Du solltest mal meine Haare sehen!«

»Warum, was hast du denn damit angestellt?«

»Kreide.«

»Was?«

»Haarkreide«, sagte Robin. »Schwarz und blau, leicht auswaschbar. Außerdem hab ich dick Mascara drauf und mir ein paar Klebetattoos zugelegt.«

»Schick mir ein Selfie, ich brauch was zu lachen.«

»Mach doch eins von dir! Was ist bei dir so passiert?«

»Erschreckend wenig. Della hat ihr Haus heute Morgen in Malliks Begleitung verlassen ...«

»Was, *wohnen* die etwa zusammen?«

»Keine Ahnung. Sie sind mit dem Blindenhund in ein Taxi gestiegen und weggefahren. Eine Stunde später waren sie wieder da. Seitdem warte ich hier. Ach ja, übrigens hatte ich Mallik schon mal gesehen. Als ich ihn heute Morgen observiert habe, ist es mir wieder eingefallen.«

»Wirklich?«

»Ja, er war bei Jimmys CORE-Veranstaltung, auf der ich damals Billy gesucht habe.«

»Merkwürdig ... Ob ihn Geraint als Mittelsmann hingeschickt hat?«

»Kann schon sein. Dabei hätten sie doch auch einfach per Telefon Kontakt aufnehmen können. Irgendwas stimmt mit diesem Mallik nicht.«

»Der ist schon in Ordnung«, beteuerte Robin. »Er war nicht gerade nett zu mir, aber nur weil er mir nicht über den Weg getraut hat. Was bedeutet, dass er ein bisschen mehr auf dem Kasten hat als alle anderen.«

»Aber wie ein Mörder kommt er dir nicht vor, oder?«

»Du meinst wegen dem, was Kinvara gesagt hat?«

»Mein Mann hat sich kurz vor seinem Tod mit jemandem angelegt, obwohl ich ihn davor gewarnt hatte ...«, zitierte Strike.

»Aber wieso sollte man Angst davor haben, Aamir zu verärgern? Weil er dunkelhäutig ist? Mir hat er eher leidgetan. Immerhin musste er für diesen furchtbaren ...«

»Bleib mal kurz dran«, sagte Strike und ließ das letzte Pizzastück auf den Teller zurückfallen. Dellas Haustür war abermals aufgegangen.

»Los geht's«, sagte Strike, als Mallik allein aus dem Haus trat, die Tür hinter sich zuzog, eilig durch den Vorgarten und dann die Straße entlangmarschierte. Strike verließ die Pizzeria und setzte ihm nach. »Er geht richtig beschwingt. Als wäre er froh, sie los zu sein ...«

»Was macht dein Bein?«

»War schon mal schlimmer. Moment, jetzt biegt er nach links ab ... Entschuldige, Robin, aber ich muss einen Zahn zulegen.«

»Viel Glück!«

»Danke.«

Strike überquerte die Southwark Park Road, so schnell es ihm sein Bein erlaubte, und betrat die Alma Grove, eine von viktorianischen Reihenhäusern und in gleichmäßigen Abständen gepflanzten Platanen gesäumte Straße. Zu Strikes Überraschung blieb Mallik vor einem Haus linker Hand stehen, sperrte die türkisfarbene Tür auf und trat ein. Die Entfernung zwischen seinem Haus und dem der Winns betrug zu Fuß allerhöchstens fünf Minuten.

Die schmalen Wohnhäuser standen hier dicht an dicht, und Strike konnte sich nur zu gut vorstellen, wie hellhörig sie waren. Nachdem er Mallik genug Zeit gegeben hatte, Jacke und Schuhe abzulegen, steuerte er die türkisfarbene Tür an und klopfte.

Nur Sekunden später machte Aamir auf. Sein Ausdruck höflicher Neugierde schlug um in Entsetzen – offenbar wusste er genau, wen er vor sich hatte.

»Aamir Mallik?«

Der junge Mann stand mit einer Hand an der Türklinke und der anderen an der Flurwand da und starrte Strike an. Durch die dicken Brillengläser wirkten seine dunklen Augen unnatürlich klein. »Was wollen Sie?«

»Mit Ihnen reden«, sagte Strike.

»Weshalb? Worüber?«

»Jasper Chiswells Familie hat mich engagiert, weil sie überzeugt davon ist, dass es kein Selbstmord war.«

Aamir stand stumm und reglos da. Dann löste er sich aus der Starre und trat beiseite. »Kommen Sie rein.«

An Aamirs Stelle hätte es Strike geradezu brennend interessiert, was der Detektiv wusste und welchen Vermutungen er nachging. Es war das kleinere Übel, mit ihm zu reden, als in schlaflosen Nächten darüber nachzugrübeln, was er gewollt haben mochte.

Strike trat ein und streifte die Sohlen an der Fußmatte ab.

Von innen wirkte das Haus größer als von außen. Aamir führte Strike durch eine Tür zur Linken ins Wohnzimmer. Die Einrichtung – ein dicker Teppich mit einem Muster aus rosafarbenen und grünen Wirbeln, mit Chintz bezogene Stühle, ein mit einem Spitzendeckchen versehener Beistelltisch und ein Spiegel mit reich verziertem Rahmen über dem Kaminsims – entsprach ganz eindeutig dem Geschmack einer weitaus älteren Person. Im schmiedeeisernen Kamin stand ein hässliches Elektroheizgerät. Die Regale waren leer, nirgends Dekoartikel oder überhaupt irgendwelche persönlichen Gegenstände. Auf der Armlehne eines Sessels lag ein Stieg-Larsson-Taschenbuch.

Aamir drehte sich mit den Händen in den Jeanstaschen zu Strike um. »Sie sind Cormoran Strike ...«

»Stimmt genau.«

»Und die Frau, die sich im Unterhaus als Venetia ausgegeben hat, ist Ihre Kollegin.«

»Auch richtig.«
»Was wollen Sie?«, fragte Aamir zum zweiten Mal.
»Ihnen ein paar Fragen stellen.«
»Worüber?«
»Darf ich mich setzen?«, fragte Strike, wartete Aamirs Erlaubnis dann aber nicht ab.

Aamirs Blick wanderte zu Strikes Fuß, sodass er demonstrativ das Bein ausstreckte, damit man das Metall über der Socke aufblitzen sah. Jemand, der so einfühlsam mit Dellas Behinderung umging, würde auch Strike nicht wieder von seinem Platz verscheuchen.

»Wie gesagt – Jasper Chiswells Familie hält einen Selbstmord für ausgeschlossen.«

»Glauben Sie etwa, ich hätte etwas mit seinem Tod zu tun?«, fragte Aamir. Er bemühte sich um einen ungläubigen Ton, klang jedoch verängstigt.

»Nein«, sagte Strike. »Aber wenn Sie ein Geständnis ablegen wollen, dann nur zu. Das würde mir eine Menge Arbeit ersparen.«

Aamir verzog keine Miene.

»Aamir, ich weiß nichts über Sie«, sagte Strike, »außer dass Sie Geraint Winn dabei geholfen haben, Chiswell zu erpressen.«

»Habe ich nicht«, entgegnete Aamir wie aus der Pistole geschossen. Die reflexhafte, voreilige Antwort eines Mannes am Rande der Panik.

»Wollten Sie nicht Fotografien beschaffen, die Chiswell belastet hätten?«

»Ich weiß nicht, wovon Sie reden.«

»Die Medien versuchen gerade, die Geheimhaltungsverfügung aufheben zu lassen, die Ihre Chefs erwirkt haben. Sobald die Öffentlichkeit von der Erpressung erfährt, wird auch Ihre Beteiligung ans Licht kommen. Sie und Ihr Freund Christopher ...«

»*Das ist nicht mein Freund!*«

Dieser plötzliche Wutausbruch war hochinteressant.

»Ist dies Ihr Haus?«

»Was?«

»Ziemlich groß für einen Vierundzwanzigjährigen, der bestimmt kein überdurchschnittliches Gehalt …«

»Wem dieses Haus gehört, geht Sie gar nichts …«

»Und es ist mir persönlich auch herzlich egal.« Strike beugte sich vor. »Aber der Presse nicht. Wenn Sie keine oder nur wenig Miete zahlen, wird es so aussehen, als hätten die Eigentümer Sie begünstigt. Als wären Sie ihnen etwas schuldig. Als hätten sie Sie in der Tasche. Und falls es Ihrem Arbeitgeber gehört, wird das Finanzamt ebenfalls hellhörig werden – so eine Sachleistung könnte für beide Seiten problematisch …«

»Woher wussten Sie überhaupt, wo ich wohne?«

»War gar nicht so einfach, das herauszufinden«, gab Strike freimütig zu. »Sie sind online nicht besonders aktiv, stimmt's? Irgendwann« – er griff in seine Jacketttasche, angelte ein Blatt Papier heraus und faltete es auseinander – »bin ich auf die Facebook-Seite Ihrer Schwester gestoßen. Das ist doch Ihre Schwester, oder?«

Er legte den Ausdruck eines Facebook-Profils auf den Couchtisch. Auf dem blassen Foto war eine hübsche, füllige Frau im Hidschab zu sehen, die inmitten von vier kleinen Kindern in die Kamera strahlte. Strike interpretierte Aamirs Schweigen als Bestätigung.

»Ich habe mir ihre Posts der letzten Jahre angesehen. Das hier sind Sie«, sagte Strike und legte einen zweiten Ausdruck auf den ersten: ein jüngerer, lächelnder Aamir im Talar zwischen seinen Eltern. »Sie haben einen erstklassigen Abschluss in Politikwissenschaft und Wirtschaft an der LSE gemacht. Sehr beeindruckend. Dann das Graduiertenprogramm im Außenministerium«, fuhr Strike fort und legte ein drittes Blatt auf den Stapel: den Ausdruck eines offiziell wirkenden, professionell erstellten Fotos einer kleinen Gruppe elegant gekleideter junger Männer und Frauen. Sie waren allesamt schwarz oder gehörten dem äußeren Anschein nach einer ethnischen Minderheit an. In ihrer Mitte stand ein Mann mit rotem Gesicht und schütterem Haar. »Das«, sagte Strike, »sind Sie mit Legationsrat Sir Christopher Barrowclough-Burns, der zu jener Zeit eine Diversity-Kampagne leitete.«

Aamirs Augenlid zuckte.

»Und hier sind Sie«, sagte Strike und präsentierte den letzten seiner vier Facebook-Ausdrucke, »vor gerade mal einem Monat mit Ihrer Schwester in der Pizzeria gegenüber von Dellas Haus. Sobald ich herausgefunden hatte, dass das Lokal ganz in der Nähe des Winn'schen Anwesens liegt, dachte ich, ich fahr mal nach Bermondsey und halte nach Ihnen Ausschau.«

Aamir starrte das Bild von sich und seiner Schwester an. Sie hatte das Selfie gemacht. Durch das Schaufenster im Hintergrund konnte man deutlich die Southwark Park Road erkennen.

»Wo waren Sie am dreizehnten Juli um sechs Uhr morgens?«, fragte Strike.

»Hier«, sagte Aamir.

»Gibt es dafür Zeugen?«

»Ja, Geraint Winn.«

»Hat er die Nacht hier verbracht?«

Aamir machte mit erhobenen Fäusten ein paar Schritte auf Strike zu. Der spannte unwillkürlich die Muskeln an, obwohl es nicht offensichtlicher hätte sein können, dass Aamir in seinem Leben noch nie geboxt hatte. Der Junge sah aus, als wäre er kurz vorm Durchdrehen.

»Ich meine ja nur«, sagte Strike und hob beschwichtigend die Hände. »Sechs Uhr morgens ist ungewöhnlich früh, um Besuch zu empfangen, oder nicht?«

Aamir ließ die Fäuste sinken und setzte sich auf die Sesselkante, als wüsste er nicht, was er sonst tun sollte. »Geraint wollte mir mitteilen, dass Della gestürzt war ...«

»Hätte er da nicht einfach anrufen können?«

»Hätte er. Hat er aber nicht getan«, sagte Aamir. »Er wollte, dass ich Della dazu bringe, in die Notaufnahme zu fahren. Sie war auf der Treppe ausgerutscht und ein paar Stufen gefallen. Ihr Handgelenk war angeschwollen. Ich bin zu ihr – sie wohnen gleich um die Ecke –, aber sie ließ sich nicht überreden. Sie kann sehr stur sein ... Aber wie dem auch sei – sie hatte sich das Handgelenk nur verstaucht, nicht gebrochen. Alles halb so schlimm.«

»Also sind Sie Geraint Winns Alibi für den Morgen, an dem Jasper Chiswell starb?«

»Ich denke schon.«

»Und er ist Ihres.«

»Wieso sollte ich Jasper Chiswell umbringen wollen?«, fragte Aamir.

»Gute Frage«, sagte Strike.

»Ich kannte ihn doch kaum«, sagte Aamir.

»Wirklich nicht?«

»Wirklich nicht.«

»Und wieso hat er Ihnen gegenüber Catull zitiert, eine der Moiren erwähnt und im Beisein mehrerer Personen angedeutet, Details aus Ihrem Privatleben zu kennen?«

Es folgte langes Schweigen. Aamirs Augenlid zuckte wieder. »So war es nicht.«

»Nicht? Meine Kollegin ...«

»Es entspricht nicht den Tatsachen. Chiswell wusste nichts über mein Privatleben, rein gar nichts.«

Strike hörte das dumpfe Brummen eines Staubsaugers aus dem Haus nebenan. Er hatte richtig vermutet: Die Wände hier waren dünn.

»Ich habe Sie schon einmal gesehen«, sagte Strike, und Mallik wirkte sofort umso verängstigter. »Und zwar vor ein paar Monaten, bei Jimmy Knights Veranstaltung in East Ham.«

»Ich weiß nicht, wovon Sie reden«, entgegnete Mallik. »Sie müssen mich mit jemandem verwechseln. Wer soll das sein – dieser Jimmy Knight?«, fragte er. Die Unkenntnis war schlecht gespielt.

»Also gut, Aamir«, sagte Strike. »Wenn Sie mir so kommen, hat dies alles hier keinen Zweck. Darf ich mal Ihre Toilette benutzen?«

»Bitte?«

»Ich muss pinkeln. Dann verschwinde ich und lasse Sie in Frieden.«

Mallik hätte es ihm liebend gern verweigern wollen, doch ihm schien kein triftiger Grund einzufallen.

»Na schön«, sagte Aamir. »Aber ...« Dann kam ihm augenscheinlich ein Gedanke. »Augenblick, ich muss erst noch ... Ich hab Socken im Waschbecken eingeweicht. Warten Sie hier.«

»So, so«, sagte Strike.

Aamir verließ das Zimmer. Strike hatte eigentlich nach einem Vorwand gesucht, um sich im ersten Stock nach Hinweisen auf die Kreatur oder Aktivität umzusehen, die die Tiergeräusche verursacht und die Nachbarn beunruhigt hatte. Der Klang von Aamirs Schritten verriet ihm jedoch, dass sich das Badezimmer hinter der Küche im Erdgeschoss befand.

Mehrere Minuten später kehrte Aamir zurück. »Hier entlang.«

Er führte Strike durch einen Flur in eine völlig unspektakuläre Küche. Dort deutete er auf die Tür zum Badezimmer.

Strike trat ein, schob die Tür zu und sperrte ab. Dann legte er die Hand ins Waschbecken, das im selben Rosa gehalten war wie Badewanne und Wände. Es war trocken. Der Griff neben der Toilette und der Haltegriff am Rand der Badewanne, der vom Boden bis zur Decke reichte, ließen darauf schließen, dass hier bis vor nicht allzu langer Zeit eine behinderte oder gebrechliche Person gewohnt hatte.

Was hatte Aamir gerade entfernt oder versteckt? Strike öffnete ein Spiegelschränkchen, das nicht mehr enthielt als den allernötigsten Toilettenbedarf eines jungen Mannes: Rasierzeug, Deo, Aftershave.

Als er das Schränkchen wieder schloss, erblickte er erst sein eigenes Gesicht und dann hinter sich einen dicken, marineblauen Bademantel, der achtlos am Ärmel statt am dafür vorgesehenen Aufhänger an einem Haken an der Tür hing.

Strike betätigte die Spülung, um den Anschein zu erwecken, dass er tatsächlich auf der Toilette gewesen war, dann drehte er sich zu dem Bademantel um und wollte gerade die Taschen abtasten, als der schlampig aufgehängte Mantel vom Haken glitt.

Strike trat einen Schritt zurück, um die soeben gemachte Entdeckung besser begutachten zu können: Irgendjemand hatte eine krude vierbeinige Figur so tief in die Badezimmertür geschnitzt, dass das Holz gesplittert und der Lack abgeplatzt war. Für den Fall, dass Aamir lauschte, drehte Strike den Kaltwasserhahn auf und machte mit dem Handy ein Foto von der Schnitzerei. Dann drehte er den Hahn wieder zu und hängte den Bademantel so an den Haken zurück, wie er ihn vorgefunden hatte.

Aamir wartete in der Küche auf ihn.

»Darf ich das wieder mitnehmen?« Ohne eine Antwort abzuwarten, lief Strike ins Wohnzimmer und sammelte die Facebook-Ausdrucke wieder ein. »Wieso wollten Sie eigentlich nicht im Außenministerium bleiben?«, fragte er beiläufig.

»Ich ... Da hat es mir nicht gefallen.«

»Und wie sind Sie bei den Winns gelandet?«

»Wir kannten uns bereits«, sagte Aamir. »Als Della mir einen Job angeboten hat, habe ich zugesagt.«

Es kam nur sehr, sehr selten vor, dass Strike Skrupel hatte, weil er bei einer Befragung gezwungen war, eine bestimmte Richtung einzuschlagen.

»Mir ist aufgefallen«, sagte er und hielt die Ausdrucke in die Höhe, »dass Sie nach dem Ausscheiden aus dem Außenministerium anscheinend für längere Zeit den Kontakt zu Ihrer Familie abgebrochen hatten. Sie sind auf keinem Gruppenfoto mehr zu sehen, nicht mal beim siebzigsten Geburtstag Ihrer Mutter. Und auch Ihre Schwester hat Sie lange mit keinem Wort mehr erwähnt.«

Aamir reagierte nicht darauf.

»Als hätte man Sie verstoßen«, bohrte Strike weiter.

»Wenn Sie jetzt bitte gehen würden«, sagte Aamir, doch Strike rührte sich nicht.

»Als Ihre Schwester dieses Bild von Ihnen beiden in der Pizzeria gepostet hat«, sagte Strike und faltete den letzten Ausdruck wieder auf, »waren die Reaktionen darauf …«

»Bitte gehen Sie«, wiederholte Aamir etwas lauter.

»›Was triffst du dich mit diesem Dreckskerl?‹, und: ›Weiß dein Vater davon?‹« Strike las die Kommentare laut vor, die unter dem Bild aufgelistet waren. »›Also, wenn mein Bruder *liwat* mit sich machen ließe‹ …«

Diesmal ging Aamir zum Angriff über. Er zielte mit der rechten Faust auf Strikes Kopf, und der Detektiv wehrte den Hieb mühelos ab. Doch inzwischen war Aamir von jener blinden Wut gepackt, die selbst aus dem harmlosesten Mann einen gefährlichen Gegner machte. Er riss eine Lampe aus der Steckdose und hieb damit mit aller Kraft auf Strike ein. Hätte sich dieser nicht rechtzeitig geduckt, wäre der Lampenfuß nicht an der Trennwand des Wohnzimmers, sondern in seinem Gesicht zerbrochen.

»Es reicht!«, brüllte Strike, als Aamir die kaputte Lampe fallen ließ und erneut auf ihn losgehen wollte. Strike parierte die wirbelnden Fäuste, hakte die Prothese um Aamirs Bein und riss ihn von den Füßen, was Gift für seinen Stumpf war. Der Detektiv fluchte leise in sich hinein, während er sich schwer atmend wieder aufrichtete. »Aufhören! Sonst mache ich Sie so richtig fertig.«

Aamir rollte außer Strikes Reichweite und rappelte sich auf. Die Brille hing nur noch an einem Ohr. Mit zitternden Händen nahm er sie ab und untersuchte den kaputten Bügel. Seine Augen wirkten auf einmal riesig.

»Aamir, Ihr Privatleben interessiert mich wirklich nicht die Bohne«, keuchte Strike. »Ich will doch nur wissen, wen Sie decken.«

»Raus hier«, flüsterte Aamir.

»Wenn die Polizei zu dem Schluss kommt, dass es sich um einen Mord handelt, werden Ihre Geheimnisse sowieso ans Licht kommen. Bei einer Mordermittlung gibt es keine Privatsphäre – für niemanden.«

»*Raus hier!*«

»Wie Sie meinen. Aber sagen Sie nicht, ich hätte Sie nicht gewarnt.«

Vor der Haustür drehte sich Strike noch einmal um. Aamir war ihm in den Flur gefolgt. Er nahm sofort eine Verteidigungshaltung ein, als Strike innehielt.

»Von wem stammt die Schnitzerei auf Ihrer Badezimmertür?«

»*Raus!*«

Strike wusste, dass weiteres Nachhaken zwecklos gewesen wäre. Sobald er die Schwelle überquert hatte, donnerte Aamir die Tür hinter ihm zu.

Einige Häuser weiter lehnte sich der Detektiv gegen einen Baum und nahm mit schmerzverzerrtem Gesicht das Gewicht von der Prothese. Dann schickte er Robin das Foto, das er soeben gemacht hatte.

Kommt dir das bekannt vor?

Er zündete sich eine Zigarette an. Auf Robins Antwort zu warten war ein willkommener Vorwand, sich eine Weile auszuruhen. Nicht nur sein Stumpf, auch sein Schädel pulsierte schmerzhaft. Als er der Lampe ausgewichen war, war er mit dem Hinterkopf gegen die Wand geknallt, und sein Rücken tat von der Anstrengung weh, den jungen Mann zu Boden geschickt zu haben.

Strike warf einen Blick zurück auf die türkisfarbene Tür. Ehrlicherweise musste er zugeben, dass noch etwas anderes in Mitleidenschaft gezogen war: sein Gewissen. Er hatte Mallik in der Absicht aufgesucht, ihn derart zu schockieren oder einzuschüchtern, dass er die Wahrheit über sein Verhältnis zu Chiswell oder den Winns offenlegte. Für einen Privatdetektiv hatte das oberste ärztliche Gebot, niemandem zu schaden, keine Gültigkeit. Trotzdem versuchte Strike für gewöhnlich, an die Wahrheit zu kommen, ohne seinem Gegenüber unnötig Schaden zuzufügen. Die Kommentare unter dem Facebook-Post vorzulesen war ein Schlag unter die Gürtellinie gewesen. Aamir Mallik, dieser blitzgescheite und todunglückliche junge Mann, der auf irgendeine Art und Weise unfreiwillig mit den Winns in Verbindung stand, hatte aus reiner Verzweiflung mit Gewalt reagiert. Auch ohne einen Blick auf die Ausdrucke in seiner Tasche zu werfen, sah Strike Mallik vor sich, wie er strahlend inmitten der anderen im Außenministerium stand: einen glänzenden Universitätsabschluss in der Tasche, eine steile Karriere vor sich, seinen Mentor Sir Christopher Barrowclough-Burns an seiner Seite.

Strikes Handy klingelte.

»Wo zum Teufel hast du das her?«, fragte Robin.

»Von der Innenseite von Aamirs Badezimmertür. War hinter dem Bademantel versteckt.«

»Du machst Witze.«

»Nein. Erkennst du es?«

»Das weiße Pferd auf dem Hügel über Woolstone«, sagte Robin.

»Na, Gott sei Dank«, sagte Strike, der sich mit dem Ellbogen vom Baum abstieß und weiter die Straße entlanghumpelte. »Ich dachte schon, ich fange an zu halluzinieren.«

47

… ich will auch einmal mittun im Kampf des Lebens.

HENRIK IBSEN, *ROSMERSHOLM*

Am Freitagmorgen um halb neun verließ Robin die U-Bahn-Haltestelle Camden Town. Auf dem Weg zum Schmuckgeschäft, in dem sie heute zur Probearbeit verabredet war, warf sie vor jedem Fenster, an dem sie vorbeikam, einen kurzen, prüfenden Seitenblick auf ihr Spiegelbild.

In den Monaten nach dem Shacklewell-Ripper-Prozess hatte sie sich verschiedene Make-up-Techniken angeeignet, sodass sie sich nun durch eine Änderung der Augenbrauenform oder eine Neuzeichnung der Lippenkonturen mit zinnoberrotem Lippenstift in Kombination mit einer Perücke und farbigen Kontaktlinsen in eine völlig andere Person verwandeln konnte. Doch so viel Schminke wie heute hatte sie noch nie getragen. Die Augen mit den dunkelbraunen Kontaktlinsen waren von dicken schwarzen Kajalstrichen umrahmt, die Lippen hellrosa bemalt, die Fingernägel in Metallicgrau lackiert. Da sie nur zwei Ohrlöcher hatte, erweckte sie mittels billiger Ohrklemmen den Eindruck, dem Thema Piercing durchaus aufgeschlossen gegenüberzustehen. Das kurze Secondhandkleid, das sie in der Oxfam-Filiale in Deptford erstanden hatte, roch immer noch leicht modrig, obwohl sie es tags zuvor in die Waschmaschine gesteckt hatte. Dazu trug sie eine dicke schwarze Strumpfhose und trotz der morgendlichen Hitze flache schwarze Schnürstiefel. In dieser Aufmachung hoffte sie, unter den Goths und Emos, die Camden frequentierten, nicht weiter aufzufallen.

Robin kam nur selten in diese Gegend, die sie am ehesten noch mit Lorelei und ihrem Geschäft für Vintage-Klamotten in Verbindung brachte.

Sie hatte ihr neues Alter Ego Bobbi Cunliffe getauft. Als Decknamen empfahlen sich alle, zu denen man einen persönlichen Bezug hatte und auf die man daher auch instinktiv reagierte. Bobbi klang wie Robin, und tatsächlich war sie schon gelegentlich – nicht zuletzt von ihrem Verehrer aus Zeitarbeitstagen – so angesprochen worden. Ihr Bruder Martin rief sie so, wenn er sie ärgern wollte. Und Cunliffe war Matthews Nachname.

Zu ihrer Erleichterung hatte Matthew das Haus schon früh verlassen, weil er zu einem Audit nach Barnet musste. So hatte Robin ihre Verwandlung in Ruhe und ohne bissige Bemerkungen darüber vollziehen können, dass sie – schon wieder – undercover arbeiten würde. Insgeheim verschaffte es ihr eine gewisse Genugtuung, ihren Ehenamen – den sie sonst nie benutzte – einer Figur zu verleihen, dergegenüber Matthew wohl instinktiv mit Ablehnung reagiert hätte. Je älter er wurde, umso mehr ärgerte er sich über Menschen, die sich nicht kleideten, dachten oder lebten wie er.

Das Schmuckgeschäft der Wicca-Tante, das den Namen »Triquetra« trug, war ein kleiner Laden in einer der großen Hallen des Camden Market. Als Robin um Viertel vor neun dort ankam, hatten die benachbarten Geschäfte bereits geöffnet; nur der Schmuckladen war immer noch verriegelt und leer. Die Inhaberin traf mit fünf Minuten Verspätung ein. Die dicke Frau, die Robin auf Ende fünfzig schätzte, war leicht außer Puste. Sie trug ein wallendes grünes Samtkleid, und ihr Haar war schon länger nicht mehr schwarz nachgefärbt worden: Am Ansatz war ein Zentimeter Grau zu sehen. Außerdem ging sie ähnlich verschwenderisch mit Kajal um wie Bobbi Cunliffe.

In dem kurzen Vorstellungsgespräch, das dem Probearbeiten vorausgegangen war, hatte die Besitzerin nur wenige Fragen gestellt, sich dafür aber lang und breit über ihren Mann ausgelassen, der sie nach dreißig Ehejahren sitzen gelassen hatte und nach Thailand ausgewandert war, über ihren Nachbarn, gegen den sie wegen unterschiedlicher Auffassungen, was die Grundstücksgrenzen betraf, prozessierte, und über die vielen undankbaren und unfähigen Verkäuferinnen, die dem Triquetra für einen vermeintlich besseren Job den Rücken gekehrt hatten. Angesichts ihres überzogenen Selbstmitleids und der unverhohlenen Absicht, ein Maximum an Arbeit mit einem Minimum an Lohn zu vergelten, hatte sich Robin gefragt, wer überhaupt auf die Idee kam, sich von ihr einstellen zu lassen.

»Sie sind pünktlich«, stellte sie fest, sobald sie in Hörweite war. »Sehr gut. Wo ist die andere?«

»Keine Ahnung«, sagte Robin.

»Ausgerechnet heute«, sagte die Ladenbesitzerin mit einem Anflug von Hysterie. »*Ausgerechnet heute*, wo ich einen Termin mit Brians Anwalt habe!«

Sie sperrte die Tür auf und ließ Robin in das kleine Geschäft, das nicht viel größer als ein Zeitungskiosk war. Sobald die Frau die Arme hob, um die Jalousien hochzuziehen, mischte sich ihr leicht patschulilastiger Körpergeruch mit der staubigen, von Räucherwerk geschwängerten Luft. Im hellen Tageslicht wirkte das Innere des Ladens umso schäbiger. Halsketten und Ohrringe aus glanzlosem Silber in der Form von Pentagrammen, Peace-Zeichen und Hanfblättern hingen in langen Reihen an den dunkelvioletten Wänden. Die schwarzen Regale hinter dem Tresen waren mit gläsernen Wasserpfeifen, Tarotkarten, schwarzen Kerzen, ätherischen Ölen und Zeremoniendolchen vollgestopft.

»Zurzeit schwirren *Millionen* mehr Touristen als sonst durch Camden«, dozierte sie, während sie im hinteren Teil des Ladens herumkramte. »Wenn sie nicht bald auftau... *Da sind Sie ja*«, rief sie, als eine mürrisch dreinblickende Flick in den Laden trottete. Sie trug ein gelb-grünes Hisbollah-T-Shirt, zerrissene Jeans und hatte eine große Umhängetasche aus Leder dabei.

»Die U-Bahn hatte Verspätung.«

»Also, *ich* war pünktlich hier. Und Bibi auch.«

»Bobbi«, berichtigte Robin und zog dabei ihren Yorkshire-Dialekt absichtlich in die Breite.

Sie hatte sich dagegen entschieden, eine Londonerin zu verkörpern, da sie mit Flick nach Möglichkeit nicht über irgendwelche Schulen oder andere hiesige Örtlichkeiten plaudern wollte, die Flick weitaus besser kannte.

»Ich will, dass Sie beide den Laden unter Kontrolle haben, und zwar *die – ganze – Zeit*«, sagte die Inhaberin und klatschte bei den letzten Worten in die Hände. »Also, Bibi ...«

»Bobbi ...«

»... genau. Kommen Sie rüber, ich zeige Ihnen, wie die Kasse funktioniert.«

Robin hatte schnell verstanden, wie die Kasse funktionierte; als Jugendliche hatte sie samstags in einem Bekleidungsgeschäft in Harrogate ausgeholfen. Für eine längere Unterweisung war auch gar keine Zeit, denn etwa zehn Minuten nach Öffnung des Ladens trudelten auch schon die ersten Kunden ein. Robin, die nie auf die Idee gekommen wäre, etwas aus diesem Laden zu kaufen, stellte zu ihrer Überraschung fest, dass nicht wenige Touristen offensichtlich der Meinung waren, einen Camden-Besuch mit einem Paar Zinnohrringen, einer mit Pentagrammen versehenen Kerze oder einem der kleinen Jutesäckchen neben der Kasse komplettieren zu müssen, die angeblich Glücksbringer enthielten.

»Okay, ich bin dann mal weg«, verkündete die Inhaberin gegen elf. Flick bediente gerade eine groß gewachsene Deutsche, die sich nicht zwischen zwei Tarotkartensätzen entscheiden konnte. »Und nicht vergessen: Eine von Ihnen muss auf die Auslage aufpassen, wegen der Ladendiebe. Mein Kumpel Eddie behält euch im Auge.« Sie deutete auf den Laden gegenüber, in dem alte LPs verkauft wurden. »Zwanzig Minuten Mittagspause, nicht gemeinsam. Und nicht vergessen: Eddie behält euch im Blick«, wiederholte sie drohend.

Sie verschwand in einem Wirbel aus Samt und Körpergeruch. Die deutsche Kundin verließ mit ihren Tarotkarten den Laden. Flick warf die Kassenschublade so fest zu, dass der Knall durch den leeren Laden hallte.

»Der gute alte Eddie. Der würde ihr doch selbst die Bude ausräumen, ohne mit der Wimper zu zucken«, sagte sie giftig. »Blöde Kuh.«

Robin lachte, was Flick mit Genugtuung zur Kenntnis nahm.

»Sie hat mir gar nicht erzählt, wie du heißt«, sagte Robin in breitestem Yorkshire-Dialekt.

»Flick«, sagte Flick. »Und du bist Bobbi, ja?«

»Ja.«

Flick nahm ihr Handy aus der Umhängetasche, die sie unter der Ladentheke verstaut hatte, warf einen Blick aufs Display, fand anscheinend nicht vor, was sie erwartet hatte, und steckte es wieder weg. »Hast wohl schnell einen Job gebraucht, oder?«

»Ich musste mir was Neues suchen«, erklärte Robin. »Bin gefeuert worden.«

»Echt?«

»Scheiß Amazon.«

»Diese beschissenen Steuerhinterzieher«, sagte Flick schon etwas mehr interessiert. »Und wieso?«

»Ich hab mein Pensum nicht geschafft.«

Die Geschichte, die Robin erzählte, war die Modifikation eines Berichts, den sie kürzlich über die Arbeitsbedingungen in einem Lagerhaus des Versandgiganten gesehen hatte: Die Mitarbeiter standen unter Dauerdruck, die Vorgaben zu erfüllen, und mussten unter den Blicken ihrer unbarmherzigen Vorgesetzten täglich Tausende Artikel einpacken und scannen.

Flicks Gesichtsausdruck wechselte zwischen Mitgefühl und Wut.

»Ein Skandal!«, schimpfte sie, als Robin fertig war.

»Ja, keine Gewerkschaft, nichts. Mein Vater war früher ein hohes Tier bei der Gewerkschaft, oben in Yorkshire.«

»Der muss sich doch furchtbar darüber aufregen.«

»Er ist schon gestorben«, sagte Robin gleichmütig. »Die Lunge. Er war Bergarbeiter.«

»Ach, Scheiße«, sagte Flick. »Tut mir leid.« Inzwischen fand sie Robin nicht nur interessant, sie hatte geradezu Ehrfurcht vor ihr. »Das können sich diese Arschlöcher nur leisten, weil du Arbeiterin warst und nicht Angestellte.«

»Was ist denn da der Unterschied?«

»Weniger Rechte«, erklärte Flick. »Aber du kannst Einspruch einlegen, wenn sie dir was vom Gehalt abgezogen haben.«

»Wie soll ich das denn beweisen?«, fragte Robin. »Woher weißt du so was überhaupt?«

»Ich bin in der Arbeiterbewegung ziemlich aktiv«, sagte Flick schulterzuckend. »Und meine Mutter ist Anwältin für Arbeitsrecht«, fügte sie nach kurzem Zögern hinzu.

»Echt?«, fragte Robin und tat so, als wäre sie überrascht.

»Ja.« Flick inspizierte ihre Fingernägel. »Aber wir kommen nicht gut miteinander klar. Ich hab mit meiner Familie eigentlich nichts mehr zu schaffen. Sie können meinen Freund nicht leiden. Und meine politischen Ansichten auch nicht.«

Sie strich demonstrativ ihr Hisbollah-T-Shirt glatt.

»Was, sind die etwa Tories?«, fragte Robin.

»So gut wie«, sagte Flick. »Den beschissenen Blair fanden sie auf jeden Fall ganz toll.«

Robin spürte, wie das Telefon in der Tasche ihres Secondhandkleids vibrierte. »Gibt's hier irgendwo ein Klo?«

»Da drin.« Flick deutete auf eine gut versteckte lila bemalte Tür, an die weitere mit Schmuck gefüllte Regale genagelt waren.

Dahinter befand sich ein kleines Kämmerchen mit Sperrholzwänden und einem gesprungenen, dreckigen Fenster. Ein Safe stand neben einem schäbigen Küchenschrank, auf dem ein Wasserkocher, ein paar Reinigungsmittel und ein steifer Putzlappen lagen. Die versiffte Toilette war in die Ecke gezwängt worden. Robin hatte dort kaum Platz.

Sie schloss sich in dem Kabuff ein, klappte den Toilettendeckel herunter, setzte sich und las die SMS, die Barclay Strike und ihr geschickt hatte.

> Billy ist wieder da. Vor 2 Wochen auf der Straße aufgegriffen. Psychotische Episode, zwangseingewiesen in Nordlondon, weiß noch nicht, welches Krankenhaus. Hat erst gestern Kontaktperson genannt, Jimmy heute Morgen Anruf von Sozialarbeiter. Ich soll mit Jimmy zu Billy fahren und ihn überreden, sich selbst zu entlassen. Hat Angst, was Billy Ärzten erzählt, sagt, er redet zu viel. Jimmy hat Zettel mit irgendwas Wichtigem drauf verloren & scheißt sich in die Hose deswegen. Hat mich danach gefragt. Handschrift, sonst weiß ich nichts. Jimmy glaubt, Flick hat ihn gestohlen. Streiten sich wieder.

Noch während Robin die SMS zum zweiten Mal las, traf auch schon Strikes Antwort ein.

Barclay: Schick mir die Besuchszeiten, will Billy besuchen.
Robin: Kannst du Flicks Handtasche durchsuchen?

Danke, schrieb Robin entnervt zurück. Darauf wäre ich selbst nie gekommen.

Sie stand auf, betätigte die Spülung und kehrte in den Laden zurück, wo ein Haufen schwarz gekleideter Gruftis wie ein trauriger Krähenschwarm in der Auslage pickte. Als sich Robin an Flick vorbeizwängte, fiel ihr Blick auf die Umhängetasche im Regal unter der Theke. Sobald sich die Gruftis mit ätherischen Ölen und schwarzen Kerzen eingedeckt hatten, nahm Flick ihr Telefon heraus, warf einen weiteren Blick darauf und verfiel einmal mehr in missmutiges Schweigen.

Robin hatte während ihrer verschiedenen Einsätze für die Zeitarbeitsfirma gelernt, dass Frauen nichts so sehr zusammenschweißte wie die Erfahrung, mit ihren Männerproblemen nicht allein zu sein. Sie kramte ihr eigenes Handy hervor. Strike hatte ihr eine weitere SMS geschickt.

Tja, Köpfchen. Deshalb verdiene ich ja auch das große Geld.

Robin musste ein Grinsen unterdrücken. »Scheiße, der hält mich wohl für völlig bescheuert ...«, sagte sie.
»Hä?«
»Mein sogenannter Freund«, sagte Robin und stopfte das Handy wieder in die Tasche. »Hat sich angeblich von seiner Frau getrennt. Und heute Morgen hat ihn eine Bekannte von mir aus ihrem Haus kommen sehen. Ist ja wohl klar, wo er gestern Nacht war.« Sie atmete hörbar aus und lehnte sich schwer gegen die Theke.
»Ja, mein Freund steht auf ältere Frauen und so«, sagte Flick,

betrachtete ihre Fingernägel, und Robin fiel wieder ein, dass Jimmy mit einer dreizehn Jahre älteren Frau verheiratet gewesen war. Leider sprach Flick nicht weiter, und bevor Robin nachhaken konnte, betraten mehrere junge Frauen den Laden, die sich in einer ihr unbekannten Sprache unterhielten. Osteuropäisch, schätzte Robin. Die Gruppe versammelte sich um den Korb mit den Glücksbringern.

»*Dziękuję ci*«, sagte Flick, nachdem eine der Frauen bezahlt hatte. Sie machten ihr begeistert Komplimente wegen ihres Akzents.

»Was war denn das gerade?«, fragte Robin, sobald die Gruppe verschwunden war. »Russisch?

»Polnisch. Hat mir die Putzfrau meiner Eltern beigebracht. Tja, mit den Putzfrauen bin ich immer besser zurechtgekommen als mit meinen Eltern«, fügte sie schnell hinzu, als hätte sie sich verplappert. »Man kann sich doch wohl nicht als Sozialisten bezeichnen und eine Putzfrau haben, oder? Niemand sollte in einem Haus leben dürfen, das zu groß für ihn ist. Wir brauchen gewaltsame Enteignungen, Landumverteilung und Wohnraum für die Bedürftigen.«

»Da bin ich ganz deiner Meinung«, sagte Robin nachdrücklich, und Flick schien erleichtert zu sein, dass ihr Bobbi Cunliffe, Tochter eines verstorbenen Bergarbeiters und Gewerkschaftsfunktionärs aus Yorkshire, die gut verdienenden Eltern zu verzeihen schien.

»Tee?«, fragte sie.

»Aye, gern.«

»Kennst du die Real Socialist Party?«, fragte Flick, sobald sie mit zwei Bechern in den Laden zurückkehrte.

»Nein …«

»Das ist keine Partei wie die anderen«, versicherte Flick ihr. »Wir sind eher eine Art kommunale Initiative – wie der Jarrow March damals, die echte Arbeiterbewegung. Vergiss diese imperialistische ›New Labour‹-Kacke, das sind doch nur beschissene Möchtegern-Tories. Wir haben die Schnauze voll von dem immer gleichen Politzirkus, wir wollen, dass sich wirklich etwas ändert für den einfachen, hart arbeitenden ...«

Billy Braggs Version der »Internationale« ertönte, und Flick griff in ihre Tasche. Ihr Klingelton, dämmerte es Robin, während Flick einen Blick aufs Display warf und ernst dreinblickte.

»Passt du mal eine Sekunde auf den Laden auf?«

»Klar«, sagte Robin.

Flick verschwand im Nebenraum. »Was ist? Warst du bei ihm?«, hörte Robin noch, ehe die Tür zuschwang.

Sobald sie ins Schloss gefallen war, hastete Robin an Flicks Platz, ging in die Hocke und zog die Ledertasche auf, die Flick anscheinend zugleich als Mülleimer benutzte. Robin ertastete verknitterte Zettel, Schokoriegelverpackungen, einen klebrigen Klumpen – wahrscheinlich ein Kaugummi –, mehrere Stifte ohne Kappe, Make-up-Tübchen, ein Döschen mit einem Bild von Che Guevara, ein Päckchen Tabak, dessen Inhalt sich in der Tasche verteilte, Rizla-Papierchen, mehrere Tampons und einen kleinen, zusammengeknüllten Stoffball, bei dem Robin hoffte, dass es sich nicht um eine getragene Unterhose handelte. Jedes einzelne Papierstück glatt zu streichen, zu überfliegen und wieder in den ursprünglichen Zustand zu bringen erwies sich als ungeheuer zeitaufwendig, und bei den meisten Zetteln schien es sich um Entwürfe für irgendwelche Artikel zu handeln.

»*Strike?*«, rief Flick so laut, dass es sogar durch die Tür zu hören war. »Was zum Teufel ...«

Robin erstarrte.

»... paranoid ... erst mal egal ... Sag ihnen, er ...«

»Verzeihung?« Eine grauhaarige Dame spähte über die Theke, und Robin sprang auf. Die füllige Kundin im Batik-Shirt deutete auf ein Regal an der Wand. »Das da scheint mir ein ganz besonderes Athame zu sein. Dürfte ich es mal sehen?«

»Was?«, fragte Robin verwirrt.

»Das Athame. Das Ritualmesser.« Die Frau zeigte auf die Auslage.

Aus dem Kabuff hinter Robin war Flicks leiser und lauter werdende Stimme zu hören. »... es, oder nicht? ... sich an dich ... zurückzahlen ... Chiswells Geld ...«

»Hm ...« Die Kundin wog inzwischen vorsichtig das Messer in der Hand. »Haben Sie auch noch längere?«

»*Du hattest ihn, nicht ich!*«, keifte Flick laut hinter der Tür.

»Äh ...« Robin sah sich im Regal um. »Wir haben nur diese ... Aber das hier könnte etwas länger sein ...«

Sie stellte sich auf die Zehenspitzen und streckte sich nach dem längeren Messer.

»*Leck mich, Jimmy!*«, rief Flick.

»Hier, bitte.« Robin reichte der Frau den beinahe zwanzig Zentimeter langen Dolch.

Hinter ihr stieß Flick die Tür so heftig auf, dass sie Robin in den Rücken krachte. Halsketten fielen klirrend zu Boden.

»Entschuldige«, schnaufte Flick, schnappte sich ihre Tasche und stopfte das Handy hinein. Sie atmete schwer, und in ihren Augen standen Tränen.

»Der Dreifachmond auf dem Kürzeren ist ganz nett«, sagte die Alte und deutete auf die Gravur auf dem Griff des ersten Messers. Flicks dramatischer Auftritt schien sie nicht weiter zu stören. »Aber die längere Klinge ist mir lieber.«

Flick befand sich in jenem fiebrigen Zustand zwischen Wut und Tränen, in dem man sich, wie Robin wusste, leicht zu Indiskretionen und Geständnissen hinreißen ließ.

»Was anderes haben wir nicht«, blaffte Robin in breitestem Yorkshire-Akzent, um die lästige Kundin loszuwerden.

Die ältere Frau wog die beiden Messer noch eine Weile grummelnd in den Händen, dann verließ sie den Laden, ohne etwas zu kaufen.

»Alles klar?«, fragte Robin sofort.

»Nein«, sagte Flick. »Ich muss dringend eine rauchen.« Sie sah auf die Uhr.

»Falls sie zurückkommt, dann sag ihr, ich bin beim Mittagessen, okay?«

Mist, dachte Robin, als Flick mitsamt ihrer Tasche und ihrer vielversprechenden Gemütslage verschwand.

Eine gute Stunde lang beaufsichtigte sie den Laden allein – und wurde zunehmend hungrig. Ein-, zweimal warf Eddie vom Plattenladen einen kurzen Blick herüber, zeigte aber kein tiefer gehendes Interesse an Robins Aktivitäten. Als gerade keine Kunden im Geschäft waren, stahl sie sich eilig ins Hinterzimmer und sah sich nach etwas Essbarem um. Nichts.

Um zehn vor eins kehrte Flick in Begleitung eines dunkelhaarigen, attraktiven und wenig vertrauenerweckenden Mannes in einem engen blauen T-Shirt zurück. Der harte, arrogante Blick des geübten Verführers, den er Robin zuwarf, sollte ihr in seiner Mischung aus Wohlwollen und Ablehnung signalisieren, dass er sie halbwegs hübsch fand, dass sie sich aber noch etwas ins Zeug würde legen müssen, um sein Interesse zu wecken – eine Strategie, die nach Robins Erfahrung bei gewissen jungen Frauen zum Erfolg führte. Nicht bei ihr.

»Ich war ein bisschen länger weg, tut mir leid«, sagte Flick, deren Wut noch immer nicht gänzlich verraucht war. »Ich hab Jimmy getroffen. Jimmy, das ist Bobbi.«

»Wie geht's?«, fragte Jimmy, und Robin gab ihm die Hand.

»Geh ruhig was essen«, sagte Flick.

»Ach, prima«, erwiderte Robin. »Danke!«

Jimmy und Flick warteten vor dem Tresen, während Robin, die so tat, als würde sie in ihrer Handtasche nach Geld kramen, die Aufnahmefunktion ihres Handys einschaltete und es zuhinterst in das dunkle Regal schob.

»Bis gleich«, sagte sie fröhlich und eilte davon.

48

Aber was sagst Du nun, Rebekka?

HENRIK IBSEN, *ROSMERSHOLM*

Strike hatte die Fenster aufgemacht, um ein wenig abgasreiche Abendluft einzulassen, und nun summte eine Wespe im Zickzack durch die Büroräume. Barclay verscheuchte das Insekt mit der Speisekarte, die auf der großen Essenslieferung gelegen hatte, die sie sich von einem chinesischen Restaurant hatten bringen lassen. Robin nahm die Deckel von den Kartons und stellte sie nebeneinander auf ihren Schreibtisch, während Strike am Wasserkocher stand und nach einer dritten Gabel suchte.

Als Robin Matthew eine Dreiviertelstunde zuvor von der Charing Cross Road aus angerufen und ihm mitgeteilt hatte, dass sie sich noch mit Strike und Barclay besprechen müsse und es unter Umständen später werden könne, hatte er überraschenderweise nichts einzuwenden gehabt.

»Kein Problem«, hatte er gesagt. »Tom will sowieso zum Inder. Bis dann.«

»Wie ist es denn bei dir gelaufen?«, hatte Robin noch gefragt, ehe er auflegen konnte. »Wie war's bei der Firma in …« Sie konnte sich beim besten Willen nicht mehr an den Ort erinnern.

»Barnet. Computerspieleentwickler. War ganz nett. Und bei dir?«

»Auch okay.«

Matthew hatte nach ihren vielen Streitgesprächen so offensichtliches Desinteresse an allem gezeigt, was mit dem Fall Chiswell zusammenhing, dass es keinen Sinn hatte, ihm zu erzählen, wo sie gewesen war, welche Tarnidentität sie angenommen oder was sie erlebt hatte. Nachdem das Gespräch beendet war, hatte sich Robin durch das Freitagabendpublikum aus Touristen und Partyvolk gedrängt und überlegt, dass ein Unbeteiligter, der ihr Telefonat belauscht hätte, bestimmt zu dem Schluss gekommen wäre, dass die Telefonierenden kaum mehr als Bekannte sein konnten, die keine besondere Zuneigung füreinander empfanden.

»Bier?«, fragte Strike und hielt einen Viererpack Tennent's in die Höhe.

»Ja, bitte«, sagte Robin.

Sie trug nach wie vor das kurze schwarze Kleid und die Schnürstiefel, hatte sich jedoch das mit Kreide gefärbte Haar zurückgebunden und die dunklen Kontaktlinsen sowie die dicke Make-up-Schicht entfernt. Die Abendsonne fiel auf Strikes Gesicht; er sah nicht gesund aus. Die Falten, die die unaufhörlichen, zermürbenden Schmerzen auf Mundpartie und Stirn hinterlassen hatten, waren tiefer als sonst, wie Robin fand. Außerdem bewegte er sich merkwürdig, drehte den kompletten Oberkörper und versuchte, ein Humpeln zu verbergen, als er mit dem Bier an ihren Schreibtisch zurückkehrte.

»Was hast du denn heute so gemacht?«, fragte sie Strike, während sich Barclay Essen auf den Teller schaufelte.

»Ich hab Geraint Winn beschattet. Er ist in einem heruntergekommenen Bed and Breakfast unweit von zu Hause abgestiegen. Ich bin ihm bis in die Londoner Innenstadt und wieder zurück nach Bermondsey gefolgt.«

»Riskant«, bemerkte Robin. »Immerhin weiß er, wie du aussiehst.«

»Wir hätten ihn zu dritt verfolgen können, und er hätte

nichts gemerkt. Er hat in letzter Zeit ziemlich stark abgenommen.«

»Wo wollte er denn hin?«

»Er war in einem Restaurant namens Cellarium in der Nähe des Unterhauses essen – ein Lokal ohne Fenster, wie in einer Gruft.«

»Klingt ja gemütlich«, kommentierte Barclay, setzte sich auf das Kunstledersofa und machte sich über die süßsauren Schweinefleischbällchen her.

»Er ist zu seiner früheren Wirkstätte zurückgekehrt wie eine traurige Brieftaube und hat sich dort unter die Touristen gemischt«, sagte Strike und leerte den kompletten Karton mit gebratenen Nudeln auf seinen Teller. »Dann ist er weiter nach King's Cross.«

Robin, die sich gerade von den Sojasprossen nahm, hielt inne.

»Ein Blowjob in einem dunklen Treppenhaus«, sagte Strike nüchtern.

»Igitt«, murmelte Robin und wandte sich wieder dem Essen zu.

»Aye, und Sie haben zugesehen?«, fragte Barclay interessiert.

»Nur von hinten. Ich bin dort mittenrein geplatzt und gleich wieder raus. Er hat mich nicht erkannt. Anschließend hat er sich Socken bei Asda gekauft und ist wieder zurück in sein Bed and Breakfast.«

»Gibt schlimmere Tage«, sagte Barclay, der seinen Teller schon zur Hälfte geleert hatte. »Meine Frau will, dass ich um halb neun zu Hause bin«, rechtfertigte er sich mit vollem Mund, als er Robins Blick bemerkte.

»Du bist dran, Robin«, sagte Strike und ließ sich vorsichtig auf seinen Stuhl nieder, den er aus seinem Büro ins Vorzimmer geholt hatte. »Hören wir uns an, was Jimmy und Flick so zu besprechen hatten, als sie dachten, sie wären ungestört.«

Er schlug sein Notizbuch auf und nahm einen Stift aus dem Becher auf Robins Tisch, während er sich mit der Gabel in der linken Hand weiter gebratene Nudeln in den Mund stopfte. Auch der immer noch emsig kauende Barclay auf dem Sofa beugte sich interessiert vor. Robin legte das Handy auf den Tisch und startete die Aufzeichnung.

Zunächst waren nur leiser werdende Schritte zu hören – Robin, die den Schmuckladen verließ, um Mittagspause zu machen.

»Ich dachte, du bist allein hier?« – Jimmys Stimme, schwach, aber deutlich zu verstehen.

»Sie hat heute ihren Probetag«, erwiderte Flick. »Wo ist Sam?«

»Den treff ich später bei dir. Okay, wo ist deine Tasche?«

»Jimmy, wenn ich's dir doch sage ...«

»Vielleicht hast du ihn aus Versehen eingesteckt.«

Wieder Schritte, Leder strich über Holz, ein Klappern, ein paar dumpfe Schläge, leises Rascheln.

»Was für ein Saustall!«

»Ich hab ihn nicht, wie oft soll ich's dir noch sagen? Und du hast kein Recht, ohne meine Erlaubnis meine ...«

»Das hier ist wichtig. Ich hatte ihn in meinem Geldbeutel. Wo ist er hin?«

»Vielleicht hast du ihn verloren.«

»Oder jemand hat ihn genommen.«

»Warum hätte *ich* ihn denn nehmen sollen?«

»Um dich abzusichern?«

»Das ist ja wohl ...«

»Aber in diesem Fall solltest du nicht vergessen, dass du ihn geklaut hast – also bist du genauso schuldig wie ich. Sogar noch mehr.«

»Ich bin doch überhaupt nur deinetwegen dort hingegangen!«

»Ach, *jetzt auf einmal?* Niemand hat dich dazu gezwungen. Und überhaupt war das Ganze deine Idee.«

»Ja, und das bereue ich jetzt, aber wie!«

»Zu spät. Wir müssen den Zettel wiederfinden, das ist auch in deinem Interesse. Er ist der Beweis, dass wir Zugang hatten.«

»Du meinst, er beweist eine Verbindung zwischen ihm und Bill... Aua!«

»Ach, hör doch auf! Das hat nicht wehgetan! Das arme Opfer zu spielen ist eine Herabwürdigung aller Frauen, die tatsächlich Opfer von Gewalt werden. Also, es ist mein Ernst: Wenn du ihn genommen hast ...«

»Wage es nicht, mir zu drohen!«

»Was willst du denn machen – heim zu Mami und Papi rennen? Was sagen die wohl, wenn sie rausfinden, was ihr kleines Mädchen angestellt hat?«

Flicks heftiges Atmen schlug in Schluchzen um.

»Du hast ihm Geld geklaut. Und ...«

»Das fandest du doch lustig! Du hast gesagt, er hätte es verdient, dass ...«

»Erzähl das dem Richter. Mal sehen, wie weit du damit kommst. Wenn du dich aus der Affäre ziehen willst, indem du mich ans Messer lieferst, dann erzähl ich den Bullen brühwarm, dass du *bis zum Hals* mit drinsteckst. Wenn dieser Zettel irgendwo auftaucht, wo er nichts zu suchen hat ...«

»Ich hab ihn nicht, und ich weiß auch nicht, wo er sein könnte.«

»Ich hab dich gewarnt. Gib mir deinen Hausschlüssel.«

»Was? Wieso?«

»Weil ich jetzt sofort in dieses Rattenloch von einer Wohnung rübergehe und sie zusammen mit Sam durchsuche.«

»Du gehst nicht ohne mich ...«

»Warum denn nicht? Weil dort mal wieder ein indischer Kellner seinen Rausch ausschläft?«

»Das war nicht ...«

»Mir scheißegal«, sagte Jimmy. »Du kannst vögeln, mit wem du willst. Her mit dem Schlüssel. *Her damit.*«

Wieder Schritte. Schlüsselklimpern. Jimmy ging davon, dann war nur noch Schluchzen zu hören. Robin drückte auf Stopp.

»Sie hat geweint, bis die Ladenbesitzerin zurückgekommen ist«, sagte Robin. »Also kurz vor mir. Dann hat sie den ganzen Nachmittag kaum ein Wort gesprochen. Ich wollte mit ihr zur U-Bahn gehen, aber sie hat mich abgewimmelt. Hoffentlich ist sie morgen gesprächiger.«

»Und, haben Sie mit Jimmy die Wohnung durchsucht?«, fragte Strike.

»Aye«, sagte Barclay. »Wir haben Bücher durchgeblättert, die Schubladen durchwühlt und sogar unter der Matratze nachgesehen. Nichts.«

»Wonach hat Jimmy denn überhaupt gesucht?«

»Nach einem handgeschriebenen Zettel. ›Ich hatte ihn im Geldbeutel, und jetzt ist er weg‹, hat er gesagt. Angeblich ging's um einen Drogendeal. Er glaubt wirklich, dass ich ihm jeden Mist abkaufe.«

Strike legte den Stift beiseite und schluckte einen großen Mundvoll Nudeln hinunter. »Also, ich weiß ja nicht, was ihr davon haltet, aber ich finde diesen ›Beweis, dass wir Zugang hatten‹, hochinteressant.«

»Dazu kann ich noch etwas sagen«, bemerkte Robin, die ihre Aufregung angesichts der großen Entdeckung, die sie gleich verkünden würde, bisher erfolgreich für sich behalten hatte. »Ich hab heute herausgefunden, dass Flick ein paar Brocken Polnisch kann. Und wir wissen, dass sie ihren vorherigen Arbeitgeber bestohlen hat. Was, wenn ...«

»›Ich mach sauber‹, hat sie bei der Demo zu Jimmy gesagt«, fiel Strike ihr ins Wort. »›Ich mach sauber, und das ist echt widerlich‹ ... Ja, da soll mich doch – glaubst du, sie war ...«

»… Chiswells polnische Putzfrau«, brachte Robin seinen Satz zu Ende. Sie wollte sich ihren Triumph nicht nehmen lassen. »Ja, genau das glaube ich.«

Barclay stopfte sich sichtlich überrascht weiter Schweinefleischbällchen in den Mund.

»Das verändert alles«, sagte Strike. »Sie hatte Zugang zu seinem Haus, konnte herumschnüffeln, etwas hineinschmuggeln …«

»Aber woher wusste sie überhaupt, dass er eine Putzfrau brauchte?«, fragte Barclay.

»Wahrscheinlich hat sie die Anzeige gesehen, die er in dem Geschäft aufgehängt hat.«

»Aber sie wohnt in Hackney, das ist meilenweit weg.«

»Vielleicht hat Jimmy den Aushang entdeckt, als er in der Ebury Street war, um sich sein Geld abzuholen«, argwöhnte Robin, doch Strike zog die Stirn in Falten.

»Nein, so herum kann es nicht gewesen sein. Wenn sie erst als Putzfrau herausgefunden hat, womit sie ihn erpressen könnten, dann muss sie schon für ihn gearbeitet haben, bevor Jimmy bei ihm aufgetaucht ist.«

»Na schön, also wusste sie es nicht von Jimmy. Vielleicht haben sie es herausgefunden, als sie nach irgendwelchem Schmutz gesucht haben, den sie ihm anhängen konnten.«

»Um ihn auf der Webseite der Real Socialist Party öffentlich zu machen?«, warf Barclay ein. »Vier, fünf Leute hätten sie damit sicher erreicht.«

Strike schnaubte amüsiert.

»Auf jeden Fall«, sagte er, »scheint sich Jimmy wegen des Zettels große Sorgen zu machen.«

Barclay spießte das letzte Fleischbällchen auf und steckte es sich in den Mund.

»Flick hat ihn«, sagte er. »Da bin ich mir sicher.«

»Weshalb?«, fragte Robin.

»Sie will etwas gegen ihn in der Hand haben.« Er trug seinen leeren Teller zum Spülbecken. »Er hat ja nur deshalb noch nicht mit ihr Schluss gemacht, weil sie zu viel weiß. Vor Kurzem erst hat er mir erzählt, wie gern er sie los wäre, wenn er nur könnte. Ich hab ihn gefragt, wieso er sie nicht einfach zum Teufel jagt. Er hat nicht geantwortet.«

»Wenn der Zettel so belastend ist, dann hat sie ihn vielleicht vernichtet?«, mutmaßte Robin.

»Das glaube ich nicht«, sagte Strike. »Eine Anwaltstochter vernichtet keine Beweise. Der Zettel könnte sich als wertvoll erweisen, wenn die Kacke am Dampfen ist und sie einen Deal mit der Polizei machen muss.«

Barclay kehrte zum Sofa zurück und schnappte sich sein Bier.

»Wie geht's eigentlich Billy?«, fragte Robin und kümmerte sich endlich um ihr eigenes Essen, das schon fast kalt war.

»Der arme Teufel ist nur noch Haut und Knochen«, antwortete Barclay. »Ein paar Verkehrspolizisten haben ihn aufgelesen, als er über eine U-Bahn-Schranke gesprungen ist. Er ist auf sie losgegangen. Da haben sie ihn in die Psychiatrie eingeliefert. Den Ärzten zufolge leidet er unter Verfolgungswahn. Erst dachte er, die Regierung wäre hinter ihm her und das Krankenhauspersonal Teil einer riesigen Verschwörung. Inzwischen bekommt er wieder seine Medikamente und kann ein bisschen vernünftiger denken. Jimmy hätte ihn am liebsten sofort mitgenommen, aber das haben die Ärzte nicht zugelassen. Am meisten regt Jimmy auf«, sagte Barclay und hielt inne, um sein Tennent's auszutrinken, »dass Billy dermaßen auf Strike fixiert ist. Er erkundigt sich ständig nach ihm. Die Ärzte meinen, dass das zu seinem Wahn gehört, so nach dem Motto: Der berühmte Detektiv ist der Einzige, dem er noch vertrauen kann. Dass er ihn wirklich getroffen hat, konnte ich ihnen ja schlecht sagen, solange Jimmy danebenstand und das Gegenteil behauptete. Die Ärzte lassen nur seine Angehörigen zu ihm, und nicht mal Jimmy ist dort gern gesehen – nicht seit er Billy dazu überreden wollte, sich selbst zu entlassen.« Barclay zerdrückte die Bierdose in der Hand und sah auf die Uhr. »Strike, ich muss los.«

»Alles klar. Danke, dass Sie noch so lang geblieben sind. Ich dachte, eine kurze Nachbesprechung könnte nicht schaden.«

»Kein Ding.«

Barclay winkte Robin zum Abschied zu und machte sich auf den Weg. Strike hob seine Bierdose vom Boden auf und verzog dabei das Gesicht.

»Alles in Ordnung?«, fragte Robin und nahm sich noch ein paar Krabbenchips.

»Geht schon.« Er richtete sich wieder gerade auf. »Ich bin heute viel gelaufen, und den Kampf gestern hätte es auch nicht unbedingt gebraucht.«

»Kampf? Was denn für einen Kampf?«

»Mit Aamir Mallik.«

»*Was?*«

»Keine Sorge, ich hab ihm nichts getan. Nicht viel jedenfalls.«

»Du hast mir gar nicht erzählt, dass ihr euch geprügelt habt!«

»Das wollte ich dir persönlich sagen, damit du mich ansehen kannst, als wäre ich das letzte Arschloch«, sagte Strike. »Wie wär's mit ein bisschen Mitleid für den einbeinigen Kollegen?«

»Du hast früher geboxt!«, entgegnete Robin. »Und der arme Kerl wiegt keine sechzig Kilo!«

»Er ist mit einer Lampe auf mich losgegangen.«

»Aamir?«

Dass der schmächtige, stets akkurate Mann, den sie im Unterhaus kennengelernt hatte, zu körperlicher Gewalt fähig sein sollte, überstieg ihre Vorstellungskraft.

»Na ja, ich hab ihn wegen Chiswells ›Männern mit Ihren Vorlieben‹ in die Mangel genommen, und er ist ausgeflippt. Wenn du dich damit besser fühlst: Es hat mir nicht besonders Spaß gemacht«, sagte Strike. »Augenblick – ich muss mal ...«

Er stemmte sich umständlich hoch und machte sich auf den Weg zur Toilette draußen auf dem Treppenabsatz. Gerade als er die Tür hinter sich zumachte, fing sein Handy an zu klingeln, das auf dem Aktenschrank neben Robins Schreibtisch am Ladekabel hing. Robin stand auf und sah nach. *Lorelei*, stand auf dem gesprungenen, mit Tesafilm geflickten Display. Während Robin noch überlegte, ob sie rangehen sollte, wurde der Anruf auf die Mailbox weitergeleitet. Kaum hatte sie sich wieder gesetzt, signalisierte ein Piepen den Eingang einer Textnachricht.

> Wenn du eine warme Mahlzeit und einen Fick ohne störende Gefühle willst, such dir ein Restaurant und einen Puff.

Robin hörte das Schlagen der Toilettentür und setzte sich schnell wieder auf ihren Platz. Strike humpelte ins Vorzimmer, ließ sich ebenfalls nieder und nahm den Teller mit den Nudeln wieder in die Hand.

»Dein Handy hat geklingelt«, sagte Robin. »Ich bin nicht rangegangen ...«

»Reich mal rüber«, sagte Strike, und sie tat wie geheißen. Er überflog die SMS, ohne eine Miene zu verziehen, stellte das Telefon dann auf stumm und steckte es in die Tasche.

»Wo waren wir stehen geblieben?«

»Du fühlst dich schlecht wegen der Prügelei ...«

»Deshalb fühle ich mich überhaupt nicht schlecht«, entgegnete Strike. »Wenn ich mich nicht verteidigt hätte, wäre mein Gesicht jetzt Matsch.« Er spießte Nudeln auf die Gabel. »Ich hab ihm auf den Kopf zugesagt, dass ich weiß, dass seine Familie nichts mehr mit ihm zu tun haben will. Er hat nur noch zu einer Schwester Kontakt – steht alles auf Facebook. Deshalb fühle ich mich schlecht. Denn dass ich auf seine Familie zu sprechen gekommen bin, war der Grund, warum er mir beinahe mit der Tischlampe den Schädel eingeschlagen hat.«

»Vielleicht sind sie so verärgert, weil sie glauben, dass er mit Della zusammen ist?«

Strike zuckte mit den Schultern, machte ein Schon-möglich-Gesicht und schluckte. »Ist dir aufgefallen, dass Aamir die einzige Person in diesem ganzen Fall ist, die ein Motiv hat? Chiswell hat damit gedroht, ihn zu verraten. ›Männer mit Ihren Vorlieben‹ und Lachesis, die ›wusste, wann jeder fällig war‹ …«

»Und was ist mit: ›Die Mittel sind wichtiger als das Motiv‹?«

»Schon gut, schon gut«, sagte Strike müde, stellte seinen beinahe leer gegessenen Teller ab, kramte Zigaretten und Feuerzeug hervor und setzte sich gerade hin. »Also schön. Konzentrieren wir uns auf die Mittel. Wer hatte Zugang zum Haus, zu den Antidepressiva und zu Helium? Wer kannte Jasper Chiswell gut genug, um zu wissen, dass er jeden Morgen ein Glas Orangensaft trank? Wer hatte einen Schlüssel oder war vertrauenswürdig genug, um in den frühen Morgenstunden eingelassen zu werden?«

»Die Familienmitglieder.«

»Genau«, sagte Strike und betätigte das Feuerzeug. »Allerdings wissen wir, dass es Kinvara, Fizzy, Izzy und Torquil nicht gewesen sein können. Damit bleibt noch Raphael, der behauptet, an eben jenem Morgen nach Woolstone beordert worden zu sein.«

»Bringt er es wirklich fertig, seinen Vater umzubringen und dann in aller Seelenruhe nach Woolstone zu fahren und dort mit Kinvara auf die Polizei zu warten?«

»Vergiss die Psychologie und alle Wahrscheinlichkeiten. Wir sehen uns ausschließlich die Mittel an«, sagte Strike und blies eine lange Rauchfahne aus. »Bisher spricht nichts dagegen, dass Raphael um sechs Uhr morgens noch in der Ebury Street war. Ich weiß, ich weiß«, sagte er und kam damit ihrem Einwand zuvor, »aber es wäre nicht das erste Mal, dass ein Mörder mit dem Handy seines Opfers telefoniert. Vielleicht hat er sich selbst angerufen, damit es so aussieht, als hätte ihn Chiswell nach Woolstone geschickt.«

»Was bedeutet, dass Chiswells Handy entweder nicht durch eine PIN gesichert ist oder dass Raphael die PIN kannte.«

»Guter Punkt. Das müssen wir nachprüfen.«

Strike klickte auf den Kugelschreiber und machte sich eine entsprechende Notiz. Dabei fragte er sich, ob Robins Ehemann, der schon mal ohne ihr Wissen ihre Anrufliste gelöscht hatte, ihre gegenwärtige PIN kannte. Derlei scheinbar winzige Details waren oft vielsagende Hinweise, was die Gesundheit einer Beziehung betraf.

»Wenn Raphael der Mörder wäre, gäbe es ein weiteres logistisches Problem«, sagte Robin. »Er hatte keinen Schlüssel. Wenn Chiswell ihm die Tür aufgemacht hat, dann war er wach und zurechnungsfähig, während Raphael das Antidepressivum in der Küche mit dem Mörser zerstieß.«

»Auch da hast du recht«, sagte Strike. »Das Zerstoßen der Pillen harrt sowieso noch einer Erklärung, ganz egal wen wir für verdächtig halten … Flick zum Beispiel. Wenn sie sich als Putzfrau ausgegeben hat, kannte sie sich in der Ebury Street wahrscheinlich besser aus als Chiswells Verwandte. Sie hatte sogar einen der Schlüssel, die zwar schwierig, aber nicht unmöglich nachzumachen waren. Nehmen wir mal an, sie hätte es fertiggebracht – dann könnte sie nach Herzenslust im Haus herumgeschnüffelt haben, wann immer sie gerade Lust dazu hatte. Sie dringt also in den frühen Morgenstunden ein, um den Orangensaft zu vergiften, nur dass das Zerkleinern der Tabletten im Mörser Lärm gemacht hätte ...«

»Es sei denn«, warf Robin ein, »dass sie die Tabletten schon zuvor zerdrückt hat. Sie bringt sie in einer Plastiktüte oder so mit und stäubt den Mörser damit ein, damit es so aussieht, als hätte Chiswell sie pulverisiert.«

»Okay, trotzdem fehlt uns dieser letzte Beweis. Und auch in dem leeren Orangensaftkarton im Müll war kein Amitriptylin nachweisbar. Raphael hätte seinem Vater ein Glas Saft bringen können, ohne Verdacht zu erregen ...«

»Aber es waren nur Chiswells Fingerabdrücke auf dem Glas.«

»... und Chiswell hätte es sicher merkwürdig gefunden, nach dem Aufstehen ein bereits eingeschenktes Glas Saft vorzufinden. Würdest du Orangensaft trinken, den du nicht selbst eingegossen hast und der plötzlich auf dem Tisch steht, obwohl sonst niemand im Haus war?«

Unten an der Denmark Street waren über das konstante Hintergrundrauschen des Verkehrs hinweg die Stimmen mehrerer junger Frauen zu hören. Sie gaben Rihannas »Where Have You Been?« zum Besten.

»Where have you been? All my life, all my life ...«

»Vielleicht war es *doch* Selbstmord«, sagte Robin.

»Deine Einstellung ist geschäftsschädigend.« Strike achte auf seinen Teller. »Denk mal nach – wer hätte an dem Tag in das Haus an der Ebury Street hineinmarschieren können? Raphael, Flick ...«

»... und Jimmy«, sagte Robin. »Was für Flick gilt, gilt auch für ihn. Sie hätte ihm bestimmt alles über Chiswells Angewohnheiten und sein Haus erzählt und ihm sicher auch den nachgemachten Schlüssel gegeben.«

»Stimmt. Diese drei Personen hätten also an jenem Morgen das Haus betreten können«, sagte Strike. »Aber mit dem Eindringen allein ist es ja nicht getan. Der Mörder wusste außerdem, welches Antidepressivum Kinvara nahm, und er musste dafür gesorgt haben, dass der Heliumzylinder und der Gummischlauch vor Ort waren – was wiederum voraussetzt, dass er die Chiswells gut genug kannte, um die Sachen dort zu deponieren, oder wusste, wo sich Helium und Schlauch befanden.«

»Soweit wir wissen, hatte Raphael die Ebury Street seit Längerem nicht mehr besucht. Und welche Tabletten Kinvara nimmt, wusste er sicher auch nicht. Sie können sich ja nicht besonders gut leiden. Obwohl ... Das hätte er auch von seinem Vater erfahren können«, wandte Robin ein. »Wenn wir allein von den Mitteln ausgehen, können wir die Winns und Aamir ausschließen ... und wenn wir annehmen, dass Flick tatsächlich bei ihm geputzt hat, landen Jimmy und Flick plötzlich ganz oben auf der Liste der Verdächtigen.«

Strike seufzte tief und schloss die Augen.

»So kommen wir nicht weiter«, sagte er nach einer Weile und fuhr sich mit der Hand übers Gesicht. »Zurück zum Motiv.«

Er schlug die Augen wieder auf, drückte die Zigarette auf dem Teller aus und zündete sich unmittelbar darauf die nächste an.

»Kein Wunder, dass das MI5 so interessiert ist. Auf den ersten Blick profitiert niemand von seinem Tod. Da hatte Oliver schon recht – Erpresser bringen ihre Opfer normalerweise nicht um, im Gegenteil. Abgrundtiefer Hass als Motiv klingt reizvoll, aber da inszeniert man nicht sorgfältig einen Selbstmord, sondern zieht dem Opfer im Affekt einen Hammer oder eine Lampe über die Birne. Wenn es ein Mord war, dann eine kaltblütige, bis ins Detail geplante Hinrichtung. Nur – weshalb? Was hatte der Täter davon? Was mich zu der Frage bringt: Warum musste Chiswell gerade *zu diesem Zeitpunkt* sterben? Jimmy und Flick konnten kein Interesse daran gehabt haben, dass Chiswell das Zeitliche segnet, bevor sie an die Beweise gekommen waren und das Geld aus ihm herausgepresst hatten. Das Gleiche gilt für Raphael, der von seinem Vater aus dem Testament gestrichen worden war und sich ihm erst langsam wieder angenähert hat. Auch er hatte am Tod seines Vaters kein Interesse. Gegen Aamir scheint Chiswell allerdings etwas in der Hand gehabt zu haben – etwas Sexuelles, nach dem Catull-Zitat zu schließen. Und er hat ihm durch die Blume damit gedroht, es öffentlich zu machen. Außerdem wusste er seit Kurzem von den zwielichtigen Machenschaften bei Geraint Winns Wohltätigkeitsorganisation. Wir dürfen nicht vergessen, dass Geraint Winn Chiswell streng genommen nicht erpresst hat: Er wollte ja kein Geld, er wollte Chiswell bloß von seinem Posten vertreiben und seinen Ruf ruinieren. Wäre es denkbar, dass Winn oder Mallik ein anderes Ventil für ihren Rachedurst gesucht haben, nachdem dieser erste Plan gescheitert war?« Strike nahm einen tiefen Zug. »Wir übersehen irgendwas, Robin. Und zwar das verbindende Element.«

»Vielleicht gibt es so ein Element gar nicht«, sagte Robin. »So ist das Leben, oder nicht? Wir haben es mit mehreren Personen zu tun, von denen jede ihre eigenen Probleme und Ziele hat. Einige hatten gute Gründe, Chiswell zu verabscheuen oder einen Groll gegen ihn zu hegen, aber das heißt noch lange nicht, dass alles perfekt zusammenpassen muss. Vieles ist wahrscheinlich völlig irrelevant.«

»Trotzdem – es gibt hier irgendetwas, was wir noch nicht wissen.«

»Es gibt eine ganze Menge, was wir noch nicht ...«

»Nein, etwas Wichtiges, etwas ... Fundamentales. Das spüre ich. Wir sind ganz kurz davor, es aufzudecken. Warum hat Chiswell beispielsweise gesagt, er hätte noch mehr Arbeit für uns, sobald wir Winn und Knight das Handwerk gelegt hätten?«

»Keine Ahnung«, sagte Robin.

»›Da bringt sich einer nach dem anderen selbst zu Fall‹«, zitierte Strike. »Wer brachte sich selbst zu Fall?«

»Geraint Winn. Ich hatte Chiswell gerade von den finanziellen Unregelmäßigkeiten bei der Wohltätigkeitsorganisation erzählt.«

»Und zuvor war Chiswell am Telefon, weil er seine Geldklammer vermisste … Freddies Geldklammer.«

»Genau«, sagte Robin.

»Freddie«, wiederholte Strike und kratzte sich am Kinn.

Und für einen Augenblick war er wieder im Aufenthaltsraum des Militärkrankenhauses in Deutschland. In der Ecke lief stumm ein Fernseher, auf einem niedrigen Tischchen lagen mehrere Ausgaben der *Army Times*. Der junge Lieutenant, der Zeuge von Freddie Chiswells Tod geworden war, hatte dort allein in seinem Rollstuhl gesessen und auf Strike gewartet. Die Kugel, die der Talib auf ihn abgefeuert hatte, steckte immer noch in seiner Wirbelsäule.

»… der Konvoi angehalten, und Major Chiswell hat mir befohlen auszusteigen und nach dem Rechten zu sehen. Ich hab noch gesagt, dass ich auf dem Hügel etwas bemerkt habe, aber er meinte bloß, ich solle verdammt noch mal seinen Befehl befolgen. Ich war kaum ein paar Schritte weit gekommen, als ich die Kugel in den Rücken bekommen hab. Das Letzte, woran ich mich erinnere, ist, wie er mich vom Lkw aus angebrüllt hat. Dann hat ihm der Scharfschütze den Kopf weggeschossen.«

Der Lieutenant hatte Strike um eine Zigarette gebeten, obwohl er eigentlich nicht rauchen durfte. Strike hatte ihm die halbe Packung dagelassen, die er bei sich gehabt hatte.

»Chiswell war ein Arschloch«, hatte der junge Mann im Rollstuhl gesagt.

Vor seinem geistigen Auge sah Strike den großen blonden Freddie vor sich, wie er gemeinsam mit Jimmy Knight und seinen Kumpanen einen Feldweg entlangging, lachte und scherzte. Er sah ihn in Fechtmontur auf der Planche und dahinter etwas undeutlich die Gestalt von Rhiannon Winn, die ihn beobachtete und vielleicht schon damals Selbstmordgedanken gehabt hatte.

Von seinen Soldaten gehasst, vom Vater bewundert: War Freddie das verbindende Element, nach dem Strike suchte – jenes Element, das alles zusammenfügte, das die Brücke von zwei Erpressern zu der Geschichte eines erwürgten Kindes schlug? Doch je länger er darüber nachdachte, desto unwahrscheinlicher kam es ihm vor. Und einmal mehr entglitten ihm die vielen losen Fäden dieser Ermittlung, die sich so hartnäckig weigerten zusammenzufinden.

»Mich würde wirklich interessieren, was auf diesen Fotos vom Außenministerium ist«, sagte Strike laut und richtete den Blick auf den sich allmählich violett färbenden Himmel hinter dem Bürofenster. »Mich würde interessieren, wer das Weiße Pferd in die Innenseite von Aamir Malliks Badezimmertür geritzt hat und warum ein Kreuz an genau der Stelle stand, an der Billy zufolge ein Kind begraben liegt.«

»Tja«, sagte Robin, stand auf und stellte das schmutzige Geschirr zusammen. »An Ehrgeiz mangelt es dir jedenfalls nicht.«

»Lass, das mache ich schon ... Du solltest nach Hause fahren.«

Ich will aber nicht nach Hause.

»Ich bin doch gleich fertig. Was hast du morgen vor?«

»Am Nachmittag hab ich einen Termin mit diesem Drummond, dem Kunsthändler, der mit Chiswell befreundet war.«

Sobald Robin Geschirr und Besteck gespült hatte, nahm sie die Handtasche vom Haken und drehte sich noch einmal um. Für gewöhnlich wies Strike alle Fürsorglichkeit brüsk von sich, doch diesmal musste sie es einfach loswerden.

»Nichts für ungut, aber du siehst furchtbar aus. Vielleicht solltest du mal eine Pause einlegen und dein Bein ausruhen, bevor du wieder in Aktion trittst. Schönen Abend noch.«

Sie verließ das Büro, ehe Strike etwas erwidern konnte. Er saß in Gedanken versunken da, bis er keine andere Wahl hatte, als die schmerzhafte Reise nach oben in seine Dachgeschosswohnung anzutreten. Nachdem er sich mühsam hochgestemmt hatte, schloss er die Fenster, schaltete das Licht aus und sperrte das Büro hinter sich ab.

Er hatte gerade das künstliche Bein auf die erste Treppenstufe gesetzt, als sein Handy klingelte. Lorelei. Er wusste es, ohne nachsehen zu müssen. Sie würde ihn nicht ziehen lassen, ohne ihn zuvor ebenso zu verletzen, wie er sie verletzt hatte.

Langsam und vorsichtig und indem er die Prothese so wenig wie möglich belastete, erklomm Strike die Treppe.

49

Die Rosmers auf Rosmersholm – Priester und Offiziere.
Beamte in hohen, verantwortungsvollen Stellungen. Korrekte
Ehrenmänner, einer wie der andere ...

                                      HENRIK IBSEN, *ROSMERSHOLM*

Lorelei gab nicht auf. Sie wollte Strike von Angesicht zu Angesicht sehen, wollte wissen, warum sie fast ein Jahr ihres Lebens einem, wie sie es sah, emotionalen Vampir geopfert hatte.

»Du schuldest mir ein Treffen«, sagte sie, als er sich am folgenden Mittag endlich am Telefon meldete. »Ich will dich sehen. Das bist du mir schuldig.«

»Und was sollte das bringen?«, fragte er sie. »Ich hab deine Mail gelesen, du hast deine Gefühle deutlich ausgedrückt. Ich hab dir von Anfang an gesagt, was ich wollte und was ich nicht wollte ...«

»Komm mir jetzt nicht mit diesem ›Ich hab nie vorgegeben, etwas Ernstes zu wollen‹-Scheiß! Wen hast du angerufen, als du nicht mehr laufen konntest? Das passte dir gut, dass ich dein Frauchen gespielt habe, als du ...«

»Einigen wir uns doch einfach darauf, dass ich ein Dreckskerl bin.« Er hatte sein amputiertes Bein in der Wohnküche auf einem Stuhl ausgestreckt. Er trug nur Boxershorts, würde aber bald aufstehen, seine Prothese anlegen und sich elegant genug anziehen müssen, um in Henry Drummonds Galerie nicht aufzufallen. »Wünschen wir uns gegenseitig alles Gute und ...«

»Nein«, sagte sie. »So leicht kommst du nicht davon. Ich war glücklich, ich war zufrieden ...«

»Ich wollte dich nie unglücklich machen. Ich mag dich ...«

»Du *magst* mich«, wiederholte sie schrill. »Wir sind ein Jahr zusammen, und du *magst* mich!«

»Was willst du eigentlich?« Allmählich verlor er die Geduld. »Verdammt, soll ich vielleicht zum Altar hinken, auch wenn ich nicht fühle, was ich fühlen sollte? Ohne es zu wollen? Und mir insgeheim wünschen, ich wäre anderswo? Du bringst mich dazu, etwas zu sagen, was ich nicht sagen will. Ich wollte nie jemanden verletzen ...«

»Aber das hast du getan! Du hast *mich* verletzt! Und jetzt willst du einfach verschwinden, als wäre nie etwas passiert!«

»Während du eine öffentliche Szene in einem Restaurant möchtest?«

»Ich möchte«, sagte sie jetzt schluchzend, »nicht das Gefühl haben müssen, ich wäre irgendwer gewesen. Ich will mich an ein Ende erinnern können, nach dem ich mir nicht billig und entbehrlich vorkomme ...«

»So hab ich dich nie gesehen. Ich sehe dich auch jetzt nicht so«, sagte er, schloss die Augen und wünschte sich, er wäre auf Wardles Party nicht zu ihr hinübergegangen. »In Wahrheit bist du zu ...«

»Erzähl mir nicht, dass ich zu gut für dich bin«, sagte sie. »Lass uns beide zumindest ein bisschen Würde bewahren.«

Sie legte auf. Strike empfand vor allem Erleichterung.

Noch keine Ermittlung hatte Strike so zuverlässig in dieselbe kleine Ecke Londons geführt. Bereits wenige Stunden später setzte das Taxi ihn an der sanft abfallenden St. James's Street ab, wo er den roten Klinkerbau des St. James's Palace vor und Pratt's am Park Place rechts neben sich hatte. Nachdem er gezahlt hatte, machte er sich auf den Weg zu Drummonds Galerie, die auf der linken Straßenseite zwischen einem Weinhändler und einem Hutmacher lag. Obwohl seine Prothese diesmal gut saß, benutzte Strike einen Teleskopstock, den Robin ihm bei anderer Gelegenheit gekauft hatte, als sein stark schmerzendes Bein sein Gewicht kaum mehr hatte tragen können.

Auch wenn das Telefonat mit Lorelei das Ende einer Beziehung markierte, aus der er hatte entkommen wollen, hatte es seine Spuren hinterlassen. Tief im Innern wusste er, dass einige ihrer Vorwürfe gerechtfertigt waren – wenngleich nicht buchstäblich. Obwohl er Lorelei von Anfang an erklärt hatte, dass er keine Beziehung und erst recht keine von Dauer anstrebte, hatte er genau gewusst, dass sie darunter nicht »niemals«, sondern »im Augenblick« verstehen würde, und er hatte diesen Eindruck auch nie korrigiert, weil er Ablenkung und ein Mittel gegen die Gefühle gebraucht hatte, die ihm nach Robins Hochzeit zugesetzt hatten.

Aber die Fähigkeit, seine Gefühle weit von sich wegzuschieben, über die schon Charlotte stets geklagt und der Lorelei in ihrer E-Mail einen längeren analytischen Absatz gewidmet hatte, hatte ihn noch nie im Stich gelassen. Es waren noch zwei Minuten bis zu seinem Termin bei Henry Drummond, und kurzerhand konzentrierte er sich auf die Fragen, die er Jasper Chiswells altem Freund stellen wollte.

Im Schaufenster in der schwarzen Marmorfassade der Galerie kontrollierte er sein Spiegelbild und rückte seine Krawatte zurecht. Er trug seinen besten italienischen Anzug. Hinter dem fleckenlosen Glas und seinem Spiegelbild stand ein einzelnes, geschmackvoll angestrahltes Gemälde in einem protzigen Goldrahmen auf einer Staffelei: zwei nach Strikes Dafürhalten unrealistisch aussehende Pferde mit giraffenartigen Hälsen und verdrehten Augen, die von Jockeys aus dem achtzehnten Jahrhundert geritten wurden.

In der Galerie mit dem auf Hochglanz polierten weißen Marmorboden hinter der schweren Tür war es kühl und still. Auf seinen Stock gestützt, schritt Strike vorsichtig die Gemälde mit Jagd- und Pferdemotiven ab, die diskret beleuchtet in schweren Goldrahmen an den weißen Wänden hingen, bis eine akkurat frisierte junge Blondine in einem engen schwarzen Kleid aus einer Seitentür kam.

»Oh, guten Tag«, sagte sie, ohne nach seinem Namen zu fragen. Auf dem Weg zum entlegenen Ende des großen Raums klackerten ihre Stilettos metallisch auf dem Marmor. »Henry? Mr. Strike ist da.«

Eine Geheimtür ging auf, und Drummond trat heraus: ein seltsam aussehender Mann, dessen asketische Züge mit Adlernase und schwarzen Brauen in Fettwülste an Kinn und Nacken übergingen, als steckte ein Puritaner im Körper eines fröhlichen Landjunkers. Sein Backenbart und der dunkelgraue Dreiteiler verliehen ihm ein zeitloses, zweifellos aristokratisches Aussehen.

»Guten Tag«, sagte er und gab Strike die warme, trockene Hand. »Bitte kommen Sie mit in mein Büro.«

»Henry, eben hat Mrs. Ross angerufen«, sagte die Blondine, als Strike gerade den aufgeräumten kleinen Raum mit Mahagonitäfelung und wandhohen Bücherregalen hinter der Geheimtür betrat. »Sie möchte den Munnings sehen, bevor wir schließen. Ich habe ihr gesagt, dass er reserviert ist, aber sie möchte trotzdem ...«

»Sagen Sie Bescheid, wenn sie da ist«, erwiderte Drummond. »Und könnten wir etwas Tee haben, Lucinda? Oder Kaffee?«, fragte er Strike.

»Tee wäre schön, danke.«

»Bitte nehmen Sie Platz«, sagte Drummond, und Strike sank dankbar in einen großen, stabilen Ledersessel. Der antike Schreibtisch zwischen ihnen war leer bis auf eine Kassette mit

Stahlstich-Briefpapier, einen Füller und einen mit Silber eingelegten Brieföffner aus Elfenbein. »So«, fuhr Drummond gewichtig fort, »Sie befassen sich also im Auftrag der Familie mit dieser schrecklichen Sache?«

»Richtig. Stört es Sie, wenn ich mir Notizen mache?«

»Nur zu.«

Strike zückte Stift und Notizbuch, während Drummond sich mit seinem Stuhl leicht hin und her drehte.

»Ein schlimmer Schock«, sagte er halblaut. »Da denkt man natürlich sofort an ausländische Einmischung. Britischer Minister, London wegen der Olympischen Spiele im Fokus der Weltöffentlichkeit und so weiter.«

»Sie haben nicht gedacht, er könnte Selbstmord verübt haben?«, fragte Strike.

Drummond seufzte schwer. »Ich kannte ihn seit fünfundvierzig Jahren. Sein Leben ist nicht ohne Wechselfälle verlaufen. Das alles durchgemacht zu haben – die Scheidung von Patricia, Freddies Tod, den Rücktritt als Minister, Raphaels schlimmen Verkehrsunfall – und *jetzt* zu sterben, da er Kulturminister war, da doch alles wieder im Lot zu sein schien ... Weil die Konservative Partei sein Lebensblut war, müssen Sie wissen«, sagte Drummond. »Oh ja. Er hätte blau geblutet. Er hat es gehasst, draußen zu sein, war hocherfreut, wieder reinzukommen und zum Minister aufzusteigen ... Wir hatten darüber gescherzt, dass er Premier werden könnte, natürlich in jüngeren Jahren, aber dieser Traum war zerplatzt. Jasper hat immer gesagt: ›Ein treuer Tory liebt Schufte und Blödmänner gleichermaßen‹ – und er war keins von beidem.«

»Sie würden also sagen, seine Stimmung dürfte zum Zeitpunkt seines Todes allgemein gut gewesen sein?«

»Ah ... nein, das könnte ich nicht sagen. Er hatte Stress, Sorgen, aber Selbstmordgedanken? Definitiv nicht.«

»Wann haben Sie ihn zuletzt gesehen?«

»Persönlich begegnet sind wir uns zum letzten Mal hier in der Galerie«, sagte Drummond. »Ich kann Ihnen genau sagen, wann das war: Freitag, der zweiundzwanzigste Juni.«

Wie Strike wusste, war dies auch der Tag, an dem er Chiswell erstmals begegnet war. Er erinnerte sich noch daran, dass der Minister nach ihrem Mittagessen im Pratt's in Richtung von Drummonds Galerie davongeschlendert war.

»Und wie ist er Ihnen an diesem Tag vorgekommen?«

»Extrem verärgert«, sagte Drummond, »aber das war unvermeidlich, wenn man bedenkt, was ihn hier erwartet hat.« Drummond griff nach dem Brieföffner und drehte ihn behutsam zwischen seinen dicken Fingern. »Sein Sohn – Raphael – war gerade zum zweiten Mal dabei ertappt worden, wie er ... äh ...« Der Galerist zögerte sekundenlang. »... *in flagranti* ertappt«, sagte er, »mit meiner damaligen Angestellten, in der Toilette dort.« Er zeigte auf eine diskrete schwarze Tür. »Ich hatte sie schon einmal dort drinnen erwischt. Vom ersten Mal habe ich Jasper gar nichts erzählt, weil ich dachte, er hätte schon genügend andere Sorgen ...«

»In welcher Hinsicht?«

Drummond befingerte das Elfenbein, räusperte sich umständlich und sagte: »Jaspers Ehe war nicht ... war nicht ... Ich meine, Kinvara ist anstrengend. Eine schwierige Frau. Sie hat Jasper damals bedrängt, eine ihrer Stuten von Totilas decken zu lassen.« Als Strike ein verständnisloses Gesicht machte, fügte Drummond erklärend hinzu: »Ein erstklassiger Deckhengst. Fast zehntausend für den Samen.«

»Himmel«, sagte Strike.

»Genau. Und wenn Kinvara nicht bekommt, was sie will ... Man weiß nicht, ob es ihr Temperament ist oder etwas, was tiefer sitzt ... vielleicht mentale Labilität ... Jedenfalls hatte Jasper es damals sehr schwer mit ihr. Außerdem hatte er diese schreckliche Sache mit Raphaels ... äh ... Unfall durchstehen müssen, bei dem diese arme junge Mutter ums Leben gekommen ist – die Presse und so weiter, sein Sohn im Gefängnis ... Da wollte ich als Freund ihm nicht noch mehr Sorgen machen. Nach dem ersten Mal habe ich Raphael erklärt, ich würde Jasper nicht informieren, aber ich habe ihm auch gesagt, dass dies meine letzte Warnung sei und er bei der nächsten Verfehlung fliege, alter Freund seines Vaters hin oder her. Ich musste auch an Francesca denken. Sie ist mein Patenkind, achtzehn Jahre alt und war heillos in ihn verknallt. Ich wollte ihren Eltern nichts erzählen müssen. Als Jasper herkam, war ich gerade dabei, an die Tür zu hämmern. Was da passiert war, ließ sich unmöglich verbergen. Raphael blockierte die Toilettentür, bis Francesca aus dem Fenster geklettert war. Sie konnte mir gar nicht mehr unter die Augen treten. Ich habe ihre Eltern angerufen, ihnen alles erzählt. Sie ist nie zurückgekommen. Raphael«, sagte Drummond nachdrücklich, »ist ein verkommenes Subjekt. Freddie, der gefallen ist – übrigens auch mein Patenkind –, war eine Million solcher ... Nein«, murmelte er und spielte weiter mit dem Brieföffner, »so etwas darf man nicht sagen.«

Die Bürotür ging auf, und die Blondine im schwarzen Kleid kam mit einem Teetablett herein. Strike verglich es in Gedanken mit dem Tee in seinem Büro: zwei Silberkannen, davon eine mit heißem Wasser, Knochenporzellan und eine Zuckerdose mit Zuckerzange.

»Eben ist Mrs. Ross gekommen, Henry.«

»Sagen Sie ihr, dass ich noch ungefähr zwanzig Minuten beschäftigt bin. Sie möchte warten, wenn sie Zeit hat.«

»Vermute ich richtig«, fragte Strike, als Lucinda gegangen war, »dass an dem bewussten Freitag kaum Zeit für Gespräche war?«

»Das ist leider richtig«, sagte Drummond unglücklich. »Jasper war gekommen, um Raphael bei der Arbeit zu sehen, weil er glaubte, alles liefe wunderbar, und ist mitten in diese Szene hineingeraten ... hat sich natürlich auf meine Seite geschlagen, als ihm klar wurde, was hier vor sich ging. Er hat den Jungen selbst weggestoßen, um die Toilettentür öffnen zu können. Dann hat sein Gesicht sich hässlich verfärbt. Er hatte ein Herzproblem, wissen Sie, das sich seit Jahren immer mal wieder bemerkbar gemacht hat. Musste sich prompt aufs Klo setzen. Das hat mir Sorgen gemacht, aber er wollte partout nicht, dass ich Kinvara anrufe ... Raphael hatte immerhin Anstand genug, sich zu schämen. Wollte seinem Vater aufstehen helfen. Jasper hat ihn aufgefordert zu verschwinden und von mir verlangt, dass ich die Tür zumache und ihn in Ruhe lasse ...«

Der Galerist, dessen Stimme jetzt barsch klang, hielt inne und goss Strike und sich selbst Tee ein. Er wirkte mitgenommen. Als er seine drei Stück Würfelzucker umrührte, klirrte der Teelöffel gegen die Tasse.

»'tschuldigung. Das letzte Mal, dass ich Jasper lebend gesehen habe, wissen Sie ... Er kam aus der Toilette, war gespenstisch blass, hat mir die Hand geschüttelt und sich dafür entschuldigt, dass er seinen ältesten Freund ... dass er mich enttäuscht hat.« Drummond hüstelte, schluckte und fuhr mit sichtlicher Mühe fort: »Natürlich konnte Jasper nichts dafür. Raphael verdankt seine wenigen moralischen Prinzipien – falls er denn überhaupt welche besitzt – seiner Mutter, die man am besten als hochklassige ... Nun, lassen wir das. Jaspers Probleme haben ernstlich angefangen, als er Ornella begegnet ist. Wäre er nur bei Patricia geblieben ... Jedenfalls habe ich Jasper nie wiedergesehen. Um ganz ehrlich zu sein, musste ich mich dazu überwinden, Raphael bei der Beerdigung die Hand zu schütteln.«

Drummond nahm einen Schluck Tee, und Strike kostete seinen. Er war viel zu schwach.

»Klingt alles sehr unangenehm«, sagte der Detektiv.

»Das kann man wohl sagen.« Drummond seufzte.

»Ich denke, Sie ahnen schon, dass ich einige heikle Themen anschneiden muss ...«

»Natürlich«, sagte der Kunsthändler.

»Sie haben mit Izzy gesprochen. Hat sie Ihnen erzählt, dass Jasper erpresst wurde?«

»Sie hat es erwähnt«, sagte Drummond und überzeugte sich mit einem Blick davon, dass die Tür geschlossen war. »Mir gegenüber hat er nicht mal etwas angedeutet. Izzy meinte, es sei einer der Knights gewesen ... eine Familie vom Landsitz. War der Vater nicht Tagelöhner? Was die Winns betrifft ... Nein, ich glaube nicht, dass Jasper und sie sich sehr gemocht haben. Seltsames Paar.«

»Rhiannon, die Tochter der Winns, war Fechterin«, sagte Strike. »Sie war mit Freddie Chiswell im britischen Juniorteam ...«

»Oh ja, Freddie war unglaublich gut«, sagte Drummond.

»Rhiannon war zu der Party zu Freddies achtzehntem Geburtstag eingeladen, auch wenn sie einige Jahre jünger war. Sie war erst sechzehn, als sie Selbstmord verübt hat.«

»Grässlich«, sagte Drummond.

»Darüber wissen Sie nichts?«

»Wie könnte ich?«, fragte Drummond mit einer kleinen Falte zwischen den Augenbrauen.

»Sie waren nicht bei seinem Achtzehnten?«

»Doch, ich war dort. Als sein Pate, wissen Sie.«

»Aber Sie können sich nicht an Rhiannon erinnern?«

»Du liebe Güte, wie soll ich mich an all die Namen erinnern? Freddie hatte über hundert junge Leute eingeladen. Jasper hat im Garten ein Zelt aufstellen lassen, und Patricia hat eine Schatzsuche organisiert.«

»Wirklich?«, fragte Strike.

Auf der Party zu seinem achtzehnten Geburtstag in einem

heruntergekommenen Pub in Shoreditch hatte es keine Schatzsuche gegeben.

»Nur auf dem Grundstück, wissen Sie. Freddie mochte Wettbewerbe aller Art. Ein Glas Champagner bei jedem Zwischenziel, das war nett, hat gleich Laune gemacht. Mein Posten war bei Nummer drei unten in der Mulde, wie die Kinder sie immer genannt haben.«

»Die kleine Senke beim Cottage der Knights?«, fragte Strike beiläufig. »Als ich sie zuletzt gesehen habe, war sie mit Nesseln überwuchert.«

»Wir hatten den Hinweis nicht in der Mulde, sondern unter Jack o'Kents Fußmatte versteckt. Ihm selbst konnte man den Champagner nicht anvertrauen, weil er ein Alkoholproblem hatte. Ich habe am Rand der Mulde auf einem Deckstuhl gesessen und die Schatzsucher beobachtet. Wer den Hinweis fand, bekam ein Glas Champagner und ist gleich weitergelaufen.«

»Limonade für alle unter achtzehn?«, fragte Strike.

Leicht verärgert darüber, dass er den Spielverderber gab, sagte Drummond: »Niemand *musste* Champagner trinken. Es war ein Achtzehnter, eine Geburtstagsfeier.«

»Jasper Chiswell hat also nie erwähnt, was er nicht in der Presse hatte sehen wollen?«, fragte Strike, um auf den Punkt zurückzukommen.

»Garantiert nichts.«

»Als er mich gebeten hat, etwas gegen diese Erpresser zu unternehmen, hat er mir erklärt, was immer er getan habe, liege sechs Jahre zurück. Er hat angedeutet, es sei damals nicht illegal gewesen, heute dagegen schon.«

»Ich habe keine Ahnung, was es gewesen sein könnte. Jasper war sehr gesetzestreu, müssen Sie wissen. Die ganze Familie – Stützen der Gesellschaft, Kirchengänger – hat eine Menge für die dortige Gegend getan …«

Es folgte eine Aufzählung Chiswell'scher Wohltaten, die einige Minuten lang andauerte und Strike nicht im Geringsten beeindruckte. Drummond lenkte ab – davon war er überzeugt –, weil der Galerist genau wusste, was Chiswell getan hatte. Er drückte sich fast lyrisch aus, als er die angeborene Güte Jaspers und der gesamten Familie pries – immer mit Ausnahme des schwarzen Schafs Raphael.

»… und immer spendabel«, schloss Drummond. »Ein Minibus für die lokalen Pfadfinder, die Reparatur des Kirchendachs, sogar als die Familienfinanzen … Nun ja«, sagte er leicht verlegen.

»Dieses erpressungswürdige Vergehen …«, begann Strike wieder, aber Drummond unterbrach ihn.

»Es hat keines gegeben.« Dann riss er sich wieder zusammen. »Sie haben es doch selbst gesagt – Jasper hat Ihnen versichert, nichts Illegales getan zu haben. Es wurde kein Gesetz gebrochen.«

Strike schlug eine neue Seite in seinem Notizbuch auf. Es wäre zwecklos, Drummond wegen der Erpressung weiter zuzusetzen. Er glaubte zu sehen, dass der Galerist sich leicht entspannte.

»Sie haben Chiswell am Morgen seines Todestags angerufen«, sagte Strike.

»Das habe ich.«

»War das Ihr erstes Gespräch, seit Sie Raphael rausgeworfen hatten?«

»Tatsächlich nicht. Wir hatten schon ein paar Wochen früher telefoniert. Meine Frau wollte Jasper und Kinvara zum Abendessen einladen. Ich habe ihn im DCMS angerufen, um nach der Sache mit Raphael das Eis zu brechen, wissen Sie. Das Gespräch war nicht lang, aber durchaus freundschaftlich, nur war er zum vorgeschlagenen Termin leider nicht frei. Und er hat mir auch erzählt … Also, er war sich nicht sicher, wie lang Kinvara und er noch zusammen sein würden, weil es in ihrer Ehe krisele. Er hat müde, erschöpft ... unglücklich geklungen.«

»Und bis zum Dreizehnten hatten Sie keinen weiteren Kontakt?«

»Wir hatten selbst da keinen Kontakt«, stellte Drummond richtig. »Ich habe Jasper angerufen, ja, aber er ist nicht rangegangen. Von Izzy weiß ich ...« Ihm versagte kurz die Stimme. »Sie sagt, dass er da vermutlich bereits tot war.«

»Ziemlich früh für einen Anruf«, stellte Strike fest.

»Ich ... hatte Informationen, die er meiner Ansicht nach haben sollte.«

»Welcher Art?«

»Privater Art.«

Strike wartete ab. Der Kunsthändler nahm einen kleinen Schluck Tee.

»Es ging um die Familienfinanzen, um die es bei Jaspers Tod sehr schlecht stand, wie Sie bestimmt wissen.«

»Ja.«

»Er hatte Land verkauft, eine weitere Hypothek auf das Londoner Stadthaus aufgenommen und sämtliche guten Gemälde über mich losgeschlagen. Zuletzt war er wirklich beim Bodensatz angelangt und hat versucht, mir ein paar alte Hinterlassenschaften von Tinky zu verkaufen. Das war ... wirklich ein wenig peinlich.«

»Wie das?«

»Ich handle mit Altmeistern«, sagte Drummond. »Ich kaufe keine Gemälde gescheckter Pferde von unbekannten australischen Volkskünstlern. Aus Gefälligkeit meinem alten Freund Jasper gegenüber habe ich einige Bilder von meinem Mann bei Christie's schätzen lassen. Das einzige, das irgendeinen Wert hatte, war ein Gemälde von einer Schecke mit ihrem Fohlen ...«

»Das habe ich gesehen, glaube ich«, sagte Strike.

»... aber es war Peanuts wert«, fuhr der Galerist fort. »Peanuts.«

»Schätzungsweise wie viel?«

»Fünf- bis achttausend, wenn's hochkommt«, sagte Drummond und winkte ab.

»Für manche Leute ziemlich viele Peanuts.«

»Guter Mann, dafür hätte man kein Zehntel des Dachs von Chiswell House reparieren können.«

»Aber er hat mit dem Gedanken gespielt, es zu verkaufen?«, hakte Strike nach.

»Und ein halbes Dutzend weiterer Gemälde«, sagte der Galerist.

»Ich hatte den Eindruck, als hätte Mrs. Chiswell an diesem Bild besonders gehangen.«

»Ich glaube nicht, dass er zuletzt noch viel Rücksicht auf die Wünsche seiner Frau genommen hat ... Du liebe Güte«, seufzte Drummond, »das ist alles sehr schwierig. Ich möchte wirklich nicht dafür verantwortlich sein, dass die Familie etwas erfährt, was sie aufbringen und verletzen könnte. Sie leidet schon genug.« Er tippte sich mit einem Fingernagel an die Vorderzähne. »Ich versichere Ihnen, dass der Grund meines Anrufs nichts mit Jaspers Tod zu tun gehabt hat.«

Trotzdem wirkte er unschlüssig.

»Sie müssen mit Raphael reden«, fuhr er fort und wählte seine Worte offenbar sorgfältig, »denn ich denke ... möglicherweise ... Ich mag Raphael nicht«, sagte er, als hätte er das nicht längst klargemacht, »aber ich glaube, dass er am Morgen des Todestags seines Vaters etwas Ehrenwertes getan hat. Zumindest sehe ich darin keinen persönlichen Vorteil für ihn, insofern schweigt er darüber wohl aus dem gleichen Grund wie ich. Als Mitglied der Familie kann er weit besser entscheiden als ich, was zu tun ist. Reden Sie mit Raphael.«

Strike hatte den Eindruck, Henry Drummond zöge es vor, wenn sich Raphael an seiner Stelle bei der Familie unbeliebt machte.

Im nächsten Moment klopfte es an der Tür, und die blonde Lucinda steckte den Kopf herein.

»Mrs. Ross fühlt sich nicht sehr wohl, Henry. Sie möchte gehen, sich aber noch verabschieden.«

»Ja, in Ordnung«, sagte Drummond und stand auf. »Tut mir leid, aber ich glaube nicht, dass ich Ihnen noch mehr erzählen kann, Mr. Strike.«

»Ich bin Ihnen sehr dankbar, dass Sie sich Zeit für mich genommen haben«, erwiderte Strike, stand mühsam auf und griff nach seinem Gehstock. »Darf ich Ihnen eine letzte Frage stellen?«

»Gewiss.«

»Sagt Ihnen der Ausdruck ›Er hat das Pferd draufgesetzt‹ irgendwas?«

Drummond wirkte aufrichtig verwirrt. »Wer hat *welches* Pferd ... *worauf* gesetzt?«

»Sie wissen nicht, was das bedeuten könnte?«

»Ich habe wirklich keine Ahnung. Tut mir sehr leid, aber wie Sie gehört haben, wartet eine Kundin auf mich.«

Strike blieb nichts anderes übrig, als Drummond in den Ausstellungsraum zu folgen.

Mitten in der ansonsten leeren Galerie stand Lucinda, die sich um eine schwarzhaarige, hochschwangere Frau bemühte, die auf einem hohen Hocker saß und an einem Glas Wasser nippte.

Sowie er Charlotte erkannte, wusste Strike, dass diese zweite Begegnung kein Zufall sein konnte.

50

Sie haben mich ein für alle Mal gezeichnet. Fürs ganze Leben gezeichnet!

HENRIK IBSEN, *ROSMERSHOLM*

»Corm«, sagte sie mit schwacher Stimme und starrte ihn über das Glas hinweg an. Sie war blass, aber Strike, der ihr alles zutraute, wenn es darum ging, eine für sie vorteilhafte Situation herbeizuführen – auch mehrtägiges Fasten oder zu helle Foundation aufzulegen –, nickte nur.

»Oh, Sie kennen einander?«, fragte Drummond überrascht.

»Ich muss gehen«, murmelte Charlotte und ließ sich von Lucinda hochhelfen. »Ich bin spät dran, bin mit meiner Schwester verabredet.«

»Geht's Ihnen wirklich wieder gut?«, fragte Lucinda.

Charlotte bedachte Strike mit einem zittrigen Lächeln. »Würdest du mich ein kleines Stück begleiten? Es ist auch nicht weit.«

Sichtlich entzückt, ihm die Verantwortung für die reiche, gut vernetzte Frau zuschieben zu können, wandten sich Drummond und Lucinda zu Strike um.

»Weiß nicht, ob ich dafür gut geeignet bin«, sagte Strike mit einem Blick auf seinen Stock.

Er spürte Drummonds und Lucindas Überraschung.

»Ich warne dich rechtzeitig, wenn ich glaube, dass die Wehen einsetzen«, sagte Charlotte. »Bitte …«

Er hätte Nein sagen können. Er hätte fragen können:

»Warum triffst du dich nicht hier mit deiner Schwester?« Aber eine Weigerung, das wusste er nur zu gut, hätte ihn vor Leuten, mit denen er vielleicht noch würde reden müssen, ungehobelt wirken lassen.

»Also gut«, sagte er in genau dem richtigen Tonfall, ohne brüsk zu klingen.

»Vielen lieben Dank, Lucinda«, sagte Charlotte und machte einen Schritt von ihrem Hocker weg.

Sie trug einen beigefarbenen Seidentrenchcoat über einem schwarzen T-Shirt, Schwangerschaftsjeans und Sneakers. Was immer sie anhatte, war von bester Qualität, selbst ihre Freizeitkleidung. Sie hatte schon immer einfarbige Kleidung in schlichten oder klassischen Designs bevorzugt, von denen sich ihre bemerkenswerte Schönheit umso mehr abhob.

Als Strike ihr die Tür aufhielt, erinnerte ihre Blässe ihn daran, wie Robin am Ende einer Fahrt einmal ganz weiß im Gesicht und schweißgebadet gewesen war, nachdem sie zuvor mit einem Leihwagen einem potenziell tödlichen Crash auf Glatteis entgangen war.

»Ich danke Ihnen«, sagte sie noch zu Henry Drummond.

»War mir ein Vergnügen«, sagte der Kunsthändler förmlich.

Als die Tür der Galerie hinter ihnen zufiel, zeigte Charlotte die Straße hinauf. »Das Restaurant ist nicht weit.«

Er hätte schwören können, dass die Passanten um sie herum davon ausgingen, er wäre für ihren prallen Bauch verantwortlich. Er konnte ihr Parfüm riechen, Shalimar; das trug sie, seit sie neunzehn gewesen war, manchmal hatte er es sogar für sie gekauft. Er musste wieder daran denken, wie sie vor Jahren einmal nebeneinanderher zu einem italienischen Restaurant gegangen waren, wo es zum Streit mit ihrem Vater gekommen war.

»Du glaubst, ich hab das hier arrangiert ...«

Strike ging nicht darauf ein. Er hatte keine Lust, in Meinungsverschiedenheiten oder Reminiszenzen verwickelt zu werden. Sie liefen zwei Blocks weit, bevor er das Wort ergriff.

»Wo ist dieses Restaurant?«

»Jermyn Street. Franco's.«

Natürlich handelte es sich um dasselbe Restaurant, in dem sie sich vor all diesen Jahren mit Charlottes Vater getroffen hatten. Weil sämtliche Mitglieder von Charlottes aristokratischer Familie eine unbeherrschbare Boshaftigkeit an den Tag legen konnten, war ihre Auseinandersetzung damals kurz, aber heftig gewesen. Anschließend waren Strike und sie in ihre Wohnung zurückgekehrt und hatten sich mit einer Dringlichkeit und Intensität geliebt, die er jetzt am liebsten aus seinem Gedächtnis gestrichen hätte, genau wie die Erinnerung daran, wie sie geweint hatte, als sie den Höhepunkt erreichte, und heiße Tränen auf sein Gesicht gefallen waren, während sie ihre Lust hinausschrie.

»Autsch! Stopp«, sagte sie scharf.

Er drehte sich zu ihr um. Sie hatte beide Hände an ihren Bauch gelegt und trat mit Sorgenfalten auf der Stirn in einen Hauseingang zurück.

»Setz dich«, schlug er widerstrebend vor. »Hier auf die Stufe.«

»Nein ...« Sie atmete mehrmals tief durch. »Bring mich einfach zu Franco's, dann kannst du gehen.«

Also gingen sie weiter.

Der Maître d'hôtel blickte sichtlich besorgt drein, weil es Charlotte nicht gut ging.

»Ist meine Schwester schon da?«, fragte sie.

»Noch nicht«, antwortete der Maître d'hôtel unruhig. Er schien genau wie Henry Drummond und Lucinda zu erwarten, dass Strike ihm die Verantwortung für dieses alarmierende und unerwünschte Problem abnahm.

Kaum eine Minute später saß Strike auf Amelias Platz an einem Zweiertisch am Fenster, der Ober brachte eine Flasche Wasser, und Charlotte atmete weiter tief ein und wieder aus. Der Maître d'hôtel stellte einen Brotkorb auf den Tisch, bemerkte unsicher, Charlotte solle vielleicht versuchen, eine Kleinigkeit zu essen, und versicherte Strike nebenbei halblaut, er könne jederzeit einen Krankenwagen rufen, falls das gewünscht werde.

Dann waren sie wieder allein. Strike sprach noch immer nicht. Er würde gehen, sobald Charlotte weniger blass wäre oder ihre Schwester einträfe. Um sie herum saßen betuchte Restaurantgäste, die in dem geschmackvollen Ambiente aus Holz, Leder, Glas und Schwarz-Weiß-Drucken über der geometrisch rot-weißen Tapete Wein und Pasta genossen.

»Du glaubst, dass ich das hier arrangiert hätte«, sagte Charlotte erneut, doch auch diesmal enthielt er sich einer Erwiderung. Stattdessen hielt er Ausschau nach Charlottes Schwester, die er seit Jahren nicht gesehen hatte und die zweifellos entsetzt wäre, sie zusammen an einem Tisch zu sehen. Womöglich würde es erneut zu einem vor den anderen Gästen verborgenen, schmallippigen Streit kommen – mit abfälligen Bemerkungen über seine Persönlichkeit, Herkunft und vermeintlichen Motive dafür, seine reiche, schwangere, verheiratete Exfreundin zu ihrer Verabredung zu begleiten.

Charlotte bediente sich aus dem Brotkorb und fing an zu knabbern, ohne Strike aus den Augen zu lassen.

»Ich wusste wirklich nicht, dass du heute dort sein würdest, Corm.«

Er glaubte ihr keine Sekunde lang. Die Begegnung in Lancaster House war Zufall gewesen; er hatte ihr angesehen, wie verblüfft sie gewesen war, als ihre Blicke sich begegnet waren. Doch dieser »Zufall« war viel zu unwahrscheinlich. Wäre es nicht unmöglich gewesen, hätte Strike glatt vermutet, sie wüsste überdies, dass seit diesem Morgen mit Lorelei Schluss war.

»Du glaubst mir nicht.«

»Spielt keine Rolle«, sagte er, während er weiter Ausschau nach Amelia hielt.

»Für mich war's ein richtiger Schock, als Lucinda gesagt hat, du seist dort drinnen.«

Quatsch. Sie hätte dir nicht erzählt, wer im Büro ist. Das wusstest du bereits.

»Die hab ich in letzter Zeit oft«, fuhr sie fort und erklärte sogleich: »Sie heißen Braxton-Hicks-Kontraktionen. Ich hasse es, schwanger zu sein.« Strike ahnte, dass sie ihm sofort hatte ansehen können, was ihm unmittelbar durch den Kopf geschossen war, als sie sich vorbeugte und leise sagte: »Ich weiß, was du jetzt denkst. Ich hab unseres nicht abgetrieben. Ich hab's nicht getan.«

»Fang nicht wieder davon an, Charlotte.« Der feste Boden unter seinen Füßen fühlte sich an, als bekäme er Risse und verschöbe sich.

»Ich hab's verloren …«

»Das mache ich nicht mit«, sagte er mit einem warnenden Unterton in der Stimme. »Wir sprechen nicht über Dinge von vor zwei Jahren. Die sind mir egal.«

»Ich hab einen Test machen …«

»Ich hab gesagt, dass es mir egal ist.«

Er wäre am liebsten gegangen, aber inzwischen war sie noch blasser geworden, und ihre Lippen zitterten, als sie ihn mit diesen schrecklich vertrauten braungefleckten grünen Augen fixierte, die jetzt in Tränen schwammen. Ihr praller Bauch schien überhaupt nicht zu ihr zu gehören. Strike wäre nicht überrascht gewesen, wenn sie ihr Shirt hochgehoben und sich darunter ein Kissen umgeschnallt hätte.

»Ich wollte, sie wären deine …«

»Verdammt noch mal, Charlotte ...«

»Wären sie deine, wäre ich glücklich darüber.«

»Red keinen Scheiß. Du wolltest ebenso wenig Kinder wie ich.«

Mittlerweile liefen ihr die Tränen über das Gesicht. Sie wischte sie weg, und ihre Finger zitterten dabei stärker als je zuvor. Der Mann am Nebentisch versuchte, so zu tun, als bekäme er nichts mit. Charlotte, die sich ihrer Wirkung auf ihre Umgebung stets hyperbewusst war, durchbohrte den Lauscher mit einem Blick, sodass der hastig zu seinen Tortellini zurückkehrte. Dann riss sie ein weiteres Stück Brot ab, steckte es sich in den Mund, kaute weinend und spülte den Bissen mit einem Schluck Wasser hinunter. Dann zeigte sie auf ihren Bauch. »Sie tun mir leid. Das ist alles, was ich für sie aufbringen kann: Mitleid. Sie tun mir leid, weil ich ihre Mutter bin und Jago ihr Vater ist. Was für ein Start ins Leben! Anfangs hab ich versucht, eine Möglichkeit zu finden zu sterben, ohne sie umzubringen.«

»Sei nicht so beschissen disziplinlos«, sagte Strike rau. »Sie brauchen dich, kapiert?«

»Ich will nicht gebraucht werden, das wollte ich nie. Ich will frei sein.«

»Um dich umzubringen?«

»Ja. Oder um zu versuchen, deine Liebe zurückzugewinnen.«

Er beugte sich halb über den Tisch. »Du bist verheiratet. Du bekommst seine Kinder. Wir sind fertig miteinander, es ist vorbei.«

Jetzt beugte auch sie sich nach vorn. Ihr tränenfeuchtes Gesicht war das schönste, das er je gesehen hatte. Wieder roch er das Shalimar auf ihrer Haut.

»Ich werde dich immer mehr lieben als jeden anderen auf der Welt«, sagte sie bleich und umwerfend attraktiv. »Du weißt, dass das die Wahrheit ist. Ich habe dich mehr geliebt als jeden aus meiner Familie. Ich werde dich mehr lieben als meine Kinder. Ich werde dich noch auf dem Totenbett lieben. Ich denke an dich, wenn Jago und ich ...«

»Wenn du so weitermachst, gehe ich.«

Sie lehnte sich wieder auf ihrem Stuhl zurück und starrte ihn an, als wäre er ein heranrasender Zug und sie auf den Gleisen festgebunden.

»Du weißt, dass es wahr ist«, sagte sie heiser. »Das weißt du.«

»Charlotte ...«

»Ich weiß, dass du sagen wirst«, fuhr sie fort, »dass ich eine Lügnerin bin. Und ich *bin* eine. Ich *bin* eine Lügnerin – aber nie, wenn's um die großen Dinge geht, Bluey.«

»Nenn mich nicht so.«

»Du hast mich nie so geliebt ...«

»Scheiße, versuch bloß nicht, alles mir in die Schuhe zu schieben«, sagte er fast wider Willen. Dazu konnte nur sie ihn provozieren. »Letztlich warst nur du schuld.«

»Du warst nicht kompromissbereit ...«

»Das stimmt nicht! Ich bin sogar bei dir eingezogen, wie du wolltest ...«

»Du hast den Job nicht angenommen, den Daddy ...«

»Ich hatte einen Job. Ich hatte die Detektei.«

»Die Detektei hab ich falsch eingeschätzt, das weiß ich jetzt. Du hast so unglaubliche Erfolge gehabt ... Ich lese alles über dich – Jago hat alles in meiner Browserchronik gefunden ...«

»Hättest deine Spuren verwischen sollen, was? Mir gegenüber warst du verdammt viel vorsichtiger, als du ihn nebenbei gevögelt hast.«

»Ich hab nicht mit ihm geschlafen, solange ich mit dir ...«

»Du hast dich zwei Wochen nach unserer Trennung mit ihm verlobt.«

»Das ging nur deshalb so schnell, weil ich es so wollte«, sagte sie verbittert. »Du hast gesagt, ich hätte wegen des Babys gelogen, und ich war gekränkt. Du und ich, wir könnten inzwischen verheiratet sein, wenn du nicht ...«

»Die Karten«, sagte der Ober, der wie aus dem Nichts an ihrem Tisch erschienen war, und hielt ihnen die Speisekarten hin. Strike winkte ab.

»Ich bleibe nicht.«

»Nimm sie für Amelia«, wies Charlotte ihn zurecht. Sie nahm dem Ober die Speisekarte aus der Hand und legte sie vor Strike auf den Tisch.

»Heute haben wir mehrere Tagesgerichte«, sagte der Ober.

»Sehen wir so aus, als wollten wir das hören?«, knurrte Strike, und der Ober stand einen Augenblick starr vor Verblüffung da. Dann schlängelte er sich zwischen den gut besetzten Tischen davon. Seine Kehrseite wirkte beleidigt.

»Dieser ganze romantische Bullshit«, sagte Strike, halb über den Tisch gebeugt. »Du wolltest Dinge, die ich dir nicht geben konnte. Scheiße, du hast es jedes einzelne Mal gehasst, wenn ich klamm war.«

»Ich hab mich wie eine verwöhnte Zicke benommen«, erwiderte sie. »Ich weiß, dass ich das getan habe. Und dann hab ich Jago geheiratet und all diese Dinge bekommen, die mir meiner Meinung nach zustanden, und wollte bloß noch sterben.«

»Es ging da nicht nur um Urlaube und Schmuck, Charlotte. Du wolltest mir das Rückgrat brechen.«

Ihr Gesichtsausdruck wurde starr, wie er es vor ihren schlimmsten Ausbrüchen, den schrecklichsten Szenen oft geworden war.

»Ich durfte nichts mehr wollen, was nicht mit dir zusammenhing. So hätte ich deiner Ansicht nach bewiesen, dass ich dich liebe. Ich sollte die Army, die Detektei, Dave Polworth und alles andere aufgeben, was mich zu dem gemacht hat, was ich bin.«

»Ich wollte dir niemals, niemals das Rückgrat brechen, das ist ein schrecklicher Vorwurf, den ...«

»Du wolltest mich in die Knie zwingen, weil das deine Art ist. Du musst Dinge zerschmettern, weil sie sonst hätten verblassen können. Du musst immer die Oberhand haben. Nur wenn du etwas getötet hattest, brauchst du nicht zuzusehen, wie es langsam stirbt.«

»Sieh mir in die Augen und sag mir, dass du seither jemanden geliebt hast, wie du mich geliebt hast.«

»Nein, das habe ich nicht«, sagte er, »aber dafür kannst du nichts.«

»Wir haben unglaublich schöne Zeiten erlebt ...«

»Du müsstest mich schon daran erinnern, welche das waren.«

»Die Nacht auf Benjys Boot in Little France ...«

»An deinem Dreißigsten? Weihnachten in Cornwall? Das waren lauter herrliche Fickfeste.«

Ihre Hand zuckte zu ihrem Bauch. Strike glaubte, unter dem dünnen schwarzen T-Shirt eine Bewegung wahrzunehmen, und hatte erneut den Eindruck, unter ihrer Haut befände sich etwas Fremdartiges, etwas Unmenschliches.

»Ich hab dir sechzehn Jahre lang mit Unterbrechungen mein Bestes gegeben, und es war nie genug«, sagte er. »Irgendwann kommt der Punkt, an dem man aufhört, jemanden retten zu wollen, der fest entschlossen ist, einen mit in die Tiefe zu reißen.«

»Oh, *bitte*.« Mit einem Mal war die verwundbare, verzweifelte Charlotte verschwunden und durch eine Frau ersetzt worden, die viel tougher, die nüchtern und clever war. »Du wolltest mich nicht retten, Bluey. Du wolltest mich *enträtseln*. Da besteht ein gewaltiger Unterschied.«

Er begrüßte die Rückkehr dieser zweiten Charlotte, die ihm ebenso vertraut war wie die fragile Version – nur mit dem

Unterschied, dass er weit weniger Hemmungen hatte, ihr wehzutun.

»Du findest mich jetzt attraktiv, weil ich berühmt bin und du ein Arschloch geheiratet hast.«

Sie steckte den Treffer ein, ohne zu blinzeln, auch wenn ihr Gesicht etwas rosiger wurde. Charlotte hatte sich immer gern gestritten.

»Du bist so berechenbar. Ich wusste, dass du sagen würdest, ich wäre zurückgekommen, weil du berühmt bist.«

»Tja, du neigst dazu, wieder aufzutauchen, wenn es dramatisch wird, Charlotte«, sagte Strike. »Wenn ich mich recht erinnere, hatte ich letztes Mal gerade mein Bein verloren.«

»Dreckskerl«, sagte sie mit kühlem Lächeln. »Ist das deine Erklärung dafür, dass ich dich all diese Monate danach gepflegt habe?«

Sein Handy klingelte. Es war Robin.

»Hi«, sagte er und drehte sich von Charlotte weg, um aus dem Fenster zu sehen.

»Hi, wollt bloß erzählen, dass wir uns heut Abend nich' treffen könn'«, sagte Robin mit einem viel stärkeren Yorkshire-Akzent als sonst. »Ich geh mit 'ner Freundin aus. Party.«

»Vermute ich richtig, dass Flick zuhört?«, fragte Strike.

»Tja, ach, weißt du, warum rufst du nich' deine Frau an, wenn du einsam bist?«, fragte Robin.

»Mach ich«, erwiderte Strike amüsiert, während Charlotte ihn über den Tisch hinweg kühl anstarrte. »Soll ich dich anbrüllen? Damit die Sache glaubhafter klingt?«

»Oh, *fuck off*«, sagte Robin und legte auf.

»Wer war das?«, fragte Charlotte und kniff die Augen zusammen.

»Muss weiter«, sagte Strike, steckte das Handy ein und griff nach seinem Stock, der während seiner Auseinandersetzung mit Charlotte unter den Tisch gerutscht war. Als sie bemerkte, worauf er es abgesehen hatte, beugte sie sich schnell zur Seite und hob ihn auf.

»Wo ist denn der Spazierstock, den ich dir geschenkt habe?«, fragte sie. »Der aus Malakka?«

»Den hast du behalten«, rief er ihr in Erinnerung.

»Und wer hat dir den da gekauft? Robin?«

Zwischen all den paranoiden und mitunter wilden Anschuldigungen war sie manchmal zu erstaunlich zutreffenden Schlussfolgerungen fähig.

»Stimmt genau«, sagte Strike und bereute es sofort. Damit hatte er Charlottes Spiel mitgespielt, und schlagartig verwandelte sie sich in jene seltene dritte Charlotte, die weder kalt noch fragil, sondern rückhaltlos ehrlich war.

»Das Einzige, was mich die Schwangerschaft durchstehen lässt, ist der Gedanke, dass ich abhauen kann, sobald ich sie zur Welt gebracht habe.«

»Du willst deine Kinder im Stich lassen?«

»Ein Vierteljahr bin ich noch verpflichtet. Die wollen den Jungen so sehr, dass sie mich kaum aus den Augen lassen. Nach der Geburt wird das anders. Dann kann ich gehen. Wir wissen beide, dass ich eine schlechte Mutter wäre. Bei Familie Ross sind die beiden besser aufgehoben. Jagos Mutter bringt sich schon als Ziehmutter in Stellung.«

Strike streckte sich nach seinem Gehstock aus. Sie zögerte kurz, ließ dann aber los, und er stand auf.

»Grüß Amelia von mir.«

»Sie kommt nicht. Ich hab gelogen. Ich wusste, dass du bei Henry sein würdest. Ich war gestern bei einer Vernissage in seiner Galerie, und da hat er erzählt, dass du ihn befragen wolltest.«

»Bye, Charlotte.«

»Ist es dir nicht lieber, vorgewarnt zu sein, dass ich dich zurückhaben will?«

»Ich will dich nicht«, sagte er, vor ihr stehend.

»Red keinen Scheiß, Bluey.«

Strike hinkte aus dem Restaurant – vorbei an den Obern, die ihn finster anstarrten. Anscheinend hatten sie mitbekommen, wie unhöflich er zu ihrem Kollegen gewesen war. Noch während er auf die Straße hinausstürmte, fühlte er sich verfolgt, als hätte Charlotte ihm einen Sukkubus nachgeschickt, der ihm folgen würde, bis sie sich wieder begegneten.

51

Kannst Du ein Ideal oder zwei entbehren?

HENRIK IBSEN, *ROSMERSHOLM*

»Du bist gebrainwasht worden, damit du glaubst, dass es so sein muss«, sagte der Anarchist. »Pass auf, stell dir einfach eine Welt ohne Führer vor, in der kein Individuum mehr Macht besitzt als andere ...«

»Klar«, sagte Robin. »Und du hast echt *nie* gewählt?«

Der Duke of Wellington in Hackney platzte an diesem Samstagabend aus allen Nähten. Draußen in der sich herabsenkenden Dunkelheit war es noch warm, sodass ein gutes Dutzend von Flicks Freunden und Genossen aus der CORE-Bewegung biertrinkend an der Balls Pond Road standen, ehe sie gemeinsam zu Flick nach Hause gehen wollten, um dort weiterzufeiern. Viele aus der Gruppe hatten Tragtaschen mit Bier oder billigem Wein dabei.

Der Anarchist schüttelte lachend den Kopf. Er war hager, blond, mit Dreadlocks, und Robin glaubte, ihn aus dem Getümmel am Abend des Empfangs zu den Paralympischen Spielen wiederzuerkennen. Er hatte ihr bereits den matschigen Klumpen Cannabis gezeigt, den er zur Party beisteuern wollte. Robin, deren Erfahrung mit Drogen sich auf ein paar lang zurückliegende Züge an einer Wasserpfeife während ihres abgebrochenen Studiums beschränkte, hatte verständnisvolles Interesse geheuchelt.

»Du bist so naiv!«, erklärte er ihr jetzt. »Wahlen sind

Bestandteil der großen demokratischen Verarsche! Zwecklose Rituale, um die Massen glauben zu machen, sie könnten mitreden und hätten Einfluss! Mit diesem Deal teilen die roten und die blauen Tories doch nur die Macht untereinander auf!«

»Was ist dann die Antwort, wenn Wahlen nichts nützen?«, fragte Robin mit ihrem kaum angerührten Glas Lager in der Hand.

»Gemeinschaftsorganisation, Widerstand und Massenprotest«, sagte der Anarchist.

»Und wer organisiert den?«

»Die Gemeinschaften selbst. Scheiße, du bist echt gebrainwasht worden«, wiederholte der Anarchist und versuchte, die Härte seines Urteils durch ein kleines Lächeln abzumildern, weil ihm die offene Art der Sozialistin Bobbi Cunliffe aus Yorkshire gefiel. »Damit du denkst, dass man Führer braucht. Aber die Leute kommen ohne aus, wenn sie erst mal aufgewacht sind.«

»Und wer soll sie aufwecken?«

»Aktivisten.« Er schlug sich an die schmale Brust. »Die nicht nach Geld oder Macht für sich selbst streben, sondern *nach Macht für das Volk*, nicht *Kontrolle*. Sogar Gewerkschaften – nichts für ungut«, sagte er, weil er wusste, dass Bobbi Cunliffes Vater ein Gewerkschafter gewesen war –, »haben die gleichen Machtstrukturen, weil ihre Anführer anfangen, das Management zu imitieren ...«

»Alles klar, Bobbi?«, fragte Flick und drängte sich durch die Menge an Robins Seite. »Wir hauen gleich ab. Das war die letzte Bestellung. Was hast du ihr erzählt, Alf?«, fragte sie leicht besorgt.

Nach einem langen Samstagnachmittag im Schmuckgeschäft und dem Austausch vieler Vertraulichkeiten über ihr Liebesleben (die Robin alle hatte erfinden müssen) hatte Flick einen solchen Narren an Bobbi Cunliffe gefressen, dass auch sie angefangen hatte, mit einem leichten Yorkshire-Akzent zu sprechen. Am späten Nachmittag hatte sie dann eine zweiteilige Einladung ausgesprochen: erstens für die Party, zweitens – vorbehaltlich der Zustimmung ihrer Freundin Hayley – für das halbe Schlafzimmer, das durch den Auszug ihrer ehemaligen Mitbewohnerin Laura frei geworden war und neu vermietet werden musste. Robin hatte beide Angebote angenommen, kurz Strike angerufen und dann Flicks Vorschlag zugestimmt, in Abwesenheit der Wicca-Tante den Laden früher zu schließen.

»Er erzählt mir gerade, dass mein Dad auch nicht besser war als ein Kapitalist«, sagte Robin.

»Red keinen Scheiß, Alf«, sagte Flick, während der Anarchist lachend protestierte.

In kleinen Grüppchen zogen sie durch die Nacht in Richtung von Flicks Wohnung. Obwohl der Anarchist erkennbar den Wunsch gehabt hätte, Robin weiter in den Grundzügen einer führerlosen Welt zu unterweisen, wurde er von Flick abgedrängt, die mit ihr über Jimmy reden wollte. Zehn Meter vor ihnen führte ein dicker, bärtiger, sichelfüßiger Marxist, den Robin als Digby kennengelernt hatte, den Marsch zur Party an.

»Ich glaub nicht, dass Jimmy kommt«, vertraute sie Robin an, die deutlich spürte, dass Flick sich gegen eine Enttäuschung wappnete. »Er hat miese Laune. Macht sich Sorgen um seinen Bruder.«

»Was fehlt ihm denn?«

»Hat irgendwie mit Schizophrenie zu tun.«

Robin war sich sicher, dass Flick die korrekte Bezeichnung kannte, es aber in Gegenwart einer echten Angehörigen der Arbeiterklasse für angemessener hielt, die Ungebildete zu spielen. Sie hatte nachmittags versehentlich erwähnt, dass sie sich an der Uni eingeschrieben hatte, schien das aber zu bereuen und sprach seither umso derber. »Viel mehr weiß ich nicht. Er bildet sich Sachen ein.«

»Was denn für Sachen?«

»Dass die Regierung sich gegen ihn verschworen hat und so.« Sie kicherte.

»Ach du Scheiße!«

»Ja. Er ist gerade im Krankenhaus, hat Jimmy einen Haufen Ärger gemacht.« Flick zündete sich eine dünne Selbstgedrehte an. »Schon mal von Cormoran Strike gehört?«

Sie sprach den Namen wie eine weitere Krankheit aus.

»Wer soll das sein?«

»Privatdetektiv«, sagte Flick. »Hat ziemlich oft in der Zeitung gestanden. Weißt du nicht mehr, dieses Model, das aus dem Fenster gefallen ist, Lula Landry?«

»Geht so«, sagte Robin.

Flick überzeugte sich mit einem Blick über die Schulter, dass Anarchist Alf außer Hörweite war.

»Also, Billy ist zu dem gegangen ...«

»Bitte? Wozu denn das?«

»Weil der nicht ganz richtig im Kopf ist, okay?«, sagte Flick mit einem weiteren Kichern. »Er glaubt, dass er vor vielen Jahren mal was gesehen hätte ...«

»Und was?«, fragte Robin schneller, als sie es eigentlich beabsichtigt hatte.

»Einen Mord.«

»Ach du ...«

»Hat er natürlich nicht«, sagte Flick. »Das ist alles Quatsch. Ich meine, er *hat* was gesehen, aber niemand ist gestorben. Jimmy war dabei, er weiß Bescheid. Aber da geht Billy allen Ernstes zu diesem Scheißdetektiv, und jetzt werden wir ihn nicht mehr los.«

»Wie meinst du das?«

»Er hat Jimmy verprügelt.«

»Wer, der Detektiv?«

»Ja. Ist bei 'ner Demo hinter Jimmy hergelaufen, hat ihn verprügelt und sogar verhaften lassen.«

»Ach du Scheiße«, sagte Bobbi Cunliffe wieder.

»Der ist doch Teil des Systems«, fuhr Flick fort. »Exsoldat. Die Queen und die Flagge und der ganze verdammte Scheiß. Hör zu, Jimmy und ich hatten was gegen einen konservativen Minister in der Hand ...«

»Echt?«

»Ja. Ich darf zwar nicht sagen, was, aber es war groß – und dann hat Billy alles versaut. Strike hat uns nachgeschnüffelt, und wir vermuten, dass er Kontakt mit der Regierung ...«

Sie verstummte und sah einem Kleinwagen nach, der eben an ihnen vorbeigefahren war.

»Dachte schon, das wäre Jimmys Karre. Hatte vergessen, dass die stillgelegt ist.«

Ihre Stimmung sackte spürbar ab. Solange tagsüber keine Kunden im Laden gewesen waren, hatte Flick Robin die Geschichte ihrer Beziehung mit Jimmy erzählt, die mit ihren endlosen Kämpfen und Feuerpausen und Neuverhandlungen die Geschichte eines umkämpften Landstrichs hätte sein können. Die beiden schienen in Bezug auf den Status ihrer Beziehung nie zu einer Übereinkunft gelangt zu sein, und jeder neuerliche Vertrag war durch Streit und Verrat gebrochen worden.

»Den wirst du besser los, wenn du mich fragst«, sagte Robin, die den ganzen Tag lang behutsam versucht hatte, Flick von der Loyalität loszueisen, die sie offenbar noch immer für den treulosen Jimmy empfand, weil sie sich davon weitere Vertraulichkeiten erhoffte.

»Wenn's so einfach wär«, sagte Flick, die wieder in den breiten Yorkshire-Dialekt verfiel, den sie sich gegen Ende des Tages angewöhnt hatte. »Is' ja nicht so, als würd ich *heiraten* wollen oder so ...« Sie lachte über diese Idee. »Er darf schlafen, mit wem er will, und ich darf's auch. Das ist unser Deal, und mir taugt er.«

Im Laden hatte sie Robin bereits erklärt, sie sehe sich selbst als genderqueer und pansexuell und Monogamie sei genau betrachtet ein Werkzeug patriarchalischer Unterdrückung – eine Argumentation, die sie von Jimmy übernommen hatte, wie Robin vermutete.

Eine Zeit lang liefen sie schweigend nebeneinanderher. Im tieferen Dunkel einer Unterführung sagte Flick mit aufflackerndem Temperament: »Ich meine, ich hab selbst auch Spaß gehabt.«

»Das hört man gern«, sagte Robin.

»Jimmy würd's nicht mögen, wenn er von alledem wüsste.«

Der vor ihnen herwatschelnde Marxist sah sich um, und Robin fing im Licht einer Straßenlaterne das schiefe Grinsen auf, mit dem er Flick bedachte. Anscheinend hatte er mitbekommen, was sie erzählt hatte. Flick wiederum, die damit beschäftigt war, in den Tiefen ihrer Schultertasche nach ihrem Hausschlüssel zu graben, schien es nicht zu bemerken.

»Wir sind da oben.« Flick zeigte auf drei beleuchtete Fenster über einem kleinen Sportgeschäft. »Hayley ist schon da. Scheiße, hoffentlich hat sie daran gedacht, meinen Laptop zu verstecken.«

Zu der Wohnung ging es durch einen Hintereingang und eine kalte, schmale Treppe hinauf. Schon am Fuß der Treppe war das Wummern von »Niggas in Paris« zu hören, und als sie oben ankamen, stand die dünne Tür offen, und auf dem Treppenabsatz lungerten Leute herum, die einen riesigen Joint kreisen ließen.

»*What's fifty grand to a muh-fucka like me*«, rappte Kanye West in der Wohnung.

Das gute Dutzend Neuankömmlinge traf auf noch mehr Leute, die bereits da waren – erstaunlich, wie viele Leute in eine so kleine Wohnung passten, die offenbar nur aus zwei Zimmern, einer winzigen Dusche und einer schrankgroßen Kochnische bestand.

»Getanzt wird in Hayleys Zimmer, weil das am größten ist«, brüllte Flick Robin ins Ohr, als sie sich ihren Weg in den dunklen Raum bahnten, in den Robin einziehen sollte. Das Zimmer war lediglich von zwei Lichterketten und den rechteckigen Displays von Handys erhellt, deren Besitzer Nachrichten checkten oder in diversen sozialen Netzwerken unterwegs waren, quoll aber regelrecht über von Cannabisdunst und schwitzenden Menschen. Vier junge Frauen und ein Mann schafften es dennoch, in der Zimmermitte zu tanzen. Als Robins Augen sich an das Halbdunkel gewöhnt hatten, entdeckte sie das knochengleiche Gestell eines Stockbetts, auf dessen oberer Etage ein paar Leute sich einen Joint teilten. An der Wand hinter ihnen konnte sie eben noch eine Regenbogenfahne und ein Poster von Tara Thornton aus *True Blood* ausmachen.

Während Robin sich im Halbdunkel nach möglichen Verstecken umsah, erinnerte sie sich wieder daran, dass Jimmy und Barclay die Wohnung bereits gründlich, wenn auch vergebens nach jenem Stück Papier durchsucht hatten, das Flick bei Chiswell hatte mitgehen lassen. Sie fragte sich, ob Flick es womöglich ständig bei sich trug, aber daran hätte Jimmy bestimmt auch gedacht, und trotz Flicks vorgeblicher Pansexualität vermutete Robin, Jimmy hätte Flick eher zu einem Striptease bringen können als sie. Unterdessen hätte die Dunkelheit Robin in die Karten spielen können, und sie hätte in deren Schutz die Hand unter Matratzen und Teppiche schieben können, wäre die Wohnung nicht so überfüllt gewesen, dass sie sich nicht traute, weil sie riskiert hätte, dass jemand auf ihr eigenartiges Benehmen aufmerksam würde.

»... Hayley finden«, blökte Flick in Robins Ohr und drückte ihr eine Dose Lager in die Hand. Dann drängten sie sich durch die Menge, bis sie Flicks Zimmer erreichten, das kleiner wirkte, als es tatsächlich war, weil Wände und Zimmerdecke lückenlos mit politischen Flugblättern und Plakaten tapeziert waren, wobei das CORE-Orangerot und das Schwarz-Rot der Real Socialist Party dominierten. Über der Matratze am Boden hing eine riesige Palästinenserflagge an der Wand.

In dem von einer vereinzelten Lampe erhellten Raum hielten sich bereits fünf Leute auf: Zwei junge Frauen, eine weiß, die andere schwarz, lagen eng umschlungen auf der Matratze, während der rundliche, bärtige Digby auf dem Fußboden hockte und auf sie einredete. Zwei schwarz gekleidete Jungs, beides Teenager, lehnten wie bestellt und nicht abgeholt an der Wand, beobachteten verstohlen die Frauen auf dem Bett und steckten die Köpfe zusammen, während einer von ihnen sich einen Joint rollte.

»Hayley, das ist Bobbi«, sagte Flick. »Sie interessiert sich für Lauras Hälfte des Zimmers.«

Die beiden Mädels auf der Matratze sahen hoch. Die große, raspelkurz geschorene Wasserstoffblonde mit dem schläfrigen Blick antwortete: »Hab Shanice schon gesagt, dass sie einziehen kann.« Sie klang bekifft, und die zierliche Schwarze in ihren Armen küsste sie auf den Hals.

»Oh«, sagte Flick und wandte sich konsterniert an Robin. »Mist. Sorry.«

»He, ist doch nicht deine Schuld«, sagte Robin, als bemühte sie sich, die Enttäuschung tapfer wegzustecken.

»Flick«, rief jemand aus dem Flur, »Jimmy ist unten!«

»Oh, fuck«, tat Flick verwirrt, aber Robin sah ihr Gesicht freudig aufleuchten. »Warte hier«, forderte sie Robin auf und stürzte sich in das Gedränge auf dem Flur.

»*Bougie girl, grab her hand*«, rappte Jay-Z aus dem anderen Zimmer.

Robin gab vor, sich für die Unterhaltung zwischen Digby und den Frauen auf der Matratze zu interessieren, glitt an der Wand hinab auf den Laminatboden und nahm kleine Schlückchen von ihrem Bier, während sie heimlich Flicks Schlafzimmer begutachtete. Es war offenbar für die Party aufgeräumt worden. Es gab keinen Kleiderschrank, nur eine Stange für Jacken und ein paar Kleider, während T-Shirts und Pullis halbherzig zusammengelegt in einer Ecke gestapelt waren. Auf einer Kommode standen eine Handvoll Beanie Babies zwischen Make-up-Artikeln, und in der Ecke daneben lehnte ein Dutzend Protestschilder. Jimmy und Barclay dürften das Zimmer gründlich durchsucht haben. Trotzdem fragte sie sich, ob sie auch daran gedacht hatten, hinter den Flugblättern und Plakaten an den Wänden nachzusehen. Doch selbst wenn sie es nicht getan hatten, konnte sie jetzt schlecht anfangen, die Plakate abzunehmen.

»Hört zu, das ist grundlegendes Zeug«, sagte Digby zu den beiden Frauen. »Wir sind uns einig, dass der Kapitalismus zum Teil auf schlecht bezahlte Frauenarbeit angewiesen ist, stimmt's? Also *muss* der Feminismus auch marxistisch sein, wenn er effektiv sein will. Das eine bedingt das andere.«

»Das Patriarchat ist mehr als nur Kapitalismus«, sagte Shanice.

Aus dem Augenwinkel sah Robin, wie Jimmy sich mit dem Arm um Flicks Schultern durch den engen Flur schob. Die Rothaarige wirkte glücklicher denn je an diesem Abend.

»Die Unterdrückung der Frau ist untrennbar mit ihrer Unfähigkeit verbunden, sich in die Arbeiterschaft einzugliedern«, predigte Digby.

Die schläfrig dreinblickende Hayley wand sich aus Shanices Umarmung und streckte den schwarz gekleideten Teenagern in einer stummen Aufforderung die Hand entgegen. Über Robins Kopf hinweg wurde der Joint weitergereicht.

»Das mit dem Zimmer tut mir leid«, sagte Hayley nach einem tiefen Zug vage zu Robin. »Beschissen, in London was zu finden, stimmt's?«

»Total beschissen«, sagte Robin.

»... weil du den Feminismus unter der weiter gefassten Ideologie des Marxismus subsumieren willst.«

»Es gibt keine Subsumierung, die Ziele sind identisch«, beteuerte Digby mit einem ungläubigen kleinen Lachen.

Hayley wollte schon den Joint an Shanice weitergeben, doch ihre in Fahrt geratene Freundin winkte ab.

»Wo wart ihr Marxisten, als wir das Ideal der heteronormativen Familie infrage gestellt haben?«, wollte sie von Digby wissen.

»Hört, hört«, murmelte Hayley, kuschelte sich erneut an Shanice und hielt den Teenager-Joint Robin hin, die ihn direkt an die Jungs zurückreichte. Obwohl die sich zuvor durchaus für die beiden Lesben interessiert hatten, verließen sie jetzt das Schlafzimmer, ehe sich noch jemand anderes an ihrem mageren Drogenvorrat bediente.

»Solche hatte ich früher auch«, sagte Robin laut und stand auf, aber niemand hörte ihr zu. Als sie auf dem Weg zu der Kommode dicht an Digby vorbeistreifte, nutzte der die Gelegenheit, ihr unter den kurzen schwarzen Rock zu spähen. Im Windschatten der zunehmend hitzigen Debatte über Feminismus und Marxismus und indem sie vages nostalgisches Interesse vorschützte, nahm Robin Flicks Beanie Babies in die Hand und tastete die Plastikkugelfüllung unter dem dünnen Plüsch ab. Keine der Püppchen fühlte sich an, als wäre sie aufgeschnitten und mitsamt einem Stück Papier darin wieder zugenäht worden.

Mit aufkeimender Hoffnungslosigkeit kehrte sie in den dunklen Flur zurück, wo wie draußen auf dem Treppenabsatz dichtes Gedränge herrschte.

Ein Mädchen hämmerte mit den Fäusten an die Klotür. »Hört auf zu bumsen, ich muss pinkeln!«, rief sie zur Belustigung der Umstehenden.

Das hier ist zwecklos.

Robin schlüpfte in die Kochnische, die kaum größer als zwei Telefonzellen war. Dort saß ein Pärchen – sie mit den Beinen über denen des Mannes, der ihr seine Hand unter den Rock geschoben hatte, während die zwei schwarz gekleideten Teenager mittlerweile auf der mühsamen Suche nach etwas Essbarem waren. Unter dem Vorwand, sich noch ein Bier holen zu wollen, wühlte Robin zwischen leeren Flaschen und Dosen und beobachtete aus dem Augenwinkel, wie die Teenager die Schränke durchsuchten. Da wäre eine Packung Cornflakes ein unsicheres Versteck gewesen, schoss es ihr durch den Kopf.

Als Robin die Küche gerade wieder verlassen wollte, tauchte Anarchist Alf in der Tür auf. Er war inzwischen noch viel bekiffter als zuvor im Pub.

»Da ist sie!«, rief er und versuchte, Robin im Blick zu behalten. »Die Tochter des Gewerkschafters.«

»Die bin ich«, sagte Robin, während D'Banj *Oliver, Oliver, Oliver Twist* sang. Sie wollte gerade unter Alfs Arm hindurchtauchen, als der ihn herunternahm und ihr so den Weg versperrte. Der billige Laminatboden vibrierte unter dem Stampfen der eifrigen Tänzer in Hayleys Zimmer.

»Du bist heiß«, sagte Alf. »Darf ich das sagen? Ich meine, auf beschissen feministische Weise?« Er lachte.

»Danke«, sagte Robin, der es beim zweiten Versuch gelang, an ihm vorbeizuschlüpfen und auf den beengten Flur zu gelangen, wo das verzweifelte Mädchen noch immer an die Klotür hämmerte. Alf bekam Robins Arm zu fassen, beugte sich zu ihr runter und raunte ihr etwas Unverständliches ins Ohr. Als er sich danach wieder aufrichtete, war auf der Spitze seiner schweißnassen Nase ein schwarzer Fleck von ihrer Haarkreide zurückgeblieben.

»Was?«, fragte Robin.

»Ich hab gefragt«, brüllte er, »ob wir uns was Ruhigeres suchen sollen, wo wir ein bisschen quatschen können?«

Doch dann sah Alf, wer hinter ihr stand.

»Alles okay, Jimmy?«

Knight war auf den Flur gekommen. In seinem schwarzen T-Shirt und seiner Jeans lächelte er Robin zu, dann lehnte er sich rauchend und mit einer Dose Lager in der Hand an die Wand. Er war zehn Jahre älter als die meisten anderen Gäste, und ein paar Mädels musterten ihn aus dem Augenwinkel.

»Wartest du auch aufs Klo?«, fragte er Robin.

»Ja«, sagte Robin, weil ihr das als die einfachste Methode erschien, notfalls Jimmy oder Alf, den Anarchisten, abzuschütteln. Durch die offene Tür zu Hayleys Zimmer sah sie Flick tanzen – jetzt wieder munter und lebensfroh – und über alles lachen, was Leute zu ihr sagten.

»Flick meinte, dein Dad war Gewerkschafter«, sagte Jimmy zu Robin. »Kumpel, ja?«

»Stimmt«, sagte Robin.

»Scheiße, VERDAMMTE«, kreischte das Mädchen, das an die Klotür gehämmert hatte. Sie trat noch ein paar Sekunden lang verzweifelt von einem Bein aufs andere, dann bahnte sie sich ihren Weg zur Treppe.

»Unten links stehen Mülltonnen«, rief ihr eins der anderen Mädchen nach.

Jimmy kam näher, damit Robin ihn trotz der wummernden Bässe verstehen konnte. Sein Gesichtsausdruck wirkte mitfühlend, sogar fast sanft.

»Aber gestorben, was?«, fragte er Robin. »Dein Dad. Lunge, hat Flick gesagt.«

»Ja«, sagte Robin.

»Das tut mir leid«, sagte Jimmy ruhig. »Hab selbst was Ähnliches erlebt.«

»Echt?«

»Yeah, meine Mum. Auch die Lunge.«

»Von der Arbeit?«

»Asbest.« Jimmy nickte und zog an seiner Zigarette. »Würd heut nicht mehr passieren. Heut gibt's da Verbote. Ich war zwölf. Mein Bruder war zwei, kann sich nicht mehr an sie erinnern. Ohne sie hat sich mein Alter totgesoffen.«

»Schlimm«, sagte Robin aufrichtig. »Das tut mir leid.«

»Schicksalsgefährten.« Jimmy stieß leicht mit Robins Bierdose an. »Veteranen des Klassenkampfs.«

Alf, der Anarchist, stapfte leicht schlingernd davon und verschwand in dem von Lichterketten schwach erhellten Raum.

»Habt ihr je eine Entschädigung gekriegt?«, wollte Jimmy jetzt wissen.

»Haben's versucht«, erwiderte Robin. »Mum ist nach wie vor dran.«

»Viel Erfolg.« Er setzte seine Dose an und nahm einen Schluck. »Sie soll's ihnen zeigen!« Dann schlug er gegen die Klotür. »Scheiße, beeilt euch, hier warten Leute.«

»Vielleicht ist da drin jemandem schlecht?«, vermutete Robin.

»Ach was, das sind bloß Leute bei 'nem Quickie«, entgegnete Jimmy.

Im nächsten Moment kam Digby sichtlich missvergnügt aus Flicks Schlafzimmer. »Ich bin angeblich ein Werkzeug patriarchalischer Unterdrückung.«

Keiner lachte. Als Digby sich unter seinem T-Shirt den Bauch kratzte, sah Robin, dass er darauf Groucho Marx tätowiert hatte. Er schlurfte davon in Richtung Tanzfläche.

»Er ist echt ein Werkzeug«, vertraute Jimmy Robin an. »Rudolf-Steiner-Kid. Kommt nicht darüber hinweg, dass er keine Fleißsternchen mehr kriegt.«

Robin lachte, Jimmy nicht. Er sah ihr einen Moment zu lang in die Augen, als endlich die Klotür einen Spaltweit geöffnet wurde und eine mollige junge Frau mit rotem Gesicht hinausspähte. Hinter ihr sah Robin einen Mann mit schütterem grauen Bart, der sich gerade seine Mao-Mütze aufsetzte.

»Larry, du alter Dreckskerl«, sagte Jimmy grinsend, als die Rotgesichtige sich an Robin vorbeizwängte und hinter Digby in dem dunklen Zimmer verschwand.

»Abend, Jimmy«, sagte der Trotzkist geziert lächelnd und kam – von ein paar jüngeren Männern auf dem Flur mit Beifall begrüßt – ebenfalls heraus.

»Geh nur«, forderte Jimmy Robin auf, hielt ihr die Tür auf und verhinderte die Versuche anderer, sich an ihr vorbeizudrängen.

»Danke«, sagte sie und schlüpfte in die Toilette.

Nach der düsteren Beleuchtung in den übrigen Räumen war die Neonröhre an der Decke schier blendend hell. Zwischen der kleinsten Dusche, die Robin je gesehen hatte und deren schmutziger, durchsichtiger Vorhang nur an der Hälfte seiner Haken hing, und einem kleinen WC, in dem durchweichte Papiertücher und eine Kippe schwammen, war kaum Platz genug zum Stehen. Im Abfallkorb glänzte ein benutztes Kondom.

Über dem Waschbecken hing ein Regal mit drei wackligen Brettern voller angebrochener Toilettenartikel und sonstigem Kram, der so dicht beieinanderstand, dass die geringste Berührung alles zum Einsturz zu bringen drohte. Robin sah es sich genauer an – und mit einem Mal erinnerte sie sich auch wieder daran, wie sie die leicht zimperliche Abneigung und Unwissenheit der meisten Männer in Bezug auf alles, was mit der Menstruation zu tun hatte, selbst ausgenutzt hatte, als sie ihre Abhörmikrofone in einer Schachtel Tampax versteckt hatte. Ihr Blick glitt über halb leere Shampooflaschen, eine alte Dose

Vim, einen schmutzigen Schwamm, zwei billige Deos und mehrere alte Zahnbürsten in einem abgestoßenen Becher. Vorsichtig, damit nichts hinunterfiel, zog Robin eine kleine Packung Lil-Lets heraus, die allerdings nur einen einzigen verpackten Tampon enthielt. Als sie die Schachtel gerade zurückstellen wollte, fiel ihr ein kleines weißes Päckchen auf, das in Folie verpackt hinter dem Vim und einer Flasche Apfelshampoo lag.

Aufgeregt griff sie danach, zog es unter behutsamen Drehbewegungen aus seinem Versteck und gab sich alle Mühe, dabei nicht alles herunterzureißen.

Jemand hämmerte an die Tür. »He, ich platz gleich!«
»Gleich fertig!«, rief Robin zurück.

Zwei dicke Binden steckten in unromantischen Schutzhüllen (»für die starke Blutung«): nichts, was junge Frauen mal eben stehlen würden, vor allem nicht in einem billigen Fähnchen von einem Kleid. An der ersten war nichts weiter auffällig. In der zweiten aber raschelte es leise, als Robin das Päckchen hin und her bog. Zunehmend aufgeregt, drehte sie es zur Seite und sah, dass es – anscheinend mit einer Rasierklinge – aufgeschnitten worden war. Sie steckte einen Finger in die schwammige Vliesfüllung und ertastete ein zusammengefaltetes Blatt Papier, das sie herauszog und auseinanderfaltete.

Mit dem oben eingeprägten Namen »Chiswell« und der blutroten Tudor-Rose darunter sah das Briefpapier genau so aus wie jenes, auf dem Kinvara ihren Abschiedsbrief geschrieben hatte. Mehrere unzusammenhängende Wörter und Sätze waren in derselben charakteristisch krakeligen Handschrift hingekritzelt worden, die Robin auch oft in Chiswells Büro gesehen hatte, und in der Mitte war ein Wort mehrmals umkringelt worden.

251 Ebury Street
London
SW1W

Blanc de Blanc
Suzuki ✓
~~*Mutter?*~~
(Abrechnung)

Odi et amo. Quare id faciam, fortasse requiris?
Nescio, sed fieri sentio et excrucior.

Flach atmend vor Aufregung, zog Robin ihr Handy heraus, machte mehrere Fotos von dem Blatt, faltete es wieder zusammen, versteckte es erneut in der Binde und legte das Päckchen zurück an seinen Platz. Dann versuchte sie, die Spülung zu betätigen, doch das Klo war verstopft, sodass der Wasserspiegel bedrohlich anstieg und die Kippe zwischen durchweichten Papiertüchern kreiselte.

»Sorry«, sagte Robin, als sie die Tür öffnete. »Das Klo ist verstopft.«

»Und wenn schon«, sagte die betrunkene Wartende ungeduldig. »Pinkel ich eben ins Waschbecken.«

Sie drängte sich an Robin vorbei und knallte die Tür zu.

Jimmy stand noch immer draußen.

»Ich verschwinde, glaub ich«, erklärte Robin. »Bin eigentlich bloß hergekommen, um zu sehen, ob das Zimmer noch frei ist, aber jemand hat's mir vor der Nase weggeschnappt.«

»Schade«, sagte Jimmy leichthin. »Komm doch mal zu einer Versammlung. Wir könnten ein bisschen nordische Empfindsamkeit brauchen.«

»Ja, vielleicht«, sagte Robin.

»Vielleicht was?«

Flick kam mit einer Flasche Budweiser auf sie zu.

»Vielleicht kommt sie zu 'ner Versammlung«, sagte Jimmy und schüttelte eine neue Zigarette aus seiner Schachtel. »Du hattest recht, Flick, sie ist der wahre Deal.«

Jimmy streckte einen Arm aus, zog Flick an sich und küsste sie aufs Haar.

»Ja, is' sie«, sagte Flick und lächelte herzlich, als sie ihrerseits den Arm um Jimmys Taille schlang. »Komm demnächst vorbei, Bobbi.«

»Ja, vielleicht komm ich wirklich«, sagte Bobbi Cunliffe, die Tochter des Gewerkschafters. Dann verabschiedete sie sich und bahnte sich ihren Weg durch den Flur und ins kalte Treppenhaus hinaus.

Nicht mal Anblick und Geruch eines der schwarz gekleideten Teenager, der sich direkt vor der Haustür ausgiebig auf dem Gehsteig erbrach, konnten Robins innerlichen Jubel dämpfen. Weil sie nicht warten konnte, mailte sie Strike eins ihrer Fotos von Jasper Chiswells Notiz, noch während sie zur Bushaltestelle eilte.

52

Da waren Sie aber gründlich auf dem Holzwege, Fräulein West.

HENRIK IBSEN, *ROSMERSHOLM*

Strike war vollständig bekleidet mitsamt angeschnallter Prothese in seinem Schlafzimmer unter dem Dach auf der Bettdecke eingeschlafen. Der Ordner mit sämtlichen Informationen zum Fall Chiswell lag auf seiner Brust und vibrierte sanft, während er leise schnarchend träumte, er ginge Hand in Hand mit Charlotte durch das leere Chiswell House, das sie gemeinsam gekauft hatten. Sie war groß, schlank und schön – und nicht mehr schwanger. Sie zog eine Wolke aus Shalimar und schwarzem Chiffon hinter sich her, doch beider Freude verflüchtigte sich in der feuchten Kälte der schäbigen Zimmer, die sie durchstreiften. Was konnte ihren unüberlegten, weltfremden Entschluss bewirkt haben, dieses zugige Haus mit abblätternden Wänden und von der Decke herabhängenden Kabeln zu kaufen?

Das laute Summen, das eine eingehende Nachricht vermeldete, riss Strike aus dem Schlaf. In Bruchteilen einer Sekunde registrierte er die Tatsache, dass er in seinem Dachgeschoss und allein war und weder Mitbesitzer von Chiswell House noch Charlotte Ross' Liebhaber, ehe er nach seinem Mobiltelefon tastete, auf dem er halb lag – fest davon überzeugt, er werde eine Nachricht von Charlotte vor sich sehen.

Er irrte sich. Als er benommen aufs Display starrte, sah er Robins Namen und stellte fest, dass es fast ein Uhr morgens war. Weil er kurzzeitig vergessen hatte, dass sie mit Flick auf einer Party gewesen war, setzte der alarmierte Strike sich so schnell auf, dass der Ordner von seiner Brust rutschte und Teile des Inhalts auf dem Boden verstreute. Dann starrte er mit verquollenen Augen das Foto an, das sie ihm eben geschickt hatte.

»Gottverdammt noch mal!«

Ohne auf die verstreuten Papiere zu achten, rief er sie zurück.

»Hi«, sagte Robin triumphierend vor der unverkennbaren Geräuschkulisse eines Londoner Nachtbusses: das Röhren des Motors, das Quietschen von Bremsen, das blecherne Bimmeln der Halteglocke und das unvermeidliche betrunkene Lachen einer Horde junger Frauen.

»Scheiße, wie hast du *das* denn bitte geschafft?«

»Ich bin eine Frau«, sagte Robin. Er konnte ihr Lächeln förmlich hören. »Ich weiß, wo wir Dinge verstecken, die keiner finden soll. Ich dachte, du würdest schon schlafen.«

»Wo bist du – in einem Bus? Steig aus und nimm ein Taxi. Wenn du dir eine Quittung geben lässt, können wir's den Chiswells in Rechnung stellen.«

»Ich brauche kein ...«

»Tu gefälligst, was ich sage«, unterbrach Strike sie aggressiver als beabsichtigt, denn auch wenn sie gerade einen ordentlichen Coup gelandet hatte, war sie doch gerade erst vor einem Jahr allein auf der Straße unterwegs gewesen und mit einem Messer verletzt worden.

»Schon gut, schon gut, ich ruf mir ein Taxi«, sagte Robin. »Hast du Chiswells Notiz gelesen?«

»Ich lese sie gerade«, sagte Strike und schaltete den Lautsprecher ein, um das Handy vom Ohr nehmen zu können. »Du hast sie hoffentlich am Fundort zurückgelassen?«

»Ja. Dachte, das wäre am besten.«

»Unbedingt. Wo genau ...«

»In einer Damenbinde.«

»Himmel«, sagte Strike verblüfft. »Darauf wäre ich nie ...«

»Nein, und Jimmy und Barclay auch nicht«, ergänzte Robin zufrieden. »Kannst du lesen, was ganz unten steht? Das lateinische Zeug?«

Strike kniff die Augen zusammen, um besser zu sehen, und übersetzte: »›Ich hasse und liebe. Warum ich das tue, fragst du vielleicht. Ich weiß es nicht, aber ich fühle, dass es geschieht, und quäle mich‹ ... Das ist wieder Catull. Ein berühmtes Zitat.«

»Hattest du Latein in der Schule?«

»Nein.«

»Aber wie ...«

»Lange Geschichte«, sagte Strike.

In Wirklichkeit war die Geschichte seiner Lateinkenntnisse nicht lang, sondern einfach nur (für die meisten Leute) unerklärlich. Er hatte weder Lust, sie mitten in der Nacht zum Besten zu geben, noch wollte er verraten, dass Charlotte in Oxford Catull studiert hatte.

»›Ich hasse und liebe‹«, wiederholte Robin. »Warum hat Chiswell das aufgeschrieben?«

»Weil er's so empfunden hat?«, schlug Strike vor.

Sein Mund war trocken; er hatte vor dem Einschlafen zu viel geraucht. Er stand auf, fühlte sich wund und steif, stieg vorsichtig über die Unterlagen hinweg und ging mit dem Handy in der Hand nach nebenan ans Waschbecken.

»Für Kinvara?«, hakte Robin zweifelnd nach.

»Hast du in seiner Nähe jemals andere Frauen gesehen?«

»Nein. Aber vielleicht hat er da nicht von einer Frau gesprochen.«

»Möglich«, pflichtete Strike ihr bei. »Bei Catull findet sich so einiges über die Männerliebe. Vielleicht hat Chiswell ihn deshalb so gern gemocht.«

Er füllte einen Becher mit kaltem Wasser und trank ihn in einem Zug leer. Dann hängte er einen Teebeutel hinein und schaltete den Wasserkocher ein, während er in der Dunkelheit weiter auf das beleuchtete Display starrte.

»›Mutter‹ durchgestrichen«, murmelte er.

»Chiswells Mutter ist vor zweiundzwanzig Jahren gestorben«, sagte Robin. »Ich hab sie eben gegoogelt.«

»Hm. ›Abrechnung‹ umkringelt.«

»Welche Abrechnung könnte er damit gemeint haben?«

»Keine Ahnung«, sagte Strike. »Dann noch ›Suzuki‹ ... ›Blanc de Blanc‹ ... Augenblick – Jimmy Knight hat einen alten Suzuki Alto!«

»Flick sagt, der ist stillgelegt.«

»Yeah. Barclay hat erwähnt, dass er bei der Jahresnachprüfung durchgefallen ist.«

»Vor Chiswell House hat ein Grand Vitara geparkt, als wir dort waren. Der muss einem der Chiswells gehören.«

»Gut beobachtet«, sagte Strike.

Er machte Licht und trat an den Tisch am Fenster, auf dem Stift und Notizbuch lagen.

»Weißt du«, meinte Robin nachdenklich, »ich meine, dass ich dieses ›Blanc de Blanc‹ in letzter Zeit irgendwo gesehen habe.«

»Ach? Hast du Champagner getrunken?«, fragte Strike, der jetzt saß, um sich Notizen zu machen.

»Nein, aber ... Ja, ich muss es wohl auf einem Weinetikett gelesen haben. *Blanc de* ... Was heißt das überhaupt? ›Weißer aus Weißen‹?«

»So was in der Art«, antwortete Strike.

Fast eine Minute lang sprach keiner der beiden, während sie das Foto studierten.

»Ich sag's nicht gern, Robin«, ergriff Strike schließlich wieder das Wort, »aber das Interessanteste an dieser Notiz ist, dass sie in Flicks Besitz ist. Sieht aus wie eine To-do-Liste. Ich kann nichts darauf erkennen, was strafbar oder ein Grund für eine Erpressung oder einen Mord sein könnte.«

»›Mutter‹ ist durchgestrichen«, wiederholte Robin, als wäre sie fest entschlossen, den rätselhaften Worten eine Bedeutung zu entringen. »Jimmy Knights Mutter ist an einer Asbestvergiftung gestorben. Das hat er mir vorhin auf Flicks Party erzählt.«

Strike tippte mit dem Ende seines Stifts leicht auf das Notizbuch und dachte nach, bis Robin aussprach, was auch ihn selbst beschäftigte.

»Das müssen wir der Polizei übergeben, oder nicht?«

»Ja, müssen wir«, seufzte Strike und rieb sich die Augen. »Das hier beweist, dass Flick Zugang zur Ebury Street hatte. Leider bedeutet es auch, dass wir dich aus dem Schmuckgeschäft abziehen müssen. Sobald die Polizei Flicks Klo durchsucht, wird es nicht lange dauern, bis sie sich ausrechnen kann, von wem der Tipp gekommen sein muss.«

»Mist. Und ich hatte echt das Gefühl, mit ihr weiterzukommen.«

»Tja. Genau das ist das Problem, wenn man bei Ermittlungen keine offizielle Funktion hat. Ich würde einiges dafür geben, Flick in einem Vernehmungsraum gegenüberzusitzen ... Dieser Scheißfall«, sagte er und gähnte. »Ich hab den ganzen Abend drangesessen, und diese Notiz ist wie alles andere auch: Sie wirft mehr Fragen auf, als sie beantwortet.«

»Augenblick«, sagte Robin. Im Hintergrund waren Schritte zu hören. »Sorry, Cormoran, ich steige hier aus ... Ich seh einen Taxistand ...«

»Okay. Klasse Arbeit heute Abend. Ich rufe dich morgen an – später heute Morgen, meine ich.«

Nachdem Strike aufgelegt hatte, legte er seine Zigarette in den Aschenbecher, lief ins Schlafzimmer, um die verstreuten

Papiere aufzuheben, und nahm sie mit zurück in die Küche. Er ignorierte den Wasserkocher, holte sich ein Bier aus dem Kühlschrank, setzte sich mit dem Ordner an den Küchentisch und öffnete das Schiebefenster einen Spaltweit, um frische Luft einzulassen, während er weiterrauchte.

Bei der Militärpolizei hatte er gelernt, Ermittlungen und Vernehmungen nach drei Kategorien zu organisieren: Leute, Orte und Dinge. Dieses gesunde alte Prinzip hatte Strike auf den Fall Chiswell angewandt, bevor er auf dem Bett eingeschlafen war. Jetzt breitete er den Inhalt der Akte auf dem Küchentisch aus und machte sich erneut an die Arbeit, während mit Abgasen geschwängerte, kalte Nachtluft über die Blätter und Fotos wehte, sodass ihre Ecken zitterten.

»Leute ...«, murmelte Strike.

Bevor er eingeschlafen war, hatte er eine Liste der Leute gemacht, die ihn im Zusammenhang mit Chiswells Tod am meisten interessierten. Jetzt sah er, dass er die Namen unbewusst nach dem Grad ihrer Verwicklung in die Erpressung des Ermordeten angeordnet hatte. Jimmy Knight führte die Liste an, dann folgten Geraint Winn sowie mit Flick Purdue und Aamir Mallik gewissermaßen ihre Stellvertreter. Die nächsten Plätze belegten Kinvara, die gewusst hatte, weshalb Chiswell erpresst worden war, Della Winn, deren Verfügung verhindert hatte, dass die Medien von dem Erpressungsversuch erfuhren, deren genaue Verwicklung in den Fall Strike indes unbekannt war – und Raphael, der allem Anschein nach nicht gewusst hatte, was sein Vater getan hatte und dass dieser erpresst worden war. Ganz unten auf der Liste stand Billy Knight, dessen einzig bekannte Verbindung zu der Erpressung die Verwandtschaft zu Strikes Hauptverdächtigem war.

Wieso, fragte sich Strike, hatte er die Namen in dieser Reihenfolge angeordnet? Zwischen Chiswells Tod und der Erpressung gab es keine beweisbare Verbindung – es sei denn, die Drohung, sein unbekanntes Verbrechen publik zu machen, hätte Chiswell wirklich in den Selbstmord getrieben.

Dann fiel Strike auf, dass sich eine ganz andere Hierarchie ergab, wenn er die Liste auf den Kopf stellte. Ganz oben stand in diesem Fall Billy, der nicht nach Geld oder dem Sturz eines anderen Mannes, sondern nach Wahrheit und Gerechtigkeit strebte. In der umgekehrten Reihenfolge belegte Raphael mit seiner seltsamen – und für Strike nicht plausiblen – Story, er sei am Morgen von Chiswells Todestag zu seiner Stiefmutter geschickt worden, Platz zwei – wofür Henry Drummond ihm widerstrebend ein ehrenwertes, aber ebenfalls noch immer unbekanntes Motiv zugebilligt hatte. Della hatte Platz drei inne: eine weithin bewunderte Frau mit untadeligem Ruf, deren wahre Gedanken und Gefühle für ihren erpresserischen Gatten und sein Opfer undurchschaubar blieben.

Rückwärts betrachtet, so erschien es Strike, wurde die Beziehung jedes Verdächtigen zu dem Toten kruder und dabei nüchterner, bis die Liste mit Jimmy Knight und seiner zornigen Forderung nach vierzigtausend Pfund endete.

Strike brütete weiter über seiner Namensliste, als hoffte er, aus seiner gedrängten, spitzen Handschrift unversehens etwas entstehen zu sehen, wie ein unfokussiertes Auge manchmal ein 3D-Bild entdeckt, das in einem Meer aus farbigen Punkten versteckt ist. Ihm fiel jedoch nur auf, dass ungewöhnlich viele Paare in Chiswells Tod verwickelt waren: Geraint und Della einerseits; andererseits Jimmy und Flick; Geschwisterpaare, namentlich Izzy und Fizzy sowie Jimmy und Billy; ein Erpresserduo – Jimmy und Geraint; dazu die Erpresser und ihre jeweiligen Stellvertreter, Flick und Aamir. Es gab die immer noch ungeklärte Paarung – Della und Aamir. Blieben nur mehr zwei Leute übrig, die wieder ein Paar bildeten, weil sie in der ansonsten so eng miteinander verbundenen Familie isoliert waren: die verwitwete Kinvara sowie Raphael, das schwarze Schaf der Familie, der unzulängliche Outsider.

Strike tippte mit seinem Stift auf sein Notizbuch und dachte: *Paare*. Alles hatte mit zwei Verbrechen begonnen: mit der Erpressung Chiswells und dem von Billy behaupteten Kindesmord. Er hatte von Anfang an versucht, eine Verbindung zwischen den beiden Straftaten herzustellen, weil er nicht glauben konnte, dass sie separat existierten, auch wenn die einzige Verbindung zwischen ihnen die Blutsverwandtschaft zwischen den Brüdern Knight zu sein schien.

Er blätterte um und überflog seine Notizen unter der Überschrift »Orte«. Nachdem er einige Minuten lang studiert hatte, was er sich über den Zugang zur Ebury Street und den in mehreren Fällen unbekannten Aufenthaltsort der Verdächtigen zum Zeitpunkt von Chiswells Tod aufgeschrieben hatte, notierte er sich, dass er von Izzy noch immer keine Adresse oder Telefonnummer der Pferdepflegerin Tegan Butcher erhalten hatte, die angeblich bestätigen konnte, dass Kinvara zu Hause in Woolstone gewesen war, während Chiswell in London in einer Plastiktüte erstickt war.

Er schlug die nächste Seite mit der Überschrift »Dinge« auf, legte den Stift beiseite und breitete Robins Fotos fächerförmig aus, sodass sie eine Collage von der Auffundsituation der Leiche ergaben. Er versuchte, den in der Hosentasche des Toten aufblitzenden goldenen Gegenstand zu identifizieren, und betrachtete dann den verbogenen Säbel, der in der Ecke halb im Schatten versteckt gestanden hatte.

Strike hatte den Eindruck, dass dieser Fall nur so von Gegenständen strotzte, die an überraschenden Orten aufgefunden worden waren: der Säbel in einer Ecke, die Lachesis-Pillen auf dem Fußboden, das hölzerne Kreuz im Nesseldickicht auf dem Grund der Mulde, Heliumbehälter und Gummischlauch in einem Haus, in dem nie eine Kinderparty stattgefunden hatte.

Doch sein müder Verstand konnte weder Erklärungen noch Zusammenhänge finden.

Zu guter Letzt trank Strike sein Bier aus, warf die leere Dose quer durch die Küche in den Müll, schlug eine neue Seite in seinem Notizbuch auf und begann, eine To-do-Liste für diesen schon zwei Stunden alten Samstag zu schreiben.

1. <u>Wardle anrufen</u>
in Flicks Wohnung gefundene Notiz schicken
möglichst Stand der polizeilichen Ermittlungen abfragen
2. <u>Izzy anrufen</u>
ihr die Notiz zeigen
fragen, ob Freddies Geldspange gefunden wurde
Tegans Adresse/Telefonnummer?
brauche Raphaels Nummer
möglichst auch die von Della Winn
3. <u>Barclay anrufen</u>
auf neuesten Stand bringen
noch mal auf Jimmy und Flick ansetzen
Wann besucht Jimmy Billy?
4. <u>Klinik anrufen</u>
möglichst Gespräch mit Billy vereinbaren, wenn Jimmy nicht da ist
5. <u>Robin anrufen</u>
Gespräch mit Raphael vereinbaren
6. <u>Della anrufen</u>
möglichst Gespräch mit ihr vereinbaren

Nachdem er kurz überlegt hatte, ergänzte er die Liste um einem weiteren Punkt:

7. Teebeutel/Bier/Brot kaufen

Nachdem Strike die Akte Chiswell in Ordnung gebracht, den überquellenden Aschenbecher in den Mülleimer geleert und das Fenster weit aufgerissen hatte, um mehr frische Luft einzulassen, ging er ein letztes Mal pinkeln, putzte sich die Zähne, machte das Licht aus und kehrte ins Schlafzimmer zurück, in dem noch immer die Leselampe brannte.

Jetzt, da sein Abwehrmechanismus durch Bier und Müdigkeit geschwächt war, drängten sich die Erinnerungen, die er unter der Arbeit hatte begraben wollen, in sein Bewusstsein. Während er sich auszog und die Unterschenkelprothese abschnallte, rief er sich jedes Wort, das Charlotte an ihrem Zweiertisch im Franco's zu ihm gesagt hatte, erneut in Erinnerung, genau wie den Ausdruck ihrer grünen Augen, den Duft von Shalimar, der stärker als der Knoblauchdunst im Restaurant gewesen war, und ihre schlanken, blassen Finger, die mit dem Brot gespielt hatten.

Strike kroch unter die klamme Bettdecke, streckte sich mit den Händen hinter dem Kopf aus und starrte ins Dunkel. Er wünschte sich, er stünde alledem gleichgültig gegenüber, aber tatsächlich hatte sein Ego sich in der Vorstellung gesonnt, dass sie alles über die Fälle gelesen hatte, mit denen er sich einen Namen gemacht hatte, und an ihn dachte, wenn sie mit ihrem Mann schlief. Dann krempelten Vernunft und Erfahrung ihre Ärmel hoch, machten sich daran, das erinnerte Gespräch zu sezieren, und gruben methodisch unverkennbare Anzeichen für Charlottes ständiges Bestreben zu schockieren und ihr anscheinend unstillbares Konfliktbedürfnis aus.

Den adligen Gatten und ihre neugeborenen Kinder für einen berühmten, einbeinigen Detektiv zu verlassen wäre zweifellos der Höhepunkt ihrer Spalterkarriere gewesen. In fast pathologischem Hass auf Routine, Verantwortung oder Pflichten hatte sie jede mögliche Dauerhaftigkeit sabotiert, um sich nicht der Gefahr von Langeweile oder Kompromissen auszusetzen. Das wusste Strike alles, weil er sie besser kannte als jeder andere Mensch, und er wusste auch, dass ihre endgültige Trennung sich in genau dem Augenblick ereignet hatte, in dem wahre Opfer dargebracht und harte Entscheidungen hätten getroffen werden müssen.

Er wusste auch – und dieses Wissen glich einem unausrottbaren Krankheitskeim in einer Wunde, die nie verheilen würde –, dass sie ihn liebte, wie sie keinen anderen geliebt hatte. Die skeptischen Freundinnen oder Frauen seiner Freunde, die Charlotte nicht leiden konnten, hatten immer wieder gesagt: »Das ist keine Liebe, was sie dir antut«, oder: »Mal ganz im Ernst, Corm, woher willst du denn wissen, dass sie den anderen, die sie gehabt hat, nicht genau das Gleiche erzählt hat?« Solche Frauen hielten seine Überzeugung, dass Charlotte ihn liebte, für Egoismus oder einen Wahn. Aber sie hatten die Zeiten absoluten Glücks und innigen Verständnisses nicht miterlebt, die nach wie vor zu den besten in Strikes Leben zählten. Sie hatten nicht über Witze gelacht, die niemand außer ihm selbst und Charlotte verstand, oder das gemeinsame Bedürfnis empfunden, das sie sechzehn Jahre lang immer wieder zusammengeführt hatte.

Nach ihrer Trennung war sie sofort eine neue Verbindung eingegangen, von der sie geglaubt hatte, sie werde Strike meistmöglich wehtun, und sie *hatte* wehgetan, weil Ross die absolute Antithese zu ihm selbst war und schon um Charlotte geworben hatte, bevor Strike ihn auch nur kennengelernt hatte. Trotzdem blieb Strike davon überzeugt, dass ihre Flucht zu Ross eine nur auf Show angelegte Selbstverbrennung gewesen war, eine *sati* à la Charlotte.

Difficile est longum subito deponere amorem,
difficile est, verum hoc qua lubet efficias.

Schwer ist es, von lange gehegter Liebe zu lassen,
schwer ist es. Aber du musst, gehe es auch, wie es mag.

Strike knipste das Licht aus, schloss die Augen und versank wieder in unruhige Träume von dem leeren Haus, in dem kaum verblasste Tapetenrechtecke davon kündeten, dass alles Wertvolle fortgeschafft worden war. Aber dieses Mal ging er allein – mit dem seltsamen Gefühl, beobachtet zu werden.

53

Und dann schließlich – ergreifend und anklagend –
dieser Sieg ...

                      HENRIK IBSEN, *ROSMERSHOLM*

Robin kam um kurz vor zwei Uhr morgens nach Hause. Als sie leise durch die Küche schlich und sich noch ein Sandwich machte, sah sie auf dem Wandkalender, dass Matthew vorhatte, am Morgen Kleinfeldfußball spielen zu gehen. Als sie zwanzig Minuten später zu ihm ins Bett schlüpfte, stellte sie den Wecker ihres Handys deshalb auf acht Uhr, ehe sie das Ladegerät einsteckte. Als Teil ihrer Bemühungen, die häusliche Atmosphäre freundschaftlich zu halten, wollte sie aufstehen, um ihn noch kurz zu sehen, bevor er das Haus verließ.

Er schien sich zu freuen, dass sie sich die Mühe machte, ihm beim Frühstück Gesellschaft zu leisten, aber als sie fragte, ob sie kommen und ihn vom Spielfeldrand anfeuern oder sich anschließend mit ihm zum Lunch treffen solle, lehnte er beide Angebote ab.

»Ich muss heute Nachmittag Akten bearbeiten. Ich will mittags nichts trinken. Ich komme anschließend gleich nach Hause«, sagte er, und Robin, die immer noch müde war und sich daher insgeheim freute, wünschte ihm viel Spaß und gab ihm einen Abschiedskuss.

Sie gab sich wirklich alle Mühe, nicht allzu sehr darüber nachzudenken, wie viel leichter ihr ums Herz war, sobald Matthew das Haus verlassen hatte, und beschäftigte sich stattdessen mit Wäsche und anderen wichtigen Dingen, bis um kurz nach zwölf Strike anrief, als sie eben ihr Bett frisch bezog.

»Hi«, sagte Robin und ließ die Arbeit nur zu gern liegen, »gibt's was Neues?«

»Jede Menge. Bist du schreibbereit?«

»Ja«, antwortete Robin, schnappte sich Stift und Notizbuch von der Kommode und setzte sich auf die unbezogene Matratze.

»Ich habe mit ein paar Leuten telefoniert – zuerst mit Wardle. Hat ihn schwer beeindruckt, wie du's geschafft hast, diese Notiz zu finden ...«

Robin lächelte ihrem Spiegelbild zu.

»... aber er hat mich auch gleich gewarnt, dass die Polizei es nicht gutheißen wird, wenn wir ›querbeet durch einen offenen Fall trampeln‹, wie er sich ausgedrückt hat. Ich hab ihn gebeten, einfach niemandem zu erzählen, von wem er den Tipp mit der Notiz hat, aber ich nehme mal an, dass das auf der Hand liegt, nachdem Wardle und ich Kumpels sind. Da kann man nichts machen. Interessant ist allerdings, dass die Polizei wegen derselben Ungereimtheiten am Tatort besorgt ist wie wir – und dass sie sich genauer mit Chiswells Finanzen befasst hat.«

»Auf der Suche nach Beweisen für eine Erpressung?«

»Ja, aber sie findet nichts, weil Chiswell ja nie gezahlt hat. Interessant ist aber Folgendes: Chiswell hat im vergangenen Jahr von unbekannter Seite vierzigtausend Pfund in bar erhalten. Er hat dafür ein eigenes Bankkonto eröffnet und anscheinend alles für Hausreparaturen und dergleichen ausgegeben.«

»Er hat vierzigtausend Pfund *bekommen*?«

»Jepp. Und Kinvara und der Rest der Familie wollen davon nichts gewusst haben. Sie behaupten, nicht zu wissen, woher das Geld stammt oder weshalb Chiswell es auf einem eigens eingerichteten Bankkonto geparkt haben will.«

»Der gleiche Betrag, den Jimmy verlangt hat, bevor er mit

seiner Forderung runtergegangen ist«, murmelte Robin. »Das ist doch merkwürdig.«

»Allerdings. Also habe ich als Nächstes Izzy angerufen.«

»Du warst fleißig«, sagte Robin.

»Du hast noch nicht mal die Hälfte gehört. Izzy weiß angeblich auch nicht, woher die vierzig Riesen stammen, aber das nehme ich ihr nicht recht ab. Dann hab ich sie nach der Notiz gefragt, die Flick entwendet hat. Sie ist entsetzt darüber, dass Flick sich als die Putzfrau ihres Vaters ausgegeben haben könnte. Richtig erschüttert. Ich glaube, sie zieht erstmals die Möglichkeit in Betracht, dass Kinvara unschuldig sein könnte.«

»Vermute ich richtig, dass sie diese angebliche Polin nie zu Gesicht bekommen hat?«

»Korrekt.«

»Was sagt sie zu der Notiz?«

»Auch sie hält sie für eine To-do-Liste. Sie denkt, dass mit ›Suzuki‹ Chiswells Grand Vitara gemeint war. Zu ›Mutter‹ fällt ihr nichts ein. Interessant war lediglich, was ich zum Stichwort ›Blanc de Blancs‹ von ihr erfahren habe. Chiswell war gegen Champagner allergisch. Offenbar ist er davon rot angelaufen und hat hyperventiliert. Das Merkwürdige daran ist aber, dass in der Küche ein großer, leerer Karton mit dem Aufdruck Moët & Chandon gestanden hat, als ich mich am Morgen von Chiswells Tod dort umgesehen habe.«

»Das hast du mir gar nicht erzählt.«

»Wir hatten gerade einen Minister tot aufgefunden. Ein leerer Karton kam mir da relativ unwichtig vor, und ich hätte nie gedacht, dass er eine Rolle spielen könnte, bis ich heute mit Izzy gesprochen habe.«

»War er ganz leer?«

»Komplett – und nach Auskunft der Familie hat Chiswell dort auch nie Gäste empfangen. Wozu war dieser Karton also dort, wenn er selbst keinen Champagner getrunken hat?«

»Glaubst du etwa ...«

»Genau das glaube ich«, bestätigte Strike. »Vermutlich sind das Helium und der Gummischlauch auf diese Weise getarnt ins Haus gelangt.«

»Wow!« Robin ließ sich rückwärts auf das ungemachte Bett sinken und sah zur Decke hoch.

»Ziemlich clever, ja. Der Mörder könnte den Karton als Geschenk geschickt haben, nicht wahr? Weil er wusste, dass Chiswell ihn nicht öffnen würde, um Champagner zu trinken.«

»Trotzdem riskant«, wandte Robin ein. »Was hätte ihn daran gehindert, den Karton trotzdem zu öffnen? Oder ihn weiterzuverschenken?«

»Wir müssen in Erfahrung bringen, wann er geliefert wurde«, fuhr Strike fort. »Unterdessen hat sich ein anderes kleines Rätsel gelöst: Freddies Geldspange ist gefunden worden.«

»Wo?«

»In Chiswells Tasche. Daher das goldene Aufblitzen auf dem Foto, das du gemacht hast.«

»Oh«, sagte Robin ausdruckslos. »Er hat sie also noch vor seinem Tod wiedergefunden?«

»Na ja, *nach* seinem Tod hätte er sich damit schwergetan.«

»Haha«, sagte Robin sarkastisch. »Es gibt noch eine andere Möglichkeit.«

»Dass der Mörder sie dem Toten in die Tasche gesteckt hat? Komisch, dass du das sagst. Izzy meinte, sie sei höchst überrascht gewesen, als die Geldspange bei der Leiche gefunden wurde. Sie hätte erwartet, dass ihr Papa ihr von seinem Fund erzählt hätte. Anscheinend hat er sich sehr darüber aufgeregt, sie verloren zu haben.«

»Und wie«, bestätigte Robin. »Ich hab selbst gehört, wie er am Telefon getobt hat. Sie ist bestimmt auf Fingerabdrücke untersucht worden?«

»Klar. Nichts Verdächtiges. Nur seine – aber das hat nichts zu bedeuten. Falls er ermordet wurde, hat der Täter Handschuhe getragen, ist doch klar. Ich habe Izzy auch nach dem verbogenen Säbel gefragt, und wir hatten recht. Es war Freddies alter Fechtsäbel. Niemand weiß, weshalb er verbogen ist. Allerdings trägt er nur Chiswells Fingerabdrücke. Natürlich wäre es denkbar, dass Chiswell ihn betrunken und sentimental von der Wand genommen hat und versehentlich draufgetreten ist. Andererseits spricht auch nichts dagegen, dass ein behandschuhter Killer ihn angefasst haben könnte.«

Robin seufzte. Ihre Freude über die Entdeckung der Notiz schien voreilig gewesen zu sein.

»Also noch immer keine brauchbare Spur?«

»Abwarten«, sagte Strike aufmunternd. »Das gute Zeug kommt erst noch. Izzy hat die Telefonnummer der Pferdepflegerin in Erfahrung gebracht, die Kinvaras Alibi bestätigen kann – Tegan Butcher. Ruf du sie an, du klingst weniger einschüchternd als ich.«

Robin notierte sich die Nummer.

»Und wenn du mit Tegan gesprochen hast, rufst du bitte Raphael an«, fuhr Strike fort und diktierte ihr die zweite Telefonnummer, die er von Izzy bekommen hatte. »Ich will ein für alle Mal geklärt wissen, was er am Morgen des Todestags seines Vaters wirklich getrieben hat.«

»Wird gemacht«, sagte Robin, die froh war, etwas Konkretes zu tun zu haben.

»Barclay kümmert sich wieder um Jimmy und Flick«, sagte Strike, »und ich ...«

Er machte eine kleine Pause, absichtlich dramatisch, und Robin lachte. »Und du?«

»... ich befrage Billy Knight und Della Winn.«

»Was?«, sagte Robin überrascht. »Wie willst du denn in die Klinik kommen? Und *sie* wird im Leben nicht mit dir ...«

»Tja, da täuschst du dich«, sagte Strike. »Izzy hat mir Dellas Nummer aus Chiswells Unterlagen besorgt. Ich hab sie einfach angerufen. Ich hatte eigentlich damit gerechnet, dass sie mir sagen würde, ich soll mich verpissen ...«

»Nur ein bisschen vornehmer ausgedrückt, wie ich Della kenne«, warf Robin ein.

»... und das hatte sie wohl ursprünglich vor – aber anscheinend ist Aamir verschwunden.«

»Bitte?«, fragte Robin scharf.

»Beruhige dich. ›Verschwunden‹ war Dellas Ausdruck. Tatsächlich hat er vorgestern gekündigt und ist aus dem Haus ausgezogen, was ihn kaum zu einem Vermissten macht. Er geht nicht ans Telefon, wenn sie anruft. Die Schuld daran gibt sie mir, weil ich – Zitat – ›ganze Arbeit geleistet‹ hätte, als ich bei ihm gewesen sei, um ihn zu befragen. Sie sagt, er sei so empfindsam, und wenn er sich etwas antue, sei ich daran schuld, daher ...«

»... hast du ihr angeboten, ihn aufzuspüren, wenn sie dafür ein paar Fragen beantwortet.«

»Erraten«, sagte Strike. »Sie hat sofort zugestimmt. Sie vertraut darauf, dass ich ihm versichere, dass er keinen Ärger bekommt, weil ich etwaige unappetitliche Informationen über ihn für mich behalte.«

»Hoffentlich geht es ihm gut«, sagte Robin besorgt. »Er hat mich *wirklich* nicht gemocht, aber das beweist nur, dass er cleverer ist als die anderen. Wann triffst du Della?«

»Heute um neunzehn Uhr, in ihrem Haus in Bermondsey. Und wenn alles klappt wie geplant, rede ich morgen Nachmittag mit Billy. Von Barclay weiß ich, dass Jimmy ihn nicht besuchen will, also hab ich in der Klinik angerufen. Jetzt warte ich auf den Rückruf von Billys Psychiater, der den Termin bestätigen soll.«

»Glaubst du, dass du ihn befragen darfst?«

»Unter Aufsicht, ja, das müsste klappen. Sie interessiert, wie vernünftig er ist, wenn er mit mir redet. Er bekommt wieder seine Medikamente, und sein Zustand hat sich sehr verbessert, aber er erzählt weiter die Story vom erwürgten Kind. Stimmt das psychiatrische Team zu, besuche ich ihn morgen in der geschlossenen Abteilung.«

»Oh, großartig. Immer gut, wenn etwas vorangeht. Wir könnten weiß Gott einen Durchbruch brauchen – auch wenn es um Ermittlungen in einem Todesfall geht, die wir nicht bezahlt bekommen«, seufzte sie.

»Vielleicht steckt hinter Billys Story gar kein Todesfall«, wandte Strike ein, »aber wenn wir das nicht herauskriegen, setzt sie mir für den Rest meines Lebens zu. Ich sag Bescheid, wie es mir mit Della ergangen ist.«

Robin wünschte ihm viel Erfolg, verabschiedete sich und legte auf, blieb aber weiter auf dem ungemachten Bett liegen. Nach einigen Sekunden sagte sie laut: »Blanc de Blancs ...«

Wieder hatte sie das Gefühl, als regte sich eine verschüttete Erinnerung, als setzte sie einen Schwall bedrückter Stimmungen frei. Wo um Himmels willen hatte sie diesen Ausdruck gesehen, während sie sich schlecht gefühlt hatte?

»Blanc de Blancs«, wiederholte sie und stand auf. »Blanc de ... *Aua!*«

Sie war mit dem nackten Fuß auf einen kleinen, spitzen Gegenstand getreten. Sie bückte sich und hob einen Brillant-Ohrstecker ohne Verschluss auf.

Anfangs starrte sie ihn nur an, ohne dass ihr Puls sich veränderte. Der Ohrstecker gehörte nicht ihr. Sie besaß keine Brillant-Ohrstecker. Sie fragte sich, warum sie nicht draufgetreten war, als sie am frühen Morgen zum schlafenden Matthew ins Bett geschlüpft war. Vielleicht hatte ihr nackter Fuß ihn verfehlt – oder der Ohrstecker hatte, was wahrscheinlicher war, im Bett gelegen und war erst beim Bettenmachen herausgefallen.

Natürlich gab es unzählige Brillant-Ohrstecker auf der Welt. Tatsache war jedoch, dass jenes Paar, das Robin erst vor Kurzem aufgefallen war, Sarah Shadlock gehört hatte. Sarah hatte die Ohrstecker getragen, als Robin und Matthew zum Essen ausgegangen waren – an jenem Abend, an dem Tom plötzlich und scheinbar grundlos auf Matthew losgegangen war.

Eine gefühlte Ewigkeit lang, in Wirklichkeit jedoch kaum länger als eine Minute, saß Robin da und betrachtete den Ohrschmuck in ihrer Hand. Dann legte sie ihn behutsam auf den Nachttisch, griff nach ihrem Handy, rief die Einstellungen auf, schaltete die Anruferkennung aus und rief auf Toms Mobiltelefon an.

Nach dem dritten oder vierten Klingeln meldete er sich mit missmutiger Stimme. Im Hintergrund fragte sich ein Fernsehkommentator, wie die Abschlusszeremonie der Olympischen Spiele ablaufen werde.

»Ja, hallo?«

Robin legte auf. Dann spielte Tom heute wohl nicht Kleinfeldfußball. Sie blieb mit ihrem Handy in der Hand weiter reglos sitzen – auf dem schweren Ehebett, das so schwierig über die enge Treppe dieses wunderschönen, gemieteten Hauses hinaufzubringen gewesen war –, während sie die deutlichen Anzeichen durchging, die sie – die Detektivin – bewusst ignoriert hatte.

»Ich bin so blöd«, erklärte Robin dem leeren, sonnenhellen Raum. »So verdammt blöd ...«

54

Deine milde redliche Gesinnung, Deine feine Denkungsart –
Deine unantastbare Ehrenhaftigkeit sind von jedermann hier ...
bekannt und geschätzt.

HENRIK IBSEN, *ROSMERSHOLM*

Obwohl der frühe Abend noch hell war, lag Della Winns Vorgarten im Schatten, was ihn im Gegensatz zu der belebten, staubigen Straße, an die er angrenzte, beschaulich und melancholisch wirken ließ. Als Strike klingelte, fielen ihm zwei große Hundehaufen auf dem ansonsten gepflegten Vorgartenrasen auf, und er fragte sich, wer Della bei solch banalen Dingen zur Hand ging, nachdem ihre Ehe nun zerbrochen war.

Die Haustür ging auf, und dahinter erschien die Sportministerin mit ihrer undurchsichtig schwarzen Brille. Sie trug etwas, was Strikes Tante in Cornwall wahrscheinlich als Hauskleid bezeichnet hätte: ein knielanges, bis unters Kinn zugeknöpftes purpurrotes Fleecegewand, das ihr ein vage priesterliches Aussehen verlieh. Der Blindenhund stand hinter ihr und sah mit dunklen, seelenvollen Augen zu Strike auf.

»Hi, ich bin Cormoran Strike«, sagte der Detektiv, ohne sich zu bewegen. Weil sie ihn weder erkennen noch einen vorgezeigten Ausweis lesen konnte, würde sie ihn nur an seiner Stimme wiedererkennen. »Wir haben schon miteinander telefoniert, und Sie haben mich gebeten, Sie zu besuchen.«

»Ja«, sagte sie, ohne zu lächeln. »Kommen Sie rein.«

Mit der Hand am Halsband der Labradorhündin machte sie

einen Schritt zur Seite, um ihn vorbeizulassen. Strike trat ein und putzte sich die Schuhe an der Fußmatte ab. Aus dem Raum, den er für das Wohnzimmer hielt, kam anschwellende Musik: laute Streicher und Holzbläser, dazwischen eine dröhnende Kesselpauke. Strike, dessen Mutter hauptsächlich Heavy Metal gehört hatte, verstand nur wenig von klassischer Musik, aber dieses Stück hatte etwas ominös Bombastisches an sich, das ihm nicht sonderlich gefiel. In der Diele war es düster, und nirgends brannte Licht, ansonsten war sie unscheinbar und mit dunkelbraun gemustertem Teppichboden ausgelegt, der bestimmt praktisch, aber ziemlich hässlich war.

»Ich habe Kaffee gekocht«, sagte Della. »Sie müssen nur das Tablett ins Wohnzimmer tragen, wenn Sie so freundlich wären.«

»Kein Problem«, sagte Strike.

Er folgte der Labradorhündin, die schwanzwedelnd dicht hinter Della hertappte. Die Symphonie wurde lauter, als sie an der Wohnzimmertür vorbeikamen, deren Rahmen Della im Vorbeigehen berührte, als tastete sie nach vertrauten Punkten, um sich zu orientieren.

»Ist das Beethoven?«, fragte Strike, um irgendwas zu sagen.

»Brahms. Erste Symphonie, c-Moll.«

In der Küche waren sämtliche Möbelecken abgerundet. Auf den Drehknöpfen des Elektroherds entdeckte Strike aufgeklebte erhabene Zahlen. An der Pinnwand aus Kork über dem Telefon hing eine Liste von NOTFALLNUMMERN, die vermutlich für eine Putzfrau oder Haushälterin gedacht war. Während Della an die Arbeitsfläche trat, zog Strike sein Handy aus der Jackentasche und fotografierte Geraint Winns Telefonnummer. Dellas ausgestreckte Hand berührte den Rand des tiefen Keramikspülbeckens und glitt weiter zu einem Tablett mit einem Becher und einer Stempelkanne mit frischem Kaffee. Daneben standen zwei Flaschen Wein. Della tastete danach, drehte sich um und hielt sie Strike hin. Sie lächelte noch immer nicht.

»Welcher ist welcher?«, fragte sie.

»Châteauneuf-du-Pape zweitausendzehn in Ihrer linken Hand«, erklärte Strike, »und Château Musar zweitausendsechs in Ihrer rechten.«

»Ich trinke ein Glas Châteauneuf-du-Pape, wenn Sie so nett sein wollen, die Flasche zu öffnen und mir einzuschenken. Ich habe angenommen, dass Sie keinen Wein trinken würden, aber Sie können sich bitte selbst bedienen.«

»Danke«, sagte Strike und griff nach dem Korkenzieher neben dem Tablett, »Kaffee ist wunderbar.«

Sie ging wortlos ins Wohnzimmer voraus und überließ es ihm, ihr mit dem Tablett zu folgen. Als Strike den Raum betrat, schlug ihm Rosenduft entgegen, der ihn an Robin erinnerte. Während Della einzelne Möbel mit den Fingerspitzen streifte, um zu einem Sessel mit breiten hölzernen Armlehnen zu gelangen, bewunderte er vier prachtvolle Rosensträuße in über den Raum verteilten Vasen, die die sonstige Tristesse mit lebhaften Rot-, Gelb- und Rosatönen aufhellten.

Della richtete sich aus, indem sie die Rückseite ihrer Unterschenkel an die Sesselkante drückte, nahm Platz und wandte ihr Gesicht Strike zu, als er das Tablett auf dem Tisch abstellte.

»Stellen Sie mir mein Glas bitte hier auf die rechte Lehne?«, fragte sie und klopfte leicht darauf. Er tat wie geheißen. Die helle Labradorhündin, die sich neben dem Sessel hatte hinplumpsen lassen, beobachtete ihn dabei mit freundlichem, schläfrigem Blick.

Die Geigenklänge der Symphonie schwollen erneut an und verebbten, als Strike sich setzte. Von dem beigefarbenen Teppichboden bis zu den Möbeln, die aus den Siebzigerjahren zu stammen schienen, war alles in Brauntönen gehalten. Die halbe Wand lag hinter Einbauregalen, die mindestens tausend CDs zu enthalten schienen. Auf einem Tisch an der Rückwand stapelten sich Bücher in Blindenschrift. Auf dem Kaminsims stand das große, gerahmte Foto eines Mädchens, und Strike dämmerte es, dass die Mutter nicht einmal den bittersüßen Trost empfinden durfte, Rhiannon Winn tagtäglich ansehen zu können. Er verspürte Mitleid, was ihm denkbar ungelegen kam.

»Schöne Blumen«, kommentierte er.
»Ich hatte vor ein paar Tagen Geburtstag«, sagte Della.
»Ah. Nachträglich alles Gute.«
»Sind Sie aus dem West Country?«
»Teilweise ... Cornwall.«
»Das höre ich an Ihren Vokalen.«

Sie wartete, bis er sich aus der Stempelkanne Kaffee eingeschenkt hatte und das leise Klirren und Plätschern verstummt war.

»Wie ich am Telefon schon gesagt habe, mache ich mir große Sorgen um Aamir. Er ist noch in London, da bin ich mir sicher, weil er nichts anderes kennt. Allerdings nicht bei seiner Familie«, fügte sie hinzu, und Strike glaubte, in ihrem Tonfall eine Spur Verachtung zu hören. »Ich bin in größter Sorge um ihn.«

Sie tastete vorsichtig nach ihrem Glas und nahm einen kleinen Schluck.

»Sobald Sie ihm versichert haben, dass er keinen Ärger zu befürchten hat, dass Sie nichts von alledem weitererzählen, was Sie von Chiswell erfahren haben, müssen Sie ihn auffordern, sich bei mir zu melden – dringend.«

Die Violinen kreischten und winselten auf eine Art weiter, die für den musikalisch ungebildeten Strike einem dissonanten Ausdruck düsterer Vorahnungen gleichkam. Die Hündin kratzte sich; die Pfote trommelte dabei auf den Teppichboden. Strike zog sein Notizbuch heraus.

»Haben Sie die Namen oder Telefonnummern von Freunden, bei denen Mallik untergeschlüpft sein könnte?«

»Nein«, sagte Della. »Ich glaube nicht, dass er viele Freunde hat. Kürzlich hat er von jemandem von der Universität gesprochen, aber ich erinnere mich an keinen Namen. Ich bezweifle, dass das jemand war, der ihm irgendwie nahegestanden hat.«

Der Gedanke an diesen fernen Freund schien ihr Unbehagen zu bereiten.

»Er hat an der LSE studiert, das wäre also ein Teil von London, den er gut kennen dürfte.«

»Er hat ein gutes Verhältnis zu seiner Schwester, nicht wahr?«, fragte Strike.

»Oh nein«, antwortete Della sofort. »Nein, nein. Sie haben sich alle von ihm losgesagt. Nein, er hat eigentlich niemanden mehr außer mir, was die Situation umso gefährlicher macht.«

»Seine Schwester hat erst vor Kurzem auf Facebook ein Foto der beiden geteilt. Es wurde in der Pizzeria gegenüber Ihrem Haus aufgenommen.«

Dellas Gesichtsausdruck verriet nicht nur Überraschung, sondern auch Missfallen. »Aamir hat mir erzählt, dass Sie online herumgeschnüffelt haben. Welche Schwester war das?«

»Das müsste ich nach...«

»Ich bezweifle trotzdem, dass er bei ihr ist«, sagte Della, ohne ihn ausreden zu lassen. »Sicher nicht, wenn man bedenkt, wie ihn die Familie als Ganzes behandelt hat. Aber vielleicht hatte er Kontakt zu ihr. Sie könnten in Erfahrung bringen, was sie weiß.«

»Mach ich«, sagte Strike. »Sonst irgendeine Idee, wohin er sich gewandt haben könnte?«

»Er hat eigentlich niemanden«, sagte sie erneut. »Und genau das macht mir Sorgen. Er ist verwundbar. Ich muss ihn unbedingt finden.«

»Tja, ich tue mein Bestes«, versicherte ihr Strike und räusperte sich. »Sie haben am Telefon gesagt, dass Sie bereit seien, einige Fragen zu beantworten.«

Ihre Miene wurde abweisender. »Ich glaube kaum, dass ich Ihnen nützliche Auskünfte geben kann, aber fragen Sie bitte.«

»Können wir mit Jasper Chiswell und dem Verhältnis beginnen, das Ihr Mann und Sie selbst zu ihm hatten?«

Allein durch ihren Gesichtsausdruck vermittelte sie ihm, dass sie die Frage impertinent und annähernd lächerlich fand. Sie antwortete mit einem kühlen Lächeln und hochgezogenen Augenbrauen. »Das Verhältnis zwischen Jasper und mir war beruflicher Natur, versteht sich.«

»Und wie genau sah das aus?«, fragte Strike, löffelte Zucker in den Kaffee, rührte um und nahm einen Schluck.

»Wenn man bedenkt«, sagte Della, »dass Jasper Sie engagiert hat, damit Sie versuchen, ehrwidrige Informationen über uns zusammenzutragen, beantwortet sich diese Frage eigentlich selbst.«

»Sie behaupten also auch weiterhin, Ihr Mann habe Chiswell nicht erpresst?«

»Natürlich behaupte ich das!«

Nachdem Dellas Geheimhaltungsverfügung bereits gezeigt hatte, wie weit sie zu ihrer eigenen Verteidigung gehen würde, ahnte Strike, dass ein Beharren auf diesem Punkt sie nur gegen ihn aufbringen würde. Stattdessen entschied er sich für einen vorläufigen Rückzug.

»Was ist mit den übrigen Chiswells? Hatten Sie auch mit denen Kontakt?«

»Gelegentlich«, sagte sie vorsichtig.

»Wie fanden Sie sie?«

»Ich kenne sie kaum ... Geraint erzählt, dass Izzy sehr fleißig ist.«

»Chiswells später gefallener Sohn war mit Ihrer Tochter im britischen Junior-Fechtteam, glaube ich ...«

Ihre Gesichtsmuskeln schienen sich anzuspannen – wie Seeanemonen, fand Strike, die sich schlossen, sobald sie einen Räuber in der Nähe spürten.

»Ja«, sagte sie schließlich.

»Mochten Sie Freddie?«

»Ich glaube nicht, dass ich jemals mit ihm gesprochen habe. Geraint war derjenige, der Rhiannon von einem Turnier zum anderen gefahren hat. Er hat das Team gekannt.«

Die Schatten der Rosenstiele am Fenster fielen wie Gitterstäbe über den Teppichboden. Im Hintergrund donnerte weiter die Brahms-Symphonie. Dellas undurchsichtige Brillengläser wirkten auf unerfindliche Weise bedrohlich, und auch wenn Strike keineswegs eingeschüchtert war, musste er an all die blinden Seher und Orakel denken, die uralte Mythen bevölkerten, und an die besondere übersinnliche Aura, die Menschen mit dieser speziellen Behinderung von Gesunden zugeschrieben wurde.

»Weshalb war Jasper Chiswell so bemüht, glauben Sie, Dinge herauszufinden, die zu Ihrem Nachteil gewesen wären?«

»Er mochte mich nicht«, sagte Della einfach. »Wir waren oft verschiedener Meinung. Er stammte aus einem Umfeld, das alles, was von seinen Gebräuchen und Normen abweicht, für suspekt, unnatürlich, sogar gefährlich hält. Er war ein reicher, weißer Konservativer, Mr. Strike, nach dessen Überzeugung die Korridore der Macht am besten ausschließlich von reichen, weißen Konservativen bevölkert sein sollten. Am liebsten hätte er auf sämtlichen Gebieten den Status quo seiner Jugendjahre wiederhergestellt – und dieses Ziel verfolgte er oft prinzipienlos und immer heuchlerisch.«

»In welcher Hinsicht?«

»Fragen Sie seine Frau.«

»Sie kennen Kinvara, nicht wahr?«

»›Kennen‹ würde ich nicht sagen. Vor einiger Zeit hatte ich

eine Begegnung mit ihr, die im Licht von Chiswells öffentlichen Beteuerungen, die Ehe sei heilig, durchaus interessant war.«

Strike hatte den Eindruck, trotz ihrer geschraubten Ausdrucksweise und obwohl sie ernstlich um Aamir besorgt war, bereitete es Della ein diebisches Vergnügen, derlei Dinge zu sagen.

»Was ist da passiert?«

»Kinvara ist eines Spätnachmittags unangemeldet im Ministerium aufgekreuzt, als Jasper bereits nach Oxfordshire gefahren war. Ich glaube, sie hatte ihn überraschen wollen.«

»Wann war das?«

»Ich würde sagen ... vor mindestens einem Jahr. Kurz vor der Sommerpause, glaube ich. Sie war sehr verzweifelt. Ich habe Lärm vor meinem Büro gehört und bin rausgegangen, um nachzusehen, was dort los war. Im großen Büro waren sie alle sprachlos. Kinvara hat sich ganz schrecklich aufgeführt, wollte unbedingt ihren Mann sprechen, und ich dachte erst, sie hätte vielleicht eine schlimme Nachricht erhalten und brauchte Trost und Zuspruch von Jasper. Also habe ich sie in mein Büro mitgenommen. Sobald wir nur noch zu zweit waren, ist sie zusammengebrochen. Sie war kaum zu verstehen, aber ich habe immerhin mitbekommen«, sagte Della, »dass sie eben erst herausgefunden hatte, dass Jasper eine Geliebte hatte.«

»Hat sie deren Namen erwähnt?«

»Nein, das glaube ich nicht. Vielleicht hat sie es auch getan, aber sie war ... Also, das war schon sehr verstörend«, sagte Della streng. »Als hätte sie statt des Endes ihrer Ehe einen Todesfall zu beklagen. ›Ich war nur Teil seines Spiels‹, ›Er hat mich nie geliebt‹ und so weiter und so fort.«

»Welches Spiel hat sie Ihrer Ansicht nach damit gemeint?«, fragte Strike.

»Das politische Spiel, nehme ich an. Sie hat davon gesprochen, dass er sie gedemütigt und ihr offen erklärt habe, sie habe ihren Zweck erfüllt ... Jasper Chiswell war ein sehr ehrgeiziger Mann. Er war in seiner Karriere schon einmal über einen Ehebruch gestolpert. Ich könnte mir vorstellen, dass er sich ganz nüchtern eine neue Frau gesucht hat, die ihm dabei hilft, sein Image aufzupolieren. Keine italienischen Flittchen mehr für einen Mann, der zurück ins Kabinett wollte. Wahrscheinlich dachte er, Kinvara könnte den Konservativen auf dem Lande gefallen. Aus guter Familie. Mit Pferdeverstand. Später habe ich gehört, dass Jasper sie fast schon im Handumdrehen in eine psychiatrische Klinik abgeschoben hat. So gehen Familien wie die Chiswells mit exzessiven Emotionen um, nehme ich an.« Della nahm einen weiteren Schluck Wein. »Trotzdem ist sie bei ihm geblieben. Aber das tun Leute natürlich, auch wenn sie schändlich behandelt werden. Ich habe selbst gehört, wie er über sie geredet hat, als wäre sie ein behindertes, bedürftiges Kind. Ich weiß noch, wie er gesagt hat, Kinvaras Mutter bleibe an ihrem Geburtstag als ›Babysitter‹ bei ihr, weil er zu einer Abstimmung ins Unterhaus müsse. Natürlich hätte er mit einem Labour-Abgeordneten vereinbaren können, dass der genau wie er selbst der Abstimmung fernbleibe, aber das war ihm wohl zu mühsam. Frauen wie Kinvara Chiswell, deren ganzes Selbstwertgefühl vom Status und Erfolg einer Ehe abhängt, sind natürlich am Boden zerstört, wenn irgendetwas schiefgeht. Ich glaube, dass ihre Pferde insofern ein Ventil, ein Ersatz und ... Ah, richtig«, sagte Della, »da fällt mir noch etwas ein. Zuletzt hat sie mir an jenem Tag erklärt, sie müsse heimfahren, um eine geliebte Stute einschläfern zu lassen.«

Della tastete nach dem breiten, weichen Kopf von Gwynn, die neben ihrem Sessel lag.

»Da hat sie mir dann doch leidgetan. Tiere sind mein Leben lang Tröster für mich gewesen. Den Trost, den sie zu spenden imstande sind, kann man gar nicht hoch genug schätzen.«

An der Hand, die den Hund streichelte, steckten ein Ehering, sah Strike, und ein großer Amethyst, der zu ihrem Hauskleid passte. Irgendwer, vermutlich Geraint, musste ihr erklärt haben, dass Kleid und Schmuck zueinanderpassten. Wieder empfand er einen unwillkommenen Anflug von Mitleid.

»Hat Kinvara Ihnen erzählt, wie oder wann sie entdeckt hat, dass ihr Mann sie betrogen hatte?«

»Nein, nein, sie hat einfach wie ein kleines Kind Zorn und Trauer fast unverständlich aus sich herausströmen lassen. Hat immer wieder gesagt: ›Ich hab ihn geliebt, aber er hat mich nie geliebt, das war alles gelogen.‹ Ich habe noch nie einen so radikalen Ausbruch von Trauer erlebt, nicht mal bei einer Beerdigung oder an einem Totenbett. Ich hab nie wieder mit ihr gesprochen – außer mal ein Hallo im Vorbeigehen. Sie hat so getan, als hätte sie verdrängt oder vergessen, was zwischen uns vorgefallen war.«

Della nahm noch einen Schluck Wein.

»Können wir auf Mallik zurückkommen?«, fragte Strike.

»Ja, natürlich«, sagte sie sofort.

»Am Morgen von Jasper Chiswells Tod – dem Dreizehnten – waren Sie hier, zu Hause?«

Es folgte längeres Schweigen.

»Wieso fragen Sie?«, erkundigte sich Della schließlich. Ihr Tonfall hatte sich verändert.

»Weil ich die Bestätigung einer Aussage brauche, die ich gehört habe«, erklärte Strike.

»Sie meinen, dass Aamir an jenem Morgen hier bei mir war?«

»Genau.«

»Das stimmt. Ich war im Bad ausgerutscht, hatte mir das Handgelenk verstaucht. Also habe ich Aamir angerufen, und er ist rübergekommen. Er wollte mich in die Notaufnahme bringen, aber das war nicht nötig, ich konnte schließlich die Finger bewegen. Ich brauchte nur etwas Hilfe beim Frühstückmachen und so weiter.«

»*Sie* haben Mallik angerufen?«

»Was?«

Es war das uralte, durchsichtige »Was?« eines Menschen, der fürchtete, einen Fehler gemacht zu haben. Strike stellte sich vor, wie das Gehirn hinter ihrer dunklen Brille jetzt auf Hochtouren arbeitete.

»*Sie* haben Aamir angerufen?«

»Wieso? Was sagt er denn?«

»Er sagt, Ihr Mann sei vorbeigekommen und habe ihn abgeholt.«

»Oh«, sagte Della. Und dann: »Ja, natürlich, das hatte ich ganz vergessen.«

»Wirklich?«, hakte Strike ruhig nach. »Oder wollen Sie nur die Aussage der beiden bestätigen?«

»Das hab ich völlig vergessen«, wiederholte Della nachdrücklich. »Ich hab ihn nicht *angerufen*, ich hab ihn *gerufen*. Indem ich Geraint zu ihm geschickt habe.«

»Aber hätte Geraint Ihnen nicht selbst beim Frühstück helfen können, wenn er doch hier war, als Sie ausgerutscht sind?«

»Geraint wollte wohl, dass Aamir ihm hilft, mich dazu zu überreden, in die Notaufnahme zu fahren.«

»Aha. Dann war es also weniger Ihre als Geraints Idee, Aamir zu holen?«

»Das weiß ich nicht mehr genau«, sagte sie, dann widersprach sie sich selbst: »Ich war ziemlich schwer gestürzt. Geraint hat einen schlimmen Rücken, deshalb brauchte er natürlich Hilfe – und da ist mir Aamir eingefallen. Dann wollten die beiden, dass ich mich in die Notaufnahme fahren lasse, aber das war nicht nötig. Mein Handgelenk war nur verstaucht.«

Das Tageslicht vor den Netzstores verblasste allmählich. Dellas schwarze Brillengläser reflektierten das Neonrot der untergehenden Sonne über den Hausdächern.

»Ich bin in größter Sorge um Aamir«, wiederholte sie mit gepresster Stimme.

»Noch ein paar Fragen, dann bin ich fertig«, antwortete Strike. »Jasper Chiswell hat vor mehreren Zeugen behauptet, etwas Ehrenrühriges über Mallik zu wissen. Was können Sie mir darüber erzählen?«

»Ja, tja, nach jenem Gespräch«, sagte Della rasch, »hat Aamir erstmals darüber nachgedacht zu kündigen. Ich konnte förmlich spüren, wie er sich zurückgezogen hat. Und dann haben Sie ihm auch noch den Rest gegeben. Sie haben ihn in seinem Haus aufgesucht, um ihn weiter zu verhöhnen.«

»Von verhöhnen kann keine Rede sein, Mrs. Winn ...«

»*Liwat*, Mr. Strike – haben Sie in Ihrer ganzen Zeit im Nahen Osten nicht gelernt, was das heißt?«

»Oh, ich weiß, was das heißt«, sagte Strike nüchtern. »Homosexualität. Chiswell hat Aamir anscheinend damit gedroht, ihn als Schwulen ...«

»Die Wahrheit hätte Aamir nicht im Geringsten geschadet, das versichere ich Ihnen«, fiel Della ihm scharf ins Wort. »Es tut zwar rein gar nichts zur Sache – aber er ist *nicht* schwul!«

Die Brahms-Symphonie ging weiter ihren für Strike mal trübseligen, mal sinistren Gang, und Hörner und Violinen wetteiferten darin, seine Nerven zu strapazieren.

»Wollen Sie die Wahrheit hören?«, fragte Della laut. »Aamir hat darüber geklagt, belästigt und befingert, von einem hohen Beamten *betatscht* zu werden, dessen Übergriffe auf junge Männer, die in sein Büro kommen, ein offenes Geheimnis – sogar ein *Witz* sind! Und wenn ein muslimischer Akademiker die Beherrschung verliert und einen hohen Beamten ohrfeigt ... Wer von den beiden wird wohl verleumdet und stigmatisiert?

Wer von den beiden wird ein Opfer fieser Gerüchte und aus seiner Position gemobbt?«

»Lassen Sie mich raten«, sagte Strike. »Nicht Sir Christopher Barrowclough-Burns.«

»Woher wissen Sie, von wem ich rede?«, fragte Della scharf.

»Weiter auf seinem Posten, was?«, fragte Strike, der ihre Frage ignorierte.

»Natürlich ist er das! Alle kennen seine *harmlosen* kleinen Übergriffe, aber niemand will gegen ihn aussagen. Ich versuche seit Jahren, etwas gegen Barrowclough-Burns zu unternehmen. Als ich gehört habe, dass Aamir das Förderprogramm unter seltsamen Umständen verlassen hat, habe ich es mir zur Aufgabe gemacht, ihn aufzuspüren. Sein Zustand war jämmerlich, als ich ihn gefunden habe, absolut jämmerlich. Nicht nur war seine steile Karriere entgleist, sondern er hatte obendrein einen boshaften Cousin, der das Gerücht verbreitete, Aamir sei wegen Homosexualität im Dienst fristlos entlassen worden. Nun ist Aamirs Vater kein Mann, der akzeptieren würde, dass einer seiner Söhne schwul ist. Aamir hatte sich kurz zuvor dem Druck seiner Eltern widersetzt, ein für ihn ausgesuchtes Mädchen zu heiraten. Daraufhin kam es zu einem schrecklichen Streit und dem Bruch mit der Familie. Dieser brillante junge Mann hat innerhalb weniger Wochen alles verloren: Familie, Heim und Job.«

»Also haben Sie sich seiner angenommen.«

»Geraint und mir gehört ein leer stehendes Haus gleich um die Ecke. Unsere beiden Mütter hatten darin gewohnt. Geraint und ich haben keine Geschwister. Als es zu schwierig wurde, die Pflege unserer Mütter von London aus zu organisieren, haben wir sie aus Wales geholt und in dem Haus untergebracht. Geraints Mutter ist vor zwei Jahren, meine in diesem Jahr gestorben, danach stand das Haus leer. Auf die Miete sind wir nicht angewiesen. Deshalb war es nur vernünftig, Aamir dort einziehen zu lassen.«

»Und das nur aus uneigennütziger Menschenfreundlichkeit?«, hakte Strike nach. »Sie haben sich nicht überlegt, wie nützlich er Ihnen sein könnte, wenn Sie ihm einen Job und ein Dach über dem Kopf besorgten?«

»Was meinen Sie mit ›nützlich‹? Er ist ein hochintelligenter junger Mann, jede Firma wäre froh, ihn …«

»Ihr Mann hat Aamir damit beauftragt, aus dem Außenministerium belastendes Material über Jasper Chiswell zu beschaffen, Mrs. Winn. Fotos. Er hat Aamir unter Druck gesetzt, die Bilder von Sir Christopher zu besorgen.«

Della griff nach ihrem Weinglas, verfehlte den Stiel um mehrere Zentimeter und schlug mit den Fingerknöcheln ans Glas. Strike warf sich nach vorn und versuchte, es aufzufangen, aber er kam zu spät: Der dunkelrote Wein beschrieb einen hohen Bogen und prasselte auf den beigefarbenen Teppich, während das Glas mit einem dumpfen Aufprall daneben landete. Gwynn hievte sich hoch, näherte sich mit mäßigem Interesse der Pfütze und schnüffelte an dem sich ausbreitenden Fleck.

»Wie schlimm ist es?«, fragte Della alarmiert. Ihre Hände umklammerten die Sessellehnen, ihr Gesicht war dem Boden zugewandt.

»Nicht gut«, sagte Strike.

»Salz, bitte … streuen Sie Salz darauf. Im Schrank rechts neben dem Herd.«

Als Strike beim Betreten der Küche Licht machte, wurde er auf etwas Merkwürdiges aufmerksam, das ihm zuvor entgangen war: auf einen Umschlag, der in solcher Höhe in die Tür eines Wandschranks geklemmt war, dass Della ihn nicht erreichen konnte. Nachdem er sich das Salz geschnappt hatte, machte er einen kleinen Umweg, um den Namen auf dem Umschlag zu lesen: *Geraint*.

»Rechts neben dem Herd!«, rief Della leicht verzweifelt aus dem Wohnzimmer.

»Ah, rechts!«, antwortete Strike laut, während er den Umschlag herunternahm und aufriss.

Er enthielt einen Kostenvoranschlag der Schreinerei Kennedy Bros. für das Ersetzen einer Badezimmertür. Strike leckte die gummierte Klappe an, schloss den Umschlag so gut wie möglich und klemmte ihn wieder in die Schranktür.

»Sorry«, erklärte er Della, als er ins Wohnzimmer zurückkam. »Es hat direkt vor mir gestanden, aber ich hab's nicht gesehen.«

Er drehte den Deckel der Pappröhre auf und ließ reichlich Salz auf den dunkelroten Fleck rieseln. Noch während er sich, am Erfolg des Hausmittels zweifelnd, wieder gerade hinstellte, verklangen die letzten Takte der Brahms-Symphonie.

»Haben Sie es hingekriegt?«, flüsterte Della in der Stille.

»Ja«, sagte Strike und sah, wie das Salz den Wein aufsog und sich dabei grau verfärbte. »Aber ich denke, Sie werden trotzdem eine Teppichreinigung brauchen.«

»Ach, du liebe Güte ... Den Teppichboden haben wir erst dieses Jahr erneuern lassen.«

Sie wirkte zutiefst erschüttert, aber dass dies allein auf den verschütteten Wein zurückzuführen war, erschien Strike zweifelhaft. Als er zum Sofa zurückkehrte und das Salz neben den Kaffee stellte, begann ein neues Musikstück, diesmal ein ungarischer Tanz, der auch nicht erholsamer als die Symphonie war, sondern eigenartig manisch klang.

»Möchten Sie noch etwas Wein?«, fragte er sie.

»Ich ... Ja, ich denke schon«, sagte sie.

Er schenkte ihr nach und gab ihr das Glas diesmal in die Hand. Sie nahm einen kleinen Schluck, dann sagte sie mit zittriger Stimme: »Woher konnten Sie wissen, was Sie mir eben erzählt haben, Mr. Strike?«

»Das möchte ich Ihnen lieber nicht sagen, aber ich versichere Ihnen, dass es stimmt.«

Della umklammerte ihr Glas mit beiden Händen. »Sie *müssen* Aamir für mich finden. Wenn er geglaubt hat, *ich* hätte zugestimmt, dass Geraint ihn damit beauftragt, Barrowclough-Burns um einen Gefallen zu bitten, ist es kein Wunder, dass er …«

Ihre Selbstbeherrschung bröckelte sichtlich. Als sie das Glas auf die Sessellehne zurückstellen wollte, musste sie erst mit der anderen Hand danach tasten. Sie schüttelte mehrmals ungläubig den Kopf.

»Kein Wunder, dass er *was*?«, fragte Strike ruhig.

»Er hat mir vorgeworfen … ihn zu bemuttern … zu kontrollieren … Also, das erklärt natürlich alles … Wir haben uns so nahegestanden – das würden Sie nicht verstehen, es ist auch schwierig zu erklären –, aber es war bemerkenswert, wie schnell wir … na ja, wie Familienangehörige vertraut miteinander waren. Manchmal, wissen Sie, gibt es eine Art augenblickliche Wesensverwandtschaft, eine Affinität zu anderen Menschen, die Jahre nicht schmieden könnten … Aber in den letzten Wochen hat sich alles verändert – ich konnte es spüren. Von jenem Tag an, da Chiswell ihn öffentlich verspottet hat, ist Aamir auf Distanz gegangen. Als hätte er kein Vertrauen mehr zu mir … Das hätte ich erkennen müssen … Oh Gott, ich hätte es wissen müssen … Sie *müssen* ihn finden, Sie müssen …«

Vielleicht, dachte Strike, hatte ihr brennendes Bedürfnis sexuelle Gründe, vielleicht war es auf irgendeiner unbewussten Ebene tatsächlich durch ihre Wahrnehmung von Aamirs jugendlicher Männlichkeit beeinflusst gewesen. Aber während Rhiannon Winn in ihrem billig vergoldeten Rahmen über sie wachte und ihr Lächeln mit der glitzernden, massiven Zahnspange die großen, forschenden Augen nicht erreichte, hielt Strike es für weit wahrscheinlicher, dass Della ausgerechnet das besaß, was Charlotte so auffällig fehlte: einen brennenden, frustrierten Muttertrieb, der in Dellas Fall mit unstillbarem Bedauern versetzt war.

»Auch das noch«, flüsterte sie. »*Auch das noch*. Was hat er nicht ruiniert?«

»Sie reden von ...«

»Von meinem Mann«, sagte Della benommen. »Von wem sonst? Die Charity... Unsere Wohltätigkeitsorganisation – aber das wissen Sie wahrscheinlich auch? Immerhin haben Sie Chiswell von den fehlenden fünfundzwanzigtausend erzählt, nicht wahr? Und von den Lügen, den dummen Lügen, die Geraint verbreitet hat? David Beckham, Mo Farah ... alle diese unmöglichen Versprechen!«

»Das hat meine Partnerin herausgefunden.«

»Niemand wird mir glauben«, sagte Della fahrig, »aber ich wusste von alledem nichts, ich hatte keine Ahnung! Die letzten vier Vorstandssitzungen hab ich geschwänzt, weil ich mit den Vorbereitungen für die Paralympics ausgelastet war. Geraint hat mir erst die Wahrheit gesagt, nachdem Chiswell ihm mit der Presse gedroht hat – und sogar da er hat er noch behauptet, es wäre ein Buchungsfehler, und hat geschworen, alles andere wäre nicht wahr ... beim Grab seiner Mutter geschworen ...«

Sichtlich abgelenkt, spielte sie mit dem Ehering an ihrem Finger.

»Ihre verflixte Partnerin hat wohl auch Elspeth Curtis-Lacey aufgespürt?«

»Ich fürchte, das stimmt«, flunkerte Strike, der es für angebracht hielt, etwas zu riskieren. »Hat Geraint auch das geleugnet?«

»Hätte er etwas gesagt, was den Mädchen unangenehm gewesen wäre, hätte er sich schrecklich gefühlt. Aber er hat geschworen, die Sache sei harmlos gewesen – keine Berührungen, nur ein paar gewagte Scherze. Aber im derzeitigen Klima«, sagte Della wütend, »sollte ein Mann sich verdammt gut überlegen, welche Witze er einer Gruppe von fünfzehnjährigen Mädchen erzählt!«

Strike beugte sich nach vorn und hielt ihr Weinglas fest, das Gefahr lief, wieder umgestoßen zu werden.

»Was machen Sie denn?«

»Ich stelle Ihr Glas auf den Tisch«, sagte Strike.

»Oh«, sagte Della. »Danke.« Deutlich um Selbstbeherrschung bemüht, fuhr sie fort: »Bei dieser Veranstaltung hat Geraint mich vertreten, und jetzt wird es wie immer kommen, wenn die Medien einen Skandal wittern – alles wird meine Schuld sein, *alles!* Weil Straftaten von Männern letzten Endes *immer* unsere Schuld sind, nicht wahr, Mr. Strike? Die Verantwortung liegt letztlich bei der Frau, die sie hätte verhindern müssen, die hätte handeln müssen, die immer *alles von vornherein gewusst haben muss*. Euer Versagen ist in Wahrheit unser Versagen, nicht wahr? Weil die wahre Rolle der Frau die einer Kümmerin ist und es nichts Schlimmeres auf dieser Welt gibt als eine schlechte Mutter.«

Sie presste schwer atmend die zitternden Finger an die Schläfen. Jenseits der Netzstores schob tiefblaue Nacht sich wie ein Schleier über das leuchtende Rot des Sonnenuntergangs, im Zimmer wurde es dunkler, und Rhiannon Winns Züge verblassten im Zwielicht. Bald würde nur mehr ihr durch die hässliche Zahnspange markiertes Lächeln zu sehen sein.

»Geben Sie mir bitte meinen Wein wieder.« Strike tat wie geheißen, Della trank das Glas in einem Zug fast komplett aus und umklammerte es weiter, als sie verbittert sagte: »Es gibt mehr als genug Leute, die alle möglichen verrückten Dinge über Blinde denken. Als ich jünger war, war das natürlich noch schlimmer. Da war es oft ein fast lüsternes Interesse an meinem Privatleben. Nicht selten war dies gleich der erste Gedanke, der Männer beschäftigt hat ... Sie haben so etwas vielleicht auch erlebt, mit Ihrem Bein?«

Strike stellte überrascht fest, dass ihn die unverblümte Erwähnung seiner Behinderung durch Della nicht störte.

»Ja, das kenne ich«, gab er zu. »Ein Kerl, mit dem ich in der Schule gewesen war – hatte ihn seit Jahren nicht mehr gesehen. Seit der Explosion war es mein erster Trip nach Cornwall. Beim fünften Bier hat er mich gefragt, wann ich Frauen vorwarne, dass das Bein mitsamt der Hose runterkommt. Und hat sich für wahnsinnig witzig gehalten.«

Della lächelte schief. »Manche Leute begreifen einfach nicht, dass *wir* die Witze machen sollten, was? Aber für Sie als Mann wird es trotzdem anders sein … Die meisten Leute scheinen es für naturgegeben zu halten, dass eine gesunde Frau sich um einen Invaliden kümmern sollte. Geraint hat sich jahrelang damit herumschlagen müssen … Die Leute haben ihn für irgendwie seltsam gehalten, weil er eine Behinderte geheiratet hat. Das habe ich vielleicht zu kompensieren versucht. Er sollte eine Rolle spielen … einen gewissen Status erhalten … Aber in der Rückschau betrachtet, wäre es für uns beide besser gewesen, wenn er sich von mir emanzipiert hätte.«

Strike hielt sie für leicht betrunken. Womöglich hatte sie zuvor nichts gegessen. Spontan verspürte er den unangebrachten Wunsch, den Inhalt ihres Kühlschranks zu inspizieren. In Gegenwart dieser imponierenden, verwundbaren Frau war leicht zu verstehen, wie Aamir sich beruflich und privat so von ihr hatte einwickeln lassen, ohne es je gewollt zu haben.

»Die Leute vermuten, ich hätte Geraint geheiratet, weil mich sonst keiner wollte, aber da irren sie sich gewaltig.« Della setzte sich in ihrem Sessel auf. »In unserer Schule gab es einen Jungen, der in mich verknallt gewesen war und mir einen Heiratsantrag gemacht hatte, als ich neunzehn war. Ich hatte die Wahl und habe mich für Geraint entschieden. Nicht aus Karrieregründen oder weil mein grenzenloser Ehrgeiz einen

Ehemann erfordert hätte, wie manche Journalisten behauptet haben, sondern weil ich ihn geliebt habe.«

Strike musste wieder an den Tag denken, als er Dellas Ehemann bis zu einem Treppenhaus in King's Cross gefolgt war, und an all das, was Robin über Geraints schmieriges Benehmen im Büro zu berichten gewusst hatte. Trotzdem kam ihm nichts von dem, was Della soeben gesagt hatte, unglaubwürdig vor. Das Leben hatte ihn gelehrt, dass eine tiefe, starke Liebe für die scheinbar wertlosesten Menschen empfunden werden konnte – ein Umstand, den eigentlich alle als tröstlich empfinden sollten.

»Sind Sie verheiratet, Mr. Strike?«

»Nein.«

»Die Ehe ist fast in jedem Fall unbegreiflich, finde ich, sogar für die Eheleute selbst. Diese ... Dieser ganze Schlamassel war notwendig, damit ich erkannte, dass ich nicht einfach so weitermachen konnte. Ich weiß nicht genau, wann ich aufgehört habe, ihn zu lieben, aber irgendwann nach Rhiannons Tod ist unsere Liebe ...« Ihr brach die Stimme. »Sie ist uns entglitten.« Della schluckte. »Schenken Sie mir bitte noch ein Glas Wein ein?«

Das tat er. Im Zimmer war es inzwischen fast stockdunkel. Die Musik hatte wieder gewechselt: Inzwischen erklang ein melancholisches Violinkonzert, das – zumindest nach Strikes Meinung – endlich zu ihrem Gespräch passte. Della hatte erst nicht mit ihm reden wollen, doch jetzt schien es ihr zu widerstreben, das Gespräch zu beenden.

»Wieso hat Ihr Mann Jasper Chiswell so erbittert gehasst?«, fragte Strike ruhig. »Weil er Ihr politischer Gegner war, oder ...«

»Nein, nein«, wehrte Della Winn müde ab. »Weil Geraint die Schuld für Schicksalsschläge, die ihn treffen, immer bei anderen suchen muss.«

Strike wartete ab, doch sie nahm lediglich einen Schluck Wein und schwieg.

»Was genau ...«

»Schon gut«, unterbrach sie ihn. »Lassen wir das. Es ist unwichtig.« Nach einem weiteren Schluck Wein fuhr sie dann doch fort: »Rhiannon wollte nie Fechterin werden. Wie die meisten kleinen Mädchen hat sie sich ein Pony gewünscht, aber wir – Geraint und ich – kamen nicht aus Familien, in denen man Ponys hält. Wir hatten nicht die geringste Ahnung, was man mit Pferden macht. Heute weiß ich, dass man das irgendwie hätte lösen können, aber wir hatten beide schrecklich viel zu tun und dachten, so ein Pferd sei unpraktisch, also hat sie stattdessen begonnen zu fechten und war auch sehr gut ... Habe ich genügend Ihrer Fragen beantwortet, Mr. Strike?«, fragte sie leicht undeutlich. »Und Sie finden Aamir?«

»Ich werd's versuchen«, versprach Strike ihr. »Können Sie mir seine Handynummer geben? Und Ihre, damit ich Sie auf dem Laufenden halten kann?«

Sie hatte beide Nummern im Kopf, und er notierte sie sich, bevor er sein Notizbuch zuklappte und aufstand.

»Sie haben mir sehr geholfen, Mrs. Winn. Vielen Dank.«

»Das klingt beunruhigend«, sagte sie mit einer kleinen Falte zwischen den Augenbrauen. »Ich bin mir nicht sicher, ob ich das wollte.«

»Kommen Sie ...«

»Natürlich komme ich zurecht«, sagte Della überdeutlich. »Sie rufen mich an, sobald Sie Aamir gefunden haben, ja?«

»Wenn Sie nicht schon vorher von mir hören, melde ich mich in einer Woche wieder«, versprach Strike. »Äh ... Kommt heute Abend noch jemand oder ...«

»Ich merke schon, dass Sie nicht ganz so hart sind, wie es Ihr Ruf nahelegt«, sagte Della. »Machen Sie sich keine Sorgen um mich. Meine Nachbarin kommt vorbei, um mit Gwynn

Gassi zu gehen. Sie kontrolliert, ob das Gas abgedreht ist und so weiter.«

»Dann bleiben Sie bitte sitzen. Gute Nacht.«

Die hellgelbe Hündin hob den Kopf, als Strike zur Tür ging, und hielt die Nase in die Luft. Er ließ Della im Dunkeln sitzen: leicht betrunken und mit dem Foto ihrer toten Tochter, die sie nie gesehen hatte, als einzige Gesellschaft.

Als Strike die Haustür hinter sich zuzog, konnte er sich nicht erinnern, wann er zuletzt eine so eigenartige Mischung aus Bewunderung, Mitgefühl und Argwohn empfunden hatte.

55

*So lass uns doch wenigstens mit adeligen Waffen kämpfen,
wenn wir schon kämpfen* müssen.

HENRIK IBSEN, *ROSMERSHOLM*

Matthew, der angeblich nur vormittags hatte unterwegs sein wollen, war noch immer nicht heimgekommen. Er hatte seither zwei SMS geschickt, eine um fünfzehn Uhr:

> Tom hat beruflich Probleme, will darüber reden. Bin mit ihm im Pub (ich trinke nur Coke). Komme so bald wie möglich.

Und dann gegen neunzehn Uhr:

> Tut mir echt leid, er ist besoffen. Kann ihn nicht allein lassen. Besorge ihm ein Taxi und komme dann. Du hast hoffentlich schon gegessen. Liebe dich x

Mit ausgeschalteter Anruferkennung rief Robin erneut Toms Handy an. Er meldete sich sofort – ohne das Stimmengewirr eines Pubs im Hintergrund.

»Ja?« Seine Stimmt klang scharf, er war offenbar nüchtern. »Wer ist denn da?«

Robin legte auf.

Zwei Koffer standen gepackt in der Diele. Sie hatte Vanessa angerufen und gefragt, ob sie ein paar Nächte auf deren Sofa schlafen dürfe, bis sie eine neue Bleibe gefunden hätte. Sie fand es seltsam, dass Vanessa nicht überraschter gewesen war, war aber zugleich froh, keine mitleidigen Sprüche abwehren zu müssen.

Vom Wohnzimmer aus beobachtete Robin, wie draußen die Nacht hereinbrach, und fragte sich, ob sie auch nur misstrauisch geworden wäre, wenn sie den Ohrstecker nicht gefunden hätte. In letzter Zeit war sie einfach nur dankbar für jede Stunde ohne Matthew gewesen, in der sie hatte relaxen können und nichts vor ihm hatte geheim halten müssen, weder ihre Ermittlungen im Fall Chiswell noch die Panikattacken, die sie still und ohne großes Aufsehen auf dem Fußboden im Bad erduldet hatte.

In dem eleganten Sessel, der ihrem abwesenden Vermieter gehörte, fühlte Robin sich, als bewohnte sie eine Erinnerung. Wie oft war man sich wohl bewusst, noch während es passierte, dass man soeben einen Moment durchlebte, der den Gang des eigenen Lebens auf ewig verändern würde? Sie würde sich noch lange an dieses Zimmer erinnern und sah sich jetzt darin in der Absicht um, es in ihrem Gedächtnis zu fixieren, um so zu versuchen, die Trauer, die Scham und den Schmerz zu ignorieren, die in ihr rasten und brannten.

Um kurz nach neun Uhr hörte sie Matthews Schlüssel im Schloss und das Geräusch der aufgehenden Haustür, und ihr war schlagartig übel.

»Sorry«, rief er, noch bevor er die Tür geschlossen hatte, »er ist ein Blödmann, und ich hatte die größte Mühe, den Taxifahrer dazu zu überreden, dass er …«

Robin hörte den halblauten überraschten Ausruf, als er die Koffer entdeckte. Endlich würde sie die auf ihrem Handydisplay angezeigte Nummer anrufen. Als er verwirrt ins Wohnzimmer kam, hörte er eben noch, wie sie sich ein Taxi bestellte. Dann legte sie auf, und die beiden sahen sich an.

»Was sind das für Koffer?«

»Ich verlasse dich.«

Danach herrschte lange Schweigen. Matthew schien immer noch nichts zu verstehen.

»Wie meinst du das?«

»Ich weiß nicht, wie ich es klarer ausdrücken soll, Matthew.«

»Du verlässt mich?«

»Genau.«

»Aber wieso?«

»Weil«, sagte Robin, »du mit Sarah schläfst.«

Sie sah zu, wie Matthew um Worte rang, die ihn retten würden, aber die Sekunden verstrichen, und dann war es zu spät für wirkliche Ungläubigkeit, für erstaunte Unschuld, für echte Verständnislosigkeit.

»Wie bitte?«, sagte er zuletzt und lachte gekünstelt.

»Nicht«, sagte sie. »Es ist vorbei.«

Er stand weiter in der Tür zum Wohnzimmer, und sie fand, er sah müde, sogar abgehärmt aus.

»Erst wollte ich gehen und dir einen Brief dalassen«, sagte Robin, »aber das kam mir zu melodramatisch vor. Außerdem gibt es noch ein paar praktische Dinge, die wir besprechen müssten.«

Sie glaubte zu sehen, wie er dachte: *Wodurch habe ich mich verraten? Wem hat sie davon erzählt?*

»Hör zu«, sagte er und ließ seine Sporttasche (bestimmt voller sauberer, ungebrauchter Sachen) neben sich zu Boden fallen. »Ich weiß, dass es zwischen uns nicht mehr gut gestanden hat, aber ich will nur dich, Robin. Wirf das nicht weg. Bitte.«

Er trat vor, ging neben ihrem Sessel in die Hocke und streckte sich nach ihrer Hand aus. Robin entzog sie ihm aufrichtig verwundert.

»Du schläfst mit Sarah«, wiederholte sie.

Er richtete sich auf, ging zum Sofa hinüber, setzte sich, schlug die Hände vors Gesicht und sagte mit brüchiger Stimme: »Es tut mir leid. Es tut mir leid. Aber zwischen dir und mir war es so beschissen ...«

»... dass du mit der Verlobten deines Freundes schlafen musstest?«

Panisch blickte er auf. »Hast du mit Tom gesprochen? Weiß er Bescheid?«

Robin, die Matthews Nähe nicht länger ertragen konnte, stand auf und trat voller Verachtung, die sie noch nie empfunden hatte, ans Fenster. »Sogar jetzt noch um deine Beförderungschancen besorgt, Matthew?«

»Nein ... Scheiße, das verstehst du nicht«, sagte er. »Zwischen Sarah und mir ist es aus.«

»Oh, wirklich?«

»Ja«, sagte er. »Ja! Verdammt, das ist doch beschissene Ironie des Schicksals – wir haben den ganzen Tag lang miteinander geredet. Wir waren uns einig, dass es so nicht weitergehen darf, nicht nachdem ... Du und Tom ... Wir haben Schluss gemacht. Vor einer Stunde.«

Ihr Handy klingelte. Wie in Trance ging sie ran.

»Robin?« Es war Strike. »Kurzes Update. Ich komme gerade von Della Winn.«

»Wie war das Gespräch?«, fragte sie so ruhig und munter wie möglich, weil sie entschlossen war, dieses Telefonat nicht abzukürzen. Die Arbeit war jetzt alles, was ihr noch geblieben war, und Matthew würde sich nicht mehr einmischen können. Sie kehrte ihrem wütenden Ehemann den Rücken und sah auf die dunkle gepflasterte Straße hinaus.

»In zweifacher Hinsicht sehr interessant«, sagte Strike. »Erstens ist ihr etwas rausgerutscht. Ich glaube nicht, dass Geraint an dem Morgen, als Chiswell gestorben ist, mit Aamir zusammen war.«

»Das *ist* interessant«, sagte Robin. Sie zwang sich zur Konzentration, war sich bewusst, dass Matthew sie argwöhnisch beobachtete.

»Ich hab seine Handynummer und habe ihn angerufen, aber er geht nicht ran. Ich dachte, er wäre vielleicht noch in diesem Bed and Breakfast um die Ecke, aber als ich dort nachgefragt habe, hieß es, er habe ausgecheckt.«

»Schade. Was war der zweite interessante Punkt?«, fragte Robin.

»Ist das Strike?«, fragte Matthew hinter ihr laut. Robin ignorierte ihn.

»Was war das gerade?«, wollte Strike wissen.

»Nichts«, sagte Robin. »Erzähl weiter.«

»Also, ebenfalls interessant war, dass Della letztes Jahr miterlebt hat, wie Kinvara hysterisch wurde, weil sie dachte, Chiswell ...«

Robins Mobiltelefon wurde ihr aus der Hand gerissen. Sie wirbelte herum. Matthew hackte mit dem Zeigefinger auf die Auflegen-Taste.

»Was fällt dir ein?«, rief Robin und streckte die Hand aus. »Gib das wieder her!«

»Wir versuchen, unsere Scheißehe zu retten, und du telefonierst mit ihm?«

»Ich versuche nicht, diese Ehe zu retten. *Her mit dem Handy!*«

Er zögerte, dann gab er ihr das Handy zurück, nur um wütend zuzusehen, wie sie Strike kühl zurückrief.

»Entschuldige, Cormoran, wir sind unterbrochen worden«, sagte sie, während Matthew sie wild anstarrte.

»Alles in Ordnung bei dir, Robin?«

»Alles bestens. Was wolltest du mir von Chiswell erzählen?«

»Dass er eine Affäre hatte.«

»Eine Affäre«, wiederholte Robin mit einem Blick auf Matthew. »Und mit wem?«

»Weiß der Teufel. Hast du Raphael schon erreicht? Wir wissen, dass es ihm nicht darum geht, das Andenken seines Vaters zu bewahren. Er würde es uns vielleicht erzählen.«

»Ich hab ihm eine Nachricht hinterlassen – und Tegan auch. Bisher hat keiner von ihnen zurückgerufen.«

»Okay, gut. Halt mich auf dem Laufenden. Jedenfalls wirft das ein interessantes Licht auf den Hammerschlag über den Schädel, nicht wahr?«

»Allerdings«, sagte Robin.

»Ich bin jetzt an der U-Bahn. Sicher, dass alles in Ordnung ist?«

»Ja, natürlich«, sagte Robin und hoffte auf werktägliche Ungeduld in der Stimme. »Bis bald!« Dann legte sie auf.

»Bis bald«, äffte Matthew sie mit der Fistelstimme nach, die er immer benutzte, wenn er Frauen nachahmte. »Bis bald, Cormoran. Ich flüchte aus meiner Ehe, damit ich mich für immer von dir herumkommandieren lassen kann, Cormoran. Mir macht's nichts aus, für den Mindestlohn zu arbeiten, Cormoran, wenn ich nur dein Dienstmädchen sein kann.‹«

»Halt die Klappe, Matt«, sagte Robin gelassen. »Verpiss dich zu Sarah. Der Ohrstecker, den sie in unserem Bett verloren hat, liegt übrigens auf dem Nachttisch.«

»Robin«, sagte er ernst, »wir können das hinkriegen. Wenn wir uns lieben, schaffen wir das.«

»Das Problem dabei, Matt, ist nur, dass ich dich nicht mehr liebe.«

Sie hatte immer geglaubt, dass Augen dunkler werden könnten, sei dichterische Freiheit, aber in diesem Moment sah sie, wie seine Augen schwarz wurden, als die Pupillen sich vor Schock weiteten.

»Bitch«, sagte er leise.

Sie verspürte den feigen Impuls zu lügen, von der absoluten Aussage zurückzuweichen, um sich zu schützen, aber letztlich siegte etwas Stärkeres in ihrem Innern: das Bedürfnis, die ungeschminkte Wahrheit auszusprechen, nachdem sie ihn und sich selbst so lange belogen hatte.

»Tja«, sagte sie, »ich liebe dich nicht mehr. Wir hätten uns noch in den Flitterwochen trennen sollen. Ich bin bloß bei dir geblieben, weil du krank warst. Du hast mir leidgetan. Nein«, korrigierte sie sich, weil sie entschlossen war, diese Sache korrekt abzuwickeln, »wir hätten gar nicht erst in die Flitterwochen fahren dürfen. Ich hätte die Hochzeit platzen lassen sollen, als ich herausbekommen habe, dass du Strikes Anrufe gelöscht hattest.«

Am liebsten hätte sie auf die Uhr gesehen, um zu wissen, wie lang das Taxi noch brauchte, aber sie fürchtete sich davor, Matthew aus den Augen zu lassen. Irgendetwas an seinem Gesichtsausdruck erinnerte sie an eine unter einem Stein lauernde Schlange.

»Wie sehen andere Leute dein Leben, glaubst du?«, fragte er ruhig.

»Wie meinst du das?«

»Du hast dein Studium geschmissen. Jetzt steigst du aus unserer Ehe aus. Du hast sogar die Therapie abgebrochen. Du bist eine beschissene Versagerin. Durchgehalten hast du nur diesen blöden Job, der dich halb umgebracht hat, und dann ist dir sogar *dort* gekündigt worden. Er hat dich nur zurückgenommen, weil er dir an die Wäsche will. Und weil er vermutlich keine andere so billig kriegt.«

Sie fühlte sich wie vor den Kopf geschlagen.

»Danke, Matt«, sagte sie und drehte sich zur Tür um. »Danke, dass du es mir so leicht machst.«

Er vertrat ihr den Weg. »Der Job war verlockend. Strike hat dir geschmeichelt, also hast du dir eingebildet, es wäre der richtige Beruf für dich, obwohl er für jemanden mit *deiner* Vorgeschichte die verdammt schlechteste Option ist, die ...«

Sie kämpfte mit den Tränen, war aber entschlossen, nicht nachzugeben. »Die Polizeiarbeit war seit Jahr und Tag mein Ziel ...«

»Erzähl keinen Scheiß«, spottete Matthew. »Wann hättest du jemals ...«

»Ich hatte ein Leben vor dir!«, schrie Robin. »Ich hatte ein Zuhause, in dem ich Dinge gesagt habe, die du nie gehört hast. Ich habe dir nie davon erzählt, Matthew, weil ich wusste, dass du darüber lachen würdest wie meine Scheißbrüder! Ich hab Psychologie studiert, weil ich gehofft hab, später irgendeine Art forensischer ...«

»Das hast du nie erwähnt. Du versuchst jetzt doch nur, dir eine Rechtfertigung dafür zurechtzulegen, dass ...«

»Ich hab's dir nicht erzählt, weil ich wusste, dass du niemals ...«

»Bullshit!«

»Das ist kein Bullshit!«, rief sie empört. »Ich sage die Wahrheit. Das ist die Wahrheit – und du beweist sie, indem du mir nicht glaubst! Dir war's nur recht, dass ich mit dem Studium aufgehört hab ...«

»Was zum Teufel soll das heißen?«

»›Hat doch keine Eile, dass du weiterstudierst‹, ›Du musst keinen Abschluss haben ...‹«

»Scheiße, jetzt machst du mir Vorwürfe, weil ich sensibel war?«

»Dir hat's doch wunderbar in den Kram gepasst, dass ich zu Hause festgesessen habe. Warum kannst du das nicht zugeben? Sarah Shadlock an der Uni und ich als Studienabbrecherin daheim in Masham – das war der Ausgleich dafür, dass ich bessere A-Levels bekommen hatte als du und mir die Uni aussuchen konnte ...«

»Oh!« Er lachte humorlos. »Verdammt noch mal, bessere A-Levels als ich? Yeah, das bereitet mir echt schlaflose Nächte ...«

»Wäre ich nicht vergewaltigt worden, hätten wir uns schon vor Jahren getrennt!«

»Hast du das in der Therapie gelernt – Lügen über deine Vergangenheit zu erzählen, um diesen ganzen Mist zu rechtfertigen?«

»Ich hab gelernt, die Wahrheit zu sagen!«, schrie Robin, zur Brutalität provoziert. »Und hier ist noch eine: Ich hatte schon vor der Vergewaltigung angefangen, dich weniger zu lieben. Du hast dich für nichts interessiert, was ich gemacht habe – nicht für mein Studium, nicht für meine neuen Freunde. Du wolltest immer nur wissen, ob irgendwelche anderen Kerle sich an mich rangemacht hätten. *Danach* warst du so süß, so lieb ... Du bist mir wie der ungefährlichste Mann der Welt vorgekommen, der Einzige, dem ich trauen konnte. Nur deshalb bin ich bei dir geblieben. Ohne die Vergewaltigung wären wir jetzt nicht hier.«

Sie hörten beide, wie draußen ein Auto vorfuhr. Robin wollte an ihm vorbei in die Diele hinausschlüpfen, aber er hielt sie erneut auf. »Oh nein, du bleibst da! So verdammt leicht kommst du mir nicht davon. Du bist geblieben, weil ich *ungefährlich* war? Fuck off! Du hast mich geliebt.«

»Das hab ich geglaubt«, sagte Robin, »aber das ist jetzt vorbei. Lass mich durch, ich gehe jetzt.«

Sie wollte an ihm vorbei, doch Matthew vertrat ihr erneut den Weg.

»Nein«, sagte er noch mal, indem er vortrat und sie ins Wohnzimmer zurückschob. »Du bleibst hier. Wir tragen diese Sache aus.«

Der Taxifahrer klingelte.

»Komme!«, rief Robin, aber Matthew knurrte: »Diesmal läufst du nicht weg, du bleibst hier und hilfst mit, diese Sache wieder in Ordnung zu bringen ...«

»Nein«, sagte Robin laut, als hätte sie einem Hund ein Kommando erteilt, und machte halt, weil sie wild entschlossen war, sich nicht weiter zurückdrängen zu lassen, obwohl er so nah vor ihr stand, dass sie seinen Atem auf ihrem Gesicht spüren konnte. Schlagartig fühlte sie sich an Geraint Winn erinnert. Der Widerwillen war überwältigend. »Weg von mir! *Sofort!*«

Und Matthew, der nicht auf ihren Befehl, sondern auf irgendetwas in ihrer Stimme reagierte, wich wie ein Hündchen zurück. Er war immer noch wütend – und doch eingeschüchtert.

»In Ordnung.« Robin wusste, dass sie am Rand einer Panikattacke stand, hielt aber durch, wurde mit jeder Sekunde, in der sie nicht nachgab, stärker und behauptete sich endlich. »Ich gehe jetzt. Wenn du jetzt versuchst, mich aufzuhalten, gebrauche ich Gewalt. Ich habe weit größere, fiesere Kerle abgewehrt als dich, Matthew. Du hast nicht mal ein verdammtes Messer.«

Sie sah, wie seine Augen noch dunkler wurden, und erinnerte sich plötzlich daran, wie ihr Bruder Martin Matt auf der Hochzeit ins Gesicht geschlagen hatte. Was immer noch kommen mochte – sie würde Martin übertreffen, schwor sie sich in einem Anflug von schwarzem Humor. Wenn es sein müsste, würde sie ihm seine verdammte Nase brechen.

»Bitte«, sagte Matthew und ließ mit einem Mal die Schultern hängen. »Robin …«

»Du kannst mich nur mit Gewalt am Gehen hindern, aber ich warne dich: Wenn du das tust, zeig ich dich an wegen Körperverletzung. *Das* kommt im Büro bestimmt nicht gut an, stimmt's?«

Sie erwiderte seinen Blick noch ein paar Sekunden länger, dann ging sie mit geballten Fäusten auf ihn zu und erwartete insgeheim, dass er ihr erneut den Weg versperren oder sie festhalten würde. Aber er trat zur Seite.

»Robin«, sagte er heiser. »Warte. Warte doch, du hast gesagt, dass wir noch ein paar Dinge zu besprechen hätten …«

»Das sollen die Anwälte übernehmen«, sagte sie und zog die Haustür auf. Die kalte Nachtluft fühlte sich wie ein Segen an.

Am Steuer des Vauxhall Corsa saß eine stämmige Frau. Als sie Robins Koffer sah, stieg sie aus, um ihr zu helfen, das Gepäck in den Kofferraum zu hieven. Matthew war ihr gefolgt und stand jetzt in der Haustür. Als Robin einstieg, rief er ihren Namen, und jetzt begannen zu guter Letzt ihre Tränen zu fließen. Trotzdem knallte sie die Tür zu, ohne ihn anzusehen.

»Bitte fahren Sie«, bat sie die Fahrerin heiser, als Matthew die Stufen herunterkam und sich bückte, um durch die Scheibe mit ihr zu sprechen.

»Scheiße, ich liebe dich doch immer noch!«

Der Wagen rumpelte übers Pflaster der Albury Street davon, vorbei an den verzierten Fassaden der malerischen Kapitänshäuser, zwischen denen sie sich nie heimisch gefühlt hatte. Am Ende der Straße war sie sich sicher, dass Matthew dem verschwindenden Wagen hinterhergesehen hätte, wenn sie sich jetzt nach ihm umgedreht hätte. Ihr Blick begegnete dem der Fahrerin im Rückspiegel.

»Sorry«, stieß Robin unsinnigerweise hervor, und dann fügte sie angesichts der Entschuldigung verwirrt hinzu: »Ich ... hab gerade meinen Mann verlassen.«

»Ach?«, sagte die Taxifahrerin und setzte den Blinker. »Ich hab schon zwei verlassen. Wird leichter, wenn man ein bisschen Übung hat.«

Robin versuchte zu lachen, doch daraus wurde lediglich ein lauter, feuchter Schluckauf. Als der Wagen an dem einsamen Schwan hoch oben an der Fassade des Pubs vorbeifuhr, fing sie vollends an zu weinen.

»Hier«, sagte die Fahrerin freundlich und reichte eine ungeöffnete Packung Papiertaschentücher nach hinten.

»Danke«, schluchzte Robin, zog eins heraus und presste es sich auf die brennenden Augen, bis das weiße Taschentuch ganz durchweicht und von den Resten des dicken schwarzen Augen-Make-ups, das sie als Bobbi Cunliffe aufgetragen hatte, schwarz gefleckt war. Um den mitfühlenden Blicken der Taxifahrerin im Rückspiegel zu entgehen, ließ sie den Kopf hängen. Auf der Taschentuchverpackung stand ein ihr unbekannter amerikanischer Markenname: »Dr. Blanc«.

Im selben Moment setzte die Erinnerung ein, nach der Robin vergeblich gekramt hatte, als hätte sie nur auf diesen winzigen Anstoß gewartet. Jetzt wusste sie wieder, wo sie »Blanc de Blanc« schon mal gesehen hatte. Allerdings hatte es nichts mit dem Fall zu tun – dafür mit ihrer implodierenden Ehe, mit einem Lavendelpfad und einem japanischen Wassergarten, mit dem letzten Mal, da sie »Ich liebe dich« gesagt und ihr zum ersten Mal bewusst gewesen war, dass sie es nicht mehr ernst meinte.

56

*Ich kann, ich will nicht durchs Leben gehen mit einer Leiche
auf dem Rücken.*

HENRIK IBSEN, *ROSMERSHOLM*

Als Strike am folgenden Nachmittag auf der North Circular Road kurz vor Henlys Corner war, kam vor ihm der Verkehr zum Erliegen, und er fluchte in sich hinein. Dabei war der Verkehrsfluss auf der wegen der Staus berüchtigten Kreuzung zu Anfang des Jahres angeblich durch Umbauten verbessert worden. Als Strike zum Stauende aufgeschlossen hatte, fuhr er das Fenster runter, zündete sich eine Zigarette an und warf mit dem vertrauten Gefühl zorniger Ohnmacht, das der Londoner Verkehr so oft in ihm wachrief, einen Blick auf die Uhr im Armaturenbrett. Er fragte sich, ob es klüger gewesen wäre, mit der U-Bahn nach Norden zu fahren, aber die psychiatrische Klinik lag mehr als eine Meile vom nächsten Bahnhof entfernt, und der BMW war für sein noch immer wundes Bein marginal besser. Jetzt fürchtete er, zu einem Gespräch zu spät zu kommen, das er auf keinen Fall versäumen wollte, weil er erstens das psychiatrische Team, das ihn mit Billy Knight reden ließ, nicht verprellen durfte und weil er zweitens nicht wusste, wann sich die nächste Gelegenheit ergeben würde, mit dem jüngeren Bruder zu sprechen, ohne fürchten zu müssen, dem älteren zu begegnen. Barclay hatte ihm an diesem Morgen versichert, Jimmy habe heute nur noch vor, für die Webseite der Real Socialist Party eine Polemik über Rothschilds globalen Einfluss zu schreiben und Barclays neuen Stoff auszuprobieren.

Während Strike übellaunig aufs Lenkrad trommelte, dachte er wieder über eine Frage nach, die ihn seit dem Vorabend nicht mehr in Ruhe ließ: War die Unterbrechung seines Anrufs bei Robin darauf zurückzuführen gewesen, dass Matthew ihr das Mobiltelefon aus der Hand gerissen hatte, oder nicht? Robins anschließende Versicherung, es sei alles bestens, hatte in seinen Ohren nicht sehr überzeugend geklungen.

Während Strike sich auf seiner Kochplatte Baked Beans warm gemacht hatte, weil er noch immer abzunehmen versuchte, hatte er überlegt, ob er Robin noch einmal anrufen sollte, und während er sein fleischloses Abendessen ohne große Begeisterung vor dem Fernseher verzehrt hatte, auf dem die vermeintlichen Highlights der Abschlusszeremonie der Olympischen Spiele liefen, hatten ihn die auf Londoner Taxis tanzenden Spice Girls kaum ablenken können. *Die Ehe ist fast in jedem Fall unbegreiflich, sogar für die Eheleute selbst*, hatte Della Winn gesagt. Vielleicht lagen Robin und Matthew ja just in diesem Augenblick miteinander im Bett. Wäre es schlimmer, ihr das Telefon aus der Hand zu reißen, als ihre Anrufliste zu löschen? Denn danach war sie bei Matthew geblieben. Wo verlief wohl ihre Grenze?

Matthew wiederum achtete bestimmt viel zu sehr auf seinen Ruf und seine Beförderungschancen, um sämtliche zivilisierten Normen zu übertreten. Bevor Strike am Vorabend eingeschlafen war, war einer seiner letzten Gedanken gewesen, dass Robin sogar den Shacklewell Ripper erfolgreich abgewehrt hatte – eine grausige Überlegung, die ihm trotz allem eine gewisse Beruhigung bescherte.

Der Detektiv war sich völlig im Klaren darüber, dass der Zustand der Ehe seiner Juniorpartnerin seine geringste Sorge hätte sein müssen, nachdem er bislang nicht einmal konkrete

Informationen für jene Klientin hatte, die gegenwärtig drei Vollzeitdetektive dafür bezahlte, dass sie untersuchten, unter welchen Umständen ihr Vater den Tod gefunden hatte. Als der Stau sich endlich auflöste, kreisten Strikes Gedanken trotzdem weiter um Robin und Matthew, bis er den ersten Wegweiser zu der psychiatrischen Klinik sah und sich dazu zwang, sich auf das bevorstehende Gespräch zu konzentrieren.

Im Gegensatz zu dem rechteckigen Klotz aus Stahlbeton und schwarzem Glas, in den sein Neffe Jack vor wenigen Monaten eingeliefert worden war, konnte die Klinik, vor der Strike zwanzig Minuten später parkte, mit reich verzierten Türmchen und vergitterten byzantinisierenden Fenstern prunken. Strike fand, es sah aus wie eine missglückte Kreuzung aus Lebkuchenhäuschen und einem gotischen Verlies. Ein viktorianischer Steinmetz hatte das Wort *Sanatorium* in den schmutzig roten Klinkerbogen über dem zweiflügligen Eingangstor gemeißelt.

Strike, der schon jetzt fünf Minuten Verspätung hatte, stieg aus dem BMW, machte sich nicht die Mühe, seine Sportschuhe gegen eleganteres Schuhwerk zu tauschen, und humpelte eilig auf die schmuddelige Treppe vor dem Haupteingang zu.

Drinnen erwartete ihn eine kühle Eingangshalle unter einer hohen cremefarbenen Decke, mit kirchenartigen Fenstern und unübersehbaren Anzeichen eines allmählichen Verfalls, den der Geruch scharfer Desinfektionsmittel nicht kompensieren konnte. Sein Blick fiel auf die ihm telefonisch genannte Stationsnummer, und er hinkte den links abzweigenden Korridor entlang.

Durch vergitterte Fenster einfallender Sonnenschein malte Streifen auf die cremeweißen Wände, an denen windschief Bilder hingen, von denen einige von ehemaligen Patienten zu stammen schienen. Als Strike an einer Serie von Collagen vorbeiging, auf denen mit Filz, Flitter und Garn detaillierte Szenen aus dem Landleben dargestellt waren, kam ein erschreckend mageres junges Mädchen von einer Krankenschwester begleitet aus der Toilette. Keine der beiden schien Strike zu bemerken. Er wiederum glaubte zu sehen, dass der trübe Blick des Mädchens nach innen gerichtet war und einen Kampf fokussierte, den es weit jenseits der realen Welt führte.

Strike war überrascht, noch im Erdgeschoss am Ende des Flurs die Doppeltür zur geschlossenen Abteilung zu finden. Irgendeine vage Assoziation mit Türmchen und Rochesters erster Frau hatte ihn veranlasst, sich ein höher gelegenes Stockwerk, vielleicht in einem der spitzen Türme vorzustellen. Die Realität war weit prosaischer: ein großer grüner Klingelknopf in der Wand, den Strike drückte, und ein Pfleger mit feuerrotem Haar, der durch ein kleines Fenster sah, bevor er mit jemandem hinter sich sprach. Dann ging die Tür auf, und Strike wurde eingelassen.

In der Abteilung gab es vier Betten und einen Sitzbereich, in dem zwei Patienten in Straßenkleidung Dame spielten: ein älterer, anscheinend zahnloser Mann und ein blasser Jugendlicher mit dick verbundenem Hals. An einem Schalter gleich hinter der Tür stand ein kleines Grüppchen: ein Krankenpfleger, zwei weitere Schwestern sowie ein Mann und eine Frau, die Strike für Ärzte hielt. Alle drehten sich um und sahen ihm entgegen, und eine der Schwestern stieß ihre Kollegin an.

»Mr. Strike«, sagte der kleinere der Ärzte, der clever wirkte und dem Dialekt nach aus Manchester stammte. »Colin Hepworth, wir haben telefoniert. Dies ist meine Kollegin Kamila Muhammad.«

Strike nickte der Frau zu, deren marineblauer Hosenanzug ihn an die Uniform einer Polizeibeamtin erinnerte.

»Wir sind beide bei Ihrem Gespräch mit Billy dabei«, erklärte sie ihm. »Er ist nur schnell auf der Toilette. Er ist schon ganz aufgeregt. Am besten gehen wir in einen unserer Besprechungsräume – gleich hier drüben.«

Während die Schwestern weiter gafften, führte sie Strike um den Schalter herum in einen kleinen Raum mit vier Stühlen und einem am Fußboden festgeschraubten Tisch. Die Wände waren rosa gestrichen, aber ansonsten kahl.

»Ideal«, sagte Strike. Der Raum glich hundert Vernehmungsräumen, die er bei der Militärpolizei benutzt hatte. Auch dort waren oft Dritte, meistens Anwälte, anwesend gewesen.

»Nur kurz einige Bemerkungen, bevor wir anfangen«, sagte Kamila Muhammad und schloss die Tür hinter Strike und ihrem Kollegen, damit die Schwestern nicht lauschen konnten. »Ich weiß nicht, wie viel Sie über Billys Erkrankung wissen …«

»Sein Bruder hat von einer schizoaffektiven Störung gesprochen.«

»Das ist richtig«, sagte sie. »Er hat seine Medikamente nicht genommen, was eine schwere psychotische Episode zur Folge hatte, und scheint in diesem Zustand bei Ihnen aufgekreuzt zu sein.«

»Ja, er hat ziemlich gestört gewirkt. Und ich hatte den Eindruck, er hätte im Freien übernachtet …«

»Das ist durchaus möglich. Nach Auskunft seines Bruders war er zu dem Zeitpunkt schon eine Woche fort. Wir halten Billy inzwischen nicht mehr für psychotisch«, sagte sie, »aber er bekommt starke Psychopharmaka, sodass schwer zu beurteilen ist, wie gut sein Kontakt zur Realität ist. Wo paranoide Symptome und Wahnvorstellungen auftreten, kann es mitunter schwierig sein, sich ein genaues Bild von jemands Geisteszustand zu verschaffen.«

»Wir hoffen, dass Sie uns helfen können, zwischen echten Tatsachen und Erfundenem zu unterscheiden«, sagte der Arzt aus Manchester. »Seit seiner Einlieferung hat er immer wieder von Ihnen gesprochen. Er will unbedingt mit Ihnen reden, nicht so sehr mit uns. Er hat außerdem anklingen lassen, dass er ... Unannehmlichkeiten fürchtet, wenn er sich jemandem anvertraut. Da ist wieder schwierig zu beurteilen, ob diese Angst Bestandteil seiner Krankheit ist – oder ob es ... äh ... jemanden gibt, den er zu Recht fürchtet, weil er ... äh ...«

Er zögerte, als versuchte er, seine Worte sorgfältig zu wählen, und Strike ging eilig dazwischen: »Ich glaube, dass sein Bruder ihm durchaus Angst machen könnte, wenn er wollte«, und der Psychiater wirkte erleichtert, weil er verstanden worden war, ohne deutlicher werden zu müssen.

»Sie kennen seinen Bruder, ja?«

»Flüchtig. Besucht er Billy oft?«

»Er war ein paarmal hier, aber Billy war nach seinen Besuchen oft unruhiger und verwirrter als zuvor. Falls Ihr Gespräch mit ihm ähnlich wirkt, müssen wir leider ...«

»Verstanden«, sagte Strike.

»Irgendwie komisch, Sie hier zu sehen«, sagte Hepworth leicht grinsend. »Wir hatten angenommen, seine Fixierung auf Sie sei Bestandteil seiner Psychose. Eine Fixierung auf eine Berühmtheit gehört oft zu diesem Krankheitsbild ... Tatsächlich«, sagte er freimütig, »waren Kamila und ich uns vor ein paar Tagen einig, dass diese Fixierung seine frühe Entlassung ausschließen würde. Zum Glück haben Sie angerufen.«

»Ja«, sagte Strike trocken, »zum Glück.«

Der rothaarige Krankenpfleger klopfte an und steckte den Kopf zur Tür herein. »Billy ist jetzt hier, um mit Mr. Strike zu sprechen.«

»Wunderbar«, sagte die Psychiaterin. »Eddie, könnten Sie uns etwas Tee bringen? Tee?«, fragte sie Strike über die Schulter hinweg. Er nickte. Dann zog sie die Tür weiter auf. »Herein mit Ihnen, Billy.«

Und da war er: Billy Knight in Jogginghose und einem grauen Sweatshirt, die Füße in Krankenhauspantoffeln. Seine tief in den Höhlen liegenden Augen waren dunkel umflort, und seit Strike ihn zuletzt gesehen hatte, hatte er sich den Schädel rasiert. Finger und Daumen der linken Hand waren verbunden. Obwohl er einen Jogginganzug trug, den vermutlich Jimmy vorbeigebracht hatte, konnte Strike sehen, dass er unterernährt war, doch auch wenn seine Fingernägel blutig gekaut waren und er ein böses Geschwür am Mundwinkel hatte, verbreitete er keinen animalischen Gestank mehr. Er kam hereingeschlurft, starrte den Detektiv an und streckte dann die knochige Hand aus, um Strike zu begrüßen, ehe er sich an die Ärzte wandte.

»Bleibt ihr dabei?«

»Ja«, sagte Colin, »aber keine Sorge, wir sind ganz still. Sie können mit Mr. Strike besprechen, was Sie wollen.«

Kamila rückte zwei Stühle an die Wand, während Strike und Billy sich an den Tisch setzten. Strike hätte sich eine weniger starre Möblierung gewünscht, aber schon bei der Special Investigation Branch hatte er die Erfahrung gemacht, dass eine solide Barriere zwischen Befrager und Befragtem oft nützlich war, was zweifellos auch in einer geschlossenen psychiatrischen Abteilung zutraf.

»Ich habe Sie gesucht, seit Sie damals bei mir waren«, teilte Strike Billy mit. »Ich habe mir ziemliche Sorgen um Sie gemacht.«

»Yeah«, sagte Billy. »Sorry.«

»Wissen Sie noch, was Sie mir in meinem Büro erzählt haben?«

Billy berührte scheinbar geistesabwesend Nase und Brustbein; es war nur ein Schatten jenes Ticks, den er in der Denmark Street zur Schau gestellt hatte – fast als wollte er sich daran erinnern, wie ihm damals zumute gewesen war.

»Yeah«, antwortete er mit einem humorlosen Lächeln. »Ich hab Ihnen von dem Kind oben beim Pferd erzählt. Das erwürgt worden ist.«

»Sie glauben immer noch, gesehen zu haben, wie ein Kind erwürgt wurde?«, hakte Strike nach.

Billy hob einen Zeigefinger an den Mund, kaute am Nagel und nickte.

»Yeah«, sagte er und nahm den Finger wieder aus dem Mund. »Ich hab's gesehen. Jimmy sagt, dass ich mir das einbilde, weil ich ... Sie wissen schon ... krank bin. Sie kennen Jimmy, oder? Sind zu ihm ins White Horse gegangen, oder?«

Strike nickte.

»Er war verdammt wütend. Das White Horse ...« Unversehens lachte Billy auf. »Das ist witzig. Scheiße, das ist echt witzig. Daran hab ich noch gar nicht gedacht!«

»Sie haben erzählt, ein Kind sei ›oben beim Pferd‹ ermordet worden. Welches Pferd haben Sie gemeint?«

»Das Weiße Pferd von Uffington«, sagte Billy. »Diese große Figur aus Kalkstein oben auf dem Hügel, wo ich aufgewachsen bin. Sieht gar nicht aus wie ein Pferd, mehr wie ein Drache, der noch dazu auf dem Dragon Hill steht. Hab nie kapiert, warum alle sagen, dass das ein Pferd sein soll.«

»Können Sie mir genau erzählen, was Sie dort gesehen haben?«

Wie bei dem abgemagerten Mädchen von zuvor hatte Strike den Eindruck, Billy starrte in sich hinein, während die äußere Realität vorübergehend aufhörte, für ihn zu existieren.

»Es war ein kleines Kind, echt klein«, sagte er schließlich. »Ich glaub, sie hatten mir was gegeben, mir war schlecht und schwindlig. Wie im Traum, alles war langsam und benommen, und ich sollte Wörter und solches Zeug wiederholen, aber ich konnte nicht richtig sprechen, und das fanden sie komisch. Auf dem Weg dort hoch bin ich dann im Gras umgekippt. Einer von ihnen hat mich ein Stück weit getragen. Ich wollte nur schlafen.«

»Sie glauben, dass man Ihnen Drogen gegeben hat?«

»Yeah«, sagte Billy ausdruckslos, »vermutlich Hasch. Jimmy hatte oft was in der Tasche. Ich glaube, dass Jimmy und die anderen mich mitgenommen haben, weil mein Vater nicht wissen sollte, was sie gemacht hatten.«

»Wen meinen Sie mit ›sie‹?«

»Weiß nicht«, sagte Billy. »Erwachsene. Jimmy ist zehn Jahre älter als ich. Wenn Dad mit seinen Saufkumpanen unterwegs war, musste er immer auf mich aufpassen. Diese Leute sind nachts ins Haus gekommen und haben mich geweckt. Irgendjemand hat mir einen Joghurt zu essen gegeben. Dazu gehört hat noch ein kleines Kind, ein Mädchen. Und dann sind wir alle zu einem Auto rausgegangen – ich wollte echt nicht mit. Mir war schlecht. Ich hab geweint, aber Jimmy hat mich geschlagen. Dann sind wir im Dunkeln zu dem Pferd gegangen. Das kleine Mädchen und ich waren die einzigen Kinder. Sie hat geheult«, sagte Billy, und die Haut seines hageren Gesichts schien sich dabei über den Knochen zu spannen. »Hat nach ihrer Mum gerufen, aber *er* hat gesagt: ›Deine Mum kann dich nicht hören, die ist weg.‹«

»Wer hat das gesagt?«, fragte Strike.

»Er«, flüsterte Billy. »Der sie erwürgt hat.«

Die Tür ging auf, und eine Krankenschwester brachte Tee.

»Bitte sehr«, sagte sie heiter, ohne Strike aus den Augen zu lassen. Als der Psychiater leicht die Stirn runzelte, zog sie sich zurück und schloss die Tür.

»Keiner hat mir je geglaubt«, sagte Billy, und Strike hörte eine unterschwellige Bitte heraus. »Ich hab versucht, mich an mehr zu erinnern, ich wollte wirklich, ich könnte es, weil ich die ganze Zeit daran denken muss, wär's mir lieber, wenn ich mich an mehr erinnern könnte. Er hat sie erwürgt, damit sie aufhört, Krach zu machen. Ich glaub nicht, dass er das wirklich wollte. Alle sind in Panik geraten. Ich weiß noch, wie jemand gerufen hat: ›Du hast sie umgebracht‹ … oder ihn«, sagte Billy leise. »Jimmy hat später behauptet, dass es ein Junge war, aber davon will er heute nichts mehr wissen. Er sagt, dass ich mir das alles nur ausgedacht hab. ›Wieso sollte ich sagen, dass es ein Junge war, wenn der ganze Scheiß nie passiert ist, du Spinner?‹ Aber es war ein Mädchen«, stellte Billy nachdrücklich fest. »Ich weiß nicht, wieso er später was anderes gesagt hat. Sie haben die Kleine mit einem Mädchennamen gerufen. Den hab ich vergessen, aber es war ein Mädchenname. Und ich hab sie fallen gesehen. Tot. Zusammengesackt. Es war dunkel. Und dann sind sie in Panik geraten. Ich weiß nicht mehr, wie ich von dem Hügel runtergekommen bin, kann mich an nichts mehr erinnern – bis auf die Beerdigung unten in der Mulde beim Haus meines Vaters.«

»In derselben Nacht?«, fragte Strike.

»Ja, ich glaub schon«, sagte Billy nervös. »Weil ich mich erinnere, dass ich in meinem Zimmer aus dem Fenster gesehen hab. Es war noch dunkel, und ich weiß noch, dass sie etwas in die Mulde getragen haben, mein Dad und *er*.«

»Wer ist ›er‹?«

»Der sie umgebracht hat. Ich glaub, dass er's war. Ein großer Kerl. Weißhaarig. Und sie haben ein Bündel, das in eine rosa Decke gewickelt war, in eine Grube gelegt und sie wieder zugeschaufelt.«

»Haben Sie Ihren Vater darauf angesprochen?«

»Nein«, sagte Billy. »Man hat meinen Dad nicht nach Dingen gefragt, die er für die Familie getan hat.«

»Für welche Familie?«

Billy runzelte, anscheinend ehrlich verwirrt, die Stirn.

»Für Ihre Familie, meinen Sie?«

»Nein, die Familie, für die er gearbeitet hat. Die Chiswells.«

Strike hatte fast den Eindruck, als hörten die beiden Psychiater den Familiennamen des toten Ministers zum ersten Mal. Er sah zwei Füller mitten in der Bewegung innehalten.

»Was hatte die Beerdigung mit ihnen zu tun?«

Billy wirkte verwirrt. Er machte den Mund auf, um etwas zu sagen, schien es sich dann aber anders zu überlegen, betrachtete stirnrunzelnd die rosafarbenen Wände und kaute wieder auf seinem Zeigefinger herum. »Ich weiß auch nicht, warum ich das gesagt hab.«

Es klang weder nach Lüge noch nach Dementi. Was er soeben gesagt hatte, schien Billy ehrlich zu überraschen.

»Sie können sich nicht erinnern, etwas gehört oder gesehen zu haben, was darauf hinweisen würde, dass er für die Chiswells ein Kind begraben hat?«

»Nein«, sagte Billy langsam und runzelte die Stirn. »Ich ... ich dachte, er täte jemandem einen Gefallen damit ... Vielleicht hab ich anschließend was gehört ...« Er schüttelte den Kopf. »Vergessen Sie's. Ich weiß nicht, warum ich das gesagt hab.«

Leute, Orte und Dinge, dachte Strike, als er sein Notizbuch aufschlug.

»Wer außer Jimmy und dem kleinen Mädchen, das ermordet wurde, war in der Nacht sonst noch auf dem Hügel?«, fragte er. »Schätzungsweise wie viele Leute?«

Billy überlegte angestrengt. »Schwer zu sagen. Vielleicht ... vielleicht acht bis zehn?«

»Nur Männer?«

»Nein, auch Frauen.«

Über Billys Schulter hinweg sah Strike, wie die Psychiaterin die Augenbrauen hochzog.

»Können Sie sich an sonst noch etwas in Bezug auf die Gruppe erinnern? Ich weiß, Sie waren sehr jung«, sagte Strike und kam damit Billys Einwand zuvor, »und ich weiß, dass Sie durch irgendeine Droge desorientiert waren. Aber fällt Ihnen noch etwas ein, was Sie mir bisher nicht erzählt haben? Irgendwas, was diese Leute getan haben? Wie sie gekleidet waren?

Können Sie sich an jemandes Haar- oder Gesichtsfarbe erinnern? An irgendwas?«

Es folgte eine lange Pause. Dann schloss Billy kurz die Augen und schüttelte den Kopf, als lehne er einen Vorschlag, den nur er hören konnte, energisch ab.

»Sie war dunkel. Das kleine Mädchen. Wie ...«

Mit einer kaum wahrnehmbaren Kopfbewegung deutete er auf die Ärztin hinter ihm.

»Asiatin?«, fragte Strike.

»Vielleicht«, sagte Billy, »yeah, schwarze Haare.«

»Wer hat Sie den Hügel hinaufgetragen?«

»Jimmy und einer der Männer haben sich abgewechselt.«

»Und keiner hat davon gesprochen, was sie nachts dort oben wollten?«

»Ich glaube, sie wollten zum Auge«, sagte Billy.

»Zum Auge des Pferdes?«

»Yeah.«

»Wozu?«

»Keine Ahnung«, sagte Billy und fuhr sich mit beiden Händen nervös über den rasierten Schädel. »Es gibt Geschichten über das Auge, wissen Sie. Er hat sie in dem Auge erwürgt, das hab ich gesehen. Daran erinnere ich mich. Sie hat sich vollgepisst, als sie gestorben ist. Ich hab die Spritzer auf dem Weiß gesehen.«

»Und Sie wissen wirklich nicht mehr über den Mann, der das getan hat?«

Billys Gesicht sah regelrecht zerknautscht aus. Er hockte zusammengesunken da und schüttelte leise schluchzend den Kopf. Der Arzt war halb aufgestanden. Billy schien die Bewegung sofort wahrgenommen zu haben, denn er setzte sich wieder auf und schüttelte den Kopf.

»Mir fehlt nichts«, sagte er. »Ich will's ihm erzählen. Ich muss wissen, ob das wirklich passiert ist. Mein ganzes Leben lang ... Ich kann das nicht mehr ertragen. Ich *muss* es wissen. Er soll mich nur fragen, ich weiß, dass er's tun muss. Er soll mich fragen«, sagte Billy, »ich halt das aus.«

Der Psychiater setzte sich langsam wieder. »Vergessen Sie Ihren Tee nicht, Billy.«

»Klar«, sagte Billy. Er blinzelte die Tränen weg und fuhr sich mit dem Ärmel über die Nase. »Alles gut.«

Er nahm den Becher zwischen die verbundene und die gesunde Hand und trank einen kleinen Schluck.

»Können wir weitermachen?«, fragte Strike ihn.

»Yeah«, sagte Billy ruhig. »Nur zu.«

»Können Sie sich erinnern, jemals den Namen Suki Lewis gehört zu haben, Billy?«

Strike hatte ein Nein erwartet und bereits die Seite mit den Fragen unter dem Stichwort »Orte« aufgeschlagen, als Billy ihn überraschte.

»Yeah«, sagte er.

»Was?«

»Die Brüder Butcher haben sie gekannt«, antwortete Billy. »Das sind Jimmys Kumpels. Sie hat manchmal mit Dad bei der Familie gearbeitet. Gartenarbeit – und hat im Pferdestall geholfen.«

»Die Butchers haben Suki Lewis gekannt?«

»Yeah. Sie ist weggelaufen, stimmt's?«, fragte Billy. »Sie war im Fernsehen. Die Butchers waren ganz aufgeregt, weil sie Sukis Bild in der Glotze gesehen haben und ihre Eltern kannten. Ihre Mum war nicht ganz richtig im Kopf. Yeah, sie war in einer Pflegefamilie. Ist nach Aberdeen weggelaufen.«

»Aberdeen?«

»Haben die Butchers gesagt.«

»Sie war erst zwölf.«

»Sie hatte da Verwandte, bei denen konnte sie bleiben.«

»Tatsächlich?«, sagte Strike.

Er fragte sich, ob Aberdeen den Jugendlichen der Familie Butcher in Oxfordshire unendlich fern erschienen war – und ob sie diese Story umso eher für wahr gehalten hatten, weil sie für sie unüberprüfbar und daher seltsamerweise glaubwürdiger gewesen war.

»Wir reden von Tegans Brüdern, richtig?«, fragte Strike.

»Da sehen Sie, wie gut er ist«, sagte Billy über die Schulter hinweg zu dem Psychiater. »Sehen Sie, wie viel er weiß? Yeah«, sagte er wieder an Strike gewandt, »Tegan ist deren kleine Schwester. Die haben genau wie wir für die Chiswells gearbeitet. Damals gab's dort eine Menge zu tun, aber die Familie hat viel Land verkauft. Jetzt braucht sie nicht mehr so viele Leute.«

Er nahm noch einen Schluck Tee, hielt den Becher wieder in beiden Händen.

»Billy«, sagte Strike, »wissen Sie, wo Sie seit Ihrem Besuch in meinem Büro waren?«

Sofort war der Tick zurück. Billys rechte Hand ließ den warmen Becher los und tippte in rascher Folge nervös Nase und Brustbein an.

»Ich war ... Jimmy will nicht, dass ich darüber rede«, sagte er und stellte den Teebecher unbeholfen ab. »Er hat's mir verboten.«

»Ich glaube, dass es wichtiger ist, Mr. Strikes Frage zu beantworten, statt sich darum zu kümmern, was Ihr Bruder denkt«, sagte der Psychiater hinter ihm. »Sie wissen, dass er Sie nur besuchen darf, wenn Sie das wollen, Billy. Wir könnten ihn bitten, Ihnen ein bisschen Zeit zu geben, damit Sie sich in Ruhe auskurieren können.«

»Hat Jimmy Sie dort besucht?«, fragte Strike weiter.

Billy kaute auf seiner Unterlippe.

»Yeah«, sagte er zuletzt, »und er hat gesagt, dass ich dort bleiben muss, um ihm nicht wieder alles zu versauen. Ich dachte, um die Tür herum wär eine Sprengladung angebracht«, sagte er und lachte nervös. »Ich dachte, die geht hoch, wenn ich aufmache. Stimmt wahrscheinlich nicht, oder?« Er suchte in Strikes Gesicht einen Hinweis. »Hab manchmal verrückte Ideen, wenn's mir schlecht geht.«

»Wissen Sie noch, wie Sie von dort weggekommen sind, wo Sie festgehalten wurden?«

»Ich dachte, sie hätten die Sprengladung abgebaut«, sagte Billy. »Der Kerl hat gesagt, ich soll verschwinden, und das hab ich dann auch getan.«

»Welcher Kerl war das?«

»Der mich dort festgehalten hat.«

»Können Sie sich an irgendwas aus der Zeit Ihrer Gefangenschaft erinnern?«, fragte Strike. »Womit haben Sie sich beschäftigt?«

Billy schüttelte den Kopf.

»Können Sie sich erinnern«, fuhr Strike fort, »etwas in Holz geschnitzt zu haben?«

Aus Billys Blick sprach ehrfürchtiges Staunen. Dann lachte er.

»Sie wissen echt alles!«, sagte er und hielt seine verbundene Linke hoch. »Bin mit dem Messer ausgerutscht. Hat sich ordentlich reingebohrt.«

Der Psychiater fügte erklärend hinzu: »Billy hatte Tetanus, als er eingeliefert wurde. Die Schnittwunde war sehr hässlich entzündet.«

»Was haben Sie in die Tür geschnitzt, Billy?«

»Ich hab das also echt gemacht, ja? Das Weiße Pferd in die Tür geschnitzt? Später hab ich nicht mehr gewusst, ob ich's wirklich gemacht hab oder nicht.«

»Ja, Sie haben's gemacht«, sagte Strike. »Ich hab die Tür selbst gesehen. Gute Arbeit.«

»Yeah«, sagte Billy, »na ja, ich ... hatte auch Übung. Hab für meinen Dad geschnitzt.«

»Worauf hatten Sie das Pferd denn zuvor immer geschnitzt?«

»Anhänger«, sagte Billy unerwartet. »Kleine Holzscheiben an Lederriemen für Touristen. Wurden in einem Shop drüben in Wantage verkauft.«

»Billy«, sagte Strike, »können Sie sich noch erinnern, wie Sie in diese Toilette gekommen sind? Sind Sie hingegangen, um jemanden zu treffen, oder hat jemand Sie hingebracht?«

Billys Blick glitt erneut über die rosafarbenen Wände, während er mit einer tiefen Falte zwischen den Augenbrauen angestrengt nachdachte.

»Ich hab da jemanden namens Winner gesucht ... nein ...«
»Winn? Geraint Winn?«

»Yeah«, sagte Billy und bedachte Strike mit einem erstaunten Blick. »Sie wissen echt *alles*. Woher wissen Sie das alles?«

»Ich hab Sie gesucht«, erklärte Strike. »Wieso wollten Sie Winn denn finden?«

»Jimmy hatte von ihm gesprochen«, sagte Billy und kaute wieder an seinem Fingernagel. »Jimmy meinte, Winn würde uns helfen, alles über das ermordete Kind in Erfahrung zu bringen.«

»Winn wollte helfen, den Kindsmord aufzuklären?«

»Yeah«, sagte Billy nervös. »Wissen Sie, nachdem ich bei Ihnen gewesen war, dachte ich, Sie gehören zu den Leuten, die mich einfangen und wegsperren wollen. Ich hatte Angst, Sie würden mir eine Falle stellen und ... So bin ich halt, wenn's mir schlecht geht«, sagte er resigniert. »Also bin ich zu diesem Winner ... zu diesem Winn gegangen. Jimmy hatte seine Telefonnummer und seine Adresse dabei, also bin ich losgezogen, um Winn zu finden, und bin geschnappt worden.«

»Geschnappt?«

»Von dem ... dunkelhäutigen Kerl«, murmelte Billy mit einem Blick zu der Psychiaterin hinter ihm. »Ich hatte Angst vor ihm. Ich dachte, er wär ein Terrorist, der mich abmurksen will, aber dann hat er mir erzählt, dass er für die Regierung arbeitet, also dachte ich, die Regierung will vielleicht, dass ich in seinem Haus bleibe, wo die Türen und Fenster mit Sprengladungen gesichert sind ... aber das waren sie anscheinend nicht wirklich. Das hab ich mir nur eingebildet. Wahrscheinlich wollte er mich nicht in seinem Bad haben. Wahrscheinlich wollte er mich überhaupt loswerden«, sagte Billy mit traurigem Lächeln. »Aber ich bin geblieben, weil ich Angst hatte, in die Luft gejagt zu werden.«

Seine rechte Hand berührte geistesabwesend Nase und Brustbein.

»Ich glaub, ich hab versucht, Sie noch mal anzurufen, aber Sie haben nicht geantwortet.«

»Sie haben angerufen und auf meinen Anrufbeantworter gesprochen.«

»Hab ich das? Yeah ... Ich dachte, Sie würden mir helfen, da rauszukommen ... Sorry.« Billy rieb sich die Augen. »Wenn ich so bin, weiß ich nicht, was ich tue.«

»Aber Sie wissen bestimmt noch, dass Sie gesehen haben, wie ein Kind erwürgt wurde, Billy?«, hakte Strike ruhig nach.

»Oh ja«, sagte Billy trübselig und hob wieder den Kopf. »Das vergess ich nie. Das hab ich gesehen, das weiß ich genau.«

»Haben Sie je versucht, dort zu graben, wo Ihrer Ansicht nach ...«

»Gott, nein«, sagte Billy. »Direkt bei Dads Haus graben? Nein! Ich hatte Angst«, sagte er bedrückt. »Ich wollte sie nie wiedersehen. Nachdem sie sie dort begraben hatten, haben sie Brennnesseln drüberwachsen lassen. Unkraut und Brennnesseln. Ich hab schreckliche Träume gehabt – das würden Sie nie glauben. Dass sie nachts verwest aus ihrem Grab steigt und versucht, in mein Zimmer zu klettern.«

Die Füller der Psychiater kratzten übers Papier, während sie sich Notizen machten.

Strike gelangte zur Kategorie »Dinge« in seinem Notizbuch. Zwei Fragen hatte er noch.

»Haben Sie jemals an der Stelle, wo die Leiche beerdigt wurde, ein Kreuz in den Boden gerammt?«

»Nein«, sagte Billy, den allein diese Idee zu ängstigen schien. »Ich war nie mehr in der Mulde, hab immer einen großen Bogen darum gemacht.«

»Letzte Frage«, kündigte Strike an. »Billy, hat Ihr Vater je etwas Ungewöhnliches für die Chiswells gemacht? Ich weiß, dass er Handwerker war, aber fällt Ihnen sonst noch etwas ein, was er …«

»Wie meinen Sie das?« Billy wirkte plötzlich ängstlicher als während des ganzen bisherigen Gesprächs.

»Das weiß ich nicht«, sagte Strike, der Billys Reaktion aufmerksam beobachtete. »Ich habe mich nur gefragt …«

»Davor hat Jimmy mich gewarnt! Er hat mir gesagt, dass Sie wegen Dad rumschnüffeln könnten. Das können Sie uns nicht vorwerfen – wir hatten damit nichts zu tun, wir waren Kinder!«

»Ich werfe Ihnen nichts vor«, versicherte Strike, wurde aber durch das Scharren von Stühlen unterbrochen. Sowohl Billy als auch die beiden Psychiater waren im selben Moment auf die Beine gekommen; die Ärztin hatte die Hand auf einem diskreten Knopf am Türrahmen, hinter dem Strike einen Alarmknopf vermutete.

»Sie wollten mich bloß zum Reden bringen, was? Versuchen Sie, Jimmy und mir was anzuhängen?«

»Nein«, sagte Strike, der sich nun ebenfalls hochstemmte. »Ich bin hier, weil ich glaube, dass Sie gesehen haben, wie ein Kind erwürgt wurde, Billy.«

Aufgewühlt und misstrauisch berührte Billy mit der gesunden Hand zweimal rasch Nase und Brust.

»Warum fragen Sie dann, was Dad gemacht hat?«, flüsterte er. »Daran ist sie nicht gestorben, das hatte nichts damit zu tun. Scheiße, dafür krieg ich Prügel von Jimmy«, sagte er mit brüchiger Stimme. »Er hat mir gesagt, dass Sie wegen Dad hinter ihm her sind ...«

»Hier kriegt niemand Prügel«, sagte der Psychiater nachdrücklich. »Das war's für heute, denke ich«, erklärte er Strike energisch und öffnete die Tür. »Na, los jetzt, Billy. Raus mit Ihnen.«

Doch Billy bewegte sich nicht. Haut und Knochen mochten gealtert sein, aber auf seinem Gesicht standen inzwischen die Angst und Hoffnungslosigkeit eines mutterlosen kleinen Jungen, dessen Vernunft dieselben Männer erschüttert hatten, die ihn hätten beschützen sollen. Strike, der in seiner chaotischen, instabilen Kindheit zahllosen entwurzelten und vernachlässigten Kindern begegnet war, erkannte in Billys flehentlichem Gesichtsausdruck einen letzten Appell an die Erwachsenenwelt, endlich zu tun, was Erwachsene tun sollten: Ordnung ins Chaos bringen, die Brutalität durch die Vernunft ersetzen. Von Angesicht zu Angesicht empfand er eine merkwürdige Seelenverwandtschaft mit diesem ausgezehrten, kahl rasierten Psychiatriepatienten, weil er das gleiche Streben nach Ordnung in sich selbst erkannte. In seinem Fall hatte es ihn zur amtlichen Seite des Tischs geführt; trotzdem bestand der vielleicht einzige Unterschied zwischen ihnen darin, dass Strikes Mutter lang genug gelebt und ihn hinreichend innig geliebt hatte, um zu verhindern, dass der Junge zerbrach, sobald das Leben ihn mit schrecklichen Dingen bombardierte.

»Ich finde heraus, was mit dem Kind war, das vor Ihren Augen erwürgt wurde, Billy. Versprochen!«

Die Psychiater machten überraschte, sogar missbilligende Gesichter. In ihrem Beruf war es unüblich, das wusste Strike, derlei überprüfbare Aussagen zu treffen oder Lösungen zu versprechen. Er steckte sein Notizbuch ein, kam hinter dem Tisch hervor und streckte die Hand aus. Nachdem er erst sekundenlang überlegt hatte, schien sich Billys Feindseligkeit allmählich zu verflüchtigen. Er schlurfte zu Strike zurück, griff nach der dargebotenen Hand und drückte sie länger, als nötig gewesen wäre, während seine Augen sich mit Tränen füllten.

So leise flüsternd, dass keiner der Ärzte ihn hören konnte, sagte er: »Ich hab's gehasst, das Pferd auf die Dinger zu setzen, Mr. Strike. Ich hab's gehasst.«

57

Hast Du den Mut und den Willen – dazu, *Rebekka?*

HENRIK IBSEN, *ROSMERSHOLM*

Vanessa Ekwensis Zweizimmerwohnung lag im Erdgeschoss eines freistehenden Hauses unweit vom Wembley-Stadion. Bevor sie am Morgen zum Dienst gefahren war, hatte sie Robin einen Wohnungsschlüssel in die Hand gedrückt und ihr freundlich versichert, sie wisse schon, dass Robin länger als bloß ein paar Tage brauchen werde, um etwas Neues zu finden, und habe nichts dagegen, wenn sie bis dahin bleibe.

Am Abend zuvor hatten sie noch lang bei einem Wein zusammengesessen. Vanessa hatte Robin anvertraut, wie sie selbst herausgefunden hatte, dass ihr Exverlobter sie betrog – eine Geschichte voller überraschender Wendungen, die Vanessa nie zuvor erzählt hatte. Dazu hatte die Einrichtung zweier Facebook-Accounts als Köder für ihren Ex und seine Geliebte gehört, mit deren Hilfe Vanessa sich nach einem Vierteljahr geduldigen Drängens Nacktfotos von beiden verschafft hatte. Ebenso beeindruckt wie schockiert hatte Robin gelacht, als Vanessa die Szene nachgespielt hatte, wie sie ihrem Ex die Fotos in einer Karte zum Valentinstag überreicht hatte, während sie in ihrem Lieblingsrestaurant an einem Zweiertisch gesessen hatten.

»Du bist einfach zu nett, Mädchen«, hatte Vanessa ihr mit stählernem Blick über ihren Pinot Grigio hinweg erklärt. »Als Minimum hätte ich ihren verdammten Ohrstecker behalten und mir einen Anhänger daraus machen lassen.«

Inzwischen war Vanessa im Dienst. Eine Steppdecke lag ordentlich zusammengelegt am anderen Ende des Sofas, auf dem Robin mit ihrem aufgeklappten Laptop saß. Sie hatte den ganzen Vormittag damit verbracht, sich WG-Zimmer anzusehen, denn mehr würde sie sich von dem Gehalt, das Strike ihr zahlte, unmöglich leisten können. Sie musste wieder an das Stockbett in Flicks Wohnung denken, als sie die Anzeigen durchsah, die ihrer Preisvorstellung entsprachen – da wurden teils kahle, kasernenartige Mehrbettzimmer angepriesen, die ebenso gut in Zeitungsmeldungen über verschlossene Einzelgänger hätten erschienen sein können, die von Nachbarn tot aufgefunden worden waren. Das Lachen vom Vorabend erschien ihr jetzt umso ferner. Robin ignorierte den schmerzhaft harten Kloß in ihrem Hals, der sich nicht auflösen wollte, ganz gleich wie viele Tassen Tee sie trank.

Matthew hatte tagsüber zweimal versucht, sie anzurufen. Sie war beide Male nicht rangegangen, und er hatte auch keine Nachricht hinterlassen. Sie würde sich bald einen Scheidungsanwalt suchen müssen, der Geld kostete, das sie nicht hatte, aber oberste Priorität hatte die Wohnungssuche, damit sie weiter die gewohnte Stundenzahl für den Fall Chiswell aufwenden konnte, denn wenn Strike Grund zu der Annahme hätte, sie trüge weniger als ihren Teil bei, würde sie das Einzige in ihrem Leben gefährden, was gegenwärtig noch finanziellen Wert besaß.

Du hast dein Studium geschmissen. Jetzt steigst du aus unserer Ehe aus. Du hast sogar die Therapie abgebrochen. Du bist eine beschissene Versagerin.

Die Fotos von hässlichen Zimmern in unbekannten Wohnungen verschwammen vor ihren Augen, sobald sie sich Matthew und Sarah in dem schweren Mahagonibett vorstellte, das ihr Schwiegervater ihnen geschenkt hatte, und sobald das passierte, schien Robins Inneres sich in flüssiges Blei zu verwandeln, ihre Selbstachtung drohte wegzuschmelzen, und am liebsten hätte sie Matthew angerufen und ihn angeschrien. Aber das tat sie nicht, weil sie sich weigerte zu sein, wozu er sie hatte machen wollen: eine irrationale, unmäßige, unbeherrschte Frau, *eine beschissene Versagerin*.

Außerdem hatte sie Neuigkeiten für Strike, die sie dringend mit ihm teilen wollte, sobald er in der Klinik mit Billy gesprochen hätte. Raphael hatte sich zurückgemeldet, und als sie ihn um elf Uhr auf dem Handy erreicht hatte, war er anfangs ziemlich unterkühlt gewesen, hatte dann aber doch zugestimmt, mit ihr zu reden – allerdings an einem Ort seiner Wahl. Eine Stunde später hatte sie einen Anruf von Tegan Butcher erhalten, die sich leicht dazu hatte überreden lassen, einem Gespräch zuzustimmen. Sie war anscheinend nur etwas enttäuscht gewesen, mit der Partnerin des berühmten Detektivs statt mit Strike selbst zu telefonieren.

Robin notierte sich die Angaben zu einem Zimmer in Putney *(Vermieterin wohnt im selben Haus, vegetarischer Haushalt, muss Katzen mögen)*, sah auf die Uhr und beschloss, das einzige Kleid anzuziehen, das sie aus der Albury Street mitgenommen hatte und das jetzt frisch gebügelt an Vanessas Küchentür hing. Sie würde eine gute Stunde brauchen, um von Wembley in das Restaurant an der Old Brompton Road zu kommen, das Raphael vorgeschlagen hatte, und fürchtete, heute mehr Zeit als sonst dafür aufwenden zu müssen, sich vorzeigbar zu machen.

Das Gesicht, das ihr aus dem Spiegel in Vanessas Bad entgegenstarrte, war blass und hatte vom Schlafmangel geschwollene Augen. Robin versuchte gerade, die dunklen Augenringe zu abzudecken, als ihr Handy klingelte.

»Cormoran, hi«, sagte Robin und schaltete den Lautsprecher ein. »Hast du mit Billy gesprochen?«

Sein Bericht dauerte zehn Minuten, in denen Robin ihr Make-up auflegte, ihr Haar bürstete und das Kleid anzog.

»Weißt du«, schloss Strike, »ich fange allmählich an, mich zu fragen, ob wir nicht machen sollten, was Billy von Anfang an wollte: graben.«

»Hm«, sagte Robin, und dann: »Augenblick ... Was? Wirklich graben, meinst du?«

»Dazu könnte es kommen«, sagte Strike.

Erstmals an diesem Tag wurden Robins eigene Probleme von etwas anderem, von etwas Monströserem in den Schatten gestellt. Jasper Chiswells Leiche war die erste gewesen, die sie außerhalb der beruhigenden, antiseptischen Atmosphäre eines Krankenhauses oder eines Bestatters gesehen hatte. Selbst die Erinnerung an jenen Rübenkopf in Schrumpffolie mit dem dunklen, gähnenden Loch als Mund verblasste vor der Aussicht auf Erde und Würmer, eine verrottende Decke und die verwesenden Knochen eines Kindes.

»Cormoran, wenn du wirklich glaubst, in der Mulde könnte ein Kind begraben sein, sollten wir zur Polizei gehen.«

»Das würde ich auch tun, wenn ich der Überzeugung wäre, Billys Psychiater würden sich für ihn verbürgen. Aber das tun sie nicht. Ich habe anschließend lang mit ihnen gesprochen. Sie behaupten, sie könnten nicht dafür garantieren, dass der Kindesmord *nicht* passiert wäre – das alte Problem, dass Negatives sich nicht beweisen lässt –, aber sie glauben es nicht.«

»Sie glauben, dass er das alles nur erfunden hat?«

»Nicht im üblichen Sinn. Sie halten es für eine Wahnvorstellung – oder bestenfalls für eine Fehlinterpretation eines Ereignisses aus seiner Kindheit. Vielleicht hat er was Ähnliches mal im Fernsehen gesehen. Das wäre mit seinen sonstigen Symptomen vereinbar. Persönlich glaube ich eher nicht, dass dort etwas zu finden ist, aber es wäre gut, Gewissheit zu haben. Wie war übrigens dein Tag? Irgendwelche Neuigkeiten?«

»Was?«, murmelte Robin benommen. »Oh ... ja. Ich treffe mich um sieben auf einen Drink mit Raphael.«

»Sehr gut«, sagte Strike. »Und wo?«

»Das Lokal heißt Nam irgendwas ... Nam Long Le Shaker?«

»Der Laden in Chelsea?«, fragte Strike. »Da war ich auch schon mal, ist lange her. Nicht der beste Abend meines Lebens.«

»Und Tegan Butcher hat auch zurückgerufen. Ich hab den Eindruck, sie ist ein Fan von dir.«

»Genau das braucht dieser Fall: eine weitere geistesgestörte Zeugin.«

»Das war geschmacklos«, sagte Robin und versuchte, amüsiert zu klingen. »Jedenfalls lebt sie immer noch bei ihrer Mum in Woolstone und arbeitet in der Bar der Pferderennbahn Newbury. Sie will sich nicht im Dorf mit uns treffen, weil ihre Mum wohl nicht billigen würde, dass wir uns sehen, deshalb fragt sie, ob wir sie in Newbury besuchen könnten.«

»Wie weit ist das von Woolstone entfernt?«

»Ungefähr zwanzig Meilen?«

»In Ordnung«, sagte Strike. »Wie wär's, wenn wir den Land Rover nehmen, nach Newbury fahren, um mit Tegan zu sprechen, und auf der Rückfahrt bei der Mulde vorbeifahren, nur um sie uns noch mal anzusehen?«

»Ah ... ja, okay«, sagte Robin, die bereits über das logistische Problem nachdachte, den Land Rover aus der Albury Street holen zu müssen. Sie hatte ihn zurückgelassen, weil man in Vanessas Straße eine Anwohnerparklizenz brauchte. »Und wann?«

»Da richten wir uns nach Tegan. Aber idealerweise noch diese Woche. Je früher, umso besser.«

»Okay«, sagte Robin noch mal, während sie mit einiger Beklemmung darüber nachdachte, dass sie eigentlich in den nächsten Tagen auf Zimmersuche gehen müsste.

»Alles in Ordnung, Robin?«
»Ja, natürlich.«
»Ruf mich an, wenn du mit Raphael gesprochen hast, okay?«
»Wird gemacht«, sagte Robin, die froh war, das Gespräch beenden zu können. »Bis später.«

58

Und dann gibt es doch auch, sollte ich meinen, zwei Arten Willen in einem Menschen.

HENRIK IBSEN, *ROSMERSHOLM*

Die Atmosphäre im Nam Long Le Shaker glich der einer dekadenten Bar aus der Kolonialzeit. Schwach beleuchtet, mit üppigen Blattpflanzen und Gemälden und Drucken von schönen Frauen, das Dekor eine Mischung aus vietnamesischen und europäischen Elementen. Als Robin um 19.05 Uhr eintrat, lehnte Raphael in einem dunklen Anzug und einem weißen Hemd ohne Krawatte an der Bar, hatte bereits ein halbes Bier intus und plauderte mit der langhaarigen Schönheit, die vor der glitzernden Flaschenwand stand.

»Hi«, sagte Robin.

»Hallo«, antwortete er leicht zurückhaltend, dann: »Deine Augen sind anders ... Hatten sie diese Farbe auch schon in Chiswell House?«

»Blau?«, fragte Robin und schlüpfte aus dem leichten Mantel, den sie trug, weil ihr kühl gewesen war, obwohl es eigentlich ein warmer Abend war. »Ja.«

»Ist mir vielleicht nicht aufgefallen, weil dort die Hälfte der verdammten Glühbirnen fehlt. Was magst du trinken?«

Robin zögerte. Während einer Befragung sollte man nichts trinken, aber sie sehnte sich nach Alkohol.

Noch ehe sie sich entscheiden konnte, fragte Raphael leicht gereizt: »Wir haben wieder verdeckt ermittelt, was?«

»Wie kommst du denn darauf?«

»Dein Ehering ist wieder weg.«

»War dein Blick im Büro auch so scharf?«, fragte Robin, und er grinste, was sie wieder daran erinnerte, weshalb sie ihn sogar gegen ihren Willen gemocht hatte.

»Ich hab gemerkt, dass deine Brille Fake war«, sagte er. »Ich dachte, du wolltest damit ernst genommen werden, weil du für die Politik zu hübsch bist. Also, die hier« – er zeigte auf seine dunkelbraunen Augen – »sind vielleicht scharf, aber der hier« – er tippte sich an den Kopf – »war nicht gerade auf der Höhe.«

»Ich nehm ein Glas Rotwein«, sagte Robin lächelnd, »und ich lade dich natürlich ein.«

»Wenn das auf Strikes Rechnung geht, dann bin ich für Dinner«, sagte Raphael sofort. »Ich bin hungrig und abgebrannt.«

»Ach, wirklich?«

Nach einem Tag, an dem sie für ihr Gehalt erschwingliche WG-Zimmer gesichtet hatte, war sie nicht in der richtigen Stimmung, um sich anzuhören, wie die Chiswells Armut definierten.

»Tja, wirklich, auch wenn du's vielleicht nicht glaubst«, sagte Raphael mit einem leicht spöttischen Lächeln, das in Robin den Verdacht weckte, dass er genau wusste, worüber sie nachgedacht hatte. »Jetzt mal im Ernst, essen wir, oder was?«

»Gern«, sagte Robin, die den ganzen Tag kaum etwas zu sich genommen hatte. »Essen wir etwas.«

Raphael nahm seine Flasche Bier von der Bar und ging ins Restaurant voraus, in dem sie sich für einen Zweiertisch am Rand entschieden. Es war so früh, dass sie die einzigen Gäste waren.

»Meine Mutter war in den Achtzigern hier Stammgast«, erklärte Raphael. »Das Lokal war damals dafür bekannt, dass der Besitzer die Reichen und Schönen wieder weggeschickt hat, wenn sie nicht anständig gekleidet waren. Und alle haben's geliebt.«

»Echt?«, fragte Robin, die in Gedanken weit, weit weg war. Ihr war eben eingefallen, dass sie nie wieder so mit Matthew essen würde – nur zu zweit an einem Tisch. Sie dachte an das allerletzte Mal im Manoir aux Quat'Saisons zurück. Woran hatte er da gedacht, als sie einander schweigend gegenübergesessen hatten? Bestimmt hatte er sich darüber geärgert, dass sie weiter bei Strike arbeitete; aber vielleicht hatte er sie auch mit Sarah verglichen, mit deren gut bezahltem Job bei Christie's, den endlosen Storys über den Reichtum anderer Leute und deren sicher selbstbewusste Art im Bett, in dem ein Brillant-Ohrstecker, den ihr Verlobter ihr gekauft hatte, sich in Robins Kopfkissen verfangen hatte.

»Hör mal, wenn ein Essen mit mir dazu führt, dass du so guckst, gehe ich auch gern an die Bar zurück«, stellte Raphael fest.

»Was?« Robin schreckte aus ihren Gedanken. »Oh … nein, nein, das lag nicht an dir.«

Ein Ober servierte Robins Wein. Sie kostete einen großen Schluck.

»Sorry«, sagte sie. »Ich hab nur gerade an meinen Mann gedacht. Ich hab ihn gestern Abend verlassen.«

Sobald sie sah, wie Raphael mit der Flasche an den Lippen vor Überraschung erstarrte, dämmerte es Robin, dass sie soeben eine Grenze überschritten hatte. In ihrer ganzen Zeit in der Detektei hatte sie nie Details aus ihrem Privatleben dazu benutzt, sich das Vertrauen anderer zu erschleichen; sie hatte nie Privates und Berufliches vermengt, um andere Menschen für sich einzunehmen. Indem sie Matthews Untreue instrumentalisierte, um Raphael zu manipulieren, tat sie etwas, was ihren Mann entsetzt und angewidert hätte. Ihre Ehe, hätte er gedacht, habe sakrosankt zu bleiben: Welten von allem entfernt, was er als ihren schäbigen, kaum ernst zu nehmenden Job betrachtete.

»Im Ernst?«, fragte Raphael.

»Ja«, sagte Robin. »Ich erwarte allerdings nicht, dass du mir glaubst – nicht nach all dem Blödsinn, den ich dir als Venetia aufgetischt habe. Aber lassen wir das.« Sie zog ihr Notizbuch aus ihrer Umhängetasche. »Du hast gesagt, du hättest nichts dagegen, mir ein paar Fragen zu beantworten?«

»Äh ... ja«, sagte er und wusste offenbar nicht, ob er amüsiert oder befremdet reagieren sollte. »Stimmt das wirklich? Deine Ehe ist gestern Abend in die Brüche gegangen?«

»Ja«, sagte Robin. »Weshalb schockiert dich das so?«

»Keine Ahnung ... Du kommst nur so ... pfadfinderhaft rüber.« Sein Blick glitt über ihr Gesicht. »Gehört wohl zu deinem Appeal.«

»Könnte ich vielleicht einfach meine Fragen stellen?«, bat Robin unbeeindruckt.

Raphael nahm einen Schluck Bier. »Immer so pflichtbewusst ... Da überlegt man als Mann schon, was nötig wäre, um dich abzulenken.«

»Ganz im Ernst ...«

»Schon gut, schon gut. Frag nur. Aber erst bestellen wir. Wie wär's mit Dim Sums?«

»Alles, was lecker ist«, sagte Robin.

Essen zu bestellen schien Raphael aufzuheitern. »Trink aus«, forderte er sie auf.

»Ich sollte eigentlich überhaupt nichts trinken.« Sie hatte ihren Wein nach dem ersten großen Schluck tatsächlich nicht mehr angerührt. »Okay ... Ich wollte mit dir über die Ebury Street reden.«

»Schieß los.«

»Du hast gehört, was Kinvara über die Schlüssel gesagt hat. Ich frage mich, ob ...«

»Ob ich je einen hatte?« Raphael klang gleichmütig. »Rate, wie oft ich in diesem Haus war.«

Robin wartete ab.

»Genau ein Mal«, sagte Raphael. »Als Kind nicht ein einziges Mal. Als ich aus dem ... du weißt schon ... gekommen bin, hat Dad, der mich nicht ein einziges Mal besucht hatte, mich nach Chiswell House eingeladen. Also bin ich hingefahren. Hab mich gekämmt, hab einen Anzug angezogen, bin in diese Schlangengrube rausgefahren – nur war er leider nicht da. Im Unterhaus aufgehalten worden, irgend so ein Mist. Du kannst dir vorstellen, wie selig Kinvara war, als sie mich in diesem deprimierenden Haus, von dem ich seit meiner Kindheit immer nur schlecht geträumt hatte, für die Nacht unterbringen musste. Willkommen daheim, Raff. Ich bin mit dem Frühzug nach London zurückgefahren. In der Woche danach herrschte Funkstille, bis Dad mich schließlich in die Ebury Street beordert hat. Ich hab noch überlegt, ob ich überhaupt hinfahren sollte. Und wieso hab ich's getan?«

»Keine Ahnung«, sagte Robin. »Wieso?«

Er sah ihr direkt ins Gesicht. »Man kann jemanden hassen, sich trotzdem wünschen, man wäre dem anderen nicht völlig gleichgültig, und sich selbst für diesen Wunsch hassen.«

»Ja«, sagte Robin leise, »klar kann man das.«

»Ich marschiere also in die Ebury Street und hoffe auf ... wenn schon keinen herzlichen Dialog – ich meine, du kanntest meinen Vater ... aber vielleicht, du weißt schon ... zumindest irgendwelche menschlichen Gefühle. Er hat mir aufgemacht, ›Ah, da bist du ja endlich‹ gesagt und mich ins Wohnzimmer geführt, wo Henry Drummond saß. Erst da hab ich kapiert, dass es ein Vorstellungsgespräch werden sollte. Drummond hat zugesagt, mich zu nehmen. Dad hat mich angeblafft, die Chance zu nutzen, und mich wieder vor die Tür gejagt. Das war das erste und einzige Mal, dass ich in diesem Haus war«, schloss Raphael. »Und genau deshalb verbinde ich auch keine sehr angenehmen Erinnerungen damit.«

Er legte eine kurze Pause ein, um Revue passieren zu lassen, was er gesagt hatte, und lachte kurz auf.

»Außerdem hat mein Vater dort Selbstmord verübt. Das hätte ich fast vergessen.«

»Kein Schlüssel«, sagte Robin und machte sich eine Notiz.

»Nein. Zu den vielen Dingen, die ich nie bekommen habe, gehörten ein Hausschlüssel und die Einladung, jederzeit einfach vorbeizukommen.«

»Ich muss dich etwas fragen, was dir vielleicht indiskret vorkommen könnte«, tastete Robin sich vorsichtig vor.

»Klingt interessant.« Raphael beugte sich nach vorn.

»Hattest du deinen Vater je in Verdacht, eine Affäre zu haben?«

»Was?«, fragte er fast schon komisch verblüfft. »Nein ... aber ... *Was?*«

»Ungefähr ... im letzten Jahr? Während er schon mit Kinvara verheiratet war?«

Er wirkte ungläubig.

»Okay«, sagte Robin, »wenn du nicht ...«

»Um Himmels willen – wie kommst du darauf, dass er eine Affäre gehabt haben könnte?«

»Kinvara war immer sehr besitzergreifend, sehr darauf bedacht, genau zu wissen, wo dein Vater sich aufgehalten hat, stimmt's?«

»Stimmt schon, ja.« Raphael grinste. »Aber du weißt, an wem das gelegen hat – an *dir*.«

»Ich habe gehört, sie hatte einen Zusammenbruch – einige Monate bevor ich in seinem Büro angefangen habe. Sie hat jemandem erzählt, dein Vater habe sie betrogen. Nach Aussage diverser Leute war sie zutiefst verzweifelt. Ungefähr zur selben Zeit wurde ihre Stute eingeschläfert, und sie ...«

»... hat mit einem Hammer auf Dad eingeschlagen?« Er runzelte die Stirn. »Oh. Ich dachte, das hätte sie getan, weil sie ihr Pferd nicht einschläfern lassen wollte. Tja, vielleicht war Dad früher ja wirklich ein Frauenheld. He ... Womöglich ist er ja deshalb in London geblieben, als ich zu Besuch in Chiswell House war? Kinvara hatte da definitiv mit ihm gerechnet und war stinkwütend, als er in letzter Minute abgesagt hat.«

»Möglich«, sagte Robin und machte sich eine Notiz. »Weißt du zufällig noch, wann das war?«

»Äh ... ja, das weiß ich tatsächlich. Den Tag seiner Haftentlassung vergisst man nicht so leicht. Ich bin am Mittwoch, den sechzehnten Februar, rausgekommen, und Dad hat mich für Samstag nach Chiswell House eingeladen. Das war also der ... neunzehnte.«

Auch das schrieb Robin sich auf. »Und du hast nie etwas gehört oder gesehen, was auf eine Affäre hingedeutet hätte?«

»Jetzt komm schon«, sagte Raphael, »du warst selbst im Unterhaus. Du hast gesehen, wie wenig ich mit ihm zu tun gehabt hab. Hätte er mir erzählt, dass er was mit einer anderen hätte?«

»Er hat dir erzählt, dass der Geist von Jack o'Kent nachts auf seinem Besitz gespukt hat.«

»Das war etwas anderes. Da war er betrunken und ... irgendwie morbid drauf. In einer eigenartigen Verfassung. Hat von göttlicher Vergeltung gefaselt ... Ich weiß auch nicht, da könnte er natürlich von einer Affäre gesprochen haben. Vielleicht hatte er sich in dritter Ehe endlich doch ein Gewissen zugelegt.«

»Ich dachte, er hätte deine Mutter nie geheiratet?«

Raphael kniff die Augen zusammen. »Sorry. Hatte für einen Augenblick vergessen, dass ich der Bastard bin.«

»Ach, komm«, sagte Robin sanft, »du weißt, dass das nicht so gemeint war ...«

»Schon gut, sorry«, murmelte er. »Da bin ich einfach überempfindlich. Das kommt davon, wenn man als Erbe ausgeschlossen wird.«

Robin erinnerte sich wieder an Strikes Ausspruch: *Es geht immer ums Geld – und dann doch wieder nicht.* Es klang fast wie ein unheimliches Echo ihrer Gedanken, als Raphael sagte: »Es geht mir nicht ums Geld – obwohl ich das weiß Gott gut gebrauchen könnte. Ich bin arbeitslos, und glaub ja nicht, dass der alte Henry Drummond mir ein anständiges Zeugnis schreiben wird. Und weil meine Mutter anscheinend endgültig nach Italien ziehen will, redet sie davon, ihre Londoner Wohnung zu verkaufen, was bedeutet, dass ich zu allem Überfluss obdachlos werde«, sagte er verbittert. »Ich ende noch mal als Kinvaras Stalljunge. Kein anderer will für sie arbeiten, kein anderer wird mich einstellen … Trotzdem geht es nicht nur ums Geld. Wenn man vom Erbe ausgeschlossen wird … Na ja, ›ausgeschlossen‹ sagt ja schon alles. Die letzten Worte eines Toten an seine Familie – und ich werde kein einziges Mal erwähnt, und jetzt rät dieser Scheißkerl Torquil mir auch noch, mich mitsamt meiner Mutter nach Siena zu verpissen und ›neu anzufangen‹. Wichser!«

»Wohnt deine Mutter dort? In Siena?«

»Ja. Sie lebt inzwischen mit einem italienischen Grafen zusammen, und glaub mir, sie ist nicht im Geringsten scharf darauf, dass ihr neunundzwanzigjähriger Sohn bei ihnen einzieht. Er macht keine Anstalten, sie zu heiraten, und sie fängt an, sich Sorgen um ihre Altersabsicherung zu machen – daher auch die Idee, die Wohnung zu verhökern. Für den Trick, mit dem sie es bei meinem Vater versucht hat, ist sie schon ein bisschen zu alt.«

»Für welchen Trick?«

»Sie ist absichtlich schwanger geworden. Sieh mich nicht so schockiert an! Meine Mutter hat nie versucht, mich vor den Realitäten des Lebens zu beschützen. Ich bin ein Hasardspiel, das missglückt ist. Sie dachte, er würde sie heiraten, sobald sie schwanger wäre, aber wie du eben schon festgestellt hast ...«

»Entschuldigung«, sagte Robin. »Tut mir echt leid. Das war wirklich unsensibel – und dumm.«

Sie fürchtete schon, Raphael würde sie gleich auffordern, sich zum Teufel zu scheren. Stattdessen sagte er ruhig: »Siehst du, du *bist* lieb. Du hast nicht bloß Theater gespielt, stimmt's? Im Büro?«

»Weiß nicht«, sagte Robin. »Vielleicht nicht ...«

Als sie bemerkte, dass er die Beine unter dem Tisch bewegte, rückte sie trotzdem diskret ein Stück zurück.

»Wie ist dein Mann so?«, wollte Raphael wissen.

»Keine Ahnung, wie ich ihn beschreiben soll.«

»Arbeitet er bei Christie's?«

»Nein«, sagte Robin. »Er ist Bilanzbuchhalter.«

»Himmel hilf«, sagte Raphael erschrocken. »Auf so was stehst du?«

»Das war er noch nicht, als wir uns kennengelernt haben. Können wir wieder darauf zurückkommen, dass dein Vater dich am Morgen seines Todestags angerufen hat?«

»Wenn du willst«, sagte Raphael. »Aber viel lieber würde ich über dich reden.«

»Erzähl mir, wie der bewusste Morgen verlaufen ist, dann kannst du mich anschließend fragen, was du willst«, schlug Robin vor.

Über Raphaels Gesicht huschte ein Lächeln. Er nahm noch einen Schluck Bier. »Dad hat mich angerufen. Hat mir erzählt, er glaube, Kinvara sei im Begriff, eine Dummheit zu machen, und hat mich gebeten, nach Woolstone zu fahren und sie davon abzuhalten. Warum denn ich?, hab ich ihn gefragt ...«

»Das hast du in Chiswell House gar nicht erzählt.« Robin sah von ihren Notizen auf.

»Natürlich nicht. Weil die anderen dabei waren. Dad meinte,

er wollte Izzy nicht darum bitten. Er hat sich am Telefon ziemlich hässlich über sie ausgelassen ... Er war ein undankbarer Scheißkerl, das war er wirklich«, sagte Raphael. »Sie hat sich für ihn aufgearbeitet, aber du hast ja gesehen, wie er sie behandelt hat.«

»Was meinst du mit ›hässlich‹?«

»Er hat gesagt, sie würde Kinvara anschreien, sie aufregen und alles immer nur noch schlimmer machen und so. Das musste gerade er sagen! Aber in Wirklichkeit«, fuhr Raphael fort, »hat er mich als gehobenen Dienstboten betrachtet, während Izzy natürlich zur Familie gehört. Dass ich mir die Hände schmutzig mache, hat ihn nicht weiter gestört, und ihm war's auch egal, ob seine Frau auf mich sauer gewesen wäre, weil ich bei ihr reingeplatzt und sie von etwas abgehalten hätte, was ...«

»Wovon solltest du sie denn abhalten?«

»Ah«, sagte Raphael, »Essen!«

Die Bedienung stellte die Dim-Sum-Platte auf den Tisch und zog sich wieder zurück.

»Wovon hast du Kinvara abgehalten?«, beharrte Robin. »Deinen Vater zu verlassen? Sich etwas anzutun?«

»Ich liebe dieses Zeug«, sagte Raphael und spießte eine Garnele im Teigmantel auf.

»Sie hatte einen Abschiedsbrief zurückgelassen«, stellte Robin fest. »Solltest du sie im Auftrag deines Vaters zum Bleiben überreden? Hat er gefürchtet, Izzy würde sie dazu provozieren, ihn zu verlassen?«

»Glaubst du im Ernst, ich hätte Kinvara überreden können, bei ihm zu bleiben? Mich nie wiedersehen zu müssen wäre für sie doch ein zusätzlicher Anreiz zum Verschwinden gewesen.«

»Wieso hat er dich dann zu ihr geschickt?«

»Das kannst du dir doch selbst denken«, sagte Raphael. »Er dachte, sie sei im Begriff, eine Dummheit zu machen.«

»Raff, wenn du mich verarschen willst ...«

Er lachte. »Puh, das war jetzt echt unverfälschtes Yorkshire. Sag das noch mal!«

»Die Polizei glaubt, dass an deiner Story, was du an diesem Morgen gemacht hast, irgendetwas nicht stimmt«, sagte Robin. »Und wir glauben das auch.«

Das schien ihn auszunüchtern. »Woher weißt du, was die Polizei glaubt?«

»Wir haben Kontaktleute«, erklärte Robin. »Raff, du hast allen erzählt, dass dein Vater verhindern wollte, dass Kinvara sich etwas antut. Aber das nimmt dir keiner ab. Die Pferdepflegerin war da. Sie hätte verhindert, dass Kinvara eine Dummheit macht.«

Raphael kaute eine Zeit lang und dachte angestrengt nach. »Meinetwegen«, seufzte er dann. »Okay, dann erzähl ich's dir eben. Du weißt doch, dass Dad alles, was noch ein paar Hundert Pfund bringen konnte, verkauft oder Peregrine geschenkt hat?«

»Wem?«

»*Pringle*«, sagte Raphael genervt. »Ich mag diese verdammten Spitznamen einfach nicht, die sind mir echt zu blöd.«

»Er hat nichts Wertvolles verkauft«, entgegnete Robin.

»Wie meinst du das?«

»Das Gemälde mit der Stute und dem Fohlen war fünf- bis achttausend ...«

Robins Handy klingelte – dem Klingelton zufolge war der Anrufer Matthew.

»Willst du nicht rangehen?«

»Nein«, sagte Robin.

Sie wartete, bis das Handy aufhörte zu klingeln, bevor sie es aus ihrer Umhängetasche zog.

»Matt«, las Raphael vom auf dem Kopf stehenden Display ab. »Das war der Buchhalter, oder?«

»Ja«, sagte Robin. Sie schaltete das Handy stumm, aber es begann sofort, in ihrer Hand zu vibrieren. Wieder Matthew.

»Blockier ihn«, schlug Raphael vor.

»Ja«, sagte Robin, »gute Idee.«

Ihr ging es jetzt nur mehr darum, Raphael bei Laune zu halten. Ihm schien es Spaß zu machen zuzusehen, wie sie Matthews Nummer blockierte. Sie steckte das Handy wieder in ihre Umhängetasche.

»Erzähl weiter von den Gemälden.«

»Na ja, du weißt wahrscheinlich, dass Dad die wertvollen schon über Drummond losgeschlagen hatte?«

»Manche von uns halten ein Gemälde von fünftausend Pfund für ziemlich wertvoll«, sagte Robin unwillkürlich.

»Schön, Miss Lefty«, sagte Raphael giftig. »Spotte du nur, dass Leute wie ich keine Ahnung vom Wert des Gelds haben ...«

»Sorry«, sagte Robin eilig, während sie sich selbst verfluchte. »Tut mir echt leid. Hör zu, ich ... Also, ich hab heute Vormittag versucht, ein WG-Zimmer zu finden. Im Augenblick könnten fünftausend Pfund mein Leben verändern.«

»Oh«, sagte Raphael stirnrunzelnd. »Ich ... Okay. Ehrlich gesagt wäre ich auch heilfroh, wenn ich fünf Riesen in der Tasche hätte ... Aber ich rede von dem wirklich wertvollen Zeug, das Zehntausende, Hunderttausende Pfund wert ist und das mein Vater in der Familie behalten wollte. Um Erbschaftssteuer zu sparen, hat er sie dem kleinen Pringle geschenkt. Dazu gehören ein chinesischer Lackschrank, ein Nähkästchen aus Elfenbein und verschiedene weitere Gegenstände, aber vor allem das Collier.«

»Welches Collier?«

»Ein fettes, hässliches Brillantding«, sagte Raphael und deutete mit der freien Hand, die gerade keine Garnelen aufspießte, eine Halskette an. »Schwere *Klunker*. Werden seit vier oder fünf Generationen in der Familie vererbt und sind früher immer an die älteste Tochter gegangen, sobald sie einundzwanzig war. Aber mein Großvater, der eine Art Playboy war, wie du vielleicht gehört hast ...«

»Du meinst den, der diese Pflegerin, Tinky, geheiratet hat?«

»Sie war seine dritte oder vierte Frau«, sagte Raphael und nickte. »Ich krieg die Reihenfolge nie richtig hin. Jedenfalls hatte er nur Söhne, deshalb durften seine Ehefrauen es nacheinander tragen, und mein Vater hat diese neue Tradition übernommen. Seine Frauen durften das Collier also allesamt tragen – sogar meine Mutter war mal dran –, und dann hat er vergessen, es seiner ältesten Tochter zum einundzwanzigsten Geburtstag zu schenken. Pringle hat es auch nicht bekommen, und mein Vater hat es auch nicht in seinem Testament erwähnt.«

»Also ... Augenblick mal, soll das heißen, dass es ...«

»Dad hat mich an dem bewussten Morgen angerufen und mich beauftragt, das verdammte Ding sicherzustellen. Ein simpler Job, der jedem Spaß machen würde«, sagte er sarkastisch. »Bei der Stiefmutter aufkreuzen, die einen nicht leiden kann, rauskriegen, wo sie ein Brillantcollier aufbewahrt, und es dann vor ihrer Nase mitgehen lassen.«

»Du denkst also, dein Vater könnte geglaubt haben, sie würde ihn verlassen und das Collier mitnehmen?«

»Ganz genau.«

»Wie hat er am Telefon geklungen?«

»Das hab ich doch schon gesagt: groggy. Ich dachte, er wäre vielleicht verkatert. Als ich später gehört habe, dass er Selbstmord verübt hat ...« Er brachte den Satz nicht zu Ende. »Also ...«

»Also?«

»Offen gesagt sind mir Dads letzte Worte nicht mehr aus dem Kopf gegangen«, sagte Raphael bedrückt. »›Fahr hin und sorg dafür, dass deine Schwester die Brillanten bekommt.‹ Unvergängliche Worte, die man wie einen Schatz hütet, was?«

»Sind Izzy und Fizzy sich darüber im Klaren, dass das Collier derzeit Kinvara gehört?«

Raphaels Lippen verzogen sich zu einem unbehaglichen Grinsen. »Na ja, sie kennen die Rechtslage, aber jetzt kommt das wirklich Komische: Sie glauben ernsthaft, dass Kinvara es ihnen aushändigen wird. Nach allem, was sie über sie gesagt haben – nachdem sie Kinvara jahrelang als Goldgräberin bezeichnet und bei jeder Gelegenheit herabgesetzt haben –, können sie sich gar nicht vorstellen, dass sie das Collier nicht Fizzy für Flopsy – verdammt noch mal, *Florence* – übergeben will, weil ...« – er verfiel in eine gekünstelt schrille Oberschichtenstimme – »›Darling, nicht mal TTS würde so was machen! Es gehört der *Familie*, sie muss doch *wissen*, dass sie es nicht verkaufen kann.‹ Ihr Selbstbewusstsein ist da kugelsicher. Nach ihrer Überzeugung gibt es eine Art Naturgesetz, das den Chiswells beschert, was immer sie wollen, während kleinere Probleme sich einfach von allein regeln.«

»Woher wusste Henry Drummond, dass du versuchen solltest, Kinvara das Collier abzuschwatzen? Er hat Cormoran erzählt, du seist aus ehrenwerten Beweggründen nach Chiswell House gefahren ...«

Raphael schnaubte. »Die Katze ist wirklich aus dem Sack, was? Ja, am Tag vor Dads Tod hat Kinvara offenbar auf Henrys Anrufbeantworter gesprochen, um sich zu erkundigen, wo sie das Collier schätzen lassen könnte.«

»Deshalb hat er morgens deinen Vater angerufen?«

»Genau – um ihn vor Kinvaras Absichten zu warnen.«

»Warum hast du das alles denn nicht der Polizei erzählt?«

»Weil die ganze Sache uns um die Ohren fliegt, sobald die anderen rauskriegen, dass sie's verkaufen will. Dann gibt es einen Riesenkrach, und die Familie nimmt sich Anwälte und erwartet von mir, dass ich mit ihnen gemeinsam auf Kinvara eindresche, nur dass ich inzwischen weiter wie ein Bürger zweiter

Klasse, wie ein verdammter *Kurierfahrer* behandelt werde, der all die alten Gemälde zu Drummond nach London bringen und sich anhören darf, wie viel Dad für sie bekommen hat, ohne dass ich davon je einen Penny zu sehen gekriegt hätte … Ich will nicht in den großen Halsbandskandal verwickelt werden. Ich spiel dieses Scheißspiel nicht mit. Ich hätte Dad zum Teufel schicken sollen, als er angerufen hat«, sagte Raphael, »aber er hat so elend geklungen, dass er mir irgendwie leidgetan hat, was nur beweist, dass die anderen recht haben: Ich bin wohl tatsächlich kein in der Wolle gefärbter Chiswell.«

Er war regelrecht außer Atem geraten. Inzwischen hatten zwei weitere Paare das Restaurant betreten. Robin beobachtete in einem Wandspiegel, wie eine elegante Blondine zweimal zu Raphael hinübersah, als sie mit ihrem rotgesichtigen, übergewichtigen Begleiter Platz nahm.

»Also, wieso hast du Matthew verlassen?«, fragte Raphael jetzt.

»Er hat mich betrogen«, sagte Robin. Für eine Lüge fehlte ihr die Energie.

»Und mit wem?«

Sie hatte das Gefühl, als versuchte er, wieder eine gewisse Machtbalance herzustellen. Trotz des Zorns und der Verachtung, mit der er sich bei seinem Ausbruch über seine Familie geäußert hatte, hatte sie durchaus herausgehört, wie verletzt er war.

»Mit einer Studienfreundin von der Uni«, sagte sie.

»Wie hast du's rausgekriegt?«

»Brillant-Ohrstecker in unserem Bett.«

»Echt jetzt?«

»Echt«, sagte Robin.

Bei dem Gedanken, den weiten Weg bis zu dem harten Sofa in Wembley zurücklegen zu müssen, überrollte sie eine Woge aus Niedergeschlagenheit und Erschöpfung. Sie hatte nicht mal ihre Eltern angerufen, um ihnen zu erzählen, was passiert war.

»Unter normalen Umständen«, sagte Raphael, »würde ich dich jetzt anbaggern. Na ja, vielleicht nicht jetzt gleich. Nicht heute Abend. Aber lass mir ein paar Wochen Zeit ... Das Dumme ist nur, dass ich dich nicht ansehen kann« – er zeigte erst auf sie, dann auf eine imaginäre Gestalt hinter ihr –, »ohne deinen einbeinigen Boss hinter dir aufragen zu sehen.«

»Gibt's einen bestimmten Grund für dein Bedürfnis, seine Einbeinigkeit zu erwähnen?«

Raphael grinste. »Du lässt nichts auf ihn kommen, was?«

»Nein, ich ...«

»Ist schon in Ordnung. Izzy mag ihn auch sehr gern.«

»Hör zu, ich ...«

»Gib's ruhig zu.«

»Oh, um Himmels willen«, sagte Robin halb lachend, und Raphael grinste wieder.

»Ich trinke ein zweites Bier. Willst du deinen Wein gar nicht trinken?« Er zeigte auf ihr zu zwei Dritteln volles Glas. Als sein zweites Bier vor ihm stand, sagte er boshaft grinsend: »Izzy mag's schon immer ein bisschen härter. Ist dir der vielsagende Blick zwischen Fizzy und Izzy nicht aufgefallen, als Jimmy Knight erwähnt wurde?«

»Doch, allerdings«, sagte Robin. »Was hatte er zu bedeuten?«

»Das hängt mit der Party zu Freddies achtzehntem Geburtstag zusammen«, feixte Raphael. »Da ist Jimmy mit ein paar Kumpels uneingeladen aufgekreuzt, und Izzy – wie soll ich's vornehm ausdrücken? – hat in seiner Gesellschaft etwas verloren ...«

»Oh«, sagte Robin verblüfft.

»Sie war sturzbesoffen. Ist in den Sagenschatz der Familie eingegangen. Ich war selbst nicht dabei, war damals noch zu klein. Fizzy findet die Vorstellung, ihre Schwester könnte mit dem Sohn des Schreiners geschlafen haben, so abwegig, dass sie ihm einen geradezu übernatürlichen Sex-Appeal zuschreibt. Für sie ist das auch der Grund dafür, warum Kinvara mehr oder weniger auf seiner Seite war, als er gekommen ist und Geld wollte.«

»Was?«, fragte Robin scharf und schlug ihr Notizbuch erneut auf.

»Kein Grund zur Aufregung«, sagte Raphael. »Ich weiß immer noch nicht, womit er Dad erpresst hat, hab's nie gewusst. Bin kein vollwertiges Familienmitglied, weißt du, und daher nicht restlos vertrauenswürdig. Kinvara hat's in Chiswell House doch erzählt, weißt du das nicht mehr? Sie war allein zu Hause, als Jimmy erstmals aufgekreuzt ist. Dad war wieder mal in London. Nach allem, was ich gehört habe, hat sie sich bei der ersten Diskussion mit Dad für Jimmy eingesetzt. Fizzy führt das auf Jimmys Sex-Appeal zurück. Würdest du sagen, er hat welchen?«

»Manche Leute finden das bestimmt«, erwiderte Robin gleichmütig, während sie sich Notizen machte. »Kinvara war also der Meinung, dein Vater sollte Jimmy das Geld geben.«

»Soviel ich mitbekommen habe«, sagte Raphael, »hat Jimmy die Sache nicht gleich als Erpressung aufgezogen. Kinvara dachte wohl erst, er hätte einen legitimen Anspruch darauf, und hat dafür plädiert, es ihm zu geben.«

»Wann war das, weißt du das?«

»Nah«, sagte Raphael kopfschüttelnd. »Ich hab damals gesessen, glaub ich, da hatte ich andere Sorgen … Rate mal«, forderte er Robin auf, »wie oft mich jemand aus der Familie gefragt hat, wie's im Gefängnis war?«

»Keine Ahnung«, sagte sie vorsichtig.

»Fizzy niemals. Dad niemals …«

»Du hast erzählt, dass Izzy dich mal besucht hat.«

»Stimmt.« Er hob die Flasche, um auf seine Schwester zu trinken. »Ja, hat sie, Gott segne sie. Der gute alte Torks hat stattdessen bloß ein paar Witze gerissen, dass ich mich in der Dusche nicht bücken soll. Ich hab gekontert«, fügte Raphael humorlos lächelnd hinzu, »dass er darüber natürlich gut Bescheid wissen muss, weil sein alter Kumpel Christopher den jungen Männern in seinem Büro so oft zwischen die Beine greift. Wenn das irgendein alter Sträfling macht, ist es anscheinend eine schwere Straftat, aber bei Absolventen von Privatschulen gilt das als harmloser Scherz.« Er betrachtete Robin mit hochgezogenen Augenbrauen. »Du weißt vermutlich, weshalb Dad diesen armen Tropf Aamir verspottet hat?«

Sie nickte.

»Was Kinvara wiederum für ein Mordmotiv gehalten hat«, fuhr Raphael fort und verdrehte die Augen. »Projektion, reine Projektion – auf diesem Trip sind sie alle. Kinvara glaubt, dass Aamir Dad ermordet hat, weil Dad vor Zeugen grausam zu ihm war. Also, du hättest echt etwas von dem hören sollen, was Dad in der letzten Zeit zu Kinvara gesagt hat! Fizzy denkt, Jimmy Knight könnte ihn abgemurkst haben, weil er wegen des Geldes sauer war. Sie ist stinkwütend, weil das komplette Vermögen der Familie verschwunden ist – aber das darf sie nicht laut sagen, weil ihr Mann zur Hälfte daran schuld ist, dass alles futsch ist. Izzy wiederum glaubt, dass Kinvara Dad ermordet hat, weil sie sich ungeliebt und ausgeschlossen und abgeschoben gefühlt hat. Dad hat sich bei Izzy nie für ihre Arbeit bedankt, und ihm war's scheißegal, als sie gesagt hat, dass sie geht – du verstehst, was ich meine … Und weil Dad jetzt tot ist, hat keiner von ihnen den Mumm, offen zu sagen, dass sie ihn alle von Zeit zu Zeit am liebsten selbst umgebracht hätten. Stattdessen projizieren sie jetzt alle ihre eigenen Motive auf jemand anderen. Deshalb erwähnt auch keiner Geraint Winn. Der ist doppelt geschützt, weil der heilige Freddie an der Feindseligkeit der Winns mitschuldig war. Dass er ein Motiv hatte, starrt ihnen ins Gesicht – aber das dürfen wir nicht erwähnen.«

»Erzähl weiter«, sagte Robin schreibbereit. »Was darf nicht erwähnt werden?«

»Vergiss es«, murmelte Raphael. »Ich hätte nicht davon anfangen ...«

»Ich glaube nicht, dass du viel aus Versehen sagst, Raff. Raus mit der Sprache!«

Er lachte. »Ich will nur verhindern, dass Leute fertiggemacht werden, die das nicht verdient haben. Das gehört alles zu meinem großen Erlöserprojekt.«

»Wer hat es nicht verdient?«

»Francesca, die Kleine, die ich ... du weißt schon ... in der Galerie. Sie hat mir alles erzählt. Sie wusste es von ihrer älteren Schwester Verity.«

»Verity«, wiederholte Robin.

Der Schlafmangel beeinträchtigte sie, als sie sich zu erinnern versuchte, wo sie den Namen schon mal gehört hatte. Er klang fast wie »Venetia« ... und da fiel es ihr wieder ein.

»Augenblick!« Konzentriert runzelte sie die Stirn. »Ist das dieselbe Verity, die mit Rhiannon Winn und Freddie im Junior-Fechtteam war?«

»Erraten«, sagte Raphael.

»Ihr scheint euch alle irgendwie untereinander zu kennen«, stellte Robin fest und wiederholte damit unbewusst eine Äußerung Strikes, bevor sie erneut zu schreiben begann.

»Natürlich. Das ist doch das Schöne am Privatschulsystem«, sagte Raphael. »Hat man das entsprechende Geld, begegnet man in London überall denselben dreihundert Leuten ... Tja. Und als ich in Drummonds Galerie angefangen habe, konnte Francesca es kaum erwarten, mir zu erzählen, dass ihre große Schwester mal mit Freddie befreundet war. Ich glaube, sie hat daraus geschlossen, wir zwei seien füreinander bestimmt oder so. Als sie gemerkt hat, dass ich Freddie für einen ziemlichen Scheißkerl halte, ist sie umgeschwenkt und hat mir eine ziemlich üble Geschichte erzählt. An seinem Achtzehnten haben Freddie, Verity und ein paar andere offenbar beschlossen, Rhiannon dafür zu bestrafen, dass sie Verity aus dem Fechtteam verdrängt hatte. Ihrer Ansicht nach war sie ... ich weiß nicht recht ... ein bisschen zu gewöhnlich? Zu walisisch? Also haben sie etwas in ihr Getränk gemischt. Nur ein kleiner Scherz, kommt in Studentenwohnheimen häufig vor, weißt du. Aber sie hat nicht gut darauf reagiert – oder aus Sicht der anderen ein bisschen zu gut. Jedenfalls haben sie ein paar nette Fotos von ihr gemacht, um sie untereinander weiterzugeben ... Damals gab's noch kein Internet. Heutzutage könnte binnen vierundzwanzig Stunden eine halbe Million Menschen diese Fotos sehen. Rhiannon musste bloß ertragen, dass das gesamte Team und Freddies Kumpels sich an den Bildern aufgeilt haben. Jedenfalls«, fuhr Raphael fort, »hat Rhiannon sich ungefähr vier Wochen später umgebracht.«

»Oh Gott«, flüsterte Robin.

»Tja«, sagte Raphael. »Und nachdem die kleine Franny mir diese Geschichte erzählt hatte, hab ich Izzy danach gefragt. Sie hat sich tierisch aufgeregt und mir verboten, sie je wieder zu erwähnen – aber sie hat sie nicht abgestritten. ›Niemand bringt sich wegen eines dummen Partyscherzes um‹, hat sie getönt und mich daran erinnert, nicht so über Freddie zu reden, weil das Dad das Herz brechen würde ... na ja. Tote haben keine Herzen mehr, die brechen könnten, was? Und ich persönlich denke, dass es Zeit wird, dass mal jemand auf Freddies ewige Flamme pisst. Wäre der Dreckskerl nicht als Chiswell geboren worden, wäre er in einer Erziehungsanstalt gelandet. Aber du sagst jetzt vermutlich, dass ich nach allem, was ich getan hab, besser den Mund halten sollte ...«

»Nein«, sagte Robin ruhig. »Das wollte ich nicht sagen.«

Der kämpferische Ausdruck verschwand aus seinem Gesicht, und er sah auf die Uhr.

»Tut mir echt leid, aber ich muss jetzt gehen. Ich hab um neun Uhr noch einen Termin.«

Robin hob die Hand, um der Bedienung zu signalisieren, dass sie bezahlen wollte. Als sie sich wieder Raphael zuwandte, sah sie, wie er den Blick routinemäßig über die beiden anderen Frauen im Restaurant schweifen ließ. Im Wandspiegel konnte sie beobachten, wie die Blondine versuchte, seinen Blick länger zu erwidern.

»Geh schon«, sagte sie, als sie der Bedienung ihre Kreditkarte überreichte. »Ich will nicht daran schuld sein, dass du zu spät kommst.«

»Nein, ich begleite dich noch nach draußen.«

Während sie die Kreditkarte wegsteckte, griff er nach ihrem Mantel, um ihr hineinzuhelfen.

»Oh, danke!«

»Kein Problem.«

Vor dem Restaurant hielt er ein Taxi an.

»Nimm du's«, sagte er. »Ich mach einen kleinen Spaziergang. Um einen klaren Kopf zu bekommen. Ich fühle mich wie nach einer Therapiesitzung.«

»Nein, nein, schon gut«, wehrte Robin ab. Sie wollte Strike kein Taxi bis nach Wembley zahlen lassen. »Ich nehme die U-Bahn. Gute Nacht.«

»Nacht, Venetia.«

Er stieg in das Taxi, das mit ihm davonrollte, und Robin zog den Mantel enger um ihren Leib, bevor sie in die Gegenrichtung davonging. Es war eine chaotische Befragung gewesen, aber sie hatte unerwartet viel aus Raphael herausbekommen. Sie zog ihr Handy aus der Tasche und rief Strike an.

59

Von uns beiden folgt eins dem andern …

HENRIK IBSEN, *ROSMERSHOLM*

Als Strike sah, dass Robin anrief, steckte er sein Notizbuch ein, das er auf ein Bier mit ins Tottenham genommen hatte, leerte sein Glas in einem Zug und ging zum Telefonieren nach draußen.

Das Chaos am oberen Ende der Tottenham Court Road – die mit Schutt angefüllte Baurinne, wo zuvor die Fahrbahn gewesen war, die provisorischen Absperrungen und Barrikaden aus Kunststoff, die Stege und Planken, auf denen Zehntausende von Menschen die viel befahrene Kreuzung überquerten – war ihm mittlerweile so vertraut, dass er es kaum noch wahrnahm. Nun war er nicht wegen der Aussicht herausgekommen, sondern um eine Zigarette zu rauchen, und er rauchte gleich zwei, während Robin berichtete, was sie von Raphael erfahren hatte.

Als das Gespräch beendet war, steckte Strike sein Handy wieder ein, zündete sich geistesabwesend eine dritte Zigarette am Stummel der zweiten an und stand eine Weile reglos da, um über alles nachzudenken, was sie ihm erzählt hatte. Mehrere Passanten mussten einen Bogen um ihn schlagen.

Einige Dinge, die er von Robin gehört hatte, erschienen dem Detektiv interessant. Nachdem Strike die dritte Zigarette geraucht und die Kippe in die offene Baugrube geschnippt hatte, kehrte er in den Pub zurück und bestellte sich ein zweites Bier. Eine Gruppe Studenten hatte seinen Tisch annektiert, deshalb ging er nach hinten durch, wo Barhocker unter der Bleiglaskuppel standen, deren Farben die Nacht dämpfte. Dort zückte Strike erneut sein Notizbuch und ging noch einmal die Namensliste durch, die er am Sonntag in den frühen Morgenstunden zusammengestellt hatte, um sich von den Gedanken an Charlotte abzulenken. Nachdem er sie misstrauisch beäugt hatte – wie jemand, der genau wusste, dass sich ihm irgendetwas noch immer nicht offenbart hatte –, blätterte er weiter, um nachzulesen, was er sich während des Gesprächs mit Della Winn notiert hatte.

Mit hochgezogenen Schultern und stockstarr bis auf die Augen, die jene Zeilen überflogen, die er sich im Haus der Blinden gemacht hatte, verwies Strike, ohne es überhaupt zu merken, zwei schüchterne Rucksacktouristen von seinem Tisch, die darüber nachgedacht hatten, ihn zu fragen, ob sie sich zu ihm setzen dürften. Weil sie die Konsequenzen fürchteten, wenn sie seine fast greifbare Konzentration störten, zogen sie sich zurück, noch bevor er sie wahrnahm.

Strike kehrte zu der Namensliste zurück. Ehepaare, Liebespaare, Geschäftspartner, Geschwister …

Paare.

Er blätterte weiter zurück. Um die Seiten mit den Notizen zu finden, die er sich während des Gesprächs mit Oliver gemacht hatte, der ihnen die forensischen Befunde erläutert hatte. Ein zweistufiger Mord: Amitriptylin und Helium – jedes für sich potenziell tödlich, aber in diesem Fall kombiniert eingesetzt.

Paare.

Strike schlug nachdenklich eine leere Seite auf und notierte sich:

Francesca – Story überprüfen

60

Dann müssen Sie mir aber wirklich erklären, warum Sie sich diese Sache, diese Möglichkeit so zu Herzen nehmen.

HENRIK IBSEN, *ROSMERSHOLM*

Am folgenden Morgen brachten alle Zeitungen eine sorgfältig formulierte Pressemitteilung zu Jasper Chiswell. Wie der Rest der britischen Öffentlichkeit erfuhr Strike beim Frühstück, die Ermittlungsbehörden seien zu dem Schluss gelangt, in den vorzeitigen Tod des Kulturministers sei keine ausländische Macht oder Terrororganisation verwickelt gewesen, trotzdem gebe es vorerst noch keine weiteren Erkenntnisse.

Die Neuigkeit, dass es keine Neuigkeit gab, hatte online kaum Wellen geschlagen. Die Briefkästen einheimischer Olympiasieger quollen weiterhin über, und die Öffentlichkeit sonnte sich befriedigt im Glanz triumphal erfolgreicher Spiele, während ihre ungestillte Begeisterung für Sportereignisse sich nun auf die unmittelbar bevorstehenden Paralympischen Spiele konzentrierte. Im Bewusstsein der breiten Öffentlichkeit war Chiswells Tod als der vage unerklärliche Selbstmord eines reichen Torys verbucht worden.

Weil ihn interessierte, ob diese offizielle Mitteilung bedeutete, dass die Ermittlungen der Metropolitan Police kurz vor dem Abschluss standen, rief Strike Wardle an.

Leider war der Kriminalbeamte auch nicht klüger als Strike. Wardle erzählte obendrein ziemlich irritiert, er habe seit drei Wochen keinen einzigen freien Tag mehr gehabt: Die Aufrechterhaltung von Recht und Ordnung in ihrer Hauptstadt, während London unter dem Ansturm zusätzlicher Millionen Touristen ächzte, sei komplexer und mühsamer, als Strike es sich vermutlich vorstellen könne, und er habe jetzt keine Zeit, damit nicht verwandte Informationen für Strike einzuholen.

»Na schön«, sagte Strike ungerührt. »Wollte bloß mal fragen. Grüß April von mir.«

»Ah, richtig«, sagte Wardle, bevor Strike auflegen konnte. »Ich soll dich von ihr fragen, welches Spiel du mit Lorelei treibst.«

»Will dich nicht aufhalten, Wardle, das Land braucht dich«, sagte Strike und legte auf, hörte aber noch, wie der Kriminalbeamte widerstrebend lachte.

Weil seine Kontaktpersonen bei der Polizei keine Informationen lieferten und er keine offizielle Stellung innehatte, die ihm die gewünschten Einblicke beschert hätte, war Strike im entscheidenden Stadium seiner Ermittlungen vorübergehend blockiert, und seine Frustration wurde nicht eben gemildert, indem sie sich vertraut anfühlte.

Immerhin brachte er in einigen Telefonaten beim Frühstück in Erfahrung, dass Francesca Pulham, Raphaels Exkollegin und Liebschaft aus Drummonds Galerie, weiter in Florenz weilte, wohin sie verfrachtet worden war, um sie vor seinem verderblichen Einfluss zu schützen. Francescas Eltern machten gegenwärtig Urlaub in Sri Lanka. Die Haushälterin der Pulhams, Strikes einzige potenzielle Verbindung zur Familie, weigerte sich rundheraus, irgendeine Telefonnummer der drei weiterzugeben. Ihrer Reaktion zufolge gehörten die Pulhams vermutlich zu den Leuten, die schon bei der Vorstellung, ein Privatdetektiv könnte bei ihnen anrufen, nach ihren Anwälten schrien.

Nachdem Strike sämtliche Möglichkeiten, Kontakt zu den verurlaubten Pulhams aufzunehmen, ausgeschöpft hatte, hinterließ er auf Geraint Winns Anrufbeantworter die höfliche

Bitte um ein Gespräch – die vierte in dieser Woche –, aber der Tag verstrich, ohne dass Winn zurückrief. Strike konnte es ihm nicht verübeln. Er bezweifelte, dass er sich an Winns Stelle dafür entschieden hätte, hilfsbereit zu sein.

Strike hatte Robin noch nicht erzählt, dass er in Bezug auf den Fall eine neue Theorie hatte. Sie war derzeit in der Harley Street wieder damit beschäftigt, Teflon-Doc zu observieren, aber am Mittwoch rief sie mit der willkommenen Mitteilung im Büro an, sie habe für Samstag ein Gespräch mit Tegan Butcher auf der Rennbahn in Newbury vereinbart.

»Ausgezeichnet«, sagte Strike, den die Aussicht auf Action vorfreudig stimmte. Er lief ins Vorzimmer, um auf Robins PC Google Maps aufzurufen. »Okay, ich glaube, dass wir da eine Übernachtung einplanen sollten – erst Tegan befragen, dann zum Steda Cottage, sobald es dunkel wird.«

»Cormoran, ist das dein Ernst?«, fragte Robin. »Du willst wirklich nachts in der Mulde rumbuddeln?«

»Klingt wie ein Kinderreim«, sagte Strike vage, während er auf dem Monitor Landstraßen verfolgte. »Hör mal, ich glaube ehrlich gesagt nicht, dass wir dort etwas finden. Seit gestern weiß ich das sogar ziemlich sicher.«

»Was ist denn gestern passiert?«

»Ich hatte da eine Idee – ich erzähl dir davon, wenn wir uns sehen. Hör mal, ich hab Billy versprochen, die Sache mit dem erwürgten Kind aufzuklären, und dazu muss ich dort nachgraben, okay? Wenn dir das unheimlich ist, kannst du ja im Auto bleiben.«

»Und was ist mit Kinvara? Wir wären auf ihrem Besitz …«

»Wir werden wohl kaum etwas Wichtiges ausgraben. Das ganze Areal ist Brachland. Ich bitte Barclay, sich nach Einbruch der Dunkelheit dort mit uns zu treffen. Ich kann nicht gut graben. Hat Matthew denn gar nichts dagegen, wenn du am Samstag über Nacht unterwegs bist?«

»Nein, nein«, versicherte Robin in einem Tonfall, der bei Strike prompt den Verdacht erregte, er werde sehr wohl etwas dagegen haben.

»Und du kannst uns fahren? Mit dem Land Rover?«

»Äh ... Können wir nicht deinen BMW nehmen?«

»Die überwachsene Zufahrt wird der nicht schaffen, fürchte ich. Ist mit dem Land Rover etwas nicht ...«

»Nein, nein«, fiel Robin ihm ins Wort. »Keine Sorge, klar, wir nehmen den Land Rover.«

»Großartig. Was macht Teflon?«

»Er ist in seiner Praxis. Gibt's was Neues zu Aamir?«

»Ich hab Andy darauf angesetzt, die Schwester zu finden, mit der er sich noch halbwegs gut versteht.«

»Und was machst du gerade?«

»Ich studiere die Webseite der Real Socialist Party.«

»Und wozu?«

»Jimmy gibt in seinem Blog ziemlich viel von sich preis: wo er überall gewesen ist, was er alles gesehen hat. Kannst du bis Freitag an Teflon dranbleiben?«

»Ehrlich gesagt wollte ich fragen, ob ich mir ein paar Tage freinehmen könnte, um ein paar persönliche Dinge zu regeln.«

»Oh«, sagte Strike verblüfft.

»Ich hab ein paar Termine, die wichtig sind ... und die ich nicht verpassen darf«, sagte Robin.

Strike kam es ungelegen, Teflon-Doc selbst observieren zu müssen, teils weil sein Bein nach wie vor schmerzte, doch hauptsächlich weil ihm daran lag, seine Theorie zum Fall Chiswell weiter zu untermauern. Außerdem kam Robins Wunsch, sich einige Tage freizunehmen, sehr kurzfristig. Andererseits hatte Robin sich gerade bereit erklärt, ihr Wochenende für eine wahrscheinlich zwecklose Suchaktion in der Mulde zu opfern.

»Klar, okay ... Alles in Ordnung bei dir?«

»Ja, danke. Ich melde mich, falls bei Teflon noch was Interessantes passiert. Ansonsten sollten wir am Samstag gegen elf Uhr abfahren.«

»Wieder von Barons Court?«

»Könnten wir uns diesmal am Bahnhof Wembley treffen? Das wäre einfacher, weil ich in der Nacht auf Samstag dort in der Gegend bin.«

Auch das kam ihm ungelegen: eine doppelt so weite Fahrt inklusive Umsteigen für Strike.

»Klar, sicher.«

Nachdem Robin aufgelegt hatte, blieb er eine Zeit lang auf ihrem Bürostuhl sitzen und dachte über ihr Gespräch nach.

Sie war auffällig zurückhaltend gewesen, was die wichtigen Termine betraf, die sie nicht verpassen durfte. Und er erinnerte sich wieder daran, wie wütend Matthew im Hintergrund geklungen hatte, als er Robin angerufen hatte, um über ihren stressigen, unsicheren und mitunter gefährlichen Job zu diskutieren. Sie hatte zweimal deutlich den Eindruck erweckt, als schreckte sie vor der Aufgabe zurück, den harten Boden der Mulde aufzugraben, und überdies darum gebeten, statt ihres panzerähnlichen Land Rovers den BMW zu nehmen.

Seinen einige Monate alten Verdacht, Robin könnte versuchen, schwanger zu werden, hatte er in der Zwischenzeit fast vergessen. Vor seinem inneren Auge tauchte Charlottes praller Bauch an ihrem Zweiertisch im Franco's auf. Robin würde ihr Kind nie im Leben gleich nach der Geburt im Stich lassen. Wenn Robin schwanger wäre …

Logisch und methodisch, wie er meistens war, und obwohl ein Teil seines Ichs wusste, dass er mangels handfester Informationen bloß theoretisierte, machte Strikes Fantasie ihm weis, wie Matthew, der Vater in spe, im Hintergrund zuhörte, wie Robin nervös um Urlaub für Ultraschall- und andere medizinische Untersuchungen bat, und ihr ärgerlich bedeutete, es sei allmählich an der Zeit aufzuhören, sie müsse sich schonen und besser auf sich achten.

Strike wandte sich wieder Jimmy Knights Blog zu, brauchte aber länger als sonst, um seinen beunruhigten Verstand wieder zu disziplinieren.

61

*Ach, mir können Sie es doch sagen. Wir zwei sind doch
so gute Freunde.*

HENRIK IBSEN, *ROSMERSHOLM*

Die Mitreisenden gewährten Strike mehr Raum, als an einem Samstagmorgen in der U-Bahn nötig gewesen wäre – selbst mit Reisetasche. Und auch sonst konnte er sich mit seinem massigen Körper und dem Boxerprofil mühelos einen Weg durchs Gedränge bahnen. Sein Brummeln und Fluchen, während er sich die Treppen an der Haltestelle Wembley Stadium hochmühte – die Aufzüge funktionierten nicht –, sorgten dafür, dass die Passanten besonders darauf achteten, ihn nicht zu schubsen oder zu behindern.

Der Hauptgrund für Strikes schlechte Laune war Mitch Patterson, den er am Morgen unter seinem Bürofenster erspäht hatte: in einer Tür lungernd und in Jeans und Hoodie, die so gar nicht zu einem Mann seines Alters und Auftretens passen wollten. Verwirrt und verärgert angesichts des neuerlichen Auftauchens des Privatdetektivs, hatte Strike, der das Gebäude nur durch die Vordertür verlassen konnte, ein Taxi bestellt und das Haus erst verlassen, als er es am Ende der Straße anhalten sah. Pattersons Miene, als Strike ihn mit »Morgen, Mitch« begrüßte, hätte Strike amüsiert, wäre er nicht so empört darüber gewesen, dass Patterson allen Ernstes geglaubt hatte, er könnte die Detektei persönlich observieren und dabei unerkannt bleiben.

Die gesamte Strecke zur U-Bahn-Haltestelle Warren Street,

wo er sich von seinem Taxi absetzen ließ, war Strike extrem wachsam geblieben, denn es stand zu befürchten, dass Patterson nur vor seinem Büro gestanden hatte, um ihn abzulenken oder irrezuführen, während gleichzeitig ein zweiter, weniger auffälliger Beschatter Strike folgte.

Selbst jetzt, als er endlich schwer schnaufend die Treppe erklommen hatte, drehte er sich um und kontrollierte mit aufmerksamem Blick, ob jemand unter den Mitreisenden schnell den Kopf einzog, sich hastig wegdrehte oder sich etwas vor das Gesicht hielt. Keiner verhielt sich auffällig. Strike kam zu dem Schluss, dass Patterson allein gearbeitet hatte; dass er vielleicht unter ähnlichen Personalengpässen litt wie Strike selbst. Dass Patterson sich entschlossen hatte, den Job persönlich zu erledigen, statt ihn abzusagen, ließ allerdings den Schluss zu, dass er gut bezahlt wurde.

Strike rückte die Reisetasche auf seiner Schulter zurecht und lief weiter in Richtung Ausgang.

Während der ungemütlichen Fahrt nach Wembley hatte Strike darüber gegrübelt, warum Patterson wohl wieder aufgetaucht war, und war auf drei mögliche Erklärungen gekommen: Entweder hatte die Presse Wind von einer interessanten neuen Wendung bei den polizeilichen Untersuchungen von Chiswells Tod bekommen, woraufhin eine Zeitung Patterson erneut damit beauftragt hatte herauszufinden, was Strike jetzt vorhatte und wie viel er wusste.

Oder jemand bezahlte Patterson dafür, Strike zu beschatten, um dessen Bewegungsfreiheit einzuschränken oder ihm geschäftlich zu schaden. Das würde darauf hindeuten, dass Pattersons Auftraggeber in irgendeiner Weise von Strikes Ermittlungen betroffen war, und in diesem Fall wäre es auch zielführend, wenn Patterson den Job selbst erledigte: Denn das Ziel wäre ja, Strike zu verunsichern, indem man ihn wissen ließ, dass er beobachtet wurde.

Der dritte mögliche Grund für Pattersons neuerliches Interesse bereitete Strike die größten Sorgen, denn er hatte das Gefühl, dass dies die wahrscheinlichste Erklärung war. Inzwischen wusste er, dass man ihn gesehen hatte, als er mit Charlotte im Franco's gesessen hatte. Das hatte ihm Izzy erzählt, die er in der Hoffnung angerufen hatte, sie könne seine Theorie, die er noch niemandem anvertraut hatte, mit Details unterfüttern.

»Ich hab gehört, du warst mit Charlotte essen«, hatte sie geblökt, ehe er auch nur eine einzige Frage stellen konnte.

»Es gab kein Essen. Ich hab ihr nur für zwanzig Minuten Gesellschaft geleistet, weil sie sich nicht gut fühlte, dann bin ich wieder gegangen.«

»Ach – entschuldige«, ruderte Izzy, durch seinen Tonfall eingeschüchtert, zurück. »Ich ... Ich wollte dir auch nicht nachspionieren ... Roddy Fforbes war im Franco's, und er hat euch beide gesehen ...«

Falls Roddy Fforbes – wer auch immer das war – in London verbreitete, dass Strike seine hochschwangere, verheiratete Exverlobte zum Essen ausführte, während ihr Ehemann in New York weilte, würde das die Boulevardpresse definitiv interessieren. Die wilde, schöne, aristokratische Charlotte war immer für eine Nachricht gut. Seit ihrem sechzehnten Lebensjahr gab ihr Name den Klatschspalten Pfeffer, ihre diversen Verirrungen – die Fluchten aus dem Internat, ihre Kurzaufenthalte in diversen psychiatrischen und Entzugskliniken – waren ausführlich dokumentiert worden. Es war sogar möglich, dass Patterson von Jago Ross selbst beauftragt worden war. Ross konnte sich das definitiv leisten, und falls die Überwachung seiner Frau durch einen Privatdetektiv nebenbei dazu führte, dass Strikes Detektei pleiteging, würde Ross das zweifellos als Bonus betrachten.

Robin, die unweit der Haltestelle in ihrem Land Rover saß, beobachtete, wie Strike mit der Reisetasche über der Schulter auf den Gehweg hinaustrat. Sie hatte ihn noch nie so schlecht gelaunt gesehen. Er zündete sich eine Zigarette an, suchte mit dem Blick die Straße ab, bis er den Land Rover am Ende einer Reihe parkender Autos entdeckte, und humpelte dann ohne ein Lächeln in ihre Richtung. Robin, deren Laune ebenfalls gefährlich düster war, konnte nur mutmaßen, dass er so wütend war, weil er mit offenbar schwerem Gepäck und schmerzendem Bein die lange Fahrt nach Wembley hatte bewältigen müssen.

Sie war um vier Uhr früh aufgewacht und hatte nicht wieder einschlafen können; stattdessen hatte sie verkrampft und unglücklich auf Vanessas hartem Sofa gelegen und über ihre Zukunft und das Telefonat mit ihrer Mutter nachgedacht, das im Streit geendet hatte. Matthew hatte versucht, sie zu erreichen, und unter anderem in Masham angerufen, und Linda hatte sich daraufhin nicht nur die schlimmsten Sorgen gemacht, sie war auch wütend gewesen, weil sie nicht von Robin persönlich erfahren hatte, was vorgefallen war.

»Und wo schläfst du jetzt? Bei Strike?«

»Natürlich schlafe ich nicht bei Strike! Warum in aller Welt sollte ich ...«

»Wo dann?«

»Bei einer Freundin.«

»Bei wem? Warum hast du uns das nicht erzählt? Was machst du denn jetzt? Ich komme nach London, ich will dich sehen!«

»Bitte nicht«, hatte Robin zähneknirschend geantwortet.

Sie hatte schwerste Gewissensbisse, weil ihre Eltern sich für ihre Hochzeit derart in Unkosten gestürzt hatten und sie ihre Mutter und ihren Vater nun in die peinliche Lage brachte, sämtlichen Bekannten erklären zu müssen, dass Robins Ehe kaum ein Jahr nach der Hochzeit gescheitert war. Trotzdem ertrug sie die Vorstellung nicht, Linda könne sie anflehen und umschmeicheln und sie wieder behandeln, als wäre sie zerbrechlich und lädiert. Wenn sie im Moment etwas nicht brauchen konnte, dann ihre Mutter, die ihr vorschlug, nach Yorkshire heimzukehren und sich in ihrem alten Kinderzimmer zu verkriechen, in dem sie einige der schlimmsten Monate ihres Lebens verbracht hatte.

Nachdem Robin unzählige bis unters Dach belegte Häuser besichtigt hatte, hatte sie eine Kaution für eine Abstellkammer in einem Haus in Kilburn hinterlegt, wo sie fünf Mitbewohner hätte und in einer Woche würde einziehen können. Wann immer sie an ihre neue Wohnung dachte, wurde ihr flau vor Kummer und Beklemmung. Mit ihren fast achtundzwanzig Jahren wäre sie die Älteste im Haus.

Um Strike versöhnlich zu stimmen, stieg sie kurzerhand aus und bot ihm an, die Reisetasche zu nehmen, bekam aber bloß ein Grunzen zur Antwort. Er komme schon zurecht. Als die Segeltuchhülle auf dem Metallboden des Land Rovers auftraf, hörte sie das Klappern schweren Metallwerkzeugs und spürte, wie sich ihr Magen nervös verkrampfte.

Unterdessen hatte Strike Robin flüchtig in Augenschein genommen und sah seine schlimmste Befürchtung bestätigt. Bleich, mit tiefen Schatten unter den Augen, sah sie gleichzeitig aufgedunsen und ausgezehrt aus; zudem schien sie in den paar Tagen, die er sie nicht gesehen hatte, abgenommen zu haben. Die Frau seines alten Armeekameraden Graham Hardacre war im Anfangsstadium ihrer Schwangerschaft ins Krankenhaus eingewiesen worden, weil sie sich ständig hatte übergeben müssen. Vielleicht war es bei Robin während einem ihrer wichtigen Termine um ein ganz ähnliches Problem gegangen.

»Alles in Ordnung?«, fragte Strike ruppig, als er sich anschnallte.

»Alles gut«, sagte sie ihrem Gefühl nach zum x-ten Mal und interpretierte seine wortkarge Begrüßung als Ärger über die lange Fahrt mit der U-Bahn.

Schweigend ließen sie London hinter sich. Als sie auf die M40 aufgefahren waren, erklärte Strike: »Patterson ist wieder da. Er hat heute Morgen das Büro observiert.«

»Du machst Witze!«

»War bei euch zu Hause auch jemand?«

»Nein, nicht dass ich wüsste«, antwortete Robin kaum merklich verzögert. Vielleicht hatte Matthew ja darüber reden wollen, als er versucht hatte, sie in Masham zu erreichen.

»Dir ist nichts aufgefallen, als du heute Morgen aus dem Haus bist?«

»Nein«, antwortete Robin aufrichtig.

In den Tagen, seit sie Matthew verlassen hatte, hatte sie sich immer wieder ausgemalt, wie sie Strike erzählen würde, dass ihre Ehe gescheitert war, hatte aber bis jetzt nicht die richtigen Worte gefunden, um ihm die Neuigkeit mit der erforderlichen Ruhe zu eröffnen. Es war frustrierend: Eigentlich, sagte sie sich, sollte es doch ganz einfach sein. Er war der Freund und Kollege, der für sie da gewesen war, als sie die Hochzeit vorübergehend abgesagt hatte, und der von Matthews früherer Affäre mit Sarah wusste. Im Grunde hätte sie in der Lage sein müssen, ihm alles ganz locker im Gespräch zu erzählen, so wie bei Raphael.

Das Problem war nur, dass es zwar einige wenige Gelegenheiten gegeben hatte, bei denen sie und Strike sich über ihr jeweiliges Liebesleben ausgelassen hatten, dass dabei aber immer einer von ihnen betrunken gewesen war. Ansonsten waren sie in derlei Dingen immer extrem reserviert gewesen, ganz entgegen Matthews paranoider Überzeugung, dass sie den Großteil ihrer Arbeitszeit mit Flirten verbrachten.

Aber das war noch nicht alles. Strike war derjenige, den sie bei ihrer Hochzeitsfeier auf der Treppe umarmt hatte und mit dem sie in ihrer Fantasie durchgebrannt war, noch bevor ihre Ehe vollzogen war. Seinetwegen hatte sie in den Flitterwochen nachts endlos den weißen Strand durchfurcht, während sie allein auf und ab spaziert war und versucht hatte, für sich zu klären, ob sie denn nun in ihn verliebt war oder nicht. Sie hatte Angst, sich zu verraten, Angst, ihm versehentlich zu offenbaren, was sie gedacht und gefühlt hatte, denn wenn er auch nur die leiseste Ahnung davon bekäme, was für ein Störfaktor er gewesen war, zu Beginn wie am Schluss ihrer Ehe, dann würde das definitiv ihre Arbeitsbeziehung beeinträchtigen – so gewiss, wie es ihren Job gefährden würde, wenn er von ihren Panikattacken erführe.

Nein, sie musste nach außen hin den gleichen Eindruck erwecken wie er – selbstbeherrscht und stoisch und imstande, jedes Trauma zu verarbeiten und weiterzuhumpeln, bereit, sich allem zu stellen, was das Leben ihr vor die Füße warf, selbst dem, was unten in der Mulde liegen mochte, und zwar ohne auch nur mit der Wimper zu zucken oder sich abzuwenden.

»Und was hat Patterson deiner Meinung nach vor?«, fragte sie.

»Das wird sich zeigen. Sind deine Termine gut gelaufen?«

»Ja«, sagte Robin und erklärte dann, um nicht an ihr frisch gemietetes winziges Zimmer denken zu müssen und an das Studentenpaar, das sie herumgeführt und dabei verstohlen die viel zu alte Erwachsene gemustert hatte, die bei ihnen einziehen wollte: »Hinten in der Tüte liegen Kekse. Kein Tee, tut mir leid, aber wir können ja irgendwo anhalten, wenn du möchtest.«

Die Thermoskanne lag noch in der Albury Street – eins der Dinge, die sie vergessen hatte einzupacken, als sie dorthin zurückgekehrt war, während Matthew bei der Arbeit war.

»Danke«, antwortete Strike ohne große Begeisterung. Er fragte sich, ob die wiederaufgetauchten Snacks angesichts seiner Beteuerung, Diät halten zu wollen, ein weiterer Hinweis auf die Schwangerschaft seiner Partnerin waren.

Robins Handy klingelte in ihrer Tasche. Sie ignorierte es. Schon zwei Mal hatte sie an diesem Morgen jemand unter ein und derselben unbekannten Nummer angerufen, und sie befürchtete, es könnte Matthew sein, der sich ein fremdes Handy geliehen hatte, nachdem sie ihn blockiert hatte.

»Willst du nicht rangehen?« Strike musterte ihr bleiches, gefasstes Profil.

»Ach ... nicht beim Fahren.«

»Ich kann für dich annehmen, wenn du willst.«

»Nein«, wehrte sie ein bisschen zu schnell ab.

Das Handy verstummte, begann dann aber gleich darauf wieder zu klingeln. Überzeugter denn je, dass es Matthew sein musste, zog Robin das Handy aus der Tasche. »Ich glaub, ich weiß, wer da anruft, und ich will im Moment nicht reden. Kannst du es stumm stellen, wenn es gleich aufhört zu klingeln?«

Strike nahm ihr das Handy ab.

»Ein weitergeleiteter Anruf aus unserem Büro – ich schalt auf Lautsprecher«, sagte Strike hilfsbereit, denn der uralte Land Rover hatte nicht mal eine funktionierende Heizung, von einer Freisprechanlage ganz zu schweigen. Dann hielt er das Handy dicht an ihre Wange, damit sie über das Rattern und Knurren des zugigen Vehikels hinweg zu verstehen wäre.

»Hallo, hier ist Robin. Wer ist da?«

»Robin? Nicht vielleicht *Venetia*?«, fragte eine Stimme mit walisischem Akzent.

»Mr. Winn?« Robin hielt den Blick auf die Straße gerichtet, während Strike ihr das Handy an den Mund hielt.

»Ja, Sie hinterlistige kleine Schlampe, ganz richtig.«

Robin und Strike sahen einander verwundert an. Was bitte war aus dem anzüglichen, lasziven Winn geworden, der sämtliche Frauen umgarnen und beeindrucken wollte?

»Haben Sie endlich gekriegt, worauf Sie es abgesehen haben, ja? Wie Sie ständig über den Flur scharwenzelt sind, Ihre Titten überall hingehalten haben, wo sie nichts zu suchen hatten – ›Oh, Mr. Winn …‹«, imitierte er ihre Stimme, so wie es Matt immer tat, piepsig und leicht debil, »ach, bitte, helfen Sie mir, Mr. Winn, soll ich zu einer Wohltätigkeitsorganisation gehen oder doch in die Politik? Kann ich mich noch ein bisschen tiefer über Ihren Schreibtisch beugen, Mr. Winn?‹ Wie viele haben Sie so schon in die Falle gelockt? Was würden Sie sonst noch alles tun …«

»Haben Sie mir irgendetwas zu sagen, Mr. Winn?«, fiel Robin ihm laut ins Wort. »Denn wenn Sie nur angerufen haben, um mich zu beleidigen …«

»Oh, ich hab Ihnen eine verfluchte Menge zu sagen, *eine verfluchte Menge*«, brüllte er. »Sie werden dafür *bezahlen*, Miss Ellacott, was Sie mir angetan haben, Sie werden *bezahlen*, was Sie mir und meiner Frau angetan haben! So leicht kommen Sie mir nicht davon! Sie haben in diesem Büro gegen das Gesetz verstoßen, und dafür bringe ich Sie vor Gericht, haben Sie mich verstanden?« Er klang beinahe hysterisch. »Da werden wir ja dann sehen, ob Ihre Verführungskünste auch beim Richter wirken, oder? Ihr tief ausgeschnittenes Top und Ihr ›Oh, mir ist ja so heiß …‹«

Am Rand von Robins Blickfeld schien ein weißes Licht aufzustrahlen, das die Straße zu einem Tunnel verengte.

»Nein!«, brüllte sie, nahm kurz beide Hände vom Lenkrad und knallte sie dann wieder zitternd darauf. Es war das gleiche Nein, das sie Matthew entgegengeschleudert hatte – ein so vehementes und entschiedenes Nein, dass Geraint Winn darauf ebenso fassungslos verstummte wie zuvor Matthew.

»Niemand hat Sie gezwungen, mir über die Haare zu streicheln und den Rücken zu tätscheln und meine Brüste anzugaffen, Mr. Winn, *ich* wollte das nicht, obwohl es Ihnen bestimmt einen Kick gibt, wenn Sie sich das einreden …«

»Robin!«, sagte Strike, aber seine Ermahnung hätte genauso gut ein Knarzen in der uralten Karosserie des Land Rovers sein können, denn Robin überhörte sie ebenso wie Geraints aufgebrachten Einwurf: »Wer ist denn noch da? War das Strike?«

»Sie sind ein Widerling, Mr. Winn, ein Widerling und ein *Dieb*, der eine Wohltätigkeitsorganisation bestohlen hat, und nicht nur das werde ich liebend gern vor Gericht ausbreiten, ich werde überdies mit dem größten Vergnügen der Welt erzählen, dass Sie Bilder Ihrer toten Tochter benutzen, wenn Sie jungen Frauen in die Bluse gaffen wollen …«

»Wie können Sie es wagen!« Winn schnappte nach Luft. »Haben Sie gar keinen Anstand? Wie können Sie es *wagen*, von Rhiannon zu sprechen – es wird alles ans Licht kommen, Samuel Murapes Familie …«

»Ich scheiß auf Sie und Ihre blöden alten Geschichten!«, brüllte Robin. »Sie sind ein perverser, verlogener …«

»Falls Sie noch etwas zu sagen haben, würde ich vorschlagen, dass Sie uns das schriftlich mitteilen, Mr. Winn«, rief Strike ins Handy, während Robin, die kaum noch wusste, was sie gerade tat, weiter Beleidigungen in Richtung der Windschutzscheibe ausspie. Strike beendete das Telefonat mit einem energischen Fingerhieb aufs Display und griff nach dem Lenkrad, als Robin erneut wild gestikulierend beide Hände hob.

»Scheiße noch mal!«, rief Strike. »Fahr ran – fahr ran, auf der Stelle!«

Ohne nachzudenken, befolgte sie seinen Befehl, auch weil ihr das Adrenalin die Orientierung nahm, als hätte sie Alkohol im Blut. Sobald der Land Rover bockend zum Stehen gekommen war, warf sie den Sicherheitsgurt ab und sprang knapp neben den vorbeirasenden Autos auf den Seitenstreifen. Wie von Sinnen und mit ZornesträNen im Gesicht taumelte sie vom Land Rover weg und versuchte, der Panik zu entfliehen, die inzwischen immer heftiger anbrandete, weil sie soeben einen

Mann vor den Kopf gestoßen hatte, mit dem sie vielleicht noch mal sprechen mussten – einen Mann, der von Rache geredet hatte, der vielleicht Patterson bezahlte …

»Robin!«

Und jetzt, schoss ihr durch den Kopf, würde auch Strike wissen, dass sie einen psychischen Knacks hatte, dass sie eine kranke Irre war, die sich niemals auf so einen Job hätte einlassen dürfen, die einknickte, sobald es hart auf hart kam. Sie drehte sich eilig zu ihm um, als er ihr humpelnd über den Seitenstreifen nachgeeilt kam, wischte sich mit dem Ärmel übers Gesicht und sagte, ehe er sie zurechtweisen konnte: »Ich weiß, ich hätte nicht die Fassung verlieren dürfen, ich weiß, ich hab's vermasselt, tut mir leid.«

Seine Antwort ging in dem Dröhnen in ihren Ohren unter. Im selben Moment setzte die Panik ein, als hätte sie nur darauf gewartet, dass Robin aufhörte zu rennen. Alles begann, sich zu drehen, und ohne auch nur zu einem klaren Gedanken mehr fähig zu sein, sank sie am Rand des Seitenstreifens in die trockenen Grasstoppeln, die durch ihre Jeans pikten, und versuchte, sich mit zusammengekniffenen Augen und vors Gesicht geschlagenen Händen in die Realität zurückzuatmen, während dicht neben ihr der Verkehr vorbeibrauste.

Sie hätte nicht sagen können, ob es eine Minute oder zehn gedauert hatte, doch irgendwann verlangsamte sich ihr Puls, ihre Gedanken klarten wieder auf, und die verebbende Panik wich tiefer Scham. So lange hatte sie ihm mühsam vorgespielt, mit ihr wäre alles in Ordnung, und jetzt hatte sie alles verpatzt.

Zigarettenrauch wehte an ihr vorbei. Sie schlug die Augen auf und sah Strikes ausgestrecktes Bein rechts neben ihrem auf dem Boden. Er hatte sich ebenfalls an den Straßengraben gesetzt.

»Und wie lang hast du schon Panikattacken?«, fragte er wie beiläufig.

Es war zwecklos, ihm noch länger etwas vormachen zu wollen.

»Seit etwa einem Jahr«, murmelte sie.

»Und lässt du dir helfen?«

»Ja, ich war eine Weile in Therapie. Jetzt mache ich VT-Übungen.«

»Machst du sie wirklich?«, fragte Strike behutsam. »Denn ich hab vor einer Woche vegetarischen Bacon gekauft, und der macht mich kein bisschen gesünder, nur weil er bei mir im Kühlschrank liegt.«

Unwillkürlich musste Robin lachen und konnte irgendwann gar nicht mehr aufhören. Wieder liefen ihr Tränen übers Gesicht. Strike beobachtete sie – nicht unfreundlich – und rauchte schweigend weiter.

»Ich hätte sie regelmäßiger machen können«, gestand Robin schließlich und wischte sich wieder übers Gesicht.

»Gibt es noch etwas, was du mir erzählen möchtest, wenn wir schon mal dabei sind?«, fragte Strike.

Er hatte das Gefühl, bevor er ihr weiter Ratschläge zu ihrer psychischen Gesundheit erteilte, sollte er bis ins schlimmste Detail alles erfahren. Aber Robin sah ihn nur verwirrt an.

»Gibt es eventuell noch andere gesundheitliche Umstände, die sich auf deine Arbeit auswirken könnten?«

»Wie zum Beispiel?«

Strike fragte sich, ob er wohl gleich gegen irgendein Arbeitsgesetz verstieß.

»Ich hab mich gefragt«, sagte er, »ob du … also … ob du vielleicht schwanger bist.«

Robin brach erneut in Gelächter aus. »Oh Gott, ist das komisch!«

»Ist es das?«

»Nein«, antwortete sie kopfschüttelnd. »Ich bin nicht schwanger.«

Erst jetzt fiel Strike auf, dass sie weder ihren Ehe- noch ihren Verlobungsring trug. Er hatte sich so daran gewöhnt, sie ohne einen Ring zu sehen, während sie Venetia Hall und Bobbi Cunliffe verkörpert hatte, dass er gar nicht auf die Idee gekommen war, die fehlenden Ringe könnten noch etwas anderes bedeuten. Trotzdem wollte er sie nicht direkt danach fragen, und diesmal hatte es nichts mit irgendwelchen Arbeitsrechten zu tun.

»Matthew und ich haben uns getrennt.« Mit gerunzelter Stirn sah Robin dem vorbeifließenden Verkehr nach, um nicht sofort wieder loszuheulen. »Vor einer Woche.«

»Ach«, sagte Strike. »Scheiße. Tut mir leid.«

Seine besorgte Miene stand in direktem Widerspruch zu seinen Gefühlen. Seine düstere Laune hatte sich so unvermittelt aufgehellt, als hätte er aus dem Stand drei Pints in sich hineingekippt. Der Geruch nach Gummi und Staub und verbranntem Gras rief die Erinnerung an jenen Parkplatz wach, auf dem er sie versehentlich geküsst hatte. Eilig zog er an seiner Zigarette. Sie durfte ihm um keinen Preis ansehen, was er empfand.

»Ich weiß, so hätte ich nicht mit Geraint Winn reden dürfen«, sagte Robin, und wieder verdrückte sie ein paar Tränchen. »Ich hätte Rhiannon nicht erwähnen dürfen ... Aber ich hab die Beherrschung verloren und ... Es ist bloß ... *Männer*, diese verfluchten *Männer*, immer denken sie, du wärst genau wie sie!«

»Was war denn mit Matt?«

»Er schläft mit Sarah Shadlock«, fauchte Robin. »Mit der Verlobten seines besten Freundes. Sie hat einen Ohrring in unserem Bett verloren, und ich ... Ach, *Scheiße*.«

Es war zwecklos. Sie schlug die Hände vors Gesicht und begann erneut, hemmungslos zu weinen. Sie hatte wohl ohnehin nichts mehr zu verlieren, nachdem sie sich in Strikes Augen als unfähig erwiesen hatte und jetzt auch das Letzte in ihrem Leben, was sie sich um jeden Preis hatte erhalten wollen, durch und durch vergiftet war. Matthew hätte sich ins Fäustchen gelacht, wenn er hätte sehen können, wie sie am Straßenrand die Fassung verlor und damit im Nachhinein bestätigte, dass sie nicht geeignet war für diesen Job, den sie so sehr liebte, dem aber ihre persönliche Geschichte – die Tatsache, dass sie zweimal zur falschen Zeit am falschen Ort auf den falschen Mann getroffen war – schlicht und ergreifend zu starke Beschränkungen auferlegte.

Ein schweres Gewicht senkte sich auf ihre Schulter. Strike hatte den Arm um sie gelegt. Das war gleichzeitig tröstend und ein schlechtes Zeichen; so etwas hatte er zuvor noch nie gemacht, und sie war fest überzeugt, dass dies lediglich die letzte aufmunternde Geste war, bevor er ihr gleich erklären würde, dass sie nicht in der Verfassung sei zu arbeiten, dass sie das bevorstehende Gespräch absagen und nach London zurückkehren würden.

»Und wo wohnst du jetzt?«

»Auf Vanessas Sofa.« Robin wischte sich hektisch über Augen und Nase: Rotz und Tränen durchtränkten die Knie ihrer Jeans. »Aber inzwischen hab ich ein Zimmer gefunden.«

»Und wo?«

»In Kilburn, in einer WG.«

»Verflucht noch mal, Robin«, sagte Strike. »Warum hast du denn nichts gesagt? Nick und Ilsa haben ein freies Gästezimmer, die würden sich freuen …«

»Ich kann doch nicht einfach so deine Freunde anschnorren«, erwiderte Robin mit belegter Stimme.

»Das hat doch nichts mit Schnorren zu tun.« Er schob sich die Zigarette zwischen die Lippen und tastete mit der freien Hand seine Taschen ab. »Sie mögen dich, und du könntest bestimmt ein paar Wochen bleiben, bis … Ah, ich wusste doch, dass ich noch eins habe. Ist nur verknittert, ich hab's noch nicht benutzt – glaub ich zumindest …«

Robin nahm das Taschentuch entgegen und hatte es bereits mit dem ersten herzhaften Schnäuzen zerfetzt.

»Hör zu«, begann Strike, doch Robin unterbrach ihn sofort.

»Bitte sag jetzt nicht, dass ich mir freinehmen soll. Bitte nicht. Es geht mir gut, ich kann arbeiten, und bis eben hatte ich auch seit einer Ewigkeit keine Panikattacke mehr. Ich will ...«

»... einfach nicht zuhören.«

»Na gut. Entschuldige«, murmelte sie und knüllte das feuchte Taschentuch zusammen. »Also, sag schon.«

»Nachdem ich in die Luft gesprengt wurde, konnte ich in kein Auto mehr steigen, ohne so zu reagieren wie du gerade eben. Ich bin jedes Mal in Panik geraten, mir ist der kalte Schweiß ausgebrochen, und ich hab keine Luft mehr gekriegt. Eine ganze Weile hab ich mich geweigert, mich von jemand anderem fahren zu lassen – und ganz ehrlich? Das bereitet mir immer noch Probleme.«

»Das wusste ich nicht«, sagte Robin. »Das merkt man dir gar nicht an.«

»Na ja, also ... Ich kenne auch niemanden, der so gut fahren würde wie du. Du solltest mich mal zusammen mit meiner Schwester erleben. Die Sache ist die, Robin ... Ach du Schande!«

Ein Streifenwagen war aufgetaucht und hielt hinter dem leeren Land Rover. Offenbar rätselten die Polizisten, warum die Insassen fünfzig Schritte weiter am Straßenrand saßen und sich ganz offenkundig nicht mehr um ihr nachlässig abgestelltes Fahrzeug scherten.

Strike nahm den Arm von Robins Schulter und stand umständlich auf, und Robin tat es ihm gleich.

»Ihr war schlecht«, erklärte Strike dem Polizisten knapp. »Vorsicht, sonst spuckt sie Sie noch an ...«

Während sie zu ihrem Wagen zurückkehrten, beäugte der

Kollege des Polizisten eingehend die Steuermarke des alten Land Rovers.

»So alte sieht man nicht mehr oft auf der Straße«, bemerkte er.

»Er hat mich noch nie im Stich gelassen«, sagte Robin.

»Und du bist sicher, dass du wieder fahren kannst?«, fragte Strike leise, während sie den Zündschlüssel herumdrehte. »Wir könnten behaupten, dass dir immer noch übel ist.«

»Es geht schon wieder.«

Und diesmal stimmte es. Er hatte zu ihr gesagt, er kenne niemanden, der so gut fahre wie sie, und womöglich war das keine große Sache. Trotzdem hatte er ihr damit etwas von ihrer Selbstachtung zurückgegeben. Also fädelte sie nahtlos wieder in den fließenden Verkehr ein.

Lang blieb es still. Strike war der Meinung, dass jede weitere Unterhaltung über Robins psychische Gesundheit vertagt werden sollte, bis sie nicht mehr am Steuer säße.

»Kurz bevor ich aufgelegt hab, hat Winn einen Namen genannt«, murmelte er nach einer Weile und zog sein Notizbuch heraus. »Hast du das mitbekommen?«

»Nein.« Sie wurde rot.

»Irgendwas von einem Samuel Sowieso ...« Strike machte sich eine Notiz. »Murdoch? Matlock?«

»Ich hab nichts gehört.«

»Nicht weiter schlimm«, munterte Strike sie auf. »Wahrscheinlich hätte er den Namen gar nicht fallen lassen, wenn du ihn nicht so angeschrien hättest. Nicht dass ich dir empfehlen würde, unsere Befragten in Zukunft immer als Diebe und Perverse zu bezeichnen ...« Er reckte sich in seinem Sitz nach der Einkaufstüte auf dem Rücksitz. »Keks gefällig?«

62

Ich will aber nicht Deine Niederlage sehen, Rebekka!

HENRIK IBSEN, *ROSMERSHOLM*

Der Parkplatz an der Rennbahn von Newbury war fast voll belegt, als sie dort ankamen. Viele der Besucher auf dem Weg zu den Ticketschaltern trugen wie Strike und Robin bequeme Jeans und Jacken; andere hatten flatternde Seidenroben, Anzüge, gefütterte Westen, Tweedhüte oder Cordhosen in Senfgelb und Kastanienbraun angelegt, bei denen Robin unwillkürlich an Torquil denken musste.

Jeweils in ihre eigenen Gedanken vertieft, stellten sie sich an der Kasse an. Robin fürchtete sich vor dem Moment, da sie das Crafty Filly gefunden hätten, in dem Tegan Butcher arbeitete. Sie war überzeugt, dass Strike noch einiges über ihren psychischen Zustand zu sagen hätte, und rechnete insgeheim damit, dass er es zurzeit lediglich hinauszögerte, sie nach ihrer Rückkehr nach London aus dem Außendienst an den Schreibtisch zurückzuverdammen.

In Wahrheit war Strike in Gedanken ganz woanders. Die fernen weißen Geländer hinter dem kleinen Zelt, vor dem man sich für die Eintrittskarten anstellen musste, und all das Tweed und Cord erinnerten ihn an seinen letzten Besuch auf einer Pferderennbahn. Er interessierte sich nicht besonders für Pferderennen. Die einzig beständige Vaterfigur in seinem Leben, sein Onkel Ted, hatte sich für Fußball und Segeln begeistert, und auch wenn ein paar von Strikes Army-Kameraden gern auf Pferde gewettet hatten, hatte er selbst nie verstanden, worin dabei der Reiz lag.

Allerdings hatte er drei Jahre zuvor mit Charlotte und zwei ihrer Lieblingsgeschwister das Epsom Derby besucht. Wie Strike stammte auch Charlotte aus einer zerrissenen, zerrütteten Familie. In einem unverhofften Anfall von Überschwang hatte sie darauf bestanden, dass sie Valentines und Sachas Einladung annähmen, und dabei keine Rücksicht darauf genommen, dass Strike sich nicht im Geringsten für Pferderennen interessierte und wohl auch kaum herzliche Gefühle für die beiden Männer hegen würde, die ihn ihrerseits als unerklärlichen Fauxpas im Leben ihrer Schwester betrachteten.

Damals war er praktisch pleite gewesen, nachdem er gerade mehr oder weniger mittellos die Detektei gegründet und, weil ihn sämtliche Banken des erhöhten Risikos wegen abgelehnt hatten, um einen Kleinkredit bei seinem leiblichen Vater angesucht hatte, dessen Anwälte ihm nun im Genick gesessen hatten. Nichtsdestotrotz hatte Charlotte getobt, als er keine weitere Wette platzieren wollte, nachdem er einen Fünfer auf den Sieg des favorisierten Fame and Glory gesetzt hatte und dieser als Zweiter durchs Ziel gegangen war. Sie beschimpfte ihn zwar nicht als Puritaner oder Scheinheiligen, Plebejer oder Knauser, wie sie es schon mal getan hatte, wenn er sich geweigert hatte, so bedenkenlos und ostentativ mit Geld um sich zu werfen wie ihre Verwandten und Freunde. Dafür hatte sie selbst, angestachelt von ihren Brüdern, immer kostspieligere Wetten platziert, bis sie schließlich 2500 Pfund gewonnen und darauf bestanden hatte, dass sie alle zusammen das Champagnerzelt besuchten, wo Charlotte dank ihrer Schönheit und aufgekratzten Fröhlichkeit alle Blicke auf sich gezogen hatte.

Strike wanderte neben Robin über die breite Asphaltstraße, die hinter den hohen Tribünen parallel zur Rennstrecke verlief, an Kaffeeständen, Ciderbuden und Eiswagen, an den Umkleideräumen für die Jockeys und der Bar für die Trainer und Besitzer vorbei. In Gedanken war er wieder ganz bei Charlotte und diversen Wetten, die sich ausgezahlt oder auch nicht ausgezahlt hatten, bis ihn Robins Stimme in die Gegenwart zurückholte.

»Ich glaube, das hier ist es.«

An der gemauerten Seitenwand einer flachen Bar hing ein gemaltes Schild mit dem Kopf eines schwarzen, zwinkernden Fohlens im Trensengebiss. Vor der Tür herrschte Hochbetrieb. Champagnerflöten klirrten, Stimmengewirr und Gelächter erfüllten die Luft. Vom Crafty Filly aus hatte man freien Blick auf den Sattelplatz, wo in Kürze die Pferde vorgeführt würden und sich schon jetzt eine Menschenmenge sammelte.

»Schnapp dir einen Stehtisch«, erklärte Strike. »Ich hole uns etwas zu trinken und gebe Tegan Bescheid, dass wir hier sind.«

Er verschwand in der Bar, ohne sie zu fragen, was sie trinken wollte.

Robin setzte sich auf einen Edelstahl-Barhocker an einem der Stehtische. Sie wusste, dass Strike die Hocker bevorzugte, weil er darauf leichter Platz nehmen und wieder aufstehen konnte als von den tiefen Weidensofas. Der gesamte Außenbereich war mit einer Polyurethanmarkise überdacht, um die Gäste vor einem potenziellen Regenguss zu schützen. Der Himmel war wolkenlos, der Tag warm, und die leichte Brise bewegte kaum die Blätter der Formschnittgehölze am Eingang der Bar. Sie würden später in der Mulde vor dem Steda Cottage unter klarem Himmel graben können, mutmaßte Robin – immer vorausgesetzt, Strike sagte die Expedition nicht noch ab, weil er Robin für zu instabil und verletzlich hielt.

Bei der Vorstellung fröstelte sie innerlich. Zur Ablenkung studierte sie die gedruckte Teilnehmerliste, die man ihnen zusammen mit ihren Pappeintrittskarten ausgehändigt hatte, bis unerwartet ein Piccolo Moët & Chandon auf ihrem Tisch landete und Strike sich mit einem Pint Bitter auf seinem Hocker niederließ.

»Doom Bar vom Fass«, verkündete er fröhlich und hob prostend sein Glas, während Robin verständnislos auf die kleine Champagnerflasche hinabblickte, die bemerkenswerte Ähnlichkeit mit einer Flasche Schaumbad hatte.

»Wofür ist die?«

»Zur Feier des Tages«, sagte Strike, nachdem er einen großen Schluck Bier genommen hatte. »Ich weiß, man soll so etwas nicht sagen«, fuhr er fort und kramte dabei in den Taschen nach seinen Zigaretten, »aber du kannst drei Kreuze machen, dass du ihn endlich los bist. Die Verlobte seines Kumpels bumsen – und das auch noch im eigenen Ehebett? Er hat alles verdient, was jetzt über ihn hereinbricht.«

»Ich kann nicht trinken. Ich muss noch fahren.«

»Das Fläschchen hat mich gerade fünfundzwanzig Eier gekostet. Nimm also wenigstens einen Anstandsschluck.«

»Fünfundzwanzig Pfund *hierfür*?« Robin sah zu, wie Strike sich die Zigarette anzündete, und nutzte die Gelegenheit, um sich verstohlen über die feuchten Augen zu wischen.

»Ich muss dich mal was fragen«, sagte Strike, während er sein Streichholz ausschüttelte. »Machst du dir eigentlich je Gedanken darüber, wie es mit der Detektei weitergehen soll?«

»Wie meinst du das?«, fragte Robin erschrocken.

»Mein Schwager hat mich kürzlich ins Kreuzverhör genommen – am Abend der Eröffnungsfeier für die Olympischen Spiele«, erzählte Strike. »Hat mir Vorträge gehalten, dass ich doch irgendwann an den Punkt kommen sollte, an dem ich nicht mehr selbst raus auf die Straße muss.«

»Aber das würdest du doch gar nicht wollen, oder? Moment!« Panisch hielt Robin inne. »Willst du mir gerade beibringen, dass ich ab sofort wieder an den Schreibtisch und Telefondienst machen soll?«

»Nein.« Strike blies den Rauch von ihr weg. »Ich will bloß wissen, ob du dir jemals Gedanken über die Zukunft machst.«

»Willst du, dass ich aufhöre? Dass ich mir was anderes ...«

»Verflucht noch mal, Ellacott, *nein*! Ich frage dich, ob du dir manchmal Gedanken über die Zukunft machst, nichts weiter.«

Er sah zu, wie Robin die kleine Flasche entkorkte.

»Ja, natürlich«, antwortete sie leicht verunsichert. »Natürlich hoffe ich, dass irgendwann endlich mehr auf unser Konto kommt, damit wir nicht immer nur von der Hand in den Mund leben müssen. Aber ich liebe diesen Job« – ihre Stimme bebte –, »und das weißt du genau. Ich wollte nie etwas anderes als ... diesen Job machen, dabei besser werden und ... unsere Detektei irgendwann zur besten in ganz London machen, schätze ich.«

Gut gelaunt stieß Strike mit seinem Bierglas gegen ihre Champagnerflöte.

»Also dann. Vergiss bei dem, was ich dir gleich sagen werde, nicht, dass ich exakt das Gleiche will, okay? Und du kannst ruhig trinken. Tegan hat erst in vierzig Minuten Pause, wir schlagen also noch eine Menge Zeit tot, bevor wir heute Abend zur Mulde fahren.« Strike wartete, bis sie einen Schluck Champagner genommen hatte, dann fuhr er fort: »So zu tun, als wäre alles in Ordnung, wenn es das nicht ist, ist kein Zeichen von Stärke.«

»Tja, da täuschst du dich«, widersprach Robin. Das Champagnerprickeln auf ihrer Zunge verlieh ihr offenbar schon Mut, noch bevor der Alkohol ihr Gehirn erreicht hatte. »Manchmal hilft es sehr wohl, so zu tun, als wäre alles in Ordnung. Manchmal muss man einfach ein tapferes Gesicht aufsetzen und sich der Welt stellen, weil du nach einer Weile plötzlich feststellst, dass du nicht mehr spielst, sondern wirklich so bist. Ich säße heute noch in meinem Kinderzimmer, wenn ich damals – du weißt schon«, sagte sie, »abgewartet hätte, bis ich mich der Welt wieder gewachsen fühle. Ich musste raus, bevor ich dazu bereit war. Und ...« Sie sah ihn mit ihren rot geweinten, verquollenen Augen direkt an. »Ich arbeite inzwischen seit zwei Jahren mit dir zusammen und sehe doch, wie du immer wieder die Zähne zusammenbeißt, egal was da kommt, obwohl wir beide wissen, dass dir jeder Arzt raten würde, dein Bein hochzulegen und dich auszuruhen.«

»Und wohin hat mich das gebracht?«, wandte Strike sachlich ein. »Eine Woche war ich außer Gefecht, und mein Oberschenkelmuskel jault immer noch, wenn ich mehr als fünfzig Schritte gehe. Wenn du Parallelen ziehen willst, nur zu. Ich halte inzwischen Diät, ich mache meine Dehnübungen ...«

»Und was ist mit dem vegetarischen Bacon, der in deinem Kühlschrank verrottet?«

»Verrottet? Das Zeug ist Industriekautschuk. Das wird mich überleben. Hör zu«, kam er unerbittlich aufs Thema zurück, »es wäre ein verfluchtes Wunder, wenn das, was dir letztes Jahr widerfahren ist, keine Spuren hinterlassen hätte.« Sein Blick senkte sich auf die lila Narbe an ihrem Unterarm, die unter dem Blusenärmel hervorblitzte. »Nichts in deiner Vergangenheit verhindert, dass du diesen Job machen kannst. Aber du musst auf dich achten, wenn du ihn auf lange Sicht ausüben willst. Wenn du eine Auszeit brauchst ...«

»Das ist das Letzte, was ich will.«

»Es geht nicht darum, was du willst, sondern darum, was du brauchst.«

»Willst du mal was Komisches hören?«, fragte Robin. Ob es der Champagner oder etwas anderes war – schlagartig hatte sich ihre Laune gebessert und die Zunge gelockert. »Man hätte doch annehmen sollen, dass ich letzte Woche reihenweise Panikattacken bekommen hätte, oder? Ich war auf der Suche nach einem neuen Dach über dem Kopf, musste mir Wohnungen ansehen, durch ganz London fahren, und dabei stand andauernd irgendwer unerwartet hinter mir – das ist einer der schlimmsten Trigger«, erläuterte sie. »Wenn jemand hinter mir steht, ohne dass ich es mitbekomme.«

»Ich glaube, man braucht nicht Freud zu sein, um das entsprechend zu deuten.«

»Aber da ist nie was passiert«, fuhr Robin fort. »Und zwar, wenn du mich fragst, weil ich in der ganzen Zeit nicht ...«

Sie verstummte abrupt, doch Strike glaubte zu wissen, wie der Satz geendet hätte. Auf gut Glück sagte er: »Dieser Job funktioniert nicht, wenn dein Privatleben in Trümmern liegt. Ich hab's ausprobiert. Ich weiß es.«

Erleichtert, dass er sie verstanden hatte, nahm Robin noch einen großen Schluck Champagner, und dann sprudelte es aus ihr heraus: »Ich glaube, das Schlimmste war, dass ich nie zeigen durfte, was mit mir los war. Dass ich meine Übungen immer heimlich machen musste, weil Matthew mich beim leisesten Anzeichen, dass ich nicht absolut auf dem Damm sein könnte, angebrüllt hätte, dass ich den Job endlich hinwerfen soll. Als ich heute Morgen den Anruf nicht annehmen wollte, dachte ich, dass er versucht, mich zu erreichen. Und als Winn anfing, mich so zu beschimpfen, da ... also ... da war es fast so, als *hätte* ich genau diesen Anruf bekommen. Ich muss mir von Winn nicht sagen lassen, dass ich für ihn nur ein Paar Titten auf Beinen bin, ein dummes, verblendetes Mädchen, das sonst nichts vorzuweisen hat und das endlich einsehen sollte.«

Das hat Matthew dir eingeredet, ja?, schoss es Strike durch den Kopf, dicht gefolgt von der Vorstellung einiger erzieherischer Maßnahmen, von denen Matthew seiner Ansicht nach durchaus profitieren würde.

»Die Tatsache, dass du eine Frau bist ...«, sagte er langsam und abwägend. »Also, ich mache mir *wirklich* mehr Sorgen um dich als um einen Mann, wenn du allein bei einem Job bist ... Lass mich ausreden!«, sagte er entschieden, als sie erschrocken den Mund aufriss. »Wir müssen ehrlich zueinander sein, sonst sind wir am Arsch. Hör mir einfach zu, okay? Du bist zwei Mördern entkommen, weil du gewitzt warst und dein Training beherzigt hast. Ich bin mir ziemlich sicher, dass dein beschränkter Ehemann das im Leben nicht hinbekommen hätte. Aber ich will das kein drittes Mal erleben, Robin. Denn da hast du vielleicht weniger Glück.«

»Du willst mich *sehr wohl* an den Schreibtisch zurückbeordern ...«

»Darf ich bitte ausreden?«, ermahnte er sie streng. »Ich will dich nicht verlieren. Du bist meine beste Kraft. Bei jedem Fall, an dem wir bisher gearbeitet haben, hast du Beweise gefunden, die ich nie hätte finden können, und Leute zum Reden gebracht, die mit mir kein Wort gewechselt hätten. Wo wir heute stehen, haben wir zum großen Teil dir zu verdanken. Aber die Chancen werden immer gegen dich stehen, wenn du auf einen gewalttätigen Mann triffst, und ich trage für dich die Verantwortung. Ich bin der geschäftsführende Partner, ich bin derjenige, den du verklagen könntest ...«

»Du hast Angst, ich könnte dich *verklagen*?«

»Nein, Robin«, entgegnete er barsch. »Ich habe Angst, dass du verflucht noch mal sterben könntest und dass ich das bis an mein Lebensende mit mir herumtragen müsste.« Er nahm noch einen großen Schluck Doom Bar. »Wenn ich dich auf die Straße schicke, muss ich mir sicher sein können, dass du mental fit bist. Ich will von dir ein felsenfestes Versprechen, dass du die Sache mit deinen Panikattacken angehst, denn wenn du psychisch nicht auf der Höhe bist, bist du nicht die Einzige, die mit den Konsequenzen leben muss.«

»Na schön«, murmelte Robin, und als Strike die Brauen hochzog, sagte sie: »Im Ernst. Ich tue, was ich kann. Wirklich.«

Die Menge um den Sattelplatz wurde dichter. Anscheinend würden gleich die Teilnehmer des nächsten Rennens vorgeführt.

»Wie steht's mit Lorelei?«, erkundigte sich Robin. »Ich mag sie.«

»Dann hab ich leider noch mehr schlechte Nachrichten für dich. Denn ihr zwei seid nicht das einzige Paar, das sich am vergangenen Wochenende getrennt hat.«

»Ach du Schande ... Tut mir leid!«, sagte Robin und überspielte ihre Verlegenheit, indem sie noch mehr Champagner trank.

»Für jemanden, der nichts trinken wollte, hast du einen ordentlichen Zug«, stellte Strike amüsiert fest.

»Ich hab dir das gar nicht erzählt, oder?« Während Robin die kleine grüne Flasche betrachtet hatte, war ihr gerade wieder etwas eingefallen. »Ich weiß jetzt, wo ich neulich ›Blanc de Blanc‹ gelesen habe – und es war nicht auf einer Flasche. Nur hilft uns das in unserem Fall wohl kaum weiter.«

»Erzähl.«

»Im Manoir aux Quat'Saisons gibt es eine Suite, die so heißt«, sagte Robin. »Raymond Blanc – du weißt schon, der Koch, der das Hotel übernommen hat? Ein Wortspiel. Blanc de Blanc – ohne ›s‹.«

»Habt ihr dort euer Wochenende verbracht?«

»Genau. Allerdings nicht im ›Blanc de Blanc‹. Eine Suite konnten wir uns nicht leisten«, sagte Robin. »Mir ist gerade wieder eingefallen, wie ich an dem Schild vorbeigegangen bin. Aber ja ... Dort haben wir unsere Papierhochzeit gefeiert. Papier«, wiederholte sie schwermütig. »Manche Paare schaffen es bis Platin.«

Sieben dunkle Vollblüter erschienen nacheinander auf dem Sattelplatz, schon mitsamt Jockeys, die in ihren Seidentrikots wie Äffchen auf den Pferderücken hockten, während Stallmädchen und -burschen die nervösen, tänzelnden Tiere mit den seidigen Flanken herumführten. Strike und Robin gehörten zu den wenigen, die nicht die Hälse reckten, um besser sehen zu können. Ehe sie einen Rückzieher machen konnte, sprach Robin das Thema an, das sie unbedingt mit ihm bereden wollte.

»War das Charlotte, mit der du auf dem Empfang für die Paralympischen Spiele geredet hast?«

»Ja.«

Er sah sie kurz an. Robin hatte schon mehrmals Gelegenheit gehabt zu bedauern, wie leicht er sie durchschaute.

»Charlotte hatte nichts damit zu tun, dass Lorelei und ich uns getrennt haben. Sie ist inzwischen verheiratet.«

»Das waren Matthew und ich auch«, merkte Robin an und nahm noch einen Schluck Champagner. »Das hat Sarah Shadlock nicht aufgehalten.«

»Ich bin nicht Sarah Shadlock.«

»Ganz offensichtlich nicht. Ich würde nie für dich arbeiten, wenn du so ein Arsch wärst.«

»Vielleicht könntest du das im Protokoll unserer nächsten Mitarbeiterbesprechung festhalten? ›Kein solcher Arsch wie die Frau, die meinen Mann gevögelt hat.‹ Das würde ich mir glatt rahmen lassen.«

Robin lachte.

»Weißt du, ich hatte auch so einen Gedanken, was den Blanc de Blancs angeht«, sagte Strike. »Ich bin noch mal Chiswells To-do-Liste durchgegangen, um ein paar Möglichkeiten auszuschließen und eine Theorie zu unterfüttern.«

»Was denn für eine Theorie?«, fragte Robin scharf, und Strike stellte wieder einmal fest, dass nicht mal eine halbe Flasche Champagner, eine in Trümmern liegende Ehe und die Aussicht auf eine Abstellkammer in Kilburn als zukünftige Behausung Robins brennendes Interesse an diesem Fall beeinträchtigen konnten.

»Weißt du noch, wie ich dir gesagt habe, ich würde glauben, hinter dieser Chiswell-Sache würde sich etwas Wichtiges, Fundamentales verbergen? Etwas, was wir noch nicht hätten erkennen können?«

»Ja. Du meintest, wir seien ›ganz kurz davor, es aufzudecken‹.«

»Gut gemerkt. Also, ein paar Dinge, die Raphael erwähnt hat ...«

»Also, jetzt hätte ich Pause«, sagte eine nervöse Frauenstimme hinter ihnen.

63

Das ist ja eine rein persönliche Angelegenheit. Es liegt gar keine Notwendigkeit vor, so etwas ins ganze Land hinauszuposaunen.

HENRIK IBSEN, *ROSMERSHOLM*

Tegan Butcher – klein, untersetzt und sommersprossig – trug ihr dunkles Haar zu einem straffen Dutt frisiert. Selbst in ihrer eleganten Baruniform, der grauen Krawatte auf schwarzem Hemd, auf dem ein weißes Pferd mit Jockey aufgestickt war, strahlte sie die Aura eines Mädchens aus, das sich in schlammigen Gummistiefeln deutlich wohler fühlte. Sie hatte sich einen Milchkaffee aus der Bar mitgebracht, um etwas zu trinken zu haben, während sie befragt wurde.

»Oh – danke schön«, sagte sie sichtlich beeindruckt, als der berühmte Detektiv ihr einen Hocker holen ging.

»Kein Problem«, erwiderte Strike. »Das ist meine Partnerin Robin Ellacott.«

»Ja, Sie haben mich angerufen, nicht wahr?« Die kleine Tegan tat sich eher schwer damit, den Barhocker zu erklimmen. Sie wirkte aufgeregt und eingeschüchtert zugleich.

»Mir ist klar, dass Sie nicht viel Zeit haben«, sagte Strike, »also würden wir gern gleich zur Sache kommen, wenn es Ihnen nichts ausmacht?«

»Ja, ich meine, nein, schon okay. Schießen Sie los.«

»Wie lang haben Sie für Jasper und Kinvara Chiswell gearbeitet?«

»Stundenweise hab ich schon für sie gearbeitet, als ich noch in der Schule war, und wenn man das mitrechnet, dann ... ziemlich genau zweieinhalb Jahre.«

»Haben Sie gern für die Chiswells gearbeitet?«

»Es war schon okay«, antwortete Tegan vorsichtig.

»Wie fanden Sie den Minister?«

»Ganz in Ordnung«, sagte Tegan. Dann merkte sie, dass das nicht besonders aussagekräftig war, und führte aus: »Meine Familie kennt ihn schon ewig. Meine Brüder haben über die Jahre immer wieder in Chiswell House zu tun gehabt.«

»Ach ja?« Strike schrieb mit. »Und was haben Ihre Brüder da gemacht?«

»Zäune repariert, Gartenarbeiten ... Aber inzwischen haben sie das meiste Land verkauft«, erklärte Tegan, »und der Garten verwildert.« Sie griff nach ihrem Kaffee, nahm einen Schluck und sagte dann leicht nervös: »Meine Mum würde austicken, wenn sie wüsste, dass ich mich mit Ihnen treffe. Sie hat gesagt, ich soll mich da raushalten.«

»Und warum?«

»›Wozu alte Wunden aufreißen?‹, sagt sie immer. Und: ›Willst du gelten, mach dich selten.‹ Das hat sie mir jedes Mal gepredigt, wenn ich in die Landdisco wollte.«

Robin lachte, und Tegan grinste stolz über ihre witzige Bemerkung.

»Wie fanden Sie Mrs. Chiswell als Arbeitgeberin?«, fragte Strike.

»Ganz in Ordnung«, sagte Tegan erneut.

»Mrs. Chiswell wollte immer, dass jemand im Haus schlief, wenn sie über Nacht weg war, stimmt das? Damit jemand in der Nähe der Pferde wäre?«

»Genau.« Dann gab Tegan zum ersten Mal von sich aus eine Information preis: »Die ist echt paranoid.«

»Wurde nicht eins ihrer Pferde aufgeschlitzt?«

»Meinetwegen können Sie das ruhig ›aufgeschlitzt‹ nennen«,

sagte Tegan, »für mich war es eher ein Kratzer. Romano hatte es mal wieder geschafft, in der Nacht seine Decke abzuwerfen. Das hat er einfach nicht lassen können.«

»Sie wissen also nichts davon, dass jemand in den Garten eingedrungen sein soll?«, hakte Strike nach und hielt den Stift im Anschlag.

»Aaalso«, begann Tegan langsam, »sie hat mal so was *gesagt*, aber ...« Ihr Blick wanderte zu Strikes Benson & Hedges, die neben seinem Bierglas lagen, und sie nahm all ihren Mut zusammen. »Kann ich eine haben?«

»Bedienen Sie sich.« Strike zog ein Feuerzeug heraus und schob es ihr zu.

Tegan zündete sich eine Zigarette an und nahm einen tiefen Zug. »Ich glaube nicht, dass da jemand im Garten war. So was ist typisch Mrs. Chiswell – sie ist ...« Tegan suchte nach dem passenden Wort. »Wenn sie ein Pferd wäre, würde ich sagen: schreckhaft. *Ich* hab nie was gehört, wenn ich dort übernachtet hab.«

»In der Nacht, bevor Jasper Chiswell in London tot aufgefunden wurde, haben Sie auch dort geschlafen, richtig?«

»Genau.«

»Können Sie sich erinnern, wann Mrs. Chiswell da nach Hause kam?«

»Gegen elf. Ich hab fast einen Schock gekriegt.« Jetzt, da sie sich ein wenig beruhigt zu haben schien, machte sich ein leichter Hang zur Schwatzhaftigkeit bemerkbar. »Weil ... Eigentlich hätte sie nämlich in London bleiben sollen. Als sie reinkam, hat sie sofort Theater gemacht, weil ich vor der Glotze geraucht hab. Sie mag es nicht, wenn geraucht wird – und weil ich mir ein paar Gläschen aus der Weinflasche im Kühlschrank gegönnt hab. Dabei hat sie noch gesagt, bevor sie losgefahren ist, ich dürfte mich an allem bedienen. Aber so ist sie eben, ständig verschiebt sie die Torpfosten. Was eben noch in Ordnung war, ist plötzlich ein Riesenakt. Das war immer ein Eiertanz, ganz ehrlich ... Aber diesmal hatte sie schon schlechte Laune, als sie nach Hause kam. Ich hab das allein schon daran gemerkt, wie sie durch den Flur gestampft ist. Die Kippe und der Wein – die waren nur ein Vorwand, damit sie mich anmotzen konnte. So ist sie eben.«

»Aber Sie sind trotzdem über Nacht geblieben?«

»Ja. Sie meinte, ich hätte zu viel getrunken und könnte nicht mehr fahren, was aber Quatsch war, ich war nicht blau, und dann hat sie gesagt, ich soll noch mal nach den Pferden sehen, weil sie telefonieren musste.«

»Haben Sie gehört, wen sie angerufen hat?«

Tegan setzte sich auf dem zu hohen Hocker zurecht, stützte den Ellbogen der Zigarettenhand in die freie Hand und kniff gleichzeitig die Augen leicht gegen den Qualm zusammen, eine Pose, die sie offenbar für angemessen gegenüber einem gewieften Privatdetektiv hielt. »Weiß nicht, ob ich Ihnen das sagen sollte.«

»Wie wäre es, wenn ich Ihnen einen Namen nenne, und Sie nicken nur, wenn er stimmt?«

»Also gut«, sagte Tegan mit einer Mischung aus Argwohn und Neugier, als hätte er ihr einen Zaubertrick in Aussicht gestellt.

»Henry Drummond«, sagte Strike. »Und sie hat ihm eine Nachricht hinterlassen, dass er eine Halskette für sie schätzen soll.«

Wider Willen beeindruckt, nickte Tegan. »Genau. Korrekt.«

»Sie gingen also nach draußen und haben nach den Pferden gesehen ...«

»Genau, und als ich zurückkam, hat Mrs. Chiswell gesagt, ich soll so oder so bleiben, weil sie mich ganz früh wieder braucht, und darum bin ich geblieben.«

»Und wo hat *sie* geschlafen?«, fragte Robin.

»Na – oben.« Tegan lachte überrascht. »Wo sonst? In ihrem Schlafzimmer.«

»Und Sie sind sich sicher, dass sie die ganze Nacht dort war?«, fragte Robin.

»Absolut.« Wieder lachte Tegan kurz auf. »Ihr Schlafzimmer liegt direkt neben meinem. Es sind die zwei einzigen Zimmer, von denen aus man die Ställe sehen kann. Ich hab gehört, wie sie ins Bett gegangen ist.«

»Und Sie sind sicher, dass sie das Haus danach nicht mehr verlassen hat? Dass sie nicht wieder weggefahren ist?«, hakte Strike nach.

»Klar, das hätte ich gehört. Rund ums Haus ist alles voller Schlaglöcher, da kann keiner heimlich wegfahren. Außerdem hab ich sie am nächsten Morgen auf dem Treppenabsatz gesehen, als sie im Nachthemd ins Bad wollte.«

»Und wann war das ungefähr?«

»So gegen halb acht. Wir haben zusammen in der Küche gefrühstückt.«

»War sie da immer noch wütend auf Sie?«

»Ein bisschen angefressen«, gab Tegan zu.

»Aber Sie haben nicht zufällig gehört, dass sie noch einmal angerufen wurde, so zur Frühstückszeit?«

Tegan reagierte verblüfft. »Sie meinen von Mr. Chiswell? Doch. Sie ging zum Telefonieren aus der Küche raus. Ich hab kaum was gehört, nur: ›Nein, diesmal ist es mir ernst, Jasper.‹ Hörte sich nach einem Streit an. Das hab ich auch der Polizei erzählt. Die hatten sich sicher schon in London gestritten, und deshalb ist sie auch früher heimgekommen, statt dort zu übernachten. Dann bin ich nach draußen zum Ausmisten, und sie hat mit Brandy gearbeitet, das ist eine von ihren Stuten, und dann«, ergänzte Tegan leicht unsicher, »ist *er* aufgetaucht. Raphael, Sie wissen schon. Der Sohn.«

»Und was passierte dann?«, fragte Strike.

Tegan zögerte.

»Sie haben sich gestritten, nicht wahr?« Strike war sich bewusst, wie knapp bemessen Tegans Pause war.

»Genau«, sagte Tegan und strahlte ihn jetzt offen bewundernd an. »Sie wissen echt *alles!*«

»Wissen Sie auch, worüber?«

»Die gleiche Sache, wegen der sie am Abend diesen Typen angerufen hatte.«

»Die Kette? Die Mrs. Chiswell verkaufen wollte?«

»Genau.«

»Wo waren Sie, als die beiden miteinander gestritten haben?«

»Immer noch beim Ausmisten. Er ist ausgestiegen und sofort zum Viereck ...«

Robin fing Strikes verständnislosen Blick auf und murmelte: »Ein Reitplatz, auf dem die Pferde trainiert werden.«

»Ach so«, sagte er.

»Genau«, sagte Tegan, »wo sie mit Brandy bei der Arbeit war. Erst haben sie nur geredet, und ich konnte nicht hören, was sie gesagt haben, aber irgendwann haben sie sich angebrüllt, und sie ist abgestiegen und hat mich angeschrien, ich soll kommen und Brandy versorgen – also sie absatteln und die Zügel runternehmen«, ergänzte sie freundlich für Strike, »und sie sind ins Haus. Ich konnte sie immer noch streiten hören, bis sie drinnen waren. Sie hat ihn nie leiden können«, ergänzte Tegan. »Raphael. Für sie war er bloß ein verzogenes Bürschchen. Hat immer über ihn gemeckert. *Ich* fand ihn ganz okay, so persönlich«, sagte sie mit gespielter Leidenschaftslosigkeit, die nicht zu der Röte in ihrem Gesicht zu passen schien.

»Wissen Sie noch, worüber die beiden geredet haben?«

»So halb«, sagte Tegan. »Er hat ihr gesagt, sie darf die Kette nicht verkaufen, dass sie seinem Dad gehört oder so, und sie hat ihm gesagt, er soll sich um seinen eigenen Kram kümmern.«

»Und was geschah dann?«

»Sie sind rein, ich hab weiter ausgemistet, und nach einer Weile«, sagte Tegan mit leicht wackliger Stimme, »hab ich gesehen, wie ein Streifenwagen die Zufahrt hochkommt und ... Genau. Das war echt finster. Die Polizistin kam zu mir und meinte, ich sollte mit rein und helfen. Ich bin also in die Küche, und Mrs. Chiswell war weiß wie ein Laken und zu nichts mehr zu gebrauchen. Ich sollte ihnen zeigen, wo die Teebeutel sind. Ich hab ihr einen Tee gemacht, und er – Raphael – hat sie auf einen Stuhl gesetzt. Er war echt nett zu ihr«, sagte Tegan, »dabei hatte sie ihn gerade noch fies beschimpft.«

Strike sah auf die Uhr. »Ich weiß, Sie müssen gleich wieder rein. Nur noch ein paar Fragen.«

»In Ordnung«, sagte sie.

»Vor über einem Jahr gab es einen Vorfall, bei dem Mrs. Chiswell mit einem Hammer auf Mr. Chiswell losgegangen sein soll ...«

»Oh Gott, ja«, sagte Tegan. »Genau ... Da ist sie total ausgerastet. Kurz davor hatten sie Lady eingeschläfert, irgendwann im Frühsommer. Lady war Mrs. Chiswells Lieblingsstute, und bis Mrs. Chiswell nach Hause kam, hatte der Tierarzt schon alles erledigt. Sie hätte bei ihrer Stute sein wollen, wenn es so weit wäre, und ist total ausgeflippt, als sie zurückkam und den Lieferwagen vom Abdecker sah.«

»Wie lange wusste sie da schon, dass die Stute eingeschläfert werden müsste?«, fragte Robin.

»So zwei, drei Tage, denk ich mal. Wir wussten es eigentlich alle«, sagte Tegan traurig. »Aber sie war eine so nette Stute, wir hatten alle gehofft, dass sie durchkäme ... Der Tierarzt hatte stundenlang auf Mrs. Chiswell gewartet, aber Lady hatte Schmerzen, und er hatte nicht den ganzen Tag Zeit, darum ...« Sie schloss mit einer hilflosen Geste.

»Irgendeine Ahnung, wieso sie an diesem Tag nach London

fahren musste, obwohl sie wusste, dass Lady im Sterben lag?«, fragte Strike.

Tegan schüttelte den Kopf.

»Können Sie uns genau schildern, was passiert ist, als sie ihren Mann angegriffen hat? Hat sie da irgendwas gesagt?«

»Nein. Sie kam auf den Hof, hat gesehen, was passiert war, und dann ist sie auf Mr. Chiswell zugerannt, hat den Hammer gepackt und einfach ausgeholt. Alles war voller Blut, echt grausig«, erklärte Tegan aufrichtig. »Schrecklich.«

»Was hat sie gemacht, nachdem sie zugeschlagen hatte?«, wollte Robin wissen.

»Sie ist einfach stehen geblieben. Ihr Gesicht ... Sie sah aus wie ein *Dämon* oder so«, erklärte Tegan unerwartet. »Ich dachte schon, er wäre tot, sie hätte ihn umgebracht. Dann ist sie für ein paar Wochen weggesperrt worden, wussten Sie das? In eine Klinik. Ich musste die Pferde allein versorgen ... Wir waren alle echt fertig wegen Lady. Ich hab die Stute geliebt, und ich hab noch gedacht, sie würde es schaffen, aber sie hatte aufgegeben, sie hat sich einfach hingelegt und wollte nicht mehr fressen. Ich kann verstehen, dass Mrs. Chiswell außer sich war, aber ... Sie hätte ihn echt umbringen können. Alles voller Blut«, wiederholte sie. »Eigentlich wollte ich kündigen. Das hab ich auch meiner Mum gesagt. Mrs. Chiswell hat mir richtig Angst gemacht damals.«

»Und wieso sind Sie geblieben?«, fragte Strike.

»Ganz ehrlich? Ich weiß es nicht ... Mr. Chiswell wollte mich behalten, außerdem waren mir die Pferde ans Herz gewachsen. Dann kam sie zurück aus der Klinik und war so richtig depressiv, und ich hatte einfach Mitleid mit ihr, schätze ich mal. Immer wieder hab ich sie weinend in Ladys leerer Box gefunden.«

»War Lady die Stute, die Mrs. Chiswell ... ähm ... Wie heißt das noch?«, fragte Strike an Robin gewandt.

»Belegen lassen wollte?«, schlug Robin vor.

»Ja – von diesem berühmten Hengst belegen lassen wollte?«

»Totilas?« Tegan verdrehte ganz kurz die Augen. »Nein, Zuchtstute sollte Brandy sein, aber Mr. Chiswell wollte nichts davon hören. Totilas! Der kostet ein Vermögen!«

»Hab schon gehört ... Sie hat nicht zufällig noch einen anderen Hengst erwähnt? Es gibt da einen namens ›Blanc de Blancs‹, keine Ahnung, ob ...«

»Von dem hab ich noch nie gehört«, sagte Tegan. »Nein, es musste unbedingt Totilas sein. Er war der Beste. Sie war komplett davon besessen, ihn zu kriegen. So ist sie immer. Wenn sie sich erst mal was in den Kopf gesetzt hat, ist sie nicht mehr davon abzubringen. Sie wollte diesen wunderschönen Grand-Prix-Sieger als Zuchthengst und ... Sie wissen, dass sie ein Baby verloren hat, oder?«

Strike und Robin nickten.

»Sie tat Mum leid. Mum dachte, diese Fohlengeschichte wär ... Sie wissen schon ... so eine Art Ersatz für sie. Dass Mrs. Chiswells Laune ständig Achterbahn fuhr, kam von dem Baby, glaubt Mum. Also einmal, ein paar Wochen nachdem Mrs. Chiswell aus dem Krankenhaus wiedergekommen war, da war sie total *manisch*, daran kann ich mich noch erinnern. Ich glaube, sie stand unter Medikamenten. Sie war richtig high, hat im Hof gesungen, und ich hab noch zu ihr gesagt: ›Sie sind aber gut gelaunt, Mrs. C.‹, und da hat sie gelacht und gesagt: ›Oh, ich hab Jasper bearbeitet, und ich glaube, bald habe ich ihn so weit, und dann kriege ich Totilas doch noch.‹ Das war natürlich alles Müll. Ich hab ihn danach gefragt, und er war total stinkig und meinte nur, reines Wunschdenken und dass er sich kaum die Pferde leisten kann, die sie schon auf dem Hof hat.«

»Sie halten es nicht für möglich, dass er sie überraschen wollte«, fragte Strike, »indem er ihr einen anderen Hengst zur Zucht anbot? Einen billigeren?«

»Damit hätte er sie doch nur noch mehr geärgert«, erwiderte Tegan. »Es musste um jeden Preis Totilas sein.« Sie drückte die Zigarette aus, die Strike ihr spendiert hatte, sah kurz auf die Uhr und sagte bedauernd: »Ich hab nur noch ein paar Minuten.«

»Noch zwei Punkte, dann sind wir fertig«, sagte Strike. »Ich hab gehört, dass Ihre Familie vor Jahren ein Mädchen namens Suki Lewis kannte? Sie war aus dem Pflegeheim abgehauen ...«

»Sie wissen echt *alles*«, fiel Tegan ihm hocherfreut ins Wort. »Woher wissen Sie das denn?«

»Das hat mir Billy Knight erzählt. Wissen Sie zufällig, was aus Suki wurde?«

»Ja, die ist nach Aberdeen gegangen. Sie war in der Schule in einer Klasse mit unserem Dan. Ihre Mum war ein einziger Albtraum: Suff und Drogen und was weiß ich. Irgendwann ist ihre Mum endgültig aus der Kurve geflogen, und Suki landete im Heim. Sie ist durchgebrannt, weil sie ihren Dad finden wollte. Der hat damals auf einer Ölplattform in der Nordsee gearbeitet.«

»Und Sie glauben, dass sie ihren Vater gefunden hat, oder?«, fragte Strike.

Mit einem triumphierenden Blick griff Tegan sich an die Gesäßtasche und angelte ein Handy heraus. Nach ein paar Klicks hielt sie Strike die Facebook-Seite einer strahlenden Brünetten hin, die inmitten eines Schwarms aus Freundinnen vor einem Pool auf Ibiza posierte. Unter der Bräune, dem strahlend weiß gebleachten Lächeln und den falschen Wimpern erahnte Strike ein Palimpsest des dünnen Mädchens mit den schiefen Zähnen von dem alten Foto. Der Account gehörte einer gewissen »Susanna McNeil«.

»Sehen Sie«, sagte Tegan glücklich, »ihr Dad hat sie in seiner neuen Familie aufgenommen. Eigentlich hieß sie schon immer

Susanna, nur ihre Mutter hat sie Suki genannt. Meine Mum ist mit Susannas Tante befreundet, und die sagt, ihr geht es super.«

»Und Sie sind sich sicher, dass sie das ist?«, hakte Strike nach.

»Na klar«, sagte Tegan. »Wir freuen uns alle für sie. Sie war immer so eine Nette.« Sie sah wieder auf die Uhr. »Tut mir leid, aber jetzt ist meine Pause um, ich muss wieder ...«

»Eine letzte Frage noch«, sagte Strike. »Wie gut kannten Ihre Brüder die Knights?«

»Ziemlich gut«, sagte Tegan. »Die Jungs waren in verschiedenen Klassen, aber ja, sie kannten sich, weil sie alle in Chiswell House gearbeitet haben.«

»Was machen Ihre Brüder heute, Tegan?«

»Paul leitet eine Farm in der Nähe von Aylesbury, und Dan ist in London Landschaftsgärtner ... Wieso schreiben Sie sich das denn auf?« Zum ersten Mal riss sie erschrocken die Augen auf, als sie Strikes Stift über das Papier gleiten sah. »Erzählen Sie meinen Brüdern bloß nicht, dass ich mit Ihnen gesprochen hab – die flippen aus, wenn sie glauben, dass ich darüber geredet hab, was oben im Haus abgelaufen ist.«

»Wirklich? Was *ist* denn da oben abgelaufen?«, fragte Strike.

Tegan sah unsicher von ihm zu Robin und wieder zurück. »Sie wissen es sowieso, oder?« Und als weder Strike noch Robin antwortete, fuhr sie fort: »Ehrlich, Dan und Paul haben nur dabei geholfen, sie zu transportieren. Sie aufzuladen und so. Und damals war das legal!«

»Was war legal?«, hakte Strike nach.

»Ich *weiß*, dass Sie es wissen«, sagte Tegan halb besorgt, halb erheitert. »Irgendwer hat geplaudert, stimmt's? Jimmy Knight? Der war vor gar nicht allzu langer Zeit mal wieder da, hat rumgeschnüffelt und wollte mit Dan reden. Auf jeden Fall wusste in der Gegend sowieso jeder Bescheid. Eigentlich sollte es geheim bleiben, aber das mit Jack wussten alle.«

»*Was* wussten Sie über Jack?«, fragte Strike.

»Na ... dass er der Galgenbauer war.«

Strike nahm es zur Kenntnis, ohne dass auch nur ein Lid gezuckt hätte. Robin war sich nicht sicher, ob ihre Miene ebenso ausdruckslos geblieben war.

»Aber das wussten Sie schon«, hakte Tegan nach. »Oder?«

»Doch, doch«, versicherte ihr Strike. »Das wussten wir schon.«

»Dacht ich's mir.« Erleichtert und wenig elegant rutschte Tegan vom Hocker. »Aber verraten Sie Dan nicht, dass ich mit Ihnen darüber gesprochen hab, wenn Sie ihn sehen. Er ist da genau wie Mum: ›Reden ist Silber, Schweigen ist Gold.‹ Wobei keiner von uns denkt, dass wir irgendwas Falsches gemacht haben, nur damit das klar ist. Wenn Sie mich fragen, wäre dieses Land mit der Todesstrafe besser dran.«

»Danke, dass Sie sich Zeit für uns genommen haben, Tegan«, sagte Strike.

Sie errötete leicht und schüttelte erst seine, dann Robins Hand. »Kein Problem.« Dann schien sie gar nicht mehr gehen zu wollen. »Bleiben Sie zu den Rennen? Brown Panther läuft in dem um vierzehn dreißig.«

»Gut möglich«, sagte Strike. »Bis zu unserem nächsten Termin müssen wir sowieso noch ein bisschen Zeit totschlagen.«

»Ich hab einen Zehner auf Brown Panther gesetzt«, vertraute Tegan ihnen an. »Also ... dann bis dann!«

Sie war schon ein paar Schritte gegangen, als sie sich plötzlich umdrehte und jetzt knallrosa im Gesicht zu Strike zurückkehrte.

»Darf ich noch ein Selfie mit Ihnen machen?«

»Äh«, sagte Strike und wich dabei vorsichtig Robins Blick aus. »Lieber nicht, wenn das in Ordnung für Sie ist.«

»Dann vielleicht ein Autogramm?«

Strike entschied sich für das geringere von zwei Übeln und unterschrieb auf einer Serviette.

»Danke!«

Mit der Serviette fest in der Hand zog Tegan endgültig ab. Strike wartete noch, bis sie in der Bar verschwunden war, bevor er sich zu Robin umdrehte, die bereits mit ihrem Handy beschäftigt war.

»Vor sechs Jahren«, las sie von ihrem Handy ab, »wurde eine EU-Verordnung erlassen, die es sämtlichen Mitgliedsstaaten untersagt, Güter zu exportieren, die zur Folter verwendet werden könnten. Bis dahin war es tatsächlich legal, Galgen *made in Britain* ins Ausland zu exportieren.«

64

Rede so, dass ich Dich verstehe.

HENRIK IBSEN, *ROSMERSHOLM*

»»Ich habe nach dem Gesetz gehandelt und im Einklang mit meinem Gewissen««, zitierte Strike Chiswells sibyllinische Erklärung im Pratt's. »Und das hat er wirklich. Er hat nie einen Hehl daraus gemacht, dass er die Todesstrafe befürwortet, oder? Ich nehme an, das Holz dafür hat er aus seinem Wald geliefert.«

»Und er hat die Scheune gestellt, in der Jack o'Kent sie zusammengezimmert hat. Darum wollte Jack o'Kent nicht, dass Raff in die Scheune ging, als er noch kleiner war.«

»Den Gewinn haben sie wahrscheinlich geteilt.«

»Warte mal ...« Robin war wieder eingefallen, was Flick am Abend des Empfangs für die Paralympischen Spiele dem Wagen des Ministers hinterhergeschrien hatte. »Er hat das Pferd draufgesetzt‹ ... Cormoran, glaubst du ...«

»Ja, allerdings«, sagte Strike, dessen Gedanken den gleichen Weg eingeschlagen hatten. »Das Letzte, was Billy im Krankenhaus zu mir sagte, war: ›Ich hab's gehasst, das Pferd auf die Dinger zu setzen.‹ Selbst in einer psychotischen Episode konnte Billy ein makelloses Weißes Pferd von Uffington in ein Stück Holz schnitzen ... Jack o'Kents Jungen mussten die Pferde nicht nur in Touristensouvenirs kerben, sondern auch in die Galgen für den Export ... Nettes kleines Familienunternehmen hatte er da, was?«

Strike stieß mit dem Bierglas leicht gegen ihr Champagnerfläschchen und leerte sein Doom Bar.

»Auf unseren ersten echten Durchbruch. Falls Jack o'Kent sein Markenzeichen auf die Galgen gesetzt hat, kann man sie jederzeit zu ihm zurückverfolgen, richtig? Und nicht nur zu ihm: nach Uffington und zu Chiswell. Es passt alles zusammen, Robin – denk mal an Jimmys Plakat mit dem Haufen toter schwarzer Kinder. Chiswell und Jack o'Kent haben die Galgen im Ausland vertrieben – wahrscheinlich in den Nahen Osten oder nach Afrika. Nur kann Chiswell unmöglich gewusst haben, dass sie mit dem Pferdesymbol markiert gewesen waren – oh nein, das wusste er *definitiv nicht*«, sagte Strike, dem soeben Chiswells Worte im Pratt's wieder eingefallen waren. »Denn als er mir erzählt hat, dass es Fotos gebe, meinte er: ›Soweit ich weiß, gibt es keine eindeutige Kennzeichnung.‹«

»Und weißt du noch, wie Jimmy meinte, dass man ihm noch was schuldig sei?«, folgte Robin ihrem eigenen Gedankengang. »Und wie Raff gesagt hat, Kinvara habe anfangs geglaubt, er habe einen legitimen Anspruch auf Bezahlung? Wie stehen deiner Meinung nach die Chancen, dass Jack o'Kent bei seinem Tod ein paar verkaufsfertige Galgen hinterließ ...«

»... und Chiswell sie verkaufte, ohne dass er sich die Mühe gemacht hätte, Jacks Söhne aufzuspüren und auszuzahlen? Guter Gedanke.« Strike nickte anerkennend. »Für Jimmy fing alles damit an, dass er Anspruch auf seinen rechtmäßigen Anteil am Erbe seines Vaters anmeldete, und als Chiswell abstritt, dass er ihnen etwas schuldig sei, wurde daraus eine Erpressung.«

»Allerdings taugt das Erpressungsmittel nur bedingt, wenn man länger darüber nachdenkt, oder?«, wandte Robin ein. »Denn glaubst du wirklich, es hätte Chiswell viele Wählerstimmen gekostet? Als er die Galgen verkauft hat, war das *tatsäch*-

lich noch legal, und er ist öffentlich für die Todesstrafe eingetreten. Also hätte ihm niemand vorwerfen können, er sei ein Heuchler gewesen. Das halbe Land glaubt, wir sollten wieder Galgen aufstellen. Ich bin mir nicht sicher, ob Chiswells Wähler der Meinung gewesen wären, dass er etwas Unrechtes getan hätte.«

»Ebenfalls ein guter Punkt«, gestand Strike. »Chiswell hätte den Skandal höchstwahrscheinlich überstanden. Er hat schon Schlimmeres überlebt: die Schwangerschaft seiner Geliebten, eine Scheidung, ein uneheliches Kind, Raphaels Unfall im Drogenrausch und Haftstrafe ... Trotzdem gab es ›unbeabsichtigte Folgen‹, weißt du noch?«, ergänzte Strike nachdenklich. »Was ist auf den Fotos aus dem Außenministerium, die Winn unbedingt in die Finger bekommen wollte? Und wer ist dieser ›Samuel‹, den Winn vorhin am Telefon erwähnt hat?«

Strike zog sein Notizbuch heraus und notierte mehrere Sätze in seiner gedrängten, schwer lesbaren Handschrift.

»Wenigstens«, sagte Robin, »hat sich Raffs Geschichte bewahrheitet. Die mit dem Collier.«

Strike grunzte bloß und schrieb weiter. Als er fertig war, sagte er: »Ja, das war ganz hilfreich. Zumindest ein Stück weit.«

»Wie meinst du das – ›ein Stück weit‹?«

»Dass er nach Oxfordshire gerast ist, weil er Kinvara davon abhalten wollte, mit dem wertvollen Collier zu verschwinden, ist als Geschichte besser als eine, in der er sie davon abhalten wollte, sich zu erhängen«, sagte Strike. »Trotzdem glaube ich nicht, dass sie uns alles erzählt haben.«

»Und warum nicht?«

»Ich hab diesbezüglich den gleichen Einwand wie zuvor: Wieso hätte Chiswell Raphael als Boten ausschicken sollen, wenn seine Frau den Jungen hasste? Mir will nicht einleuchten, inwiefern Raphael sie eher hätte überzeugen können als Izzy.«

»Hast du etwas gegen Raphael?«

Strike zog die Brauen hoch. »Ich habe weder in der einen noch in der anderen Richtung persönliche Gefühle ihm gegenüber. Du?«

»Natürlich nicht«, antwortete Robin einen Hauch zu schnell. »Also, was für eine Theorie wolltest du mir darlegen, bevor Tegan kam?«

»Ach ja«, sagte Strike. »Also, vielleicht ist da nichts dran – aber ein paar Dinge, die Raphael zu dir gesagt hat, sind mir doch im Gedächtnis geblieben. Haben mich nachdenklich gemacht.«

»Und was genau?«

Strike erzählte es ihr.

»Ich verstehe nicht, was davon wichtig sein sollte.«

»Vielleicht nicht für sich allein – aber sieh es mal im Zusammenhang mit dem, was Della mir erzählt hat.«

»Womit genau?«

Doch selbst nachdem Strike ihr ins Gedächtnis gerufen hatte, was Della gesagt hatte, blieb Robin skeptisch. »Ich sehe da immer noch keine Verbindung.«

Strike rutschte grinsend von seinem Hocker. »Denk einfach darüber nach. Ich rufe jetzt Izzy an und erzähl ihr, dass Tegan aus dem Nähkästchen geplaudert hat und wir von den Galgen wissen.«

Er marschierte davon und verschwand in der Menge, um nach einem stillen Fleckchen zu suchen, wo er ungestört telefonieren konnte, während Robin sitzen blieb, den restlichen, abgestandenen Champagner in der Miniflasche kreisen ließ und über alles nachsann, was Strike gerade gesagt hatte. Doch sosehr sie sich auch bemühte, eine Verbindung zwischen den verstreuten Informationshäppchen herzustellen, wollte sich für sie kein zusammenhängendes Bild ergeben, und so gab sie nach ein paar Minuten auf, saß einfach auf ihrem Hocker und genoss, wie ihr die warme Brise das Haar von den Schultern hob.

Trotz der Müdigkeit, ihrer gescheiterten Ehe und der extrem realen Furcht vor dem Abend, da sie in der Mulde graben würden, war es schön, hier zu sitzen, die Gerüche der Rennbahn einzuatmen, den angenehmen Duft nach Erde, Leder und Pferd, die gelegentlichen Parfümschwaden der Frauen, die inzwischen von der Bar zu den Tribünen wanderten, und das rauchige Aroma der Wildburger, die aus einem Imbisswagen ganz in der Nähe verkauft wurden. Zum ersten Mal seit einer Woche spürte Robin, wie hungrig sie war.

Sie nahm den Korken ihrer Champagnerflasche, drehte ihn hin und her und musste dabei an einen anderen Korken denken, den sie damals nach der Party zu ihrem einundzwanzigsten Geburtstag aufgehoben hatte. Matthew hatte damals einen ganzen Schwung neuer Freunde von der Uni mit heimgebracht – darunter auch Sarah. Rückblickend war ihr klar, dass ihre Eltern damals unbedingt eine große Party für sie hatten geben wollen, um die von allen erwartete, aber ausgefallene Feier zum Studienabschluss zu kompensieren.

Strike ließ sich Zeit. Vielleicht schüttete Izzy ihm auch ihr Herz aus, nachdem sie jetzt wussten, womit Chiswell erpresst worden war – oder aber, dachte Robin, sie wollte ihn schlicht und ergreifend so lang wie möglich am Telefon halten.

Nur ist Izzy gar nicht sein Typ.

Der Gedanke überraschte sie selbst. Sie fühlte sich fast schuldig, dass sie ihm überhaupt Raum eingeräumt hatte, und noch unwohler, als der Gedanke von einem weiteren verdrängt wurde.

All seine Freundinnen waren schön. Izzy ist es nicht.

Bemerkenswert gut aussehende Frauen standen auf Strike – mit seiner fast schon bärenhaften Erscheinung und der Frisur, die er selbst mal als »Schamhaarschopf« bezeichnet hatte.

Ich wette, ich selbst sehe ganz fürchterlich aus, war Robins nächster Gedanke. Am Morgen war sie bleich und mit aufgedunsenem Gesicht in den Land Rover gestiegen, und seither hatte sie ausgiebig geweint. Sie überlegte eben, ob ihr wohl Zeit genug blieb, um irgendwo eine Toilette zu finden und sich die Haare zu kämmen, als sie Strike zurückkommen sah: mit Wildburgern in beiden Händen und einem Wettabschnitt zwischen den Zähnen.

»Izzy geht nicht ans Telefon«, informierte er sie mit zusammengebissenen Zähnen. »Hab ihr eine Nachricht auf Band gesprochen. Schnapp dir einen und komm mit. Ich hab gerade einen Zehner als Platzwette auf Brown Panther gesetzt.«

»Ich wusste gar nicht, dass du wettest.«

»Tu ich auch nicht.« Strike hatte den Wettschein zwischen den Zähnen hervorgezogen und schob ihn sich in die Tasche. »Aber ich habe so ein Gefühl, dass heute mein Glückstag sein könnte. Komm, schauen wir uns das Rennen an.«

Als Strike sich wegdrehte, ließ Robin den Champagnerkorken in ihre Tasche gleiten.

»*Brown* Panther«, beschwerte sich Strike mit einem ordentlichen Bissen Burger im Mund, während sie zur Rennbahn schlenderten. »Dabei ist er gar kein Brauner, oder? Gut, die Mähne ist braun und das Fell, aber damit ist er ...«

»... ein Fuchs, ganz genau«, sagte Robin. »Dass er kein Panther ist, findest du gar nicht schlimm?«

»Ich versuche nur, das Prinzip zu verstehen. Dieser Hengst, den ich online gefunden habe – dieser Blanc de Blancs – war übrigens auch ein Fuchs und nicht weiß.«

»Kein Schimmel, meinst du.«

»Leck mich doch«, brummelte Strike halb verärgert, halb amüsiert.

65

*Und wie viele gibt es denn, die das tun? Die dazu den
Mut haben!*

HENRIK IBSEN, *ROSMERSHOLM*

Brown Panther ging als Zweiter ins Ziel. Sie verprassten Strikes Gewinn zwischen den Ess- und Kaffeezelten und vertrödelten die Tageslichtstunden, bis es schließlich an der Zeit war, in Richtung Woolstone und Mulde aufzubrechen. Zwar flatterte jedes Mal Panik in Robins Magen auf, wenn sie an das Werkzeug hinten im Wagen und an die dunkle Senke voller Nesseln dachte, doch Strike lenkte sie ab, ob nun absichtlich oder nicht, indem er sich standhaft weigerte, ihr zu erklären, inwiefern sich Della Winns und Raphaels Aussagen zu einem schlüssigen Gesamtbild zusammenfügten und welche Schlussfolgerungen er daraus gezogen hatte.

»Denk nach«, sagte er immer wieder. »Denk einfach nach.«

Aber Robin war erschöpft, und ihn bei diversen Kaffees und Sandwiches zu bearbeiten, auf dass er ihr die Lösung verrate, war wesentlich angenehmer, vor allem weil sie dieses ungewöhnliche Zwischenspiel in ihrem Arbeitsleben insgeheim genoss. Noch nie hatten Strike und sie, außer in Krisenzeiten, so viele Stunden miteinander verbracht.

Doch je näher die Sonne dem Horizont kam, umso öfter kehrten Robins Gedanken zu der Mulde zurück, und jedes Mal schlug ihr Magen dabei einen kleinen Rückwärtssalto. Strike bemerkte ihr zunehmend verschüchtertes Schweigen und schlug zum zweiten Mal an diesem Tag vor, sie könne im Land Rover warten, während er und Barclay graben würden.

»Nein«, erwiderte Robin gepresst. »Ich bin nicht mitgefahren, um im Auto sitzen zu bleiben.«

Bis nach Woolstone brauchten sie eine Dreiviertelstunde. Der helle Himmel im Westen blutete zusehends aus, als sie zum zweiten Mal ins Vale of the White Horse hinunterfuhren, und bis sie ihr Ziel erreicht hatten, tüpfelten die ersten schwach leuchtenden Sterne das staubig dunkle Firmament. Robin lenkte den Land Rover auf den überwucherten Weg in Richtung Steda Cottage, und der Wagen schaukelte und hüpfte über tiefe Furchen, verhedderte Dornen und Äste in die tiefe Dunkelheit unter dem undurchdringlichen Blätterdach.

»Fahr so weit, wie du kommst.« Strike sah auf seinem Handy nach, wie spät es war. »Barclay soll hinter uns parken. Er sollte eigentlich längst hier sein. Ich hatte neun Uhr mit ihm ausgemacht.«

Robin parkte, schaltete den Motor aus und spähte hinüber zu dem dichten Waldstück zwischen dem Feldweg und Chiswell House. Wahrscheinlich hatte sie niemand gesehen – trotzdem befanden sie sich unbefugt auf Privatgelände. Entdeckt zu werden machte ihr allerdings wesentlich weniger Angst als das, was dort unter dem dicht wuchernden Unkraut am Grund der dunklen Vertiefung vor dem Steda Cottage liegen mochte, und so beschäftigte sie sich lieber erneut mit dem Thema, das sie schon den ganzen Nachmittag abgelenkt hatte.

»Ich hab doch gesagt, du sollst *nachdenken*«, sagte Strike zum x-ten Mal. »Denk an die Lachesis-Pillen. Du hast selbst gesagt, dass sie bedeutsam sein könnten. Denk an all die merkwürdigen Dinge, die Chiswell getan hat: Aamir vor anderen aufzuziehen, ihm zu erklären, dass Lachesis wisse, ›wann jeder fällig war‹, oder wie er zu dir gesagt hat: ›Da bringt sich einer nach dem anderen selbst zu Fall.‹ Und wie er nach Freddies Geldklammer suchen ließ, die dann in seiner Tasche auftauchte.«

»Ich hab über all das nachgedacht, aber ich weiß trotzdem nicht, wie ...«

»Das Helium und die Schläuche, die in einer Champagnerkiste versteckt ins Haus geschmuggelt wurden. Irgendwer wusste, dass er keinen Champagner trank, weil er dagegen allergisch war. Frag dich, woher Flick wissen konnte, dass Jimmy etwas gegen Chiswell in der Hand hatte. Denk an Flicks Streit mit ihrer Mitbewohnerin Laura ...«

»Was soll denn *das* mit der ganzen Sache zu tun haben?«

»Denk nach!«, wiederholte Strike und brachte sie damit schier zum Wahnsinn. »In dem leeren Orangensaftkarton in Chiswells Mülleimer war kein Amitriptylin nachweisbar. Denk daran, wie Kinvara sich verrückt gemacht hat, wo Chiswell stecken könnte. Überleg, was die kleine Francesca aus Drummonds Kunstgalerie mir erzählen wird, falls ich sie jemals ans Telefon kriege. Denk an den Anruf in Chiswells Büro – dass sich die Menschen ›einpissen, wenn sie sterben‹, was in sich nicht schlüssig ist, zugegeben, aber doch einen Hinweis enthält, wenn man darüber nachdenkt ...«

»Du willst mich veralbern«, murmelte Robin fassungslos. »Deine Theorie verbindet all das? Und so, dass es einen Sinn ergibt?«

»Absolut«, antwortete Strike selbstgefällig. »Und sie erklärt noch dazu, woher Winn und Aamir wissen konnten, dass es irgendwo im Außenministerium Bilder gibt, höchstwahrscheinlich von Jack o'Kents Galgen in Betrieb, obwohl Aamir seit Monaten nicht mehr dort gearbeitet hatte und Winn, soweit wir wissen, nie auch nur einen Fuß in ...«

Strikes Handy klingelte, und er sah aufs Display.

»Izzy ruft zurück. Ich telefoniere draußen. Ich will sowieso eine rauchen.«

Robin hörte ihn noch »Hi« sagen, dann drückte er die Beifahrertür zu. In ihrem Kopf drehte sich alles. Entweder hatte Strike tatsächlich einen genialen Geistesblitz gehabt, oder aber er nahm sie auf die Schippe. Die Informationsfetzen, die er soeben aufgelistet hatte, erschienen ihr so unzusammenhängend, dass sie insgeheim zu Letzterem tendierte.

Fünf Minuten später rutschte Strike wieder auf den Beifahrersitz. »Unsere Klientin ist nicht glücklich.« Er zog die Tür hinter sich zu. »Tegan hätte uns wohl erzählen sollen, dass Kinvara sich nachts hinausgeschlichen hat, um Chiswell umzubringen. Stattdessen hat sie ihr Alibi bestätigt und ausgeplaudert, dass Chiswell Galgen vertrieben hat.«

»Das hat Izzy zugegeben?«

»Es blieb ihr kaum etwas anderes übrig, oder? Aber gefallen hat es ihr nicht. Sie hat darauf beharrt, dass es damals legal war, Galgen zu exportieren. Dann hab ich angedeutet, ihr Vater habe Jimmy und Billy um ihren Anteil betrogen, und du hattest recht: Als Jack o'Kent starb, standen zwei Galgensets verkaufsfertig in der Scheune, ohne dass sich jemand die Mühe gemacht hätte, seinen Söhnen etwas davon zu erzählen. Das hat sie noch weniger gern zugegeben.«

»Glaubst du, sie hat Angst, dass die beiden Anspruch auf Chiswells Nachlass erheben könnten?«

»Ich kann mir nicht vorstellen, dass es in Jimmys gegenwärtigem Umfeld gut aufgenommen würde, wenn er Geld annähme, das im Zusammenhang mit Hinrichtungen in der Dritten Welt verdient wurde«, sagte Strike. »Aber man kann nie wissen.«

Ein Wagen schoss hinter ihnen auf der Straße vorbei, und Strike drehte hoffnungsvoll den Kopf.

»Das dürfte Barclay sein ...« Er sah wieder auf die Uhr. »Vielleicht hat er die Abzweigung verpasst.«

»Cormoran?« Robin interessierte sich weniger für Izzys Laune oder dafür, wo Barclay stecken mochte, denn für die Theorie, die Strike immer noch nicht mit ihr teilen wollte. »Hast du *allen Ernstes* eine Idee, wie das alles, was du mir gerade erzählt hast, zusammenpasst?«

»Klar.« Strike kratzte sich am Kinn. »Ärgerlich ist nur, dass sie eventuell erklärt, *wer* es war, mir aber verflucht noch mal nicht in den Kopf will, *warum* Chiswell ermordet wurde. Es sei denn, aus blindem Hass ... Aber das hier macht nicht den Eindruck eines Verbrechens aus ungestümer Leidenschaft, oder? Das hier war kein Hammer gegen den Kopf. Das war eine sorgfältig geplante Exekution.«

»Und was ist aus ›Mittel vor Motiven‹ geworden?«

»Ich konzentriere mich die ganze Zeit auf die Mittel. Das hat mich hierhergeführt.«

»Und du willst mir nicht mal verraten, ob es ein Täter oder eine Täterin war?«

»Kein guter Mentor würde dich um die Befriedigung bringen wollen, dies selbst herausgefunden zu haben. Sind noch Kekse da?«

»Nein.«

»Zum Glück hab ich noch das hier.« Strike förderte ein Twix aus seiner Tasche zutage, wickelte es aus und reichte ihr eine Hälfte, die sie widerwillig annahm, was ihn besonders amüsierte.

Beide schwiegen, bis sie aufgegessen hatten. Dann sagte Strike deutlich ernster als eben noch: »Der heutige Abend wird alles entscheiden. Falls wir unten in der Mulde nichts finden, was in eine rosa Decke gewickelt wurde, dann hat sich die Sache mit Billy erledigt. Dann hat er sich den Mord nur eingebildet, sein Geist findet hoffentlich Frieden, und ich kann endlich versuchen, meine Theorie hinsichtlich Chiswells Ermordung zu beweisen, und zwar ohne jede Ablenkung und ohne mich fragen zu müssen, wie ein totes Mädchen zu alledem passt und wer es erwürgt hat.«

»Oder ein Junge«, rief ihm Robin ins Gedächtnis. »Du hast gesagt, Billy sei sich nicht sicher gewesen, ob es ein Junge oder ein Mädchen war.«

Noch während sie es aussprach, beschwor ihre ungehorsame Fantasie das Bild eines winzigen Skeletts in den verrotteten Fetzen einer Decke herauf. Würde man an den Überresten erkennen, ob es Junge oder Mädchen gewesen war? Würden sie eine Haarklammer oder einen Schnürsenkel finden, Knöpfe oder eine lange Haarsträhne?

Bitte mach, dass da nichts ist, dachte sie. *Bitte, lieber Gott, mach, dass da nichts ist.*

»Was, wenn *tatsächlich* etwas – jemand – in der Mulde vergraben wurde?«, fragte sie laut.

»Dann stimmt meine Theorie nicht. Denn ich kann mir nicht vorstellen, wie ein in Oxfordshire erwürgtes Kind zu dem passen könnte, was ich gerade aufgezählt habe.«

»Muss es denn zusammenpassen?«, wandte Robin vernünftigerweise ein. »Du könntest recht haben, was Chiswells Mörder angeht, aber das hier könnte doch auch ein völlig anderer ...«

»Nein.« Strike schüttelte den Kopf. »Das wäre ein zu großer Zufall. Wenn etwas in der Mulde vergraben wurde, muss es mit allem anderen in Verbindung stehen. Ein Bruder, der als Kind Zeuge eines Mordes wird, der andere Bruder, der zwanzig Jahre später einen Mann erpresst, der ermordet wird ... Falls da ein Kind in der Mulde liegt, dann muss das irgendwie ins Bild passen. Ich halte es in der Tat für wahrscheinlicher, dass dort nichts liegt. Wenn ich tatsächlich glauben würde, dass dort eine Leiche liegt, hätte ich die Polizei zur Suche gedrängt. Das heute Abend tue ich nur für Billy. Weil ich es ihm versprochen habe.«

Sie sahen zu, wie sich der Weg in der Dunkelheit allmählich auflöste. In unregelmäßigen Abständen sah Strike auf sein Handy.

»Wo ist dieser verfluchte Barclay abge… Ah!«

Gerade eben waren Scheinwerfer hinter ihnen in den Weg geschwenkt. Barclay schaukelte in einem alten Golf über die Fahrrinnen, dann hielt er an und schaltete das Licht aus. Im Seitenspiegel sah Robin, wie seine Silhouette ausstieg und sich in einen Barclay aus Fleisch und Blut verwandelte, sobald er am Beifahrerfenster erschien. In der Hand hielt er eine Sporttasche, die Strikes Tasche zum Verwechseln ähnlich sah.

»Abend«, begrüßte er sie lakonisch. »Schöner Abend für eine Grabräuberei.«

»Sie sind spät dran«, sagte Strike.

»Aye, weiß ich. Hab eben noch mit Flick telefoniert. Dachte, Sie würden hören wollen, was sie zu erzählen hat.«

»Setzen Sie sich hinten rein«, schlug Strike vor. »Sie können Bericht erstatten, während wir warten. Wir legen noch mal zehn Minuten drauf, bis es richtig dunkel ist.«

Barclay stieg hinten in den Land Rover ein und zog die Tür hinter sich zu. Strike und Robin drehten sich in ihren Sitzen zu ihm um.

»Also, sie ruft mich also an und plinst …«

»Bitte so, dass wir es verstehen können.«

»Sie heult – und scheißt sich total ein. Die Bullen haben ihr heute einen Besuch abgestattet.«

»Wurde verflucht noch mal Zeit«, sagte Strike. »Und?«

»Sie haben ihr Bad durchsucht und Chiswells Nachricht gefunden. Daraufhin wurde sie erst mal einkassiert.«

»Was war ihre Erklärung dafür, dass sie die Nachricht in ihrem Besitz hatte?«

»Hat sie mir nicht erzählt. Sie wollte bloß wissen, wo Jimmy steckt. Sie ist total am Ende. Ständig: ›Sag Jimmy bloß, dass sie es haben, er weiß dann schon, was gemeint ist.‹«

»Und wissen Sie, wo Jimmy steckt?«

»Hab nicht den leisesten Schimmer. Gestern hab ich ihn noch gesehen, da hat er nichts davon gesagt, dass er irgendwas vorhätte. Dafür hat er mir erzählt, dass Flick stinkig ist, weil er sie gefragt hat, ob sie vielleicht Bobbi Cunliffes Nummer hat. Der hat wohl ein Auge auf die kleine Bobbi geworfen.« Barclay grinste Robin an. »Flick hat ihm geantwortet, dass sie die Nummer nicht hat. Dann wollte sie wissen, wieso er sich so für Bobbi interessiert. Jimmy meinte, er will sie nur auf ein Parteitreffen mitnehmen, aber klar, so blöd ist Flick auch wieder nicht.«

»Glauben Sie, sie ahnt, dass ich ihr die Polizei auf den Hals gehetzt habe?«, argwöhnte Robin.

»Noch nicht«, sagte Barclay. »Aber sie schiebt Panik.«

»Na gut.« Strike sah zu dem kleinen Himmelsstück auf, das durch das Blätterdach erkennbar war. »Ich finde, wir sollten anfangen. Schnappen Sie sich die Tasche neben Ihnen, Barclay, da sind Werkzeuge und Handschuhe drin.«

»Wie wollen Sie denn mit Ihrem Bein graben?«, fragte Barclay skeptisch.

»Allein schaffen Sie es nicht«, sagte Strike. »Da wären wir morgen Abend noch hier.«

»Ich grabe mit«, erklärte Robin. Strikes Versicherung, dass sie wahrscheinlich nichts in der Mulde finden würden, hatte sie deutlich ermutigt. »Geben Sie mir die Gummistiefel, Sam.«

Strike zog bereits eine Stablampe und einen Gehstock aus seiner Tasche.

»Die nehme ich«, bot Barclay ihm an. Dann war ein schweres Scheppern zu hören, als er sich Strikes Tasche zusätzlich zu seiner eigenen über die Schulter wuchtete.

Zu dritt machten sie sich auf den Weg. Robin und Barclay passten sich Strikes Tempo an, der vorsichtig einen Fuß vor den anderen setzte, dabei mit der Stablampe den Boden beleuchtete und großzügig den Stock einsetzte, entweder um sich darauf zu stützen oder um Hindernisse aus dem Weg zu schieben. Ihre Schritte wurden vom weichen Boden verschluckt, doch die nächtliche Stille verstärkte nicht nur das Klappern und Scheppern des Werkzeugs auf Barclays Schulter, sondern auch das Geraschel der winzigen, unsichtbaren Kreaturen auf der Flucht vor den Riesen, die in die Wildnis eingedrungen waren – und von Chiswell House her das Bellen eines Hundes. Robin hoffte im Stillen, der Norfolk Terrier wäre angeleint.

Als sie die Lichtung erreichten, sah die nächtlich verlassene Hütte in Robins Augen aus wie ein Hexenhaus. Nur zu leicht ließen sich hinter den gesprungenen Fenstern imaginäre Schatten ausmachen. Sie wandte sich ab. Die Situation war schon gespenstisch genug, auch ohne dass sie sich zusätzliche Schauerbilder ausmalte. Mit einem leisen »Uff« ließ Barclay am Rand der Mulde die Taschen auf den Boden fallen und zog die Reißverschlüsse auf. Im Stablampenlicht sah Robin ein ganzes Werkzeugarsenal vor sich: eine Spitzhacke, eine Breithacke, zwei Brecheisen, eine Grabgabel, eine kleine Axt und drei Spaten, davon einer mit Spitze. Außerdem hatte Strike mehrere Paare fester Gartenhandschuhe mitgebracht.

»Aye, das sollte reichen.« Barclay spähte auf die dunkle Sohle hinab. »Wir sollten erst roden, bevor wir anfangen zu graben.«

»Richtig«, sagte Robin und griff nach einem Paar Handschuhe.

»Und Sie sind sich sicher, großer Mann?«, fragte Barclay Strike, der es ihr gleichgetan hatte.

»Ich kann doch wohl Unkraut ausreißen, Herrgott noch mal«, antwortete Strike gereizt.

»Nehmen Sie die Axt mit, Robin.« Barclay selbst griff nach

der Breithacke und einem Brecheisen. »Ein paar von den Büschen werden wir umhauen müssen.«

Zu dritt kletterten und schlitterten sie den steilen Abhang hinunter und machten sich an die Arbeit. Fast eine Stunde lang hieben sie auf sehnige Äste ein und rissen Pflanzen heraus, wobei sie gelegentlich die Geräte tauschten oder an die Oberkante der Grube zurückkehrten, um sich anderes Werkzeug zu holen.

Obwohl die Nacht spürbar kühler wurde, war Robin schon bald schweißgebadet und legte eine Kleidungsschicht nach der anderen ab. Strike seinerseits verwendete erhebliche Energie darauf, so zu tun, als könnte das ständige Bücken und Drehen auf dem rutschigen, unebenen Boden seinem Stumpf nichts anhaben. In der Dunkelheit war sein schmerzverzerrtes Gesicht nicht zu sehen, und er achtete darauf, seinen Ausdruck rigoros unter Kontrolle zu halten, sobald Barclay oder Robin die Stablampe einschaltete, um zu sehen, wie weit sie gekommen waren.

Die körperliche Schwerstarbeit verdrängte vorübergehend Robins Ängste, was sich unter ihren Füßen verbergen mochte. Vielleicht, dachte sie, war es so bei der Army: Die Anstrengungen und die Kameraderie in der Truppe halfen dir, dich auf etwas anderes zu konzentrieren als auf die grausige Realität dessen, was vor dir liegt. Die zwei Exsoldaten arbeiteten methodisch und ohne Klagen bis auf gelegentliche Flüche, wenn störrische Wurzeln oder Zweige an ihrer Kleidung oder Haut zerrten.

»Legen wir los mit dem Graben«, sagte Barclay schließlich, als der Boden der Mulde halbwegs gerodet war. »Das ist nichts mehr für Sie, Strike.«

»Ich fange erst mal an, Robin kann dann ja übernehmen«, widersprach Strike. »Mach schon«, sagte er zu ihr. »Du legst eine Pause ein, hältst die Lampe und gibst mir die Grabgabel runter.«

Ihre Kindheit mit drei Brüdern hatte Robin wichtige Dinge

über das männliche Ego gelehrt, und sie wusste, wann sich ein Streit lohnte und wann nicht. Obwohl sie überzeugt war, dass aus Strikes Befehl eher Stolz denn Vernunft sprach, kletterte sie folgsam die steile Flanke der Mulde hinauf und setzte sich an die Kante, beleuchtete von dort aus die beiden Arbeitenden mit dem Lichtkegel ihrer Lampe und reichte gelegentlich Werkzeug an sie weiter, wenn sie Steinbrocken lockern oder besonders harten Boden bearbeiten mussten.

Sie kamen nur langsam voran. Barclay grub dreimal so schnell wie Strike, der vom ersten Moment an zu kämpfen hatte, wie Robin sehen konnte, vor allem wenn er die spitze Spatenkante mit dem Fuß in den Boden drücken musste. Seine Prothese gab ihm nur unsicheren Halt, sobald sie auf dem unebenen Boden sein gesamtes Gewicht tragen musste, und sie schmerzte höllisch, wenn sie gegen das störrische Metall gepresst wurde. Minute um Minute verkniff sie sich ein Hilfsangebot, bis Strike ein halblautes »Fuck!« entfuhr und er sich mit schmerzverzerrtem Gesicht vorbeugte.

»Soll ich übernehmen?«, schlug sie vor.

»Ich fürchte, das wirst du müssen«, knurrte er ungnädig.

Er arbeitete sich aus der Mulde nach oben und versuchte, dabei seinen Stumpf so wenig wie möglich zu belasten, nahm zwischendurch der nach unten rutschenden Robin die Stablampe ab und hielt den Lichtkegel dann auf seine beiden Kollegen gerichtet, die weiterarbeiteten, während das Ende seines wunden Stumpfs wie verrückt pochte.

Barclay hatte einen kurzen, etwa halben Meter tiefen Graben gezogen, ehe er eine Pause einlegte und aus der Grube kletterte, um sich eine Wasserflasche aus seiner Tasche zu holen. Während er trank und Robin auf ihren Spaten gelehnt kurz Kraft schöpfte, wehte erneut Gebell zu ihnen herüber. Mit zusammengekniffenen Augen sah Barclay in Richtung des unsichtbaren Chiswell House.

»Was für Hunde sind das überhaupt?«, wollte er wissen.

»Ein alter Labbi und ein Terrier, ein echter Kläffer«, antwortete Strike.

»Sieht nicht gut für uns aus, wenn sie die beiden rauslässt.« Barclay wischte sich mit dem Ärmel über den Mund. »Ein Terrier ist in null Komma nichts durch die Büsche durch. Die können verdammt gut hören, die Biester.«

»Dann hoffen wir einfach, dass sie die Hunde nicht aus dem Haus lässt«, sagte Strike, ergänzte aber sofort: »Mach fünf Minuten Pause, Robin«, bevor er die Stablampe ausschaltete.

Robin kletterte ebenfalls aus der Tiefe nach oben und nahm dankbar eine frische Flasche Wasser von Barclay entgegen. Jetzt, da sie nicht mehr grub, fröstelte sie an der kalten Nachtluft. Das Herumhuschen und Rascheln von Kleintieren im Gebüsch und in den Bäumen klang in der Dunkelheit besonders laut. Der Hund bellte immer noch, und Robin meinte, in der Ferne eine Frau rufen zu hören.

»Habt ihr das gehört?«

»Aye. Hat sich angehört, als würde sie ihm sagen, er soll die Schnauze halten«, kommentierte Barclay.

Sie warteten kurz, und endlich hörte der Terrier auf zu kläffen.

»Wir warten noch ein paar Minuten«, sagte Strike. »Bis er eingeschlafen ist.«

Die Dunkelheit vervielfachte jedes Blätterrascheln, bis Robin und Barclay sich nach einigen Minuten wieder in die Mulde hinabarbeiteten und von Neuem zu graben begannen.

Robins Muskeln flehten inzwischen um Gnade, und ihre Handflächen warfen unter den Handschuhen die ersten Blasen. Je tiefer sie gruben, umso schwieriger wurde die Arbeit, weil der Boden kompakt und voller Steine war. Barclays Ende des Grabens war deutlich tiefer als das von Robin.

»Lass mich wieder übernehmen«, schlug Strike vor.

»Nein.« Sie war zu erschöpft, um noch diplomatisch zu sein. »Damit versaust du dir dein Bein total.«

»Wo sie recht hat, hat sie recht«, keuchte Barclay. »Ich brauch noch mal was zu trinken, bin komplett ausgedörrt.«

Eine Stunde später stand Barclay bis zur Taille im Boden, und Robins Handflächen bluteten unter den übergroßen Handschuhen, die unerbittlich ihre Hautschichten abschmirgelten, während sie versuchte, mit dem stumpfen Ende der Breithacke einen besonders schweren Steinbrocken aus dem Boden zu hebeln.

»Komm – schon – du – *Scheiß*ding ...«

»Soll ich helfen?« Strike wollte schon zu ihr runterkommen.

»Du bleibst oben«, befahl sie ihm wütend. »Ich bin bestimmt keine große Hilfe, wenn wir dich danach zum Auto zurücktragen müssen, nicht nach dieser Tortur ...«

Ihr entschlüpfte ein letzter leiser Schrei, als sie den kleinen Felsbrocken endlich aus der Erde gelöst hatte. Ein paar kleine Insekten, die an der Unterseite geklebt hatten, flüchteten aus dem Licht in die Dunkelheit. Strike richtete den Strahl wieder auf Barclay.

»Cormoran!«, sagte Robin scharf.

»Was ist?«

»Ich brauche Licht!«

Irgendetwas in ihrer Stimme sorgte dafür, dass auch Barclay innehielt.

Statt den Lichtkegel wieder auf sie zu richten und ohne sich an ihre Ermahnung von zuvor zu halten, rutschte Strike in die Mulde und landete auf dem losen Erdboden. Der Lichtstrahl wanderte kurz durch die Luft und leuchtete Robin in die Augen.

»Was hast du gesehen?«

»Hierher«, sagte sie. »Auf den Stein ...«

Barclay kam herübergestapft, die Jeans bis zu den Hosentaschen schlammverkrustet.

Strike richtete den Lichtkegel auf die angegebene Stelle. Zu dritt starrten sie auf die verkrustete Oberfläche des Brockens. Dort, in der Erde festgebacken, hingen ein paar Fasern, die definitiv nicht pflanzlichen Ursprungs, sondern aus Wolle und schmutzig waren, aber doch unverkennbar rosa.

Wie auf Kommando drehten sie sich um und starrten in die Vertiefung, in der der Felsbrocken gelegen hatte. Strike richtete die Stablampe auf die Aushöhlung.

»Oh Scheiße«, keuchte Robin und schlug sich, ohne nachzudenken, die dreckigen Gartenhandschuhe vors Gesicht. Dort lagen ein paar Zentimeter schmutzigen Stoffs frei, die im kräftigen Strahl der Stablampe ebenfalls rosa leuchteten.

»Gib her«, sagte Strike und nahm ihr die Hacke ab.

»Nein …«

Doch er hatte sie bereits zur Seite geschoben. In dem verirrten Lichtstrahl konnte sie einen Blick auf seine abweisende, wütende Miene erhaschen, fast als hätte ihn die rosafarbene Decke zutiefst enttäuscht, als hätte man ihn persönlich beleidigt.

»Barclay, Sie nehmen die hier!« Er hielt ihm seine Hacke hin. »Sie legen alles so weit wie möglich frei – möglichst ohne die Decke zu beschädigen. Robin, du gehst ans andere Ende. Du arbeitest mit der Grabgabel. Und passen Sie auf meine Hände auf«, wandte sich Strike wieder an Barclay. Er klemmte sich die Lampe zwischen die Zähne, damit sie ihm leuchtete, ließ sich im Dreck auf die Knie sinken und begann, mit den Fingern die Erde beiseitezuräumen.

»Hört mal«, flüsterte Robin erschaudernd.

Wieder hallte das wütende Kläffen des Terriers durch die Nachtluft zu ihnen herüber.

»Ich hab geschrien, als ich den Stein umgedreht habe,

oder?«, flüsterte Robin. »Ich glaube, ich hab ihn wieder aufgeweckt.«

»Das ist jetzt egal.« Strike scharrte mit den Fingern den Schmutz von der Decke. »Wir graben weiter.«

»Aber was, wenn ...«

»Damit beschäftigen wir uns, wenn es so weit ist. *Grab.*«

Robin stieß die Grabgabel in die Erde, und ein paar Minuten später tauschte Barclay seine Breithacke gegen eine Schaufel. Ganz langsam legten sie die gesamte Länge der rosafarbenen Decke frei, allerdings war der Inhalt zu tief vergraben, als dass sie ihn hätten herausheben können.

»Das ist kein Erwachsener«, stellte Barclay fest und ließ den Blick über die schmutzige Decke wandern.

Und immer noch kläffte aus der Richtung von Chiswell House der Terrier.

»Wir sollten die Polizei rufen, Strike.« Barclay hielt inne und wischte sich Schweiß und Dreck aus den Augen. »Graben wir hier nicht an einem Tatort?«

Strike antwortete nicht. Mit einem flauen Gefühl im Magen beobachtete Robin, wie er mit den Fingern die Decke abtastete.

»Geh rauf«, sagte er zu ihr. »In meiner Tasche liegt ein Messer, ein Teppichmesser. Schnell.«

Der Terrier kläffte sich immer noch die Seele aus dem Leib, und irgendwie hatte Robin das Gefühl, als käme das Bellen näher. Sie kletterte den Abhang hinauf, tastete in den dunklen Tiefen der Tasche, erspürte das Teppichmesser und rutschte damit wieder nach unten zu den beiden Männern.

»Cormoran, ich finde, Sam hat recht«, flüsterte sie. »Überlassen wir das lieber der ...«

»Gib her!« Er hatte die Hand schon ausgestreckt. »Mach schon, schnell, ich spüre es genau. Das hier ist der Kopf. *Schnell!*«

Wider besseres Wissen reichte sie ihm die Klinge. Sie hörte den Stoff bersten und reißen.

»Was machst du denn da?«, keuchte sie auf, als sie sah, wie Strike beide Hände durch die Öffnung steckte.

»Jesus, fuck, Strike!«, sagte Barclay wütend. »Wollen Sie wirklich mit bloßen Händen ...«

Mit einem ekelerregenden Knirschen gab die Erde etwas Großes, Weißes frei. Robin stieß einen kleinen Schreckensschrei aus, taumelte nach hinten und landete halb sitzend an der Wand der Mulde.

»Fuck«, wiederholte Barclay.

Strike nahm die Lampe in die freie Hand und beleuchtete das Ding, das er eben aus der Erde gezogen hatte. Fassungslos starrten Robin und Barclay auf den gebleichten, halb zertrümmerten Schädel eines Pferdes hinab.

66

Sitz nicht da und grüble und brüte über unlösbare Rätsel.

HENRIK IBSEN, *ROSMERSHOLM*

Der Schädel leuchtete bleich im Stablampenlicht. Geschützt durch viele Jahre unter der Decke, wirkte er mit seiner langen Nase und den scharfen Kieferknochen unerwartet reptilienhaft. Ein paar stumpfe Zähne waren geblieben. Abgesehen von den Augenhöhlen klafften mehrere Löcher im Schädel, eins im Kiefer, eins in der Schädelseite, und der Knochen war jeweils rundherum geborsten und aufgebrochen.

»Erschossen.« Strike drehte den Schädel bedächtig in den Händen hin und her. Eine dritte Vertiefung zeigte, wo eine weitere Kugel auf dem Schädelknochen aufgetroffen war, ihn aber nicht durchschlagen hatte.

Robin ahnte, dass sie sich noch viel elender gefühlt hätte, wenn es ein menschlicher Schädel gewesen wäre. Trotzdem hatte das Geräusch, mit dem Strike den Knochen aus der Erde gerissen hatte, sie ebenso erschüttert wie der unerwartete Anblick dieser zerbrechlichen, von Bakterien und Insekten blankgefressenen Hülle eines einst lebenden, atmenden Tieres.

»Tierärzte erschießen Pferde mit einem einzelnen Schuss in die Stirn«, sagte sie. »Sie durchsieben sie nicht mit einer ganzen Salve.«

»Ein Gewehr«, stellte Barclay fest, nachdem er dazugetreten war und den Schädel genauer betrachtet hatte. »Da hat einer einfach draufgehalten.«

»Der ist aber nicht besonders groß, oder? War das ein Fohlen?«, fragte Strike Robin.

»Vielleicht, aber für mich sieht das eher nach einem Pony oder einem Minipferd aus.«

Strike drehte den Schädel immer noch langsam in den Händen, und alle drei sahen zu, wie er sich im Lichtkegel bewegte. Sie hatten ihn unter so großen Qualen und Mühen aus dem Boden gewühlt, dass er Geheimnisse jenseits seiner bloßen Existenz zu hüten schien.

»Also hat Billy *tatsächlich* eine Beerdigung beobachtet«, stellte Strike fest.

»Aber es war kein Kind. Demnach könnte deine Theorie trotzdem stimmen«, sagte Robin.

»Theorie?«, fragte Barclay, bekam aber keine Antwort.

»Ich weiß nicht, Robin.« Abseits des Stablampenstrahls wirkte Strikes Gesicht gespenstisch. »Falls er die Beerdigung nicht erfunden hat, hat er wahrscheinlich auch nicht ...«

»Scheiße«, sagte Barclay. »Sie hat's getan, sie hat die Dreckstöter rausgelassen.«

Nicht länger von Mauern gedämpft, drangen das Kläffen des Terriers und das tiefere, dröhnende Bellen des Labradors durch die Nacht. Strike ließ den Schädel einfach fallen.

»Barclay, Sie sammeln das Werkzeug ein und verschwinden von hier. Wir lenken die Hunde ab.«

»Und was ist mit ...«

»Den lassen wir liegen. Wir haben jetzt keine Zeit, ihn wieder einzugraben.« Strike kletterte bereits aus der Mulde, ohne sich um die quälenden Schmerzen in seinem Stumpf zu scheren. »Robin, mach schon! Du kommst mit mir ...«

»Und wenn sie die Polizei gerufen hat?«, fragte Robin, die den Rand der Mulde vor Strike erreicht hatte und ihm heraufhalf.

»Dann müssen wir improvisieren«, keuchte er. »Komm

schon, ich will die Hunde aufhalten, ehe sie Sam zu fassen kriegen.«

Das dichte Gehölz war kaum zu durchdringen, und Strike hatte seinen Stock liegen gelassen. Robin stützte ihn am Arm, und er humpelte voran, so schnell er konnte, auch wenn er jedes Mal vor Schmerz aufstöhnte, wenn er seinen Stumpf belastete. Jenseits der Bäume erspähte Robin einen Lichtpunkt – jemand war mit einer Stablampe bewehrt aus dem Haus getreten.

Mit einem Mal stürmte der Norfolk Terrier unter wütendem Gekläff aus dem Unterholz.

»Braver Junge, du hast uns gefunden!«, keuchte Robin.

Ungeachtet ihrer aufmunternden Begrüßung, stürzte er sich auf sie und versuchte, sie zu beißen. Sie trat mit dem Gummistiefel nach ihm und hielt ihn auf Distanz, doch gleichzeitig hörten sie, wie nun auch der deutlich schwerere Labrador zu ihnen durchbrach.

»Kleiner Scheißer«, sagte Strike und versuchte, den Norfolk Terrier wegzuscheuchen, der sie knurrend umrundete, doch nur Sekunden später hatte der Terrier Barclay gewittert: Er drehte den Kopf zur Mulde und rannte erneut hektisch kläffend los, ehe einer von beiden ihn aufhalten konnte.

»Scheiße!«, sagte Robin.

»Vergiss es, lauf weiter«, sagte Strike, obwohl das Ende seines Stumpfs brannte und er sich im Stillen fragte, wie lang sein Bein ihn noch tragen würde.

Sie waren gerade erst ein paar Schritte weiter gelaufen, als der fette Labrador sie erreichte.

»Brav, ja, ganz brav«, lobte Robin ihn freundlich, und der Labrador, der kein begeisterter Jäger war, ließ sich von ihr fest am Halsband packen. »Los, du kommst mit uns.« Robin schleifte ihn halb vorwärts, immer noch mit Strike im Arm und auf den überwucherten Krocket-Rasen zu, wo die Stablampe durch die Dunkelheit auf sie zuschwenkte.

»Badger! Rattenbury!«, rief eine schrille Stimme. »Wer ist das ... Wer ist da?«

Die Silhouette hinter der Stablampe war weiblich und gedrungen.

»Keine Angst, Mrs. Chiswell!«, rief Robin. »Wir sind es nur!«

»Wer ist ›wir‹? Wer sind Sie?«

»Lass mich das machen«, murmelte Strike Robin zu, dann rief er: »Mrs. Chiswell, hier sind Cormoran Strike und Robin Ellacott.«

»Was machen Sie denn hier?«, rief sie über die kürzer werdende Distanz hinweg.

»Wir haben im Dorf mit Tegan Butcher gesprochen, Mrs. Chiswell«, rief Strike, während Robin, er und der widerwillige Badger sich durchs hohe Gras kämpften. »Wir waren eben auf dem Rückweg und haben gesehen, wie zwei Gestalten auf Ihr Anwesen eingedrungen sind.«

»Was für Gestalten? Wo?«

»Dahinten im Wald«, antwortete Strike. Aus den Tiefen des Gehölzes war immer noch das aufgebrachte Gebell des Norfolk Terriers zu hören. »Wir hatten Ihre Nummer nicht, sonst hätten wir angerufen und Sie vorgewarnt.«

Inzwischen hatte Kinvara sich ihnen bis auf wenige Schritte genähert. Sie trug einen dicken, gefütterten Mantel über einem kurzen Negligé aus schwarzer Seide und steckte mit den nackten Füßen in ihren Gummistiefeln. Ihr Misstrauen, Erschrecken und ihre Ungläubigkeit kollidierten mit Strikes unerschütterlicher Überzeugungskraft.

»Wir dachten, wir sollten lieber mal nachschauen, schließlich hatte es niemand außer uns mitbekommen«, keuchte er und verzog das Gesicht, während er von Robin gestützt auf sie zuhumpelte – ganz der bescheidene Held. »Entschuldigen Sie unseren Aufzug«, sagte er und blieb stehen, »da im Wald ist es ziemlich schlammig, und ich bin ein paarmal hingefallen.«

Eine kalte Brise wehte über den dunklen Rasen. Kinvara starrte ihn verdattert und argwöhnisch an, dann drehte sie den Kopf in Richtung des unaufhörlichen Hundegebells.

»RATTENBURY!«, brüllte sie. »*RATTENBURY!*« Sie wandte sich wieder Strike zu. »Wie haben sie ausgesehen?«

»Es waren Männer«, improvisierte Strike. »Jung und ziemlich fit, so wie sie sich bewegt haben. Wir wissen ja, dass Sie schon früher Probleme mit Leuten hatten, die auf Ihr Grundstück eingedrungen sind …«

»Ja. Ja, richtig.« Kinvara klang mittlerweile verängstigt. Erst jetzt schien sie wahrzunehmen, wie schwer Strike sich auf Robin stützte, wie schmerzverzerrt sein Gesicht war. »Vielleicht kommen Sie lieber ins Haus.«

»Danke sehr«, sagte Strike, »das ist sehr freundlich.«

Kinvara entriss Robin das Halsband des Labradors und schrie noch einmal: »RATTENBURY!« Doch der in der Ferne kläffende Terrier reagierte nicht. Also zerrte sie den Labrador, der allmählich aufzumucken begann, zurück zum Haus, und Strike und Robin folgten ihr.

»Was machen wir, wenn sie die Polizei ruft?«, flüsterte Robin Strike zu.

»Das entscheiden wir, wenn es so weit ist«, sagte er erneut.

Im Salon stand die Fenstertür weit offen. Offenbar war Kinvara ihren aufgebrachten Hunden von hier aus nach draußen gefolgt – immerhin schien dies die kürzeste Route zum Wald zu sein.

»Wir sind leider ein bisschen schmutzig«, warnte Robin, als sie über den Kiesweg knirschten, der das Haus umgab.

»Lassen Sie einfach die Stiefel draußen stehen.« Kinvara trat in den Salon, ohne ihre eigenen auszuziehen. »Der Teppich muss sowieso ausgetauscht werden.«

Robin zerrte sich die Gummistiefel von den Füßen, folgte Strike nach drinnen und schloss die Fenstertür.

Der kalte, klamme Raum wurde von einer einzigen Lampe erhellt.

»Zwei Männer?«, wiederholte Kinvara und wandte sich wieder an Strike. »Und wie genau sind sie auf das Anwesen gelangt?«

»Über die Mauer an der Straße«, antwortete Strike.

»Glauben Sie, sie haben bemerkt, dass sie beobachtet wurden?«

»Oh ja«, sagte Strike. »Wir haben sofort angehalten. Daraufhin sind sie in den Wald gerannt. Ich glaube allerdings, dass sie das Weite gesucht haben, als wir ihnen gefolgt sind, meinst du nicht auch?«, fragte er Robin.

»Ja, ich glaube, ich hab sie zur Straße zurücklaufen hören, als Sie die Hunde rausgelassen haben.«

»Rattenbury ist immer noch hinter jemandem her – aber das könnte natürlich auch ein Fuchs sein ... Die Füchse machen ihn ganz wild«, erklärte Kinvara.

Im selben Moment fiel Strike auf, dass sich etwas im Raum verändert hatte, seit er zuletzt hier gewesen war. Über dem Kaminsims, wo das Bild der Stute mit dem Fohlen gehangen hatte, war ein frisches Rechteck dunkelroter Tapete zu sehen.

»Was ist denn aus Ihrem Bild geworden?«

Kinvara drehte den Kopf, um zu sehen, wovon Strike sprach. Sie antwortete ganz leicht verzögert: »Ich hab es verkauft.«

»Ach«, sagte Strike. »Ich dachte, das hätten Sie besonders ins Herz geschlossen?«

»Nicht mehr seit dem, was Torquil gesagt hat. Danach wollte ich es nicht mehr dort hängen sehen.«

»Ach.«

Rattenburys ausdauerndes Gebell wehte immer noch vom Wald herüber, wo der Hund, davon war Strike überzeugt, Barclay aufgespürt hatte, der sich mit zwei Taschen voller Werkzeug zu seinem Wagen zurückkämpfte. Und jetzt, da Kinvara das Halsband losließ, stieß auch der fette Labrador ein neuerliches donnerndes Bellen aus, trottete zur Fenstertür zurück und begann, winselnd an der Scheibe zu kratzen.

»Selbst wenn ich die Polizei rufe, kommt die bestimmt nicht rechtzeitig«, sagte Kinvara halb besorgt, halb wütend. »Die nehmen mich nicht ernst. Sie glauben, ich würde mir all diese Eindringlinge nur einbilden.« Dann traf sie eine Entscheidung. »Ich sehe lieber mal nach den Pferden.« Doch statt durch das bodentiefe Fenster nach draußen zu gehen, verschwand sie aus dem Salon in den Flur und von dort, soweit sie es hören konnten, in ein weiteres Zimmer.

»Ich hoffe nur, der Hund hat Barclay nicht erwischt«, flüsterte Robin.

»Du solltest lieber hoffen, dass der das Vieh nicht mit dem Spaten massakriert hat«, murmelte Strike.

Die Tür ging wieder auf. Kinvara war zurückgekehrt – und zu Robins Entsetzen hielt sie einen Revolver in der Hand.

»Den nehm ich Ihnen ab.« Strike humpelte auf sie zu und nahm ihr die Waffe aus der Hand. Er betrachtete sie eingehend. »Ein Harrington & Richardson, sieben Schuss? Der ist illegal, Mrs. Chiswell.«

»Er hat Jasper gehört«, erwiderte sie, als wäre damit eine Sondererlaubnis verbunden, »und ich will lieber nicht ohne ...«

»Ich komme mit zu den Pferden«, unterbrach Strike sie energisch. »Robin bleibt hier und passt auf das Haus auf.«

Um Kinvaras Protest zuvorzukommen, riss Strike kurzerhand die Fenstertür auf. Der Labrador nutzte sofort die Gelegenheit, in den dunklen Garten zu rumpeln, von wo sein dumpfes Bellen über das Anwesen hallte.

»Herr im Himmel ... Wieso haben Sie ihn rausgelassen? Badger!«, schrie Kinvara ihm nach, drehte sich kurz zu Robin um – »Sie bleiben hier!« – und lief dann dem Labrador nach in den Garten, gefolgt von Strike mit der Waffe. Beide verschwanden in der Dunkelheit. Robin blieb angesichts von Kinvaras scharfem Befehl wie vom Donner gerührt stehen.

Durch das offene Fenster drang kalte Nachtluft in den ohnehin unterkühlten Raum. Robin trat auf den Holzkorb neben dem Kamin zu, der verlockend mit Zeitungen, Zweigen, Holzscheiten und Anzünder gefüllt war, zögerte dann aber. Sie würde wohl kaum Feuer machen dürfen, solange Kinvara unterwegs wäre. Der Raum sah in jeder Hinsicht genauso schäbig aus, wie sie ihn in Erinnerung gehabt hatte, und inzwischen waren die Wände bis auf vier Landschaftsstiche aus Oxfordshire nackt. Draußen auf dem Gelände kläfften immer noch die Hunde, während es im Zimmer still war – bis auf eine alte Standuhr in der Ecke, deren leises Ticken Robin bei ihrem letzten Besuch bei all dem Geplapper und Zank der Familie entgangen war.

Vom stundenlangen Graben schmerzte jeder Muskel in Robins Körper, und die Blasen an ihren Händen brannten. Sie hatte sich kaum auf dem durchgesessenen Sofa niedergelassen und sich die Arme um den Leib geschlungen, um sich zu wärmen, als sie über ihrem Kopf ein Knarzen hörte, das eindeutig klang wie ein leiser Schritt.

Robin starrte zur Decke. Wahrscheinlich hatte sie sich das nur eingebildet. Alte Häuser machten oft merkwürdige Geräusche, die sich menschlich anhörten, bis man sich daran gewöhnt hatte. Bei ihren Eltern schnauften nachts die Heizkörper, und die alten Türen ächzten unter der Zentralheizung. Wahrscheinlich war es nur ein Balken gewesen.

Dann war ein zweites Knarzen zu hören – nur knapp einen Meter vom ersten entfernt.

Robin stand auf und suchte den Raum nach etwas ab, was sie als Waffe würde verwenden können. Auf einem Tisch neben dem Sofa hockte ein kleiner, hässlicher Bronzefrosch. Als sich ihre Finger um die kalte, pockennarbige Oberfläche schlossen, hörte sie ein drittes Knarzen von oben. Entweder spielte ihre Fantasie verrückt, oder aber die Schritte hatten sich durch das Zimmer direkt über ihr bewegt.

Fast eine Minute lang blieb Robin reglos stehen und spitzte die Ohren. Sie wusste, was Strike sagen würde: Bleib, wo du bist. Dann hörte sie wieder eine winzige Bewegung über ihrem Kopf. Ohne jeden Zweifel: Da schlich jemand im Obergeschoss herum.

So leise wie möglich schob sich Robin auf Socken durch die halb offene Tür zum Flur, ohne sie zu berühren, damit sie nicht knarrte, und lief dann lautlos den Flur mit den Steinfliesen entlang, den eine Deckenlampe mit einem Flickenteppich aus Licht überzog. Direkt unter der Lampe hielt sie inne, spitzte wieder die Ohren, hörte, wie ihr Herz wild klopfte, und stellte sich vor, dass über ihr jemand anderes stand, erstarrt innehielt und lauschte – genau wie sie. Mit dem Bronzefrosch fest in der rechten Hand wagte sie sich zum Fuß der Treppe vor.

Der obere Treppenabsatz lag im Dunkeln. Das Kläffen der Hunde hallte tief aus dem Wald zu ihr herüber.

Sie hatte es halb bis zum oberen Treppenabsatz geschafft, als sie ein weiteres Geräusch vernommen zu haben glaubte: ein leises Schlurfen über Teppich, gefolgt vom Schleifen einer sich schließenden Tür.

Es hätte wenig gebracht, »Wer ist da?« zu rufen, das war ihr klar. Wenn die Person ihnen unter die Augen hätte treten wollen, hätte sie Kinvara zuvor wohl kaum allein aus dem Haus gehen lassen, als sie nachsehen gegangen war, was die Hunde aufgescheucht hatte.

Oben an der Treppe entdeckte Robin einen Lichtstreifen über dem dunklen Boden. Er fiel aus dem einzigen erhellten Zimmer. Ihr Nacken und ihre Kopfhaut kribbelten, als sie darauf zuschlich – gut möglich, dass sie aus einem der drei dunklen Zimmer mit offenen Türen, an denen sie vorbeikam, beobachtet wurde. Immer wieder sah sie über die Schulter. Dann drückte sie mit den Fingerspitzen die Tür des beleuchteten Zimmers auf und trat mit dem Frosch im Anschlag ein.

Dies hier war ganz eindeutig Kinvaras Zimmer: unaufgeräumt, schmuddelig und verwaist. Eine einsame Lampe brannte auf dem Nachttisch neben der Tür. Das ungemachte Bett sah aus, als wäre es überstürzt verlassen worden; eine cremeweiße Daunensteppdecke war nachlässig zu Boden geworfen worden. Die Wände waren von unzähligen Pferdebildern übersät, die durchweg von deutlich geringerer Qualität waren als das fehlende Bild im Salon, wie selbst Robins ungeschultes Auge erkennen konnte. Die Schranktüren standen offen, doch zwischen den dicht hängenden Kleidungsstücken hätte sich maximal ein Liliputaner verstecken können.

Robin kehrte auf den dunklen Treppenabsatz zurück. Mit dem Bronzefrosch wieder fest in der Faust versuchte sie, sich zu orientieren. Die Geräusche, die sie gehört hatte, waren aus dem Zimmer über dem Salon gekommen, und das bedeutete, dass es der Raum mit der geschlossenen Tür direkt vor ihr sein musste.

Als sie die Hand nach dem Türknauf ausstreckte, intensivierte sich das beklemmende Gefühl, beobachtet zu werden. Sie drückte die Tür auf und tastete, ohne einzutreten, an der Innenwand nach einem Lichtschalter.

Als das Licht aufflackerte, sah sie ein kaltes, nacktes Schlafzimmer mit einem Messingbett und einer einsamen Kommode vor sich. Die schweren Vorhänge an altmodischen Messingringen waren zugezogen, sodass man nicht nach draußen sehen konnte. Auf dem Doppelbett lag die »Trauernde Stute«, die bis in alle Ewigkeit mit ihrer Schnauze das im Stroh zusammengerollte reinweiße Fohlen anstupsen würde.

Mit der freien Hand tastete Robin in ihrer Tasche nach ihrem Handy. Dann schoss sie mehrere Fotos des auf dem Bett liegenden Gemäldes. Es sah aus, als wäre es in aller Eile hier abgelegt worden.

Mit einem Mal hatte sie das Gefühl, dass sich hinter ihr etwas bewegt hatte. Sie drehte sich um, blinzelte gegen das leuchtende Nachbild des Goldrahmens an, das sich durch den Kamerablitz in ihre Netzhaut eingebrannt hatte. Dann hörte sie Strikes und Kinvaras Stimmen im Garten. Sie würden gleich in den Salon zurückkommen.

Eilig schaltete sie das Licht im Zimmer aus, eilte so leise wie möglich zum Treppenabsatz und die Stufen hinunter. Aus Angst, dass sie es nicht mehr rechtzeitig in den Salon schaffen würde, stürzte sie zur Toilette, drückte die Spülung, bevor sie durch den Flur zurückeilte, und trat im selben Moment in den Salon, da ihre Gastgeberin aus dem Garten hereinkam.

67

... ich hatte schon meine guten Gründe, wenn ich unsern Bund so eifersüchtig vor den Augen der Welt verbarg.

HENRIK IBSEN, *ROSMERSHOLM*

Der Norfolk Terrier zappelte mit seinen verdreckten Pfoten in Kinvaras Armen. Sobald Rattenbury Robin entdeckte, bedachte er sie mit neuerlichen Kläffsalven.

»Verzeihung, ich musste dringend auf die Toilette«, keuchte Robin, die sich den Bronzefrosch halb hinter den Rücken hielt. Der uralte Spülkasten bezeugte ihre Geschichte, indem er am anderen Ende des gefliesten Flurs laut gurgelte und klapperte. »Habt ihr etwas entdeckt?«, wandte sie sich an Strike, der hinter Kinvara den Salon betrat.

»Nichts«, sagte Strike, dessen Gesicht mittlerweile ausgezehrt vor Schmerz aussah. Er wartete noch kurz, bis auch der hechelnde Labrador hereingehüpft kam, und schloss die Fenstertür. Den Revolver hatte er immer noch in der Hand. »Allerdings war definitiv jemand da draußen. Die Hunde haben etwas gewittert. Aber ich glaube, die Eindringlinge sind inzwischen abgehauen. Was für ein Zufall aber auch, dass wir ausgerechnet in dem Moment vorbeikamen, als sie über die Mauer geklettert sind.«

»Jetzt halt endlich den Rand, Rattenbury!«, rief Kinvara. Dann setzte sie den Terrier ab und drohte ihm, als er Robin weiter ankläffte, mit der erhobenen Hand, woraufhin er sich winselnd in die Ecke zu dem Labrador verzog.

»Aber mit den Pferden war alles okay?« Unauffällig näherte Robin sich dem Beistelltisch, von dem sie den bronzenen Briefbeschwerer genommen hatte.

»Eine der Stalltüren war nicht ordentlich gesichert«, sagte Strike und verzog das Gesicht, als er sich bückte, um sein Knie abzutasten. »Aber Mrs. Chiswell glaubt, dass sie das selbst gewesen sein könnte … Dürfte ich mich setzen, Mrs. Chiswell?«

»Ich … Doch, Sie dürfen«, antwortete Kinvara ungnädig.

Sie trat an einen Bartisch in der Zimmerecke, entkorkte eine Flasche Famous Grouse und schenkte sich einen guten Fingerbreit Whisky ein. Während sie Robin den Rücken zugedreht hatte, stellte diese unauffällig den Briefbeschwerer zurück. Sie versuchte, Strikes Blick aufzufangen, doch der sank bloß mit einem leisen Stöhnen auf das Sofa und sah dann zu Kinvara.

»Ich würde nicht Nein sagen, falls Sie mir auch einen anböten«, erklärte er schamlos und verzog das Gesicht, als er sich das rechte Knie massierte. »Ehrlich gesagt glaube ich, ich muss das hier abnehmen … Würde Sie das stören?«

»Also … Nein, wahrscheinlich nicht. Was hätten Sie denn gern?«

»Am liebsten auch einen Scotch, danke.« Strike legte den Revolver neben dem Bronzefrosch auf den Tisch, rollte sein Hosenbein nach oben und gab Robin mit einem Blick zu verstehen, dass sie sich ebenfalls setzen solle.

Während Kinvara einen weiteren Fingerbreit in ein Glas goss, legte Strike seine Prothese ab. Als sich Kinvara umdrehte, um Strike sein Glas zu reichen, sah sie für einen Moment in leicht angewiderter Faszination zu, wie er an seinem falschen Fuß herumhantierte, und wandte erst den Blick ab, als er den Unterschenkel vom wund gescheuerten Stumpf nahm. Keuchend lehnte Strike die Prothese gegen das Sofa und krempelte das Hosenbein wieder nach unten.

»Vielen Dank«, sagte er, griff sich den Whisky und nahm einen Schluck.

Mit einem Mann zusammengepfercht, der nicht mehr gehen konnte, dem sie theoretisch dankbar sein sollte und dem sie gerade einen Drink eingeschenkt hatte, nahm Kinvara ebenfalls Platz, allerdings mit versteinerter Miene.

»Tatsächlich wollte ich Sie sowieso anrufen, Mrs. Chiswell, und mir ein paar Sachen bestätigen lassen, die wir von Tegan gehört haben«, sagte Strike. »Wenn Sie möchten, können wir sie jetzt gleich durchgehen. Dann hätten wir das erledigt.«

Leicht schaudernd blickte Kinvara zum leeren Kamin, und Robin erbot sich hilfsbereit: »Soll ich vielleicht ...?«

»Nein«, fuhr Kinvara sie an. »Das kann ich schon selbst.«

Sie marschierte zu dem Korb am Kamin und zog eine alte Zeitung heraus. Während Kinvara über der zerknüllten Zeitung und einem Stück Anzünder Zunderholz stapelte, konnte Robin endlich Strikes Blick auffangen.

»Oben ist jemand«, bedeutete sie ihm tonlos, war sich aber nicht sicher, ob er sie verstanden hatte. Er hob nur fragend die Brauen und wandte sich dann wieder Kinvara zu.

Ein Streichholz flackerte auf, dann züngelten Flammen rund um den kleinen Haufen aus Papier und Zweigen hoch. Kinvara griff nach ihrem Glas und kehrte damit an den Bartisch zurück, wo sie sich Scotch nachschenkte, bevor sie – den Mantel enger um ihren Leib geschlungen – noch mal zum Holzkorb ging, ein dickes Holzscheit auswählte, es auf das größer werdende Feuer legte und sich dann wieder auf das Sofa fallen ließ.

»Na schön«, sagte sie mürrisch zu Strike. »Was wollen Sie wissen?«

»Wie gesagt, wir haben heute mit Tegan Butcher gesprochen ...«

»Und?«

»… und wir wissen jetzt, womit Jimmy Knight und Geraint Winn Ihren Mann erpressen wollten.«

Kinvara schien nicht im Geringsten überrascht zu sein.

»Ich hab diesen dummen Gänsen gesagt, dass Sie das rausfinden würden«, meinte sie achselzuckend. »Izzy und Fizzy. Jeder hier wusste, was Jack o'Kent in seiner Scheune getrieben hat. Irgendwann musste ja jemand reden.« Sie nahm einen großen Schluck Whisky. »Ich nehme an, Sie wissen alles darüber, oder? Über die Galgen? Und den Jungen in Simbabwe?«

»Sie meinen Samuel?«, fragte Strike aufs Geratewohl.

»Genau, diesen Samuel Mu… Mudrap oder so.«

Das Scheit im Kamin fing Feuer, Flammen schlugen über dem Holzstück nach oben und ließen Funken regnen.

»Sobald wir gehört hatten, dass dieser Junge gehenkt worden war, hat Jasper Panik bekommen, dass der Galgen von ihm gewesen sein könnte. Sie wissen das alles, oder? Dass es zwei Sets gab? Aber dass es nur einer bis zur Regierung geschafft hatte. Der andere verschwand irgendwie – der Laster wurde überfallen oder so. Ist mitten im Nirgendwo gelandet. Offenbar sind die Fotos ziemlich grausam … Das Außenamt meint, es muss sich um eine Verwechslung gehandelt haben. Jasper hat zwar behauptet, er wisse nicht, wie die Galgen zu ihm zurückverfolgt werden könnten, aber Jimmy konnte das angeblich beweisen. Ich *wusste*, dass Sie das herausfinden würden«, murmelte Kinvara mit bitterer Befriedigung. »Tegan ist ein schreckliches Klatschmaul.«

»Also, um das klarzustellen«, sagte Strike, »als Jimmy zum ersten Mal hier auftauchte, wollte er seinen und Billys Anteil an den zwei Galgensets, die sein Vater vor seinem Tod fertiggestellt hatte?«

»Genau.« Kinvara nahm einen kleinen Schluck Whisky. »Die zwei waren zusammen achtzigtausend wert. Er wollte vierzig.«

»Wir nehmen allerdings an«, sagte Strike, der sich noch gut daran erinnern konnte, wie Chiswell ihm erzählt hatte, Jimmy sei eine Woche nach seinem ersten Besuch erneut aufgetaucht und habe sich diesmal mit weniger zufriedengegeben, »dass Ihr Mann ihm daraufhin eröffnet hat, er habe selbst nur Geld für einen gesehen, da der andere beim Transport gestohlen wurde?«

»Richtig«, antwortete Kinvara achselzuckend. »Darum verlangte Jimmy beim zweiten Mal auch nur noch zwanzig. Aber die hatten wir da schon ausgegeben.«

»Wie standen Sie zu Jimmys Forderung, als er das erste Mal Geld wollte?«, wollte Strike wissen.

Robin war sich nicht sicher, ob Kinvara tatsächlich leicht rosa anlief oder ob das die Wirkung des Whiskys war.

»Na ja, wenn Sie die Wahrheit hören wollen: Ich konnte ihn verstehen. Ich habe natürlich verstanden, warum er glaubte, einen Anspruch zu haben. Die Hälfte des Gewinns aus dem Geschäft gehörte den Knight-Jungs. So hatten sie es immer gehalten, solange Jack o'Kent noch am Leben war. Aber Jasper war nun mal der Ansicht, dass Jimmy kein Geld für das gestohlene Set erwarten konnte, weil Jasper sie erst in seiner Scheune gelagert, dann auch noch sämtliche Transportkosten getragen hatte und so weiter ... Außerdem behauptete er, Jimmy könne ihn ja schlecht verklagen, selbst wenn er wolle ... Er konnte Jimmy nicht leiden.«

»Nein, na ja, ich nehme an, politisch kamen sie nur schwer zusammen«, sagte Strike.

Kinvara hätte um ein Haar geschmunzelt. »Das war eher was Persönliches. Das von Jimmy und Izzy haben Sie nicht gehört? Nein? Tegan ist wohl zu jung, um diese Geschichte zu kennen ... Es war nur ein einziges Mal«, schränkte sie ein, offenbar unter dem Eindruck, dass Strike schockiert wäre, »aber für Jasper war das einmal zu viel. Ein Mann wie Jimmy Knight, der seine kleine Tochter defloriert – Sie wissen schon ... Aber

Jasper hätte Jimmy ohnehin nicht ausbezahlen können, selbst wenn er gewollt hätte«, fuhr sie fort. »Wie gesagt, er hatte das Geld bereits ausgegeben. Damit konnten wir für eine Weile den Überziehungskredit bedienen und das Stalldach reparieren. Ich hatte ja keine Ahnung«, erklärte sie dann, als wollte sie sich gegen eine unausgesprochene Kritik wehren, »wie das Arrangement zwischen Jasper und Jack o'Kent ausgesehen hatte, bis Jimmy es mir an jenem Abend erklärt hat. Jasper hatte mir erzählt, es seien seine Galgen und er könne sie jederzeit verkaufen, und ich hab ihm geglaubt. *Natürlich* hab ich ihm geglaubt. Er war mein Ehemann.«

Sie stand wieder auf und trat an den Bartisch, während der fette Labrador auf der Suche nach Wärme aufstand, auf seiner Ecke um die Ottomane herumwatschelte und sich dann vor dem lodernden Kaminfeuer niederließ. Der Norfolk Terrier trottete ihm nach und knurrte im Vorbeigehen Strike und Robin an, bis Kinvara ärgerlich befahl: »*Halt den Rand*, Rattenbury!«

»Ich hätte noch ein paar weitere Fragen an Sie«, sagte Strike. »Zuerst einmal, ob Ihr Mann sein Handy mit einer PIN gesichert hatte.«

»Natürlich«, erwiderte Kinvara. »Er war sehr auf Sicherheit bedacht.«

»Er hat sein Handy also nicht leichtfertig aus der Hand gegeben?«

»Er hat nicht mal *mir* seine PIN verraten«, behauptete Kinvara. »Wieso wollen Sie das wissen?«

Strike ging über ihre Frage hinweg. »Ihr Stiefsohn hat eine neue Erklärung abgegeben, warum er an jenem Morgen, an dem Ihr Mann starb, hierhergefahren ist.«

»Ach, wirklich? Und was sagt er jetzt?«

»Dass er Sie davon abhalten wollte, ein Collier zu verkaufen, das im Familienbesitz war, seit …«

»Ach, hat er sein Gewissen erleichtert?«, fiel sie ihm ins Wort und drehte sich mit einem frischen Whisky in der Hand zu ihnen um. Mit den langen, von der Nachtluft zerzausten roten Haaren und den rosigen Wangen strahlte sie inzwischen etwas Hemmungsloses aus, und tatsächlich vergaß sie, ihren Mantel zuzuhalten, als sie zum Sofa zurückkehrte, sodass ihr schwarzes Negligé einen canyontiefen Ausschnitt offenbarte. Sie ließ sich wieder auf das Sofa plumpsen. »Ja, er wollte mich davon abhalten, das Collier zu Geld zu machen, wozu ich übrigens *jedes* Recht hätte. Laut Testament gehört es mir. Jasper hätte beim Abfassen ein bisschen besser aufpassen müssen, wenn er nicht gewollt hätte, dass ich es bekomme, oder?«

Robin musste wieder daran denken, wie Kinvara geweint hatte, als sie zuletzt in diesem Zimmer gestanden hatte, und wie leid sie ihr getan hatte, obwohl sie sonst oft so unsympathisch gewesen war. Jetzt hatte ihr Auftreten kaum mehr etwas von der trauergebeugten Witwe – aber vielleicht, dachte Robin, waren das auch der Alkohol und der Schock, dass jemand auf ihr Grundstück eingedrungen war.

»Sie bestätigen also Raphaels Version, dass er hierherkam, weil er Sie davon abhalten wollte, mit der Halskette zu verschwinden?«

»Glauben Sie ihm nicht?«

»Ehrlich gesagt«, antwortete Strike, »nein.«

»Und warum nicht?«

»Für mich klingt das nicht stimmig«, sagte Strike. »Ich bin mir nicht sicher, ob Ihr Mann an diesem Morgen noch fit genug war, um sich zu erinnern, was er in sein Testament geschrieben hatte und was nicht.«

»Er war immerhin fit genug, um mich anzurufen und zu fragen, ob ich ihn tatsächlich verlassen wollte«, wandte Kinvara ein.

»Haben Sie ihm erzählt, dass Sie das Collier verkaufen wollten?«

»Nicht ausdrücklich, nein. Ich hab ihm gesagt, ich würde ausziehen, sobald ich einen Platz für mich und die Pferde gefunden hätte. Vielleicht hat er sich ja gefragt, wie ich das anstellen wollte, obwohl ich doch kein eigenes Geld hatte – und da fiel ihm das Collier wieder ein.«

»Raphael ist also aus reiner Loyalität zu dem Vater, der ihm nicht einen Penny gegönnt hat, hier rausgefahren?«

Kinvara bedachte Strike über ihr Whiskyglas hinweg mit einem langen, forschenden Blick und sagte dann zu Robin: »Legen Sie noch Holz nach?«

Robin fiel sehr wohl auf, dass das »bitte« fehlte, tat aber wie geheißen. Der Norfolk Terrier, der inzwischen neben dem schlafenden Labrador auf dem Teppich vor dem Kamin lag, knurrte sie kontinuierlich an, bis sie sich wieder gesetzt hatte.

»Also gut«, sagte Kinvara, als hätte sie einen Entschluss gefasst. »Also gut, wenn es denn sein soll ... Ich glaube, es tut sowieso nichts mehr zur Sache. Diese verfluchten Gören werden es irgendwann ohnehin herausfinden, und das geschieht Raphael ganz recht. Er kam *wirklich* her und wollte mich davon abhalten, das Collier mitzunehmen. Allerdings nicht wegen Jasper, Fizzy oder Flopsy – ich nehme an«, wandte sie sich fast schon aggressiv an Robin, »Sie kennen die unzähligen Spitznamen in dieser Familie, oder? Wahrscheinlich haben Sie sich köstlich darüber amüsiert, während Sie mit Izzy zusammengearbeitet haben?«

»Ähm ...«

»Ach, tun Sie doch nicht so«, fuhr Kinvara ihr gehässig über den Mund. »Ich weiß, dass Sie sie kennen. Nennen sie mich nicht ›Tinky Two‹ oder so ähnlich? Raphael wurde von Izzy, Fizzy und Torquil hinter seinem Rücken immer ›Ranzig‹ genannt. Haben Sie das auch gewusst?«

»Nein«, antwortete Robin unter Kinvaras wütendem Blick.

»Bezaubernd, nicht wahr? Und Raphaels Mutter ist für alle nur der Orca, weil sie sich gern in Schwarz-Weiß kleidet. Jedenfalls ... Als der Orca begriff, dass Jasper sie nicht heiraten würde«, fuhr Kinvara mit inzwischen knallrotem Gesicht fort, »wussten Sie, was sie da gemacht hat?«

Robin schüttelte den Kopf.

»Sie ging mit dem berühmten Familiencollier zu dem Mann, der ihr *nächster* Lover werden sollte – ein Diamantenhändler –, ließ ihn die wertvollsten Steine herausbrechen und sie durch geschliffene Zirkonias ersetzen. Künstlich hergestellte Diamanten«, führte Kinvara für den Fall aus, dass Strike und Robin mit dem Begriff nichts anfangen konnten. »Jasper hat nie gemerkt, was sie getan hat, und ich erst recht nicht. Ich nehme an, Ornella hat sich jedes Mal wieder halb totgelacht, wenn ich mit dem Collier fotografiert wurde und glaubte, ich würde hunderttausend Pfund um den Hals tragen. Als dann jedenfalls mein geliebter Stiefsohn davon Wind bekam, dass ich seinen Vater verlassen wollte, und ihm zu Ohren kam, dass ich davon redete, genügend Geld zu haben, um Land für meine Pferde zu kaufen, da hatte er wohl den Verdacht, ich könnte das Collier schätzen lassen. Da kam er mit glühenden Reifen angerast. Die Familie durfte schließlich auf gar keinen Fall erfahren, was seine Mutter angestellt hatte. Wie hätten danach seine Chancen gestanden, dass er sich bei seinem Vater wieder hätte einschmeicheln können?«

»Warum haben Sie das niemandem erzählt?«, fragte Strike.

»Weil Raphael mir an diesem Morgen erzählt hat, er könnte seine Mutter vielleicht überreden, die Steine zurückzugeben, wenn ich seinem Vater nicht erzählte, was sie getan hatte. Oder dass sie mir zumindest den Gegenwert erstatten würde ...«

»Versuchen Sie immer noch, die fehlenden Steine zurückzubekommen?«

Kinvara blinzelte Strike missmutig über den Glasrand hinweg an. »Seit Jaspers Tod hab ich nichts mehr in der Richtung unternommen. Aber das heißt nicht, dass das nicht noch passieren kann. Warum sollte der verfluchte Orca mit Diamanten davonspazieren, die rechtmäßig mir zustehen? So steht es in Jaspers Testament: Alles, was sich im Haus befindet und nicht dedi… dezi… de-zi-diert ausgenommen wurde«, betonte sie sorgfältig und inzwischen unter sichtlichen Schwierigkeiten, »gehört mir. Also« – sie fixierte Strike mit einem stechenden Blick –, »klingt das für Sie *eher* nach Raphael? Dass er herkommt, um seine geliebte Mama zu decken?«

»Ja«, sagte Strike. »Das tut es allerdings. Danke für Ihre Aufrichtigkeit.«

Kinvara blickte vielsagend auf die Standuhr, die inzwischen drei Uhr morgens anzeigte, doch Strike ignorierte den stummen Hinweis.

»Mrs. Chiswell, ich hätte noch eine letzte Frage, und die ist leider sehr persönlich.«

»Und zwar?«, fragte sie verärgert.

»Ich habe kürzlich mit Mrs. Winn gesprochen – Della Winn, Sie wissen schon, die …«

»Della Winn, die Sportministerin«, blaffte Kinvara genau wie ihr Ehemann, als Strike ihm erstmals begegnet war. »Ja, ich weiß, wer das ist. Eine eigenartige Frau.«

»Inwiefern?«

Kinvara wackelte geziert mit den Schultern, als wäre das offensichtlich. »Vergessen Sie's. Was hat sie also gesagt?«

»Dass Sie vor einem Jahr zutiefst verstört auf sie gewirkt haben und damals so aufgewühlt waren, weil Ihr Mann Ihnen eine Affäre gestanden hatte.«

Kinvara öffnete den Mund und schloss ihn wieder. So blieb sie ein paar Sekunden sitzen, dann schüttelte sie den Kopf, als wollte sie ihn freibekommen. »Ich … dachte, er wäre mir untreu. Aber ich hatte mich geirrt. Ich hatte mich total geirrt.«

»Laut Mrs. Winn hatte er Ihnen gegenüber einige ziemlich grausame Bemerkungen gemacht.«

»Ich weiß nicht mehr, was ich zu ihr gesagt habe ... Es ging mir damals nicht gut. Ich war überemotional und hab alles falsch gedeutet.«

»Verzeihen Sie«, sagte Strike, »aber mir als Außenstehendem erschien Ihre Ehe ...«

»Was für einen grässlichen Job Sie haben«, sagte Kinvara schrill. »Was für einen grässlichen, *widerlichen* Job Sie doch haben! Ja, in unserer Ehe lief einiges schief – na und? Glauben Sie, jetzt, da er tot ist, jetzt, da er sich *umgebracht hat*, will ich das alles noch einmal durchleben – und zwar mit *Ihnen*, zwei Fremden, die von meinen dämlichen Stieftöchtern ins Haus geschleift wurden, die jetzt alles wieder aufrühren und damit alles zehnmal schlimmer machen?«

»Sie haben also Ihre Meinung geändert? Sie glauben inzwischen, dass Ihr Mann Suizid begangen hat? Denn als wir das letzte Mal hier waren, haben Sie angedeutet, dass Aamir Mallik ...«

»Ich weiß nicht mehr, was ich da gesagt habe!«, rief sie hysterisch. »Begreifen Sie nicht, was sich hier abgespielt hat, seit Jasper tot ist und die Polizei und die Familie und *Sie* sich die Klinke in die Hand geben? Ich hätte nie gedacht, dass so was passieren könnte! Ich hatte keine Ahnung – mir kam das einfach nicht real vor ... Jasper stand in den letzten Monaten enorm unter Druck, er hat zu viel getrunken, hatte grässliche Laune – die Erpressung, die Angst, dass alles ans Licht kommen könnte ... Ja, ich glaube, er hat sich umgebracht, und ich werde damit leben müssen, dass ich ihn am Morgen verlassen hatte, was wahrscheinlich der Tropfen war, der das Fass zum Überlaufen gebracht hat.«

Der Norfolk Terrier begann wieder, wütend zu kläffen. Sofort schreckte der Labrador hoch und tat es ihm gleich.

»Bitte, gehen Sie jetzt.« Kinvara sprang auf. »Gehen Sie! Ich wollte sowieso nicht, dass Sie in alledem herumwühlen! Gehen Sie einfach, okay?«

»Selbstverständlich«, sagte Strike höflich und stellte sein leeres Glas ab. »Könnten Sie nur noch kurz warten, bis ich meine Prothese wieder angelegt habe?«

Robin war bereits aufgestanden. Mit ihrem Glas in der Hand beobachtete Kinvara schwer atmend, wie Strike sich das falsche Bein anschnallte. Irgendwann war er fertig – doch gleich beim ersten Aufstehversuch fiel er zurück aufs Sofa. Nur mit Robins Hilfe schaffte er es schließlich, stehen zu bleiben.

»Also dann, auf Wiedersehen, Mrs. Chiswell.«

Kinvaras einzige Antwort bestand darin, an die Fenstertür zu treten und sie aufzureißen, während sie gleichzeitig die Hunde anbrüllte, an ihrem Platz zu bleiben, nachdem beide sofort aufgeregt aufgesprungen waren.

Kaum hatten die ungebetenen Gäste den Kiesweg betreten, knallte Kinvara die Tür hinter ihnen zu. Robin stieg wieder in ihre Gummistiefel. Hinter ihr hörte sie die Messingringe kreischen, als Kinvara die Vorhänge zuzog und dann die Hunde aus dem Zimmer scheuchte.

»Keine Ahnung, ob ich es zurück zum Auto schaffe, Robin«, sagte Strike, der seine Prothese so wenig wie nur möglich belastete. »Im Nachhinein war das mit dem Graben vielleicht ... vielleicht keine so gute Idee.«

Wortlos nahm Robin seinen Arm und legte ihn sich über die Schultern. Er wehrte sich nicht. Gemeinsam humpelten sie über den Rasen.

»Hast du mitbekommen, was ich dir vorhin sagen wollte?«, fragte Robin.

»Dass jemand oben war?« Er verzog jedes Mal, wenn er den falschen Fuß aufsetzte, unter Schmerzen das Gesicht. »Ja.«

»Du wirkst nicht ...«

»Das überra... Warte«, sagte er abrupt und blieb schwer auf sie gestützt stehen. »Du bist doch nicht etwa hochgegangen?«

»Doch«, sagte Robin.

Scheiße noch mal...«

»Ich hab Schritte gehört...«

»Und wenn dich jemand überwältigt hätte?«

»Ich hatte eine Waffe dabei, und ich war nicht... Und wenn ich nicht hochgegangen wäre, hätte ich das hier nicht gesehen.«

Robin zog ihr Handy heraus, rief das Foto des Gemäldes auf und zeigte es ihm.

»Du hast Kinvaras Gesicht nicht gesehen, als sie die leere Stelle an der Wand bemerkt hat, Cormoran. Sie hatte gar nicht mitbekommen, dass das Bild weg war, bis du danach gefragt hast. Wer auch immer dort oben war, hat es verstecken wollen, während sie draußen war.«

Mit dem Arm immer noch auf Robins Schultern starrte Strike eine gefühlte Ewigkeit das Display an. »Ist das eine Rappschecke?«, fragte er schließlich.

»Ernsthaft?« Robin sah ihn fassungslos an. »Pferdefarben? Ausgerechnet jetzt?«

»Sag schon!«

»Nein, Rappschecken sind schwarz und weiß, nicht braun und...«

»Wir müssen zur Polizei«, sagte Strike. »Die Wahrscheinlichkeit für einen zweiten Mord ist eben exponentiell gestiegen.«

»Ist das dein...«

»Mein absoluter Ernst. Schaff mich zum Auto, dann erkläre ich dir alles... Aber stell mir bis dahin bitte keine Fragen mehr. Mein Bein bringt mich verflucht noch mal um.«

68

Denn nun habe ich Blut geleckt.

HENRIK IBSEN, *ROSMERSHOLM*

Drei Tage später erhielten Strike und Robin eine noch nie da gewesene Einladung. Zum Dank dafür, dass sie die Polizei nicht vorgeführt, sondern im Gegenteil unterstützt hatten, indem sie ihr Wissen um Flicks gestohlene To-do-Liste und die »Trauernde Stute« weitergegeben hatten, ließ die Met die beiden Detektive im New Scotland Yard an ihren Ermittlungen teilhaben. Strike und Robin, die von der Polizei für gewöhnlich als Störenfriede oder Angeber behandelt wurden, waren überrascht, aber durchaus dankbar für das unerwartete Tauwetter.

Gleich nach ihrer Ankunft kam die große blonde Schottin, die das Team leitete, aus dem Vernehmungsraum geeilt, um sie kurz zu begrüßen. Strike und Robin wussten, dass die Polizei zwei Verdächtige zur Befragung einbestellt hatte, aber noch keine Anklage erhoben worden war.

»Den ganzen Vormittag haben wir mit hysterischen Anfällen und energischem Bestreiten vergeudet«, erklärte DCI Judy McMurran. »Aber ich glaube, bis heute Abend haben wir sie geknackt.«

»Wäre es möglich, dass wir sie ganz kurz zugucken lassen, Judy?«, fragte ihr Untergebener, DI George Layborn, der Strike und Robin am Eingang abgeholt und nach oben begleitet hatte. Er war untersetzt und erinnerte Robin an den Verkehrspolizisten, der sie für komplett exaltiert gehalten hatte, als er ihr während ihrer Panikattacke auf dem Standstreifen entgegengetreten war.

»Meinetwegen«, sagte DCI McMurran lächelnd.

Layborn führte Strike und Robin um eine Ecke und durch die erste Tür rechts in einen dunklen, beengten Raum, in dessen Wand zur Hälfte ein Spionspiegel zum Vernehmungsraum eingelassen worden war.

Robin, die solche Räume bisher nur in Film und Fernsehen gesehen hatte, war sofort wie gebannt. Auf der einen Seite des Tischs saß Kinvara Chiswell neben einem schmallippigen Anwalt im Nadelstreifenanzug. Blass, ungeschminkt und in einer hellgrauen Bluse, die so verknittert aussah, als hätte sie darin geschlafen, weinte Kinvara in ein Taschentuch. Ihr gegenüber saß ein weiterer Detective Inspector in einem deutlich billigeren Anzug. Er sah ihr unbeteiligt zu.

Im nächsten Moment kehrte DCI McMurran in den Raum zurück und nahm auf dem freien Stuhl neben ihrem Kollegen Platz. Nach einer gefühlten Ewigkeit, in Wahrheit wohl nur einer Minute, ergriff sie das Wort.

»Sie haben uns immer noch nichts zu Ihrer Nacht im Hotel zu sagen, Mrs. Chiswell?«

»Es ist ein einziger Albtraum«, flüsterte Kinvara. »Das ist doch alles nicht wahr. Warum bin ich überhaupt hier?«

Ihre Augen waren rot unterlaufen, die Lider geschwollen und scheinbar wimpernlos, nachdem sie sich die Mascara weggeweint hatte. »Jasper hat sich umgebracht!« Ihre Stimme bebte. »Er hatte Depressionen – das kann Ihnen jeder bestätigen! Die Erpressung hat ihm so zugesetzt ... Haben Sie schon mit dem Außenministerium gesprochen? Allein die Vorstellung, dass es Fotos von diesem gehenkten Jungen geben könnte ... Begreifen Sie denn nicht, wie das Jasper zugesetzt hat? Wenn das ans Licht gekommen wäre ...« Ihre Stimme brach. »Wo sind denn nun Ihre Beweise?«, brauste sie auf. »Wo sind sie? *Wo?*«

Ihr Anwalt hüstelte leise.

»Noch mal zurück zu der Nacht im Hotel«, sagte DCI McMurran. »Warum hat Ihr Ehemann Ihrer Meinung nach dort angerufen und versucht festzustellen ...«

»Es ist doch kein Verbrechen, ins Hotel zu gehen!«, fiel ihr Kinvara aufgebracht ins Wort und wandte sich dann an ihren Anwalt. »Das ist doch lächerlich, Charles! Wie können sie mich verhaften, nur weil ich ins Hotel ...«

»Mrs. Chiswell wird Ihnen alle Fragen beantworten, die Sie zum Verlauf ihres Geburtstags haben«, erklärte Kinvaras Anwalt der DCI mit erstaunlichem Optimismus, wie Robin fand, »trotzdem muss ich ...«

Die Tür zu ihrem Raum ging auf und knallte gegen Strike.

»Kein Problem, wir sind schon weg«, erklärte Layborn dem Kollegen. »Los, gehen wir in den Besprechungsraum. Es gibt noch einiges zu sehen.«

Als sie um eine zweite Ecke bogen, kam ihnen Eric Wardle entgegen.

»Ich hätte nie gedacht, dass ich das noch erleben würde.« Grinsend schüttelte er Strike die Hand. »Dass ihr wahrhaftig von der Met eingeladen werdet.«

»Bleiben Sie bei uns, Wardle?«, fragte Layborn, dem es nicht besonders zu gefallen schien, dass ein weiterer Polizist die Gäste begleitete, die er so gern beeindrucken wollte.

»Warum nicht?«, meinte Wardle. »Dann erfahre ich endlich, woran ich über all diese Wochen mitgearbeitet habe.«

»War bestimmt nicht leicht«, sagte Strike, als sie Layborn in den Besprechungsraum folgten, »die ganzen Beweise weiterzuleiten, die wir gefunden haben.«

Wardle keckerte in sich hinein.

Robin, die an die engen und leicht heruntergekommen

Räume in der Denmark Street gewöhnt war, war fasziniert, wie viel Platz der Scotland Yard den Ermittlungen zu einem so aufsehenerregenden, noch ungeklärten Todesfall einräumte. Auf einer weißen Wandtafel war eine Zeitleiste rund um den Todeszeitpunkt aufgezeichnet worden. An der Wand daneben hing eine Collage von Aufnahmen des Fundorts und der Leiche selbst, darunter auch eine grässliche Großaufnahme von Chiswells gestauchtem, von der Plastikhaube befreitem Gesicht mit der dunkellila gefleckten Haut, einem leuchtend roten Kratzer auf einer Wange und halb geschlossenen, milchigen Augen.

Layborn war ihr Interesse nicht entgangen. Er zeigte ihr erst die toxikologischen Berichte und die Verbindungsübersichten, anhand derer die Polizei ihren Fall untermauert hatte, bevor er einen großen Schrank aufschloss, in dem in etikettierten Beuteln die Beweismittel lagerten, darunter das angebrochene Röhrchen mit den Lachesis-Pillen, ein angegammelter Orangensaftkarton und Kinvaras Abschiedsbrief an ihren Mann. Als Robin die Nachricht sah, die Flick gestohlen hatte, und dazu einen Ausdruck des Fotos der »Trauernden Stute« auf einem unbenutzten Bett – ihres Wissens beides entscheidende Beweismittel –, wurde ihr vor Stolz ganz warm.

»Also dann.« DI Layborn schloss den Schrank wieder und trat an einen Computermonitor. »Zeit, die Lady in Aktion zu sehen.«

Er schob eine CD-ROM in den Computer und winkte Strike, Robin und Wardle näher.

Auf dem Videomaterial war der überfüllte Vorplatz vor der Paddington Station zu sehen, über den sich ruckartig schwarzweiße Figuren bewegten. In der oberen linken Ecke wurden Zeit und Datum angezeigt.

»Da ist sie.« Layborn drückte auf Pause und deutete auf eine Frau. »Sehen Sie sie?«

Selbst verschwommen war die Gestalt als Kinvara erkennbar. Mit im Bild war außerdem ein bärtiger Mann, der sie anstarrte, wahrscheinlich weil unter ihrem offenen Mantel das eng anliegende schwarze Kleid zu sehen war, das sie zum Empfang für die Paralympischen Spiele getragen hatte. Layborn drückte wieder auf Play.

»Sehen Sie, sehen Sie – wie sie dem Obdachlosen etwas spendet ...«

Kinvara hatte irgendwas in den Becher eines dick eingemummelten Mannes in einer Mauernische geworfen.

»... und dann das«, fuhr Layborn unnötigerweise fort, »jetzt geht sie auf einen Schaffner zu – sie stellt ihm irgendeine unnötige Frage ... zeigt ihm ihr Ticket ... sehen Sie jetzt ... weiter zum Bahnsteig, wo sie stehen bleibt und dem nächsten Typen eine Frage stellt, nur um sicherzustellen, dass sie bei jedem verfluchten Schritt wahrgenommen wird, selbst wenn die Kamera sie nicht aufnimmt ... *uuund* ... ab in den Zug.«

Das Bild erlosch, und ein neues erschien. Ein Zug fuhr in den Bahnhof Swindon ein. Kinvara stieg aus und sprach eine andere Frau an.

»Sehen Sie?«, sagte Layborn. »Immer noch tut sie alles, damit man sich an sie erinnert, nur für alle Fälle. Und ...«

Wieder sprang das Bild um. Jetzt war der Bahnhofsparkplatz zu sehen.

»Da ist sie wieder«, sagte Layborn. »Praktischerweise parkt der Wagen direkt unter der Kamera. Sie steigt ein und verschwindet. Fährt nach Hause, besteht darauf, dass das Stallmädchen bei ihr übernachtet, schläft im Zimmer nebenan, geht am nächsten Vormittag in Sichtweite des Mädchens reiten ... Ein wasserdichtes Alibi. Natürlich waren wir genau wie Sie bis dahin zu dem Schluss gekommen, dass zwei Täter beteiligt sein mussten, falls es denn wirklich ein Mord war.«

»Wegen des Orangensafts?«, fragte Robin.

»Hauptsächlich«, sagte Layborn. »Falls Chiswell« – er sprach den Namen nach der Schrift aus – »unwissentlich Amitriptylin zu sich genommen hätte, wäre die wahrscheinlichste Erklärung gewesen, dass er sich gepanschten Saft aus einem Karton im Kühlschrank eingeschenkt hatte, allerdings war der Karton im Mülleimer unberührt und trug keine Fingerabdrücke außer seinen eigenen.«

»Sobald er tot war, ließen sich seine Fingerabdrücke problemlos auf kleineren Gegenständen hinterlassen«, warf Strike ein. »Man musste nur seine Hand darauf drücken.«

»Ganz genau.« Layborn spazierte zu der Fotowand und tippte auf eine Nahaufnahme von Mörser und Stößel. »Also landeten wir wieder hier. Die Position von Chiswells Fingerabdrücken und die Lage der pulverisierten Überreste wiesen darauf hin, dass sie im Nachhinein angebracht worden waren, was bedeutet, dass der gepanschte Saft eventuell schon Stunden zuvor angerührt worden war – und zwar von jemandem, der einen Schlüssel hatte, außerdem genau wusste, welche Antidepressiva Chiswells Frau zu sich nahm, dass Chiswells Geschmacks- und Geruchssinn beeinträchtigt war und dass er morgens immer Saft trank. Fehlte nur noch jemand, der einen Karton mit nicht gepanschtem Saft und den Fingerabdrücken des Toten im Müll platzierte und dafür den Karton mit den Amitriptylinresten mitnahm. Und wer wäre in einer besseren Position gewesen, all das zu wissen und zu tun, als die Missus?«, fragte Layborn rhetorisch. »Doch die hatte ein gusseisernes Alibi für die Todeszeit und war gut siebzig Meilen entfernt, als er die Antidepressiva schluckte. Ganz davon zu schweigen, dass sie zusätzlich den Brief hinterließ und damit versuchte, uns eine nette, saubere Story aufzutischen: Der Gemahl, von Bankrott und Erpressung bedroht, erfährt, dass seine Frau ihn verlassen will, was ihn vollends über die Kante schubst und woraufhin er sich das Licht ausknipst.«

Layborn deutete auf das vergrößerte Porträtfoto des toten Chiswell ohne Plastiktüte und auf den tiefroten Kratzer auf seiner Wange. »Allerdings gefiel uns *das hier* absolut nicht. Wir fanden von Anfang an, dass das verdächtig aussah. Eine Überdosis Amitriptylin kann Schläfrigkeit, aber auch einen gewissen Bewegungsdrang auslösen. Doch dieser Kratzer sah ganz so aus, als hätte jemand anderes die Tüte über seinen Kopf gezerrt. Außerdem war da noch die Sache mit der offenen Tür. Wer zuletzt rein- oder rausging, wusste nicht, wie man sie ordentlich schloss, daher sah es nicht wirklich so aus, als hätte Chiswell sie als Letzter benutzt. Dann auch noch die fehlende Pillenverpackung – das hat von Anfang an gestunken. Denn warum hätte Jasper Chiswell die Verpackung loswerden wollen?«, fragte Layborn. »Nur ein paar Flüchtigkeitsfehler.«

»Fast hätte es geklappt«, kommentierte Strike. »Wenn das Amitriptylin Chiswell wie beabsichtigt schläfrig gemacht hätte, wenn die Sache bis ins letzte Detail durchdacht gewesen wäre – wenn die Tür richtig ins Schloss gezogen worden und die Pillenverpackung *in situ* geblieben wäre ...«

»Aber so ist es nicht passiert«, fiel Layborn ihm ins Wort, »und *sie* ist nicht schlau genug, um sich allein da rauszureden.«

»›Das ist doch alles nicht wahr‹«, zitierte Strike. »Da bleibt sie sich treu. Am Samstagabend hat sie uns erklärt: ›Ich hätte nie gedacht, dass so was passieren könnte‹, ›Mir kam das einfach nicht real vor‹ ...«

»Bin gespannt, ob sie vor Gericht damit durchkommt«, meinte Wardle leise.

»Tja, was hast du erwartet, Süße, als du einen Haufen Pillen zermahlen und in seinen Orangensaft gekippt hast?«, pflichtete Layborn ihm bei. »Schuldig, wie es schuldiger kaum geht.«

»Erstaunlich, wie die Menschen sich selbst belügen können, sobald sie im Kielwasser einer stärkeren Persönlichkeit schwimmen«, sagte Strike. »Wenn McMurran sie knackt, wird

Kinvara behaupten, sie hätten anfangs gehofft, Chiswell würde sich umbringen, dann hätten sie ihn bearbeitet, es zu tun, bevor sie schließlich an einen Punkt kamen, da es kaum noch einen Unterschied gemacht hätte, ob sie ihn nun zum Suizid gedrängt oder die Pillen selbst in den Orangensaft gemischt hätten – da wette ich einen Zehner. Mir ist übrigens aufgefallen, dass sie uns immer noch diese Galgengeschichte als Auslöser für den Selbstmord verkaufen will.«

»Wie Sie die Punkte in dieser Galgensache verbunden haben, war eine Glanzleistung«, gab Layborn zu. »Das hat einiges erklärt, und in diesem Punkt waren Sie uns wirklich ein Stück voraus. Das hier ist streng vertraulich ...« Er nahm einen braunen Umschlag vom Schreibtisch und ließ ein großes Foto herausgleiten. »Das haben wir heute Morgen aus dem Außenministerium bekommen. Wie Sie sehen können ...«

Robin war näher getreten, um einen Blick auf das Bild zu werfen, und wünschte sich im selben Moment, sie hätte es nicht getan. Was brachte es ihr, wenn sie den Galgen auf der Schotterstraße stehen sah und einen halbwüchsigen Jungen daran, dem die Vögel die Augen ausgepickt hatten? Die in der Luft baumelnden Füße des Jungen waren nackt. Wahrscheinlich, vermutete Robin, hatte jemand ihm die Turnschuhe geklaut.

»Der Lastwagen mit dem zweiten Galgenset wurde entführt. Und nachdem die Regierung die Lieferung nie erhalten hat, hat Chiswell auch nie Geld dafür gesehen. Dieses Bild lässt darauf schließen, dass Rebellen den Galgen für Hinrichtungen verwendet haben. Dieser arme Bursche hier, Samuel Murape, war einfach zur falschen Zeit am falschen Ort. Ein britischer Student, der ein Sabbatjahr eingelegt hatte und seine Familie besuchen wollte. Man kann es nicht wahnsinnig gut erkennen«, sagte Layborn, »aber hier, gleich hinter seinem Fuß ...«

»Ja, das könnte das Weiße Pferd sein«, sagte Strike.

Robins lautlos gestelltes Handy vibrierte in ihrer Hosentasche. Statt des wichtigen Anrufs, den sie erwartete, war es eine Nachricht von einer unbekannten Nummer.

Ich weiß, du hast meine Nummer blockiert, aber wir müssen uns treffen. Es ist dringend und für uns beide nur von Vorteil, wenn wir das gemeinsam klären. Matt

»Nicht weiter wichtig«, sagte Robin zu Strike und schob das Handy wieder in die Tasche.

Es war bereits die dritte Nachricht von Matt an diesem Tag. *Dringend? Du kannst mich mal.*

Wahrscheinlich hatte Tom herausgefunden, dass seine Verlobte und sein alter Kumpel miteinander schliefen. Vielleicht drohte er damit, dass er Robin anrufen oder sie in ihrem Büro in der Denmark Street besuchen würde, um rauszukriegen, wie viel sie wusste. Wenn Matthew glaubte, dass das »dringend« für Robin war, während sie im Moment vor zahllosen Bildern eines unter Drogen gesetzten und erstickten Ministers stand, dann täuschte er sich. Mühsam konzentrierte sie sich wieder auf das Hier und Jetzt.

»... die Sache mit dem Collier«, sagte Layborn eben zu Strike. »Wesentlich überzeugender als die Geschichte, die er uns erzählt hat. Dieser ganze Mist – er hätte sie davon abhalten wollen, sich was anzutun ...«

»Robin hat ihn dazu gebracht, die Geschichte zu ändern, nicht ich«, sagte Strike.

»Ach so – also: Gute Arbeit!«, sagte Layborn mit einem Anflug von Überheblichkeit zu Robin. »Ich hab ihn schon für einen aalglatten kleinen Stinker gehalten, als ich seine erste Aussage aufgenommen habe. Eingebildet. Frisch aus dem Knast und all das. Keinen Funken Reue, obwohl er die arme Frau überfahren hatte.«

»Wie kommen Sie mit Francesca voran?«, fragte Strike. »Dem Mädchen aus der Galerie?«

»Wir haben ihren Vater in Sri Lanka erreichen können, und er ist gar nicht glücklich. Arbeitet ehrlich gesagt sogar gegen uns an«, antwortete Layborn. »Er versucht, Zeit zu schinden, damit er ihr einen guten Anwalt besorgen kann. Verflucht unpraktisch, dass sich die ganze Familie im Ausland befindet. Ich musste am Telefon ordentlich Tacheles mit ihm reden. Ich kann ja verstehen, warum er nicht möchte, dass dies alles vor Gericht breitgetreten wird, aber da kann ich ihm auch nicht helfen. In so einem Fall kriegt man mal so richtig Einblick in die Gedankenwelt der Oberschicht, nicht wahr? Regeln für sie und Regeln für den Rest der Welt ...«

»Wo wir gerade dabei sind«, sagte Strike. »Ich nehme an, Sie haben auch mit Aamir Mallik gesprochen?«

»Ja, wir haben ihn genau dort gefunden, wo Ihr Mann – Hutchins, nicht wahr? –, uns hingeschickt hat. Bei seiner Schwester. Er hat einen neuen Job ...«

»Ach, das freut mich aber«, entfuhr es Robin.

»... und er war anfangs nicht gerade erfreut, als wir vor seiner Tür standen. Aber dann war er ganz offen und hilfsbereit. Meinte, er habe diesen verstörten Burschen – Billy, richtig? – auf der Straße angetroffen. Billy habe unbedingt Malliks Boss sehen wollen und dabei etwas von einem toten Kind gefaselt, das erwürgt und auf Chiswells Land verscharrt worden sei. Also hat Mallik ihn mit nach Hause genommen, eigentlich um ihn ins Krankenhaus zu bringen – aber dann fragte er doch erst Geraint Winn um Rat. Und der ist ausgerastet. Hat ihm erklärt, er dürfe auf gar keinen Fall einen Krankenwagen rufen.«

»Ach ja?«, fragte Strike stirnrunzelnd.

»So wie Mallik es darstellt, hatte Winn Angst, dass es seine eigene Glaubwürdigkeit untergraben könnte, wenn er mit Billys Geschichte in Verbindung gebracht würde. Er wollte nicht, dass ihm ein psychotischer Landstreicher in die Suppe spuckt. Er hat Mallik gehörig den Kopf gewaschen, weil der Billy in ein Haus mitgenommen hatte, das den Winns gehörte, und dann hat er ihm befohlen, ihn wieder auf die Straße zu setzen. Das Problem war nur …«

»… dass Billy nicht mehr gehen wollte«, ergänzte Strike.

»Ganz genau. Mallik sagt, Billy habe komplett den Verstand verloren. Er habe geglaubt, er würde gegen seinen Willen festgehalten. Die meiste Zeit habe er zusammengekauert im Bad gelegen. Jedenfalls« – Layborn holte tief Luft – »hat Mallik es satt, die Winns decken zu müssen. Er hat bestätigt, dass Winn an dem Morgen, als Chiswell starb, *nicht* bei ihm war. Als Winn später dann Mallik unter Druck gesetzt und von ihm verlangt hat, für ihn zu lügen, hat er dem Jungen erklärt, er habe an dem Tag einen wichtigen Anruf erhalten und darum das eheliche Heim schon früher verlassen.«

»Haben Sie den Anruf zurückverfolgen können?«, fragte Strike.

Layborn griff nach den Verbindungsnachweisen, blätterte kurz darin und reichte Strike dann mehrere markierte Seiten.

»Bitte sehr. Lauter Prepaidhandys«, sagte er. »Bisher haben wir drei Nummern ausfindig machen können. Wahrscheinlich gibt es aber noch mehr. Ein einziges Mal benutzt und dann nie wieder, nicht mehr aufzuspüren außer in dem Moment, als damit telefoniert wurde. Spricht für eine monatelange Planung. Von einem dieser Handys wurde an diesem Morgen auf jeden Fall Winn angerufen, von zwei weiteren Kinvara Chiswell in der Woche davor. Sie ›kann sich nicht erinnern‹, wer sie da angerufen hat, aber beide Male – sehen Sie hier? – hat sie über eine Stunde mit dem Anrufer gesprochen.«

»Und was sagt Winn dazu?«, fragte Strike.

»Er ist verschlossen wie eine Auster«, sagte Layborn. »Wir bearbeiten ihn weiter, keine Angst. Geraint Winn ist in so vielerlei Hinsicht gefickt, dass so manche Nutte nicht mithalten kann ... Verzeihung, Herzchen«, sagte Layborn schief grinsend zu Robin, die seine Entschuldigung beleidigender fand als alles, was er gesagt hatte. »Aber Sie verstehen mich? Er kann uns also genauso gut gleich alles verraten. Er ist so oder so gef... Auch egal«, unterbrach er sich wieder. »Mich interessiert vor allem«, setzte er neu an, »wie viel seine Frau wusste. Seltsame Person ...«

»Wieso?«, fragte Robin.

»Ach, Sie wissen schon. Ich glaube, sie spielt ein bisschen damit«, sagte Layborn und deutete vage auf seine Augen. »Schwer zu glauben, dass sie nicht wusste, was er im Schilde geführt hat.«

»Wo wir gerade von Menschen sprechen, die nicht wissen, was ihre bessere Hälfte so treibt«, mischte sich Strike ein, der ein eheliches Funkeln in Robins Augen zu entdecken meinte, »wie läuft es eigentlich mit unserer Freundin Flick?«

»Oh, da machen wir Fortschritte«, sagte Layborn. »In *ihrem* Fall waren die Eltern durchaus hilfreich. Sie arbeiten beide als Anwälte und haben ihr zugesetzt, mit uns zu kooperieren. Sie hat zugegeben, dass sie bei Chiswell geputzt und diesen Zettel eingesteckt hat. Außerdem hat sie die Kiste Champagner in Empfang genommen, kurz bevor Chiswell ihr erklärt hat, dass er sich ihre Dienste nicht mehr leisten kann. Sie meint, sie hätte die Kiste in einem Küchenschrank verstaut.«

»Und wer hat den Champagner geliefert?«

»Das weiß sie nicht mehr. Werden wir noch herausfinden. Ein Kurierdienst, würde ich meinen, der über ein weiteres Prepaidhandy beauftragt wurde.«

»Und die Kreditkarte?«

»Auch das war ein guter Hinweis«, gab Layborn zu. »Wir wussten ja nicht, dass eine Kreditkarte verschwunden war. Heute Morgen haben wir die Kontoauszüge bekommen. Noch am selben Tag, an dem Flicks Mitbewohnerin merkte, dass ihre Karte weg war, wurden damit eine Kiste Champagner bezahlt und über Amazon für rund hundert Pfund Waren bestellt, die allesamt an eine Adresse in Maida Vale geliefert werden sollten. Weil dort aber niemand die Lieferung annahm, wurde alles ins Depot zurückgebracht, wo es noch am selben Nachmittag von jemandem abgeholt wurde, der den Abholschein für die verpasste Lieferung dabeihatte. Wir versuchen derzeit, sämtliche Angestellten ausfindig zu machen, die den Abholer identifizieren könnten, und wir kriegen auch noch heraus, was da bestellt wurde. Aber ich würde auf Helium, Schläuche und Latexhandschuhe setzen.«

»Das alles wurde Monate im Voraus geplant. *Monate.*«

»Und das hier?« Strike deutete auf die Fotokopie des Zettels in Chiswells Handschrift, der seitlich in einem durchsichtigen Plastikbeutel steckte. »Hat sie Ihnen schon verraten, warum sie den eingesteckt hat?«

»Sie sagt, sie hätte nur ›Abrechnung‹ gelesen und gedacht, Chiswell wollte sich gegen seine Erpresser zur Wehr setzen. Im Grunde ironisch – denn wenn sie die Nachricht nicht mitgenommen hätte, hätten wir nicht annähernd so schnell geschaltet, oder?«

Robin fand das »wir« recht gewagt, denn in Wahrheit hatte bloß Strike »geschaltet«; nur Strike hatte irgendwann die Bedeutung von Chiswells Nachricht erfasst – damals auf der Rückfahrt von Chiswell House nach London.

»Auch da gebührt Robin die Ehre«, sagte Strike. »Sie hat den Zettel gefunden, und ihr sind das ›Blanc de Blanc‹ und der Grand Vitara aufgefallen. Ich habe nur die Puzzleteile zusammengefügt.«

»Also, wir waren Ihnen da dicht auf den Fersen.« Layborn kratzte sich gedankenversunken am Bauch. »Wir wären bestimmt bald zum selben Schluss gelangt.«

In Robins Tasche vibrierte erneut das Handy. Diesmal rief jemand an.

»Da muss ich rangehen, kann ich hier vielleicht irgendwo …?«

»Gleich da drüben.« Hilfsbereit öffnete Layborn eine Seitentür für sie.

Es war der Kopiererraum. Vor einem kleinen Fenster hing eine Jalousie. Robin schloss die Tür und damit die anderen aus, bevor sie den Anruf entgegennahm.

»Hallo, Sarah.«

»Hallo«, sagte Sarah Shadlock.

Sie klang ganz und gar nicht wie die Sarah, die Robin inzwischen seit fast neun Jahren kannte – jene selbstbewusste, aufgeblasene Blondine, die immer schon, wie Robin bereits als Teenager gespürt hatte, insgeheim gehofft hatte, Matthews Fernbeziehung zu seiner Freundin würde ein unglückliches Ende nehmen. Sie war all die Jahre in Matthews Dunstkreis geblieben, um über seine Witze zu lachen, ihm über den Arm zu streichen oder perfide Fragen nach Robins Verhältnis zu Strike zu stellen. Sie hatte sich mit der Zeit auch mit anderen Männern getroffen und sich zu guter Letzt für den armen langweiligen Tom mit dem gut bezahlten Job und dem kahlen Hinterkopf entschieden, der Sarahs Finger und Ohren mit Diamanten geschmückt und doch nie ihr Verlangen nach Matthew Cunliffe hatte stillen können.

Die Sarah heute hatte nichts mit jener Sarah gemein.

»Also, ich habe zwei Experten gefragt«, berichtete sie schüchtern und verunsichert, »aber die können so was nicht mit Gewissheit feststellen – nicht anhand eines Handyfotos …«

»Ist mir schon klar«, erwiderte Robin kühl. »Ich hatte ja auch geschrieben, dass ich keine definitive Antwort erwarte, oder? Wir wollen keine eindeutige Festlegung und auch keine

Schätzung. Wir wollen bloß wissen, ob jemand geglaubt haben könnte …«

»Also, das schon, ja«, ging Sarah dazwischen. »Einer unserer Experten ist sogar ganz aus dem Häuschen. Eins der Notizbücher listet tatsächlich ein Gemälde von einer Stute mit einem toten Fohlen auf, das allerdings nie gefunden wurde.«

»Was für Notizbücher?«

»Ach, entschuldige.« Noch nie hatte Sarah in Robins Nähe so eingeschüchtert, so ängstlich geklungen. »Stubbs.«

»Und wenn es *tatsächlich* ein Stubbs wäre?« Robin drehte sich zum Fenster und spähte hinaus aufs Feathers, einen Pub, in dem sie und Strike schon mehrmals gewesen waren.

»Also, das ist reine Spekulation, versteht sich … aber *falls* es echt wäre, *falls* es das Gemälde wäre, das er 1760 erwähnt hat, dann könnte es Millionen wert sein.«

»Gib mir eine Zahl.«

»Na ja, ›Gimcrack‹ damals erzielte …«

»… zweiundzwanzig Millionen«, sagte Robin, der plötzlich fast schwindlig war. »Richtig, das hast du während unserer Einweihungsfeier erzählt.«

Sarah antwortete nicht. Vielleicht hatte die Erwähnung der Party, zu der sie die Frau ihres Geliebten mit Lilien beschenkt hatte, ihr die Sprache verschlagen.

»Wenn die ›Trauernde Stute‹ also ein echter Stubbs wäre …«

»… würde sie auf einer Auktion wahrscheinlich noch mehr als ›Gimcrack‹ erzielen. Es ist ein einzigartiges Motiv. Stubbs war Anatom, er war gleichermaßen Wissenschaftler wie Künstler. Falls dies die Darstellung eines Fohlens mit Overo-Lethal-White-Syndrom wäre, dann könnte es die erste Dokumentation dieser Krankheit sein. Es könnte eine Rekordsumme erzielen.«

Robins Handy summte in ihrer Hand. Noch eine Nachricht.

»Das war sehr hilfreich, Sarah, vielen Dank. Und du behandelst das vertraulich?«

»Ja, natürlich«, sagte Sarah – und dann eilig: »Hör zu, Robin ...«

»Nein.« Robin gab sich alle Mühe, ruhig zu bleiben. »Ich arbeite an einem Fall.«

»... es ist vorbei, es ist aus, Matt ist total am Ende ...«

»Tschüss, Sarah.«

Robin legte auf. Dann las sie die Nachricht, die soeben eingegangen war.

Triff dich mit mir nach der Arbeit, oder ich gehe an die Presse.

Gerade noch wäre Robin am liebsten sofort nach nebenan zurückgekehrt, um die sensationelle neue Erkenntnis weiterzugeben. Doch jetzt blieb sie perplex stehen und schrieb dann zurück:

Wieso an die Presse?

Die Antwort kam nur Sekunden später, durchsetzt mit zornigen Tippfehlern.

Die Mail hat heute mmorgen im Büro angerufen und eine nachricht hinterlassen, was ich dazu sage, dass meine Fau mit Cornish Strike zusammenlebt. Und heut nachmittag kam die Sun an. Du weißt wahrscheinlich, dass er doppelgleisig fährt aber vielleicht scheißt du ja drauf. Ich will nicht, dass mich die Zeitungen in der arbeit anrufen. Entweder wir treffen uns, oder ich rede mit ihnen, damit ich endlich Ruhe hab.

Robin hatte die Nachricht noch nicht zu Ende gelesen, da traf auch schon die nächste ein, diesmal mit Anhang:

Falls dus noch nicht gesehen hast ...

Robin vergrößerte den Anhang, den Screenshot einer Kurzmeldung im *Evening Standard*.

Charlotte Campbell und Cormoran Strike – Apartes Abenteuer?

Charlotte Campbell, Stammbesetzung in den Klatschkolumnen, seit sie aus ihrer ersten Privatschule türmte, hat ihr ganzes Leben im Scheinwerferlicht verbracht. Während sich die meisten Menschen wohl lieber an einem diskreten Ort mit einem Privatdetektiv beraten würden, wählte die schwangere Miss Campbell – und jetzige Mrs. Jago Ross – dafür den Fenstertisch eines der beliebtesten Restaurants im West End.

Wurde während des intensiven Austausches über berufliche Dienstleistungen des Detektivs gesprochen oder über Persönliches? Denn der illustre Mr. Strike, illegitimer Spross von Rockstar Jonny Rokeby, Kriegsheld und moderner Sherlock Holmes, ist überdies, wie es der Zufall will, auch Campbells Exlover.

Campbells Ehemann wird dieses Rätsel – Geschäft oder Vergnügen? – nach der Rückkehr von seiner Geschäftsreise nach New York möglichst schnell lösen wollen.

In Robin lagen die verschiedensten unangenehmen Gefühle miteinander im Widerstreit. Am schlimmsten waren dabei die Panik, der Zorn und die Scham angesichts der Vorstellung, dass Matthew mit der Presse sprechen und dabei aus lauter Gehässigkeit andeuten könnte, sie und Strike hätten ein Verhältnis.

Sie versuchte, die Nummer zurückzurufen, landete aber direkt auf der Mailbox. Zwei Sekunden später ging eine weitere wütende Nachricht ein.

> bin mit einem Kunden im Gespräch, will nicht vor ihm darüber reden, triff mich einfach

Gleichermaßen wütend schrieb Robin zurück:

> Und ich bin im Scotland Yard. Finde eine ruhige Ecke!

Sie konnte sich Matthews höfliches Lächeln nur allzu gut ausmalen, sein »Nur das Büro – bitte entschuldigen Sie«, während er unter den Augen des Kunden die wütenden Nachrichten ins Display hämmerte.

> Wir haben Klärungsbedarf, aber du bockst wie ein Kleinkind und willst mich nicht sehen. Entweder du redest mit mir, oder ich ruf um acht die Zeitungen an. Übrigens ist mir aufgefallen, dass du gar nicht abstreitest, mit ihm zu schlafen

Zornig, aber nun aus der Defensive heraus tippte Robin:

> Schön, reden wir. Wo?

Er schickte ihr die Adresse einer Bar in Little Venice. Immer noch kochend vor Wut, stieß Robin die Tür zum Besprechungsraum auf. Das Trüppchen hatte sich um einen Bildschirm versammelt und Jimmy Knights Blog aufgerufen. Strike las laut vor: »... mit anderen Worten: Eine einzige Flasche Wein im Manoir aux Quat'Saisons kostet mehr, als eine alleinstehende, arbeitslose Mutter in der Woche erhält, um Essen, Kleidung und Miete für ihre gesamte Familie zu bezahlen.‹ Also das«, sagte Strike, »fand ich eine merkwürdig genaue Namensnennung, wenn er doch nur über die Tories und ihren Lebenswandel herziehen wollte. *Deswegen* kam ich auf den Gedanken, dass er vor Kurzem dort gewesen sein musste. Dann erzählt mir Robin, dass eine der Suiten dort ›Blanc de Blanc‹ heißt – nur hab ich nicht gleich die Verbindung hergestellt. Erst ein paar Stunden später dämmerte es mir.«

»Zu allem anderen ist er also auch noch ein gewissenloser Heuchler, oder?« Wardle stand mit verschränkten Armen hinter Strike.

»Sie haben in Woolstone nach ihm gesucht?«, fragte Strike.

»In diesem Drecksloch in der Charlemont Road, in Woolstone – überall«, sagte Layborn. »Aber keine Angst, wir haben einen Tipp bekommen, dass eine seiner Freundinnen unten in Dulwich lebt. Dort sehen wir gerade nach. Mit ein bisschen Glück haben wir ihn heute Abend in Gewahrsam.«

Erst jetzt bemerkte Layborn, dass Robin mit dem Handy in der Hand hinter ihm stand.

»Ich weiß, dass Sie Leute haben, die der Sache nachgehen«, erklärte sie ihm, »aber ich kenne jemanden bei Christie's. Ich hab ihr das Foto der ›Trauernden Stute‹ geschickt, und sie hat mich eben zurückgerufen. Einer der Experten meint, es könnte *tatsächlich* ein Stubbs sein.«

»Sogar ich hab schon von Stubbs gehört«, sagte Layborn.

»Und wenn es einer wäre, wie viel könnte er dann wert sein?«, wollte Wardle wissen.

»Meine Kontaktperson sagt: über zweiundzwanzig Millionen.«

Wardle stieß einen Pfiff aus. »Fuck«, sagte Layborn.

»Ganz egal wie viel das Bild wert ist«, rief Strike ihnen in Erinnerung, »es zählt allein, ob jemand den potenziellen Wert erkannt haben könnte.«

»Zweiundzwanzig Millionen«, sagte Wardle, »sind ein verdammt gutes Motiv.«

»Cormoran«, sagte Robin und zog ihre Jacke von der Stuhllehne, »könnte ich dich kurz unter vier Augen sprechen? Ich muss leider gehen, tut mir leid«, sagte sie zu den anderen.

»Alles in Ordnung?«, fragte Strike, als sie draußen im Flur standen und Robin die Tür zum Besprechungsraum zugezogen hatte.

»Ja«, sagte Robin, und dann: »Na ja – eigentlich nicht. Vielleicht« – sie reichte ihm ihr Handy – »solltest du das hier lesen.«

Stirnrunzelnd scrollte Strike durch den Mailwechsel zwischen Robin und Matthew und dann durch den *Evening-Standard*-Artikel.

»Du triffst dich mit ihm?«

»Ich muss. Bestimmt schnüffelt mir Mitch Patterson deshalb nach. Wenn Matthew bei der Zeitung anruft und zusätzlich Öl ins Feuer gießt – wozu er durchaus fähig ist ... Die sind doch sowieso schon heiß auf dich, und ...«

»Vergiss das mit mir und Charlotte«, unterbrach er sie knapp. »Das waren zwanzig Minuten, zu denen sie mich gezwungen hat. Und jetzt versucht er, *dich* zu zwingen ...«

»Das weiß ich selbst«, sagte Robin, »aber früher oder später *muss* ich mit ihm reden. Die meisten meiner Sachen liegen noch in der Albury Street. Wir haben ein gemeinsames Bankkonto ...«

»Soll ich mitkommen?«

»Danke«, sagte Robin fast gerührt, »aber ich glaube, das wäre nicht hilfreich.«

»Dann ruf mich später an, in Ordnung? Erzähl mir, wie es gelaufen ist.«

»Mach ich«, versprach sie.

Allein ging sie zu den Aufzügen. Sie nahm gar nicht wahr,

wer in der Gegenrichtung an ihr vorbeilief, bis sie eine bekannte Stimme hörte.

»Bobbi?«

Robin drehte sich um. Vor ihr stand Flick Purdue neben einer Polizistin, die sie anscheinend zur Toilette eskortiert hatte. Genau wie Kinvara hatte Flick ihr Make-up weggeweint. Statt ihres Hisbollah-T-Shirts trug sie eine weiße Bluse, wozu ihre Eltern ihr geraten hatten, wie Robin vermutete. Sie ließ die Schultern hängen.

»Ich heiße Robin. Wie geht's, Flick?«

Flick schien mit Gedanken zu ringen, die zu monströs waren, als dass sie sie hätte aussprechen können.

»Ich hoffe, du kooperierst«, sagte Robin. »Du erzählst ihnen alles, oder?«

Sie meinte ein winziges Kopfschütteln wahrzunehmen, eine instinktive Trotzreaktion, so als wäre ihre Loyalität noch nicht völlig erloschen, trotz des Ärgers, den sie sich eingehandelt hatte.

»Du musst«, erklärte Robin ihr ruhig. »Als Nächstes hätte er *dich* umgebracht, Flick. Du wusstest zu viel.«

69

Ich habe alle Möglichkeiten vorausgesehen. Schon lange.

HENRIK IBSEN, *ROSMERSHOLM*

Nach einer zwanzigminütigen Fahrt mit der U-Bahn stieg Robin an der Warwick Avenue aus – in einem Teil Londons, den sie kaum kannte. Schon immer hatte eine leise Neugier sie nach Little Venice gezogen, immerhin verdankte sie ihren hochtrabenden zweiten Vornamen Venetia der Tatsache, dass sie in Venedig gezeugt worden war. Nun würde sie diese Gegend für alle Zeit mit Matthew und dem bitteren, angespannten Gespräch verbinden, das sie dort am Ende des Kanals erwartete.

Sie lief eine Straße namens Clifton Villas entlang, wo Platanen ihr transparent jadegrünes Laub vor den cremefarbenen, golden in der Abendsonne leuchtenden Häuserwänden ausbreiteten. In der stillen Schönheit des lauen Sommerabends überkam Robin plötzlich eine überwältigende Melancholie, und ungewollt musste sie an einen ganz ähnlichen Abend in Yorkshire denken, ein Jahrzehnt zuvor, an dem sie, kaum siebzehnjährig und auf ihren Highheels balancierend, mit klopfendem Herzen die Straße vor ihrem Elternhaus entlanggeeilt war – zu ihrem ersten Date mit Matthew Cunliffe, der soeben die Führerscheinprüfung bestanden hatte und mit ihr nach Harrogate fahren wollte.

Nun ging sie ihm wieder entgegen, diesmal allerdings, um die Verstrickungen ihrer beiden Leben ein für alle Mal zu entwirren. Robin hasste sich dafür, dass sie das traurig stimmte und dabei Erinnerungen an schöne Erlebnisse wach wurden, aus denen damals ihre Liebe erwachsen war, wo es doch viel praktischer gewesen wäre, sich auf seine Untreue und Grausamkeit zu konzentrieren.

Sie bog links ab, überquerte die Straße und hielt sich im kühlen Schatten der Ziegelmauer, die rechts an der Blomfield Road parallel zum Kanal verlief. Oben an der Straße fuhr ein Polizeiwagen vorbei. Der Anblick gab ihr neue Kraft, so als hätte ihr jetziges, wahres Leben sie mit einem freundlichen Wink daran erinnern wollen, dass sie inzwischen erreicht hatte, wonach sie immer gestrebt hatte, und wie unvereinbar dies mit einem Leben als Matthew Cunliffes Ehefrau war.

In die Mauer waren zwei hohe Torflügel aus schwarzem Holz eingelassen, hinter denen sich laut Matthews Nachricht die Bar am Kanalufer verstecken sollte. Doch als Robin gegen das Holz drückte, tat sich nichts. Mit dem Blick suchte sie die Straße in beide Richtungen ab, aber Matthew war nirgends zu sehen. Also tastete sie in ihrer Tasche nach ihrem Handy, das zwar stumm gestellt war, aber im selben Moment anfing zu vibrieren, da sie es in die Hand nahm. Im nächsten Moment schwang das elektrische Tor auf, und mit dem Handy am Ohr trat sie hindurch.

»Hi, ich bin gerade ...«

»*Verschwinde dort*«, brüllte Strike ihr ins Ohr, »*das war nicht Matthew ...*«

Dann geschahen mehrere Dinge gleichzeitig.

Das Handy wurde ihr aus der Hand gerissen. Binnen einer Schrecksekunde begriff Robin, dass sich hier keine Bar befand, sondern lediglich ein ungepflegtes Grundstück am Kanalufer halb unter einer Brücke, eingefasst von wucherndem Gebüsch, dazu ein düsterer Lastkahn namens *Odile*, der schäbig und plump vor ihr im Wasser dümpelte. Im nächsten Moment traf sie eine Faust in den Solarplexus, sie klappte zusammen und bekam keine Luft mehr. Am Boden zusammengekrümmt hörte sie, wie ihr Handy in den Kanal platschte, dann packte jemand sie an Haaren und Hosenbund und schleifte sie, noch bevor sie wieder Luft zum Schreien hatte, auf den Lastkahn. Sie wurde durch die offene Bootstür geworfen, schlug auf einem schmalen Holztisch auf und ging erneut zu Boden.

Die Tür wurde zugeknallt, und sie hörte ein Schloss zuschnappen.

»Setz dich«, sagte eine Männerstimme.

Immer noch außer Atem, hievte sich Robin auf eine Holzbank am Tisch, die mit einem dünnen Polsterkissen überzogen war, drehte sich um – und blickte in den Lauf eines Revolvers.

Raphael setzte sich ihr gegenüber auf einen Stuhl.

»Wer hat dich gerade angerufen?«, wollte er wissen, und sie schloss aus seiner Frage, dass er in der Anstrengung, sie auf das Boot zu schaffen, und in der Angst, sie könnte einen Laut von sich geben und der Anrufer diesen Laut hören, keine Gelegenheit mehr gehabt hatte, auf das Handydisplay zu schauen.

»Mein Mann«, log Robin flüsternd.

Ihr Scheitel brannte, weil er sie so brutal an den Haaren gezogen hatte. Ihr Rumpf schmerzte so sehr, dass sie sich fragte, ob er ihr eine Rippe gebrochen hatte. Robin kämpfte noch immer darum, Luft in die Lunge zu kriegen, und hatte ein paar orientierungslose Sekunden lang das Gefühl, ihre eigene prekäre Lage wie durch ein Fernglas zu sehen, aus weiter Distanz und in einer zitternden Zeitperle gefangen. Sie sah vor sich, wie Raphael ihren beschwerten Leichnam im Schutz der Nacht ins Wasser rollen und wie man Matthew, der sie allem Anschein nach zum Kanal gelockt hatte, verhören und vielleicht anklagen würde. Sie sah die betroffenen Gesichter ihrer Eltern und Brüder bei der Trauerfeier in Masham, und sie sah Strike genau wie bei ihrer Hochzeit hinten in der Kirche stehen und innerlich toben, weil genau das eingetreten war, was er am meisten befürchtet hatte: dass sie durch eigene Dummheit sterben würde.

Doch noch während sich Robins Lunge mit jedem Atemzug ein bisschen weitete, löste sich die Illusion auf. Sie war wieder im Hier und Jetzt, auf dem schmuddeligen Boot, gefangen innerhalb hölzerner Wände, atmete muffige Luft ein und blickte in die geweitete Pupille des Revolvers und in Raphaels Augen darüber.

Schier greifbar und real stand die Angst hinter ihr in der Kajüte; sie würde sie zurückdrängen müssen, denn sie würde ihr nicht helfen, sondern sie nur behindern. Sie musste jetzt Ruhe bewahren, sich konzentrieren. Robin entschied sich, nichts zu sagen. Wenn sie sich weigerte, die Stille zu füllen, würde sie etwas von der Macht zurückgewinnen, die er ihr eben geraubt hatte – ein einfacher Therapeutentrick: Lass die Pause zu. Lass zu, dass die verletzlichere Person sie füllt.

»Du bist echt ziemlich cool«, sagte Raphael zu guter Letzt. »Ich hätte gedacht, du würdest hysterisch werden und schreien, deshalb musste ich dich erst mal niederschlagen. Sonst hätte ich das nicht getan. Ich mag dich, Venetia, auch wenn es vielleicht nicht so aussieht.«

Sie wusste, dass er jenen Mann heraufzubeschwören versuchte, der sie gegen ihren Willen im Unterhaus umgarnt hatte. Ganz eindeutig glaubte er, er müsste nur die alte Mischung aus Reue und Bedauern zeigen, und schon würde sie ihm vergeben und weich werden, selbst mit brennendem Scheitel, angeschlagenen Rippen, der Waffe vor Augen.

Sie reagierte nicht, sein schwaches, flehentliches Lächeln erstarb.

»Ich muss wissen, wie viel die Polizei inzwischen weiß. Wenn ich mich irgendwie aus alledem rausquatschen kann, was sie gegen mich in der Hand haben, dann wirst du leider« –

er hob die Waffe leicht an, bis sie direkt auf Robins Stirn zielte (und sie an Tierärzte und den sauberen Gnadenschuss denken musste, der dem Pferd in der Mulde verwehrt worden war) – »verschwinden müssen. Ich dämpfe den Schuss mit einem Kissen, warte die Dunkelheit ab und werfe dich dann über Bord. Aber wenn sie sowieso schon alles wissen, dann mache ich hier und heute Abend Schluss. Denn ins Gefängnis gehe ich nicht noch mal. Du siehst also, warum es nur in deinem Interesse ist, ehrlich zu sein? Nur einer von uns wird dieses Boot lebend verlassen.« Als sie immer noch nichts sagte, fuhr er sie an: »Jetzt sag endlich was!«

»Ja«, murmelte sie. »Ich hab verstanden.«

»Also«, fuhr er ruhig fort, »kommst du wirklich gerade vom Scotland Yard?«

»Ja.«

»Ist Kinvara dort?«

»Ja.«

»Wurde sie verhaftet?«

»Ich glaube schon. Zumindest saß sie mit ihrem Anwalt in einem Vernehmungsraum.«

»Und weswegen wurde sie verhaftet?«

»Sie glauben, dass ihr eine Affäre habt. Und dass du hinter allem steckst.«

»Was heißt denn ›hinter allem‹?«

»Hinter der Erpressung«, antwortete Robin, »und hinter dem Mord.«

Er streckte den Arm aus, bis die Waffe gegen ihre Stirn drückte. Robin spürte, wie sich der kleine, kalte Metallring in ihre Haut presste.

»Klingt für mich nach einem Haufen Scheiße. Wie sollten wir denn eine Affäre gehabt haben? Sie hasst mich. Außerdem waren wir nie auch nur für zwei Minuten allein.«

»Doch«, widersprach Robin. »Dein Vater hat dich gleich

nach deiner Entlassung aus dem Gefängnis nach Chiswell House eingeladen. An dem Abend wurde er in London aufgehalten. Damals warst du allein mit ihr. Und wir glauben, dass da alles angefangen hat.«

»Beweise?«

»Gibt es keine«, gab Robin zu, »aber ich glaube, du könntest jede Frau verführen, wenn du es wirklich ...«

»Versuch nicht, mir zu schmeicheln, das funktioniert nicht. Im Ernst – ›wir glauben, dass da alles angefangen hat‹? Mehr habt ihr nicht?«

»Doch. Es gibt noch mehr Hinweise, dass zwischen euch etwas lief.«

»Welche? Ich will alles hören.«

»Ich könnte mich besser erinnern«, wandte Robin ganz ruhig ein, »wenn ich keinen Revolver an meiner Stirn hätte ...«

Er zog die Hand zurück, zielte aber weiter auf ihr Gesicht. »Also los – und Tempo.«

Ein Teil von ihr wollte dem Drang ihres Körpers nachgeben und sich einfach auflösen, in beseligende Besinnungslosigkeit abtauchen. Ihre Hände waren taub, ihre Muskeln wie weiches Wachs. Die Stelle, an der Raphael den Revolver in ihre Haut gedrückt hatte, fühlte sich immer noch kalt an, wie ein Ring aus weißem Feuer für ein drittes Auge. Er hatte kein Licht eingeschaltet. Sie saßen einander in der tiefer werdenden Dunkelheit gegenüber, und vielleicht würde sie ihn, wenn er sie am Ende erschoss, kaum mehr sehen können ...

Konzentrier dich, schnitt leise und klar eine mahnende Stimme durch ihre Panik. *Konzentrier dich. Je länger er mit dir redet, umso mehr Zeit haben sie, dich zu finden. Strike weiß, dass du in eine Falle gelockt wurdest.*

Ihr fiel der Streifenwagen wieder ein, der oben über die Blomfield Road gerast war, und sie fragte sich, ob sie wohl schon die Straßen abfuhren und nach ihr suchten, ob die Polizei bereits wusste, dass Raphael sie hierhergelockt hatte, ob man schon Leute abgestellt hatte, die jetzt die Gegend nach ihnen durchkämmten. Die angebliche Bar hätte ein Stück weiter am Kanalufer liegen und nur, so hatte Raphael in seiner Nachricht geschrieben, durch das schwarze Tor zu erreichen sein sollen. Würde Strike davon ausgehen, dass Raphael bewaffnet war?

Sie holte tief Luft. »Letzten Sommer ist Kinvara in Della Winns Büro zusammengebrochen und hat ihr erzählt, jemand habe ihr erklärt, sie sei nie wirklich geliebt, sondern nur als Spielfigur missbraucht worden …«

Sie musste langsamer reden. Nur nicht hasten. Jede Sekunde zählte, jede Sekunde, die sie Raphael hinhielt, war eine Sekunde mehr, in der ihr jemand zu Hilfe kommen konnte.

»Della hat damals angenommen, sie hätte damit deinen Vater gemeint, aber wir haben nachgefragt, und tatsächlich kann Della sich nicht mehr erinnern, dass Kinvara ihn beim Namen genannt hätte. Wir gehen davon aus, dass du Kinvara verführt hast, um dich an deinem Vater zu rächen. Dass du die Affäre dann über mehrere Monate am Leben erhalten und Kinvara erst abserviert hast, als sie dir zu anhänglich wurde.«

»Alles nur Annahmen«, urteilte Raphael barsch. »Also Bullshit. Was noch?«

»Warum ist Kinvara ausgerechnet an dem Tag in die Stadt gefahren, an dem ihre geliebte Stute wahrscheinlich den Gnadenschuss bekommen sollte?«

»Vielleicht konnte sie nicht mit ansehen, wie das Pferd erschossen wurde? Vielleicht hat sie ja die Augen davor verschlossen, wie krank das Tier war.«

»Oder«, sagte Robin, »sie wollte endlich erfahren, was du mit Francesca in Drummonds Galerie treibst.«

»Kein Beweis. Weiter.«

»Sie hatte einen halben Nervenzusammenbruch, als sie nach

Oxfordshire zurückkam. Sie ging auf deinen Vater los und wurde daraufhin eingewiesen.«

»Weil sie immer noch um ihr tot geborenes Kind getrauert hat. Weil sie zu sehr an ihren Pferden hing und ganz allgemein depressiv war«, ratterte Raphael herunter. »Izzy und Fizzy werden sich darum prügeln, im Zeugenstand aussagen zu dürfen, wie labil sie ist. Was noch?«

»Tegan hat uns erzählt, dass Kinvara eines Tages wie durch Zauberhand wieder fröhlich war und Tegan angeschwindelt hat, als die nachhakte, woher das komme. Kinvara behauptete, dein Vater habe sich bereit erklärt, ihre andere Stute von Totilas belegen zu lassen. Wir glauben, dass in Wahrheit du eure Affäre wieder aufgewärmt hast – und der Zeitpunkt war sicher kein Zufall. Du hattest gerade die letzte Ladung von Gemälden zu Drummonds Galerie gefahren, um sie dort schätzen zu lassen.«

Mit einem Mal erschlaffte Raphaels Gesicht, so als hätte sein Ich es kurzfristig verlassen. Die Waffe zuckte in seiner Hand, und an Robins Armen stellten sich die Härchen auf, als wäre ein eisiger Hauch darübergestrichen. Sie wartete ab, ob Raphael sich dazu äußern würde, doch er blieb stumm.

Nach einer Weile fuhr sie fort: »Wir glauben, dass du beim Einladen der Bilder, die zum Schätzen gegeben werden sollten, zum ersten Mal auch die ›Trauernde Stute‹ aus der Nähe gesehen und auf den ersten Blick erkannt hast, dass es ein Stubbs sein könnte. Also hast du beschlossen, das Bild gegen ein anderes Gemälde von einer Stute mit Fohlen auszutauschen, bevor du die Bilder zum Schätzen gegeben hast.«

»Beweise?«

»Henry Drummond hat inzwischen das Foto gesehen, das ich in Chiswell House von der ›Trauernden Stute‹ gemacht habe. Er wird aussagen, dass dieses Gemälde nicht unter den Bildern war, die er für deinen Vater begutachtet hat. Das Gemälde, das er auf fünf- bis achttausend Pfund geschätzt hat, stammt von John Frederick Herring und zeigt eine schwarzweiße Stute mit ihrem Fohlen. Drummond wird auch aussagen, dass du hinreichend von Kunst verstehst, um zu erkennen, dass die ›Trauernde Stute‹ ein Stubbs sein könnte.«

Raphaels Gesicht hatte die maskengleiche Starre verloren. Stattdessen zuckten seine fast schwarzen Augen jetzt hektisch hin und her, als würde er etwas lesen, was niemand außer ihm sehen konnte.

»Ich muss versehentlich den Herring genommen haben statt ...«

Ein paar Straßen weiter war eine Polizeisirene zu hören. Raphael drehte den Kopf: Die Sirene heulte ein paar Sekunden lang und erstarb dann genauso abrupt, wie sie eingesetzt hatte.

Er drehte sich wieder zu Robin um. Nachdem die Sirene wieder verstummt war, schien er nicht mehr übermäßig beunruhigt zu sein. Natürlich glaubte er, dass Robin gerade mit Matthew telefoniert hatte, als er ihr das Handy entrissen hatte.

»Genau«, nahm er seinen Gedanken wieder auf. »Genau das werde ich erzählen. Ich hab versehentlich das Gemälde mit der Rappschecke mitgenommen und schätzen lassen, und die ›Trauernde Stute‹ hab ich nie gesehen, darum hatte ich auch keine Ahnung, dass sie von Stubbs sein könnte.«

»Du kannst das Bild mit der Rappschecke unmöglich versehentlich mitgenommen haben«, korrigierte Robin ihn leise. »Es war nicht in Chiswell House – das wird die Familie beschwören.«

»Die Familie«, blaffte Raphael, »hat keine Ahnung, was sich alles in ihrem Haus befindet. Fast zwanzig Jahre lang hing ein Stubbs in einem feuchten, leeren Zimmer, ohne dass es jemand bemerkt hätte. Und weißt du, warum? Weil das alles verflucht arrogante Snobs sind ... Die ›Trauernde Stute‹ hat der alten Tinky gehört. Sie hatte sie von ihrem pleitegegangenen, versoffenen, verwirrten alten irischen Baronet geerbt, den sie vor meinem Großvater geheiratet hatte. Sie hatte keinen Schimmer, wie viel das Bild wert war. Sie hat es nur behalten, weil ein Pferd drauf war – weil sie eine Pferdenärrin war ...« Eine Sekunde hielt er inne, dann sagte er: »Als ihr erster Mann starb, kam sie rüber nach England und zog hier den gleichen Trick wieder ab: Sie wurde erst teure Privatpflegerin meines Großvaters und dann seine noch teurere Ehefrau. Weil sie ohne Testament starb, fiel ihr ganzer Schrott – und es war *wirklich* fast nur Schrott – an die Chiswells. Der Herring hätte ihr gehören können, ohne dass es jemand wusste, weil der irgendwo in einer schmuddeligen Ecke dieses verfluchten Hauses vor sich hin gegammelt hat.«

»Und wenn die Polizei das Bild mit der Rappschecke aufspürt?«

»Das spürt sie nicht auf. Es gehört meiner Mutter. Ich werde es vernichten. Falls die Polizei mich danach fragt, sage ich aus, mein Vater habe mir erzählt, er würde es verscherbeln, nachdem er erfahren habe, dass es acht Riesen wert sei. ›Anscheinend hat er es privat verkauft, Officer.‹«

»Kinvara kennt die neue Story nicht. Sie wird sie nicht bestätigen können.«

»Und hier spielt mir in die Karten, dass sie so labil ist und so unglücklich mit meinem Vater war und dass das alle wussten. Izzy und Fizzy können es doch kaum erwarten, aller Welt zu erzählen, dass es Kinvara nie besonders interessiert hat, was er trieb, weil sie ihn nie geliebt und ihn nur des Geldes wegen geheiratet hat. Mir genügt ein begründeter Zweifel.«

»Und was passiert, wenn die Polizei Kinvara steckt, dass du eure Affäre nur wiederbelebt hast, weil dir dämmerte, dass sie unermesslich reich werden könnte?«

Raphael stieß ein langes Zischen aus.

»Tja«, sagte er dann gelassen, »wenn sie Kinvara davon überzeugen können, bin ich geliefert, was? Aber im Moment glaubt Kinvara, dass ihr Raffy sie über alles in der Welt liebt, und es braucht schon eine ganze Menge, um sie vom Gegenteil zu überzeugen – denn damit läge ihr gesamtes Leben in Trümmern. Ich hab es ihr lang genug eingebläut: Solange sie nichts von der Affäre wissen, können sie uns nichts anhaben. Im Ernst, ich hab sie das sogar wiederholen lassen, während ich sie gevögelt hab. Und ich hab sie davor gewarnt, dass man versuchen würde, uns gegeneinander auszuspielen, falls einer von uns beiden je unter Verdacht geraten sollte. Ich hab sie gut trainiert. Heul dir die Augen aus, hab ich gesagt, wenn du nicht mehr weiterweißt. Sag ihnen, es würde dir ohnehin nie irgendwer etwas verraten. Stell dich absolut ahnungslos.«

»Sie hat schon eine dumme Lüge erzählt, weil sie dich schützen wollte, und die Polizei hat sie durchschaut«, sagte Robin.

»Was denn für eine Lüge?«

»Die über das Collier und den frühen Sonntagmorgen. Hat sie dir das nicht erzählt? Vielleicht wusste sie, dass du wütend werden würdest.«

»*Was hat sie gesagt?*«

»Strike hat ihr erzählt, dass er die neue Erklärung für deine Fahrt nach Chiswell House, bevor dein Vater gestorben ist, für wenig glaubwürdig hält ...«

»Was soll das heißen – er hält sie nicht für glaubwürdig?«, ereiferte sich Raphael, und Robin konnte ihm ansehen, wie sich Wut und verletzte Eitelkeit in seine Panik mischten.

»*Ich* fand sie überzeugend«, versicherte sie ihm. »Geschickt, sich auf eine Geschichte zu berufen, die du scheinbar nur widerwillig erzählst. Man ist immer eher geneigt, etwas zu glauben, wenn man meint, man hat es selbst herausgefunden ...«

Raphael hob die Waffe, bis sie wieder dicht vor ihrer Stirn schwebte. Auch wenn der kalte Metallring ihre Haut diesmal nicht berührte, schien sie ihn überdeutlich zu spüren. »Was für eine Lüge hat Kinvara erzählt?«

»Sie hat behauptet, du seist vorbeigekommen, um ihr zu gestehen, dass deine Mutter Diamanten aus dem Collier geklaut und sie durch Fälschungen ersetzt hat ...«

Raphael sah sie entsetzt an. »Wieso erzählt sie das, verflucht noch mal?«

»Vermutlich weil sie unter Schock stand, als sie Strike und mir auf ihrem Grundstück begegnet ist, während du dich im Obergeschoss versteckt hast. Strike meinte, er nehme ihr die Colliergeschichte nicht ab, also erfand sie in Panik eine neue Version. Das Problem ist nur, dass sich diese Version überprüfen lässt.«

»Diese blöde Schlampe«, sagte Raphael ganz ruhig, aber mit einer Giftigkeit, bei der sich Robin die Nackenhaare aufstellten. »Diese blöde, blöde Schlampe ... Warum ist sie nicht bei unserer Version geblieben? Und ... Nein, warte«, sagte er mit der Mimik eines Mannes, der urplötzlich eine vorteilhafte Verbindung sieht. Zu Robins Verblüffung und Erleichterung zog er die Waffe zurück, die so dicht vor ihrem Gesicht geschwebt hatte, und meinte leise lachend: »*Darum* hat sie am Sonntagnachmittag das Collier versteckt. Mir hat sie irgendwelchen Humbug erzählt, von wegen sie würde nicht wollen, dass Izzy oder Fizzy sich ins Haus schleichen und es mitnehmen ... Na gut, sie ist dämlich. Aber kein hoffnungsloser Fall. Solange niemand die Steine überprüft, kann uns nichts passieren ... Und sie werden schon den Stall auseinandernehmen müssen, um die Kette zu finden. Okay«, sagte er wie zu sich selbst, »okay, ich glaub, das ließe sich alles geradebiegen.« Er sah sie an. »War das alles, Venetia? Mehr habt ihr nicht?«

»Doch«, sagte Robin. »Da wäre noch Flick Purdue.«

»Wüsste nicht, wer das sein sollte.«

»Doch, das weißt du sehr wohl. Du hast dich vor Monaten

an sie herangemacht und ihr die Wahrheit über die Galgen erzählt, weil du genau wusstest, dass sie die Information an Jimmy weitergeben würde.«

»Ich war wirklich schwer beschäftigt, was?«, erwiderte Raphael fröhlich. »Und wenn schon? Flick wird nie zugeben, dass sie den Sohn eines Tory-Ministers gebumst hat – erst recht nicht, wenn Jimmy davon erfahren könnte. Sie ist genauso verknallt in ihn wie Kinvara in mich.«

»Richtig, sie würde es nie zugeben, aber irgendjemand muss beobachtet haben, wie du am Morgen danach aus ihrer Wohnung geschlichen bist. Sie wollte allen weismachen, du wärst ein indischer Kellner gewesen ...«

Robin meinte, ein winziges überraschtes, missbilligendes Zucken bemerkt zu haben. Raphaels *amour-propre* war sichtlich verletzt angesichts der Vorstellung, dass man ihn so beschrieben haben könnte.

»Okay«, sagte er nach ein, zwei Sekunden. »Okay, mal sehen ... und wenn Flick *wirklich* einen Kellner gebumst hätte und jetzt aus reiner Bosheit behaupten würde, ich wäre das gewesen, nur weil sie sich für eine dämliche Klassenkämpferin hält und ihr Freund einen Groll gegen meine Familie hegt?«

»Du hast die Kreditkarte ihrer Mitbewohnerin mitgehen lassen, die in ihrer Handtasche in der Küche lag.«

Damit hatte er nicht gerechnet; um seine Mundwinkel verspannten sich die Muskeln. Bestimmt hatte er geglaubt, bei Flicks Lebensstil wäre rundheraus jeder verdächtig, der in ihrer winzigen, überfüllten Wohnung verkehrte, ganz besonders Jimmy.

»Beweise?«, fragte er wieder.

»Flick kann das Datum nennen, an dem du in ihrer Wohnung warst, und wenn Laura aussagt, dass ihre Kreditkarte in genau dieser Nacht gestohlen wurde ...«

»Aber ohne eindeutigen Beweis, dass ich je dort war ...«

»Von wem hätte Flick das mit den Galgen sonst erfahren sollen? Wir wissen inzwischen, dass sie es Jimmy erzählt hat, nicht umgekehrt.«

»Also, ich kann es wohl kaum gewesen sein, oder? Ich bin das einzige Mitglied der Familie, das nie eingeweiht wurde.«

»Du wusstest alles. Kinvara kannte die ganze Geschichte von deinem Vater, und sie hat dir alles weitererzählt.«

»Nein«, entgegnete Raphael, »ich glaube, ihr werdet herausfinden, dass Flick von den Brüdern Butcher von den Galgen erfahren hat. Ich weiß aus zuverlässiger Quelle, dass einer von ihnen inzwischen in London lebt. Ja, ich glaube, ich hab da ein Gerücht gehört, dass einer der beiden die Freundin ihres Kumpels Jimmy gebumst hat – und glaub mir, die Brüder Butcher werden vor Gericht keine gute Figur abgeben ... Dieses Paar zwielichtiger Prolls, die im Schutz der Dunkelheit Galgen durch die Gegend gefahren haben ... Falls irgendetwas davon je vor Gericht kommen sollte, wirke ich viel glaubwürdiger und präsentabler als Flick und die Butchers, davon kannst du mal ausgehen.«

Doch Robin blieb hartnäckig. »Die Polizei hat Telefonaufzeichnungen. Sie wissen von einem anonymen Anruf bei Geraint Winn, der etwa zur selben Zeit einging, als Flick von den Galgen erfuhr. Du hast Winn anonym auf Samuel Murape hingewiesen. Du wusstest, dass Winn nicht gut auf die Chiswells zu sprechen war. Kinvara hatte dir alles erzählt.«

»Ich weiß nichts von einem Anruf, Euer Ehren«, entgegnete Raphael, »und es tut mir unendlich leid, dass sich mein verstorbener Bruder wie ein Arschloch gegenüber Rhiannon Winn verhalten hat. Aber das hat nichts mit mir zu tun.«

»Wir glauben, dass du auch hinter dem Einschüchterungsanruf an deinem ersten Tag in Izzys Büro steckst – als jemand meinte, dass sich Sterbende einnässen«, sagte Robin, »und wir glauben auch, dass *du* die Idee hattest und Kinvara behaupten sollte, sie würde öfter Eindringlinge auf dem Anwesen hören. Alles war darauf ausgelegt, dass möglichst viele Zeugen bestätigen würden, dass dein Vater reichlich Gründe hatte, verängstigt und paranoid zu sein, dass er unter dem extremen Druck zerbrechen könnte ...«

»Er stand ja auch unter extremem Druck! Er wurde *wirklich* von Jimmy Knight erpresst. Geraint Winn hat *wirklich* versucht, ihn aus dem Amt zu drängen. Das sind keine Lügen, das sind Fakten, und die werden sich vor Gericht sensationell machen – vor allem wenn die Sache mit Samuel Murape ans Licht kommt.«

»Nur dass du dabei dumme, vermeidbare Fehler gemacht hast.«

Er setzte sich aufrecht hin, beugte sich vor und ließ den Ellbogen eine Handbreit vorrutschen, sodass die Mündung des Revolvers vor Robins Gesicht erneut anwuchs. Seine Augen, die eben lediglich zwei helle Flecken in der Dunkelheit gewesen waren, waren wieder klar umrissen, onyxschwarz und weiß. Robin fragte sich, wie sie ihn je hatte attraktiv finden können.

»Was für Fehler?«

Im selben Moment sah Robin aus dem Augenwinkel ein Blaulicht über die Brücke gleiten, die von ihrem Sitzplatz aus hinter dem Fenster rechts zu erkennen, von Raphaels Platz jedoch durch die Bootswand verdeckt war. Das Blaulicht erlosch, und die Brücke verschwand wieder in der sich verdichtenden Dunkelheit.

»Zum einen«, begann Robin vorsichtig, »war es ein Fehler, sich vor dem Mord weiter mit Kinvara zu treffen. Immer wieder musste sie behaupten, sie habe vergessen, wo sie mit deinem Vater verabredet war, richtig? Nur um ein paar Minuten mit dir abzuzweigen, nur um dich zu sehen und um dich im Blick zu behalten ...«

»Das ist kein Beweis.«

»Jemand ist Kinvara an ihrem Geburtstag zum Manoir aux Quat'Saisons gefolgt.«

Er kniff die Augen zusammen. »Wer?«

»Jimmy Knight. Flick hat das bestätigt. Jimmy dachte, Kinvara wollte sich dort mit deinem Vater treffen, und er wollte ihn dort in aller Öffentlichkeit zur Rede stellen, weil er Geld unterschlagen hatte. Natürlich war dein Vater nicht dort. Also fuhr Jimmy wieder heim und schrieb einen zornigen Blog darüber, wie hoch angesehene Tories mit Geld um sich werfen – und in diesem Blog hat er das Manoir aux Quat'Saisons erwähnt.«

»Aber wenn er mich nicht gesehen hat, wie ich aus Kinvaras Hotelsuite geschlichen bin – was er im Übrigen keinesfalls getan hat, weil ich verflucht genau darauf geachtet hab, dass mich niemand sieht«, wandte Raphael ein, »ist auch das bloß reine Spekulation.«

»Mag sein«, sagte Robin. »Aber was ist mit dem *zweiten* Mal, bei dem man euch beim Sex auf der Galerietoilette belauscht hat? Das war nicht Francesca. Da warst du mit Kinvara zusammen.«

»Beweise?«

»Kinvara war an jenem Tag in der Stadt, um Lachesis-Pillen zu kaufen und um überall den Eindruck zu erwecken, sie sei wütend auf deinen Vater, weil er sich immer noch mit dir abgab – was alles zu eurer Tarngeschichte gehören sollte, nämlich dass sie dich hasste. Sie rief bei deinem Vater an, um sich zu vergewissern, dass er woanders zum Essen verabredet war. Strike war dabei, als Chiswell den Anruf entgegennahm. Allerdings wusstet ihr beide nicht, dass dein Vater keine hundert Meter von dem Ort entfernt beim Essen war, an dem ihr Sex hattet, und bis dein Vater sich den Weg zur Toilette freigekämpft hatte, hat er dort ein Röhrchen mit Lachesis-Pillen auf dem Boden liegen sehen. Er hätte beinahe einen Herzinfarkt gehabt. Er wusste, dass Kinvara nur deshalb in die Stadt gefahren war. Also wusste er auch, wen du gerade auf der Toilette gevögelt hattest.«

Raphaels Lächeln war zu einer Grimasse erstarrt.

»Ja, das ist richtig schiefgelaufen. Als er damals in unser Büro kam und von Lachesis zu reden anfing – ›Sie wusste, wann jeder fällig war‹ –, da wollte er mir damit Angst einjagen, das ist mir später auch klar geworden. Damals hatte ich keinen Schimmer, was das sollte. Aber als du und dein Krüppelboss in Chiswell House plötzlich von den Pillen geredet habt, hat es bei Kinvara klick gemacht: Sie müssen ihr beim Vögeln aus der Tasche gefallen sein. Wir hatten keine Ahnung, wie er uns auf die Spur gekommen war ... Erst als er im Manoir anrief und nach Freddies Geldklammer fragte, dämmerte mir, dass er offenbar Lunte gerochen hatte. Als Nächstes bestellte er mich in die Ebury Street, und mir war klar, dass er mich dort zur Rede stellen würde. Darum mussten wir den entscheidenden Schritt tun und ihn umbringen.«

Die Nüchternheit, mit der er über seinen Vatermord sprach, ließ Robin das Blut in den Adern gefrieren. Er hätte genauso gut davon reden können, ein Zimmer zu tapezieren.

»Bestimmt wollte er die Pillen während seiner großen ›Ich weiß, dass du meine Frau vögelst‹-Ansprache hervorzaubern ... Wieso hab ich die anschließend nicht auf dem Boden liegen gesehen? Ich hab noch versucht, das Zimmer wieder in den Ursprungszustand zu bringen, aber offenbar waren sie ihm aus der Tasche gerollt oder ... So was ist schwieriger, als man denkt«, sagte Raphael. »Hinter jemandem herzuräumen, den man gerade aus dem Weg geräumt hat. Ich war ehrlich gesagt überrascht, wie sehr mir das zu schaffen gemacht hat.«

Noch nie hatte sie seinen Narzissmus so deutlich herausgehört. Sein Interesse und Mitgefühl galten einzig und allein ihm selbst. Sein toter Vater zählte nicht.

»Die Polizei hat inzwischen die Aussagen von Francesca und ihren Eltern aufgenommen«, sagte Robin. »Sie bestreitet vehement, dass sie beim zweiten Mal mit dir auf der Toilette war. Ihre Eltern haben ihr nicht geglaubt, aber ...«

»Sie haben ihr nicht geglaubt, weil nicht mal Kinvara so scheißdumm ist wie sie.«

»Die Polizei sichtet gerade die Videoaufnahmen der Geschäfte, in denen sie ihrer Aussage nach war, während du mit Kinvara auf der Toilette verschwunden warst.«

»Okay«, sagte Raphael, »also, wenn es zum Schlimmsten kommt und sie beweisen können, dass sie nicht mit mir zusammen war, dann muss ich wohl gestehen, dass ich an dem Tag mit irgendeiner *anderen* jungen Lady auf der Toilette war und dass ich als echter Kavalier nur den Ruf dieser Lady schützen wollte.«

»Glaubst du wirklich, dass du eine Frau findest, die bei einem Mordprozess für dich lügt?«, fragte Robin ungläubig.

»Die Frau, der dieses Hausboot gehört, ist verrückt nach mir«, erklärte Raphael ihr milde. »Wir hatten was laufen, bevor ich eingefahren bin. Sie hat mich sogar im Knast besucht und alles. Im Moment ist sie in einer Entzugsklinik, total durchgeknallt, liebt das Drama. Hält sich für eine Künstlerin. Trinkt zu viel und geht mir tierisch auf den Sack, ganz ehrlich, aber sie fickt wie ein Karnickel. Sie hat sich nie die Mühe gemacht, mir den Schlüssel zu diesem Boot abzunehmen, und sie bewahrt den Schlüssel für das Haus ihrer Mami in der Schublade da drüben auf ...«

»Es war nicht zufällig das Haus ihrer Mutter, in das du das Helium, die Schläuche und Handschuhe hast liefern lassen?«, fragte Robin.

Raphael blinzelte. Auch das hatte er nicht erwartet.

»Du brauchtest eine Adresse, die nicht mit dir in Verbindung gebracht werden konnte. Du hast dafür gesorgt, dass die

Lieferung zugestellt würde, während die Bewohner außer Haus oder bei der Arbeit wären. Dann hast du dich dort eingeschlichen, hast den Lieferzettel eingesteckt und ...«

»... alles in Verkleidung abgeholt und es per Kurier zu meinem guten alten Dad schicken lassen, genau.«

»Und Flick hat die Lieferung angenommen, während Kinvara sichergestellt hat, dass dein Vater sie nicht findet.«

»Du hast es erfasst«, sagte Raphael. »Im Knast lernt man so manches. Gefälschte Ausweise, leer stehende Gebäude, Adressen, unter denen niemand wohnt – damit lässt sich eine Menge anfangen. Wenn du erst tot bist« – Robins Kopfhaut kribbelte –, »wird mich niemand mehr auch nur mit einer dieser Adressen in Verbindung bringen.«

»Die Besitzerin dieses Boots ...«

»... wird allen erzählen, dass sie mit mir auf Drummonds Toilette gevögelt hat, vergiss das nicht. Sie ist in meinem Team, Venetia«, sagte er leise. »Es sieht also nicht gut aus für dich, hm?«

»Das waren noch nicht alle Fehler.« Robins Mund war wie ausgetrocknet.

»Ach ja?«

»Du hast Flick erzählt, dein Vater benötige eine Putzfrau.«

»Ja, weil sie und Jimmy dadurch genauso unter Verdacht gerieten. Immerhin hat sie sich so unter einem Vorwand ins Haus meines Vaters geschmuggelt. Und nur darauf werden sich die Geschworenen konzentrieren – nicht darauf, woher sie überhaupt wusste, dass Dad eine Putzfrau suchte. Ich hab dir doch gesagt, sie wird als das schmutzige Flittchen mit unstillbarem Groll auf der Anklagebank sitzen. Das ist nur eine Lüge mehr.«

»Nur hat sie aus dem Haus deines Vaters ein Papier mitgehen lassen, auf dem er sich Notizen gemacht hatte, während er im Manoir aux Quat'Saisons anrief, um Kinvaras Story zu überprüfen. Ich hab es in Flicks Bad gefunden. Kinvara hatte ihn angelogen, sie hatte ihm erzählt, sie würde mit ihrer Mutter ins Hotel fahren. Normalerweise gibt das Hotel keine Informationen über seine Gäste heraus, aber er war immerhin Minister und hatte dort selbst schon übernachtet, darum hat er sie wohl irgendwie dazu bringen können, ihm zu bestätigen, dass der Wagen der Familie dort und wie schade es gewesen sei, dass Kinvaras Mutter es nicht geschafft habe. Er hat sich auf dem Zettel die Nummer von Kinvaras Suite notiert, wahrscheinlich nachdem er behauptet hatte, er habe die Zimmernummer vergessen, und versuchte, auch an die Rechnung zu kommen – weil er feststellen wollte, ob zwei Frühstücke oder Abendessen berechnet worden waren, schätze ich. Wenn die Staatsanwaltschaft dem Gericht diesen Zettel und die Rechnung vorlegt ...«

»*Du* hast den Zettel gefunden, stimmt's?«, fiel ihr Raphael ins Wort.

Robins Magen krampfte sich zusammen. Sie hatte Raphael nicht noch einen Grund geben wollen, sie umzubringen.

»Seit dem Abendessen im Nam Long Le Shaker wusste ich, dass ich dich unterschätzt hatte«, sagte Raphael. Es war kein Kompliment. Er hatte die Augen zusammengekniffen, und seine Nasenflügel bebten vor Zorn. »Du warst völlig am Ende, und trotzdem hast du eine unangenehme Frage nach der anderen gestellt. Du und dein Boss – ihr seid enger mit der Polizei verbandelt, als ich erwartet hätte. Und auch nachdem ich der *Mail* einen Tipp gegeben hatte ...«

»*Du* warst das!« Robin wunderte sich, warum sie nicht von selbst darauf gekommen war. »*Du* hast uns die Presse und Mitch Patterson auf den Hals gehetzt ...«

»Ich hab ihnen erzählt, du hättest für Strike deinen Mann verlassen, während er immer noch seine Ex vögelt. Izzy hatte das ausgeplaudert. Ich war der Meinung, dass man euch ein wenig einbremsen sollte, alle beide. Immerhin habt ihr ständig an meinem Alibi herumgepickt ... Aber wenn ich dich erst erschossen habe« – Robin lief es eiskalt über den Rücken –, »kann sich dein Boss noch so sehr den Mund fusselig reden, um der Presse zu erklären, wie dein Leichnam in den Kanal kam, oder? So was nennt man ›zwei Fliegen mit einer Klappe schlagen‹.«

»Selbst wenn ich tot bin«, sagte Robin so ruhig, wie sie nur konnte, »bleiben immer noch der Zettel deines Vaters und die Aussage des Hotels ...«

»Okay, dann wird er sich eben Gedanken gemacht haben, was Kinvara ohne ihn im Manoir zu suchen hatte«, unterbrach Raphael sie barsch. »Ich hab dir doch gesagt, dass mich dort niemand gesehen hat. Die blöde Kuh hat tatsächlich zwei Gläser Champagner bestellt, aber den hätte sie auch mit weiß Gott wem trinken können.«

»Du wirst keine Gelegenheit mehr haben, mit ihr zusammen eine neue Story auszuarbeiten.« Robins Mund war inzwischen knochentrocken. Die Zunge klebte ihr am Gaumen. Trotzdem versuchte sie, ruhig und selbstbewusst zu klingen. »Sie wurde festgenommen, und sie ist nicht so clever wie du – außerdem habt ihr noch mehr Fehler gemacht«, ergänzte Robin eilig, »dumme Fehler, weil ihr euren Plan überstürzt umsetzen musstet, nachdem ihr erkannt hattet, dass dein Vater etwas ahnt.«

»Und zwar?«

»Zum Beispiel, dass Kinvara die Amitriptylinverpackung mitgenommen hat, nachdem sie das Pulver in seinen Orangensaft gekippt hatte. Dass Kinvara vergessen hat, dir zu erzählen, wie man die Haustür richtig ins Schloss zieht. Und«, sagte Robin, der nur zu bewusst war, dass sie damit ihren allerletzten Trumpf ausspielte, »dass sie dir an der Paddington Station den Schlüssel zuspielen musste.«

In der wortlosen Stille, die sich zwischen ihnen ausbreitete, meinte Robin, Schritte zu hören. Sie traute sich nicht, aus dem Fenster zu sehen, weil sie Raphael in Sicherheit wiegen wollte, doch der wirkte nach ihrem letzten Satz zu schockiert, als dass er irgendwas wahrgenommen hätte.

»Mir den Schlüssel zuspielen musste?«, wiederholte Raphael mit schlecht gespielter Selbstsicherheit. »Wovon redest du?«

»Die Schlüssel zur Ebury Street sind Sicherheitsschlüssel und lassen sich nicht einfach nachmachen. Ihr hattet nur Zugriff auf einen einzigen Schlüssel: auf ihren. Denn bis dahin hatte dein Vater euch schon unter Verdacht und dafür gesorgt, dass du nicht an den Ersatzschlüssel kamst. Kinvara brauchte den Schlüssel, weil sie ins Haus musste, um den Orangensaft zu präparieren, und du brauchtest ihn, weil du am darauffolgenden Morgen in die Wohnung musstest, um ihn zu töten. Also habt ihr auf den letzten Drücker einen Plan ausgeheckt: Sie würde dir den Schlüssel an einem vorher vereinbarten Ort an der Paddington Station übergeben, wo du als Penner verkleidet gewartet hast. Ihr seid auf einem Überwachungsvideo zu sehen. Bei der Polizei werden die Bilder gerade vergrößert und nachbearbeitet. Sie nehmen an, dass du deine Sachen in aller Eile in irgendeinem Secondhandladen gekauft hast, was zu einer weiteren wertvollen Zeugenaussage führen könnte. Und sie sehen noch weitere Überwachungsvideos durch, um nachzuvollziehen, wohin du von Paddington aus gefahren bist.«

Fast eine volle Minute sagte Raphael kein Wort. Wieder zuckten seine Pupillen hin und her, als würde er nach einem Schlupfloch, einem Ausweg suchen.

»Das ist ... ungünstig«, sagte er schließlich. »Ich hatte keine Ahnung, dass ich von einer Kamera aufgenommen werde, während ich dort sitze.«

Robin meinte zu erkennen, wie ihn allmählich die Hoffnung verließ. Leise fuhr sie fort: »Kinvara fuhr nach Hause, so wie ihr es geplant hattet, rief von Oxfordshire aus Drummond an und hinterließ ihm eine Nachricht, dass sie das Collier schätzen lassen wollte, um eure Story glaubwürdiger zu machen. Früh am nächsten Morgen wurden Geraint Winn und Jimmy Knight von Prepaidhandys aus angerufen. Beide wurden aus dem Haus gelockt, höchstwahrscheinlich mit dem Versprechen weiterer Informationen über Chiswell. Das warst du – damit wolltest du sicherstellen, dass sie ebenfalls unter Verdacht gerieten, falls wegen Mordes ermittelt würde.«

»Kein Beweis«, murmelte Raphael wieder, doch sein Blick zuckte immer noch hin und her, als suchte er nach einem unsichtbaren Rettungsanker.

»Du bist in aller Früh in das Haus deines Vaters geschlichen und hast damit gerechnet, dass er nach dem morgendlichen Orangensaft mehr oder weniger im Koma liegen würde, aber ...«

»Zuerst *war* er auch völlig weggetreten«, sagte Raphael. Sein Blick war glasig geworden, und Robin ahnte, dass ihm in diesem Moment wieder vor Augen stand, was passiert war; dass er gerade alles noch einmal durchlebte. »Er saß zusammengesackt und benebelt auf dem Sofa. Ich lief an ihm vorbei in die Küche, holte mir die Schachtel mit meinen Spielsachen ...«

Für einen Sekundenbruchteil sah Robin wieder den Kopf unter der Vakuumfolie, den grauen, gegen das Gesicht gepressten Haarschopf, unter dem nur ein klaffendes schwarzes Loch zu sehen gewesen war. Das hatte Raphael getan – Raphael, der in diesem Moment mit einer Waffe auf ihr Gesicht zielte.

»... aber noch während ich alles vorbereitet habe, schlägt der Alte die Augen auf, sieht, wie ich die Schläuche an die Heliumflasche anschließe, und erwacht zum Leben. Er wuchtet sich aus dem Sessel, reißt Freddies Säbel von der Wand und will damit auf mich los, aber ich kann ihn ihm gerade noch entreißen. Dabei verbiegt sich die Klinge. Ich drück ihn in den Sessel – er wehrt sich immer noch –, und ...« Raphael spielte mit einer Geste nach, wie er die Plastiktüte über den Kopf seines Vaters gezogen hatte. »*Caput.*«

»Und dann«, krächzte Robin, »hast du von seinem Telefon aus all die Anrufe erledigt, die dein Alibi absichern sollten. Natürlich hatte Kinvara dir seine PIN verraten. Anschließend bist du verschwunden, allerdings hast du dabei die Tür nicht richtig ins Schloss gezogen.«

Robin wusste nicht, ob sie sich die Bewegung hinter dem Bullauge linker Hand nur eingebildet hatte. Sie sah weiter ausschließlich Raphael und die leicht schwankende Waffe an.

»Das sind doch alles nur Indizien.« Raphaels Blick war immer noch glasig. »Flick und Francesca hätten beide ein Motiv, zu lügen und mir damit schaden zu wollen ... Zu Francesca war ich nicht besonders nett ... Ich hab immer noch eine Chance ... Ich könnte ...«

»Du hast keine Chance mehr, Raff«, entgegnete Robin. »Kinvara wird nicht mehr lang für dich lügen. Sobald sie die Wahrheit über die ›Trauernde Stute‹ erfährt, zählt sie eins und eins zusammen. Ich glaube, *du* hast darauf bestanden, dass sie es ins Wohnzimmer hängt, damit es in dem feuchten, leeren Zimmer keinen Schaden nimmt. Wie hast du sie dazu gebracht? Hast du ihr irgendwelchen Müll erzählt, dass es dich an ihre tote Stute erinnern würde? Sie wird begreifen, dass du die Affäre erst wieder hast aufleben lassen, nachdem du vom wahren Wert des Bildes erfahren hattest, und dass du es zuvor durchaus ernst meintest, als du mit ihr Schluss gemacht und ihr all die schrecklichen Dinge an den Kopf geworfen hast. Und was für dich das Schlimmste ist«, ergänzte Robin, »sie wird begreifen, dass du sie – die Frau, in die du angeblich so verliebt warst – allein und im Nachthemd in die Dunkelheit hinausgeschickt hast, als ihr zwei Eindringlinge auf dem Anwesen gehört habt – und zwar echte Eindringlinge –, während du im Haus geblieben bist, um das Bild zu bewachen ...«

»*Es reicht!*«, brüllte er plötzlich und hob die Waffe erneut nach oben, bis die Mündung wieder gegen ihre Stirn drückte. »Hör auf zu *quatschen*, okay?«

Robin saß wie versteinert da. Sie versuchte, sich vorzustellen, wie es wäre, wenn er abdrückte. Er hatte behauptet, er würde sie durch ein Kissen hindurch erschießen, um das Geräusch zu dämpfen, aber vielleicht hatte er das mittlerweile vergessen, vielleicht würde er gleich vollends die Beherrschung verlieren.

»Weißt du, wie es im Knast ist?«, fragte er.

Sie versuchte noch, Nein zu sagen, aber aus ihrem Mund kam kein Mucks.

»Dieser Lärm«, flüsterte er. »Dieser Gestank. Diese hässlichen, dummen Menschen – wie Tiere. Manche sind sogar schlimmer als Tiere. Ich hatte keine Ahnung, dass es solche Menschen gibt. Die Zellen, in denen sie dich essen und kacken lassen – immer in Habachtstellung, immer auf der Hut vor einer Attacke. Dieses ständige Scheppern, das Schreien, diese absolute Trostlosigkeit. Lieber lass ich mich lebendig begraben. Ich geh auf keinen Fall noch mal da rein ... Ich hätte den Traum leben können, ich wäre frei gewesen, wirklich frei. Nie wieder hätte ich vor einem Arschloch wie Drummond buckeln müssen. Auf Capri gibt's eine Villa, auf die ich schon lang ein Auge geworfen habe, mit Blick auf den Golf von Neapel. Dazu ein nettes Apartment in London ... ein neues Auto, sobald ich den Führerschein zurückbekommen hätte ... Stell dir vor, durch die Straßen zu spazieren und dabei zu wissen, dass du dir alles kaufen, dass du alles tun kannst. Ein Traumleben ... Nur ein paar Kleinigkeiten hätten noch geregelt werden müssen, dann wäre alles geritzt gewesen ... Flick wäre kein Problem gewesen. Tief in der Nacht, dunkle Straße, ein Messer zwischen die Rippen, Opfer eines Überfalls. Und Kinvara ... Erst hätte sie ein Testament zu meinen Gunsten aufgesetzt, und dann, nach ein paar Jahren, hätte sie sich bei einem Ausritt auf einem nervösen Pferd den Hals gebrochen oder wäre in Italien im Meer ertrunken ... Sie ist eine miserable Schwimmerin ... Und dann hätten mich alle am Arsch lecken können, okay? Die Chiswells, diese Hure von Mutter ... Ich hätte keinen von ihnen mehr gebraucht. Ich hätte alles gehabt ... und jetzt ist alles futsch.«

Selbst unter seiner dunklen Haut konnte sie erkennen, wie aschfahl er geworden war, wie tief im matten Licht die dunklen Schatten unter seinen Augen lagen.

»Alles ist futsch. Und weißt du was, Venetia? Ich bin eben zu dem Schluss gekommen, dass ich dich nicht ausstehen kann. Und darum werde ich dir das verfluchte Hirn aus dem Schädel blasen. Ich glaub, ich würde gern sehen, wie dein verfluchter Kopf explodiert, bevor ich selbst ...«

»Raff ...«

»*Raff ... Raff ...*«, äffte er sie blökend nach. »Wieso glaubt eigentlich jede Frau, sie wäre etwas Besonderes? Ihr seid nichts Besonderes, keine von euch.« Er griff nach dem Kissen an seiner Seite. »Wir gehen gemeinsam. Ich würde zu gern mit einem sexy Mädchen im Arm in der Hölle auftauchen ...«

Holz splitterte, dann krachte die Tür auf. Raphael wirbelte herum und zielte auf die große Gestalt, die durch die Tür gerumpelt kam. Robin hechtete über den Tisch und wollte ihn am Arm packen, doch Raphael schlug sie mit dem Ellbogen weg, und sie spürte, wie Blut aus ihrer aufgeplatzten Lippe spritzte.

»Raff, nein, nicht – *nicht*!«

Er war aufgesprungen, stand jetzt vornübergebeugt in der engen Kajüte und hatte sich den Lauf des Revolvers in den

Mund geschoben. Strike, der mit der Schulter durch die Tür gekracht war, stand keuchend vor ihm, und hinter Strike war mittlerweile auch Wardle zu sehen.

»Na los, mach schon, du feiger kleiner Scheißer«, keuchte Strike.

Robin wollte protestieren, brachte aber keinen Laut heraus. Dann war ein leises metallisches Klicken zu hören.

»Hab auf Chiswell House die Patronen rausgenommen, du blödes Arschloch.« Strike hinkte vorwärts und schlug den Revolver aus Raphaels Mund. »Du bist nicht halb so clever, wie du dachtest.«

In Robins Ohren gellte es. Raphael spie Flüche auf Englisch und Italienisch aus, kreischte Drohungen und schlug und trat um sich, während Strike ihn packte und auf dem Tisch fixierte, damit Wardle ihm Handschellen anlegen konnte. Währenddessen taumelte Robin wie in Trance rückwärts von der Gruppe weg in die Kochecke, wo Töpfe und Pfannen herabhingen und eine geradezu absurd gewöhnliche Küchenrolle neben der winzigen Spüle stand. Robin spürte schon jetzt, wie ihre Lippe nach Raphaels Schlag anschwoll. Sie riss ein Stück Küchenpapier von der Rolle, hielt es unter kaltes Wasser und presste es sich dann auf die blutende Lippe, während sie durch das Bullauge beobachtete, wie uniformierte Polizisten durch das schwarze Tor gerannt kamen und die Waffe sowie den sich wehrenden Raphael entgegennahmen, den Wardle bis dahin ans Ufer gezerrt hatte.

Sie war eben mit einer Waffe bedroht worden. Nichts kam ihr noch real vor. Inzwischen trampelten Polizisten auf den Lastkahn und wieder an Land, aber das war nichts als Lärm und Echo, und dann sah sie wieder, dass Strike neben ihr stand, der ihr unter all den Menschen als Einziger real erschien.

»Woher wusstest du …?«, fragte sie mit belegter Stimme durch das kalte Papierknäuel hindurch.

»Fünf Minuten nachdem du weg warst, ist bei mir der Groschen gefallen. Als du mir die angeblichen Nachrichten von Matthew gezeigt hast, waren die letzten drei Ziffern der Nummer dieselben wie von einem der Prepaidhandys. Ich bin dir sofort nach, aber du warst schon weg. Layborn hat Streifenwagen losgeschickt, und ich hab dich seither nonstop angerufen. Warum bist du denn nicht rangegangen?«

»Mein Handy lag stumm geschaltet in meiner Tasche. Und jetzt liegt es im Kanal.«

Sie verzehrte sich nach einem starken Drink. Vielleicht, dachte sie versonnen, gab es ja wirklich eine Bar irgendwo hier in der Nähe ... Aber natürlich würde man sie jetzt nicht einfach in eine Bar gehen lassen. Vor ihr lagen weitere endlose Stunden im New Scotland Yard. Sie würden dort eine ausführliche Aussage von ihr brauchen. Robin würde die vergangene Stunde in allen Einzelheiten wieder durchleben müssen. Sie fühlte sich zutiefst erschöpft.

»Aber woher hast du gewusst, dass ich hier bin?«

»Hab Izzy angerufen und gefragt, ob Raphael irgendjemanden kennt, der in der Nähe dieser Adresse wohnt, zu der er dich gelockt hatte. Sie hat mir erzählt, er hat hier irgend so eine reiche Kifferfreundin mit Hausboot. So langsam gingen ihm wohl die Verstecke aus. Immerhin observiert die Polizei seit zwei Tagen seine Wohnung.«

»Und du wusstest, dass die Waffe leer war?«

»Ich hab *gehofft*, dass sie leer wäre«, korrigierte er sie. »Er hätte sie natürlich auch überprüfen und nachladen können.« Er wühlte in seiner Tasche und zündete sich mit leicht zittrigen Fingern eine Zigarette an. Nachdem er einmal tief inhaliert hatte, sagte er: »Das war verdammt geschickt, ihn so lange am Reden zu halten, Robin. Aber wenn du das nächste Mal einen Anruf von einer unbekannten Nummer bekommst, solltest du verflucht noch mal zurückrufen und dich vergewissern, mit wem du es zu tun hast. Und erzähl nie, *nie* wieder einem Verdächtigen etwas aus deinem Privatleben.«

»Wäre es okay«, unterbrach sie ihn, ohne das kalte Küchentuch von ihrer geschwollenen, blutenden Lippe zu nehmen, »wenn ich mich *zwei Minuten* darüber freuen dürfte, dass ich nicht tot bin, bevor du weitermachst?«

Strike stieß eine Rauchwolke aus.

»Ja, ist nur fair«, sagte er und zog sie ungelenk in eine einarmige Umarmung.

EINEN MONAT SPÄTER

EPILOG

Deine Vergangenheit ist tot, Rebekka. Sie hat keine Gewalt mehr über Dich, keinen Zusammenhang mehr mit Dir – so, wie Du jetzt bist.

HENRIK IBSEN, *ROSMERSHOLM*

Die Paralympischen Spiele waren zu Ende gegangen, und der September gab sein Bestes, um die Erinnerung an die langen, flaggengeschmückten Sommertage wegzuspülen, während derer London wochenlang in der Aufmerksamkeit der Welt gebadet hatte. Hinter den hohen Fenstern der Cheyne Walk Brasserie trommelte der Regen gegen Serge Gainsbourg an, der aus verborgenen Lautsprechern »Black Trombone« säuselte.

Strike und Robin hatten sich gerade gesetzt, als Izzy, die das Restaurant aufgrund der Nähe zu ihrer Wohnung vorgeschlagen hatte, in einer leicht zerzausten Kombination aus flatterndem Burberry-Trenchcoat und durchnässtem Regenschirm hereinschneite, wobei Letzterer an der Tür erst einige Zeit brauchte, ehe er sich zusammenklappen ließ.

Strike hatte nur ein einziges Mal mit ihrer Klientin gesprochen, seit der Fall gelöst war, und da auch nur kurz, weil Izzy zu schockiert und zu aufgelöst gewesen war, um viel sagen zu können. Heute trafen sie sich auf Strikes Bitte hin, weil im Fall Chiswell noch ein offener Punkt zu klären war. Als sie sich am Telefon zum Mittagessen verabredet hatten, hatte Izzy Strike erzählt, dass sie seit Raphaels Verhaftung kaum das Haus verlassen habe. »Ich kann einfach nicht unter Leute, es ist alles so schrecklich.«

»Wie geht es euch?«, fragte sie ängstlich, als Strike sich hinter dem weiß gedeckten Tisch hervorgearbeitet hatte, um eine regennasse Umarmung über sich ergehen zu lassen. »Ach, Robin, du Arme – es tut mir ja so leid!«, ergänzte sie und eilte dann um den Tisch herum, um Robin ebenfalls zu umarmen, ehe sie sich zerstreut mit einem »Oh ja, bitte, danke« zu der ernst blickenden Bedienung umdrehte und sich Mantel und Schirm abnehmen ließ. Sie hatte sich noch nicht ganz gesetzt, als sie fortfuhr: »Ich hab mir geschworen, dass ich nicht weine«, nur um sich sofort eine Serviette vom Tisch zu krallen und sie sich auf die Tränenkanäle zu drücken. »Verzeihung ... Es geht gar nicht anders ... Ich gebe mir *alle Mühe*, nicht peinlich zu sein ...« Sie räusperte sich und setzte sich gerade hin. »Aber es war so ein Schock ...«, legte sie gehaucht nach.

»Natürlich«, sagte Robin, und Izzy dankte es ihr mit einem tränenfeuchten Lächeln.

»*C'est l'automne de ma vie*«, sang Gainsbourg. »*Plus personne ne m'étonne ...*«

»Habt ihr gut hergefunden?«, hangelte Izzy sich auf konventionelles Konversationsgebiet zurück. »Ganz hübsch hier, oder?«, fragte sie und lud sie damit ein, das provenzalische Restaurant zu bewundern, das ein ähnliches Flair wie Izzys Wohnung ausstrahlte, wie Strike beim Hereinkommen gedacht hatte, wenn auch ins Französische übersetzt. Es herrschte der gleiche konservative Mix aus Tradition und Moderne: Schwarz-Weiß-Fotos an den strahlend weißen Wänden, scharlachrote und türkisfarbene Lederstühle und Bänke, dazu altmodische Messing-Kristallleuchter mit rosafarbenen Lampenschirmen.

Die Bedienung kehrte mit den Speisekarten zurück und fragte nach ihren Getränkewünschen.

»Sollen wir noch warten?«, fragte Izzy und deutete auf den freien Platz.

»Er verspätet sich«, sagte Strike, der dringend ein Bier brauchte. »Wir könnten uns aber schon mal was zu trinken bestellen.«

Schließlich gab es nichts mehr, was sie aus Izzy hätten herauskitzeln müssen. Heute ging es nur mehr um Erklärungen. Verlegenes Schweigen setzte ein, nachdem die Bedienung wieder gegangen war.

»Ach Gott, ich weiß gar nicht, ob du es schon gehört hast«, sagte Izzy plötzlich zu Strike. »Charlotte wurde ins Krankenhaus eingewiesen.«

»Wirklich?«, fragte er ohne großes Interesse.

»Ja, sie braucht Bettruhe. Irgendwas war los – es ging wohl Fruchtwasser ab, glaube ich ... Jedenfalls muss sie jetzt unter Beobachtung bleiben.«

Strike nickte ausdruckslos. Insgeheim beschämt, weil sie gern mehr erfahren hätte, hielt Robin den Mund.

Dann wurden die Getränke serviert. Izzy, die zu aufgedreht wirkte, um Strikes leidenschaftslose Reaktion auf ein Thema von allgemeinem Interesse – wie sie meinte – auch nur zu bemerken, fuhr fort: »Ich hab gehört, Jago ist an die Decke gegangen, als er das von dir und Charlotte in der Zeitung lesen musste. Wahrscheinlich ist er nur froh, wenn sie irgendwo steckt, wo er sie im Auge ...«

Erst jetzt fing Izzy etwas in Strikes Blick auf, was sie zum Schweigen brachte. Sie nahm einen großen Schluck Wein, sah sich kurz um, ob jemand an den wenigen besetzten Tischen sie belauschte, und fragte dann: »Ich nehme an, die Polizei hält euch auf dem Laufenden? Ihr wisst, dass Kinvara alles gestanden hat?«

»Ja«, sagte Strike, »haben wir gehört.«

Izzy schüttelte den Kopf, und wieder stiegen ihr Tränen in

die Augen. »Es war so grässlich! All meine Freunde wissen gar nicht, was sie sagen sollen ... Ich kann es selbst auch immer noch gar nicht glauben. Es ist aber auch wirklich unfassbar ... *Raff* ... Ich wollte ihn sogar besuchen! Ich wollte ihn *unbedingt* besuchen – aber er hat sich geweigert. Er will niemanden sehen.« Sie nahm noch einen Schluck Wein. »Er muss wahnsinnig geworden sein oder so. Er muss doch krank sein, oder? So was zu tun? Muss man da nicht geisteskrank sein?«

Unwillkürlich musste Robin wieder an den dunklen Lastkahn denken, auf dem Raphael geradezu weihevoll von jenem Leben gesprochen hatte, das er sich erträumte, von der Villa auf Capri, dem Luxusapartment in London und seinem neuen Wagen, sobald die nach seinem Unfall mit der jungen Mutter verhängte Führerscheinsperre erst aufgehoben wäre. Sie musste daran denken, wie präzise er den Tod seines Vaters geplant hatte, an die wenigen Fehler, die er einzig und allein aus Hast bei der Umsetzung begangen hatte. Sie sah sein Gesicht über dem Lauf des Revolvers vor sich, als er sie gefragt hatte, weshalb sämtliche Frauen glaubten, sie seien etwas Besonderes: seine Mutter, die er als Hure bezeichnet hatte, die Stiefmutter, die er verführt hatte, Robin, die er hatte umbringen wollen, damit er nicht allein zur Hölle fahren müsste. War er in irgendeiner Hinsicht so krank, dass man ihn in die Psychiatrie einweisen würde statt ins Gefängnis, vor dem es ihm so sehr graute? Oder war sein Traum vom Vatermord in der düsteren Halbwelt zwischen Krankheit und unverbesserlicher Bösartigkeit geboren worden?

»... hatte eine schreckliche Kindheit«, sagte Izzy eben und dann, obwohl weder Strike noch Robin ihr widersprochen hatten, »die hatte er *wirklich*, wisst ihr, ganz ehrlich. Ich will nicht schlecht von Papa reden, aber Freddie war sein Ein und Alles. Papa war nicht nett zu Raff und dem Orca – ich meine Ornella, seine Mutter ... Na ja, wenn man Torks fragt, ist sie im

Grunde eine bessere Edelnutte. Wenn Raff nicht im Internat war, schleifte sie ihn gnadenlos mit sich herum, ständig auf der Jagd nach neuen Männern.«

»Es gibt schlimmere Kindheiten«, stellte Strike fest.

Robin, die gerade gedacht hatte, dass Raphaels Leben mit seiner Mutter Ähnlichkeit mit jenen Fragmenten hatte, die sie aus Strikes Kindheit kannte, war dennoch überrascht, dass er seine Ansicht so unverblümt äußerte.

»Viele Menschen müssen Schlimmeres ertragen, als ein Partygirl zur Mutter zu haben«, sagte er, »und die begehen deswegen noch lang keinen Mord. Sieh dir nur Billy Knight an. Der hatte den Großteil seiner Kindheit überhaupt keine Mutter, dafür einen brutalen Trinker zum Vater, der ihn verprügelt und vernachlässigt hat, sodass er eine schwere psychische Störung davontrug. Trotzdem hat er nie jemandem ein Haar gekrümmt. Als er zu mir ins Büro kam, steckte er gerade inmitten einer schweren Psychose, und trotzdem wollte er nur Gerechtigkeit für jemand anderen.«

»Ja«, erwiderte Izzy eilig, »ja, das stimmt natürlich.«

Trotzdem hatte Robin den Eindruck, dass Izzy nicht einmal jetzt Raphaels und Billys Qualen auf eine Stufe stellen mochte. Mit Ersterem hätte sie ihr Leben lang mehr Mitleid als mit dem Letzteren, denn ein Chiswell war nun mal von Natur aus etwas anderes als ein mittelloser Junge, der in den Tiefen eines Waldes, wo die Angestellten des Anwesens nach primitiven Gesetzen hausten, Prügel bezog.

»Da kommt er«, sagte Strike.

Billy Knight hatte eben das Restaurant betreten. In seinem kurz geschorenen Haar glitzerten Regentropfen. Er war immer noch zu dünn, aber sein Gesicht war inzwischen runder, sein Äußeres und seine Kleidung sahen gepflegter aus. Er war eine Woche zuvor aus dem Krankenhaus entlassen worden, und zurzeit wohnte er in Jimmys Wohnung an der Charlemont Road.

»Hallo«, sagte er zu Strike. »Tut mir leid, dass es so lang gedauert hat. Die U-Bahn hat länger gebraucht, als ich dachte.«

»Kein Problem«, sagten beide Frauen gleichzeitig.

»Izzy.« Billy setzte sich neben sie. »Wir haben uns lang nicht mehr gesehen.«

»Allerdings«, sagte Izzy ein wenig zu herzlich. »Ist eine ganze Weile her, was?«

Robin streckte die Hand über den Tisch. »Hi, Billy, ich bin Robin.«

»Hallo«, sagte er noch mal und gab ihr die Hand.

»Wie wär's mit einem Glas Wein, Billy?«, bot Izzy ihm an. »Oder einem Bier?«

»Ich darf nicht trinken – die Medikamente«, erklärte er.

»Ach so – nein, natürlich nicht«, erwiderte Izzy verlegen. »Ähm ... Na, dann nimm ein Wasser. Und hier ist die Speisekarte ... Wir haben noch nicht bestellt ...«

Nachdem die Bedienung gekommen und wieder gegangen war, wandte sich Strike an Billy. »Ich habe Ihnen ein Versprechen gegeben, als ich Sie im Krankenhaus besucht habe. Ich habe Ihnen versprochen, dass ich herausfinde, was es mit dem Kind auf sich hat, das damals vor Ihren Augen erwürgt wurde.«

»Genau«, sagte Billy neugierig. Er hatte die lange Reise von East Ham nach Chelsea angetreten, weil er gehofft hatte, endlich die Antwort auf dieses zwanzig Jahre alte Mysterium zu erhalten. »Sie haben am Telefon gesagt, Sie haben alles aufgeklärt.«

»Richtig – aber ich will, dass Sie es von jemandem hören, der Bescheid weiß, der damals dabei war, damit Sie endlich die ganze Geschichte erfahren.«

»Du?« Billy sah Izzy mit großen Augen an. »Du warst *dabei*? Oben beim Pferd?«

»Nein, nein«, wehrte Izzy hastig ab. »Das ist alles während der Schulferien passiert.« Sie nahm einen ordentlichen Schluck

Wein, stellte ihr Glas wieder ab und holte tief Luft. »Fizz und ich waren damals beide bei Schulfreundinnen. Aber ich ... ich hab hinterher gehört, was passiert war ... Also, es war so ... Freddie war von der Uni heimgekommen und hatte ein paar Freunde mitgebracht. Papa hat sie allein zu Hause gelassen, weil er in London an irgendeinem alten Regimentsdinner teilnehmen musste ... Freddie konnte ... Also, ganz offen gesagt konnte er schrecklich ungezogen sein. Erst holte er flaschenweise teuren Wein aus dem Keller, und als alle betrunken waren, meinte eins der Mädchen, sie würde ausprobieren wollen, ob es stimmt, was man über das Weiße Pferd sagt ... Du weißt schon«, sagte sie zu Billy, der in Uffington aufgewachsen war. »Wenn du dich im Auge dreimal um dich selbst drehst und dir dabei etwas wünschst ...«

»Ja.« Billy nickte und sah sie weiter mit riesigen, gehetzten Augen an.

»Also haben sich alle in der Dunkelheit auf den Weg gemacht. Aber wie nicht anders zu erwarten, wollte Freddie ... Er war *wirklich* ungezogen ... Also, unterwegs haben sie einen kleinen Abstecher in den Wald zu *eurem* Haus gemacht. Steda Cottage. Weil Freddie noch ... ähm ... Marihuana besorgen wollte, das dein Bruder damals angebaut hat, nicht wahr?«

»Ja«, sagte Billy wieder.

»Freddie wollte etwas besorgen, damit sie oben am Pferd etwas zu rauchen hätten, während die Mädchen ihre Wünsche aufsagten. Natürlich hätten sie nicht fahren dürfen, sie waren immerhin betrunken. Also ... Als sie zu eurem Haus kamen, war euer Vater nicht da ...«

»Er war in der Scheune«, fiel Billy ihr plötzlich ins Wort. »Er arbeitete an ... Du weißt schon.«

Durch ihre Schilderung ausgelöst, schien sich die Erinnerung in sein Gedächtnis heraufgedrängt zu haben, und Strike fiel auf, wie Billy mit der linken seine rechte Hand umklammerte, als wollte er das neuerliche Einsetzen des Ticks unterdrücken, der anscheinend eine Art Beschwörung darstellte, um Böses abzuwehren. Der Regen peitschte immer noch gegen die Restaurantfenster, und Serge Gainsbourg sang: »*Oh, je voudrais tant que tu te souviennes ...*«

»Also ...« Izzy holte wieder tief Luft. »So wie ich es gehört habe, von einem der Mädchen, die damals dabei waren ... Ich möchte lieber nicht sagen, wer es war«, ergänzte sie, als müsste sie sich gegenüber Strike und Robin rechtfertigen, »das ist schon so lange her, und das alles hat sie schwer traumatisiert ... Also, Freddie und seine Freunde haben in der Hütte einen solchen Lärm gemacht, dass du davon aufgewacht bist, Billy. Es war ein ziemliches Gedränge, und Jimmy drehte allen noch schnell einen Joint, bevor sie aufbrachen ... Jedenfalls ...« Izzy musste schwer schlucken. »Jedenfalls hattest du Hunger, und Jimmy ... oder vielleicht« – sie verzog das Gesicht –, »vielleicht war es auch Freddie, ich weiß nicht ... Jedenfalls fanden sie es lustig, ein bisschen von dem Zeug, das sie rauchen wollten, in deinen Joghurt zu bröseln.«

Im Geist sah Robin Freddies Freunde vor sich, von denen einige womöglich den exotischen Schauer genossen, mit einem Jungen aus dem Wald in dieser dunklen Arbeiterhütte zu sitzen und einen Joint zu rauchen, während andere – wie das Mädchen, das Izzy die Geschichte erzählt hatte – sich womöglich gruselten, aber noch zu jung waren und zu viel Angst vor ihren aufgekratzten Altersgenossen hatten, als dass sie eingeschritten wären. Inzwischen wusste Robin, dass die Fremden, die dem fünfjährigen Billy wie Erwachsene vorgekommen waren, alle neunzehn bis höchstens einundzwanzig gewesen waren.

»Ja«, sagte Billy leise. »Ich wusste, dass sie mir was gegeben hatten.«

»Na, und dann wollte Jimmy mit den anderen auf den Hügel. Ich hab gehört, dass er sich in eins der Mädchen verguckt hatte«, erklärte Izzy fast prüde. »Nur ging es dir nicht besonders, nachdem sie dir diesen Joghurt gegeben hatten, und in dem Zustand konnte er dich ja wohl nicht allein lassen, also hat er dich mitgenommen. Sie sind in ein paar Land Rover geklettert, und dann ging es zum Dragon Hill.«

»Aber ... Nein, das stimmt nicht«, widersprach Billy und verzog gequält das Gesicht. »Was ist denn mit dem kleinen Mädchen? Das war auch mit dabei. Das saß mit uns im Auto. Ich weiß noch, wie es aussteigen musste, als wir am Hügel ankamen. Es hat geweint und wollte zu seiner Mama.«

»Das ... Das war kein Mädchen«, antwortete Izzy. »Das war Freddies ... Also, das war seine Art von Humor ...«

»Da *war* ein Mädchen. Sie haben es mit einem Mädchennamen angesprochen«, sagte Billy. »Das weiß ich genau.«

»Ja«, pflichtete Izzy ihm zerknirscht bei. »Raphaela.«

»Genau!«, rief Billy so laut, dass sich mehrere Köpfe im Restaurant nach ihnen umdrehten. »Genau!«, wiederholte er flüsternd und riss die Augen weit auf. »Raphaela, so haben sie es genannt ...«

»Das war kein Mädchen, Billy ... Das war mein kleiner ... Es war mein kleiner ...« Izzy presste sich erneut die Serviette auf die Augen. »Es tut mir *so* leid ... Das war mein kleiner Bruder Raphael. Freddie und seine Freunde sollten eigentlich auf ihn aufpassen, während mein Vater unterwegs war. Raphael war als kleines Kind ganz schrecklich süß. Ich nehme an, er war ebenfalls von dem Krach aufgewacht, und die Mädchen wollten ihn nicht allein zu Hause lassen und haben darauf bestanden, ihn mitzunehmen. Freddie wollte das nicht. Er hätte Raphael lieber sich selbst überlassen, aber die Mädchen hatten versprochen, dass sie sich um Raff kümmern würden. Aber bis sie dort oben waren, war Freddie schrecklich betrunken und bekifft und wurde richtig sauer, als Raff nicht aufhören wollte zu weinen. Er meinte, er würde alles kaputtmachen, und dann ...«

»Hat er ihn erwürgt.« Billy sah sie in panischer Angst an. »Es ist wirklich passiert, er hat ihn umgebracht ...«

»Nein, nein, hat er nicht!«, ging Izzy verzweifelt dazwischen. »Billy, du weißt, dass er ihn nicht umgebracht hat – du *musst* dich doch noch an Raff erinnern! Er kam uns jeden Sommer besuchen. Er ist nicht gestorben.«

»Freddie legte die Hände um Raphaels Hals«, mischte sich Strike ein, »und drückte zu, bis der Kleine bewusstlos war. Raphael hat sich tatsächlich in die Hose gemacht. Und er ist zusammengebrochen. Aber er ist nicht gestorben.«

Billys Linke umklammerte immer noch seine Rechte. »Ich hab das *wirklich* gesehen.«

»Ja, haben Sie«, bestätigte Strike, »und alles in allem waren Sie ein verflucht guter Zeuge.«

Die Bedienung kehrte mit den Bestellungen zurück. Nachdem alle etwas zu essen hatten – Strike ein Rib-Eye-Steak mit Pommes, die beiden Frauen Quinoasalate und Billy eine Suppe, was offenbar das Äußerste war, was er zu bestellen wagte –, fuhr Izzy mit ihrer Geschichte fort.

»Als ich von unseren Freunden zurückkam, hat Raff mir erzählt, was passiert war. Er war so klein damals, so verstört, dass ich zu Papa ging und es ihm erzählen wollte, aber Papa wollte mir einfach nicht zuhören und schickte mich weg. Meinte, Raphael sei ein Quengler und ... und eine Heulsuse ... Wenn ich jetzt daran denke«, sagte sie zu Strike und Robin, und wieder traten ihr Tränen in die Augen, »wenn ich mir das heute vorstelle ... wie viel Hass Raphael nach alledem empfunden haben muss ...«

»Ja, Raphaels Verteidiger werden wahrscheinlich versuchen, das anzubringen«, sagte Strike knapp und nahm sein Steak in Angriff. »Aber es bleibt dabei, Izzy, dass er den geheimen Wunsch, euren Vater tot zu sehen, erst in die Tat umgesetzt hat, nachdem er herausgefunden hatte, dass oben ein Stubbs hing.«

»*Möglicherweise* ein Stubbs«, korrigierte Izzy ihn, zog ein Taschentuch aus ihrem Ärmel und schnäuzte sich. »Henry Drummond hält ihn für eine Kopie. Der Mann von Christie's ist ganz optimistisch, aber es gibt da noch einen Stubbs-Aficionado aus den Staaten, der extra eingeflogen kommt, um das Bild zu untersuchen, und der jetzt schon meint, das Bild stimme nicht mit den Notizen überein, die Stubbs selbst zu dem verloren gegangenen Werk gemacht hat ... Aber ganz ehrlich« – sie schüttelte den Kopf –, »das ist mir auch vollkommen egal. Was dieses Bild ausgelöst hat, was es mit unserer Familie angerichtet hat ... Meinetwegen soll es in der Tonne landen. Es gibt wichtigere Dinge«, erklärte Izzy heiser, »als Geld.«

Strike hatte den Mund voll Steak und damit einen guten Grund, dazu nichts zu sagen. Trotzdem fragte er sich, ob Izzy auch nur einen Gedanken daran verschwendet hatte, dass der dünne Mann neben ihr zusammen mit seinem Bruder in einer winzigen Zweizimmerwohnung in East Ham lebte und Billy genau genommen noch Geld aus dem Verkauf des letzten Galgensets zustand. Vielleicht würde sich die Familie Chiswell ja mit dem Gedanken tragen, diese Schulden zu begleichen, wenn der Stubbs erst verkauft wäre.

Billy aß seine Suppe wie in Trance und hielt den Blick in die Ferne gerichtet. Robin empfand seine tief gedankenversunkene Haltung als friedlich, beinahe glücklich.

»Dann hab ich das wohl durcheinandergebracht, oder?«, fragte Billy schließlich. Er sprach mittlerweile mit dem Selbstbewusstsein eines Mannes, der wieder fest in der Realität verankert war. »Ich hab mal gesehen, wie dort ein Pferd vergraben wurde, und mir im Nachhinein gedacht, es wäre das Kind gewesen. Ich hab das alles durcheinandergebracht.«

»Tja«, sagte Strike, »ich glaube fast, es könnte tatsächlich noch ein bisschen mehr an der Sache dran gewesen sein. Sie wussten, dass der Mann, der das Kind gewürgt hatte, ein und derselbe war, der zusammen mit Ihrem Vater auch schon mal ein Pferd dort oben vergraben hatte. Ich nehme an, Sie haben Freddie nicht oft zu Gesicht bekommen. Er war viel älter als Sie, darum konnten Sie ihn nicht zuordnen ... und ich glaube, Ihr Gedächtnis hat vieles ausgeblendet, was mit dem toten Pferd zu tun hatte ... Sie haben zwei grausame Akte zu einem zusammengefasst, die beide von ein und derselben Person begangen worden waren.«

»Was genau war denn jetzt eigentlich«, fragte Billy jetzt wieder angespannter, »mit diesem Pferd?«

»Erinnerst du dich nicht mehr an Spotty?«, fragte Izzy.

Verwundert legte Billy den Löffel ab und hielt die flache Hand knapp einen Meter über den Boden.

»Dieses kleine ... Sicher ... Hat das nicht immer auf dem Krocket-Rasen gegrast?«

»Sie war ein *uraltes* Miniaturpferd, ein Apfelschimmel«, erklärte Izzy Strike und Robin. »Sie war das letzte von Tinkys Pferden. Tinky hatte einen schrecklichen Kitschgeschmack, sogar wenn es um Pferde ging ...«

(... nicht dass das jemandem aufgefallen wäre, und warum nicht? Weil sie alle so verflucht arrogante Snobs sind ...)

»... aber Spotty war ganz schrecklich süß«, schwärmte Izzy. »Sie ist dir nachgelaufen wie ein Hund, wenn du im Garten warst ... Ich glaube nicht, dass Freddie das *absichtlich* getan hat ... aber ...« Sie schien ihren eigenen Worten nicht recht zu glauben. »Ach, ich weiß auch nicht. Ich weiß nicht, was er sich dabei dachte ... Er war schon immer ganz schrecklich jähzornig. Er hatte sich über irgendwas aufgeregt, und weil Papa unterwegs war, nahm er dessen Gewehr aus dem Waffenschrank, stieg aufs Dach und fing an, auf Vögel zu schießen, aber dann ... Schön, hinterher hat er mir erzählt, er hätte Spotty nicht treffen wollen. Aber er muss zumindest dicht an ihr vorbeigezielt haben, oder?«

Er hat sehr wohl auf sie gezielt, dachte Strike. *Auf diese Entfernung jagst du keine zwei Kugeln in einen Pferdekopf, wenn du nicht darauf zielst.*

»Dann ist er in Panik geraten«, fuhr Izzy fort. »Er hat Jack o' gerufen – ich meine, deinen Vater«, erklärte sie an Billy gewandt, »damit der ihm half, das Pferd zu vergraben. Als Papa heimkam, hat Freddie ihm dann erzählt, Spotty sei zusammengebrochen, er habe den Tierarzt gerufen und der habe sie mitgenommen – aber natürlich hat die Geschichte keine zwei Minuten gehalten. Papa *tobte*, als er die Wahrheit erfuhr. Tierquälerei konnte er nicht ertragen. Mir brach das Herz, als ich die Geschichte hörte. Ich hab Spotty geliebt.«

»Du hast nicht zufällig ein Kreuz an der Stelle aufgestellt, wo sie vergraben worden war, Izzy?«, wollte Robin wissen, deren Gabel auf halbem Weg zum Mund in der Luft innegehalten hatte.

»Woher in aller Welt *weißt* du das?«, fragte Izzy ungläubig. Tränen kullerten ihr übers Gesicht, und sie griff wieder nach ihrem Taschentuch.

Der Wolkenbruch hatte noch immer nicht nachgelassen, als Strike und Robin gemeinsam von der Brasserie über das Chelsea Embankment in Richtung Albert Bridge gingen. Die Oberfläche der ewig dahinrollenden Themse kräuselte sich kaum sichtbar unter dem dichter werdenden Regen, der Strikes Zigarette auszulöschen drohte und die wenigen Haarsträhnen durchtränkte, die unter der Kapuze von Robins Regenmantel hervorschauten.

»So ist sie, die Oberschicht«, stellte Strike fest. »Ein Kind zu würgen ist gar kein Problem. Aber wehe, du krümmst ihren Pferden ein Haar.«

»Das ist nicht ganz fair«, tadelte Robin ihn. »Immerhin findet Izzy, dass Raphael erbärmlich behandelt wurde.«

»Das ist nichts im Vergleich zu dem, was ihn in Dartmoor erwartet«, entgegnete Strike gleichgültig. »Mein Mitleid hält sich in Grenzen.«

»Ja«, sagte Robin, »das hast du mehr als deutlich gemacht.«

Ihre Schuhe schmatzten auf dem glänzend nassen Pflaster.

»Was macht dein Training?«, fragte Strike, der sich die Frage höchstens einmal pro Woche gestattete. »Machst du noch deine Übungen?«

»Pflichtbewusst«, erwiderte Robin.

»Du brauchst gar nicht schnippisch zu werden. Ich meine das ernst ...«

»Ich auch«, fiel ihm Robin ohne Groll ins Wort. »Ich tue, was ich tun muss. Ich hatte seit Wochen keine Panikattacke mehr. Wie geht's deinem Bein?«

»Wird langsam besser. Ich mach meine Dehnübungen. Halt mich beim Essen zurück.«

»Du hast eben einen halben Kartoffelacker und eine viertel Kuh vertilgt.«

»Das war das letzte Essen, das ich den Chiswells in Rechnung stellen konnte«, sagte Strike. »Das wollte ich ausnutzen. Was hast du heute Nachmittag vor?«

»Ich brauche noch die Unterlagen von Andy, dann telefoniere ich mit dem Kerl in Finsbury Park und sehe mal, ob er mit uns reden will. Ach ja, und Nick und Ilsa lassen fragen, ob du heute Abend auf ein Take-away-Curry vorbeikommen möchtest.«

Robin hatte den vereinten Vorhaltungen von Nick, Ilsa und Strike nachgegeben, dass es nicht gerade dienlich sei, in einer Abstellkammer in einem Haus voller Fremder zu hausen, nachdem sie gerade erst einer Art bewaffneter Geiselnahme entkommen war. In drei Tagen würde sie in ein Zimmer in Earl's Court ziehen: zu einem schwulen Schauspielerfreund von Ilsa, dessen Expartner kürzlich ausgezogen war. Die verbindlichen Anforderungen ihres neuen Mitbewohners beschränkten sich auf Sauberkeit, geistige Gesundheit und Toleranz gegenüber einem unregelmäßigen Tagesrhythmus.

»Gern«, sagte Strike. »Aber erst muss ich zurück ins Büro. Barclay schätzt, dass er Teflon-Doc diesmal endgültig am Wickel hat. Noch ein junges Mädchen, mit dem er im Hotel verschwunden und wieder herausgekommen ist.«

»Großartig«, sagte Robin. »Nein, ich meine nicht ›großartig‹, ich meine …«

»Es *ist* großartig«, widersprach Strike entschieden, während der Regen weiter auf sie herniederprasselte. »Noch ein zufriedener Klient. Unser Kontostand sieht fast schon untypisch gesund aus. Vielleicht wäre sogar eine klitzekleine Gehaltserhöhung für dich drin. Jedenfalls muss ich hier hoch – wir sehen uns dann später bei Nick und Ilsa!«

Sie winkten einander zum Abschied zu und ohne dem anderen das leise Lächeln zu zeigen, das beide im Gesicht trugen, sobald sie in sicherer Entfernung waren, und das der Gewissheit geschuldet war, dass sie sich in wenigen kurzen Stunden bei Nick und Ilsa auf ein Curry und Bier wiedersehen würden. Doch schon kurz darauf war Robin in Gedanken bereits wieder bei den Fragen, die ihr ein Mann in Finsbury Park beantworten sollte.

Mit gegen den Regen gesenktem Kopf hatte sie im Vorübereilen keinen Blick für die grandiose Stadtvilla übrig, deren regenfleckige Fenster dem breiten Fluss zugewandt waren und deren Doppeltür zwei Zwillingsschwäne zierten.

DANKSAGUNG

Aus Gründen, die nicht ausschließlich der Komplexität der Handlung geschuldet sind, war *Weißer Tod* eines der anspruchsvollsten Bücher, die ich je geschrieben habe; zugleich ist es auch eins meiner liebsten. Geschafft hätte ich das keinesfalls ohne die Hilfe der folgenden Menschen:

David Shelley, mein wunderbarer Verleger, ließ mir die Zeit, die ich brauchte, um den Roman exakt so fertigzustellen, wie ich ihn haben wollte. Ohne sein Verständnis, seine Geduld und sein Talent hätte es womöglich kein *Weißer Tod* gegeben.

Mein Ehemann Neil las das Manuskript, noch während ich es schrieb. Sein Feedback war unverzichtbar, außerdem unterstützte er mich in tausend praktischen Dingen, aber ich glaube, am dankbarsten bin ich ihm dafür, dass er nie fragte, warum ich mir in den Kopf gesetzt hatte, einen so dicken, komplexen Roman zu schreiben, während ich gleichzeitig an einem Theaterstück und zwei Drehbüchern arbeitete. Ich weiß, dass er den Grund kennt, aber es gibt trotzdem nicht viele Menschen, die der Versuchung widerstanden hätten.

Mr. Galbraith kann sein Glück immer noch nicht fassen, einen so fantastischen Agenten zu haben, der ihm obendrein auch noch ein guter Freund ist. Danke, anderer Neil (Blair).

Bei der Recherche der verschiedenen Örtlichkeiten, die Strike und Robin im Verlauf dieser Geschichte besuchen, haben mir viele geholfen und mich großzügig an ihren Erfahrungen und ihrem Wissen teilhaben lassen. Mein tiefster Dank geht an:

Simon Berry und Stephen Fry, die mich zu einem fabelhaften, unvergesslichen Lunch ins Pratt's mitnahmen und es mir ermöglichten, einen Blick in das Wettbuch zu werfen; Jess Phillips MP, die mir mit unglaublicher Hilfsbereitschaft eine Insiderführung durch das Unterhaus und Portcullis House gab und gemeinsam mit Sophie Francis-Cansfield, David Doig und Ian Stevens zahllose Fragen über das Leben in Westminster beantwortete; Baroness Joanna Shields, die mir so viel von ihrer Zeit schenkte, mich durch das Ministerium für Kultur und Sport führte, all meine Fragen beantwortete und mir einen Besuch in Lancaster House ermöglichte; Raquel Black, die nicht hilfsbereiter hätte sein können und Fotos für mich machte, als mein Akku leer war; Ian Chapman und James Yorke, die mir eine fantastische Führung durch Lancaster House gaben; und Brian Spanner für den Tagesausflug zur Horse Isle.

Völlig verloren wäre ich ohne mein Büroteam und die Unterstützung zu Hause. Darum meinen tiefsten Dank an Di Brooks, Danni Cameron, Angela Milne, Ross Milne und Kaisa Tiensuu für all die harte Arbeit und gute Laune, die beide gleichermaßen wichtig sind.

Ich hoffe, dass Fiona Shapcott nach sechzehn gemeinsamen Jahren genau weiß, wie viel sie mir bedeutet. Danke, Fi, für alles.

Mein Freund David Goodwin war und ist eine unerschöpfliche Inspirationsquelle, ohne ihn wäre dieses Buch nicht das geworden, was es ist.

Die QSC hingegen waren reine Stolpersteine.

Mark Hutchinson, Rebecca Salt und Nicky Stonehill danke ich dafür, dass sie dieses Jahr alles am Laufen gehalten haben, und ganz besonders für jene Phasen, in denen sie *mich* am Laufen gehalten haben.

Und zu guter, nein bester Letzt danke ich meinen Kindern Jessica, David und Kenzie, die mich ertragen müssen. Eine Autorin zur Mutter zu haben ist nicht immer leicht, aber die Welt wäre nichts ohne euch und Dad.

Zitate aus »Rosmersholm«: *Henrik Ibsen, Sämtliche Werke*, übers. v. Georg Brandes, S. Fischer, Berlin 1907.

»Wherever You Will Go« (S. 38 und 41): Text und Musik Aaron Kamin und Alex Band. © 2001 Alex Band Music/Universal Music Careers/BMG Platinum Songs/Amadeo Music. Universal Music Publishing MGB Limited/BMG Rights Management (US) LLC. Alle Rechte vorbehalten. Genehmigung durch Hal Leonard Europe Limited.

»No Woman No Cry« (S. 128 und 129): Vincent Ford. Fifty Six Hope Road Music Limited/Primary Wave/Blue Mountain Music. Alle Rechte vorbehalten.

»Dies ist der Tochter der Notwendigkeit, der jungfräulichen Lachesis, Rede!« (S. 250): *Platon, Platons Werke*, F. Schleiermacher 1817–26, Neudruck Akademie Verlag, Berlin 1984.

»Where Have You Been« (S. 547): Text und Musik Lukasz Gottwald, Geoff Mack, Adam Wiles, Esther Dean und Henry Russell Walter. © 2012 Kasz Money Publishing/Dat Damn Dean Music/Prescription Songs/Songs Of Universal Inc/Oneirology Publishing/TSJ Merlyn Licensing BV/Hill And Range Southwind Mus S A. Carlin Music Corporation/Kobalt Music Publishing Limited/Universal/MCA Music Limited/EMI Music Publishing Limited. Alle Rechte vorbehalten. Genehmigung durch Hal Leonhard Europe Limited.

»**Niggas in Paris**« (S. 584 und 586): Text und Musik Reverend W. A. Donaldson, Kanye West, Chauncey Hollis, Shawn Carter und Mike Dean. © 2011 Unichappell Music Inc. (BMI)/EMI Blackwood Music Inc./Songs Of Universal Inc./Please Gimme My Publishing Inc./U Can't Teach Bein' The Shhh Inc./Carter Boys Music (ASCAP)/Papa George Music (BMI). EMI Music Publishing Limited/Universal/MCA Music Limited. Alle Rechte von Papa George Music, Carter Boys Music und Unichappell Music Inc. durch Warner/Chappell North America Ltd. Alle Rechte vorbehalten. Genehmigung durch Hal Leonard Europe Limited, Sony/ATV Music Publishing und Warner/Chappell North America Ltd.

»**Black Trombone**« (S. 843 und 844): Text Serge Gainsbourg, © Warner Chappell Music, Imagem Music.

»**Le Chanson de Prevert**« (S. 850): Text Serge Gainsbourg, © Warner Chappell Music, Imagem Music.